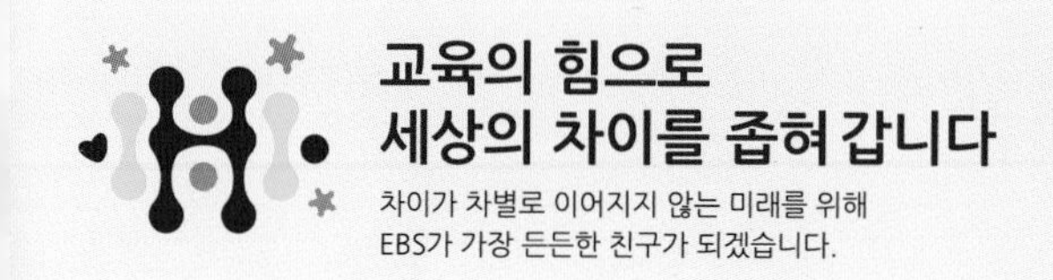

2025학년도

수능 연계교재 수능완성

수학영역

수학 Ⅰ · 수학 Ⅱ · 기하

기획 및 개발
권태완
정윤원
최희선
송지숙(개발총괄위원)

감수
한국교육과정평가원

책임 편집
임혜원
정혜선
최은아

본 교재의 강의는 TV와 모바일 APP, EBSi 사이트(www.ebsi.co.kr)에서 무료로 제공됩니다.

발행일 2024. 5. 20. **1쇄 인쇄일** 2024. 5. 13. **신고번호** 제2017-000193호 **펴낸곳** 한국교육방송공사 경기도 고양시 일산동구 한류월드로 281
표지디자인 ㈜무닉 **내지디자인** 다우 **내지조판** ㈜글사랑 **인쇄** 팩컴코리아㈜
인쇄 과정 중 잘못된 교재는 구입하신 곳에서 교환하여 드립니다. 신규 사업 및 교재 광고 문의 pub@ebs.co.kr

정답과 풀이 PDF 파일은 EBS*i* 사이트(www.ebs*i*.co.kr)에서 내려받으실 수 있습니다.

울산대학교
UNIVERSITY OF ULSAN

2025학년도

수능 연계교재

수능완성

수학영역

수학 I · 수학 II · 기하

이 책의 **구성과 특징** STRUCTURE

이 책의 구성

❶ 유형편

유형에 제시된 필수유형 문제와 문항들로 유형별 학습을 할 수 있도록 하였다.

❷ 실전편

실전 모의고사 5회 구성으로 수능에 대비할 수 있도록 하였다.

2025학년도 대학수학능력시험 수학영역

❶ 출제원칙

수학 교과의 특성을 고려하여 개념과 원리를 바탕으로 한 사고력 중심의 문항을 출제한다.

❷ 출제방향

- 단순 암기에 의해 해결할 수 있는 문항이나 지나치게 복잡한 계산 위주의 문항 출제를 지양하고 계산, 이해, 추론, 문제해결 능력을 평가할 수 있는 문항을 출제한다.
- 2015 개정 수학과 교육과정에 따라 이수한 수학 과목의 개념과 원리 등은 출제범위에 속하는 내용과 통합하여 출제할 수 있다.
- 수학영역은 교육과정에 제시된 수학 교과의 수학Ⅰ, 수학Ⅱ, 확률과 통계, 미적분, 기하 과목을 바탕으로 출제한다.

❸ 출제범위

- '공통과목+선택과목' 구조에 따라 공통과목(수학Ⅰ, 수학Ⅱ)은 공통 응시하고 선택과목(확률과 통계, 미적분, 기하) 중 1개 과목을 선택한다.

구분 / 영역	문항수	문항유형	배점		시험 시간	출제범위(선택과목)
			문항	전체		
수학	30	5지 선다형, 단답형	2점 3점 4점	100점	100분	• 공통과목: 수학Ⅰ, 수학Ⅱ • 선택과목(택1): 확률과 통계, 미적분, 기하 • 공통 75%, 선택 25% 내외 • 단답형 30% 포함

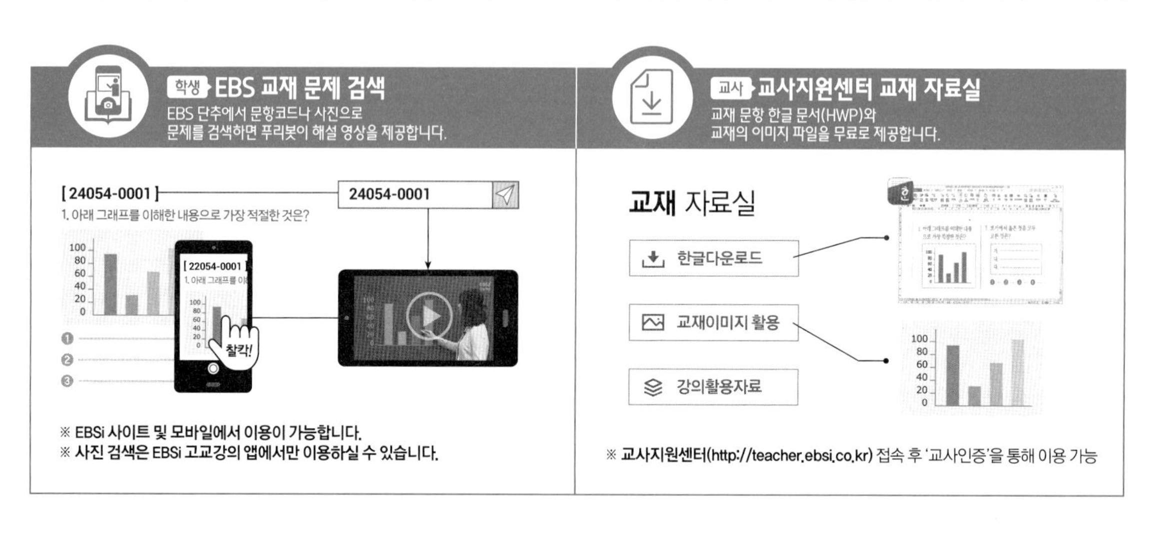

이 책의 차례 CONTENTS

유형편

01 지수함수와 로그함수

Note

1 거듭제곱근의 성질

(1) 실수 a와 2 이상의 자연수 n에 대하여 a의 n제곱근 중 실수인 것은 다음과 같다.

	$a>0$	$a=0$	$a<0$
n이 짝수	$\sqrt[n]{a}$, $-\sqrt[n]{a}$	0	없다.
n이 홀수	$\sqrt[n]{a}$	0	$\sqrt[n]{a}$

(2) $a>0$, $b>0$이고 m, n이 2 이상의 자연수일 때

① $(\sqrt[n]{a})^n=a$

② $\sqrt[n]{a}\sqrt[n]{b}=\sqrt[n]{ab}$

③ $\dfrac{\sqrt[n]{a}}{\sqrt[n]{b}}=\sqrt[n]{\dfrac{a}{b}}$

④ $(\sqrt[n]{a})^m=\sqrt[n]{a^m}$

⑤ $\sqrt[m]{\sqrt[n]{a}}=\sqrt[mn]{a}=\sqrt[n]{\sqrt[m]{a}}$

⑥ $\sqrt[np]{a^{mp}}=\sqrt[n]{a^m}$ (단, p는 자연수)

2 지수의 확장(1) – 정수

(1) $a\neq0$이고 n이 양의 정수일 때

① $a^0=1$

② $a^{-n}=\dfrac{1}{a^n}$

(2) $a\neq0$, $b\neq0$이고 m, n이 정수일 때

① $a^ma^n=a^{m+n}$ ② $a^m\div a^n=a^{m-n}$ ③ $(a^m)^n=a^{mn}$ ④ $(ab)^n=a^nb^n$

3 지수의 확장(2) – 유리수와 실수

(1) $a>0$이고 m이 정수, n이 2 이상의 자연수일 때

① $a^{\frac{1}{n}}=\sqrt[n]{a}$

② $a^{\frac{m}{n}}=\sqrt[n]{a^m}$

(2) $a>0$, $b>0$이고 r, s가 유리수일 때

① $a^ra^s=a^{r+s}$ ② $a^r\div a^s=a^{r-s}$ ③ $(a^r)^s=a^{rs}$ ④ $(ab)^r=a^rb^r$

(3) $a>0$, $b>0$이고 x, y가 실수일 때

① $a^xa^y=a^{x+y}$ ② $a^x\div a^y=a^{x-y}$ ③ $(a^x)^y=a^{xy}$ ④ $(ab)^x=a^xb^x$

4 로그의 뜻과 조건

(1) 로그의 뜻 : $a>0$, $a\neq1$, $N>0$일 때, $a^x=N \Longleftrightarrow x=\log_a N$

(2) 로그의 밑과 진수의 조건 : $\log_a N$이 정의되려면 밑 a는 $a>0$, $a\neq1$이고 진수 N은 $N>0$이어야 한다.

5 로그의 성질

$a>0$, $a\neq1$이고 $M>0$, $N>0$일 때

(1) $\log_a 1=0$, $\log_a a=1$

(2) $\log_a MN=\log_a M+\log_a N$

(3) $\log_a \dfrac{M}{N}=\log_a M-\log_a N$

(4) $\log_a M^k=k\log_a M$ (단, k는 실수)

6 로그의 밑의 변환

(1) $a>0$, $a\neq1$, $b>0$, $c>0$, $c\neq1$일 때, $\log_a b=\dfrac{\log_c b}{\log_c a}$

(2) 로그의 밑의 변환의 활용 : $a>0$, $a\neq1$, $b>0$, $c>0$일 때

① $\log_a b=\dfrac{1}{\log_b a}$ (단, $b\neq1$)

② $\log_a b\times\log_b c=\log_a c$ (단, $b\neq1$)

③ $\log_{a^m} b^n=\dfrac{n}{m}\log_a b$ (단, m, n은 실수이고 $m\neq0$)

④ $a^{\log_b c}=c^{\log_b a}$ (단, $b\neq1$)

Note

7 지수함수의 뜻과 그래프

(1) $y=a^x$ $(a>0,\ a\neq1)$을 a를 밑으로 하는 지수함수라고 한다.

(2) 지수함수 $y=a^x$ $(a>0,\ a\neq1)$의 그래프는 다음 그림과 같다.

① $a>1$일 때

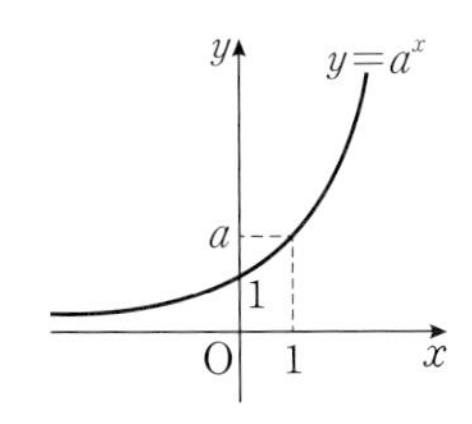

② $0<a<1$일 때

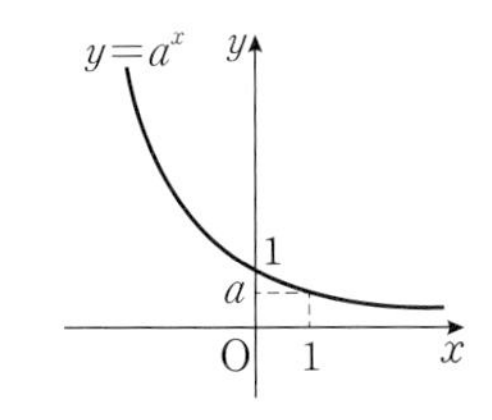

8 지수함수 $y=a^x$ $(a>0,\ a\neq1)$의 성질

(1) $a>1$일 때, x의 값이 증가하면 y의 값도 증가한다.
$0<a<1$일 때, x의 값이 증가하면 y의 값은 감소한다.

(2) a의 값에 관계없이 그래프는 점 $(0,\ 1)$을 지나고, 점근선은 x축(직선 $y=0$)이다.

(3) 함수 $y=a^x$의 그래프와 함수 $y=\left(\frac{1}{a}\right)^x$의 그래프는 서로 y축에 대하여 대칭이다.

(4) 함수 $y=a^{x-m}+n$의 그래프는 함수 $y=a^x$의 그래프를 x축의 방향으로 m만큼, y축의 방향으로 n만큼 평행이동한 것이다.

9 지수함수의 활용

(1) $a>0,\ a\neq1$일 때, $a^{f(x)}=a^{g(x)} \iff f(x)=g(x)$

(2) $a>1$일 때, $a^{f(x)}<a^{g(x)} \iff f(x)<g(x)$
$0<a<1$일 때, $a^{f(x)}<a^{g(x)} \iff f(x)>g(x)$

10 로그함수의 뜻과 그래프

(1) $y=\log_a x$ $(a>0,\ a\neq1)$을 a를 밑으로 하는 로그함수라고 한다.

(2) 로그함수 $y=\log_a x$ $(a>0,\ a\neq1)$의 그래프는 다음 그림과 같다.

① $a>1$일 때

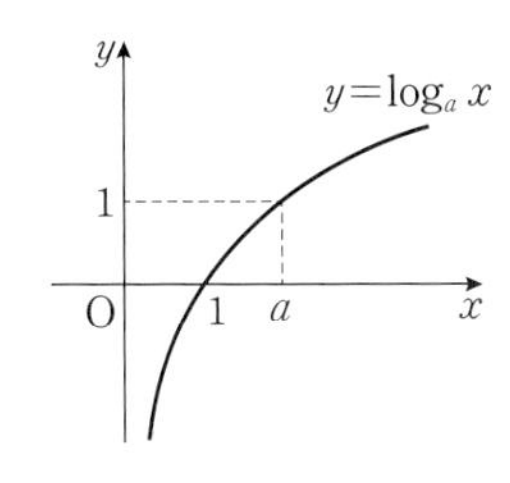

② $0<a<1$일 때

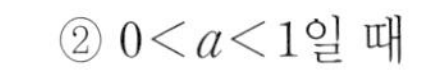

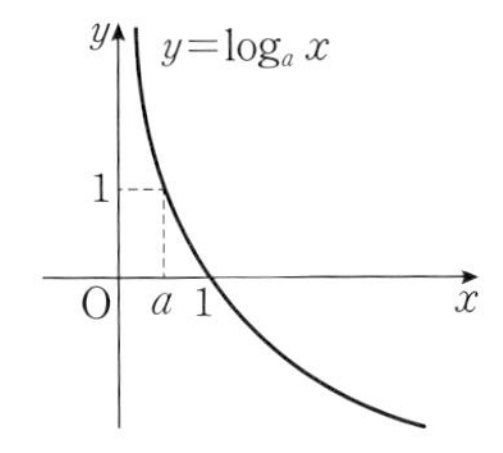

11 로그함수 $y=\log_a x$ $(a>0,\ a\neq1)$의 성질

(1) $a>1$일 때, x의 값이 증가하면 y의 값도 증가한다.
$0<a<1$일 때, x의 값이 증가하면 y의 값은 감소한다.

(2) a의 값에 관계없이 그래프는 점 $(1,\ 0)$을 지나고, 점근선은 y축(직선 $x=0$)이다.

(3) 함수 $y=\log_a x$의 그래프와 함수 $y=\log_{\frac{1}{a}} x$의 그래프는 서로 x축에 대하여 대칭이다.

(4) 함수 $y=\log_a(x-m)+n$의 그래프는 함수 $y=\log_a x$의 그래프를 x축의 방향으로 m만큼, y축의 방향으로 n만큼 평행이동한 것이다.

(5) 지수함수 $y=a^x$ $(a>0,\ a\neq1)$의 역함수는 로그함수 $y=\log_a x$ $(a>0,\ a\neq1)$이다.

12 로그함수의 활용

(1) $a>0,\ a\neq1$일 때, $\log_a f(x)=\log_a g(x) \iff f(x)=g(x),\ f(x)>0,\ g(x)>0$

(2) $a>1$일 때, $\log_a f(x)<\log_a g(x) \iff 0<f(x)<g(x)$
$0<a<1$일 때, $\log_a f(x)<\log_a g(x) \iff f(x)>g(x)>0$

유형 1 거듭제곱근의 뜻과 성질

출제경향 | 거듭제곱근의 뜻과 성질을 이용하는 문제가 출제된다.

출제유형잡기 | 거듭제곱근의 뜻과 성질을 이용하여 문제를 해결한다.

(1) 실수 a와 2 이상의 자연수 n에 대하여 a의 n제곱근 중 실수인 것은 다음과 같다.

	$a>0$	$a=0$	$a<0$
n이 짝수	$\sqrt[n]{a}$, $-\sqrt[n]{a}$	0	없다.
n이 홀수	$\sqrt[n]{a}$	0	$\sqrt[n]{a}$

(2) $a>0$, $b>0$이고 m, n이 2 이상의 자연수일 때

① $(\sqrt[n]{a})^n=a$

② $\sqrt[n]{a}\sqrt[n]{b}=\sqrt[n]{ab}$

③ $\dfrac{\sqrt[n]{a}}{\sqrt[n]{b}}=\sqrt[n]{\dfrac{a}{b}}$

④ $(\sqrt[n]{a})^m=\sqrt[n]{a^m}$

⑤ $\sqrt[m]{\sqrt[n]{a}}=\sqrt[mn]{a}=\sqrt[n]{\sqrt[m]{a}}$

⑥ $\sqrt[np]{a^{mp}}=\sqrt[n]{a^m}$ (단, p는 자연수)

필수유형 1 | 2021학년도 수능 6월 모의평가 |

자연수 n이 $2\le n\le 11$일 때, $-n^2+9n-18$의 n제곱근 중에서 음의 실수가 존재하도록 하는 모든 n의 값의 합은? [3점]

① 31 ② 33 ③ 35
④ 37 ⑤ 39

01

▸ 24054-0001

$\sqrt[8]{2}\times\sqrt[4]{2}\times\sqrt[8]{32}+\sqrt[3]{3}\times\sqrt[3]{9}$의 값은?

① 4 ② 5 ③ 6
④ 7 ⑤ 8

02

▸ 24054-0002

양수 k에 대하여 k의 세제곱근 중 실수인 것과 $2k$의 네제곱근 중 양의 실수인 것이 서로 같을 때, k의 값은?

① 5 ② 6 ③ 7
④ 8 ⑤ 9

03

▸ 24054-0003

모든 자연수 n에 대하여

$$\sqrt[2n+1]{a^2+3}+\sqrt[2n+1]{7(1-a)}=0$$

이 되도록 하는 모든 실수 a의 값의 합은?

① 3 ② 4 ③ 5
④ 6 ⑤ 7

04

▸ 24054-0004

자연수 n $(n\ge 2)$와 양수 a에 대하여 $(n-a)(n-a-4)$의 n제곱근 중 실수인 것의 개수를 $f(n)$이라 하자.
$f(2)+f(3)+f(4)=4$일 때, a의 값은?

① 3 ② $\dfrac{7}{2}$ ③ 4
④ $\dfrac{9}{2}$ ⑤ 5

유형 2 지수의 확장과 지수법칙

출제경향 | 거듭제곱근을 지수가 유리수인 꼴로 나타내는 문제, 지수법칙을 이용하여 식의 값을 구하는 문제가 출제된다.

출제유형잡기 | 지수법칙을 이용하여 문제를 해결한다.

(1) 0 또는 음의 정수인 지수

$a\neq 0$이고 n이 양의 정수일 때

① $a^0=1$　　② $a^{-n}=\frac{1}{a^n}$

(2) 유리수인 지수

$a>0$이고 m이 정수, n이 2 이상의 자연수일 때

① $a^{\frac{1}{n}}=\sqrt[n]{a}$　　② $a^{\frac{m}{n}}=\sqrt[n]{a^m}$

(3) 지수법칙

$a>0$, $b>0$이고 x, y가 실수일 때

① $a^xa^y=a^{x+y}$　　② $a^x\div a^y=a^{x-y}$

③ $(a^x)^y=a^{xy}$　　④ $(ab)^x=a^xb^x$

필수유형 2

| 2024학년도 수능 |

$\sqrt[3]{24}\times 3^{\frac{2}{3}}$의 값은? [2점]

① 6　② 7　③ 8　④ 9　⑤ 10

05

▸ 24054-0005

$\left(\frac{1}{5}\right)^{\frac{1}{3}}\times 5^{-\sqrt{3}}\times\left(5^{\frac{4}{9}+\frac{\sqrt{3}}{3}}\right)^3$의 값은?

① $\frac{1}{25}$　② $\frac{1}{5}$　③ 1　④ 5　⑤ 25

06

▸ 24054-0006

두 양수 a, b에 대하여

$$a^{b^2+\frac{a}{b}}=2^{\frac{1}{b}},\ a^{\frac{1}{b}}=4^{b^2-\frac{a}{b}}$$

일 때, b^6-a^2의 값은? (단, $a\neq 1$)

① $\frac{1}{2}$　② 1　③ $\frac{3}{2}$　④ 2　⑤ $\frac{5}{2}$

07

▸ 24054-0007

자연수 k에 대하여 $\sqrt[n]{(2^k)^5}$의 값이 자연수가 되도록 하는 2 이상의 자연수 n의 개수를 $f(k)$라 할 때, $f(k)=3$을 만족시키는 25 이하의 모든 k의 값의 합을 구하시오.

정답과 풀이 3쪽

유형 3 로그의 뜻과 기본 성질

출제경향 | 로그의 뜻과 로그의 성질을 이용하여 주어진 식의 값을 구하는 문제가 출제된다.

출제유형잡기 | 로그의 뜻과 로그의 성질을 이용하여 문제를 해결한다.

(1) $a>0$, $a\neq1$, $N>0$일 때, $a^x=N \Longleftrightarrow x=\log_a N$

(2) $\log_a N$이 정의되려면 밑 a는 $a>0$, $a\neq1$이고 진수 N은 $N>0$이어야 한다.

(3) 로그의 성질

$a>0$, $a\neq1$이고 $M>0$, $N>0$일 때

① $\log_a 1=0$, $\log_a a=1$

② $\log_a MN=\log_a M+\log_a N$

③ $\log_a \frac{M}{N}=\log_a M-\log_a N$

④ $\log_a M^k=k\log_a M$ (단, k는 실수)

필수유형 3

| 2024학년도 수능 |

수직선 위의 두 점 $\mathrm{P}(\log_5 3)$, $\mathrm{Q}(\log_5 12)$에 대하여 선분 PQ를 $m:(1-m)$으로 내분하는 점의 좌표가 1일 때, 4^m의 값은? (단, m은 $0<m<1$인 상수이다.) [4점]

① $\frac{7}{6}$ ② $\frac{4}{3}$ ③ $\frac{3}{2}$
④ $\frac{5}{3}$ ⑤ $\frac{11}{6}$

08

▸ 24054-0008

$\log_3 \frac{5}{8}+\log_3 \frac{36}{5}-\log_3 \frac{1}{2}$의 값은?

① 1 ② $\frac{3}{2}$ ③ 2
④ $\frac{5}{2}$ ⑤ 3

09

▸ 24054-0009

자연수 n에 대하여 집합 A_n을

$A_n=\{(a, b)\,|\,\log_2 a+\log_2 b=n,\ a,\ b\text{는 자연수}\}$

라 하자. 집합 A_n의 모든 원소 (a, b)에 대하여 $a+b>2\sqrt{2^n}$이 성립하도록 하는 10 이하의 모든 자연수 n의 개수는?

① 2 ② 3 ③ 4
④ 5 ⑤ 6

10

▸ 24054-0010

자연수 a에 대하여 $\log_{|x-a|}\{-|x-a^2+1|+2\}$가 정의되도록 하는 모든 정수 x의 개수를 $f(a)$라 할 때, $f(a)=3$을 만족시키는 a의 최솟값을 구하시오.

11

▸ 24054-0011

다음 조건을 만족시키는 정수 m에 대하여 2^m의 최댓값과 최솟값의 합이 k일 때, $8k$의 값을 구하시오.

> $\log_2 a-\log_2 b+\log_2 c-\log_2 d=m$을 만족시키는 2 이상 8 이하의 서로 다른 네 자연수 a, b, c, d가 존재한다.

유형 4 로그의 여러 가지 성질

출제경향 | 로그의 여러 가지 성질을 이용하여 주어진 식의 값을 구하는 문제가 출제된다.

출제유형잡기 | 로그의 여러 가지 성질을 이용하여 문제를 해결한다.

(1) 로그의 밑의 변환

$a>0$, $a\neq1$, $b>0$, $c>0$, $c\neq1$일 때

$$\log_a b=\frac{\log_c b}{\log_c a}$$

(2) 로그의 밑의 변환의 활용

$a>0$, $a\neq1$, $b>0$, $c>0$일 때

① $\log_a b=\frac{1}{\log_b a}$ (단, $b\neq1$)

② $\log_a b\times\log_b c=\log_a c$ (단, $b\neq1$)

③ $\log_{a^m} b^n=\frac{n}{m}\log_a b$ (단, m, n은 실수이고, $m\neq0$)

④ $a^{\log_b c}=c^{\log_b a}$ (단, $b\neq1$)

필수유형 4

| 2024학년도 수능 9월 모의평가 |

두 실수 a, b가

$$3a+2b=\log_3 32,\ ab=\log_9 2$$

를 만족시킬 때, $\frac{1}{3a}+\frac{1}{2b}$의 값은? [3점]

① $\frac{5}{12}$ ② $\frac{5}{6}$ ③ $\frac{5}{4}$
④ $\frac{5}{3}$ ⑤ $\frac{25}{12}$

12

▶ 24054-0012

$\log_4 27\times\log_9 8\times(2^{\log_3 5})^{\log_5 9}$의 값은?

① 9 ② 10 ③ 11
④ 12 ⑤ 13

13

▶ 24054-0013

$a>0$, $a\neq1$인 실수 a에 대하여

$$2^{\log_a 9}=3^{\log_5 8}$$

일 때, $\log_a 5$의 값은?

① 1 ② $\frac{3}{2}$ ③ 2
④ $\frac{5}{2}$ ⑤ 3

14

▶ 24054-0014

실수 a에 대하여 두 집합 A, B를

$$A=\{x\,|\,x^2+ax-9=0,\ x\text{는 양의 실수}\},$$

$$B=\{y\,|\,\log_5 y\times\log_y 7=\log_5 7,\ y\text{는 실수}\}$$

라 하자. 집합 A가 집합 B의 부분집합이 아닐 때, a의 값을 구하시오.

유형 5 지수함수와 로그함수의 그래프

출제경향 | 지수함수와 로그함수의 성질과 그 그래프의 특징을 이해하고 있는지를 묻는 문제가 출제된다.

출제유형잡기 | 지수함수와 로그함수의 밑의 범위에 따른 증가와 감소, 그래프의 점근선, 평행이동과 대칭이동을 이해하여 문제를 해결한다.

필수유형 5 | 2024학년도 수능 6월 모의평가 |

상수 a $(a>2)$에 대하여 함수 $y=\log_2(x-a)$의 그래프의 점근선이 두 곡선 $y=\log_2\frac{x}{4}$, $y=\log_{\frac{1}{2}}x$와 만나는 점을 각각 A, B라 하자. $\overline{AB}=4$일 때, a의 값은? [3점]

① 4 ② 6 ③ 8 ④ 10 ⑤ 12

15

▸ 24054-0015

함수 $y=\log_2(kx+2k^2+1)$의 그래프가 x축과 만나는 점의 x좌표가 -6일 때, 양수 k의 값은?

① 1 ② $\frac{3}{2}$ ③ 2 ④ $\frac{5}{2}$ ⑤ 3

16

▸ 24054-0016

곡선 $y=2^{x+5}$을 x축의 방향으로 a만큼 평행이동한 곡선을 나타내는 함수를 $y=f(x)$라 하고, 곡선 $y=\left(\frac{1}{2}\right)^{x+7}$을 x축의 방향으로 a^2만큼 평행이동한 후 y축에 대하여 대칭이동한 곡선을 나타내는 함수를 $y=g(x)$라 하자. 모든 실수 x에 대하여 $f(x)=g(x)$일 때, 양수 a의 값은?

① 2 ② $\frac{5}{2}$ ③ 3 ④ $\frac{7}{2}$ ⑤ 4

17

▸ 24054-0017

두 상수 a $(a>1)$, b $(0<b<1)$에 대하여 곡선 $y=a^x-\frac{1}{2}$이 x축, y축과 만나는 점을 각각 A, B라 하고, 곡선 $y=b^x-\frac{1}{2}$이 x축과 만나는 점을 C라 하자. 삼각형 ACB가 정삼각형일 때, $a^{\frac{2\sqrt{3}}{3}}\times b^{\frac{\sqrt{3}}{3}}$의 값은?

① 2 ② $\frac{5}{2}$ ③ 3 ④ $\frac{7}{2}$ ⑤ 4

18

▸ 24054-0018

그림과 같이 $k>1$인 상수 k에 대하여 두 함수 $f(x)=\log_4 x$, $g(x)=\log_k(-x)$가 있다.
두 곡선 $y=f(x)$, $y=g(x)$가 x축과 만나는 점을 각각 A, B라 하자. 곡선 $y=f(x)$ 위의 점 P에 대하여 직선 AP의 기울기를 m_1, 직선 BP의 기울기를 m_2, 직선 AP가 곡선 $y=g(x)$와 만나는 점을 Q(a, b)라 하자.
$\frac{m_2}{m_1}=\frac{3}{5}$, $k^b=-\frac{9}{7}b$일 때, a의 값은?
(단, 점 P는 제1사분면 위의 점이고, a, b는 상수이다.)

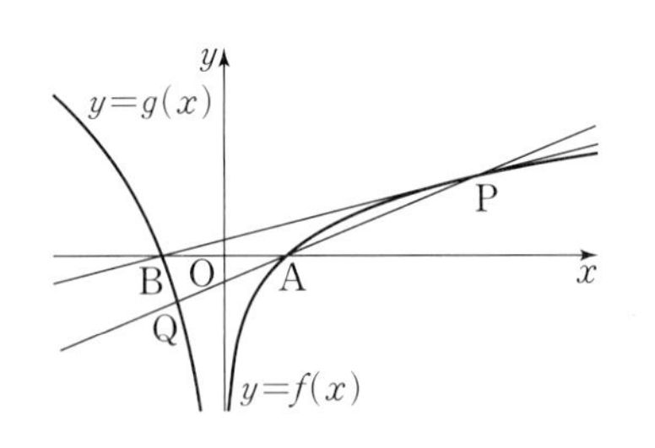

① $-\frac{7}{8}$ ② $-\frac{13}{16}$ ③ $-\frac{3}{4}$ ④ $-\frac{11}{16}$ ⑤ $-\frac{5}{8}$

유형 6 지수함수와 로그함수의 활용

출제경향 | 지수 또는 진수에 미지수가 포함된 방정식, 지수 또는 진수에 미지수가 포함된 부등식의 해를 구하는 문제가 출제된다.

출제유형잡기 | 지수 또는 진수에 미지수가 포함된 방정식, 지수 또는 진수에 미지수가 포함된 부등식의 해를 구할 때는 다음 성질을 이용하여 문제를 해결한다.

(1) $a>0$, $a\neq1$일 때, $a^{f(x)}=a^{g(x)} \iff f(x)=g(x)$

(2) $a>1$일 때, $a^{f(x)}<a^{g(x)} \iff f(x)<g(x)$

$0<a<1$일 때, $a^{f(x)}<a^{g(x)} \iff f(x)>g(x)$

(3) $a>0$, $a\neq1$일 때, $\log_a f(x)=\log_a g(x)$

$\iff f(x)=g(x)$, $f(x)>0$, $g(x)>0$

(4) $a>1$일 때, $\log_a f(x)<\log_a g(x) \iff 0<f(x)<g(x)$

$0<a<1$일 때, $\log_a f(x)<\log_a g(x) \iff f(x)>g(x)>0$

필수유형 6 | 2024학년도 수능 6월 모의평가 |

부등식 $2^{x-6}\le\left(\frac{1}{4}\right)^x$을 만족시키는 모든 자연수 x의 값의 합을 구하시오. [3점]

19
▶ 24054-0019

방정식

$$2^{x^2-7}=4^{x+4}$$

을 만족시키는 모든 실수 x의 값의 합은?

① -2 ② -1 ③ 0
④ 1 ⑤ 2

20
▶ 24054-0020

부등식

$$\log_2(2x+a)\le\log_2(-x^2+4)$$

의 해가 $x=b$일 때, $a+b$의 값은?

(단, a, b는 상수이고, $a>-4$이다.)

① 1 ② 2 ③ 3
④ 4 ⑤ 5

21
▶ 24054-0021

최고차항의 계수가 1인 이차함수 $f(x)$에 대하여
방정식 $3^{\{f(x)\}^2-5}=3^{f(x)+1}$의 서로 다른 실근의 개수는 3이고,
방정식 $\log_3[\{f(x)\}^2-5]=\log_3\{f(x)+1\}$의 서로 다른 모든 실근의 합은 6일 때, $f(5)$의 값은?

① 1 ② 2 ③ 3
④ 4 ⑤ 5

유형 7 지수함수와 로그함수의 관계

출제경향 | 지수함수의 그래프와 로그함수의 그래프를 활용하는 문제가 출제된다.

출제유형잡기 | 지수함수의 그래프와 로그함수의 그래프, 지수의 성질과 로그의 성질을 이용하여 문제를 해결한다.

필수유형 7

| 2022학년도 수능 9월 모의평가 |

$a>1$인 실수 a에 대하여 직선 $y=-x+4$가 두 곡선 $y=a^{x-1}$, $y=\log_a(x-1)$과 만나는 점을 각각 A, B라 하고, 곡선 $y=a^{x-1}$이 y축과 만나는 점을 C라 하자. $\overline{AB}=2\sqrt{2}$일 때, 삼각형 ABC의 넓이는 S이다. $50\times S$의 값을 구하시오.

[4점]

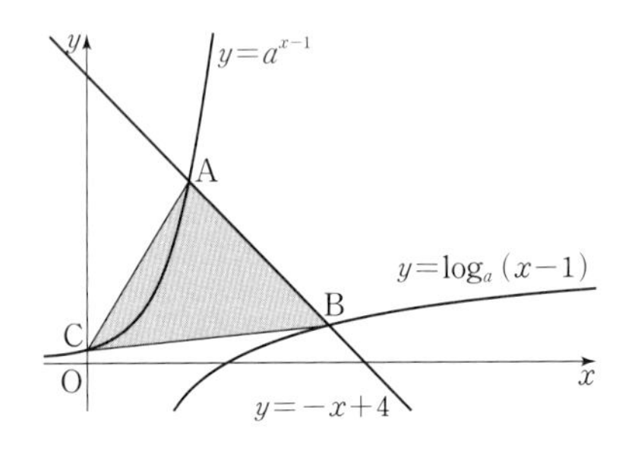

22

▸ 24054-0022

함수 $f(x)=2^{x-5}+a$의 역함수가 $g(x)=\log_2(x-7)+b$일 때, $a+b$의 값은? (단, a, b는 상수이다.)

① 10 ② 11 ③ 12 ④ 13 ⑤ 14

23

▸ 24054-0023

함수 $f(x)=\begin{cases} \left(\frac{1}{2}\right)^{x-3} & (x\le 2) \\ -\log_2 x+3 & (x>2) \end{cases}$에 대하여

$\sum_{n=1}^{6} f\left(f\left(\frac{n}{2}\right)\right)$의 값은?

① 10 ② $\frac{21}{2}$ ③ 11 ④ $\frac{23}{2}$ ⑤ 12

24

▸ 24054-0024

그림과 같이 $a>1$인 상수 a와 $k>a+1$인 상수 k에 대하여 직선 $y=-x+k$가 곡선 $y=\log_a x$와 만나는 점을 A라 하고, 직선 $y=-x+\frac{10}{3}k$가 두 곡선 $y=a^{x+1}+1$, $y=\log_a x$와 만나는 점을 각각 B, C라 하자.

직선 $y=x$가 두 직선 $y=-x+k$, $y=-x+\frac{10}{3}k$와 만나는 점을 각각 D, E라 할 때, $\overline{AD}=\frac{\sqrt{2}}{6}k$, $\overline{CE}=\sqrt{2}k$이다. $a\times\overline{BE}$의 값은? (단, 곡선 $y=\log_a x$와 직선 $y=x$는 만나지 않는다.)

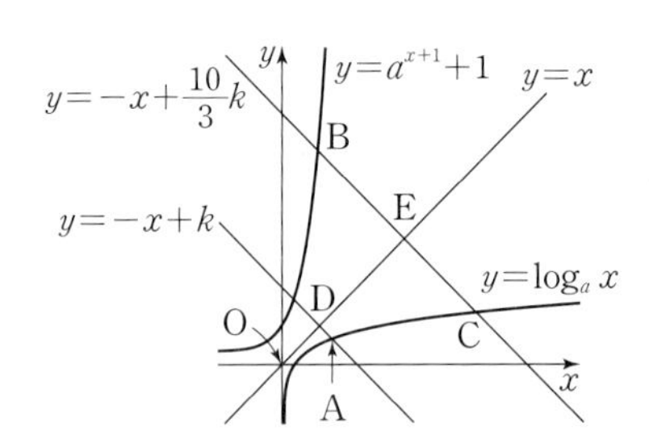

① $11\sqrt{2}$ ② $12\sqrt{2}$ ③ $13\sqrt{2}$ ④ $14\sqrt{2}$ ⑤ $15\sqrt{2}$

유형 8 지수함수와 로그함수의 최댓값과 최솟값

출제경향 | 주어진 범위에서 지수함수와 로그함수의 증가와 감소를 이용하여 최댓값과 최솟값을 구하는 문제가 출제된다.

출제유형잡기 | 밑의 범위에 따른 지수함수와 로그함수의 증가와 감소를 이해하여 주어진 구간에서 지수함수 또는 로그함수의 최댓값과 최솟값을 구하는 문제를 해결한다.

필수유형 8 | 2021학년도 수능 6월 모의평가 |

함수

$$f(x)=2\log_{\frac{1}{2}}(x+k)$$

가 닫힌구간 $[0, 12]$에서 최댓값 -4, 최솟값 m을 갖는다. $k+m$의 값은? (단, k는 상수이다.) [3점]

① -1　② -2　③ -3　④ -4　⑤ -5

25

▸ 24054-0025

$2\le x\le 4$에서 함수 $f(x)=3^x\times\log_2 x$의 최댓값과 최솟값의 합은?

① 171　② 172　③ 173　④ 174　⑤ 175

26

▸ 24054-0026

닫힌구간 $[1, 3]$에서 정의된 두 함수

$$f(x)=\left(\frac{a}{10}+\frac{3}{20}\right)^x,\ g(x)=\left(\frac{2a+4}{9}\right)^x$$

에 대하여 두 함수 $f(x)$, $g(x)$의 최솟값이 각각 $f(3)$, $g(1)$이 되도록 하는 모든 자연수 a의 개수를 구하시오.

27

▸ 24054-0027

두 실수 a, b $(a<b)$와 두 함수 $f(x)=x^2-4x+k$, $g(x)=\log_2 x$가 있다. $a\le x\le b$에서 함수 $(g\circ f)(x)$의 최댓값과 최솟값의 합이 0이 되는 a, b가 존재하도록 하는 정수 k의 최댓값은? (단, $a\le x\le b$에서 $f(x)>0$이다.)

① -4　② -2　③ 0　④ 2　⑤ 4

02 삼각함수

Note

① 일반각과 호도법

(1) 일반각 : 시초선 OX와 동경 OP가 나타내는 ∠XOP의 크기 중에서 하나를 $\alpha°$라 할 때, 동경 OP가 나타내는 각의 크기를 $360° \times n + \alpha°$ (n은 정수)로 나타내고, 이것을 동경 OP가 나타내는 일반각이라고 한다.

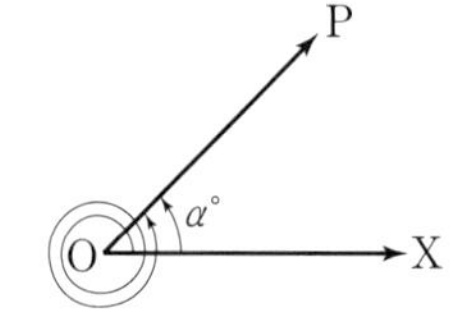

(2) 육십분법과 호도법의 관계

① 1라디안$=\dfrac{180°}{\pi}$　　② $1°=\dfrac{\pi}{180}$라디안

(3) 부채꼴의 호의 길이와 넓이

반지름의 길이가 r, 중심각의 크기가 θ(라디안)인 부채꼴에서 호의 길이를 l, 넓이를 S라 하면

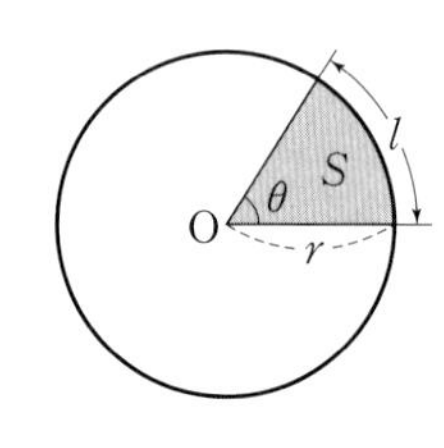

① $l=r\theta$　　② $S=\dfrac{1}{2}r^2\theta=\dfrac{1}{2}rl$

② 삼각함수의 정의와 삼각함수 사이의 관계

(1) 삼각함수의 정의

좌표평면에서 중심이 원점 O이고 반지름의 길이가 r인 원 위의 한 점을 $\mathrm{P}(x, y)$라 하고, x축의 양의 방향을 시초선으로 하는 동경 OP가 나타내는 각의 크기를 θ라 할 때, θ에 대한 삼각함수를 다음과 같이 정의한다.

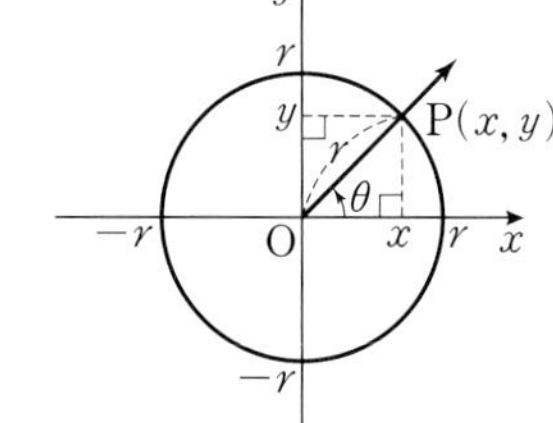

$$\sin\theta=\frac{y}{r},\ \cos\theta=\frac{x}{r},\ \tan\theta=\frac{y}{x}\ (x\neq 0)$$

(2) 삼각함수 사이의 관계

① $\tan\theta=\dfrac{\sin\theta}{\cos\theta}$　　② $\sin^2\theta+\cos^2\theta=1$

③ 삼각함수의 그래프

(1) 함수 $y=\sin x$의 그래프와 그 성질

① 정의역은 실수 전체의 집합이고, 치역은 $\{y \mid -1\le y\le 1\}$이다.

② 그래프는 원점에 대하여 대칭이다.

③ 주기가 2π인 주기함수이다. 즉, 모든 실수 x에 대하여 $\sin(2n\pi+x)=\sin x$ (n은 정수)이다.

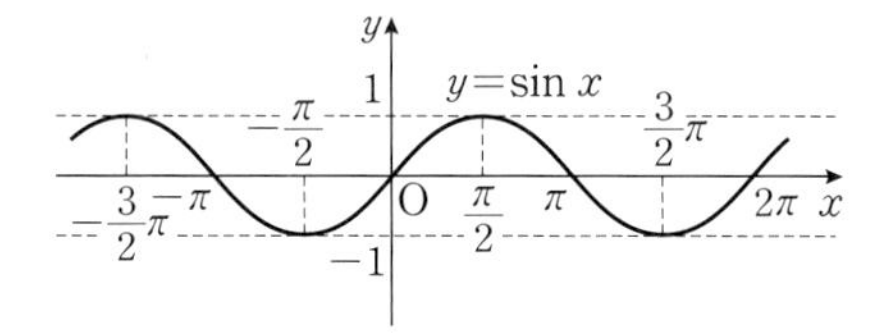

(2) 함수 $y=\cos x$의 그래프와 그 성질

① 정의역은 실수 전체의 집합이고, 치역은 $\{y \mid -1\le y\le 1\}$이다.

② 그래프는 y축에 대하여 대칭이다.

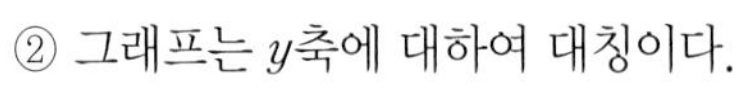

③ 주기가 2π인 주기함수이다. 즉, 모든 실수 x에 대하여 $\cos(2n\pi+x)=\cos x$ (n은 정수)이다.

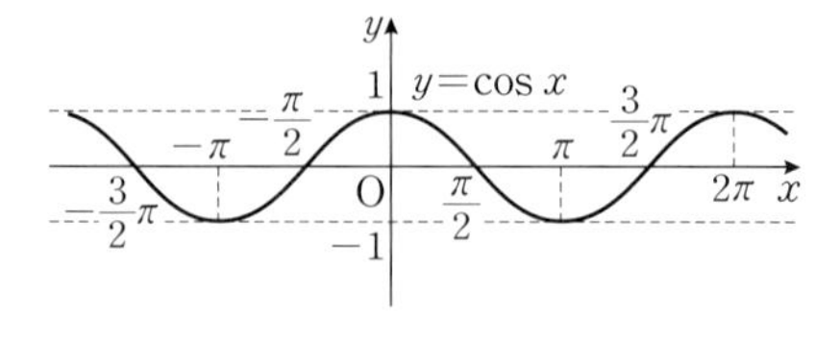

(3) 함수 $y=\tan x$의 그래프와 그 성질

① 정의역은 $x\neq n\pi+\dfrac{\pi}{2}$ (n은 정수)인 실수 전체의 집합이고, 치역은 실수 전체의 집합이다.

② 그래프는 원점에 대하여 대칭이다.

③ 주기가 π인 주기함수이다. 즉, 모든 실수 x에 대하여 $\tan(n\pi+x)=\tan x$ (n은 정수)이다.

④ 그래프의 점근선은 직선 $x=n\pi+\dfrac{\pi}{2}$ (n은 정수)이다.

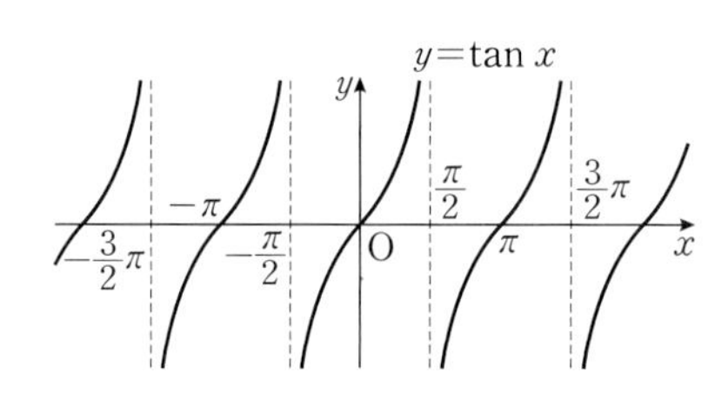

Note

수학 I

④ 삼각함수의 성질

(1) $2n\pi+x$의 삼각함수 (단, n은 정수)

① $\sin(2n\pi+x)=\sin x$　　② $\cos(2n\pi+x)=\cos x$　　③ $\tan(2n\pi+x)=\tan x$

(2) $-x$의 삼각함수

① $\sin(-x)=-\sin x$　　② $\cos(-x)=\cos x$　　③ $\tan(-x)=-\tan x$

(3) $\pi+x$의 삼각함수

① $\sin(\pi+x)=-\sin x$　　② $\cos(\pi+x)=-\cos x$　　③ $\tan(\pi+x)=\tan x$

(4) $\frac{\pi}{2}+x$의 삼각함수

① $\sin\left(\frac{\pi}{2}+x\right)=\cos x$　　② $\cos\left(\frac{\pi}{2}+x\right)=-\sin x$　　③ $\tan\left(\frac{\pi}{2}+x\right)=-\frac{1}{\tan x}$

⑤ 삼각함수의 활용

(1) 방정식에의 활용 : 방정식 $2\sin x-1=0$, $\sqrt{2}\cos x+1=0$, $\tan x-\sqrt{3}=0$과 같이 각의 크기가 미지수인 삼각함수를 포함한 방정식은 삼각함수의 그래프를 이용하여 다음과 같이 풀 수 있다.

① 주어진 방정식을 $\sin x=k$ ($\cos x=k$, $\tan x=k$)의 꼴로 변형한다.

② 주어진 범위에서 함수 $y=\sin x$ ($y=\cos x$, $y=\tan x$)의 그래프와 직선 $y=k$를 그린 후 두 그래프의 교점의 x좌표를 찾아서 해를 구한다.

(2) 부등식에의 활용 : 부등식 $2\sin x+1>0$, $2\cos x-\sqrt{3}<0$, $\tan x-1<0$과 같이 각의 크기가 미지수인 삼각함수를 포함한 부등식은 삼각함수의 그래프를 이용하여 다음과 같이 풀 수 있다.

① 주어진 부등식을 $\sin x>k$ ($\cos x<k$, $\tan x<k$)의 꼴로 변형한다.

② 주어진 범위에서 함수 $y=\sin x$ ($y=\cos x$, $y=\tan x$)의 그래프와 직선 $y=k$를 그린 후 두 그래프의 교점의 x좌표를 찾는다.

③ 함수 $y=\sin x$ ($y=\cos x$, $y=\tan x$)의 그래프가 직선 $y=k$보다 위쪽(또는 아래쪽)에 있는 x의 값의 범위를 찾아서 해를 구한다.

⑥ 사인법칙

삼각형 ABC의 외접원의 반지름의 길이를 R이라 하면

$$\frac{a}{\sin A}=\frac{b}{\sin B}=\frac{c}{\sin C}=2R$$

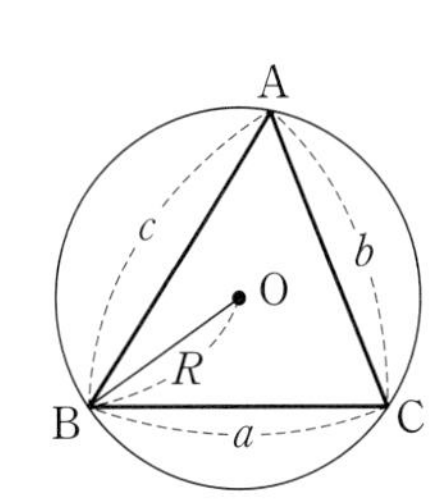

⑦ 코사인법칙

삼각형 ABC에서

(1) $a^2=b^2+c^2-2bc\cos A$　　(2) $b^2=c^2+a^2-2ca\cos B$

(3) $c^2=a^2+b^2-2ab\cos C$

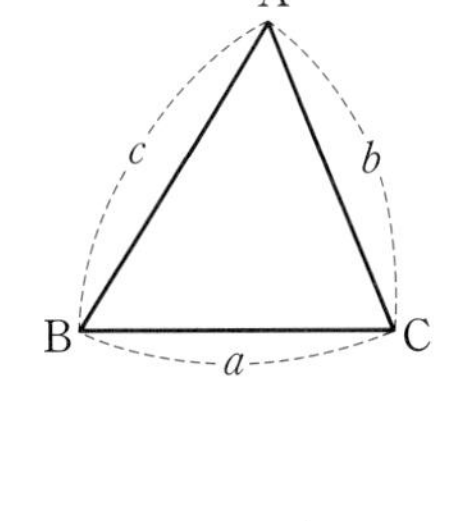

참고 코사인법칙을 변형하면 다음과 같은 식을 얻을 수 있다.

(1) $\cos A=\frac{b^2+c^2-a^2}{2bc}$　　(2) $\cos B=\frac{c^2+a^2-b^2}{2ca}$

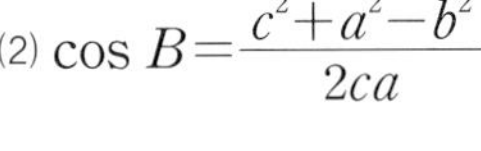

(3) $\cos C=\frac{a^2+b^2-c^2}{2ab}$

⑧ 삼각형의 넓이

삼각형 ABC의 넓이를 S라 하면

$$S=\frac{1}{2}ab\sin C=\frac{1}{2}bc\sin A=\frac{1}{2}ca\sin B$$

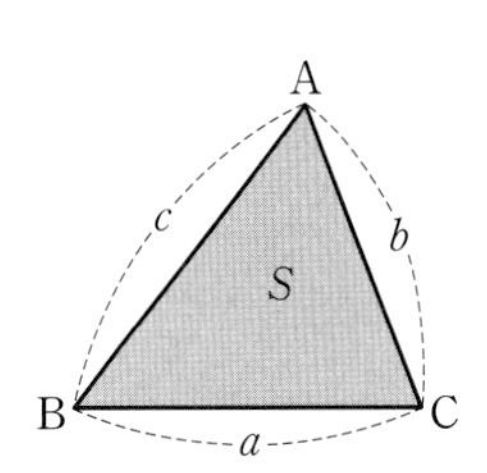

유형 1 부채꼴의 호의 길이와 넓이

출제경향 | 호도법을 이용하여 부채꼴의 호의 길이와 넓이를 구하는 문제가 출제된다.

출제유형잡기 | 부채꼴의 반지름의 길이 r과 중심각의 크기 θ가 주어질 때, 부채꼴의 호의 길이 l과 넓이 S는 다음을 이용하여 구한다.

(1) $l=r\theta$

(2) $S=\frac{1}{2}r^2\theta=\frac{1}{2}rl$

필수유형 1

중심각의 크기가 $\sqrt{3}$인 부채꼴의 넓이가 $12\sqrt{3}$일 때, 이 부채꼴의 반지름의 길이는?

① $\sqrt{22}$ ② $2\sqrt{6}$ ③ $\sqrt{26}$
④ $2\sqrt{7}$ ⑤ $\sqrt{30}$

01

▸ 24054-0028

그림과 같이 길이가 2인 선분 AB를 지름으로 하는 반원을 C_1이라 하고, 직선 AB와 점 B에서 접하고 반지름의 길이가 $\frac{1}{2}$인 원을 C_2라 할 때, 반원 C_1의 호 AB와 원 C_2가 만나는 점 중 B가 아닌 점을 P라 하자. 선분 AB의 중점을 O_1, 원 C_2의 중심을 O_2라 하자. 부채꼴 O_1BP의 호의 길이를 l_1, 부채꼴 O_2BP의 호의 길이를 l_2라 할 때, l_1+2l_2의 값은? (단, 부채꼴 O_1BP와 부채꼴 O_2BP의 중심각의 크기는 모두 π보다 작다.)

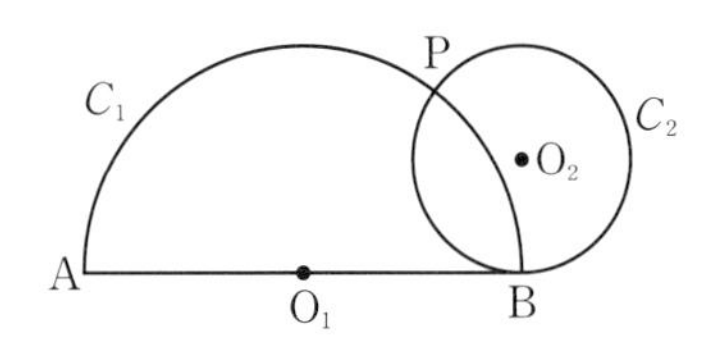

① $\frac{5}{8}\pi$ ② $\frac{3}{4}\pi$ ③ $\frac{7}{8}\pi$
④ π ⑤ $\frac{9}{8}\pi$

02

▸ 24054-0029

그림과 같이 $\overline{AB}=\overline{AD}=\overline{DC}=\frac{1}{2}\overline{BC}$이고 $\overline{AD}/\!/\overline{BC}$인 사다리꼴 ABCD의 내부와 선분 AB, CD를 각각 지름으로 하는 두 원의 외부의 공통부분의 넓이가 $15\sqrt{3}-4\pi$일 때, 사다리꼴 ABCD의 넓이는?

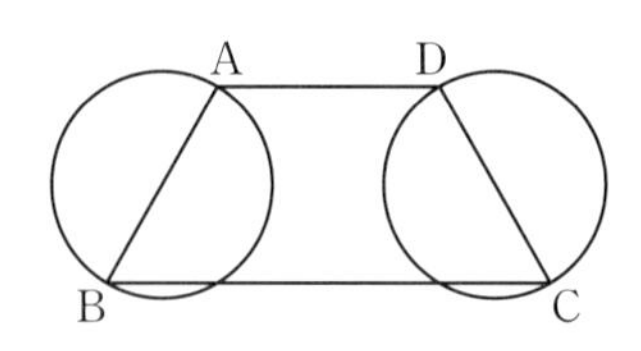

① $12\sqrt{3}$ ② $14\sqrt{3}$ ③ $16\sqrt{3}$
④ $18\sqrt{3}$ ⑤ $20\sqrt{3}$

03

▸ 24054-0030

그림과 같이 길이가 4인 선분 AB를 지름으로 하는 원 위의 점 P와 중심이 B이고 점 P를 지나는 원이 선분 AB와 만나는 점 Q에 대하여 호 AP의 길이를 l, 중심이 B인 부채꼴 BPQ의 넓이를 S라 하자. $\frac{S}{l}=\frac{2}{9}$일 때, 삼각형 ABP의 넓이는?

(단, $l<2\pi$이고, 중심이 B인 부채꼴 BPQ의 중심각의 크기는 $\frac{\pi}{2}$보다 작다.)

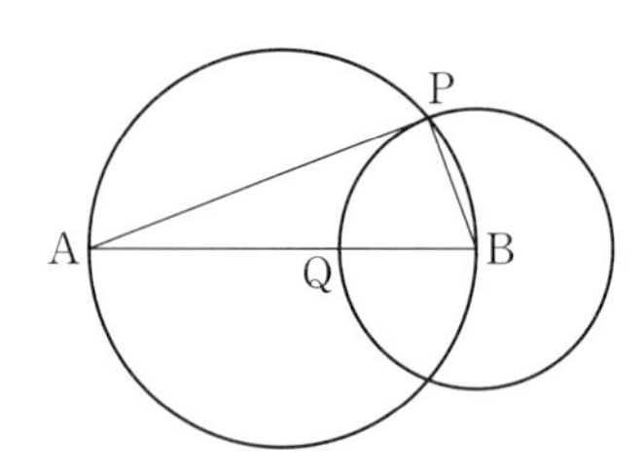

① $\frac{5\sqrt{2}}{3}$ ② $\frac{16\sqrt{2}}{9}$ ③ $\frac{17\sqrt{2}}{9}$
④ $2\sqrt{2}$ ⑤ $\frac{19\sqrt{2}}{9}$

유형 2 삼각함수의 정의와 삼각함수 사이의 관계

출제경향 | 삼각함수의 정의와 삼각함수 사이의 관계를 이용하여 식의 값을 구하는 문제가 출제된다.

출제유형잡기 | 삼각함수의 정의와 삼각함수 사이의 관계를 이용하여 문제를 해결한다.

(1) 각 θ를 나타내는 동경과 중심이 원점이고 반지름의 길이가 r인 원이 만나는 점의 좌표를 (x, y)라 하면

$$\sin\theta=\frac{y}{r},\ \cos\theta=\frac{x}{r},\ \tan\theta=\frac{y}{x}\ (x\neq 0)$$

(2) 삼각함수 사이의 관계

① $\tan\theta=\dfrac{\sin\theta}{\cos\theta}$

② $\sin^2\theta+\cos^2\theta=1$

필수유형 2

| 2023학년도 수능 6월 모의평가 |

$\dfrac{\pi}{2}<\theta<\pi$인 θ에 대하여 $\cos^2\theta=\dfrac{4}{9}$일 때, $\sin^2\theta+\cos\theta$의 값은? [3점]

① $-\dfrac{4}{9}$ ② $-\dfrac{1}{3}$ ③ $-\dfrac{2}{9}$ ④ $-\dfrac{1}{9}$ ⑤ 0

04

▸ 24054-0031

이차방정식 $x^2-4x-2=0$의 두 근을 α, β $(\alpha>\beta)$라 할 때, $\sin\theta-\cos\theta=\dfrac{\alpha-\beta}{\alpha+\beta}$를 만족시키는 θ에 대하여 $\sin\theta\cos\theta$의 값은?

① $-\dfrac{7}{12}$ ② $-\dfrac{1}{2}$ ③ $-\dfrac{5}{12}$ ④ $-\dfrac{1}{3}$ ⑤ $-\dfrac{1}{4}$

05

▸ 24054-0032

좌표평면에서 제2사분면에 있는 점 P를 y축에 대하여 대칭이동한 점을 Q라 하고, 점 P를 직선 $y=x$에 대하여 대칭이동한 점을 R이라 하자. 세 동경 OP, OQ, OR이 나타내는 각의 크기를 각각 α, β, γ라 하자.

$$\sin\alpha\cos\beta=\frac{2}{5},\ \cos(\angle\text{PQR})<0$$

일 때, $\tan\gamma$의 값은? (단, O는 원점이고, $\angle\text{PQR}<\pi$이다.)

① $-\dfrac{5}{2}$ ② -2 ③ $-\dfrac{3}{2}$ ④ -1 ⑤ $-\dfrac{1}{2}$

06

▸ 24054-0033

그림과 같이 원 C: $x^2+y^2=4$ 위의 제2사분면에 있는 점 P를 지나고 원 C에 접하는 직선이 y축과 만나는 점을 Q라 하고, 점 Q를 지나고 원 C와 P가 아닌 점에서 접하는 직선이 x축과 만나는 점을 R이라 하자. 동경 OP가 나타내는 각의 크기를 $\theta\left(\dfrac{\pi}{2}<\theta<\pi\right)$라 할 때, 사각형 ORQP의 넓이와 항상 같은 것은? (단, O는 원점이다.)

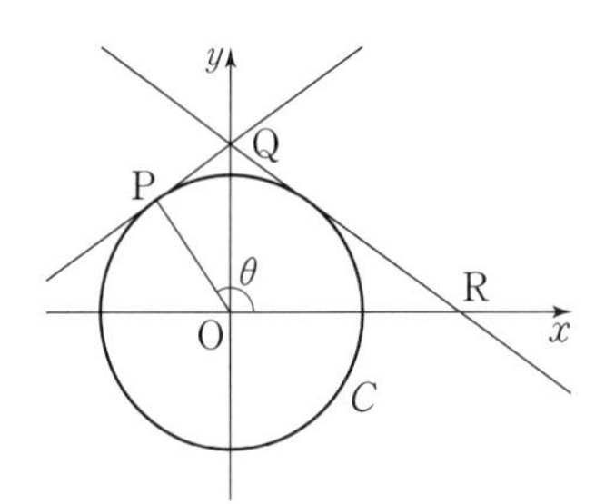

① $-\dfrac{2}{\sin\theta\cos\theta}$

② $-\dfrac{2}{\sin\theta}\left(\cos\theta+\dfrac{1}{\cos\theta}\right)$

③ $-\dfrac{1}{\sin\theta}\left(\cos\theta+\dfrac{1}{\cos\theta}\right)$

④ $-\dfrac{1}{\sin\theta\cos\theta}$

⑤ $\dfrac{1}{\sin\theta}$

유형 3 삼각함수의 그래프와 그 성질

출제경향 | 삼각함수의 성질과 그래프를 이용하여 삼각함수의 값을 구하거나 미지수의 값을 구하는 문제가 출제된다.

출제유형잡기 | 삼각함수의 그래프에서 주기, 최댓값, 최솟값 등을 이용하여 문제를 해결하거나 삼각함수의 성질을 이용하여 삼각함수의 값을 구하는 문제를 해결한다.

(1) 삼각함수의 그래프의 주기

0이 아닌 두 상수 a, b에 대하여 세 함수

$y=a\sin bx$, $y=a\cos bx$, $y=a\tan bx$

의 주기는 각각

$\frac{2\pi}{|b|}$, $\frac{2\pi}{|b|}$, $\frac{\pi}{|b|}$

이다.

(2) 여러 가지 각에 대한 삼각함수의 성질

① $\pi+\theta$의 삼각함수

㉠ $\sin(\pi+\theta)=-\sin\theta$ ㉡ $\cos(\pi+\theta)=-\cos\theta$

㉢ $\tan(\pi+\theta)=\tan\theta$

② $\pi-\theta$의 삼각함수

㉠ $\sin(\pi-\theta)=\sin\theta$ ㉡ $\cos(\pi-\theta)=-\cos\theta$

㉢ $\tan(\pi-\theta)=-\tan\theta$

③ $\frac{\pi}{2}+\theta$의 삼각함수

㉠ $\sin\left(\frac{\pi}{2}+\theta\right)=\cos\theta$ ㉡ $\cos\left(\frac{\pi}{2}+\theta\right)=-\sin\theta$

㉢ $\tan\left(\frac{\pi}{2}+\theta\right)=-\frac{1}{\tan\theta}$

④ $\frac{\pi}{2}-\theta$의 삼각함수

㉠ $\sin\left(\frac{\pi}{2}-\theta\right)=\cos\theta$ ㉡ $\cos\left(\frac{\pi}{2}-\theta\right)=\sin\theta$

㉢ $\tan\left(\frac{\pi}{2}-\theta\right)=\frac{1}{\tan\theta}$

필수유형 3

| 2024학년도 수능 6월 모의평가 |

$\cos\theta<0$이고 $\sin(-\theta)=\frac{1}{7}\cos\theta$일 때, $\sin\theta$의 값은?

[3점]

① $-\frac{3\sqrt{2}}{10}$ ② $-\frac{\sqrt{2}}{10}$ ③ 0
④ $\frac{\sqrt{2}}{10}$ ⑤ $\frac{3\sqrt{2}}{10}$

07

▸ 24054-0034

$\sin\left(\frac{5}{2}\pi+\theta\right)=\frac{\sqrt{6}}{3}$이고 $\sin\theta<0$일 때, $\tan\theta$의 값은?

① $-\frac{\sqrt{2}}{2}$ ② $-\frac{1}{2}$ ③ $\frac{1}{2}$
④ $\frac{\sqrt{2}}{2}$ ⑤ $\frac{\sqrt{3}}{2}$

08

▸ 24054-0035

$\frac{3}{2}\pi<\theta<2\pi$일 때,

$$\sin(\pi+\theta)+\frac{\sqrt{\cos^2\left(\frac{\pi}{2}-\theta\right)}}{|\tan\theta|}-|\sin\theta-\cos\theta|$$

를 간단히 한 것은?

① $-\cos\theta$ ② $-\sin\theta$ ③ 0
④ $\sin\theta$ ⑤ $\cos\theta$

09

▸ 24054-0036

직선 $y=\frac{1}{(2n-1)\pi}x-1$과 함수 $y=\sin x$의 그래프의 교점의 개수가 n^2이 되도록 하는 모든 자연수 n의 값의 합은?

① 1 ② 2 ③ 3
④ 4 ⑤ 5

10

▸ 24054-0037

그림은 함수 $f(x)=a\sin b\left(x+\frac{\pi}{3}\right)+c$의 그래프이다.

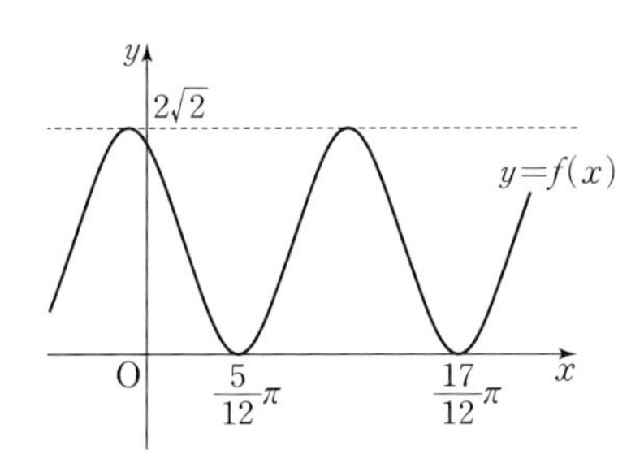

$a^2+b^2+c^2$의 값을 구하시오. (단, a, b, c는 상수이다.)

11

▸ 24054-0038

그림과 같이 양수 a에 대하여 함수

$f(x)=\left|\tan\frac{\pi x}{2a}\right|$ $(-a<x<a)$의 그래프 위의 제1사분면에 있는 점 P를 지나고 x축에 평행한 직선이 함수 $y=f(x)$의 그래프와 만나는 점 중에서 P가 아닌 점을 Q라 하자. 삼각형 OPQ가 한 변의 길이가 $\frac{4}{3}a$인 정삼각형일 때, $a\times f\left(-\frac{1}{2}\right)$의 값은?

(단, O는 원점이다.)

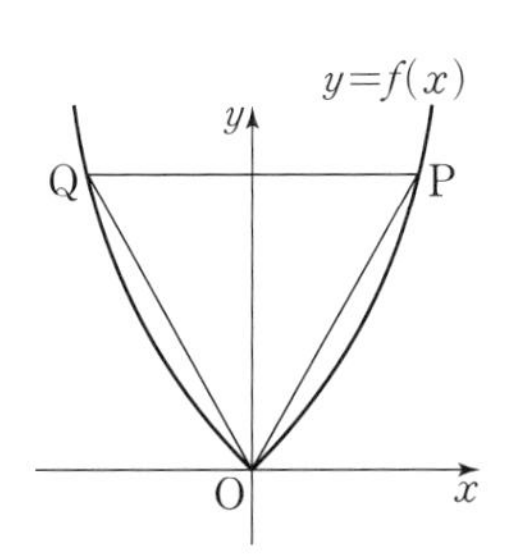

① $\frac{1}{3}$　② $\frac{\sqrt{3}}{3}$　③ $\frac{\sqrt{3}}{2}$　④ 1　⑤ $\sqrt{3}$

유형 4 삼각함수의 최댓값과 최솟값

출제경향 | 삼각함수 또는 삼각함수가 포함된 함수의 최댓값 또는 최솟값을 구하는 문제가 출제된다.

출제유형잡기 | 삼각함수 사이의 관계, 삼각함수의 성질 및 삼각함수의 그래프의 성질을 이용하여 삼각함수 또는 삼각함수가 포함된 함수의 최댓값 또는 최솟값을 구하는 문제를 해결한다.

세 상수 a $(a\neq0)$, b $(b\neq0)$, c에 대하여

(1) 함수 $y=a\sin bx+c$의 최댓값은 $|a|+c$, 최솟값은 $-|a|+c$이다.

(2) 함수 $y=a\cos bx+c$의 최댓값은 $|a|+c$, 최솟값은 $-|a|+c$이다.

필수유형 4　| 2023학년도 수능 |

함수

$$f(x)=a-\sqrt{3}\tan 2x$$

가 닫힌구간 $\left[-\frac{\pi}{6}, b\right]$에서 최댓값 7, 최솟값 3을 가질 때, $a\times b$의 값은? (단, a, b는 상수이다.) [4점]

① $\frac{\pi}{2}$　② $\frac{5\pi}{12}$　③ $\frac{\pi}{3}$　④ $\frac{\pi}{4}$　⑤ $\frac{\pi}{6}$

12

▸ 24054-0039

다음은 $0<\theta<2\pi$에서 함수

$$f(\theta)=\frac{3}{4-3\sin^2\theta}-4\sin^2\theta$$

의 최솟값을 구하는 과정이다.

> $4-3\sin^2\theta=t$로 놓으면
> $f(\theta)=$ (가)
> 이때 $t>0$이므로
> (가) $\geq$ (나)　…… ㉠
> 이때 부등식 ㉠에서 등호는 $\sin^2\theta=$ (다) 일 때 성립한다.
> 따라서 함수 $f(\theta)$는 $\sin^2\theta=$ (다) 일 때, 최솟값 (나) 를 갖는다.

위의 (가)에 알맞은 식을 $g(t)$, (나)와 (다)에 알맞은 수를 각각 p, q라 할 때, $g\left(-\frac{1}{p+q}\right)$의 값은?

① $-\frac{2}{3}$　② $-\frac{5}{6}$　③ -1　④ $-\frac{7}{6}$　⑤ $-\frac{4}{3}$

13

▸ 24054-0040

함수

$$f(x)=\sin^2\left(\frac{3}{2}\pi-x\right)+k\cos\left(x+\frac{\pi}{2}\right)+k+1$$

의 최댓값이 3이 되도록 하는 실수 k의 값은?

① $2(\sqrt{2}-1)$ ② $2(\sqrt{3}-1)$ ③ 2
④ $2(\sqrt{5}-1)$ ⑤ $2(\sqrt{6}-1)$

14

▸ 24054-0041

$0<t<2\pi$인 실수 t에 대하여 함수

$$f(x)=\begin{cases}\cos x-\cos t & (0\leq x\leq t)\\ \cos t-\cos x & (t<x\leq 2\pi)\end{cases}$$

의 최댓값을 $M(t)$, 최솟값을 $m(t)$라 하자. **보기**에서 옳은 것만을 있는 대로 고른 것은?

보기

ㄱ. $M\left(\frac{\pi}{2}\right)-m\left(\frac{\pi}{2}\right)=2$

ㄴ. $M(t)-m(t)=2$를 만족시키는 실수 t의 값의 범위는 $\frac{\pi}{2}\leq t\leq\frac{3}{2}\pi$이다.

ㄷ. $M(t)+m(t)=0$을 만족시키는 실수 t의 최댓값과 최솟값의 합은 2π이다.

① ㄱ ② ㄴ ③ ㄷ
④ ㄱ, ㄴ ⑤ ㄱ, ㄷ

유형 5 삼각함수를 포함한 방정식과 부등식

출제경향 | 삼각함수의 그래프와 삼각함수의 성질을 이용하여 삼각함수를 포함한 방정식과 부등식을 푸는 문제가 출제된다.

출제유형잡기 | 삼각함수의 그래프와 직선의 교점 또는 위치 관계를 이용하거나 삼각함수의 성질을 이용하여 각의 크기가 미지수인 삼각함수를 포함한 방정식 또는 부등식의 해를 구하는 문제를 해결한다.

필수유형 5

| 2024학년도 수능 6월 모의평가 |

두 자연수 a, b에 대하여 함수

$$f(x)=a\sin bx+8-a$$

가 다음 조건을 만족시킬 때, $a+b$의 값을 구하시오. [3점]

(가) 모든 실수 x에 대하여 $f(x)\geq 0$이다.
(나) $0\leq x<2\pi$일 때, x에 대한 방정식 $f(x)=0$의 서로 다른 실근의 개수는 4이다.

15

▸ 24054-0042

두 부등식

$$0<\log_{|\sin\theta|}\tan\theta<1,\ \left(\frac{\cos\theta}{\sin\theta}\right)^{\cos\theta+1}<\left(\frac{\sin\theta}{\cos\theta}\right)^{\cos\theta}$$

을 모두 만족시키는 θ의 값의 범위는? (단, $0\leq\theta\leq 2\pi$)

① $0<\theta<\frac{\pi}{4}$ ② $\frac{\pi}{3}<\theta<\frac{2}{3}\pi$ ③ $\pi<\theta<\frac{5}{4}\pi$
④ $\frac{4}{3}\pi<\theta<\frac{3}{2}\pi$ ⑤ $\frac{3}{2}\pi<\theta<\frac{7}{4}\pi$

16

▸ 24054-0043

x에 대한 이차함수

$$y=x^2-4x\sin\frac{n\pi}{6}+3-2\cos^2\frac{n\pi}{6}$$

의 그래프의 꼭짓점과 직선 $y=\frac{1}{2}x+\frac{3}{2}$ 사이의 거리가 $\frac{3\sqrt{5}}{5}$보다 작도록 하는 12 이하의 자연수 n의 개수는?

① 4　② 5　③ 6　④ 7　⑤ 8

17

▸ 24054-0044

$0\le t\le 2$인 실수 t에 대하여 x에 대한 이차방정식

$$(x-\sin\pi t)(x+\cos\pi t)=0$$

의 두 실근 중에서 작지 않은 것을 $\alpha(t)$, 크지 않은 것을 $\beta(t)$라 하자. **보기**에서 옳은 것만을 있는 대로 고른 것은?

보기

ㄱ. $\alpha\left(\frac{1}{2}\right)>\frac{1}{2}$

ㄴ. $\alpha(t)=\beta(t)$인 서로 다른 실수 t의 개수는 2이다.

ㄷ. $\alpha(s)=\beta\left(s+\frac{1}{2}\right)$을 만족시키는 실수 $s\left(0\le s\le\frac{3}{2}\right)$의 최댓값은 $\frac{5}{4}$이다.

① ㄱ　② ㄴ　③ ㄱ, ㄴ　④ ㄱ, ㄷ　⑤ ㄱ, ㄴ, ㄷ

유형 6 사인법칙과 코사인법칙의 활용

출제경향 | 삼각함수의 성질과 사인법칙, 코사인법칙을 이용하여 삼각형의 변의 길이, 각의 크기, 외접원의 반지름의 길이 등을 구하는 문제가 출제된다.

출제유형잡기 | 외접원의 반지름의 길이가 R인 삼각형 ABC에서 $\overline{AB}=c$, $\overline{BC}=a$, $\overline{CA}=b$일 때, 다음이 성립한다.

(1) 사인법칙

$$\frac{a}{\sin A}=\frac{b}{\sin B}=\frac{c}{\sin C}=2R$$

(2) 코사인법칙

① $a^2=b^2+c^2-2bc\cos A$

② $b^2=c^2+a^2-2ca\cos B$

③ $c^2=a^2+b^2-2ab\cos C$

필수유형 6

| 2023학년도 수능 |

그림과 같이 사각형 ABCD가 한 원에 내접하고

$$\overline{AB}=5,\ \overline{AC}=3\sqrt{5},\ \overline{AD}=7,\ \angle BAC=\angle CAD$$

일 때, 이 원의 반지름의 길이는? [4점]

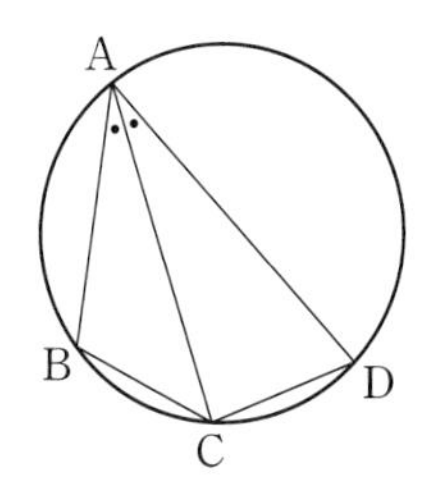

① $\frac{5\sqrt{2}}{2}$　② $\frac{8\sqrt{5}}{5}$　③ $\frac{5\sqrt{5}}{3}$　④ $\frac{8\sqrt{2}}{3}$　⑤ $\frac{9\sqrt{3}}{4}$

18

▸ 24054-0045

삼각형 ABC에서

$$\sin A=\sin C,\ \sin A:\sin B=2:3$$

일 때, $\frac{\cos A+\cos B}{\cos C}$의 값은?

① $\frac{1}{6}$　② $\frac{1}{3}$　③ $\frac{1}{2}$　④ $\frac{2}{3}$　⑤ $\frac{5}{6}$

19

▸ 24054-0046

그림과 같이 지름의 길이가 6인 원에 내접하고 $\overline{BC}=5$인 삼각형 ABC가 있다. $\overline{AB}=\overline{DE}$, $\overline{AB}/\!/\overline{DE}$를 만족시키는 원 위의 두 점 D, E에 대하여 $\cos(\angle ACB)>0$, $\cos(\angle EBD)=\frac{1}{3}$일 때, $\overline{AC}=p+q\sqrt{22}$이다. $9pq$의 값을 구하시오. (단, 두 직선 AD, BE는 한 점에서 만나고, p와 q는 유리수이다.)

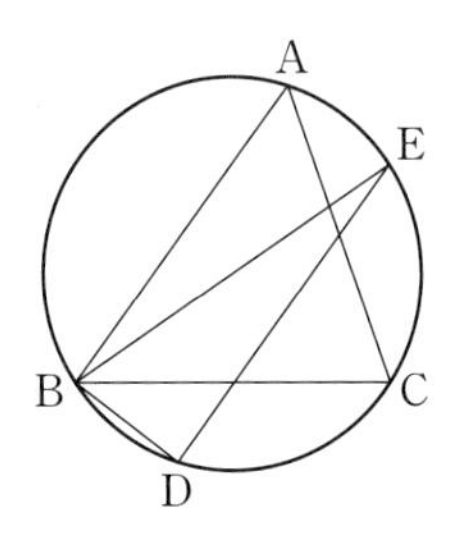

20

▸ 24054-0047

그림과 같이 반지름의 길이가 4이고, 중심각의 크기가 $\frac{\pi}{6}$인 부채꼴 OAB가 있다. 선분 OA 위의 점 P를 중심으로 하고 직선 OB와 점 H에서 접하는 원이 부채꼴 OAB의 호 AB와 만나는 점을 Q라 하고, 이 원이 직선 OA와 만나는 점 중 A에 가까운 점을 R이라 하자. 점 Q가 부채꼴 PRH의 호 RH를 이등분할 때, 부채꼴 PRH의 넓이는? $\left(\text{단, } \frac{8}{3}<\overline{OP}<4\right)$

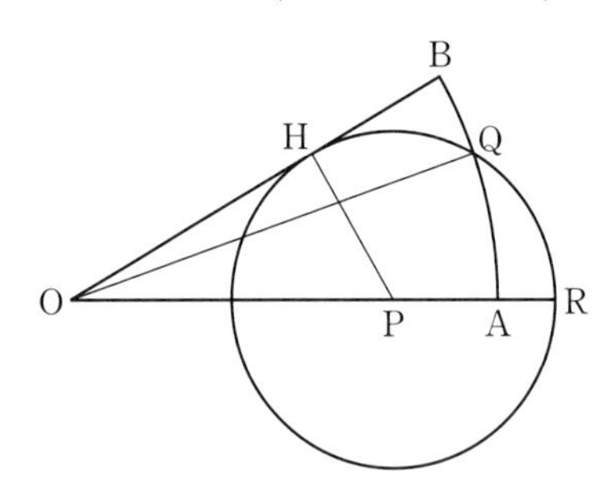

① $\frac{2}{3}\pi$ ② $\frac{5}{7}\pi$ ③ $\frac{16}{21}\pi$ ④ $\frac{17}{21}\pi$ ⑤ $\frac{6}{7}\pi$

21

▸ 24054-0048

그림과 같이 길이가 3인 선분 AB에 대하여 중심이 A이고 반지름의 길이가 2인 원 O_1과 중심이 B이고 반지름의 길이가 1인 원 O_2가 만나는 점을 C라 하자. 원 O_1 위의 점 P를 중심으로 하고 두 점 A, C를 지나는 원 O_3이 원 O_1과 만나는 점 중 C가 아닌 점을 D라 하고, 원 O_3이 원 O_2와 만나는 점 중 C가 아닌 점을 E라 할 때, 삼각형 EDC에서 $\sin(\angle EDC)$의 값은?

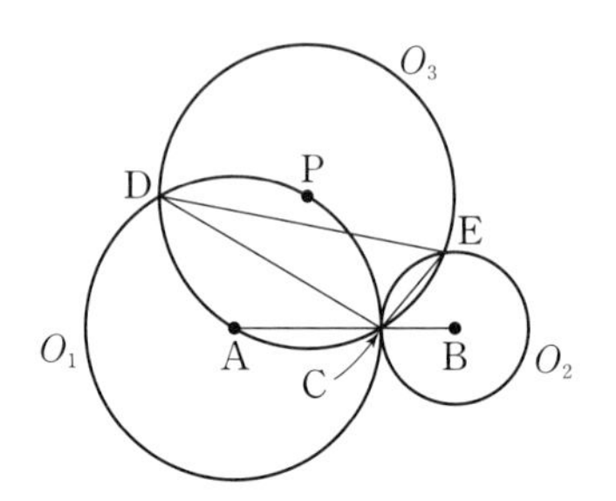

① $\frac{\sqrt{17}}{14}$ ② $\frac{\sqrt{19}}{14}$ ③ $\frac{\sqrt{21}}{14}$ ④ $\frac{\sqrt{23}}{14}$ ⑤ $\frac{5}{14}$

22

▸ 24054-0049

그림과 같이 $\overline{AB}:\overline{AC}=2:3$인 삼각형 ABC에서 선분 BC를 $3:2$로 내분하는 점을 D라 하자.
$\frac{\cos(\angle ABD)}{\cos(\angle ACD)}=\frac{1}{2}$일 때, $\frac{\overline{AD}}{\overline{AB}}$의 값은?

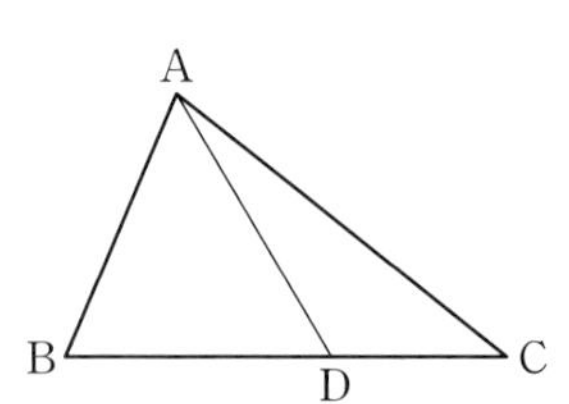

① $\frac{\sqrt{95}}{10}$ ② 1 ③ $\frac{\sqrt{105}}{10}$ ④ $\frac{\sqrt{110}}{10}$ ⑤ $\frac{\sqrt{115}}{10}$

03 수열

Note

① 등차수열

(1) 첫째항이 a, 공차가 d인 등차수열 $\{a_n\}$의 일반항 a_n은

$a_n=a+(n-1)d$ (단, $n=1, 2, 3, \cdots$)

(2) 세 수 a, b, c가 이 순서대로 등차수열을 이룰 때, b를 a와 c의 등차중항이라고 한다.

이때 $b-a=c-b$이므로 $b=\frac{a+c}{2}$이다. 역으로 $b=\frac{a+c}{2}$이면 세 수 a, b, c는 이 순서대로 등차수열을 이룬다.

참고 일반항 a_n이 n에 대한 일차식 $a_n=pn+q$ (p, q는 상수, $n=1, 2, 3, \cdots$)인 수열 $\{a_n\}$은 첫째항이 $p+q$, 공차가 p인 등차수열이다.

② 등차수열의 합

등차수열의 첫째항부터 제n항까지의 합 S_n은 다음과 같다.

(1) 첫째항이 a, 제n항이 l일 때, $S_n=\frac{n(a+l)}{2}$

(2) 첫째항이 a, 공차가 d일 때, $S_n=\frac{n\{2a+(n-1)d\}}{2}$

참고 첫째항부터 제n항까지의 합 S_n이 n에 대한 이차식 $S_n=pn^2+qn$ (p, q는 상수, $n=1, 2, 3, \cdots$)인 수열 $\{a_n\}$은 첫째항이 $p+q$이고 공차가 $2p$인 등차수열이다.

③ 등비수열

(1) 첫째항이 a, 공비가 r $(r\neq0)$인 등비수열 $\{a_n\}$의 일반항 a_n은

$a_n=ar^{n-1}$ (단, $n=1, 2, 3, \cdots$)

(2) 0이 아닌 세 수 a, b, c가 이 순서대로 등비수열을 이룰 때, b를 a와 c의 등비중항이라고 한다.

이때 $\frac{b}{a}=\frac{c}{b}$이므로 $b^2=ac$이다. 역으로 $b^2=ac$이면 세 수 a, b, c는 이 순서대로 등비수열을 이룬다.

④ 등비수열의 합

첫째항이 a, 공비가 r $(r\neq0)$인 등비수열의 첫째항부터 제n항까지의 합 S_n은 다음과 같다.

(1) $r=1$일 때, $S_n=na$

(2) $r\neq1$일 때, $S_n=\frac{a(r^n-1)}{r-1}=\frac{a(1-r^n)}{1-r}$

⑤ 수열의 합과 일반항 사이의 관계

수열 $\{a_n\}$의 첫째항부터 제n항까지의 합을 S_n이라 하면

$a_1=S_1$, $a_n=S_n-S_{n-1}$ (단, $n=2, 3, 4, \cdots$)

⑥ 합의 기호 $\sum$의 뜻

수열 $\{a_n\}$의 첫째항부터 제n항까지의 합 $a_1+a_2+a_3+\cdots+a_n$을 기호 $\sum$를 사용하여 다음과 같이 나타낸다.

$$a_1+a_2+a_3+\cdots+a_n=\sum_{k=1}^{n}a_k$$

제n항까지 / 일반항 / 첫째항부터

Note

⑦ 합의 기호 $\sum$의 성질

두 수열 $\{a_n\}$, $\{b_n\}$에 대하여

(1) $\sum_{k=1}^{n}(a_k+b_k)=\sum_{k=1}^{n}a_k+\sum_{k=1}^{n}b_k$

(2) $\sum_{k=1}^{n}(a_k-b_k)=\sum_{k=1}^{n}a_k-\sum_{k=1}^{n}b_k$

(3) $\sum_{k=1}^{n}ca_k=c\sum_{k=1}^{n}a_k$ (단, c는 상수)

(4) $\sum_{k=1}^{n}c=cn$ (단, c는 상수)

⑧ 자연수의 거듭제곱의 합

(1) $\sum_{k=1}^{n}k=1+2+3+\cdots+n=\frac{n(n+1)}{2}$

(2) $\sum_{k=1}^{n}k^2=1^2+2^2+3^2+\cdots+n^2=\frac{n(n+1)(2n+1)}{6}$

(3) $\sum_{k=1}^{n}k^3=1^3+2^3+3^3+\cdots+n^3=\left\{\frac{n(n+1)}{2}\right\}^2=\left(\sum_{k=1}^{n}k\right)^2$

⑨ 여러 가지 수열의 합

(1) 일반항이 분수 꼴이고 분모가 서로 다른 두 일차식의 곱으로 나타내어져 있을 때, 두 개의 분수로 분해하는 방법, 즉

$$\frac{1}{AB}=\frac{1}{B-A}\left(\frac{1}{A}-\frac{1}{B}\right)\ (A\neq B)$$

를 이용하여 계산한다.

① $\sum_{k=1}^{n}\frac{1}{k(k+a)}=\frac{1}{a}\sum_{k=1}^{n}\left(\frac{1}{k}-\frac{1}{k+a}\right)$ (단, $a\neq 0$)

② $\sum_{k=1}^{n}\frac{1}{(k+a)(k+b)}=\frac{1}{b-a}\sum_{k=1}^{n}\left(\frac{1}{k+a}-\frac{1}{k+b}\right)$ (단, $a\neq b$)

(2) 일반항의 분모가 근호가 있는 두 식의 합으로 나타내어져 있을 때, 분모를 유리화하는 방법을 이용하여 계산한다.

① $\sum_{k=1}^{n}\frac{1}{\sqrt{k+a}+\sqrt{k}}=\frac{1}{a}\sum_{k=1}^{n}(\sqrt{k+a}-\sqrt{k})$ (단, $a\neq 0$)

② $\sum_{k=1}^{n}\frac{1}{\sqrt{k+a}+\sqrt{k+b}}=\frac{1}{a-b}\sum_{k=1}^{n}(\sqrt{k+a}-\sqrt{k+b})$ (단, $a\neq b$)

⑩ 수열의 귀납적 정의

처음 몇 개의 항의 값과 이웃하는 항들 사이의 관계식으로 수열 $\{a_n\}$을 정의하는 것을 수열의 귀납적 정의라고 한다. 귀납적으로 정의된 수열 $\{a_n\}$의 항의 값을 구할 때에는 n에 1, 2, 3, $\cdots$을 차례로 대입한다.

예를 들면 $a_1=1$, $a_{n+1}=a_n+2\ (n=1, 2, 3, \cdots)$과 같이 귀납적으로 정의된 수열 $\{a_n\}$에서

$$a_2=a_1+2=1+2=3,\ a_3=a_2+2=3+2=5,\ a_4=a_3+2=5+2=7,\ \cdots$$

이므로 수열 $\{a_n\}$은 1, 3, 5, 7, $\cdots$이다.

⑪ 수학적 귀납법

자연수 n에 대한 명제 $p(n)$이 모든 자연수 n에 대하여 성립함을 증명하려면 다음 두 가지를 보이면 된다.

(i) $n=1$일 때, 명제 $p(n)$이 성립한다. 즉, $p(1)$이 성립한다.

(ii) $n=k$일 때, 명제 $p(n)$이 성립한다고 가정하면 $n=k+1$일 때도 명제 $p(n)$이 성립한다.

이와 같은 방법으로 모든 자연수 n에 대하여 명제 $p(n)$이 성립함을 증명하는 것을 수학적 귀납법이라고 한다.

유형 1 등차수열의 뜻과 일반항

출제경향 | 등차수열의 일반항을 이용하여 공차 또는 특정한 항의 값을 구하는 문제가 출제된다.

출제유형잡기 | 주어진 조건을 만족시키는 등차수열 $\{a_n\}$의 첫째항 a와 공차 d를 구한 후 등차수열의 일반항

$$a_n=a+(n-1)d\ (n=1, 2, 3, \cdots)$$

을 이용하여 문제를 해결한다.

특히 서로 다른 두 항 a_m과 a_n 사이에

$$a_m-a_n=(m-n)d$$

가 성립함을 이용하면 편리할 수 있다.

필수유형 1 | 2023학년도 수능 9월 모의평가 |

등차수열 $\{a_n\}$에 대하여

$$a_1=2a_5,\ a_8+a_{12}=-6$$

일 때, a_2의 값은? [3점]

① 17 ② 19 ③ 21
④ 23 ⑤ 25

01

▸ 24054-0050

등차수열 $\{a_n\}$에 대하여

$$a_1+a_3=0,\ a_3+2a_4+3a_5=14$$

일 때, a_{10}의 값은?

① 4 ② 5 ③ 6
④ 7 ⑤ 8

02

▸ 24054-0051

다음 조건을 만족시키는 모든 등차수열 $\{a_n\}$에 대하여 a_2의 최솟값은?

(가) 수열 $\{a_n\}$의 모든 항은 정수이다.
(나) $a_{10}<0,\ |a_4|-a_3=0$

① -1 ② 0 ③ 1
④ 2 ⑤ 3

03

▸ 24054-0052

공차가 양수인 등차수열 $\{a_n\}$에 대하여

$$(a_5)^2-(a_3)^2=4,\ (a_9)^2-(a_7)^2=20$$

일 때, a_4의 값은?

① $\frac{1}{2}$ ② 1 ③ 2
④ 4 ⑤ 8

수학 I

유형 2 등차수열의 합

출제경향 | 주어진 조건으로부터 등차수열의 합을 구하거나 등차수열의 합을 이용하여 첫째항, 공차, 특정한 항의 값을 구하는 문제가 출제된다.

출제유형잡기 | 주어진 조건에서 첫째항과 공차를 구하고 등차수열의 합의 공식을 이용하여 문제를 해결한다.
등차수열 $\{a_n\}$의 첫째항부터 제n항까지의 합을 S_n이라 할 때, 다음을 이용하여 S_n을 구한다.

(1) 첫째항이 a, 제n항(끝항)이 l일 때

$$S_n=\frac{n(a+l)}{2}$$

(2) 첫째항이 a, 공차가 d일 때

$$S_n=\frac{n\{2a+(n-1)d\}}{2}$$

필수유형 2 | 2021학년도 수능 6월 모의평가 |

공차가 2인 등차수열 $\{a_n\}$의 첫째항부터 제n항까지의 합을 S_n이라 하자. $S_k=-16$, $S_{k+2}=-12$를 만족시키는 자연수 k에 대하여 a_{2k}의 값을 구하시오. [4점]

04

▸ 24054-0053

등차수열 $\{a_n\}$에 대하여

$$a_1+a_2+a_3+\cdots+a_{10}=100,$$
$$a_1+a_2+a_3+a_4+a_5=2(a_6+a_7+a_8+a_9+a_{10})$$

일 때, a_4의 값을 구하시오.

05

▸ 24054-0054

공차가 0이 아닌 실수인 등차수열 $\{a_n\}$에 대하여

$$b_n=a_1-a_2+a_3-a_4+\cdots+(-1)^{n-1}a_n\ (n=1,\ 2,\ 3,\ \cdots)$$

이라 하자. $b_4=4$일 때, 수열 $\{b_{2n}\}$의 첫째항부터 제10항까지의 합은?

① 108 ② 110 ③ 112 ④ 114 ⑤ 116

06

▸ 24054-0055

자연수 n에 대하여 곡선 $y=\frac{x}{x-1}$와 직선 $y=nx$가 만나는 점 중 원점 O가 아닌 점을 P_n이라 하자. 점 A(1, 0)에 대하여 선분 AP_n 위의 점 중 점 A와의 거리가 자연수인 점의 개수를 a_n이라 하자. 수열 $\{a_n\}$의 첫째항부터 제8항까지의 합은?

① 41 ② 42 ③ 43 ④ 44 ⑤ 45

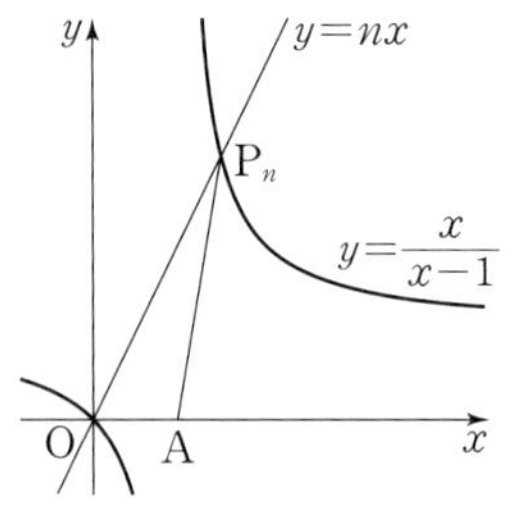

유형 3 등비수열의 뜻과 일반항

출제경향 | 등비수열의 일반항을 이용하여 공비 또는 특정한 항의 값을 구하는 문제가 출제된다.

출제유형잡기 | 주어진 조건을 만족시키는 등비수열 $\{a_n\}$의 첫째항 a와 공비 r을 구한 후 등비수열의 일반항

$a_n=ar^{n-1}$ $(n=1, 2, 3, \cdots)$

을 이용하여 문제를 해결한다.

특히 서로 다른 두 항 a_m과 a_n 사이에

$\frac{a_m}{a_n}=r^{m-n}$ $(a_1\neq0, r\neq0)$

이 성립함을 이용하면 편리할 수 있다.

필수유형 3　| 2023학년도 수능 |

공비가 양수인 등비수열 $\{a_n\}$이

$$a_2+a_4=30,\ a_4+a_6=\frac{15}{2}$$

를 만족시킬 때, a_1의 값은? [3점]

① 48　② 56　③ 64　④ 72　⑤ 80

07

▸ 24054-0056

첫째항과 공비가 모두 자연수 p인 등비수열 $\{a_n\}$이

$$\frac{a_6}{a_4}-\frac{a_3}{a_2}<6$$

을 만족시키도록 하는 모든 p의 값의 합은?

① 1　② 2　③ 3　④ 4　⑤ 5

08

▸ 24054-0057

모든 항이 양수인 수열 $\{a_n\}$이 다음 조건을 만족시킨다.

(가) 모든 자연수 n에 대하여

$$\log_2 a_{n+1}-\log_2 a_n=1$$

이다.

(나) $a_1a_3a_5a_7=2^{10}$

a_1+a_3의 값은?

① $\frac{3\sqrt{2}}{2}$　② $2\sqrt{2}$　③ $\frac{5\sqrt{2}}{2}$　④ $3\sqrt{2}$　⑤ $\frac{7\sqrt{2}}{2}$

09

▸ 24054-0058

공차가 d인 등차수열 $\{a_n\}$과 공비가 r인 등비수열 $\{b_n\}$이 다음 조건을 만족시킨다.

(가) d와 r은 모두 0이 아닌 정수이고, $r^2<100$이다.

(나) $a_9=b_9=12$

(다) $a_5+a_6=b_{11}$

a_8+b_8의 최댓값과 최솟값의 합은?

① 56　② 57　③ 58　④ 59　⑤ 60

유형 4 등비수열의 합

출제경향 | 주어진 조건으로부터 등비수열의 합을 구하거나 등비수열의 합을 이용하여 공비 또는 특정한 항의 값을 구하는 문제가 출제된다.

출제유형잡기 | 주어진 조건에서 첫째항과 공비를 구하고 등비수열의 합의 공식을 이용하여 문제를 해결한다.
첫째항이 a, 공비가 r $(r\neq0)$인 등비수열 $\{a_n\}$의 첫째항부터 제n항까지의 합을 S_n이라 할 때, 다음을 이용하여 S_n을 구한다.
(1) $r=1$일 때, $S_n=na$
(2) $r\neq1$일 때, $S_n=\dfrac{a(r^n-1)}{r-1}=\dfrac{a(1-r^n)}{1-r}$

필수유형 4 | 2021학년도 수능 6월 모의평가 |

등비수열 $\{a_n\}$의 첫째항부터 제n항까지의 합을 S_n이라 하자.

$$a_1=1,\ \frac{S_6}{S_3}=2a_4-7$$

일 때, a_7의 값을 구하시오. [3점]

10

▸ 24054-0059

다항식 $x^{10}+x^9+\cdots+x^2+x+1$을 $2x-1$로 나눈 몫을 $Q(x)$라 할 때, $Q(x)$를 $x-1$로 나눈 나머지는?

① $9+2^{-10}$ ② $9+2^{-9}$ ③ $10+2^{-9}$
④ $11+2^{-10}$ ⑤ $11+2^{-9}$

11

▸ 24054-0060

공비가 r인 등비수열 $\{a_n\}$의 첫째항부터 제n항까지의 합을 S_n이라 하자.

$$\frac{a_8-a_6}{S_8-S_6}=4$$

일 때, r의 값은? (단, $a_1\neq0$, $r\neq0$, $r^2\neq1$)

① $-\dfrac{1}{3}$ ② $-\dfrac{1}{4}$ ③ $-\dfrac{1}{5}$
④ $-\dfrac{1}{6}$ ⑤ $-\dfrac{1}{7}$

12

▸ 24054-0061

첫째항이 양수이고 공비가 1이 아닌 실수인 등비수열 $\{a_n\}$의 첫째항부터 제n항까지의 합을 S_n이라 하자.

$$|2S_3|=|S_6|$$

일 때, $a_4+a_7=ka_1$이다. 상수 k의 값을 구하시오.

유형 5 등차중항과 등비중항

출제경향 | 3개 이상의 수가 등차수열 또는 등비수열을 이루는 조건이 주어지는 문제가 출제된다.

출제유형잡기 | 3개 이상의 수가 등차수열 또는 등비수열을 이루는 조건이 주어진 문제에서는 다음의 등차중항 또는 등비중항의 성질을 이용하여 문제를 해결한다.

(1) 세 수 a, b, c가 이 순서대로 등차수열을 이루면 $2b=a+c$가 성립한다.

(2) 0이 아닌 세 수 a, b, c가 이 순서대로 등비수열을 이루면 $b^2=ac$가 성립한다.

필수유형 5 | 2020학년도 수능 6월 모의평가 |

자연수 n에 대하여 x에 대한 이차방정식

$$x^2-nx+4(n-4)=0$$

이 서로 다른 두 실근 α, β $(\alpha<\beta)$를 갖고, 세 수 1, α, β가 이 순서대로 등차수열을 이룰 때, n의 값은? [3점]

① 5 ② 8 ③ 11 ④ 14 ⑤ 17

13

▸ 24054-0062

함수 $f(x)=2^x$에 대하여 세 실수 $f(\log_2 3)$, $f(\log_2 3+2)$, $f(\log_2 (t^2+4t))$가 이 순서대로 등차수열을 이룰 때, 양수 t의 값은?

① 1 ② 2 ③ 3 ④ 4 ⑤ 5

14

▸ 24054-0063

세 실수 $a-1$, b, $c+1$이 이 순서대로 등차수열을 이루고, 세 실수 c, $a+c$, $4a$가 이 순서대로 등비수열을 이룰 때, $\frac{ab}{c^2}$의 값은? (단, $c\neq0$)

① $\frac{1}{2}$ ② 1 ③ $\frac{3}{2}$ ④ 2 ⑤ $\frac{5}{2}$

15

▸ 24054-0064

그림과 같이 $0<k<\frac{25}{4}$인 실수 k에 대하여 함수 $y=|x^2-6x+k|$의 그래프가 직선 $y=x$와 만나는 서로 다른 네 점의 x좌표를 작은 수부터 크기 순서대로 a_1, a_2, a_3, a_4라 하자. 네 수 0, a_1, a_2, a_3이 이 순서대로 등차수열을 이룰 때, a_4+k의 값을 구하시오.

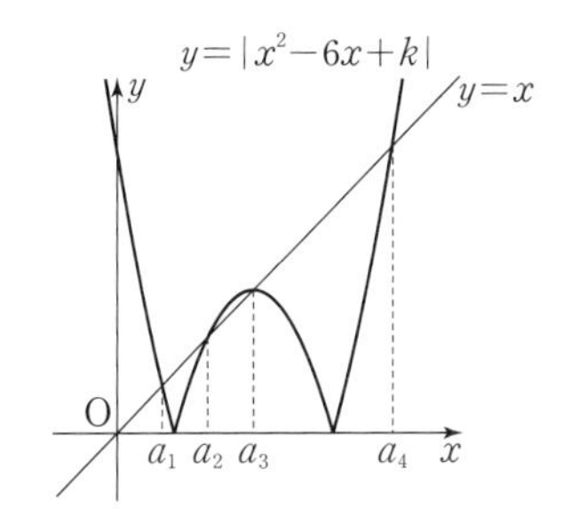

수학 I

유형 6 수열의 합과 일반항 사이의 관계

출제경향 | 수열의 합과 일반항 사이의 관계를 이용하여 일반항을 구하거나 특정한 항의 값을 구하는 문제가 출제된다.

출제유형잡기 | 수열 $\{a_n\}$의 첫째항부터 제n항까지의 합을 S_n이라 할 때, 다음과 같은 수열의 합과 일반항 사이의 관계를 이용하여 문제를 해결한다.

$a_1=S_1$

$a_n=S_n-S_{n-1}$ (단, $n=2, 3, 4, \cdots$)

필수유형 6

| 2022학년도 수능 6월 모의평가 |

첫째항이 2인 등차수열 $\{a_n\}$의 첫째항부터 제n항까지의 합을 S_n이라 하자.

$a_6=2(S_3-S_2)$

일 때, S_{10}의 값은? [3점]

① 100 ② 110 ③ 120
④ 130 ⑤ 140

16

▸ 24054-0065

수열 $\{a_n\}$의 첫째항부터 제n항까지의 합을 S_n이라 하자. 수열 $\{a_n\}$이 모든 자연수 n에 대하여

$a_n=n^2+3n$

을 만족시킬 때, S_5-S_3의 값을 구하시오.

17

▸ 24054-0066

$a_2=21$인 수열 $\{a_n\}$의 첫째항부터 제n항까지의 합을 S_n이라 하자. $b_n=S_n+4$라 할 때, 수열 $\{b_n\}$은 공비가 4인 등비수열이다. a_1+a_3의 값은?

① 87 ② 90 ③ 93
④ 96 ⑤ 99

18

▸ 24054-0067

모든 항이 양수인 수열 $\{a_n\}$의 첫째항부터 제n항까지의 합을 S_n이라 하자. 상수 p에 대하여 두 수열 $\{a_n\}$, $\{S_n\}$이 다음 조건을 만족시킬 때, a_{20}의 값을 구하시오.

(가) $a_2=4$
(나) 모든 자연수 n에 대하여
$S_{n+1}-S_n=(a_{n+1})^2-pn\,a_{n+1}$
이다.

유형 7 합의 기호 $\sum$의 뜻과 성질

출제경향 | 합의 기호 $\sum$의 뜻과 성질을 이용하여 수열의 합을 구하거나 특정한 항의 값을 구하는 문제가 출제된다.

출제유형잡기 | 수열 $\{a_n\}$에서 합의 기호 $\sum$가 포함된 문제는 다음을 이용하여 해결한다.

(1) $\sum$의 뜻

① $a_1+a_2+a_3+\cdots+a_n=\sum_{k=1}^{n} a_k$

② $\sum_{k=m}^{n} a_k=\sum_{k=1}^{n} a_k-\sum_{k=1}^{m-1} a_k$ (단, $2\le m\le n$)

(2) $\sum$의 성질

두 수열 $\{a_n\}$, $\{b_n\}$에 대하여

① $\sum_{k=1}^{n} (a_k+b_k)=\sum_{k=1}^{n} a_k+\sum_{k=1}^{n} b_k$

② $\sum_{k=1}^{n} (a_k-b_k)=\sum_{k=1}^{n} a_k-\sum_{k=1}^{n} b_k$

③ $\sum_{k=1}^{n} ca_k=c\sum_{k=1}^{n} a_k$ (단, c는 상수)

④ $\sum_{k=1}^{n} c=cn$ (단, c는 상수)

필수유형 7

| 2024학년도 수능 9월 모의평가 |

두 수열 $\{a_n\}$, $\{b_n\}$에 대하여

$$\sum_{k=1}^{10} (2a_k-b_k)=34,\ \sum_{k=1}^{10} a_k=10$$

일 때, $\sum_{k=1}^{10} (a_k-b_k)$의 값을 구하시오. [3점]

19

▸ 24054-0068

두 수열 $\{a_n\}$, $\{b_n\}$이 모든 자연수 n에 대하여

$$a_n+\frac{5}{2}b_n=\frac{3}{2}$$

을 만족시킬 때, $4\sum_{n=1}^{5} a_n+10\sum_{n=1}^{5} b_n$의 값은?

① 26 ② 27 ③ 28
④ 29 ⑤ 30

20

▸ 24054-0069

두 수열 $\{a_n\}$, $\{b_n\}$이 다음 조건을 만족시킨다.

(가) 모든 자연수 n에 대하여 $a_{n+4}=a_n$, $b_{n+2}=b_n$이다.
(나) $\sum_{n=1}^{4} a_n=\frac{7}{2}$, $\sum_{n=1}^{2} b_n=\frac{3}{4}$

$\sum_{n=1}^{8} (a_n+b_n)$의 값은?

① 9 ② $\frac{19}{2}$ ③ 10
④ $\frac{21}{2}$ ⑤ 11

21

▸ 24054-0070

수열 $\{a_n\}$이 모든 자연수 m에 대하여 $\sum_{k=1}^{m} a_k=m^2$을 만족시킨다. $\sum_{k=p}^{q} a_k=27$일 때, $p\times q$의 값을 구하시오.

(단, p, q는 $2\le p<q$인 자연수이다.)

수학 I

유형 8 자연수의 거듭제곱의 합

출제경향 | 자연수의 거듭제곱의 합을 나타내는 $\sum$의 공식을 이용하여 식의 값을 구하는 문제가 출제된다.

출제유형잡기 | 자연수의 거듭제곱의 합을 나타내는 $\sum$의 공식을 이용하여 문제를 해결한다.

(1) $\sum_{k=1}^{n} k=\frac{n(n+1)}{2}$

(2) $\sum_{k=1}^{n} k^2=\frac{n(n+1)(2n+1)}{6}$

(3) $\sum_{k=1}^{n} k^3=\left\{\frac{n(n+1)}{2}\right\}^2$

필수유형 8 | 2020학년도 수능 |

자연수 n에 대하여 다항식 $2x^2-3x+1$을 $x-n$으로 나누었을 때의 나머지를 a_n이라 할 때, $\sum_{n=1}^{7}(a_n-n^2+n)$의 값을 구하시오. [3점]

22

▸ 24054-0071

자연수 n에 대하여 점 $(-1,\ 0)$과 직선 $3x+4y-n=0$ 사이의 거리를 a_n이라 할 때, $\sum_{n=1}^{10} a_n$의 값은?

① 16 ② 17 ③ 18
④ 19 ⑤ 20

23

▸ 24054-0072

수열 $\{a_n\}$의 일반항이 $a_n=\sum_{k=1}^{2n}|k-n|$일 때, $\sum_{n=1}^{5} a_n$의 값은?

① 49 ② 51 ③ 53
④ 55 ⑤ 57

24

▸ 24054-0073

$\sum_{k=1}^{p}(k^3-nk)=\sum_{k=1}^{q}(k^3-nk)$인 두 자연수 $p,\ q\ (p<q)$의 모든 순서쌍 $(p,\ q)$의 개수가 2가 되도록 하는 20 이하의 자연수 n의 값을 구하시오.

유형 9 여러 가지 수열의 합

출제경향 | 수열의 일반항을 소거되는 꼴로 변형하여 수열의 합을 구하는 문제가 출제된다.

출제유형잡기 | 수열의 일반항을 소거되는 꼴로 변형할 때에는 다음을 이용하여 해결한다.

(1) 일반항이 분수 꼴이고 분모가 서로 다른 두 일차식의 곱이면 다음과 같이 변형하여 문제를 해결한다.

① $\sum_{k=1}^{n}\frac{1}{k(k+a)}=\frac{1}{a}\sum_{k=1}^{n}\left(\frac{1}{k}-\frac{1}{k+a}\right)$ (단, $a\neq0$)

② $\sum_{k=1}^{n}\frac{1}{(k+a)(k+b)}=\frac{1}{b-a}\sum_{k=1}^{n}\left(\frac{1}{k+a}-\frac{1}{k+b}\right)$ (단, $a\neq b$)

(2) 일반항의 분모가 근호가 있는 두 식의 합이면 다음과 같이 변형하여 문제를 해결한다.

① $\sum_{k=1}^{n}\frac{1}{\sqrt{k+a}+\sqrt{k}}=\frac{1}{a}\sum_{k=1}^{n}(\sqrt{k+a}-\sqrt{k})$ (단, $a\neq0$)

② $\sum_{k=1}^{n}\frac{1}{\sqrt{k+a}+\sqrt{k+b}}=\frac{1}{a-b}\sum_{k=1}^{n}(\sqrt{k+a}-\sqrt{k+b})$ (단, $a\neq b$)

필수유형 9

| 2023학년도 수능 9월 모의평가 |

수열 $\{a_n\}$의 첫째항부터 제n항까지의 합을 S_n이라 하자.

$S_n=\frac{1}{n(n+1)}$일 때, $\sum_{k=1}^{10}(S_k-a_k)$의 값은? [3점]

① $\frac{1}{2}$ ② $\frac{3}{5}$ ③ $\frac{7}{10}$

④ $\frac{4}{5}$ ⑤ $\frac{9}{10}$

25

▸ 24054-0074

자연수 n에 대하여 x에 대한 이차방정식 $n^2x^2-nx+\frac{1}{4}=0$의 실근을 a_n이라 할 때, $\sum_{n=1}^{6}a_na_{n+1}$의 값은?

① $\frac{1}{7}$ ② $\frac{3}{14}$ ③ $\frac{2}{7}$

④ $\frac{5}{14}$ ⑤ $\frac{3}{7}$

26

▸ 24054-0075

11 이하의 자연수 n에 대하여 x에 대한 다항식

$\sum_{k=1}^{10}\left(\frac{1}{k+1}x^k-\frac{1}{k}x^{k+1}\right)$에서 x^n의 계수를 a_n이라 할 때, $\sum_{n=1}^{11}a_n$의 값은?

① $-\frac{47}{55}$ ② $-\frac{48}{55}$ ③ $-\frac{49}{55}$

④ $-\frac{10}{11}$ ⑤ $-\frac{51}{55}$

27

▸ 24054-0076

첫째항이 1이고 공차가 d인 등차수열 $\{a_n\}$에 대하여

$\sum_{n=1}^{12}\frac{d}{\sqrt{a_n}+\sqrt{a_{n+1}}}$의 값이 10 이하의 자연수가 되도록 하는 모든 자연수 d의 값의 합을 구하시오.

유형 10 수열의 귀납적 정의

출제경향 | 처음 몇 개의 항의 값과 이웃하는 항들 사이의 관계식으로 정의된 수열 $\{a_n\}$에서 특정한 항의 값을 구하는 문제, 귀납적으로 정의된 등차수열 또는 등비수열에 대한 문제가 출제된다.

출제유형잡기 | 첫째항 a_1의 값과 이웃하는 항들 사이의 관계식에서 n 대신 1, 2, 3, …을 차례로 대입하거나 귀납적으로 정의된 등차수열 또는 등비수열에 대한 문제를 해결한다.

(1) 등차수열과 수열의 귀납적 정의
모든 자연수 n에 대하여
① $a_{n+1}-a_n=d$ (d는 상수)를 만족시키는 수열 $\{a_n\}$은 공차가 d인 등차수열이다.
② $2a_{n+1}=a_n+a_{n+2}$를 만족시키는 수열 $\{a_n\}$은 등차수열이다.

(2) 등비수열과 수열의 귀납적 정의
모든 자연수 n에 대하여
① $a_{n+1}=ra_n$ (r은 상수)를 만족시키는 수열 $\{a_n\}$은 공비가 r인 등비수열이다. (단, $a_n\neq 0$)
② $(a_{n+1})^2=a_na_{n+2}$를 만족시키는 수열 $\{a_n\}$은 등비수열이다. (단, $a_n\neq 0$)

필수유형 10

| 2021학년도 수능 9월 모의평가 |

수열 $\{a_n\}$은 $a_1=12$이고, 모든 자연수 n에 대하여

$$a_{n+1}+a_n=(-1)^{n+1}\times n$$

을 만족시킨다. $a_k>a_1$인 자연수 k의 최솟값은? [3점]

① 2 ② 4 ③ 6 ④ 8 ⑤ 10

28

▶ 24054-0077

수열 $\{a_n\}$은 $a_1=2$이고, 모든 자연수 n에 대하여

$$a_{n+1}=\frac{5}{6a_n+3}$$

를 만족시킬 때, a_3의 값은?

① 1 ② $\frac{3}{2}$ ③ 2 ④ $\frac{5}{2}$ ⑤ 3

29

▶ 24054-0078

모든 항이 양수인 수열 $\{a_n\}$이 모든 자연수 n에 대하여

$$a_na_{n+1}=2^n$$

을 만족시킬 때, $\sum_{n=1}^{10}\log_2 a_n$의 값을 구하시오.

30

▶ 24054-0079

다음 조건을 만족시키는 모든 수열 $\{a_n\}$에 대하여 a_7의 최댓값과 최솟값을 각각 M, m이라 할 때, $M+m$의 값은?

(가) $a_1=4$이고, 모든 자연수 n에 대하여
$(a_{n+1}-a_n-2)(a_{n+1}-2a_n)=0$이다.
(나) $2\le k\le 7$인 모든 자연수 k에 대하여 a_k는 3의 배수가 아니다.
(다) a_7은 5의 배수이다.

① 200 ② 210 ③ 220 ④ 230 ⑤ 240

유형 11 다양한 수열의 규칙 찾기

출제경향 | 주어진 조건을 만족시키는 몇 개의 항을 나열하여 수열의 규칙을 찾는 문제가 출제된다.

출제유형잡기 | 주어진 조건을 만족시키는 몇 개의 항을 구하여 규칙을 찾아 문제를 해결한다.

필수유형 11 | 2022학년도 수능 |

첫째항이 1인 수열 $\{a_n\}$이 모든 자연수 n에 대하여

$$a_{n+1}=\begin{cases} 2a_n & (a_n<7) \\ a_n-7 & (a_n\geq 7) \end{cases}$$

일 때, $\sum_{k=1}^{8} a_k$의 값은? [3점]

① 30 ② 32 ③ 34 ④ 36 ⑤ 38

31

▸ 24054-0080

수열 $\{a_n\}$은 모든 자연수 n에 대하여

$$a_n=\begin{cases} 1 & (n\text{이 3의 배수가 아닌 경우}) \\ -1 & (n\text{이 3의 배수인 경우}) \end{cases}$$

이다. 수열 $\{a_n\}$의 첫째항부터 제n항까지의 합을 S_n이라 할 때, $S_m=3$을 만족시키는 모든 자연수 m의 값의 합은?

① 20 ② 21 ③ 22 ④ 23 ⑤ 24

32

▸ 24054-0081

다음 조건을 만족시키는 모든 수열 $\{a_n\}$에 대하여 $\sum_{n=1}^{30} a_n$의 최솟값이 90일 때, 양수 k의 값은?

(가) $a_1>0$
(나) 모든 자연수 n에 대하여 $a_n a_{n+1}=k$이다.

① 8 ② $\frac{17}{2}$ ③ 9 ④ $\frac{19}{2}$ ⑤ 10

33

▸ 24054-0082

자연수 k에 대하여 수열 $\{a_n\}$은 $a_1=4k-2$이고, 모든 자연수 n에 대하여

$$a_{n+1}=\begin{cases} |a_n-4| & \left(n\leq \frac{a_1}{4}+1\right) \\ a_n+4 & \left(n>\frac{a_1}{4}+1\right) \end{cases}$$

을 만족시킨다. $a_1=a_{20}$일 때, k의 값은?

① 6 ② 7 ③ 8 ④ 9 ⑤ 10

유형 12 수학적 귀납법

출제경향 | 수학적 귀납법을 이용하여 명제를 증명하는 과정에서 빈칸에 알맞은 식이나 수를 구하는 문제가 출제된다.

출제유형잡기 | 주어진 명제를 수학적 귀납법으로 증명하는 과정의 앞뒤 관계를 파악하여 빈칸에 알맞은 식이나 수를 구한다.

필수유형 12

| 2021학년도 수능 6월 모의평가 |

수열 $\{a_n\}$의 일반항은

$$a_n=(2^{2n}-1)\times 2^{n(n-1)}+(n-1)\times 2^{-n}$$

이다. 다음은 모든 자연수 n에 대하여

$$\sum_{k=1}^{n} a_k=2^{n(n+1)}-(n+1)\times 2^{-n} \quad \cdots\cdots (*)$$

임을 수학적 귀납법을 이용하여 증명한 것이다.

(i) $n=1$일 때, (좌변)$=3$, (우변)$=3$이므로 $(*)$이 성립한다.

(ii) $n=m$일 때, $(*)$이 성립한다고 가정하면

$$\sum_{k=1}^{m} a_k=2^{m(m+1)}-(m+1)\times 2^{-m}$$

이다. $n=m+1$일 때,

$$\sum_{k=1}^{m+1} a_k=2^{m(m+1)}-(m+1)\times 2^{-m}+(2^{2m+2}-1)\times \boxed{(가)}+m\times 2^{-m-1}$$

$$=\boxed{(가)}\times\boxed{(나)}-\frac{m+2}{2}\times 2^{-m}$$

$$=2^{(m+1)(m+2)}-(m+2)\times 2^{-(m+1)}$$

이다. 따라서 $n=m+1$일 때도 $(*)$이 성립한다.

(i), (ii)에 의하여 모든 자연수 n에 대하여

$$\sum_{k=1}^{n} a_k=2^{n(n+1)}-(n+1)\times 2^{-n}$$

이다.

위의 (가), (나)에 알맞은 식을 각각 $f(m)$, $g(m)$이라 할 때, $\frac{g(7)}{f(3)}$의 값은? [4점]

① 2　② 4　③ 8　④ 16　⑤ 32

34

▸ 24054-0083

다음은 모든 자연수 n에 대하여

$$\sum_{k=1}^{n} k^2 2^{n-k+1}=3\times 2^{n+2}-2n^2-8n-12 \quad \cdots\cdots (*)$$

임을 수학적 귀납법을 이용하여 증명한 것이다.

(i) $n=1$일 때, (좌변)$=2$, (우변)$=2$이므로 $(*)$이 성립한다.

(ii) $n=m$일 때, $(*)$이 성립한다고 가정하면

$$\sum_{k=1}^{m} k^2 2^{m-k+1}=3\times 2^{m+2}-2m^2-8m-12$$

이다. $n=m+1$일 때,

$$\sum_{k=1}^{m+1} k^2 2^{(m+1)-k+1}$$

$$=\sum_{k=1}^{m} k^2 2^{m-k+2}+\boxed{(가)}$$

$$=\boxed{(나)}\times(3\times 2^{m+2}-2m^2-8m-12)+\boxed{(가)}$$

$$=3\times 2^{m+3}-2(m+1)^2-8(m+1)-12$$

이다. 따라서 $n=m+1$일 때도 $(*)$이 성립한다.

(i), (ii)에 의하여 모든 자연수 n에 대하여

$$\sum_{k=1}^{n} k^2 2^{n-k+1}=3\times 2^{n+2}-2n^2-8n-12$$

이다.

위의 (가)에 알맞은 식을 $f(m)$, (나)에 알맞은 수를 p라 할 때, $f(p)$의 값은?

① 18　② 20　③ 22　④ 24　⑤ 26

04 함수의 극한과 연속

Note

① 함수의 수렴과 발산

(1) 함수의 수렴

① 함수 $f(x)$에서 x의 값이 a가 아니면서 a에 한없이 가까워질 때, $f(x)$의 값이 일정한 값 L에 한없이 가까워지면 함수 $f(x)$는 L에 수렴한다고 한다. 이때 L을 함수 $f(x)$의 $x=a$에서의 극한값 또는 극한이라 하고, 이것을 기호로 다음과 같이 나타낸다.

$\lim_{x \to a} f(x)=L$ 또는 $x \to a$일 때 $f(x) \to L$

② 함수 $f(x)$에서 x의 값이 한없이 커질 때, $f(x)$의 값이 일정한 값 L에 한없이 가까워지면 함수 $f(x)$는 L에 수렴한다고 하고, 이것을 기호로 다음과 같이 나타낸다.

$\lim_{x \to \infty} f(x)=L$ 또는 $x \to \infty$일 때 $f(x) \to L$

③ 함수 $f(x)$에서 x의 값이 음수이면서 그 절댓값이 한없이 커질 때, $f(x)$의 값이 일정한 값 L에 한없이 가까워지면 함수 $f(x)$는 L에 수렴한다고 하고, 이것을 기호로 다음과 같이 나타낸다.

$\lim_{x \to -\infty} f(x)=L$ 또는 $x \to -\infty$일 때 $f(x) \to L$

(2) 함수의 발산

① 함수 $f(x)$에서 x의 값이 a가 아니면서 a에 한없이 가까워질 때, $f(x)$의 값이 한없이 커지면 함수 $f(x)$는 양의 무한대로 발산한다고 하고, 이것을 기호로 다음과 같이 나타낸다.

$\lim_{x \to a} f(x)=\infty$ 또는 $x \to a$일 때 $f(x) \to \infty$

② 함수 $f(x)$에서 x의 값이 a가 아니면서 a에 한없이 가까워질 때, $f(x)$의 값이 음수이면서 그 절댓값이 한없이 커지면 함수 $f(x)$는 음의 무한대로 발산한다고 하고, 이것을 기호로 다음과 같이 나타낸다.

$\lim_{x \to a} f(x)=-\infty$ 또는 $x \to a$일 때 $f(x) \to -\infty$

③ 함수 $f(x)$에서 x의 값이 한없이 커지거나 x의 값이 음수이면서 그 절댓값이 한없이 커질 때, 함수 $f(x)$가 양의 무한대 또는 음의 무한대로 발산하면 이것을 각각 기호로 다음과 같이 나타낸다.

$\lim_{x \to \infty} f(x)=\infty$, $\lim_{x \to \infty} f(x)=-\infty$, $\lim_{x \to -\infty} f(x)=\infty$, $\lim_{x \to -\infty} f(x)=-\infty$

② 함수의 좌극한과 우극한

(1) 함수 $f(x)$에서 x의 값이 a보다 크면서 a에 한없이 가까워질 때, $f(x)$의 값이 일정한 값 L에 한없이 가까워지면 L을 함수 $f(x)$의 $x=a$에서의 우극한이라고 하며, 이것을 기호로 다음과 같이 나타낸다.

$\lim_{x \to a+} f(x)=L$ 또는 $x \to a+$일 때 $f(x) \to L$

또한 함수 $f(x)$에서 x의 값이 a보다 작으면서 a에 한없이 가까워질 때, $f(x)$의 값이 일정한 값 L에 한없이 가까워지면 L을 함수 $f(x)$의 $x=a$에서의 좌극한이라고 하며, 이것을 기호로 다음과 같이 나타낸다.

$\lim_{x \to a-} f(x)=L$ 또는 $x \to a-$일 때 $f(x) \to L$

(2) 함수 $f(x)$가 $x=a$에서의 우극한 $\lim_{x \to a+} f(x)$와 좌극한 $\lim_{x \to a-} f(x)$가 모두 존재하고 그 값이 서로 같으면 극한값 $\lim_{x \to a} f(x)$가 존재한다. 또한 그 역도 성립한다.

즉, $\lim_{x \to a+} f(x)=\lim_{x \to a-} f(x)=L \Longleftrightarrow \lim_{x \to a} f(x)=L$ (단, L은 실수)

③ 함수의 극한에 대한 성질

두 함수 $f(x)$, $g(x)$에 대하여 $\lim_{x \to a} f(x)=\alpha$, $\lim_{x \to a} g(x)=\beta$ (α, β는 실수)일 때

(1) $\lim_{x \to a} \{cf(x)\}=c\lim_{x \to a} f(x)=c\alpha$ (단, c는 상수)

(2) $\lim_{x \to a} \{f(x)+g(x)\}=\lim_{x \to a} f(x)+\lim_{x \to a} g(x)=\alpha+\beta$

(3) $\lim_{x \to a} \{f(x)-g(x)\}=\lim_{x \to a} f(x)-\lim_{x \to a} g(x)=\alpha-\beta$

(4) $\lim_{x \to a}\{f(x)g(x)\}=\lim_{x \to a} f(x) \times \lim_{x \to a} g(x)=\alpha\beta$

(5) $\lim_{x \to a}\frac{f(x)}{g(x)}=\frac{\lim_{x \to a} f(x)}{\lim_{x \to a} g(x)}=\frac{\alpha}{\beta}$ (단, $\beta \neq 0$)

Note

4 미정계수의 결정

두 함수 $f(x)$, $g(x)$에 대하여 다음 성질을 이용하여 미정계수를 결정할 수 있다.

(1) $\lim_{x \to a}\frac{f(x)}{g(x)}=\alpha$ (α는 실수)이고 $\lim_{x \to a} g(x)=0$이면 $\lim_{x \to a} f(x)=0$이다.

(2) $\lim_{x \to a}\frac{f(x)}{g(x)}=\alpha$ (α는 0이 아닌 실수)이고 $\lim_{x \to a} f(x)=0$이면 $\lim_{x \to a} g(x)=0$이다.

5 함수의 극한의 대소 관계

두 함수 $f(x)$, $g(x)$에 대하여 $\lim_{x \to a} f(x)=\alpha$, $\lim_{x \to a} g(x)=\beta$ (α, β는 실수)일 때, a에 가까운 모든 실수 x에 대하여

(1) $f(x) \leq g(x)$이면 $\alpha \leq \beta$이다.

(2) 함수 $h(x)$에 대하여 $f(x) \leq h(x) \leq g(x)$이고 $\alpha=\beta$이면 $\lim_{x \to a} h(x)=\alpha$이다.

6 함수의 연속

(1) 함수 $f(x)$가 실수 a에 대하여 다음 세 조건을 만족시킬 때, 함수 $f(x)$는 $x=a$에서 연속이라고 한다.

(i) 함수 $f(x)$가 $x=a$에서 정의되어 있다.

(ii) $\lim_{x \to a} f(x)$가 존재한다.　　　(iii) $\lim_{x \to a} f(x)=f(a)$

(2) 함수 $f(x)$가 $x=a$에서 연속이 아닐 때, 함수 $f(x)$는 $x=a$에서 불연속이라고 한다.

(3) 함수 $f(x)$가 열린구간 (a, b)에 속하는 모든 실수에서 연속일 때, 함수 $f(x)$는 열린구간 (a, b)에서 연속 또는 연속함수라고 한다. 한편, 함수 $f(x)$가 다음 두 조건을 모두 만족시킬 때, 함수 $f(x)$는 닫힌구간 $[a, b]$에서 연속이라고 한다.

(i) 함수 $f(x)$가 열린구간 (a, b)에서 연속이다.

(ii) $\lim_{x \to a+} f(x)=f(a)$, $\lim_{x \to b-} f(x)=f(b)$

7 연속함수의 성질

두 함수 $f(x)$, $g(x)$가 $x=a$에서 연속이면 다음 함수도 $x=a$에서 연속이다.

(1) $cf(x)$ (단, c는 상수)　(2) $f(x)+g(x)$, $f(x)-g(x)$　(3) $f(x)g(x)$　(4) $\frac{f(x)}{g(x)}$ (단, $g(a) \neq 0$)

8 최대 · 최소 정리

함수 $f(x)$가 닫힌구간 $[a, b]$에서 연속이면 함수 $f(x)$는 이 구간에서 반드시 최댓값과 최솟값을 갖는다.

9 사잇값의 정리

함수 $f(x)$가 닫힌구간 $[a, b]$에서 연속이고 $f(a) \neq f(b)$이면 $f(a)$와 $f(b)$ 사이에 있는 임의의 값 k에 대하여

$f(c)=k$

인 c가 열린구간 (a, b)에 적어도 하나 존재한다.

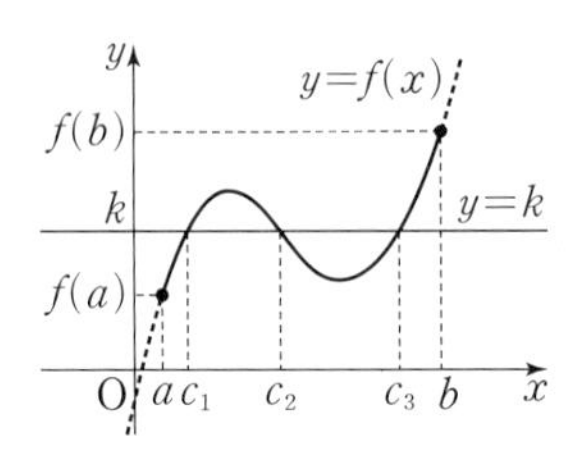

참고 사잇값의 정리에 의하여 함수 $f(x)$가 닫힌구간 $[a, b]$에서 연속이고 $f(a)$와 $f(b)$의 부호가 서로 다르면 $f(c)=0$인 c가 열린구간 (a, b)에 적어도 하나 존재한다. 즉, 방정식 $f(x)=0$은 열린구간 (a, b)에서 적어도 하나의 실근을 갖는다.

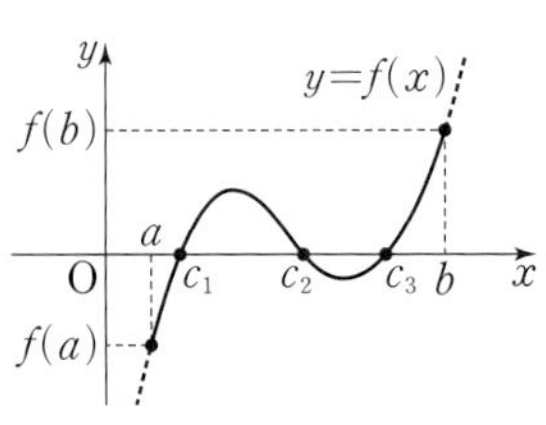

유형 1 함수의 좌극한과 우극한

출제경향 | 함수의 식과 그래프에서 좌극한과 우극한, 극한값을 구하는 문제가 출제된다.

출제유형잡기 | 구간에 따라 다르게 정의된 함수 또는 그 그래프에서 좌극한과 우극한, 극한값을 구하는 과정을 이해하여 해결한다.

필수유형 1 | 2023학년도 수능 6월 모의평가 |

함수 $y=f(x)$의 그래프가 그림과 같다.

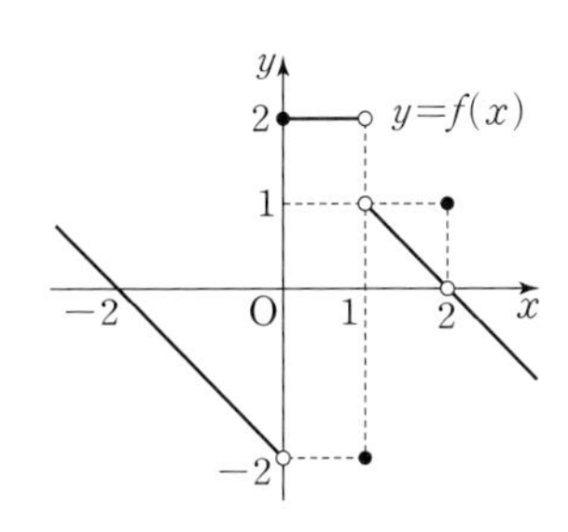

$\lim_{x\to0-}f(x)+\lim_{x\to1+}f(x)$의 값은? [3점]

① -2　② -1　③ 0　④ 1　⑤ 2

01

▸ 24054-0084

함수 $y=f(x)$의 그래프가 그림과 같다.

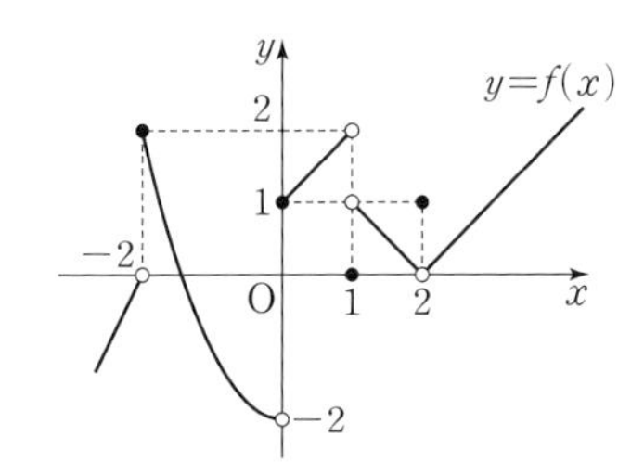

$\lim_{x\to-2+}f(x)+\lim_{x\to1-}f(x)$의 값은?

① -4　② -2　③ 0　④ 2　⑤ 4

02

▸ 24054-0085

함수

$$f(x)=\begin{cases} ax-1 & (x\le1) \\ x^2+ax+4 & (x>1) \end{cases}$$

에 대하여 $\left\{\lim_{x\to1-}f(x)\right\}^2=\lim_{x\to1+}f(x)$를 만족시키는 양수 a의 값은?

① 1　② 2　③ 3　④ 4　⑤ 5

03

▸ 24054-0086

함수 $y=f(x)$의 그래프가 그림과 같다.

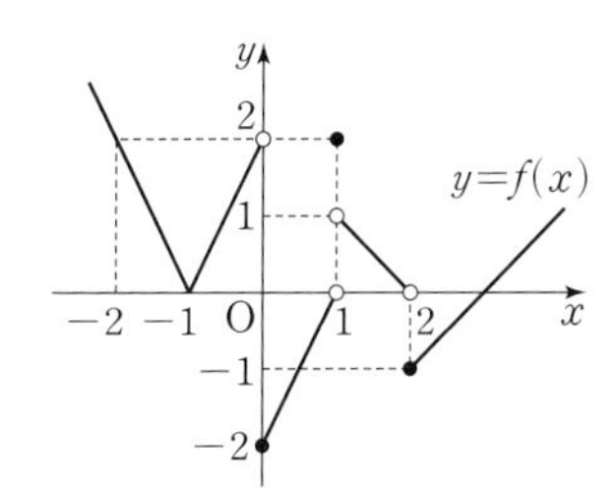

$\lim_{x\to1-}f(x-1)+\lim_{x\to1+}f(x+1)=\lim_{x\to k+}f(x)$를 만족시키는 정수 k의 값은? (단, $-2\le k\le2$)

① -2　② -1　③ 0　④ 1　⑤ 2

유형 2 함수의 극한값의 계산

출제경향 | $\frac{0}{0}$ 꼴, $\frac{\infty}{\infty}$ 꼴, $\infty-\infty$ 꼴의 함수의 극한값을 구하는 문제가 출제된다.

출제유형잡기 | (1) $\frac{0}{0}$ 꼴의 유리식은 분모, 분자를 각각 인수분해하고 약분한 다음 극한값을 구한다.

(2) $\frac{\infty}{\infty}$ 꼴은 분모의 최고차항으로 분모, 분자를 각각 나눈 다음 극한값을 구한다.

(3) $\infty-\infty$ 꼴의 무리식은 분모 또는 분자의 무리식을 유리화한 다음 극한값을 구한다.

필수유형 2 | 2023학년도 수능 |

$\lim_{x\to\infty}\frac{\sqrt{x^2-2}+3x}{x+5}$의 값은? [2점]

① 1 ② 2 ③ 3 ④ 4 ⑤ 5

04

▸ 24054-0087

$\lim_{x\to\infty}\frac{(1-2x)(1+2x)}{(x+2)^2}$의 값은?

① -4 ② -2 ③ 0 ④ 2 ⑤ 4

05

▸ 24054-0088

$\lim_{x\to1}\frac{x^2-1}{\sqrt{x^2+3}-\sqrt{x+3}}$의 값은?

① 2 ② 4 ③ 6 ④ 8 ⑤ 10

06

▸ 24054-0089

두 양수 a, b에 대하여

$$\lim_{x\to\infty}\{\sqrt{x^2+ax+b}-(ax+b)\}=-2$$

일 때, $a+b$의 값은?

① 3 ② $\frac{7}{2}$ ③ 4 ④ $\frac{9}{2}$ ⑤ 5

유형 3 함수의 극한에 대한 성질

출제경향 | 함수의 극한에 대한 성질을 이용하여 함수의 극한값을 구하는 문제가 출제된다.

출제유형잡기 | 함수의 극한에 대한 성질을 이용하여 문제를 해결한다.
두 함수 $f(x)$, $g(x)$에 대하여
$\lim_{x\to a} f(x)=\alpha$, $\lim_{x\to a} g(x)=\beta$ (α, β는 실수)일 때

(1) $\lim_{x\to a}\{cf(x)\}=c\lim_{x\to a} f(x)=c\alpha$ (단, c는 상수)

(2) $\lim_{x\to a}\{f(x)+g(x)\}=\lim_{x\to a} f(x)+\lim_{x\to a} g(x)=\alpha+\beta$

(3) $\lim_{x\to a}\{f(x)-g(x)\}=\lim_{x\to a} f(x)-\lim_{x\to a} g(x)=\alpha-\beta$

(4) $\lim_{x\to a}\{f(x)g(x)\}=\lim_{x\to a} f(x)\times\lim_{x\to a} g(x)=\alpha\beta$

(5) $\lim_{x\to a}\frac{f(x)}{g(x)}=\frac{\lim_{x\to a} f(x)}{\lim_{x\to a} g(x)}=\frac{\alpha}{\beta}$ (단, $\beta\neq0$)

필수유형 3

| 2018학년도 수능 |

함수 $f(x)$가 $\lim_{x\to 1}(x+1)f(x)=1$을 만족시킬 때, $\lim_{x\to 1}(2x^2+1)f(x)=a$이다. $20a$의 값을 구하시오. [3점]

07

▸ 24054-0090

함수 $f(x)$가

$$\lim_{x\to 1}\frac{f(x)}{x+1}=3$$

을 만족시킬 때, $\lim_{x\to 1}\frac{x^2+3}{(x+1)f(x)}$의 값은?

① $\frac{1}{12}$ ② $\frac{1}{6}$ ③ $\frac{1}{4}$
④ $\frac{1}{3}$ ⑤ $\frac{5}{12}$

08

▸ 24054-0091

다항함수 $f(x)$가

$$\lim_{x\to 0}\frac{f(x)-3}{x}=4$$

를 만족시킬 때, $\lim_{x\to 0}\frac{\{f(x)\}^2-4f(x)+3}{x}$의 값은?

① 6 ② 7 ③ 8
④ 9 ⑤ 10

09

▸ 24054-0092

두 다항함수 $f(x)$, $g(x)$가 모든 실수 x에 대하여

$$-2x^2+5\le f(x)+g(x)\le -4x+7$$

을 만족시키고, $\lim_{x\to 1}\frac{2f(x)+g(x)}{f(x)+2g(x)}=8$일 때, $\lim_{x\to 1}\{f(x)-g(x)\}$의 값은?

① 6 ② 7 ③ 8
④ 9 ⑤ 10

10

▸ 24054-0093

두 다항함수 $f(x)$, $g(x)$가 다음 조건을 만족시킨다.

(가) $\lim_{x\to 0}\frac{f(x)+g(x)-2}{x}=5$
(나) 모든 실수 x에 대하여 $\{f(x)+x\}\{g(x)-2\}=x^2\{f(x)+9\}$이다.

$\lim_{x\to 0}\frac{f(x)g(x)\{g(x)-2\}}{x^2}$의 값은?

① 4 ② 6 ③ 8
④ 10 ⑤ 12

수학 Ⅱ

유형 4 극한을 이용한 미정계수 또는 함수의 결정

출제경향 | 함수의 극한에 대한 조건이 주어졌을 때, 미정계수를 구하거나 다항함수 또는 함숫값을 구하는 문제가 출제된다.

출제유형잡기 | 두 함수 $f(x)$, $g(x)$에 대하여

$\lim_{x \to a} \frac{f(x)}{g(x)} = \alpha$ (α는 실수)일 때

(1) $\lim_{x \to a} g(x) = 0$이면 $\lim_{x \to a} f(x) = 0$

(2) $\alpha \neq 0$이고 $\lim_{x \to a} f(x) = 0$이면 $\lim_{x \to a} g(x) = 0$

필수유형 4 | 2022학년도 수능 9월 모의평가 |

삼차함수 $f(x)$가

$$\lim_{x \to 0} \frac{f(x)}{x} = \lim_{x \to 1} \frac{f(x)}{x-1} = 1$$

을 만족시킬 때, $f(2)$의 값은? [3점]

① 4 ② 6 ③ 8
④ 10 ⑤ 12

11

▸ 24054-0094

두 상수 a, b에 대하여

$$\lim_{x \to 2} \frac{2-\sqrt{ax+b}}{x^2-2x} = 1$$

일 때, $a+b$의 값은?

① 12 ② 14 ③ 16
④ 18 ⑤ 20

12

▸ 24054-0095

이차함수 $f(x)$에 대하여

$$\lim_{x \to 2} \frac{f(x)+x^2}{x-2} = 10$$

이고 $f(3)=3$일 때, $f(4)$의 값은?

① 8 ② 10 ③ 12
④ 14 ⑤ 16

13

▸ 24054-0096

삼차함수 $f(x)$가

$$\lim_{x \to 1} \frac{f(x)-f(-1)}{x-1} = 3, \ \lim_{x \to 0} \frac{f(x+1)}{f(x-1)} = -3$$

을 만족시킬 때, $f(3)$의 값은?

① 4 ② 8 ③ 12
④ 16 ⑤ 20

14

▸ 24054-0097

최고차항의 계수가 1인 두 이차함수 $f(x)$, $g(x)$가 다음 조건을 만족시킨다.

(가) $\lim_{x \to 1} \frac{f(x)g(x)}{x-1} = 0$

(나) $\lim_{x \to 1} \frac{f(x)-g(x)}{x-1} = 5$

$f(2)=g(3)$일 때, $f(0)+g(0)$의 값은?

① -9 ② -7 ③ -5
④ -3 ⑤ -1

유형 5 함수의 극한의 활용

출제경향 | 주어진 조건을 활용하여 좌표평면에서 선분의 길이, 도형의 넓이, 교점의 개수 등을 함수로 나타내고 그 극한값을 구하는 문제가 출제된다.

출제유형잡기 | 함수의 그래프의 개형이나 도형의 성질 등을 활용하여 교점의 개수, 선분의 길이, 도형의 넓이 등을 한 문자에 대한 함수로 나타내고, 함수의 극한의 뜻, 좌극한과 우극한의 뜻, 함수의 극한에 대한 기본 성질을 이용하여 극한값을 구한다.

필수유형 5

| 2024학년도 수능 6월 모의평가 |

그림과 같이 실수 $t\ (0<t<1)$에 대하여 곡선 $y=x^2$ 위의 점 중에서 직선 $y=2tx-1$과의 거리가 최소인 점을 P라 하고, 직선 OP가 직선 $y=2tx-1$과 만나는 점을 Q라 할 때,

$\lim\limits_{t\to1-}\dfrac{\overline{\text{PQ}}}{1-t}$의 값은? (단, O는 원점이다.) [4점]

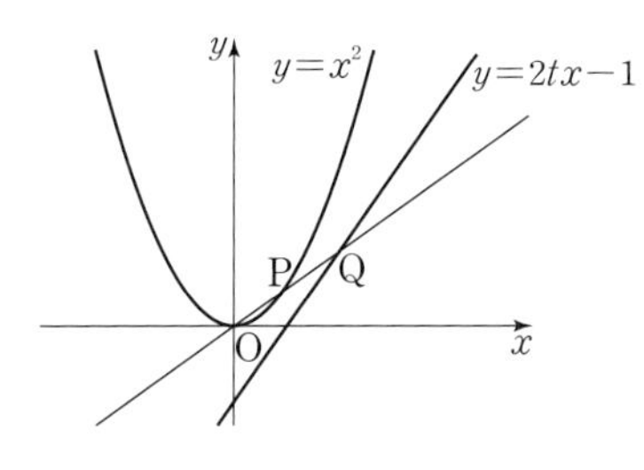

① $\sqrt{6}$　② $\sqrt{7}$　③ $2\sqrt{2}$　④ 3　⑤ $\sqrt{10}$

15

▸ 24054-0098

그림과 같이 양의 실수 t에 대하여 직선 $x=t$가 두 함수 $y=3x$, $y=\sqrt{x^2+3x+4}-2$의 그래프와 만나는 점을 각각 P, Q라 하자. 삼각형 OPQ의 넓이를 $S(t)$라 할 때, $\lim\limits_{t\to0+}\dfrac{S(t)}{t^2}$의 값은?

(단, O는 원점이다.)

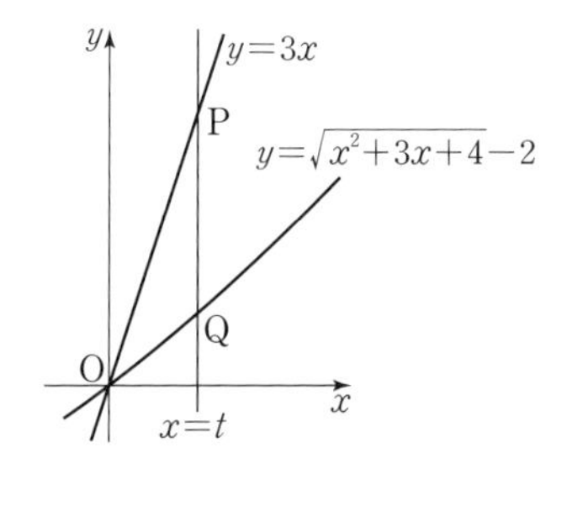

① $\dfrac{3}{4}$　② $\dfrac{7}{8}$　③ 1　④ $\dfrac{9}{8}$　⑤ $\dfrac{5}{4}$

16

▸ 24054-0099

그림과 같이 양의 실수 t에 대하여 점 $\text{P}(t,\ 0)$을 꼭짓점으로 하고 점 $\text{A}(0,\ 1)$을 지나는 이차함수 $y=f(x)$의 그래프가 직선 $y=3x+1$과 만나는 점 중 A가 아닌 점을 Q라 하고, 점 Q를 지나고 x축과 평행한 직선이 이차함수 $y=f(x)$의 그래프와 만나는 점 중 Q가 아닌 점을 R이라 하자. 삼각형 AQR의 넓이를 $S(t)$라 할 때, $\lim\limits_{t\to0+}\dfrac{S(t)}{t^2}$의 값을 구하시오.

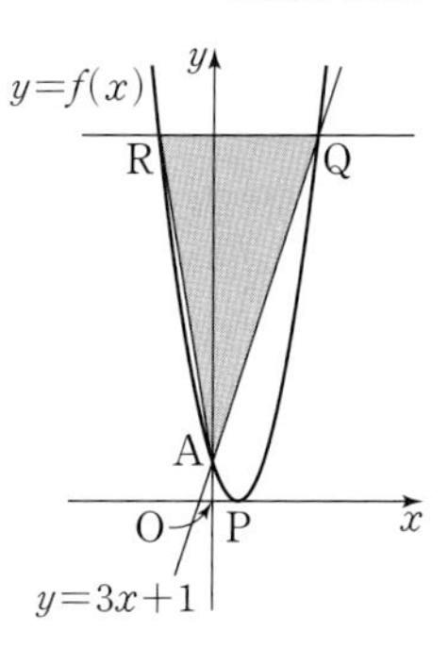

17

▸ 24054-0100

함수

$$f(x)=\begin{cases}\dfrac{-2x-1}{x} & (x<0)\\ x^2-8x+a & (x\ge0)\end{cases}$$

에 대하여 함수 $y=|f(x)|$의 그래프와 직선 $y=t$가 만나는 서로 다른 점의 개수를 $g(t)$라 하자.

$$\lim_{t\to k-}g(t)-\lim_{t\to k+}g(t)>2$$

를 만족시키는 상수 k가 존재하도록 하는 모든 양수 a의 값의 합을 구하시오.

유형 6 함수의 연속

출제경향 | 함수 $f(x)$가 연속이기 위한 조건을 이용하여 함수 또는 미정계수를 구하는 문제가 출제된다.

출제유형잡기 | 함수 $f(x)$가 실수 a에 대하여 다음 세 조건을 만족시키면 함수 $f(x)$는 $x=a$에서 연속임을 활용하여 문제를 해결한다.

(i) 함수 $f(x)$가 $x=a$에서 정의되어 있다. 즉, $f(a)$의 값이 존재한다.

(ii) $\lim_{x \to a} f(x)$의 값이 존재한다.

즉, $\lim_{x \to a-} f(x) = \lim_{x \to a+} f(x)$이다.

(iii) $\lim_{x \to a} f(x) = f(a)$

필수유형 6 | 2023학년도 수능 6월 모의평가 |

두 양수 a, b에 대하여 함수 $f(x)$가

$$f(x)=\begin{cases} x+a & (x<-1) \\ x & (-1 \le x < 3) \\ bx-2 & (x \ge 3) \end{cases}$$

이다. 함수 $|f(x)|$가 실수 전체의 집합에서 연속일 때, $a+b$의 값은? [3점]

① $\frac{7}{3}$ ② $\frac{8}{3}$ ③ 3 ④ $\frac{10}{3}$ ⑤ $\frac{11}{3}$

18

▸ 24054-0101

함수

$$f(x)=\begin{cases} \dfrac{x-a}{\sqrt{x+2}-\sqrt{a+2}} & (x \ne a) \\ 6 & (x=a) \end{cases}$$

가 구간 $[-2, \infty)$에서 연속일 때, 상수 a의 값은? (단, $a>-2$)

① 3 ② 4 ③ 5 ④ 6 ⑤ 7

19

▸ 24054-0102

최고차항의 계수가 1인 이차함수 $f(x)$에 대하여 두 함수 $g(x)$, $h(x)$를

$$g(x)=\begin{cases} f(x) & (x<1) \\ 4 & (x \ge 1) \end{cases},\quad h(x)=\begin{cases} f(x-2) & (x<1) \\ 4 & (x \ge 1) \end{cases}$$

이라 하자. 함수 $g(x)$는 $x=1$에서 불연속이고, 함수 $|g(x)|$와 함수 $h(x)$는 실수 전체의 집합에서 연속일 때, $f(-2)$의 값은?

① 11 ② 12 ③ 13 ④ 14 ⑤ 15

20

▸ 24054-0103

좌표평면 위의 점 P(3, 4)를 중심으로 하고 반지름의 길이가 r $(r>0)$인 원 C와 실수 m에 대하여 원 C와 직선 $y=mx$가 만나는 점의 개수를 $f(m)$이라 하자. **보기**에서 옳은 것만을 있는 대로 고른 것은?

보기

ㄱ. $f(1)=1$이면 $r=\frac{\sqrt{2}}{2}$이다.

ㄴ. $r>5$이면 모든 실수 m에 대하여 $f(m)=2$이다.

ㄷ. 함수 $f(m)$이 $m=k$에서 불연속인 실수 k의 개수가 1이 되도록 하는 모든 r의 값의 합은 8이다.

① ㄱ ② ㄷ ③ ㄱ, ㄴ ④ ㄴ, ㄷ ⑤ ㄱ, ㄴ, ㄷ

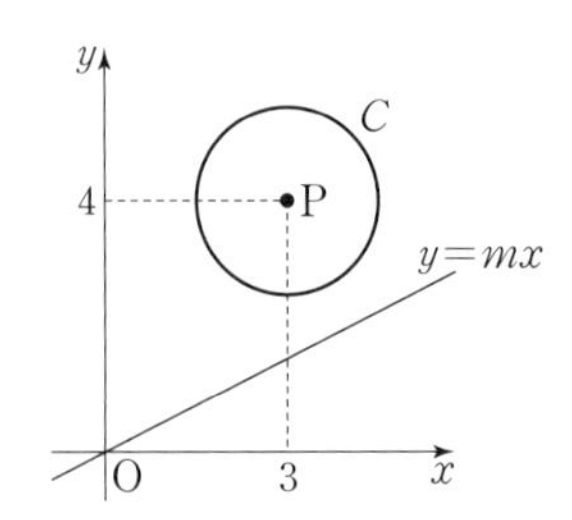

유형 7 연속함수의 성질과 사잇값의 정리

출제경향 | 연속 또는 불연속인 함수들의 합, 차, 곱, 몫으로 만들어진 함수의 연속성을 묻는 문제와 연속함수에서 사잇값의 정리를 이용하는 문제가 출제된다.

출제유형잡기 | (1) 두 함수 $f(x)$, $g(x)$가 $x=a$에서 연속이면 함수 $cf(x)$, $f(x)+g(x)$, $f(x)-g(x)$, $f(x)g(x)$, $\frac{f(x)}{g(x)}$ $(g(a)\neq 0)$도 $x=a$에서 연속임을 이용한다. (단, c는 상수)

(2) 사잇값의 정리에 의하여 함수 $f(x)$가 닫힌구간 $[a, b]$에서 연속이고 $f(a)f(b)<0$이면 방정식 $f(x)=0$은 열린구간 (a, b)에서 적어도 하나의 실근을 갖는다는 것을 이용한다.

필수유형 7

| 2022학년도 수능 6월 모의평가 |

함수

$$f(x)=\begin{cases} -2x+6 & (x<a) \\ 2x-a & (x\geq a) \end{cases}$$

에 대하여 함수 $\{f(x)\}^2$이 실수 전체의 집합에서 연속이 되도록 하는 모든 상수 a의 값의 합은? [3점]

① 2 ② 4 ③ 6
④ 8 ⑤ 10

21

▸ 24054-0104

두 함수

$$f(x)=\begin{cases} x+3 & (x<a) \\ 3x-4 & (x\geq a) \end{cases},\ g(x)=x^2+ax+a-1$$

에 대하여 함수 $f(x)g(x)$가 실수 전체의 집합에서 연속이 되도록 하는 모든 실수 a의 값의 합은?

① 3 ② $\frac{7}{2}$ ③ 4
④ $\frac{9}{2}$ ⑤ 5

22

▸ 24054-0105

두 함수 $f(x)=x^3+x^2$, $g(x)=x-2$와 10 이하의 자연수 n에 대하여 x에 대한 방정식 $f(x)=ng(x)$가 n의 값에 관계없이 오직 하나의 실근을 갖는다. 이 실근이 열린구간 $(-3, -2)$에 속하도록 하는 10 이하의 모든 자연수 n의 값의 합을 구하시오.

23

▸ 24054-0106

최고차항의 계수가 1인 이차함수 $f(x)$와 세 실수 a, b, c가 다음 조건을 만족시킨다.

(가) 함수 $g(x)=\frac{x}{f(x^2+4)}$는 $x=a$에서만 불연속이다.

(나) 함수 $h(x)=\frac{f(x-4)}{f(x^2)}$는 $x=b$, $x=c$ $(b<c)$에서만 불연속이다.

$\lim_{x\to b} h(x)$의 값이 존재할 때, $f(c)\times\lim_{x\to b} h(x)$의 값은?

① -5 ② -4 ③ -3
④ -2 ⑤ -1

05 다항함수의 미분법

Note

① 평균변화율

(1) 함수 $y=f(x)$에서 x의 값이 a에서 b까지 변할 때, 함수 $y=f(x)$의 평균변화율은

$$\frac{\Delta y}{\Delta x}=\frac{f(b)-f(a)}{b-a}=\frac{f(a+\Delta x)-f(a)}{\Delta x}\ (\text{단, }\Delta x=b-a)$$

(2) 함수 $y=f(x)$에서 x의 값이 a에서 b까지 변할 때의 함수 $y=f(x)$의 평균변화율은 곡선 $y=f(x)$ 위의 두 점 $\mathrm{P}(a,\ f(a))$, $\mathrm{Q}(b,\ f(b))$를 지나는 직선 PQ의 기울기를 나타낸다.

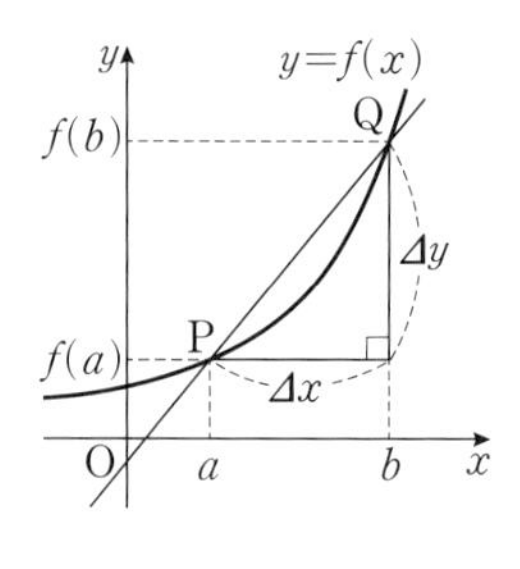

② 미분계수

(1) 함수 $y=f(x)$의 $x=a$에서의 미분계수 $f'(a)$는

$$f'(a)=\lim_{\Delta x\to 0}\frac{\Delta y}{\Delta x}=\lim_{\Delta x\to 0}\frac{f(a+\Delta x)-f(a)}{\Delta x}=\lim_{x\to a}\frac{f(x)-f(a)}{x-a}$$

(2) 함수 $y=f(x)$의 $x=a$에서의 미분계수 $f'(a)$는 곡선 $y=f(x)$ 위의 점 $\mathrm{P}(a,\ f(a))$에서의 접선의 기울기를 나타낸다.

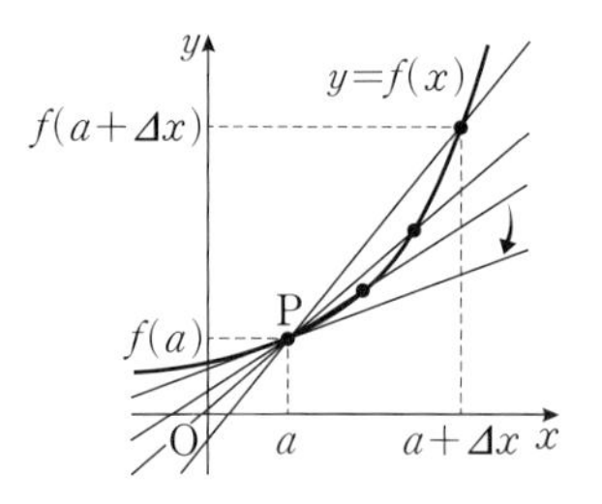

③ 미분가능과 연속

(1) 함수 $f(x)$에 대하여 $x=a$에서 미분계수 $f'(a)$가 존재할 때, 함수 $f(x)$는 $x=a$에서 미분가능하다고 한다.

(2) 함수 $f(x)$가 어떤 열린구간에 속하는 모든 x에서 미분가능할 때, 함수 $f(x)$는 그 구간에서 미분가능하다고 한다. 또한 함수 $f(x)$를 그 구간에서 미분가능한 함수라고 한다.

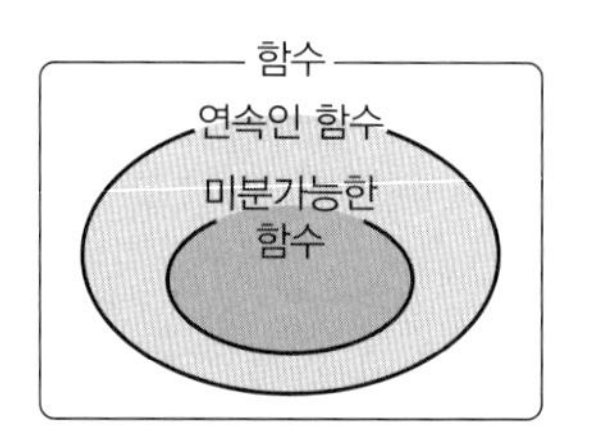

(3) 함수 $f(x)$가 $x=a$에서 미분가능하면 함수 $f(x)$는 $x=a$에서 연속이다. 그러나 일반적으로 그 역은 성립하지 않는다.

④ 도함수

(1) 미분가능한 함수 $y=f(x)$의 정의역에 속하는 모든 x에 대하여 각각의 미분계수 $f'(x)$를 대응시키는 함수를 함수 $y=f(x)$의 도함수라 하고, 이것을 기호로 $f'(x)$, y', $\frac{dy}{dx}$, $\frac{d}{dx}f(x)$와 같이 나타낸다.

$$f'(x)=\lim_{\Delta x\to 0}\frac{f(x+\Delta x)-f(x)}{\Delta x}=\lim_{h\to 0}\frac{f(x+h)-f(x)}{h}$$

(2) 함수 $f(x)$의 도함수 $f'(x)$를 구하는 것을 함수 $f(x)$를 x에 대하여 미분한다고 하고, 그 계산법을 미분법이라고 한다.

⑤ 미분법의 공식

(1) **함수 $y=x^n$ (n은 양의 정수)와 상수함수의 도함수**

① $y=x^n$ (n은 양의 정수)이면 $y'=nx^{n-1}$　　② $y=c$ (c는 상수)이면 $y'=0$

(2) 두 함수 $f(x)$, $g(x)$가 미분가능할 때

① $\{cf(x)\}'=cf'(x)$ (단, c는 상수)　　② $\{f(x)+g(x)\}'=f'(x)+g'(x)$

③ $\{f(x)-g(x)\}'=f'(x)-g'(x)$　　④ $\{f(x)g(x)\}'=f'(x)g(x)+f(x)g'(x)$

⑥ 접선의 방정식

함수 $f(x)$가 $x=a$에서 미분가능할 때, 곡선 $y=f(x)$ 위의 점 $\mathrm{P}(a,\ f(a))$에서의 접선의 방정식은

$$y-f(a)=f'(a)(x-a)$$

Note

7 평균값 정리

(1) 롤의 정리

함수 $f(x)$가 닫힌구간 $[a, b]$에서 연속이고 열린구간 (a, b)에서 미분가능할 때, $f(a)=f(b)$이면 $f'(c)=0$인 c가 a와 b 사이에 적어도 하나 존재한다.

(2) 평균값 정리

함수 $f(x)$가 닫힌구간 $[a, b]$에서 연속이고 열린구간 (a, b)에서 미분가능하면 $\dfrac{f(b)-f(a)}{b-a}=f'(c)$인 c가 a와 b 사이에 적어도 하나 존재한다.

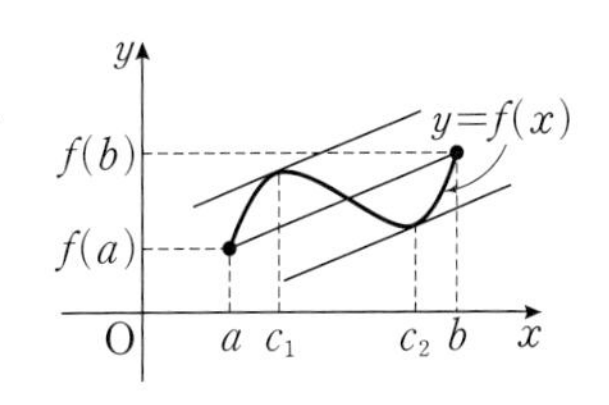

8 함수의 증가와 감소

(1) 함수 $f(x)$가 어떤 구간에 속하는 임의의 두 실수 x_1, x_2에 대하여

① $x_1<x_2$일 때 $f(x_1)<f(x_2)$이면 함수 $f(x)$는 그 구간에서 증가한다고 한다.

② $x_1<x_2$일 때 $f(x_1)>f(x_2)$이면 함수 $f(x)$는 그 구간에서 감소한다고 한다.

(2) 함수 $f(x)$가 어떤 열린구간에서 미분가능할 때, 그 구간에 속하는 모든 x에 대하여

① $f'(x)>0$이면 함수 $f(x)$는 그 구간에서 증가한다.

② $f'(x)<0$이면 함수 $f(x)$는 그 구간에서 감소한다.

9 함수의 극대와 극소

(1) 함수의 극대와 극소

① 함수 $f(x)$가 $x=a$를 포함하는 어떤 열린구간에 속하는 모든 x에 대하여 $f(x)\le f(a)$를 만족시키면 함수 $f(x)$는 $x=a$에서 극대라고 하며, 함숫값 $f(a)$를 극댓값이라고 한다.

② 함수 $f(x)$가 $x=b$를 포함하는 어떤 열린구간에 속하는 모든 x에 대하여 $f(x)\ge f(b)$를 만족시키면 함수 $f(x)$는 $x=b$에서 극소라고 하며, 함숫값 $f(b)$를 극솟값이라고 한다.

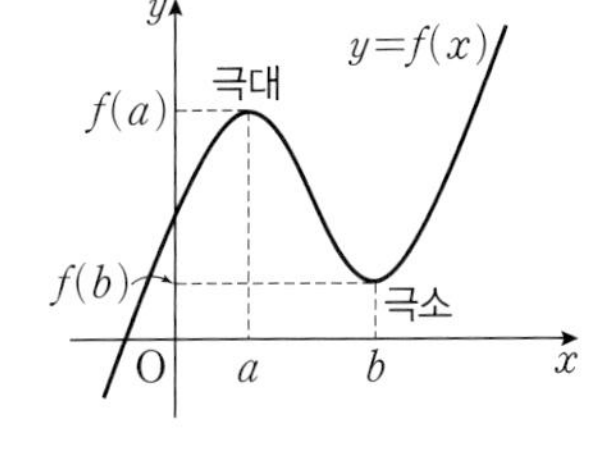

(2) 미분가능한 함수 $f(x)$에 대하여 $f'(a)=0$일 때, $x=a$의 좌우에서 $f'(x)$의 부호가

① 양에서 음으로 바뀌면 함수 $f(x)$는 $x=a$에서 극대이다.

② 음에서 양으로 바뀌면 함수 $f(x)$는 $x=a$에서 극소이다.

10 함수의 최대와 최소

함수 $f(x)$가 닫힌구간 $[a, b]$에서 연속이고 이 구간에서 극값을 가지면 함수 $f(x)$의 극댓값과 극솟값, $f(a)$, $f(b)$ 중에서 가장 큰 값이 함수 $f(x)$의 최댓값이고, 가장 작은 값이 함수 $f(x)$의 최솟값이다.

11 방정식에의 활용

방정식 $f(x)=0$의 실근은 함수 $y=f(x)$의 그래프와 x축이 만나는 점의 x좌표와 같다. 따라서 방정식 $f(x)=0$의 서로 다른 실근의 개수는 함수 $y=f(x)$의 그래프와 x축이 만나는 점의 개수와 같다.

12 부등식에의 활용

어떤 구간에서 부등식 $f(x)\ge 0$이 성립함을 보이려면 주어진 구간에서 함수 $f(x)$의 최솟값을 구하여 $(f(x)$의 최솟값$)\ge 0$임을 보인다.

13 속도와 가속도

수직선 위를 움직이는 점 P의 시각 t에서의 위치가 $x=f(t)$일 때, 점 P의 시각 t에서의 속도 v와 가속도 a는

(1) $v=\lim\limits_{\Delta t\to 0}\dfrac{\Delta x}{\Delta t}=\dfrac{dx}{dt}=f'(t)$

(2) $a=\lim\limits_{\Delta t\to 0}\dfrac{\Delta v}{\Delta t}=\dfrac{dv}{dt}$

정답과 풀이 30쪽

유형 1 평균변화율과 미분계수

출제경향 | 평균변화율과 미분계수의 뜻을 이해하고 이를 이용하여 해결하는 문제가 출제된다.

출제유형잡기 | (1) 함수 $y=f(x)$에서 x의 값이 a에서 b까지 변할 때, 함수 $y=f(x)$의 평균변화율은

$$\frac{\Delta y}{\Delta x}=\frac{f(b)-f(a)}{b-a}=\frac{f(a+\Delta x)-f(a)}{\Delta x}$$

(단, $\Delta x=b-a$)

(2) 함수 $y=f(x)$의 $x=a$에서의 미분계수는

$$f'(a)=\lim_{h\to 0}\frac{f(a+h)-f(a)}{h}=\lim_{x\to a}\frac{f(x)-f(a)}{x-a}$$

필수유형 1 | 2022학년도 수능 9월 모의평가 |

함수 $f(x)=x^3-6x^2+5x$에서 x의 값이 0에서 4까지 변할 때의 평균변화율과 $f'(a)$의 값이 같게 되도록 하는 $0<a<4$인 모든 실수 a의 값의 곱은 $\frac{q}{p}$이다. $p+q$의 값을 구하시오.

(단, p와 q는 서로소인 자연수이다.) [3점]

01

▸ 24054-0107

다항함수 $f(x)$에 대하여

$$\lim_{h\to 0}\frac{f(1+2h)-f(1)}{h}=4$$

일 때, $\lim_{h\to 0}\frac{f\left(1+\frac{h}{2}\right)-f\left(1-\frac{h}{3}\right)}{h}$의 값은?

① 1　② $\frac{7}{6}$　③ $\frac{4}{3}$　④ $\frac{3}{2}$　⑤ $\frac{5}{3}$

02

▸ 24054-0108

$f(2)\neq 0$인 이차함수 $f(x)$가 다음 조건을 만족시킨다.

(가) 함수 $y=f(x)$의 그래프는 y축에 대하여 대칭이다.

(나) $\lim_{x\to 2}\frac{f(x)+af(-2)}{x-2}$의 값이 존재한다.

함수 $f(x)$에서 x의 값이 -2에서 a까지 변할 때의 평균변화율을 p, a에서 2까지 변할 때의 평균변화율을 q라 할 때, $\frac{q}{p}$의 값은? (단, a는 상수이다.)

① $-\frac{1}{3}$　② $-\frac{2}{3}$　③ -1　④ $-\frac{4}{3}$　⑤ $-\frac{5}{3}$

03

▸ 24054-0109

두 다항함수 $f(x)$, $g(x)$에 대하여 곡선 $y=f(x)$ 위의 점 $(1, f(1))$에서의 접선과 곡선 $y=g(x)$ 위의 점 $(1, g(1))$에서의 접선이 서로 수직이다.

$$\lim_{x\to 1}\frac{f(x)-2}{g(1)-g(x)}=4,\ f'(1)+g'(1)>0$$

일 때, $f(1)\times\{f'(1)+g'(1)\}$의 값은?

① 1　② 2　③ 3　④ 4　⑤ 5

유형 2 미분가능과 연속

출제경향 | 함수 $f(x)$의 $x=a$에서의 미분가능성과 연속의 관계를 이용하여 해결하는 문제가 출제된다.

출제유형잡기 | 함수 $f(x)$가 $x=a$에서 미분가능할 때,

$$\lim_{x\to a-}f(x)=\lim_{x\to a+}f(x)=f(a)$$

$$\lim_{h\to 0-}\frac{f(a+h)-f(a)}{h}=\lim_{h\to 0+}\frac{f(a+h)-f(a)}{h}$$

가 성립함을 이용한다.

필수유형 2

| 2021학년도 수능 9월 모의평가 |

함수

$$f(x)=\begin{cases} x^3+ax+b & (x<1) \\ bx+4 & (x\ge 1) \end{cases}$$

이 실수 전체의 집합에서 미분가능할 때, $a+b$의 값은? (단, a, b는 상수이다.) [3점]

① 6 ② 7 ③ 8 ④ 9 ⑤ 10

04

▸ 24054-0110

함수

$$f(x)=\begin{cases} 2x-4 & (x<a) \\ x^2-4x+b & (x\ge a) \end{cases}$$

가 실수 전체의 집합에서 미분가능할 때, $f(b-a)$의 값은? (단, a, b는 상수이다.)

① -2 ② -1 ③ 0 ④ 1 ⑤ 2

05

▸ 24054-0111

함수 $f(x)=(x-2)|(x-a)(x-b)^2|$이 실수 전체의 집합에서 미분가능하도록 하는 한 자리의 자연수 a, b의 모든 순서쌍 (a, b)의 개수는?

① 11 ② 13 ③ 15 ④ 17 ⑤ 19

06

▸ 24054-0112

실수 전체의 집합에서 연속이고 다음 조건을 만족시키는 모든 함수 $f(x)$에 대하여 $f(0)+f(2)$의 최댓값과 최솟값을 각각 M, m이라 할 때, $M+m$의 값을 구하시오.

(가) 모든 실수 x에 대하여
$$\{f(x)-x^2+3x-4\}\{f(x)+x^2-5x+2\}=0$$
이다.

(나) $\lim_{x\to \alpha-}\frac{f(x)-f(\alpha)}{x-\alpha}\ne\lim_{x\to \alpha+}\frac{f(x)-f(\alpha)}{x-\alpha}$를 만족시키는 실수 α의 값이 오직 1개뿐이다.

수학 II

유형 3 미분법의 공식

출제경향 | 미분법을 이용하여 미분계수 또는 함수의 미정계수를 구하거나 함수를 추론하는 문제가 출제된다.

출제유형잡기 | 두 함수 $f(x)$, $g(x)$가 미분가능할 때

(1) $y=x^n$ (n은 양의 정수)이면 $y'=nx^{n-1}$

(2) $y=c$ (c는 상수)이면 $y'=0$

(3) $\{cf(x)\}'=cf'(x)$ (단, c는 상수)

(4) $\{f(x)+g(x)\}'=f'(x)+g'(x)$

(5) $\{f(x)-g(x)\}'=f'(x)-g'(x)$

(6) $\{f(x)g(x)\}'=f'(x)g(x)+f(x)g'(x)$

필수유형 3

| 2023학년도 수능 |

다항함수 $f(x)$에 대하여 함수 $g(x)$를

$$g(x)=x^2f(x)$$

라 하자. $f(2)=1$, $f'(2)=3$일 때, $g'(2)$의 값은? [3점]

① 12 ② 14 ③ 16

④ 18 ⑤ 20

07

▸ 24054-0113

다항함수 $f(x)$와 양수 a에 대하여 함수 $g(x)$를

$$g(x)=(x^2+a)f(x)$$

라 하자. $f'(1)=g(1)$, $g'(1)=11f(1)$일 때, $\dfrac{f'(1)}{f(1)}$의 값은? (단, $f(1)\neq 0$)

① 2 ② 3 ③ 4

④ 5 ⑤ 6

08

▸ 24054-0114

최고차항의 계수가 1인 이차함수 $f(x)$에 대하여 함수 $y=f(x)$의 그래프와 직선 $y=f(2)$가 서로 다른 두 점 A, B에서 만난다. 두 점 A, B의 x좌표의 합이 6일 때, $\sum_{n=1}^{10} f'(n)$의 값은?

① 50 ② 60 ③ 70

④ 80 ⑤ 90

09

▸ 24054-0115

최고차항의 계수가 양수인 다항함수 $f(x)$가 다음 조건을 만족시킬 때, $\lim_{x\to\infty} x\left\{f\left(2+\dfrac{2}{x}\right)-f(2)\right\}$의 값은?

(가) $\lim_{x\to\infty}\dfrac{\{f(x)\}^2+x^2f(x)}{x^4}=6$

(나) $\lim_{x\to 1}\dfrac{f(x^2)-f(1)}{x-1}=2$

① 2 ② 4 ③ 6

④ 8 ⑤ 10

유형 4 접선의 방정식

출제경향 | 곡선 위의 점에서의 접선의 방정식, 기울기가 주어진 접선의 방정식, 곡선 밖의 점에서 곡선에 그은 접선의 방정식을 구하는 문제가 출제된다.

출제유형잡기 | 함수 $f(x)$가 $x=a$에서 미분가능할 때, 곡선 $y=f(x)$ 위의 점 $\mathrm{P}(a, f(a))$에서의 접선의 방정식은

$$y-f(a)=f'(a)(x-a)$$

필수유형 4

| 2022학년도 수능 |

삼차함수 $f(x)$에 대하여 곡선 $y=f(x)$ 위의 점 $(0, 0)$에서의 접선과 곡선 $y=xf(x)$ 위의 점 $(1, 2)$에서의 접선이 일치할 때, $f'(2)$의 값은? [4점]

① -18 ② -17 ③ -16 ④ -15 ⑤ -14

10

▸ 24054-0116

두 함수 $f(x)=x^3-3x^2+2x+a$, $g(x)=x^2+bx+c$가 다음 조건을 만족시킬 때, $|abc|$의 값은? (단, a, b, c는 상수이다.)

(가) 두 곡선 $y=f(x)$, $y=g(x)$가 점 $\mathrm{A}(1, 2)$에서 만난다.
(나) 곡선 $y=f(x)$ 위의 점 A에서의 접선과 곡선 $y=g(x)$ 위의 점 A에서의 접선이 서로 수직이다.

① $\frac{5}{2}$ ② 3 ③ $\frac{7}{2}$ ④ 4 ⑤ $\frac{9}{2}$

11

▸ 24054-0117

곡선 $y=x^3-3x^2-8x+5$에 접하고 기울기가 1인 서로 다른 두 직선을 l_1, l_2라 할 때, 두 직선 l_1, l_2 사이의 거리는?

① $10\sqrt{2}$ ② $12\sqrt{2}$ ③ $14\sqrt{2}$ ④ $16\sqrt{2}$ ⑤ $18\sqrt{2}$

12

▸ 24054-0118

두 함수

$$f(x)=(x-3)^2+1$$
$$g(x)=(x-3)^3+a(x-3)^2+b(x-3)+1$$

에 대하여 기울기가 2인 직선 l이 두 곡선 $y=f(x)$, $y=g(x)$와 모두 점 A에서 접한다. 직선 l이 곡선 $y=g(x)$와 만나는 점 중 A가 아닌 점을 B라 할 때, 선분 AB의 길이는? (단, a, b는 상수이다.)

① $\sqrt{5}$ ② $\frac{5\sqrt{5}}{4}$ ③ $\frac{3\sqrt{5}}{2}$ ④ $\frac{7\sqrt{5}}{4}$ ⑤ $2\sqrt{5}$

유형 5 함수의 증가와 감소

출제경향 | 도함수를 이용하여 함수가 증가 또는 감소하는 구간을 찾거나, 증가 또는 감소할 조건을 이용하여 미정계수를 구하는 문제가 출제된다.

출제유형잡기 | (1) 함수 $f(x)$가 어떤 구간에 속하는 임의의 두 실수 x_1, x_2에 대하여

① $x_1<x_2$일 때 $f(x_1)<f(x_2)$이면 함수 $f(x)$는 그 구간에서 증가한다고 한다.

② $x_1<x_2$일 때 $f(x_1)>f(x_2)$이면 함수 $f(x)$는 그 구간에서 감소한다고 한다.

(2) 함수 $f(x)$가 어떤 열린구간에서 미분가능할 때, 그 구간에 속하는 모든 x에 대하여

① $f'(x)>0$이면 함수 $f(x)$는 그 구간에서 증가한다.

② $f'(x)<0$이면 함수 $f(x)$는 그 구간에서 감소한다.

필수유형 5 | 2022학년도 수능 |

함수 $f(x)=x^3+ax^2-(a^2-8a)x+3$이 실수 전체의 집합에서 증가하도록 하는 실수 a의 최댓값을 구하시오. [3점]

13

▸ 24054-0119

함수 $f(x)=-x^3+6x^2+ax+5$가 역함수를 갖도록 하는 실수 a의 최댓값은?

① -10 ② -11 ③ -12
④ -13 ⑤ -14

14

▸ 24054-0120

다음 조건을 만족시키는 모든 함수 $f(x)$에 대하여 $f(3)-f(2)$의 최솟값은?

(가) 함수 $f(x)$는 최고차항의 계수가 1이고, 모든 항의 계수가 정수인 삼차함수이다.
(나) 함수 $f(x)$는 열린구간 $(-2, 1)$에서 감소한다.
(다) 함수 $f(x)$는 열린구간 $(1, 2)$에서 증가한다.

① 22 ② 24 ③ 26
④ 28 ⑤ 30

15

▸ 24054-0121

삼차함수 $f(x)$의 도함수 $f'(x)$가 다음 조건을 만족시킬 때, **보기**에서 옳은 것만을 있는 대로 고른 것은?

(가) 함수 $f'(x)$는 최댓값을 갖는다.
(나) $f'(a)=f'(a+2)=0$을 만족시키는 실수 a가 존재한다.

보기

ㄱ. 함수 $f(x)$는 열린구간 $(a, a+2)$에서 증가한다.
ㄴ. 함수 $f(x)-f'(a+1)x$는 열린구간 $(a, a+1)$에서 감소한다.
ㄷ. 다항함수 $g(x)$의 도함수가 $f'(x)+f'(x+1)$이면 함수 $g(x)$는 열린구간 $\left(a-\frac{1}{4}, a+\frac{5}{4}\right)$에서 증가한다.

① ㄱ ② ㄷ ③ ㄱ, ㄴ
④ ㄴ, ㄷ ⑤ ㄱ, ㄴ, ㄷ

유형 6 함수의 극대와 극소

출제경향 | 주어진 조건을 이용하여 함수의 극값을 구하거나 극값을 가질 조건을 이용하는 등 극대, 극소에 관련된 다양한 문제가 출제된다.

출제유형잡기 | 미분가능한 함수 $f(x)$에 대하여 $f'(a)=0$일 때, $x=a$의 좌우에서 $f'(x)$의 부호가

① 양에서 음으로 바뀌면 함수 $f(x)$는 $x=a$에서 극대이다.

② 음에서 양으로 바뀌면 함수 $f(x)$는 $x=a$에서 극소이다.

필수유형 6 | 2024학년도 수능 6월 모의평가 |

두 상수 a, b에 대하여 삼차함수 $f(x)=ax^3+bx+a$는 $x=1$에서 극소이다. 함수 $f(x)$의 극솟값이 -2일 때, 함수 $f(x)$의 극댓값을 구하시오. [3점]

16

▸ 24054-0122

최고차항의 계수가 1인 사차함수 $f(x)$가 모든 실수 x에 대하여 $f(-x)=f(x)$를 만족시키고, 함수 $f(x)$가 $x=1$에서 극솟값 3을 가질 때, 함수 $f(x)$의 극댓값은?

① $\frac{7}{2}$　② 4　③ $\frac{9}{2}$　④ 5　⑤ $\frac{11}{2}$

17

▸ 24054-0123

100보다 작은 두 자연수 a, b에 대하여 함수

$f(x)=\frac{1}{a}(x^3-2bx^2+b^2x+1)$의 극댓값과 극솟값의 차가 4일 때, $a+b$의 최댓값과 최솟값을 각각 M, m이라 하자. $M+m$의 값을 구하시오.

18

▸ 24054-0124

실수 전체의 집합에서 연속인 함수

$$f(x)=\begin{cases} a(x^3-3x+1) & (x<0) \\ x^2+2ax+b & (x\geq 0) \end{cases}$$

이 다음 조건을 만족시킬 때, $ab+f(c)$의 값은?

(단, $a\neq 0$이고, a, b, c는 상수이다.)

(가) 함수 $f(x)$의 극댓값은 -1이다.
(나) 함수 $f(x)$는 $x=c$에서 극솟값을 갖는 양수 c가 존재한다.

① -2　② -1　③ 0　④ 1　⑤ 2

유형 7 함수의 그래프

출제경향 | 함수의 그래프를 그려서 주어진 조건을 만족시키는 상수를 구하거나 함수 $y=f'(x)$의 그래프 또는 도함수 $f'(x)$의 여러 가지 성질을 이용하여 함수 $y=f(x)$의 그래프의 개형을 추론하는 문제가 출제된다.

출제유형잡기 | 함수 $f(x)$의 도함수 $f'(x)$의 부호를 조사하여 함수 $f(x)$의 증가와 감소를 파악하고, 극대와 극소를 찾아 함수 $y=f(x)$의 그래프의 개형을 그려서 문제를 해결한다.

필수유형 7

| 2022학년도 수능 6월 모의평가 |

두 양수 p, q와 함수 $f(x)=x^3-3x^2-9x-12$에 대하여 실수 전체의 집합에서 연속인 함수 $g(x)$가 다음 조건을 만족시킬 때, $p+q$의 값은? [4점]

(가) 모든 실수 x에 대하여 $xg(x)=|xf(x-p)+qx|$이다.
(나) 함수 $g(x)$가 $x=a$에서 미분가능하지 않은 실수 a의 개수는 1이다.

① 6　② 7　③ 8　④ 9　⑤ 10

19

▶ 24054-0125

양수 a와 함수 $f(x)=a(x+2)^2(x-2)^2$에 대하여 함수 $y=f(x)$의 그래프와 직선 $y=4$가 만나는 서로 다른 점의 개수가 3일 때, $f(4a)$의 값은?

① 2　② $\frac{9}{4}$　③ $\frac{5}{2}$　④ $\frac{11}{4}$　⑤ 3

20

▶ 24054-0126

최고차항의 계수가 1인 삼차함수 $f(x)$가 다음 조건을 만족시킨다.

(가) 함수 $|f(x)+kx|$는 실수 전체의 집합에서 미분가능하다.
(나) $\lim_{x\to 1}\frac{f(x)+kx}{x-1}$의 값이 존재한다.

$f(2)+f'(2)=0$일 때, 상수 k의 값은?

① 1　② $\frac{4}{3}$　③ $\frac{5}{3}$　④ 2　⑤ $\frac{7}{3}$

21

▶ 24054-0127

함수 $f(x)=3x^4-4x^3-12x^2+k$에 대하여 함수 $y=f(x)$의 그래프와 x축이 서로 다른 세 점 $\mathrm{A}(a, 0)$, $\mathrm{B}(b, 0)$, $\mathrm{C}(c, 0)$ $(a<b<c)$에서만 만난다. $abc<0$일 때, $f\left(\frac{k}{abc}\right)$의 값은?

(단, k는 상수이다.)

① 242　② 244　③ 246　④ 248　⑤ 250

유형 8 함수의 최대와 최소

출제경향 | 주어진 구간에서 연속함수의 최댓값과 최솟값을 구하는 문제, 도형의 길이, 넓이, 부피의 최댓값과 최솟값을 구하는 문제가 출제된다.

출제유형잡기 | 함수 $f(x)$가 닫힌구간 $[a, b]$에서 연속이고 이 구간에서 극값을 가지면 함수 $f(x)$의 극댓값과 극솟값, $f(a)$, $f(b)$ 중에서 가장 큰 값이 함수 $f(x)$의 최댓값이고, 가장 작은 값이 함수 $f(x)$의 최솟값이다.

필수유형 8

| 2020학년도 수능 6월 모의평가 |

최고차항의 계수가 1인 삼차함수 $f(x)$에 대하여 함수 $g(x)$는

$$g(x)=\begin{cases} \frac{1}{2} & (x<0) \\ f(x) & (x\geq 0) \end{cases}$$

이다. $g(x)$가 실수 전체의 집합에서 미분가능하고 $g(x)$의 최솟값이 $\frac{1}{2}$보다 작을 때, **보기**에서 옳은 것만을 있는 대로 고른 것은? [4점]

보기

ㄱ. $g(0)+g'(0)=\frac{1}{2}$

ㄴ. $g(1)<\frac{3}{2}$

ㄷ. 함수 $g(x)$의 최솟값이 0일 때, $g(2)=\frac{5}{2}$이다.

① ㄱ ② ㄱ, ㄴ ③ ㄱ, ㄷ
④ ㄴ, ㄷ ⑤ ㄱ, ㄴ, ㄷ

22

▸ 24054-0128

닫힌구간 $[-2, 2]$에서 함수 $f(x)=\frac{1}{3}x^3+x^2-3x+1$의 최댓값과 최솟값을 각각 M, m이라 할 때, $M-m$의 값은?

① 6 ② 7 ③ 8
④ 9 ⑤ 10

23

▸ 24054-0129

닫힌구간 $[a, -1]$에서 함수 $f(x)=x^4-14x^2-24x$의 최댓값이 11, 최솟값이 8이 되도록 하는 실수 a의 최댓값과 최솟값을 각각 M, m이라 하자. $M+m$의 값은? (단, $a<-1$)

① $-2\sqrt{3}$ ② $-1-2\sqrt{3}$ ③ $-2-2\sqrt{3}$
④ $-3-2\sqrt{3}$ ⑤ $-4-2\sqrt{3}$

24

▸ 24054-0130

최고차항의 계수가 1인 삼차함수 $f(x)$가 다음 조건을 만족시킨다.

(가) $f(0)>0$
(나) 곡선 $y=f(x)$가 x축과 두 점 $(-2, 0)$, $(1, 0)$에서만 만난다.

$-2<a<-\frac{1}{2}$인 실수 a에 대하여 곡선 $y=f(x)$ 위의 점 $\mathrm{A}(a, f(a))$에서의 접선이 곡선 $y=f(x)$와 만나는 점 중 A가 아닌 점을 B라 하자. 두 점 A, B에서 x축에 내린 수선의 발을 각각 C, D라 할 때, $\overline{\mathrm{AC}}-\overline{\mathrm{BD}}$는 $a=a_1$일 때 최댓값을 갖는다. 상수 a_1의 값은?

① $-\frac{\sqrt{3}}{3}$ ② $-\frac{\sqrt{2}}{2}$ ③ -1
④ $-\sqrt{2}$ ⑤ $-\sqrt{3}$

유형 9 방정식의 실근의 개수

출제경향 | 함수의 그래프의 개형을 이용하여 방정식의 실근의 개수를 구하거나 실근의 개수가 주어졌을 때 미정계수의 값 또는 범위를 구하는 문제가 출제된다.

출제유형잡기 | 방정식 $f(x)=g(x)$의 서로 다른 실근의 개수는 함수 $y=f(x)$의 그래프와 함수 $y=g(x)$의 그래프의 교점의 개수와 같음을 이용하거나 함수 $y=f(x)-g(x)$의 그래프와 x축의 교점의 개수와 같음을 이용한다.

필수유형 9 | 2023학년도 수능 |

방정식 $2x^3-6x^2+k=0$의 서로 다른 양의 실근의 개수가 2가 되도록 하는 정수 k의 개수를 구하시오. [3점]

25

▸ 24054-0131

두 함수 $f(x)=x^3-8x$, $g(x)=-3x^2+x+a$에 대하여 방정식 $f(x)=g(x)$의 서로 다른 실근의 개수가 3이 되도록 하는 정수 a의 최댓값은?

① 22 ② 24 ③ 26 ④ 28 ⑤ 30

26

▸ 24054-0132

방정식 $2x^3+3x^2-12x-k=0$의 서로 다른 양의 실근의 개수를 a, 서로 다른 음의 실근의 개수를 b라 할 때, $ab=2$가 되도록 하는 정수 k의 개수는?

① 21 ② 22 ③ 23 ④ 24 ⑤ 25

27

▸ 24054-0133

최고차항의 계수가 1인 삼차함수 $f(x)$가 두 실수 α, β $(\alpha<\beta)$에 대하여 다음 조건을 만족시킨다.

(가) $f'(\alpha)=f'(\beta)=0$
(나) $f(\alpha)f(\beta)<0$, $f(\alpha)+f(\beta)>0$

방정식 $|f(x)|=|f(k)|$의 서로 다른 실근의 개수가 3이 되도록 하는 모든 실수 k의 개수는 m이고, 이러한 m개의 실수 k의 값을 작은 수부터 차례로 k_1, k_2, k_3, $\cdots$, k_m이라 하자.
$\sum_{i=1}^{m} f(k_i)=nf(\alpha)$일 때, $m+n$의 값을 구하시오.

(단, m, n은 자연수이다.)

유형 10 부등식에의 활용

출제경향 | 주어진 범위에서 부등식이 항상 성립하기 위한 조건을 구하는 문제가 출제된다.

출제유형잡기 | 어떤 구간에서 부등식 $f(x)\geq 0$이 성립함을 보이려면 주어진 구간에서 함수 $f(x)$의 최솟값을 구하여 ($f(x)$의 최솟값)≥ 0임을 보이면 된다.

필수유형 10 | 2023학년도 수능 6월 모의평가 |

두 함수

$$f(x)=x^3-x+6,\ g(x)=x^2+a$$

가 있다. $x\geq 0$인 모든 실수 x에 대하여 부등식

$$f(x)\geq g(x)$$

가 성립할 때, 실수 a의 최댓값은? [4점]

① 1 ② 2 ③ 3
④ 4 ⑤ 5

28

▸ 24054-0134

모든 자연수 x에 대하여 부등식

$$\frac{1}{3}x^3+\frac{1}{4}x^2-3x+a\geq 0$$

이 성립하도록 하는 실수 a의 최솟값이 $\frac{q}{p}$일 때, $p+q$의 값을 구하시오. (단, p와 q는 서로소인 자연수이다.)

29

▸ 24054-0135

함수 $f(x)=x^4-3x^3+x^2$에 대하여 함수 $y=f(x)$의 그래프를 x축에 대하여 대칭이동한 후, y축의 방향으로 k만큼 평행이동한 그래프를 나타내는 함수를 $y=g(x)$라 하자. 모든 실수 x에 대하여 부등식

$$f(x)\geq g(x)$$

가 성립할 때, 실수 k의 최댓값은?

① -10 ② -8 ③ -6
④ -4 ⑤ -2

30

▸ 24054-0136

$x\geq 0$인 모든 실수 x에 대하여 부등식

$$x^3+ax^2-a^2x+5\geq 0$$

이 성립하도록 하는 모든 정수 a의 개수는?

① 1 ② 3 ③ 5
④ 7 ⑤ 9

수학 II

유형 11 속도와 가속도

출제경향 | 수직선 위를 움직이는 점의 시각 t에서의 위치가 주어졌을 때, 속도나 가속도를 구하는 문제가 출제된다.

출제유형잡기 | 수직선 위를 움직이는 점 P의 시각 t에서의 위치가 $x=f(t)$일 때

(1) 점 P의 시각 t에서의 속도 v는 $v=\frac{dx}{dt}=f'(t)$

(2) 점 P의 시각 t에서의 가속도 a는 $a=\frac{dv}{dt}$

필수유형 11

| 2019학년도 수능 6월 모의평가 |

수직선 위를 움직이는 점 P의 시각 t $(t\geq0)$에서의 위치 x가

$$x=t^3+at^2+bt \ (a, b\text{는 상수})$$

이다. 시각 $t=1$에서 점 P가 운동 방향을 바꾸고, 시각 $t=2$에서 점 P의 가속도는 0이다. $a+b$의 값은? [4점]

① 3 ② 4 ③ 5
④ 6 ⑤ 7

31

▸ 24054-0137

수직선 위를 움직이는 점 P의 시각 t $(t\geq0)$에서의 위치 x가

$$x=t^3-4t^2+kt+1$$

이다. 시각 $t=1$에서의 점 P의 속도와 시각 $t=\alpha$ $(\alpha>1)$에서의 점 P의 속도가 모두 5일 때, 시각 $t=\frac{k}{\alpha}$에서의 점 P의 가속도는? (단, α, k는 상수이다.)

① 28 ② 29 ③ 30
④ 31 ⑤ 32

32

▸ 24054-0138

수직선 위를 움직이는 두 점 P, Q의 시각 t $(t\geq0)$에서의 위치 x_1, x_2가

$$x_1=t^3-6t^2+9t-1$$

$$x_2=-\frac{1}{4}t^4+mt^2+nt+2$$

이다. $t\geq0$인 모든 시각 t에 대하여 점 P가 양의 방향으로 움직이면 점 Q는 음의 방향으로 움직이고, 점 P가 음의 방향으로 움직이면 점 Q는 양의 방향으로 움직일 때, 시각 $t=|m+n|$에서의 점 P의 가속도는? (단, m, n은 상수이다.)

① 21 ② 22 ③ 23
④ 24 ⑤ 25

33

▸ 24054-0139

수직선 위를 움직이는 점 P의 시각 t $(t\geq0)$에서의 위치 x가

$$x=-\frac{1}{3}t^3+kt^2+(28-11k)t+3$$

이고, 점 P가 다음 조건을 만족시킨다.

(가) 점 P는 시각 $t=\alpha$와 시각 $t=\beta$에서 움직이는 방향이 바뀐다. (단, $\alpha\neq\beta$)
(나) 시각 $t=4$일 때 점 P는 양의 방향으로 움직인다.

$\beta-\alpha=4$일 때, 시각 $t=k$에서의 점 P의 속도는?
(단, α, β, k는 상수이다.)

① 1 ② 2 ③ 3
④ 4 ⑤ 5

06 다항함수의 적분법

1 부정적분

(1) 함수 $f(x)$에 대하여 $F'(x)=f(x)$를 만족시키는 함수 $F(x)$를 $f(x)$의 부정적분이라 하고, $f(x)$의 부정적분을 구하는 것을 $f(x)$를 적분한다고 한다.

(2) 함수 $f(x)$의 한 부정적분을 $F(x)$라 하면

$$\int f(x)dx=F(x)+C\ (C\text{는 상수})$$

로 나타내며, C를 적분상수라고 한다.

설명 두 함수 $F(x)$, $G(x)$가 모두 함수 $f(x)$의 부정적분이면 $F'(x)=G'(x)=f(x)$이므로

$$\{G(x)-F(x)\}'=f(x)-f(x)=0$$

이다. 그런데 평균값 정리에 의하여 도함수가 0인 함수는 상수함수이므로 그 상수를 C라 하면

$$G(x)-F(x)=C,\ \text{즉}\ G(x)=F(x)+C$$

따라서 함수 $f(x)$의 임의의 부정적분은 $F(x)+C$의 꼴로 나타낼 수 있다.

참고 미분가능한 함수 $f(x)$에 대하여

① $\dfrac{d}{dx}\left\{\int f(x)\,dx\right\}=f(x)$　　② $\int\left\{\dfrac{d}{dx}f(x)\right\}dx=f(x)+C$ (단, C는 적분상수)

2 함수 $y=x^n$ (n은 양의 정수)와 함수 $y=1$의 부정적분

(1) n이 양의 정수일 때,

$$\int x^n\,dx=\frac{1}{n+1}x^{n+1}+C\ (\text{단, } C\text{는 적분상수})$$

(2) $\int 1\,dx=x+C$ (단, C는 적분상수)

3 함수의 실수배, 합, 차의 부정적분

두 함수 $f(x)$, $g(x)$의 부정적분이 각각 존재할 때

(1) $\int kf(x)dx=k\int f(x)dx$ (단, k는 0이 아닌 상수)

(2) $\int\{f(x)+g(x)\}dx=\int f(x)dx+\int g(x)dx$

(3) $\int\{f(x)-g(x)\}dx=\int f(x)dx-\int g(x)dx$

4 정적분

함수 $f(x)$가 두 실수 a, b를 포함하는 구간에서 연속일 때, $f(x)$의 한 부정적분을 $F(x)$라 하면 $f(x)$의 a에서 b까지의 정적분은

$$\int_a^b f(x)dx=\Big[F(x)\Big]_a^b=F(b)-F(a)$$

이때 정적분 $\int_a^b f(x)dx$의 값을 구하는 것을 함수 $f(x)$를 a에서 b까지 적분한다고 한다.

참고 함수 $f(x)$가 닫힌구간 $[a, b]$에서 연속일 때

① $\int_a^a f(x)dx=0$　　② $\int_a^b f(x)dx=-\int_b^a f(x)dx$

5 정적분과 미분의 관계

함수 $f(t)$가 닫힌구간 $[a, b]$에서 연속일 때,

$$\frac{d}{dx}\int_a^x f(t)dt=f(x)\ (\text{단, } a<x<b)$$

Note

수학 II

Note

⑥ 정적분의 성질

(1) 두 함수 $f(x)$, $g(x)$가 닫힌구간 $[a, b]$에서 연속일 때

① $\int_a^b kf(x)dx=k\int_a^b f(x)dx$ (단, k는 상수)

② $\int_a^b \{f(x)+g(x)\}dx=\int_a^b f(x)dx+\int_a^b g(x)dx$

③ $\int_a^b \{f(x)-g(x)\}dx=\int_a^b f(x)dx-\int_a^b g(x)dx$

(2) 함수 $f(x)$가 임의의 세 실수 a, b, c를 포함하는 닫힌구간에서 연속일 때,

$$\int_a^c f(x)dx+\int_c^b f(x)dx=\int_a^b f(x)dx$$

설명 $\int_a^c f(x)dx+\int_c^b f(x)dx=\Big[F(x)\Big]_a^c+\Big[F(x)\Big]_c^b$

$=\{F(c)-F(a)\}+\{F(b)-F(c)\}=F(b)-F(a)$

$=\int_a^b f(x)dx$

참고 함수의 성질을 이용한 정적분

① 연속함수 $f(x)$가 모든 실수 x에 대하여 $f(-x)=f(x)$를 만족시킬 때,

$$\int_{-a}^a f(x)dx=2\int_0^a f(x)dx$$

② 연속함수 $f(x)$가 모든 실수 x에 대하여 $f(-x)=-f(x)$를 만족시킬 때,

$$\int_{-a}^a f(x)dx=0$$

⑦ 정적분으로 나타내어진 함수의 극한

함수 $f(x)$가 실수 a를 포함하는 구간에서 연속일 때

(1) $\lim_{h\to 0}\frac{1}{h}\int_a^{a+h} f(t)dt=f(a)$

(2) $\lim_{x\to a}\frac{1}{x-a}\int_a^x f(t)dt=f(a)$

⑧ 곡선과 x축 사이의 넓이

함수 $f(x)$가 닫힌구간 $[a, b]$에서 연속일 때, 곡선 $y=f(x)$와 x축 및 두 직선 $x=a$, $x=b$로 둘러싸인 부분의 넓이 S는

$$S=\int_a^b |f(x)|dx$$

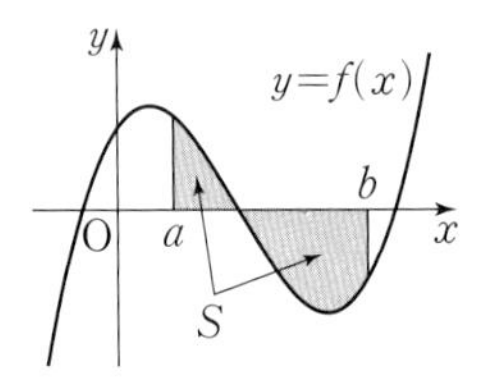

⑨ 두 곡선 사이의 넓이

두 함수 $f(x)$, $g(x)$가 닫힌구간 $[a, b]$에서 연속일 때, 두 곡선 $y=f(x)$, $y=g(x)$와 두 직선 $x=a$, $x=b$로 둘러싸인 부분의 넓이 S는

$$S=\int_a^b |f(x)-g(x)|dx$$

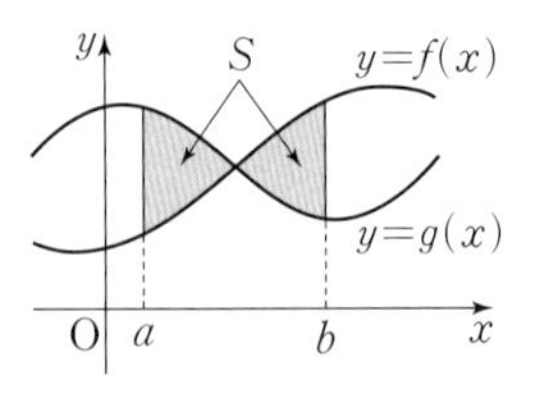

⑩ 수직선 위를 움직이는 점의 위치와 거리

수직선 위를 움직이는 점 P의 시각 t에서의 속도를 $v(t)$, 시각 $t=a$에서의 위치를 $x(a)$라 하자.

(1) 시각 t에서의 점 P의 위치를 $x=x(t)$라 하면 $x(t)=x(a)+\int_a^t v(t)dt$

(2) 시각 $t=a$에서 $t=b$까지 점 P의 위치의 변화량은 $\int_a^b v(t)dt$

(3) 시각 $t=a$에서 $t=b$까지 점 P가 움직인 거리 s는 $s=\int_a^b |v(t)|dt$

유형 1 부정적분의 뜻과 성질

출제경향 | 부정적분의 뜻과 성질 및 함수 $y=x^n$ (n은 양의 정수)의 부정적분을 이용하여 부정적분을 구하거나 함숫값을 구하는 문제가 출제된다.

출제유형잡기 | (1) n이 양의 정수일 때,

$$\int x^n dx = \frac{1}{n+1}x^{n+1}+C \text{ (단, } C\text{는 적분상수)}$$

(2) 두 함수 $f(x)$, $g(x)$의 부정적분이 각각 존재할 때

① $\int kf(x)dx = k\int f(x)dx$ (단, k는 0이 아닌 상수)

② $\int \{f(x)+g(x)\}dx = \int f(x)dx + \int g(x)dx$

③ $\int \{f(x)-g(x)\}dx = \int f(x)dx - \int g(x)dx$

[참고]

(1) $\frac{d}{dx}\left\{\int f(x)dx\right\} = f(x)$

(2) $\int \left\{\frac{d}{dx}f(x)\right\}dx = f(x)+C$ (단, C는 적분상수)

필수유형 1 | 2023학년도 수능 |

함수 $f(x)$에 대하여 $f'(x)=4x^3-2x$이고 $f(0)=3$일 때, $f(2)$의 값을 구하시오. [3점]

01

▸ 24054-0140

함수 $f(x)$에 대하여 $f'(x)=4x^3-8x+7$이고, 곡선 $y=f(x)$ 위의 점 $(1, f(1))$에서의 접선의 y절편이 3일 때, $f(2)$의 값은?

① 10 ② 12 ③ 14 ④ 16 ⑤ 18

02

▸ 24054-0141

다항함수 $f(x)$가

$$\int \{f(x)-3\}\,dx + \int xf'(x)\,dx = x^3-2x^2$$

을 만족시킨다. 함수 $f(x)$가 $x=a$에서 극값을 가질 때, $f(a)$의 값은? (단, a는 상수이다.)

① 1 ② $\frac{3}{2}$ ③ 2 ④ $\frac{5}{2}$ ⑤ 3

03

▸ 24054-0142

실수 전체의 집합에서 미분가능한 함수 $f(x)$의 도함수 $f'(x)$가

$$f'(x)=\begin{cases} x^2-4x & (|x|<1) \\ -4x^3+x^2 & (|x|\geq 1) \end{cases}$$

일 때, $\frac{f(0)-f(-2)}{f(0)-f(2)}$의 값은?

① $\frac{7}{5}$ ② $\frac{57}{41}$ ③ $\frac{29}{21}$ ④ $\frac{59}{43}$ ⑤ $\frac{15}{11}$

정답과 풀이 43쪽

유형 2 정적분의 뜻과 성질

출제경향 | 정적분의 뜻과 성질을 이용하여 정적분의 값을 구하거나 정적분을 활용하는 문제가 출제된다.

출제유형잡기 | (1) 두 함수 $f(x)$, $g(x)$가 닫힌구간 $[a, b]$에서 연속일 때

① $\int_a^b kf(x)dx=k\int_a^b f(x)dx$ (단, k는 상수)

② $\int_a^b \{f(x)+g(x)\}dx=\int_a^b f(x)dx+\int_a^b g(x)dx$

③ $\int_a^b \{f(x)-g(x)\}dx=\int_a^b f(x)dx-\int_a^b g(x)dx$

(2) 함수 $f(x)$가 임의의 세 실수 a, b, c를 포함하는 닫힌구간에서 연속일 때,

$$\int_a^c f(x)dx+\int_c^b f(x)dx=\int_a^b f(x)dx$$

필수유형 2

| 2022학년도 수능 6월 모의평가 |

닫힌구간 $[0, 1]$에서 연속인 함수 $f(x)$가

$$f(0)=0,\ f(1)=1,\ \int_0^1 f(x)\,dx=\frac{1}{6}$$

을 만족시킨다. 실수 전체의 집합에서 정의된 함수 $g(x)$가 다음 조건을 만족시킬 때, $\int_{-3}^{2} g(x)\,dx$의 값은? [4점]

(가) $g(x)=\begin{cases} -f(x+1)+1 & (-1<x<0) \\ f(x) & (0\le x\le 1)\end{cases}$

(나) 모든 실수 x에 대하여 $g(x+2)=g(x)$이다.

① $\frac{5}{2}$ ② $\frac{17}{6}$ ③ $\frac{19}{6}$

④ $\frac{7}{2}$ ⑤ $\frac{23}{6}$

04

▸ 24054-0143

$\int_{-1}^{k}(4x-k)\,dx=-\frac{9}{4}$일 때, 상수 k의 값은?

① $\frac{1}{4}$ ② $\frac{1}{2}$ ③ $\frac{3}{4}$

④ 1 ⑤ $\frac{5}{4}$

05

▸ 24054-0144

함수 $f(x)=6x^2-6x-5$에 대하여

$$\int_{-1}^{0} f(x)\,dx=\int_{-1}^{a} f(x)\,dx$$

를 만족시키는 양수 a의 값은?

① 2 ② $\frac{5}{2}$ ③ 3

④ $\frac{7}{2}$ ⑤ 4

06

▸ 24054-0145

$0<a<3$인 실수 a에 대하여 함수 $f(x)$를 $f(x)=x(x-a)$라 하자.

$$\int_0^3 |f(x)|\,dx=\int_0^3 f(x)\,dx+2$$

일 때, $af(-a)$의 값은?

① 4 ② 6 ③ 8

④ 10 ⑤ 12

유형 3 함수의 성질을 이용한 정적분

출제경향 | 함수의 그래프가 원점 또는 y축에 대하여 대칭임을 이용하거나 함수의 그래프를 평행이동하여 정적분의 값을 구하는 문제가 출제된다.

출제유형잡기 | (1) 연속함수 $y=f(x)$의 그래프가 원점에 대하여 대칭일 때, 즉 모든 실수 x에 대하여 $f(-x)=-f(x)$이면

$$\int_{-a}^{a} f(x)dx=0$$

(2) 연속함수 $y=f(x)$의 그래프가 y축에 대하여 대칭일 때, 즉 모든 실수 x에 대하여 $f(-x)=f(x)$이면

$$\int_{-a}^{a} f(x)dx=2\int_{0}^{a} f(x)dx$$

필수유형 3

두 실수 $a\ (a\neq 0)$, b에 대하여 $f(x)=x^2+ax+b$라 하자.

$$\int_{-1}^{1} f(x)f'(x)\,dx=0,\ \int_{-3}^{3} \{f(x)+f'(x)\}\,dx=0$$

일 때, $f(3)$의 값은?

① 1 ② 2 ③ 3 ④ 4 ⑤ 5

07

▸ 24054-0146

$\int_{-a}^{a} (3x^2+2ax-a)\,dx=2a+4$를 만족시키는 실수 a의 값은?

① 1 ② 2 ③ 3 ④ 4 ⑤ 5

08

▸ 24054-0147

최고차항의 계수가 1인 삼차함수 $f(x)$가 $x=-1$, $x=2$에서 극값을 갖고, $\int_{-2}^{2} f(x)\,dx=0$일 때, $f(4)$의 값은?

① 15 ② 16 ③ 17 ④ 18 ⑤ 19

09

▸ 24054-0148

실수 전체의 집합에서 정의된 함수 $f(x)$와 양수 a가 다음 조건을 만족시킬 때, **보기**에서 옳은 것만을 있는 대로 고른 것은?

(가) $-2\leq x<2$일 때, $f(x)=a(x+2)(x-2)$이다.
(나) 모든 실수 x에 대하여 $f(x+4)=-2f(x)$이다.

보기

ㄱ. $f(4)=8a$
ㄴ. $\int_{2}^{8} f(x)\,dx=a$
ㄷ. $\int_{-2}^{12} f(x)\,dx=4$이면 $a=\frac{3}{8}$이다.

① ㄱ ② ㄱ, ㄴ ③ ㄱ, ㄷ ④ ㄴ, ㄷ ⑤ ㄱ, ㄴ, ㄷ

유형 4 정적분으로 나타내어진 함수

출제경향 | 정적분으로 나타내어진 함수를 이용하여 함수 또는 함숫값을 구하는 문제가 출제된다.

출제유형잡기 | (1) 함수 $f(x)$가 두 상수 a, b에 대하여

$f(x)=g(x)+\int_a^b f(t)\,dt$로 주어지면

$\int_a^b f(t)\,dt=k$ (k는 상수)라 하고, $\int_a^b \{g(t)+k\}\,dt=k$로부터 구한 k의 값을 이용하여 $f(x)$를 구한다.

(2) 함수 $f(x)$에 대하여 함수 $g(x)$가 $g(x)=\int_a^x f(t)\,dt$ (a는 상수)로 주어질 때

(i) 양변에 $x=a$를 대입하면 $g(a)=0$

(ii) 양변을 x에 대하여 미분하면 $g'(x)=f(x)$

임을 이용하여 문제를 해결한다.

필수유형 4 | 2022학년도 수능 9월 모의평가 |

다항함수 $f(x)$가 모든 실수 x에 대하여

$$xf(x)=2x^3+ax^2+3a+\int_1^x f(t)dt$$

를 만족시킨다. $f(1)=\int_0^1 f(t)\,dt$일 때, $a+f(3)$의 값은?

(단, a는 상수이다.) [4점]

① 5 ② 6 ③ 7 ④ 8 ⑤ 9

10

▸ 24054-0149

다항함수 $f(x)$가 모든 실수 x에 대하여

$$f(x)=x^2+x\int_0^2 f(t)\,dt+\int_{-1}^1 f(t)\,dt$$

를 만족시킬 때, $f(4)$의 값은?

① 6 ② 7 ③ 8 ④ 9 ⑤ 10

11

▸ 24054-0150

다항함수 $f(x)$가 모든 실수 x에 대하여

$$(1-x)f(x)=x^3-6x^2+9x-\int_{-1}^x f(t)\,dt$$

를 만족시킬 때, $f(1)$의 값은?

① 6 ② 7 ③ 8 ④ 9 ⑤ 10

12

▸ 24054-0151

다항함수 $f(x)$가 모든 실수 x에 대하여

$$f'(x)=3x^2+x\int_0^2 f(t)\,dt$$

를 만족시키고 $f(2)=f'(2)$일 때, $f(1)$의 값은?

① -22 ② -19 ③ -16 ④ -13 ⑤ -10

13

▸ 24054-0152

다음 조건을 만족시키는 모든 다항함수 $f(x)$에 대하여 모든 $f(0)$의 값의 합은?

> 모든 실수 x에 대하여 $f(x)=-2x+3\left|\int_0^1 f(t)\,dt\right|$이다.

① 2 ② $\frac{9}{4}$ ③ $\frac{5}{2}$ ④ $\frac{11}{4}$ ⑤ 3

유형 5 정적분으로 나타내어진 함수의 활용

출제경향 | 정적분으로 나타내어진 함수를 이용하여 함수의 극값을 구하거나 함수의 그래프의 개형을 파악하는 등 미분법을 활용하는 문제가 출제된다.

출제유형잡기 | 함수 $f(x)$에 대하여 함수 $g(x)$가 $g(x)=\int_{a}^{x} f(t)\,dt$ (a는 상수)로 주어지면 양변을 x에 대하여 미분하여 방정식 $g'(x)=0$, 즉 $f(x)=0$을 만족시키는 x의 값을 구한 후 함수 $y=g(x)$의 그래프의 개형을 파악한다.

필수유형 5 | 2024학년도 수능 6월 모의평가 |

최고차항의 계수가 1인 이차함수 $f(x)$에 대하여 함수

$$g(x)=\int_{0}^{x} f(t)\,dt$$

가 다음 조건을 만족시킬 때, $f(9)$의 값을 구하시오. [4점]

> $x\geq 1$인 모든 실수 x에 대하여
> $g(x)\geq g(4)$이고 $|g(x)|\geq|g(3)|$이다.

14

▸ 24054-0153

실수 t에 대하여 함수 $f(t)$를

$$f(t)=\int_{-t}^{t}(x^2+tx-2t)\,dx$$

라 하자. 함수 $f(t)$의 극솟값은?

① $-\frac{64}{3}$　② $-\frac{56}{3}$　③ -16　④ $-\frac{40}{3}$　⑤ $-\frac{32}{3}$

15

▸ 24054-0154

모든 실수 x에 대하여 $f(-x)=-f(x)$이고 최고차항의 계수가 양수인 삼차함수 $f(x)$에 대하여 함수 $g(x)$를

$$g(x)=\int_{-4}^{x} f(t)\,dt$$

라 하자. $g(2)=0$이고 함수 $g(x)$의 극댓값이 8일 때, $f(4)$의 값을 구하시오.

16

▸ 24054-0155

다항함수 $f(x)$가 다음 조건을 만족시킬 때, $f(2)$의 값은?

> (가) 모든 실수 x에 대하여
> $$f(x)=x^3+4x\int_{0}^{2} f(t)\,dt-\left\{\int_{0}^{2} f(t)\,dt\right\}^2$$
> 을 만족시킨다.
> (나) 임의의 두 실수 x_1, x_2에 대하여 $x_1<x_2$이면 $f(x_1)<f(x_2)$이다.

① 22　② 24　③ 26　④ 28　⑤ 30

수학 II

유형 6 정적분과 넓이

출제경향 | 곡선과 x축 사이의 넓이, 두 곡선으로 둘러싸인 부분의 넓이를 정적분을 이용하여 구하는 문제가 출제된다.

출제유형잡기 | (1) 함수 $f(x)$가 닫힌구간 $[a, b]$에서 연속일 때, 곡선 $y=f(x)$와 x축 및 두 직선 $x=a$, $x=b$로 둘러싸인 부분의 넓이 S는

$$S=\int_a^b |f(x)|\,dx$$

(2) 두 함수 $f(x)$, $g(x)$가 닫힌구간 $[a, b]$에서 연속일 때, 두 곡선 $y=f(x)$, $y=g(x)$와 두 직선 $x=a$, $x=b$로 둘러싸인 부분의 넓이 S는

$$S=\int_a^b |f(x)-g(x)|\,dx$$

필수유형 6

| 2024학년도 수능 6월 모의평가 |

양수 k에 대하여 함수 $f(x)$는

$f(x)=kx(x-2)(x-3)$

이다. 곡선 $y=f(x)$와 x축이 원점 O와 두 점 P, Q $(\overline{OP}<\overline{OQ})$에서 만난다. 곡선 $y=f(x)$와 선분 OP로 둘러싸인 영역을 A, 곡선 $y=f(x)$와 선분 PQ로 둘러싸인 영역을 B라 하자.

(A의 넓이)$-$(B의 넓이)$=3$

일 때, k의 값은? [4점]

① $\frac{7}{6}$ ② $\frac{4}{3}$ ③ $\frac{3}{2}$ ④ $\frac{5}{3}$ ⑤ $\frac{11}{6}$

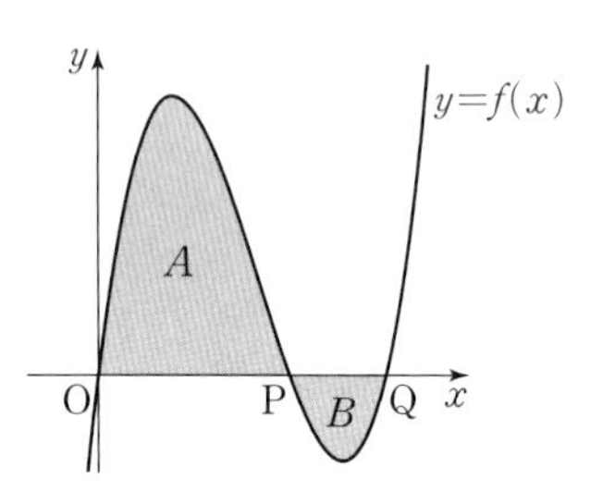

17

▸ 24054-0156

양수 a에 대하여 곡선 $y=x^2-ax$와 x축으로 둘러싸인 부분의 넓이를 A, 곡선 $y=-x^3+ax^2$과 x축으로 둘러싸인 부분의 넓이를 B라 하자. $A=B$일 때, a의 값은?

① 2 ② $\frac{9}{4}$ ③ $\frac{5}{2}$ ④ $\frac{11}{4}$ ⑤ 3

18

▸ 24054-0157

직선 $y=x+2$가 곡선 $y=x^2-3x+k$에 접할 때, 곡선 $y=x^2-3x+k$와 두 직선 $y=x+2$, $x=k$로 둘러싸인 부분의 넓이는? (단, k는 상수이다.)

① 16 ② $\frac{52}{3}$ ③ $\frac{56}{3}$ ④ 20 ⑤ $\frac{64}{3}$

19

▸ 24054-0158

양수 k에 대하여 함수 $f(x)$를

$f(x)=x(x+2)(x-k)$

라 하고, 함수 $g(x)$를

$g(x)=f(x)+|f(x)|$

라 하자. 함수 $y=g(x)$의 그래프와 x축으로 둘러싸인 부분의 넓이가 6이 되도록 하는 k의 값은?

① 1 ② $\frac{5}{4}$ ③ $\frac{3}{2}$ ④ $\frac{7}{4}$ ⑤ 2

20

▸ 24054-0159

그림과 같이 $a>3$인 상수 a에 대하여 직선 $y=ax$, 곡선 $y=\frac{1}{a}x^2$과 세 점 A$(3, 0)$, B$(3, 3)$, C$(0, 3)$이 있다. 직선 $y=ax$와 y축 및 선분 BC로 둘러싸인 부분의 넓이를 S_1, 곡선 $y=\frac{1}{a}x^2$과 x축 및 선분 AB로 둘러싸인 부분의 넓이를 S_2, 직선 $y=ax$, 곡선 $y=\frac{1}{a}x^2$ 및 두 선분 AB, BC로 둘러싸인 부분의 넓이를 S_3이라 하자. S_1, S_2, S_3이 이 순서대로 등비수열을 이룰 때, $12a$의 값을 구하시오.

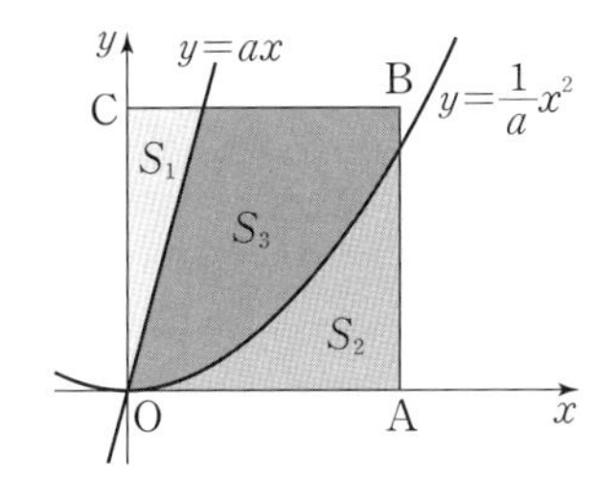

유형 7 정적분과 넓이의 활용

출제경향 | 주기를 갖는 함수의 성질, 대칭인 함수의 성질, 함수의 그래프의 개형 등의 여러 가지 조건이 포함된 정적분과 넓이를 활용하는 문제가 출제된다.

출제유형잡기 | 함수의 여러 가지 성질을 이해하거나 함수의 그래프의 개형을 이해하고 정적분의 뜻과 넓이의 관계로부터 정적분의 값 또는 넓이를 구한다.

필수유형 7

| 2019학년도 수능 |

실수 전체의 집합에서 증가하는 연속함수 $f(x)$가 다음 조건을 만족시킨다.

(가) 모든 실수 x에 대하여 $f(x)=f(x-3)+4$이다.

(나) $\int_0^6 f(x)\,dx=0$

함수 $y=f(x)$의 그래프와 x축 및 두 직선 $x=6$, $x=9$로 둘러싸인 부분의 넓이는? [4점]

① 9 ② 12 ③ 15 ④ 18 ⑤ 21

21

▸ 24054-0160

최고차항의 계수가 음수인 이차함수 $f(x)$에 대하여 함수

$$g(x)=\begin{cases} x & (x<1 \text{ 또는 } x>3) \\ f(x) & (1\le x\le 3) \end{cases}$$

이 실수 전체의 집합에서 연속이고, 함수 $y=g(x)$의 그래프와 x축 및 직선 $x=4$로 둘러싸인 부분의 넓이가 $\frac{34}{3}$이다. 함수 $f(x)$의 최댓값이 $\frac{q}{p}$일 때, $p+q$의 값을 구하시오.

(단, p와 q는 서로소인 자연수이다.)

22

▸ 24054-0161

실수 전체의 집합에서 연속이고 역함수가 존재하는 함수 $f(x)$에 대하여 $f(2)=2$, $f(4)=8$이다. 곡선 $y=f(x)$와 두 직선 $y=2$, $y=8$ 및 y축으로 둘러싸인 부분의 넓이가 16일 때, $\int_2^4 f(x)\,dx$의 값은?

① 10 ② 11 ③ 12 ④ 13 ⑤ 14

23

▸ 24054-0162

최고차항의 계수가 1인 삼차함수 $f(x)$가 다음 조건을 만족시킬 때, $f(6)$의 값은?

(가) 방정식 $f(x)=0$은 서로 다른 세 실근 a, 1, b $(a<1<b)$를 갖고, a, 1, b는 이 순서대로 등차수열을 이룬다.
(나) 곡선 $y=f(x)$와 x축으로 둘러싸인 부분의 넓이는 128이다.

① 42 ② 45 ③ 48
④ 51 ⑤ 54

24

▸ 24054-0163

$0\leq x\leq 8$에서 연속인 두 함수 $f(x)$, $g(x)$가 다음 조건을 만족시킨다.

(가) $f(0)=0$, $f(6)=6$, $f(8)=8$이고, 열린구간 $(0, 8)$에서 함수 $f(x)$는 증가한다.
(나) $0<x<6$인 모든 실수 x에 대하여 $f(x)<x$이고, $6<x<8$인 모든 실수 x에 대하여 $f(x)>x$이다.
(다) $g(0)=8$, $g(6)=6$, $g(8)=0$이고, 곡선 $y=g(x)$는 직선 $y=x$에 대하여 대칭이다.

$\int_0^6 f(x)\,dx=\int_6^8 f(x)\,dx$일 때, $\int_0^8 |f(x)-g(x)|\,dx$의 값을 구하시오.

유형 8 수직선 위를 움직이는 점의 속도와 거리

출제경향 | 수직선 위를 움직이는 점의 시각 t에서의 속도에 대한 식이나 그래프로부터 점의 위치, 위치의 변화량, 움직인 거리를 구하는 문제가 출제된다.

출제유형잡기 | 수직선 위를 움직이는 점 P의 시각 t에서의 속도가 $v(t)$이고, 시각 $t=t_0$에서 점 P의 위치가 x_0일 때

(1) 시각 t에서의 점 P의 위치는

$$x_0+\int_{t_0}^{t} v(t)dt$$

(2) 시각 $t=a$에서 $t=b$까지 점 P의 위치의 변화량은

$$\int_a^b v(t)dt$$

(3) 시각 $t=a$에서 $t=b$까지 점 P가 움직인 거리는

$$\int_a^b |v(t)|dt$$

필수유형 8

| 2023학년도 수능 |

수직선 위를 움직이는 점 P의 시각 t $(t\geq 0)$에서의 속도 $v(t)$와 가속도 $a(t)$가 다음 조건을 만족시킨다.

(가) $0\leq t\leq 2$일 때, $v(t)=2t^3-8t$이다.
(나) $t\geq 2$일 때, $a(t)=6t+4$이다.

시각 $t=0$에서 $t=3$까지 점 P가 움직인 거리를 구하시오.

[4점]

25

▸ 24054-0164

수직선 위를 움직이는 점 P의 시각 t $(t\geq 0)$에서의 속도 $v(t)$가

$$v(t)=3t^2-4t+5$$

이다. 시각 $t=k$에서의 점 P의 가속도가 8일 때, 시각 $t=0$에서 $t=k$까지 점 P의 위치의 변화량은? (단, k는 상수이다.)

① 6 ② 7 ③ 8
④ 9 ⑤ 10

26

▸ 24054-0165

수직선 위를 움직이는 점 P의 시각 t ($t\geq 0$)에서의 속도 $v(t)$가

$$v(t)=t^2-kt$$

이다. 시각 $t=0$에서의 점 P의 위치와 시각 $t=3$에서의 점 P의 위치가 서로 같을 때, 점 P가 시각 $t=0$에서 $t=3$까지 움직인 거리는? (단, k는 상수이다.)

① 2 ② $\frac{8}{3}$ ③ $\frac{10}{3}$

④ 4 ⑤ $\frac{14}{3}$

27

▸ 24054-0166

수직선 위를 움직이는 점 P의 시각 t ($t>0$)에서의 속도 $v(t)$가

$$v(t)=t^2-5t+4$$

이다. 점 P가 시각 $t=t_1$, $t=t_2$ ($t_1<t_2$)일 때 움직이는 방향이 바뀌고, 시각 $t=t_1$에서의 점 P의 위치가 10일 때, 시각 $t=t_2$에서의 점 P의 위치는? (단, t_1, t_2는 상수이다.)

① $\frac{11}{2}$ ② 6 ③ $\frac{13}{2}$

④ 7 ⑤ $\frac{15}{2}$

28

▸ 24054-0167

자연수 k에 대하여 두 점 P와 Q는 시각 $t=0$일 때 각각 점 A(k)와 점 B($2k$)에서 출발하여 수직선 위를 움직인다. 두 점 P, Q의 시각 t ($t\geq 0$)에서의 속도가 각각

$$v_1(t)=3t^2-12t+k,\ v_2(t)=-2t-4$$

이다. 두 점 P, Q가 출발한 후 한 번만 만나도록 하는 k의 최솟값을 구하시오.

29

▸ 24054-0168

수직선 위를 움직이는 점 P의 시각 t ($t\geq 0$)에서의 속도 $v(t)$가 다음 조건을 만족시킨다.

> (가) $0\leq t\leq 5$인 모든 실수 t에 대하여 $v(5-t)=v(5+t)$이다.
> (나) $0<t<3$인 모든 실수 t에 대하여 $v(t)<0$이다.

시각 $t=0$에서 $t=5$까지 점 P가 움직인 거리가 12이고, 시각 $t=0$에서 $t=3$까지 점 P의 위치의 변화량이 -7이다. 시각 $t=3$에서 $t=10$까지 점 P가 움직인 거리와 시각 $t=7$에서의 점 P의 위치가 서로 같을 때, 시각 $t=10$에서의 점 P의 위치를 구하시오.

수학 II

07 이차곡선

Note

1 포물선

(1) **포물선의 정의 :** 평면 위의 한 점 F와 점 F를 지나지 않는 한 직선 l에 대하여 점 F와 직선 l에 이르는 거리가 같은 점들의 집합을 포물선이라고 한다. 이때 점 F를 포물선의 초점, 직선 l을 포물선의 준선, 포물선의 초점 F를 지나고 준선 l에 수직인 직선을 포물선의 축, 포물선과 축이 만나는 점을 포물선의 꼭짓점이라고 한다.

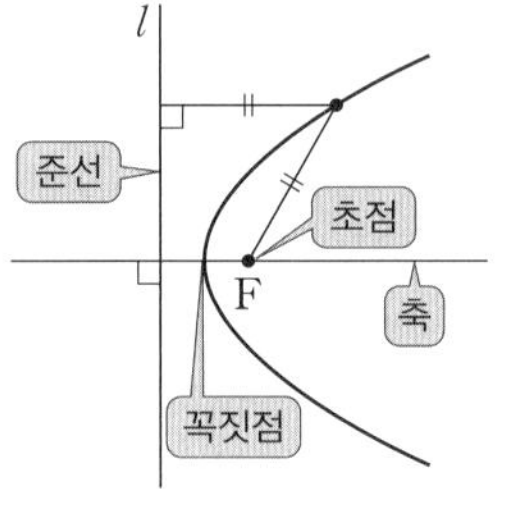

(2) **포물선의 방정식**

① 초점이 $\mathrm{F}(p,\ 0)$이고 준선의 방정식이 $x=-p$인 포물선의 방정식은 $y^2=4px$ (단, $p\neq0$)

② 초점이 $\mathrm{F}(0,\ p)$이고 준선의 방정식이 $y=-p$인 포물선의 방정식은 $x^2=4py$ (단, $p\neq0$)

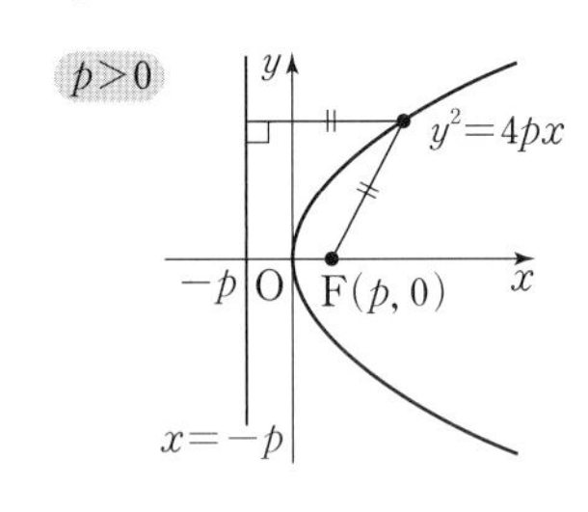

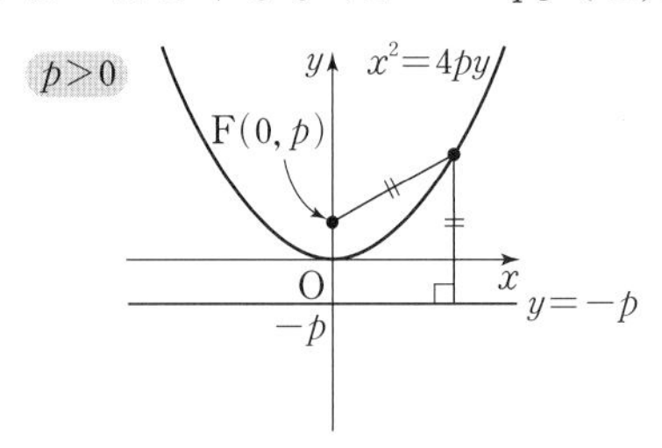

2 타원

(1) **타원의 정의 :** 평면 위의 서로 다른 두 점 F, F′으로부터의 거리의 합이 일정한 점들의 집합을 타원이라 하고, 두 점 F, F′을 타원의 초점이라고 한다. 두 초점 F, F′을 지나는 직선이 타원과 만나는 두 점을 각각 A, A′이라 하고, 선분 FF′의 수직이등분선이 타원과 만나는 두 점을 각각 B, B′이라 할 때, 네 점 A, A′, B, B′을 타원의 꼭짓점, 선분 AA′을 타원의 장축, 선분 BB′을 타원의 단축이라 하고, 장축과 단축이 만나는 점을 타원의 중심이라고 한다.

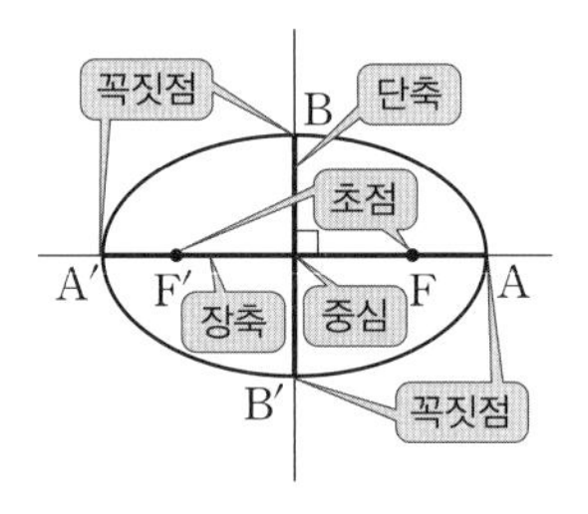

(2) **타원의 방정식**

① 두 초점 $\mathrm{F}(c,\ 0)$, $\mathrm{F}'(-c,\ 0)$에서의 거리의 합이 $2a$인 타원의 방정식은 $\dfrac{x^2}{a^2}+\dfrac{y^2}{b^2}=1$

(단, $a>c>0$, $b>0$, $b^2=a^2-c^2$)

② 두 초점 $\mathrm{F}(0,\ c)$, $\mathrm{F}'(0,\ -c)$에서의 거리의 합이 $2b$인 타원의 방정식은 $\dfrac{x^2}{a^2}+\dfrac{y^2}{b^2}=1$

(단, $b>c>0$, $a>0$, $a^2=b^2-c^2$)

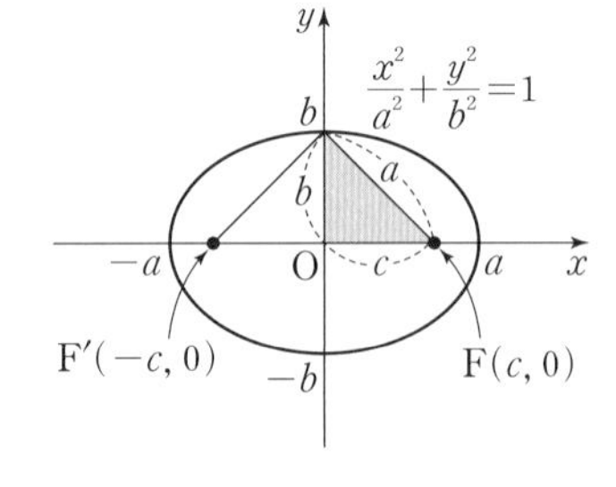

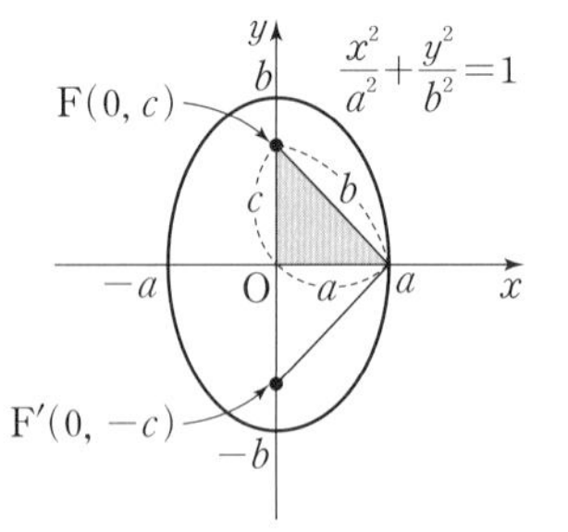

3 쌍곡선

(1) **쌍곡선의 정의 :** 평면 위의 서로 다른 두 점 F, F′으로부터의 거리의 차가 일정한 점들의 집합을 쌍곡선이라 하고, 두 점 F, F′을 쌍곡선의 초점이라고 한다. 쌍곡선이 선분 FF′과 만나는 두 점을 각각 A, A′이라 할 때, 두 점 A, A′을 쌍곡선의 꼭짓점, 선분 AA′을 쌍곡선의 주축, 선분 AA′의 중점을 쌍곡선의 중심이라고 한다.

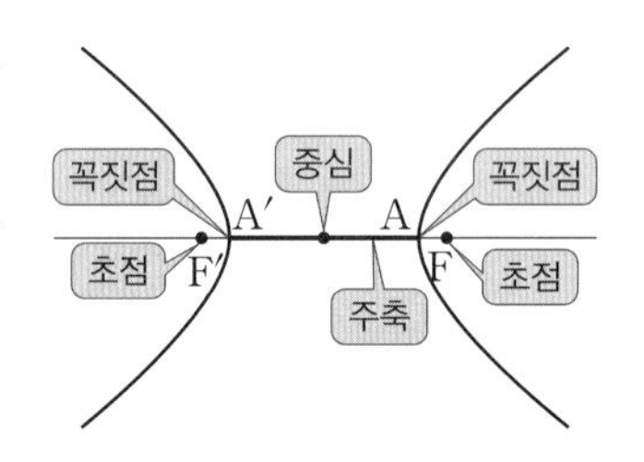

(2) 쌍곡선의 방정식

① 두 초점 $\mathrm{F}(c,\ 0)$, $\mathrm{F}'(-c,\ 0)$에서의 거리의 차가 $2a$인 쌍곡선의 방정식은 $\frac{x^2}{a^2}-\frac{y^2}{b^2}=1$

(단, $c>a>0$, $b>0$, $b^2=c^2-a^2$)

② 두 초점 $\mathrm{F}(0,\ c)$, $\mathrm{F}'(0,\ -c)$에서의 거리의 차가 $2b$인 쌍곡선의 방정식은 $\frac{x^2}{a^2}-\frac{y^2}{b^2}=-1$

(단, $c>b>0$, $a>0$, $a^2=c^2-b^2$)

(3) 쌍곡선의 점근선 : 쌍곡선 $\frac{x^2}{a^2}-\frac{y^2}{b^2}=1$, $\frac{x^2}{a^2}-\frac{y^2}{b^2}=-1$ $(a>0,\ b>0)$의 두 점근선의 방정식은 $y=\frac{b}{a}x$, $y=-\frac{b}{a}x$이다.

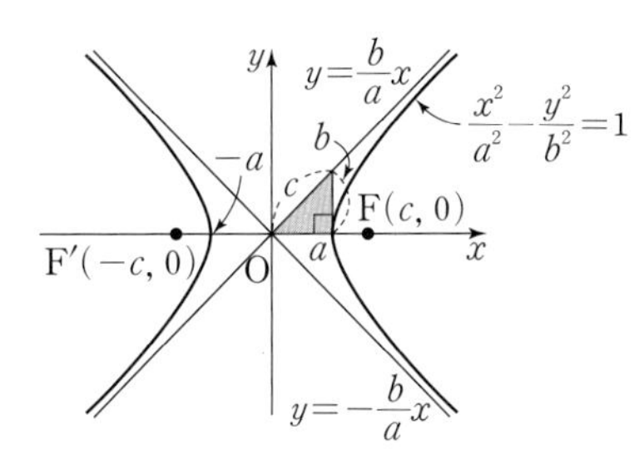

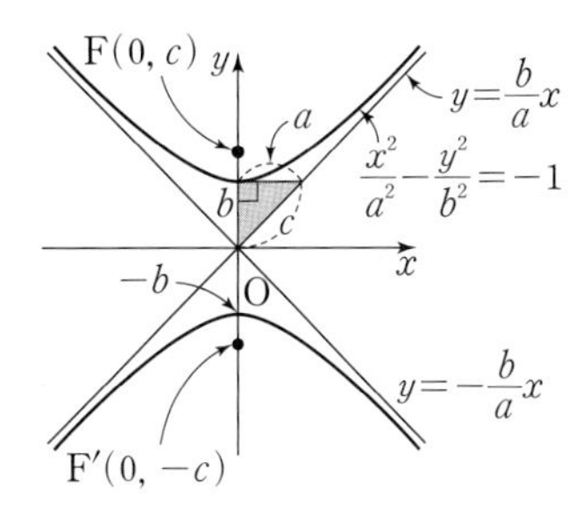

4 이차곡선의 접선의 방정식

(1) 이차곡선과 직선의 위치 관계 : 이차곡선을 나타내는 방정식과 직선 $y=mx+n$에서 y를 소거하여 얻은 x에 대한 방정식을

$Ax^2+Bx+C=0$ (A, B, C는 상수) …… ㉠

이라 하자. $A\neq0$일 때, 이차곡선과 직선의 교점의 개수는 x에 대한 이차방정식 ㉠의 서로 다른 실근의 개수와 같다. 즉, x에 대한 이차방정식 ㉠의 판별식을 D라 하면 이차곡선과 직선의 위치 관계는 다음과 같다.

① $D>0 \Longleftrightarrow$ 서로 다른 두 점에서 만난다.   ② $D=0 \Longleftrightarrow$ 한 점에서 만난다.(접한다.)

③ $D<0 \Longleftrightarrow$ 만나지 않는다.

(2) 포물선의 접선의 방정식

① 기울기가 주어진 접선의 방정식

포물선 $y^2=4px$에 접하고 기울기가 m인 접선의 방정식은 $y=mx+\frac{p}{m}$ (단, $m\neq0$)

② 포물선 위의 점에서의 접선의 방정식

포물선 $y^2=4px$ 위의 점 $\mathrm{P}(x_1,\ y_1)$에서의 접선의 방정식은 $y_1y=2p(x+x_1)$

(3) 타원의 접선의 방정식

① 기울기가 주어진 접선의 방정식

타원 $\frac{x^2}{a^2}+\frac{y^2}{b^2}=1$에 접하고 기울기가 m인 접선의 방정식은 $y=mx\pm\sqrt{a^2m^2+b^2}$

② 타원 위의 점에서의 접선의 방정식

타원 $\frac{x^2}{a^2}+\frac{y^2}{b^2}=1$ 위의 점 $\mathrm{P}(x_1,\ y_1)$에서의 접선의 방정식은 $\frac{x_1x}{a^2}+\frac{y_1y}{b^2}=1$

(4) 쌍곡선의 접선의 방정식

① 기울기가 주어진 접선의 방정식

쌍곡선 $\frac{x^2}{a^2}-\frac{y^2}{b^2}=1$에 접하고 기울기가 m인 접선의 방정식은 $y=mx\pm\sqrt{a^2m^2-b^2}$

(단, $a^2m^2-b^2>0$)

② 쌍곡선 위의 점에서의 접선의 방정식

쌍곡선 $\frac{x^2}{a^2}-\frac{y^2}{b^2}=1$ 위의 점 $\mathrm{P}(x_1,\ y_1)$에서의 접선의 방정식은 $\frac{x_1x}{a^2}-\frac{y_1y}{b^2}=1$

Note

유형 1 포물선의 정의와 활용

출제경향 | 포물선의 초점의 좌표, 준선의 방정식, 꼭짓점의 좌표를 구하는 문제와 포물선의 정의를 이용하여 선분의 길이, 도형의 둘레의 길이와 넓이를 구하는 문제가 출제된다.

출제유형잡기 | 포물선의 방정식으로부터 초점의 좌표, 준선의 방정식 등을 구하고, 포물선 위의 한 점에서 초점과 준선까지의 거리가 서로 같음을 이용하여 문제를 해결한다.

필수유형 1

| 2022학년도 수능 9월 모의평가 |

초점이 F인 포물선 $y^2=4px$ 위의 한 점 A에서 포물선의 준선에 내린 수선의 발을 B라 하고, 선분 BF와 포물선이 만나는 점을 C라 하자. $\overline{AB}=\overline{BF}$이고 $\overline{BC}+3\overline{CF}=6$일 때, 양수 p의 값은? [3점]

① $\frac{7}{8}$ ② $\frac{8}{9}$ ③ $\frac{9}{10}$
④ $\frac{10}{11}$ ⑤ $\frac{11}{12}$

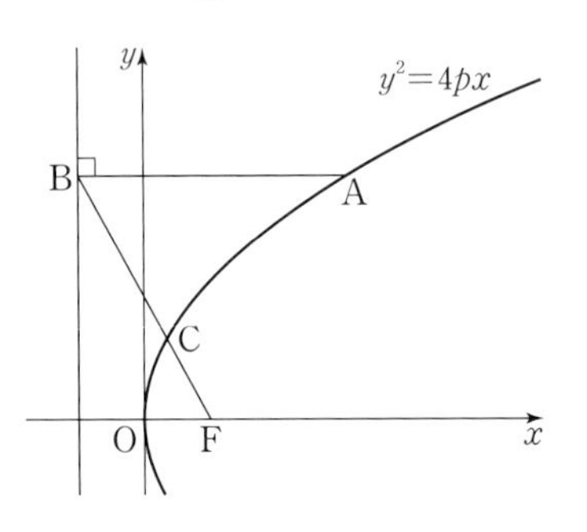

01

▸ 24056-0169

그림과 같이 초점이 F인 포물선 $y^2=4x$ 위에 있는 제1사분면 위의 점 P에서 포물선의 준선에 내린 수선의 발을 H라 하고, 점 H를 지나고 직선 PF와 평행한 직선이 x축과 만나는 점을 Q라 하자. 삼각형 PQF가 정삼각형일 때, 사각형 PHQF의 둘레의 길이는?

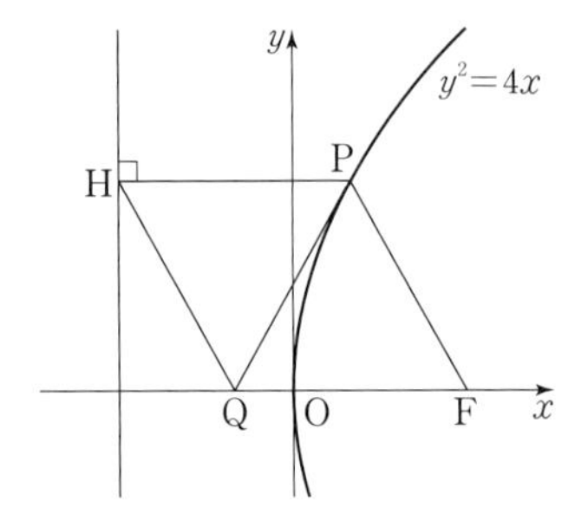

① $\frac{14}{3}$ ② 5 ③ $\frac{16}{3}$
④ $\frac{17}{3}$ ⑤ 6

02

▸ 24056-0170

그림과 같이 초점이 F인 포물선 $y^2=4px$ $(p>0)$ 위에 있는 제1사분면 위의 한 점을 P라 하고, 이 포물선의 준선과 x축이 만나는 점을 Q라 하자. $2\overline{PF}=3\overline{QF}$이고 $\overline{PQ}=\sqrt{34}$일 때, 상수 p의 값은?

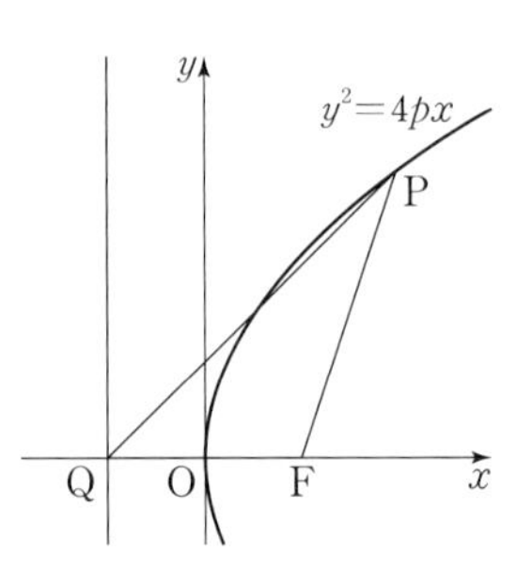

① $\sqrt{2}$ ② $\sqrt{3}$ ③ 2
④ $\sqrt{5}$ ⑤ $\sqrt{6}$

03

▸ 24056-0171

초점이 $\mathrm{F}(k,\ 0)$ $(k>1)$이고 준선이 $x=-1$인 포물선 C가 있다. 점 $\mathrm{A}(-1,\ 0)$과 포물선 C 위에 있는 제1사분면 위의 점 P에 대하여 선분 AP를 $1:2$로 내분하는 점 Q가 y축 위에 있고 선분 AP를 $2:1$로 내분하는 점 R이 포물선 C 위에 있을 때, 삼각형 PRF의 둘레의 길이는?

① $\frac{63}{10}$ ② $\frac{32}{5}$ ③ $\frac{13}{2}$
④ $\frac{33}{5}$ ⑤ $\frac{67}{10}$

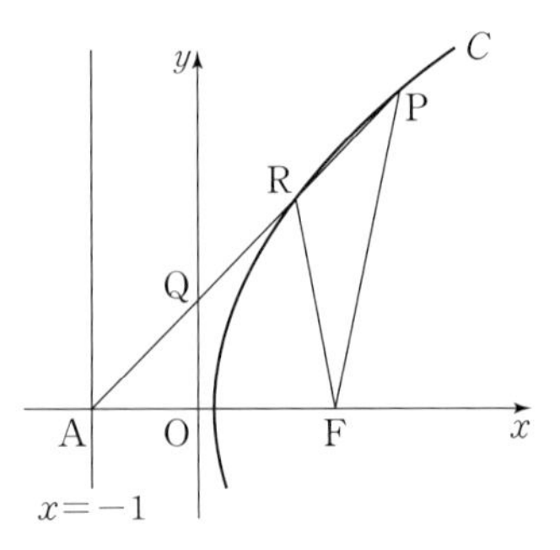

04

▸ 24056-0172

x축 위의 점 F를 초점으로 하고 꼭짓점이 원점인 포물선 C 위에 서로 다른 두 점 P, Q가 있다. 점 P에서 포물선 C의 준선에 내린 수선의 발을 H라 하면 $\overline{\mathrm{PH}}=\overline{\mathrm{QH}}$이다.

$\cos(\angle \mathrm{PFQ})=\frac{7}{12}$일 때, 직선 PQ의 기울기는?

(단, 점 P는 제1사분면 위의 점, 점 Q는 제4사분면 위의 점이고 $\overline{\mathrm{PF}}>\overline{\mathrm{QF}}$이다.)

① 2 ② $\frac{3\sqrt{2}}{2}$ ③ $\sqrt{5}$

④ $\frac{\sqrt{22}}{2}$ ⑤ $\sqrt{6}$ 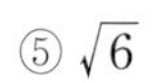

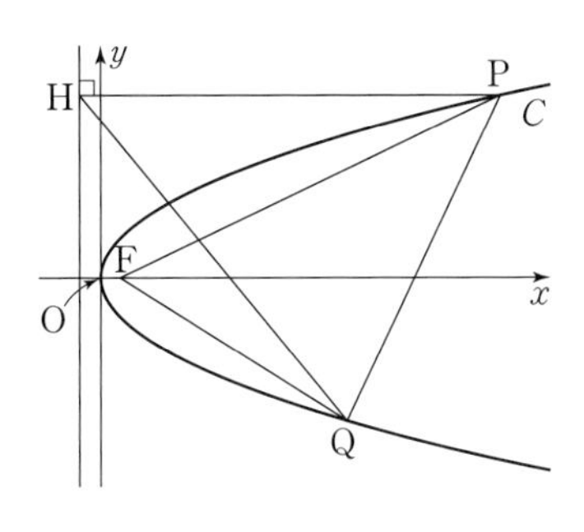

유형 2 타원의 정의와 활용

출제경향 | 타원의 초점의 좌표, 꼭짓점의 좌표, 두 초점 사이의 거리, 장축의 길이, 단축의 길이를 구하는 문제와 타원의 정의를 이용하여 선분의 길이, 도형의 둘레의 길이와 넓이를 구하는 문제가 출제된다.

출제유형잡기 | 타원의 방정식으로부터 초점의 좌표, 꼭짓점의 좌표, 장축의 길이, 단축의 길이를 구하고, 타원 위의 한 점에서 두 초점까지의 거리의 합이 장축의 길이와 같음을 이용하여 문제를 해결한다.

필수유형 2

| 2024학년도 수능 6월 모의평가 |

두 초점이 F$(12, 0)$, F$'(-4, 0)$이고, 장축의 길이가 24인 타원 C가 있다. $\overline{\mathrm{F'F}}=\overline{\mathrm{F'P}}$인 타원 C 위의 점 P에 대하여 선분 F$'$P의 중점을 Q라 하자. 한 초점이 F$'$인 타원

$\frac{x^2}{a^2}+\frac{y^2}{b^2}=1$이 점 Q를 지날 때, $\overline{\mathrm{PF}}+a^2+b^2$의 값은?

(단, a와 b는 양수이다.) [3점]

① 46 ② 52 ③ 58

④ 64 ⑤ 70

05

▸ 24056-0173

그림과 같이 두 초점이 F, F$'$인 타원 $\frac{x^2}{7}+\frac{y^2}{3}=1$ 위에 있는 제1사분면 위의 점 P에 대하여 점 P를 원점 O에 대하여 대칭이동한 점을 Q라 하자. 사각형 PF$'$QF의 넓이가 $2\sqrt{3}$일 때, $\overline{\mathrm{PQ}}^2$의 값은?

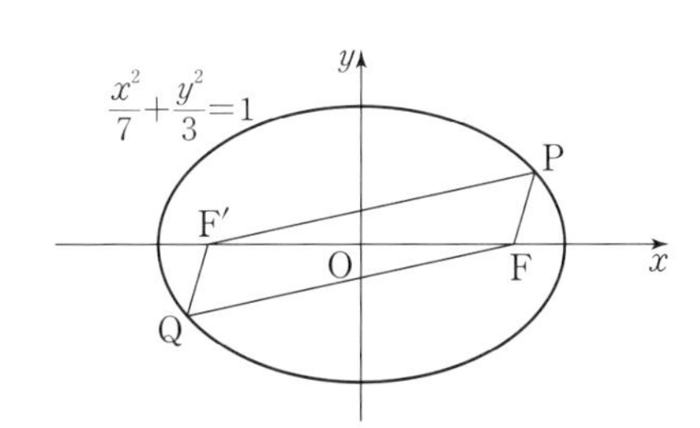

① 20 ② 21 ③ 22

④ 23 ⑤ 24

06

▸ 24056-0174

두 초점이 F(2, 0), F′(−2, 0)인 타원 $\frac{x^2}{a^2}+\frac{y^2}{b^2}=1$ 위에 있는 제1사분면 위의 점 P에 대하여 선분 PF′과 y축이 만나는 점을 A, 직선 FA와 이 타원이 만나는 점 중 제2사분면 위의 점을 Q라 하자. 두 삼각형 PAF, QF′P의 둘레의 길이가 각각 6, $\frac{21}{2}$일 때, 삼각형 PF′F의 넓이는? (단, a, b는 양수이다.)

① $\frac{\sqrt{35}}{8}$ ② $\frac{\sqrt{35}}{4}$ ③ $\frac{3\sqrt{35}}{8}$
④ $\frac{\sqrt{35}}{2}$ ⑤ $\frac{5\sqrt{35}}{8}$

07

▸ 24056-0175

그림과 같이 두 초점이 F(5, 0), F′(−5, 0)인 타원에 대하여 원점 O를 중심으로 하고 점 F를 지나는 원이 타원과 만나는 점 중 제1사분면 위의 점을 P, 선분 PF의 중점을 M이라 하자. 타원의 단축의 길이가 $4\sqrt{6}$일 때, $\overline{\mathrm{F'M}}^2$의 값을 구하시오.

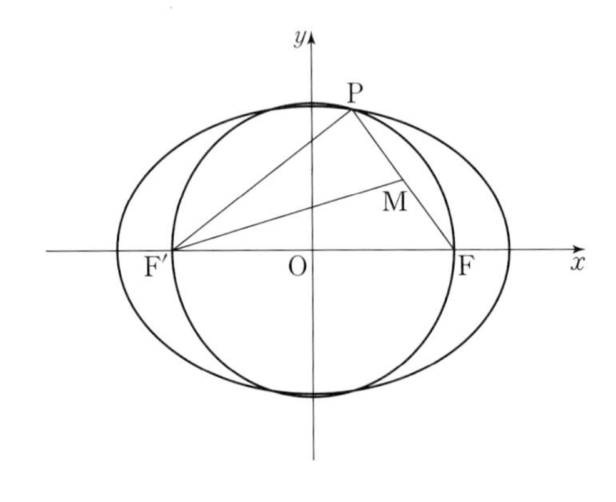

08

▸ 24056-0176

그림과 같이 두 초점이 F, F′인 타원 C_1: $\frac{x^2}{25}+\frac{y^2}{16}=1$ 위에 있는 제2사분면 위의 점 P에 대하여 $\overline{\mathrm{PF}}-\overline{\mathrm{PF'}}=\frac{10}{3}$일 때, ∠F′PF를 이등분하는 직선과 x축이 만나는 점을 Q라 하자. 두 점 F, Q를 초점으로 하고 장축의 길이가 9인 타원을 C_2라 할 때, 두 타원 C_1, C_2가 만나는 점 중 y좌표가 음수인 점을 R이라 하자. 선분 QR의 길이는?

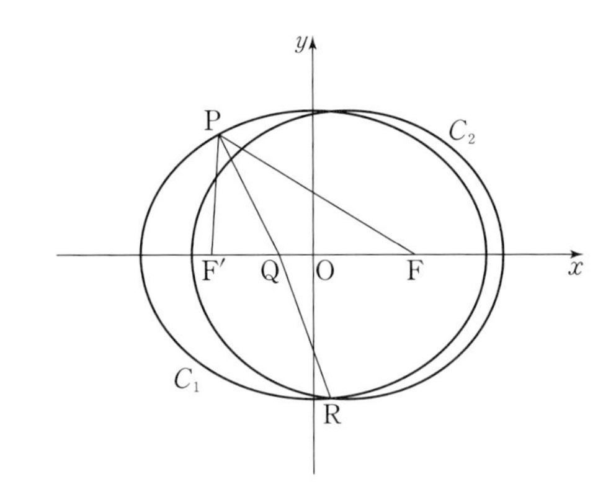

① $\frac{55}{14}$ ② 4 ③ $\frac{57}{14}$
④ $\frac{29}{7}$ ⑤ $\frac{59}{14}$

유형 3 쌍곡선의 정의와 활용

출제경향 | 쌍곡선의 초점의 좌표, 두 초점 사이의 거리, 주축의 길이를 구하는 문제와 쌍곡선의 정의를 이용하여 선분의 길이, 도형의 둘레의 길이와 넓이를 구하는 문제가 출제된다.

출제유형잡기 | 쌍곡선의 방정식으로부터 초점의 좌표, 주축의 길이 등을 구하고 쌍곡선 위의 한 점에서 두 초점까지의 거리의 차가 주축의 길이와 같음을 이용하여 문제를 해결한다.

필수유형 3

| 2024학년도 수능 6월 모의평가 |

두 점 $\mathrm{F}(c, 0)$, $\mathrm{F}'(-c, 0)(c>0)$을 초점으로 하는 두 쌍곡선

$$C_1: x^2-\frac{y^2}{24}=1,\ C_2: \frac{x^2}{4}-\frac{y^2}{21}=1$$

이 있다. 쌍곡선 C_1 위에 있는 제2사분면 위의 점 P에 대하여 선분 PF′이 쌍곡선 C_2와 만나는 점을 Q라 하자.

$\overline{\mathrm{PQ}}+\overline{\mathrm{QF}}$, $2\overline{\mathrm{PF'}}$, $\overline{\mathrm{PF}}+\overline{\mathrm{PF'}}$이 이 순서대로 등차수열을 이룰 때, 직선 PQ의 기울기는 m이다. $60m$의 값을 구하시오.

[4점]

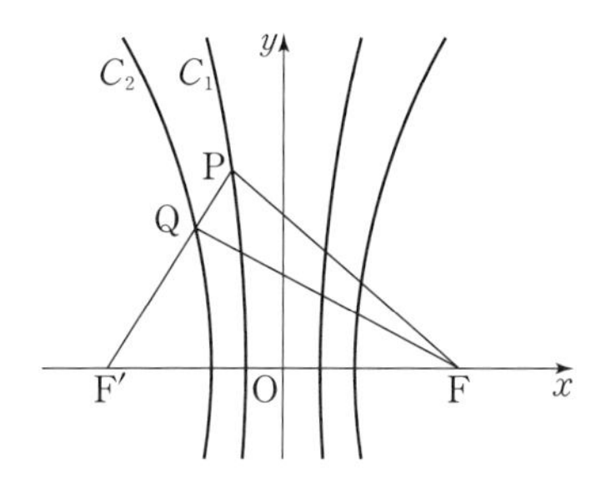

09

▸ 24056-0177

그림과 같이 두 초점이 F, F′인 쌍곡선 $\frac{x^2}{4}-\frac{y^2}{6}=1$ 위에 있는 제1사분면 위의 점 P에 대하여 $\overline{\mathrm{OP}}=\overline{\mathrm{OF}}$일 때, $\overline{\mathrm{PF}}+\overline{\mathrm{PF'}}$의 값을 구하시오. (단, 점 O는 원점이고, $\overline{\mathrm{PF}}<\overline{\mathrm{PF'}}$이다.)

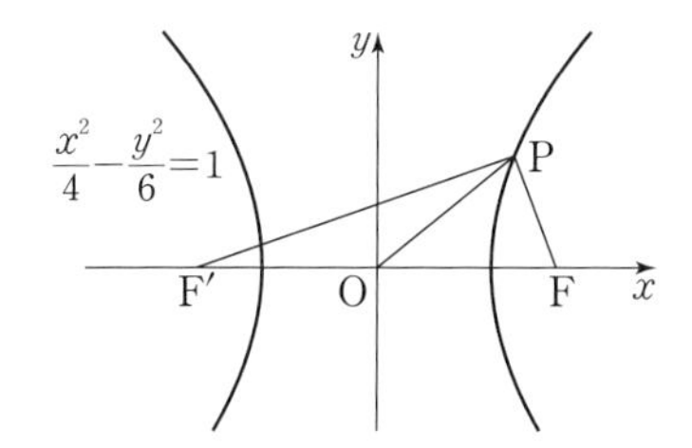

10

▸ 24056-0178

그림과 같이 두 초점이 F, F′인 쌍곡선 위에 있는 제1사분면 위의 점 P에 대하여 직선 PF가 이 쌍곡선과 만나는 점 중 P가 아닌 점을 Q라 하면 $\overline{\mathrm{PF}}:\overline{\mathrm{QF}}=1:2$이다. 삼각형 PF′Q의 둘레의 길이가 20이고 두 삼각형 PF′F와 QFF′의 둘레의 길이의 차가 4일 때, 이 쌍곡선의 주축의 길이는? (단, $\overline{\mathrm{PF}}<\overline{\mathrm{PF'}}$)

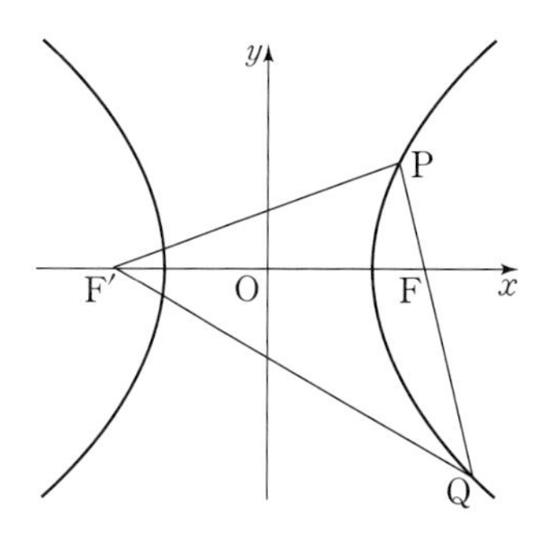

① 4　② $\frac{9}{2}$　③ 5　④ $\frac{11}{2}$　⑤ 6

11

▸ 24056-0179

두 점 F, F′을 초점으로 하는 쌍곡선 $\frac{x^2}{9}-\frac{y^2}{a^2}=1\ (a>0)$ 위에 있는 제1사분면 위의 점 P에 대하여 선분 PF′ 위의 두 점 Q, R이 다음 조건을 만족시킬 때, $\overline{\mathrm{RF'}}+\overline{\mathrm{RF}}$의 값을 구하시오.

(단, $\overline{\mathrm{PF}}<\overline{\mathrm{PF'}}$)

(가) 점 Q의 x좌표는 0이고 $\overline{\mathrm{PQ}}=\overline{\mathrm{FQ}}$이다.
(나) $\overline{\mathrm{PF}}=\overline{\mathrm{RF}}$, $\overline{\mathrm{PF'}}=8\overline{\mathrm{PR}}$

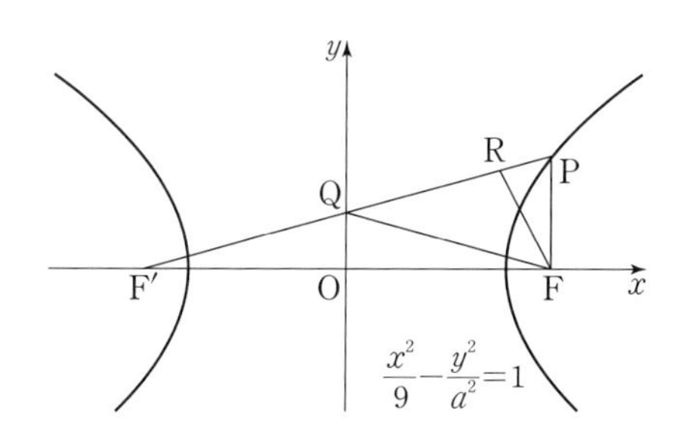

12

▸ 24056-0180

두 초점이 F, F′인 쌍곡선 $\frac{x^2}{16}-\frac{y^2}{9}=1$이 있다. 중심이 F인 원이 쌍곡선과 네 점에서 만날 때, 만나는 네 점 중 제1사분면 위의 점을 P, 제2사분면 위의 점을 Q라 하자. 세 점 P, Q, F′이 한 직선 위에 있을 때, 삼각형 PQF의 넓이는?

(단, $\overline{PF'}>\overline{PF}$이고 원의 반지름의 길이는 $\overline{FF'}$보다 작다.)

① $21\sqrt{2}$ ② $22\sqrt{2}$ ③ $23\sqrt{2}$ ④ $24\sqrt{2}$ ⑤ $25\sqrt{2}$

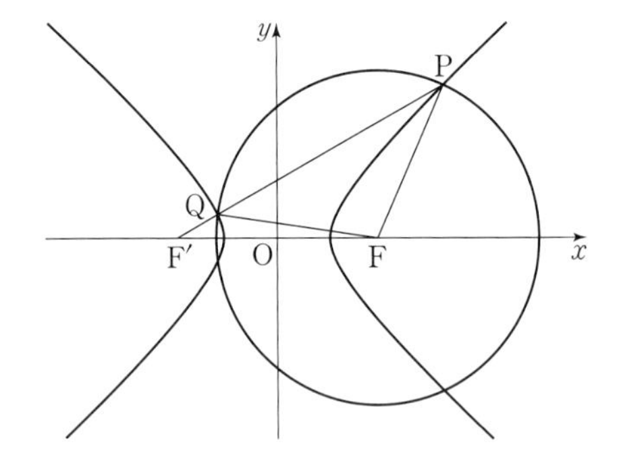

유형 4 포물선의 접선

출제경향 | 기울기나 접점이 주어졌을 때 포물선의 접선의 방정식을 구하는 문제 또는 포물선 밖의 한 점에서 포물선에 그은 접선의 방정식을 구하거나 이를 활용하는 문제가 출제된다.

출제유형잡기 | 주어진 조건에 따라 포물선의 접선의 방정식을 구하여 문제를 해결한다.

필수유형 4

| 2016학년도 수능 |

포물선 $y^2=4x$ 위의 점 A$(4, 4)$에서의 접선을 l이라 하자. 직선 l과 포물선의 준선이 만나는 점을 B, 직선 l과 x축이 만나는 점을 C, 포물선의 준선과 x축이 만나는 점을 D라 하자. 삼각형 BCD의 넓이는? [3점]

① $\frac{7}{4}$ ② 2 ③ $\frac{9}{4}$ ④ $\frac{5}{2}$ ⑤ $\frac{11}{4}$

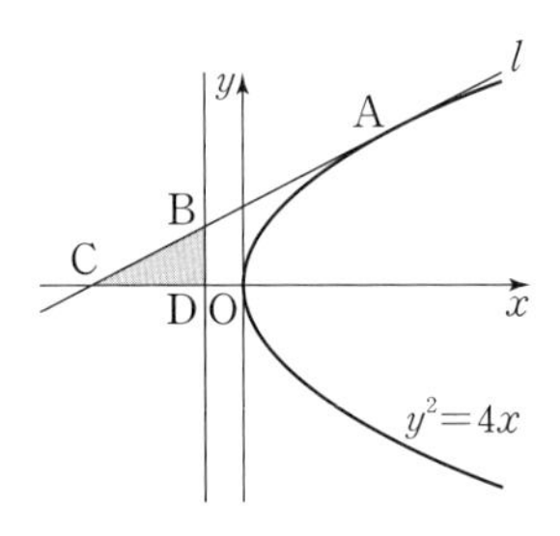

13

▸ 24056-0181

그림과 같이 초점이 F인 포물선 $y^2=8x$ 위의 점 P에서의 접선의 기울기가 $-\frac{1}{2}$일 때, 직선 PF의 기울기는?

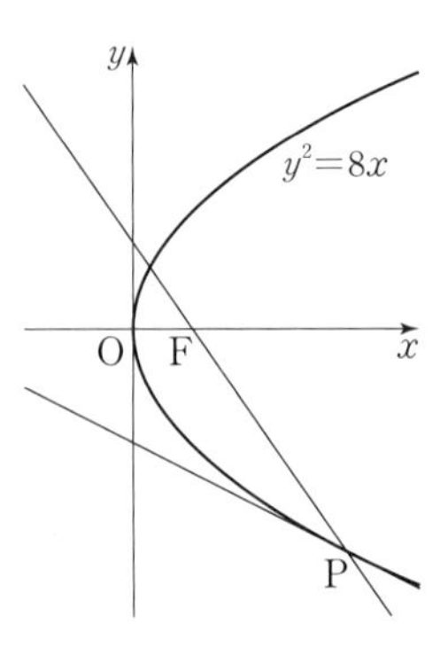

① $-\frac{7}{6}$ ② $-\frac{4}{3}$ ③ $-\frac{3}{2}$ ④ $-\frac{5}{3}$ ⑤ $-\frac{11}{6}$

14

▸ 24056-0182

그림과 같이 초점이 F인 포물선 $y^2=6x$ 위에 있는 제1사분면 위의 점 P에서의 접선 l과 y축이 만나는 점을 Q라 하고, 점 P를 지나고 직선 FQ와 평행한 직선이 x축과 만나는 점을 R이라 하자. 삼각형 PFR이 정삼각형일 때, 삼각형 PQF의 넓이는?

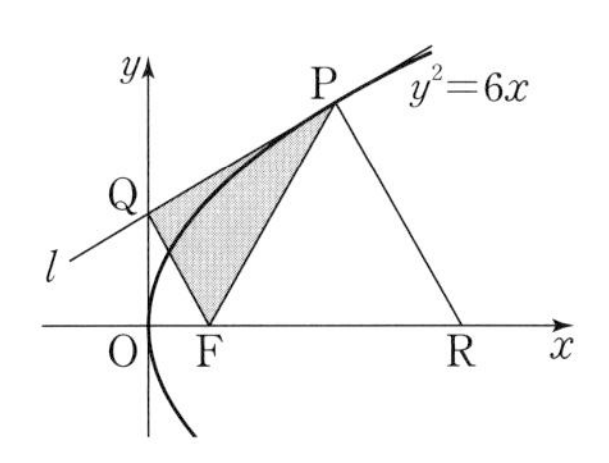

① $3\sqrt{3}$ ② $\frac{7\sqrt{3}}{2}$ ③ $4\sqrt{3}$

④ $\frac{9\sqrt{3}}{2}$ ⑤ $5\sqrt{3}$

15

▸ 24056-0183

그림과 같이 초점이 F인 포물선 $y^2=4px$ $(p>0)$이 있다. 포물선의 준선 위에 있는 제2사분면 위의 점을 A, 준선과 x축이 만나는 점을 B라 하자. 선분 AF와 포물선이 만나는 점을 P, 선분 AF와 y축이 만나는 점을 Q라 하면 포물선 위의 점 P에서의 접선과 직선 BQ는 서로 평행하다. $\overline{AF}=12$일 때, 상수 p의 값은?

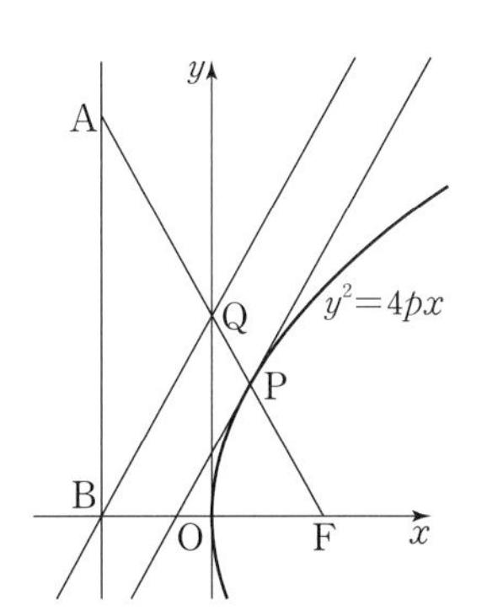

① 2 ② $\frac{5}{2}$ ③ 3

④ $\frac{7}{2}$ ⑤ 4

16

▸ 24056-0184

그림과 같이 초점이 F인 포물선 C_1: $y^2=8x$ 위에 있는 제1사분면 위의 점 P에서의 접선과 x축이 만나는 점을 F′이라 하고, 점 P를 지나고 초점이 F′, 축이 직선 $y=0$인 포물선을 C_2라 하자. 포물선 C_2의 꼭짓점을 Q, 점 P에서 포물선 C_2의 준선에 내린 수선의 발을 H라 하면 $\overline{FF'}:\overline{PH}=2:3$일 때, 선분 FQ의 길이는? (단, 점 Q의 x좌표는 점 F′의 x좌표보다 작다.)

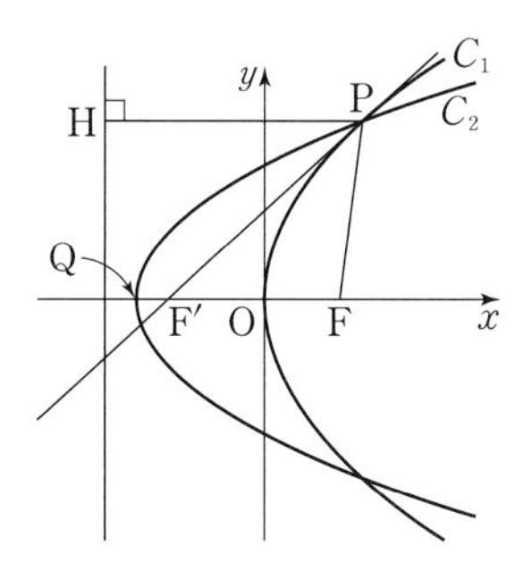

① $\frac{34}{7}$ ② 5 ③ $\frac{36}{7}$

④ $\frac{37}{7}$ ⑤ $\frac{38}{7}$

기하

유형 5 타원의 접선

출제경향 | 기울기나 접점이 주어졌을 때 타원의 접선의 방정식을 구하는 문제 또는 타원 밖의 한 점에서 타원에 그은 접선의 방정식을 구하거나 이를 활용하는 문제가 출제된다.

출제유형잡기 | 주어진 조건에 따라 타원의 접선의 방정식을 구하여 문제를 해결한다.

필수유형 5 | 2022학년도 수능 9월 모의평가 |

그림과 같이 두 점 $\mathrm{F}(c,\ 0)$, $\mathrm{F}'(-c,\ 0)\ (c>0)$을 초점으로 하는 타원 $\frac{x^2}{16}+\frac{y^2}{12}=1$ 위의 점 $\mathrm{P}(2,\ 3)$에서 타원에 접하는 직선을 l이라 하자. 점 F를 지나고 l과 평행한 직선이 타원과 만나는 점 중 제2사분면 위에 있는 점을 Q라 하자. 두 직선 F′Q와 l이 만나는 점을 R, l과 x축이 만나는 점을 S라 할 때, 삼각형 SRF′의 둘레의 길이는? [4점]

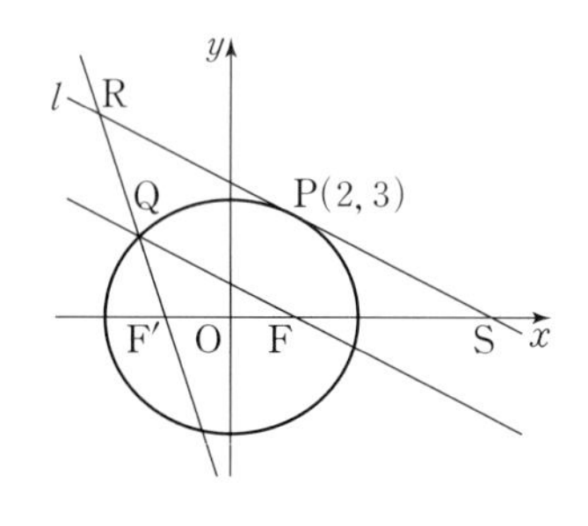

① 30 ② 31 ③ 32 ④ 33 ⑤ 34

17

▸ 24056-0185

그림과 같이 타원 $\frac{x^2}{12}+\frac{y^2}{6}=1$에 접하고 기울기가 $\frac{1}{2}$인 두 접선 중 제2사분면을 지나는 접선의 접점을 P, 제4사분면을 지나는 접선의 접점을 Q라 하자. 두 점 P, Q 사이의 거리를 l이라 할 때, l^2의 값을 구하시오.

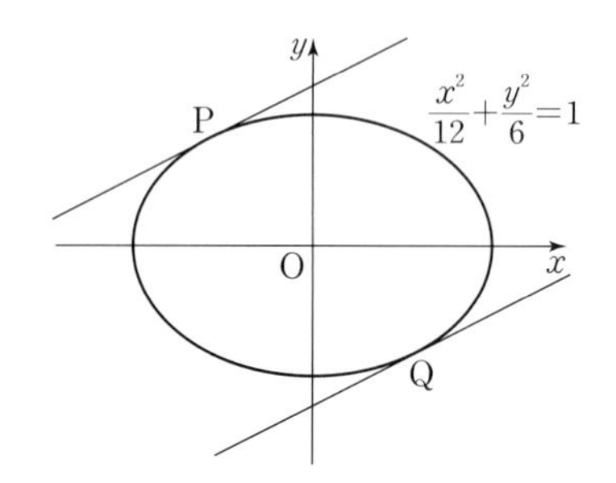

18

▸ 24056-0186

두 초점이 $\mathrm{F}(c,\ 0)$, $\mathrm{F}'(-c,\ 0)(c>0)$인 타원 $\frac{x^2}{8}+\frac{y^2}{a^2}=1\ (a>0)$에 대하여 점 $\mathrm{A}(0,\ k)$에서 타원에 그은 서로 다른 두 접선의 접점을 각각 P, Q라 하고, 두 직선 PF와 QF′이 만나는 점을 R이라 하자. 점 R이 타원 위의 점이고 $\angle\mathrm{PRQ}=\frac{\pi}{2}$일 때, 실수 k의 값은?

(단, $k>a$이고 점 P의 x좌표는 c보다 크다.)

① 6 ② $\frac{13}{2}$ ③ 7 ④ $\frac{15}{2}$ ⑤ 8

19

▸ 24056-0187

두 초점이 $\mathrm{F}(c,\ 0)$, $\mathrm{F}'(-c,\ 0)\ (c>0)$인 타원 C 위에 있는 제1사분면 위의 점 P가 있다. 중심이 F이고 반지름의 길이가 $\overline{\mathrm{PF}}$인 원 위의 점 P에서 원에 접하는 직선 l이 점 F′을 지난다. 선분 FF′과 원이 만나는 점을 Q, 타원 C 위의 점 P에서 이 타원에 접하는 직선 m과 x축이 만나는 점을 R이라 하자. $\overline{\mathrm{FQ}}:\overline{\mathrm{F'Q}}=3:2$이고 $\overline{\mathrm{F'R}}=40$일 때, $\overline{\mathrm{PF}}+\overline{\mathrm{PF'}}$의 값은?

① 12 ② $\frac{25}{2}$ ③ 13 ④ $\frac{27}{2}$ ⑤ 14

20

▸ 24056-0188

그림과 같이 두 초점이 $\mathrm{F}(0, c)$, $\mathrm{F}'(0, -c)$ $(c>0)$인 타원 $\frac{x^2}{4}+\frac{y^2}{a^2}=1$ $(a>2)$에 대하여 두 점 F', $\mathrm{A}(2, 0)$을 지나는 직선이 이 타원과 만나는 점 중 제3사분면 위의 점을 P라 하고, 타원 위의 점 P에서의 접선이 x축과 만나는 점을 Q라 하자. $\overline{\mathrm{AP}}=\overline{\mathrm{PQ}}$일 때, 삼각형 AFP의 둘레의 길이는?

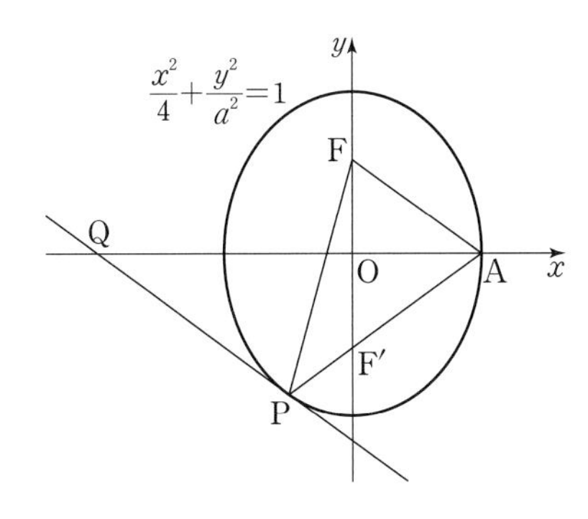

① $6\sqrt{2}$　② $4\sqrt{5}$　③ $2\sqrt{22}$
④ $4\sqrt{6}$　⑤ $2\sqrt{26}$

유형 6 쌍곡선의 접선

출제경향 | 기울기나 접점이 주어졌을 때 쌍곡선의 접선의 방정식을 구하는 문제 또는 쌍곡선 밖의 한 점에서 쌍곡선에 그은 접선의 방정식을 구하거나 이를 활용하는 문제가 출제된다.

출제유형잡기 | 주어진 조건에 따라 쌍곡선의 접선의 방정식을 구하여 문제를 해결한다.

필수유형 6

| 2023학년도 수능 6월 모의평가 |

좌표평면에서 직선 $y=2x-3$ 위를 움직이는 점 P가 있다. 두 점 $\mathrm{A}(c, 0)$, $\mathrm{B}(-c, 0)$ $(c>0)$에 대하여 $\overline{\mathrm{PB}}-\overline{\mathrm{PA}}$의 값이 최대가 되도록 하는 점 P의 좌표가 $(3, 3)$일 때, 상수 c의 값은? [4점]

① $\frac{3\sqrt{6}}{2}$　② $\frac{3\sqrt{7}}{2}$　③ $3\sqrt{2}$
④ $\frac{9}{2}$　⑤ $\frac{3\sqrt{10}}{2}$

21

▸ 24056-0189

두 초점이 $\mathrm{F}(c, 0)$, $\mathrm{F}'(-c, 0)$ $(c>0)$인 쌍곡선 $\frac{x^2}{4}-\frac{y^2}{12}=1$ 위의 점 $\mathrm{P}(4, 6)$에서의 접선이 x축과 만나는 점을 A라 하자. 삼각형 PAF의 넓이는?

① 9　② 10　③ 11
④ 12　⑤ 13

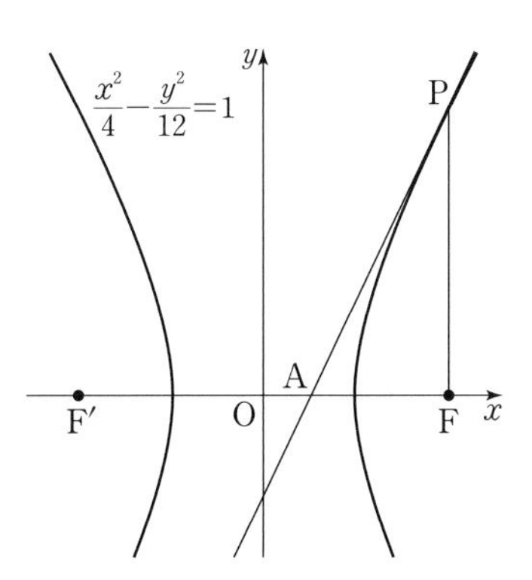

기하

22

▸ 24056-0190

그림과 같이 쌍곡선 $\frac{x^2}{12}-\frac{y^2}{a^2}=1$ $(a>0)$ 위에 있는 제3사분면 위의 점 P$(k, -3)$에서의 접선이 y축과 만나는 점을 A라 하자. 선분 AP의 중점이 쌍곡선의 두 점근선 중 기울기가 음수인 점근선 위에 있을 때, 상수 a의 값은?

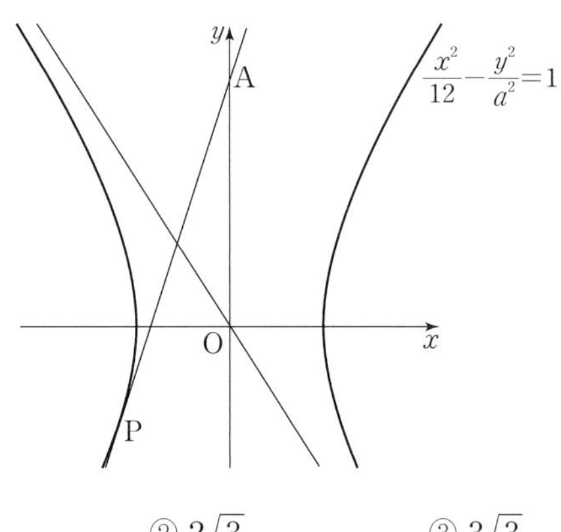

① $\sqrt{3}$ ② $2\sqrt{3}$ ③ $3\sqrt{3}$
④ $4\sqrt{3}$ ⑤ $5\sqrt{3}$

23

▸ 24056-0191

그림과 같이 쌍곡선 $\frac{x^2}{5}-\frac{y^2}{4}=1$ 위에 있는 제1사분면 위의 점 A에서의 접선이 y축과 만나는 점을 B, 점 B를 지나고 x축과 평행한 직선이 이 쌍곡선과 제4사분면에서 만나는 점을 C, 쌍곡선 위의 점 C에서의 접선과 y축이 만나는 점을 D라 하자.
$\overline{AD} /\!/ \overline{BC}$, $\overline{AD}=2\overline{BC}$일 때, 사각형 ADBC의 넓이는?

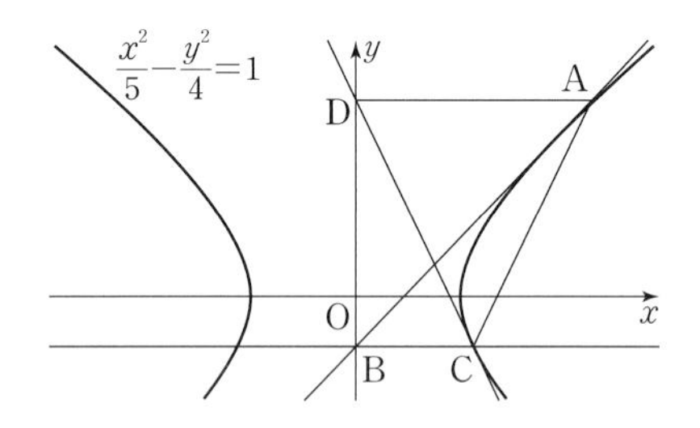

① 18 ② $\frac{73}{4}$ ③ $\frac{37}{2}$
④ $\frac{75}{4}$ ⑤ 19

24

▸ 24056-0192

그림과 같이 제3사분면 위의 점 P에서 두 초점이 F$(0, c)$, F$'(0, -c)$ $(c>0)$인 쌍곡선 $\frac{x^2}{4}-\frac{y^2}{4}=-1$에 그은 두 접선의 접점을 각각 A, B라 하자. $\overline{FB}+\overline{AB}=10$이고 세 점 A, B, F$'$이 한 직선 위에 있을 때, 점 P의 좌표를 (p, q)라 하자. $p\times q$의 값은?
(단, 점 A는 제1사분면 위의 점, 점 B는 제4사분면 위의 점이고, 점 A의 x좌표는 점 B의 x좌표보다 크다.)

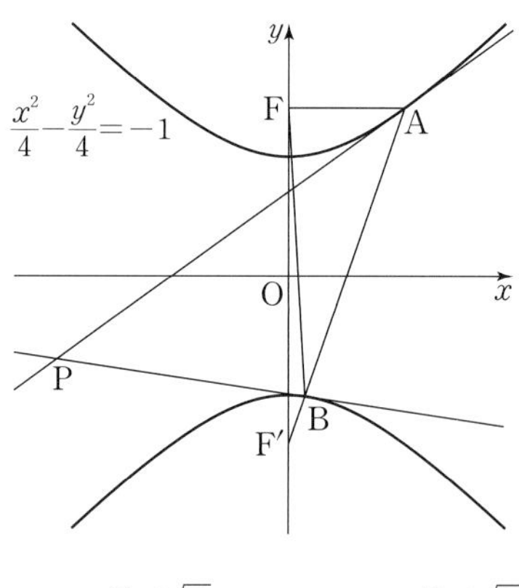

① $\sqrt{2}$ ② $2\sqrt{2}$ ③ $3\sqrt{2}$
④ $4\sqrt{2}$ ⑤ $5\sqrt{2}$

08 평면벡터

① 벡터의 뜻

Note

(1) 점 A에서 점 B로 향하는 방향이 주어진 선분 AB를 벡터 AB라 하고, 기호로 $\overrightarrow{AB}$와 같이 나타낸다. 이때 점 A를 벡터 $\overrightarrow{AB}$의 시점, 점 B를 벡터 $\overrightarrow{AB}$의 종점이라고 한다.

(2) 벡터 $\overrightarrow{AB}$의 크기는 선분 AB의 길이를 뜻하며, 기호로 $|\overrightarrow{AB}|$와 같이 나타낸다. 즉, $|\overrightarrow{AB}|=\overline{AB}$

(3) 크기가 1인 벡터를 단위벡터라고 한다.

(4) 시점과 종점이 일치하는 벡터를 영벡터라 하고, 기호로 $\vec{0}$와 같이 나타낸다. 영벡터의 크기는 0이고 방향은 생각하지 않는다.

(5) 두 벡터 $\vec{a}$, $\vec{b}$의 크기와 방향이 같을 때, 두 벡터는 서로 같다고 하고, 기호로 $\vec{a}=\vec{b}$와 같이 나타낸다.

(6) 벡터 $\vec{a}$와 크기가 같고, 방향이 반대인 벡터를 기호로 $-\vec{a}$와 같이 나타낸다. 즉, $\overrightarrow{BA}=-\overrightarrow{AB}$이다.

② 벡터의 연산

(1) 벡터의 덧셈

두 벡터 $\vec{a}=\overrightarrow{AB}$, $\vec{b}=\overrightarrow{BC}$에 대하여 벡터 $\overrightarrow{AC}$로 나타낸 벡터 $\vec{c}$를 두 벡터 $\vec{a}$, $\vec{b}$의 합이라 하고, 기호로 $\vec{c}=\vec{a}+\vec{b}$ 또는 $\overrightarrow{AC}=\overrightarrow{AB}+\overrightarrow{BC}$와 같이 나타낸다.

(2) 벡터의 뺄셈

① 두 벡터 $\vec{a}$, $\vec{b}$에 대하여 $\vec{a}$와 $-\vec{b}$의 합 $\vec{a}+(-\vec{b})$를 $\vec{a}$에서 $\vec{b}$를 뺀 차라 하고, 기호로 $\vec{a}-\vec{b}$와 같이 나타낸다. 즉, $\vec{a}-\vec{b}=\vec{a}+(-\vec{b})$

② $\overrightarrow{AB}-\overrightarrow{AC}=\overrightarrow{AB}+(-\overrightarrow{AC})=\overrightarrow{AB}+\overrightarrow{CA}=\overrightarrow{CA}+\overrightarrow{AB}=\overrightarrow{CB}$

(3) 벡터의 실수배

실수 k와 영벡터가 아닌 벡터 $\vec{a}$의 곱 $k\vec{a}$를 다음과 같이 정의한다.

① $k>0$이면 $k\vec{a}$는 $\vec{a}$와 방향이 같고 크기는 $k|\vec{a}|$인 벡터이다.

② $k<0$이면 $k\vec{a}$는 $\vec{a}$와 방향이 반대이고 크기는 $|k||\vec{a}|$인 벡터이다.

③ $k=0$이면 $k\vec{a}=\vec{0}$이다.

(4) 벡터의 평행

영벡터가 아닌 두 벡터 $\vec{a}$, $\vec{b}$의 방향이 같거나 반대일 때, 두 벡터 $\vec{a}$, $\vec{b}$는 서로 평행하다고 하며, 기호로 $\vec{a} /\!/ \vec{b}$와 같이 나타낸다.

즉, 영벡터가 아닌 두 벡터 $\vec{a}$, $\vec{b}$에 대하여

$\vec{a} /\!/ \vec{b} \iff \vec{a}=k\vec{b}$ (단, k는 0이 아닌 실수)

③ 위치벡터

(1) 위치벡터 : 평면에서 한 점 O를 고정시키면 임의의 벡터 $\vec{p}$에 대하여 $\vec{p}=\overrightarrow{OP}$인 점 P가 오직 하나로 정해진다. 역으로 평면 위의 임의의 점 P에 대하여 $\overrightarrow{OP}$인 벡터 $\vec{p}$가 오직 하나로 정해진다. 이와 같이 점 O를 시점으로 하는 벡터 $\overrightarrow{OP}$를 점 O에 대한 점 P의 위치벡터라고 한다.

(2) 두 점 A, B의 위치벡터를 각각 $\vec{a}$, $\vec{b}$라 하면 $\overrightarrow{AB}=\vec{b}-\vec{a}$

(3) 선분의 내분점, 외분점의 위치벡터

선분 AB를 $m:n\ (m>0,\ n>0)$으로 내분하는 점을 P, 선분 AB를 $m:n\ (m>0,\ n>0,\ m\neq n)$으로 외분하는 점을 Q라 하고, 네 점 A, B, P, Q의 위치벡터를 각각 $\vec{a}$, $\vec{b}$, $\vec{p}$, $\vec{q}$라 하면

$\vec{p}=\dfrac{m\vec{b}+n\vec{a}}{m+n}$, $\vec{q}=\dfrac{m\vec{b}-n\vec{a}}{m-n}$

기하

Note

4 평면벡터의 성분

(1) 좌표평면에서 원점 O를 시점으로 할 때, 점 $A(a_1, a_2)$의 위치벡터 $\vec{a}=\overrightarrow{OA}$를 $\vec{a}=(a_1, a_2)$로 나타낸다.
이때 a_1, a_2를 평면벡터 $\vec{a}$의 성분이라 하고, a_1을 x성분, a_2를 y성분이라고 한다.

(2) 평면벡터의 크기
$\vec{a}=(a_1, a_2)$일 때, $|\vec{a}|=\sqrt{a_1^2+a_2^2}$

(3) 두 평면벡터가 서로 같을 조건
$\vec{a}=(a_1, a_2)$, $\vec{b}=(b_1, b_2)$일 때, $\vec{a}=\vec{b} \Longleftrightarrow a_1=b_1, a_2=b_2$

(4) 평면벡터의 성분에 의한 연산
두 벡터 $\vec{a}=(a_1, a_2)$, $\vec{b}=(b_1, b_2)$에 대하여
① $\vec{a}+\vec{b}=(a_1+b_1, a_2+b_2)$ ② $\vec{a}-\vec{b}=(a_1-b_1, a_2-b_2)$ ③ $k\vec{a}=(ka_1, ka_2)$ (단, k는 실수)

5 평면벡터의 내적

(1) 평면벡터의 내적 : 영벡터가 아닌 두 벡터 $\vec{a}$, $\vec{b}$가 이루는 각의 크기 θ $(0^\circ \le \theta \le 180^\circ)$에 대하여
$|\vec{a}||\vec{b}|\cos\theta$를 두 벡터 $\vec{a}$, $\vec{b}$의 내적이라 하고, 이것을 기호로 $\vec{a}\cdot\vec{b}$와 같이 나타낸다. 즉,
$$\vec{a}\cdot\vec{b}=|\vec{a}||\vec{b}|\cos\theta$$

(2) 평면벡터의 내적과 성분
$\vec{a}=(a_1, a_2)$, $\vec{b}=(b_1, b_2)$일 때, $\vec{a}\cdot\vec{b}=a_1b_1+a_2b_2$

(3) 두 평면벡터가 이루는 각의 크기
영벡터가 아닌 두 벡터 $\vec{a}=(a_1, a_2)$, $\vec{b}=(b_1, b_2)$가 이루는 각의 크기를 θ $(0^\circ \le \theta \le 180^\circ)$라 하면
$$\cos\theta=\frac{\vec{a}\cdot\vec{b}}{|\vec{a}||\vec{b}|}=\frac{a_1b_1+a_2b_2}{\sqrt{a_1^2+a_2^2}\sqrt{b_1^2+b_2^2}}$$

(4) 두 평면벡터의 평행 조건과 수직 조건
영벡터가 아닌 두 벡터 $\vec{a}$, $\vec{b}$에 대하여
① $\vec{a}/\!/\vec{b} \Longleftrightarrow \vec{a}\cdot\vec{b}=\pm|\vec{a}||\vec{b}|$ ② $\vec{a}\perp\vec{b} \Longleftrightarrow \vec{a}\cdot\vec{b}=0$

6 직선의 방정식

(1) 직선의 방정식
① 점 $A(x_1, y_1)$을 지나고 방향벡터가 $\vec{u}=(a, b)$인 직선의 방정식은 $\frac{x-x_1}{a}=\frac{y-y_1}{b}$ (단, $ab\ne0$)
② 두 점 $A(x_1, y_1)$, $B(x_2, y_2)$를 지나는 직선의 방정식은 $\frac{x-x_1}{x_2-x_1}=\frac{y-y_1}{y_2-y_1}$ (단, $x_1\ne x_2$, $y_1\ne y_2$)
③ 점 $A(x_1, y_1)$을 지나고 법선벡터가 $\vec{n}=(a, b)$인 직선의 방정식은 $a(x-x_1)+b(y-y_1)=0$

(2) 두 직선이 이루는 각의 크기
두 직선 l_1, l_2의 방향벡터가 각각 $\vec{u_1}=(a_1, a_2)$, $\vec{u_2}=(b_1, b_2)$일 때
① 두 직선 l_1, l_2가 이루는 각의 크기를 θ $(0^\circ \le \theta \le 90^\circ)$라 하면
$$\cos\theta=\frac{|\vec{u_1}\cdot\vec{u_2}|}{|\vec{u_1}||\vec{u_2}|}=\frac{|a_1b_1+a_2b_2|}{\sqrt{a_1^2+a_2^2}\sqrt{b_1^2+b_2^2}}$$
② $l_1/\!/l_2 \Longleftrightarrow \vec{u_1}=k\vec{u_2}$ (단, k는 0이 아닌 실수)
③ $l_1\perp l_2 \Longleftrightarrow \vec{u_1}\cdot\vec{u_2}=0$

7 원의 방정식

좌표평면에서 점 $C(x_1, y_1)$을 중심으로 하고 반지름의 길이가 r인 원 위의 임의의 한 점을 $P(x, y)$,
두 점 C, P의 위치벡터를 각각 $\vec{c}$, $\vec{p}$라 하면
$$|\vec{p}-\vec{c}|=r \Longleftrightarrow (\vec{p}-\vec{c})\cdot(\vec{p}-\vec{c})=r^2$$
이므로 $(x-x_1, y-y_1)\cdot(x-x_1, y-y_1)=r^2$에서 $(x-x_1)^2+(y-y_1)^2=r^2$

유형 1 평면벡터의 연산

출제경향 | 벡터의 정의와 연산을 이해하고 이를 평면도형에 응용하는 문제가 출제된다.

출제유형잡기 | 벡터의 덧셈, 뺄셈, 실수배 등의 연산을 이해하고 도형의 성질을 이용하여 문제를 해결한다.

필수유형 1 | 2022학년도 수능 6월 모의평가 |

그림과 같이 한 변의 길이가 1인 정육각형 ABCDEF에서 $|\overrightarrow{AE}+\overrightarrow{BC}|$의 값은? [3점]

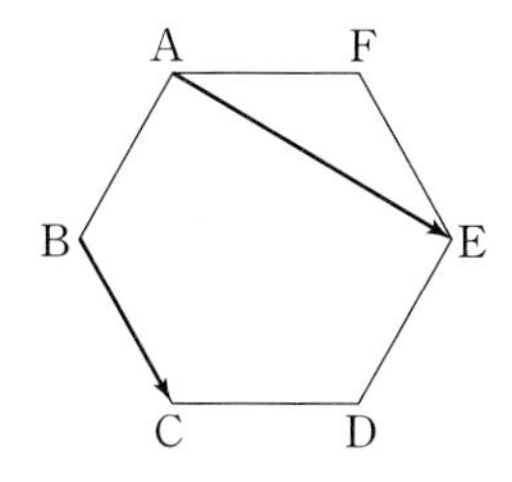

① $\sqrt{6}$ ② $\sqrt{7}$ ③ $2\sqrt{2}$
④ 3 ⑤ $\sqrt{10}$

01

▸ 24056-0193

$\vec{a}\neq\vec{0}$, $\vec{b}\neq\vec{0}$이고 서로 평행하지 않은 두 벡터 $\vec{a}$, $\vec{b}$에 대하여 두 벡터 $\vec{x}$, $\vec{y}$가

$$\vec{x}+\vec{y}=4\vec{a}+\vec{b},\ \vec{x}-\vec{y}=2\vec{a}+3\vec{b}$$

를 만족시킨다. $2\vec{x}+3\vec{y}=m\vec{a}+n\vec{b}$일 때, 두 실수 m, n에 대하여 $m+n$의 값은?

① 6 ② 7 ③ 8
④ 9 ⑤ 10

02

▸ 24056-0194

한 변의 길이가 2인 정삼각형 ABC에서 두 변 AB, BC의 중점을 각각 D, E라 하자. 점 P가 $\overrightarrow{BP}=\overrightarrow{DC}-\overrightarrow{AE}$를 만족시킬 때, $|\overrightarrow{EP}|$의 값은?

① 1 ② $\sqrt{2}$ ③ $\sqrt{3}$
④ 2 ⑤ $\sqrt{5}$

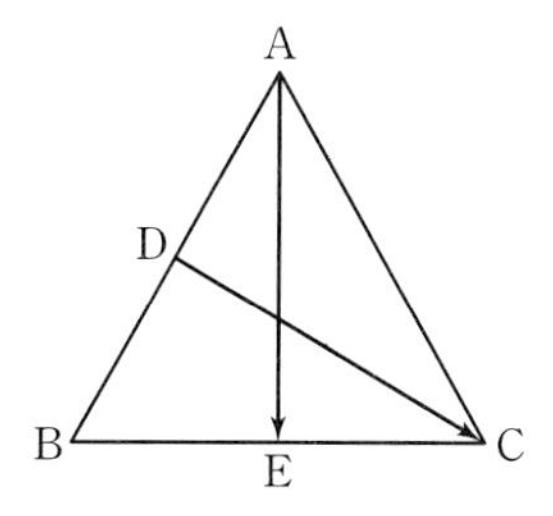

03

▸ 24056-0195

그림과 같이 직사각형 ABCD에서 삼각형 ABD의 무게중심을 G라 하자. $\overrightarrow{GB}+\overrightarrow{GC}=m\overrightarrow{AB}+n\overrightarrow{AD}$일 때, 두 실수 m, n에 대하여 $m+n$의 값은?

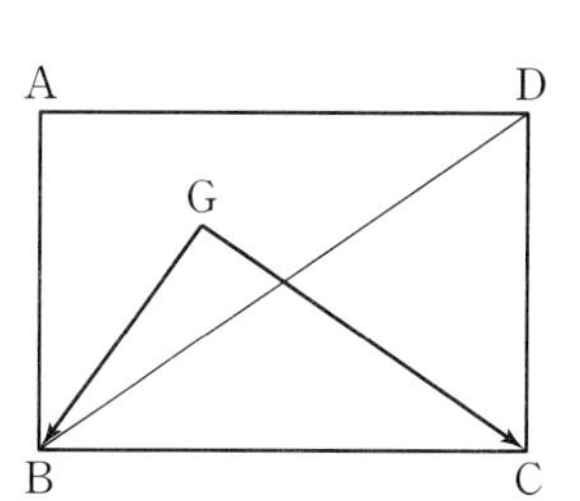

① 1 ② $\frac{4}{3}$ ③ $\frac{5}{3}$
④ 2 ⑤ $\frac{7}{3}$

04

▸ 24056-0196

그림과 같이 $\overline{AD}=2$, $\overline{AB}=\overline{CD}=\sqrt{10}$, $\tan(\angle ABC)=\tan(\angle BCD)=3$인 사다리꼴 ABCD가 있다. 점 P가

$$\overrightarrow{BP}+\overrightarrow{CP}=2(\overrightarrow{PA}+\overrightarrow{PD})$$

를 만족시킬 때, $|\overrightarrow{CD}+\overrightarrow{PA}|$의 값은?

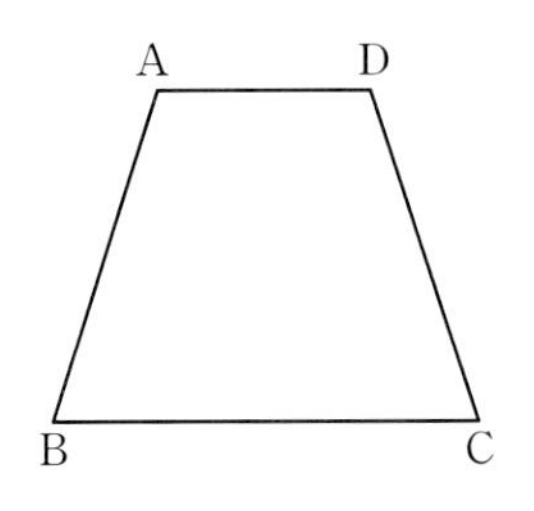

① $2\sqrt{3}$　② $\sqrt{14}$　③ 4　④ $3\sqrt{2}$　⑤ $2\sqrt{5}$

유형 2 평면에서 선분의 내분점과 외분점의 위치벡터

출제경향 | 평면에서 벡터로 표현된 식을 선분의 내분점과 외분점의 위치벡터로 해석하는 문제가 출제된다.

출제유형잡기 | 문제에서 주어진 벡터를 선분의 내분점, 외분점의 위치벡터로 해석한 후, 평면도형의 정의와 성질을 이용하여 문제를 해결한다.

필수유형 2

| 2019학년도 수능 |

좌표평면에서 넓이가 9인 삼각형 ABC의 세 변 AB, BC, CA 위를 움직이는 점을 각각 P, Q, R이라 할 때,

$$\overrightarrow{AX}=\frac{1}{4}(\overrightarrow{AP}+\overrightarrow{AR})+\frac{1}{2}\overrightarrow{AQ}$$

를 만족시키는 점 X가 나타내는 영역의 넓이가 $\frac{q}{p}$이다. $p+q$의 값을 구하시오. (단, p와 q는 서로소인 자연수이다.)

[4점]

05

▸ 24056-0197

그림과 같이 $\overline{AB}=2$, $\overline{AD}=3$이고 넓이가 $4\sqrt{2}$인 평행사변형 ABCD가 있다. 선분 BC 위를 움직이는 점 P와 선분 BD 위를 움직이는 점 Q에 대하여 점 X가

$$\overrightarrow{AX}=\overrightarrow{AP}+\frac{\overrightarrow{AQ}}{|\overrightarrow{AQ}|}$$

를 만족시킨다. $|\overrightarrow{AX}|$의 최댓값을 M, 최솟값을 m이라 할 때, M^2+m^2의 값은? (단, $\overline{BD}>\overline{AC}$)

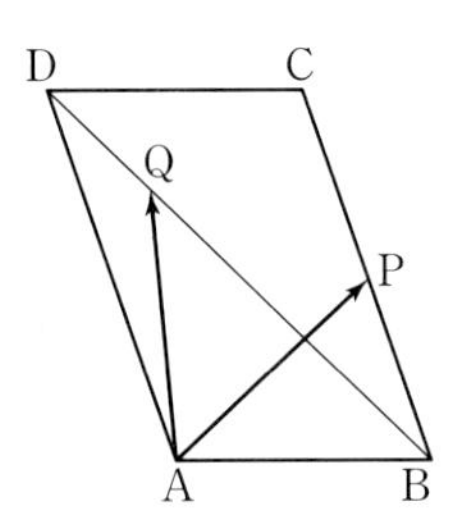

① 17　② $\frac{53}{3}$　③ $\frac{55}{3}$　④ 19　⑤ $\frac{59}{3}$

06

▸ 24056-0198

그림과 같이 $\overline{AB}=\sqrt{3}$, $\overline{BC}=3$이고 $\angle ABC=\frac{\pi}{2}$인 직각삼각형 ABC와 선분 AC를 지름으로 하는 반원이 있다. 반원의 호 AC 위의 점 P가

$$k\overrightarrow{PC}=\frac{2}{3}\overrightarrow{AB}+\frac{1}{3}\overrightarrow{AC}$$

를 만족시킬 때, 실수 k의 값은?

(단, 반원의 호는 점 B와 만나지 않는다.)

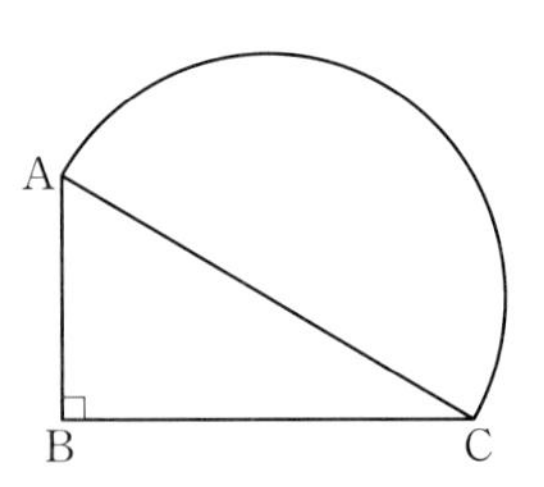

① $\frac{1}{2}$　② $\frac{2}{3}$　③ $\frac{3}{4}$　④ $\frac{4}{5}$　⑤ $\frac{5}{6}$

07

▸ 24056-0199

한 변의 길이가 4인 정사각형 ABCD의 내부의 점 P가 $\overrightarrow{BP}=\overrightarrow{PA}+3\overrightarrow{PD}$를 만족시킬 때, $|\overrightarrow{CP}|^2$의 값은?

① 12 ② $\frac{64}{5}$ ③ $\frac{68}{5}$
④ $\frac{72}{5}$ ⑤ $\frac{76}{5}$

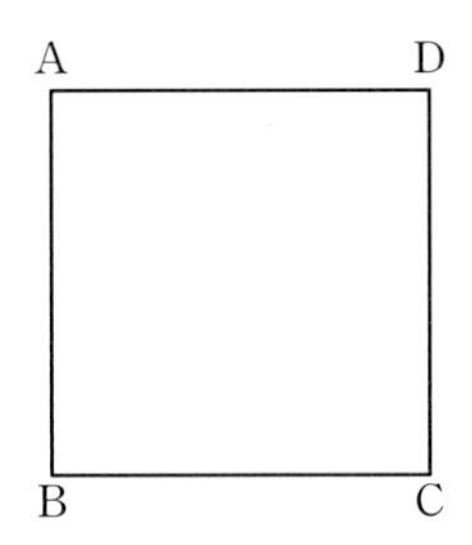

08

▸ 24056-0200

좌표평면에 $\overline{AB}=2$, $\overline{BC}=3$이고 $\angle ABC=\frac{\pi}{3}$인 삼각형 ABC가 있다. 양수 k에 대하여 점 P가

$$\overrightarrow{AP}=k(\overrightarrow{AB}+2\overrightarrow{AC})$$

를 만족시킨다. $|\overrightarrow{CP}|=1$일 때, $k\times|\overrightarrow{BP}|^2$의 값은? $\left(단, k>\frac{1}{3}\right)$

① 3 ② $\frac{7}{2}$ ③ 4
④ $\frac{9}{2}$ ⑤ 5

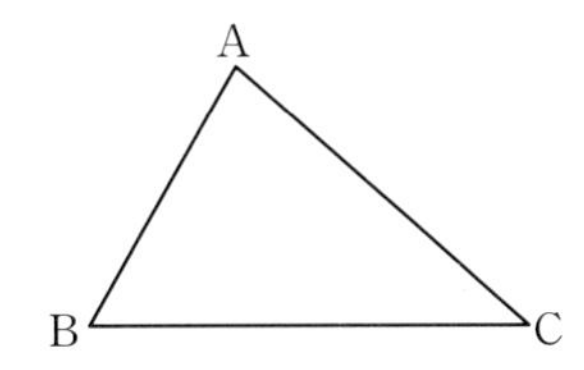

09

▸ 24056-0201

평면 α 위에 $\overline{AD}=5$, $\overline{AB}=\overline{DC}$, $\angle BAD=\angle ADC=\frac{2}{3}\pi$인 사다리꼴 ABCD가 있다. 평면 α 위를 움직이는 두 점 P, Q가 다음 조건을 만족시킨다.

(가) $\overrightarrow{AP}=t\overrightarrow{AB}+(1-t)\overrightarrow{AC}$ $(0\le t\le 1)$
(나) $|\overrightarrow{PQ}|=1$

$|\overrightarrow{AQ}|$의 최댓값이 8일 때, 점 Q가 나타내는 영역의 넓이는 $p+q\pi$이다. $p+q$의 값을 구하시오. (단, p, q는 유리수이다.)

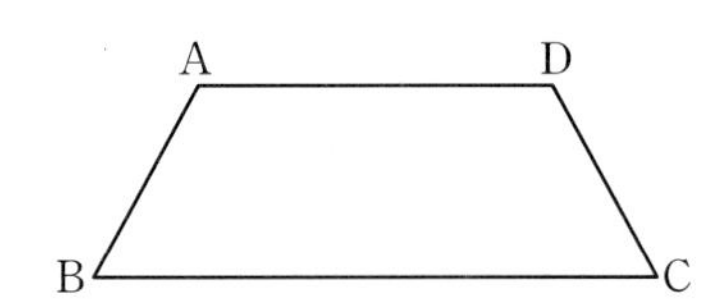

기하

유형 3 성분으로 나타낸 평면벡터의 연산

출제경향 | 성분으로 나타낸 평면벡터의 연산을 이용하는 문제가 출제된다.

출제유형잡기 | 평면벡터와 좌표의 대응을 이해하고 두 벡터의 덧셈, 뺄셈, 실수배 등의 연산을 벡터의 성분을 이용하여 해결한다.

필수유형 3 | 2018학년도 수능 6월 모의평가 |

두 벡터 $\vec{a}=(3, 1)$, $\vec{b}=(4, -2)$가 있다. 벡터 $\vec{v}$에 대하여 두 벡터 $\vec{a}$와 $\vec{v}+\vec{b}$가 서로 평행할 때, $|\vec{v}|^2$의 최솟값은? [3점]

① 6 ② 7 ③ 8
④ 9 ⑤ 10

10

▸ 24056-0202

좌표평면 위의 네 점 A$(1, 3)$, B$(-1, 0)$, C$(5, 2)$, D가

$$\overrightarrow{DA}=\overrightarrow{DB}+\overrightarrow{DC}$$

를 만족시킬 때, $|\overrightarrow{DA}|$의 값은?

① $2\sqrt{5}$ ② $2\sqrt{6}$ ③ $2\sqrt{7}$
④ $4\sqrt{2}$ ⑤ 6

11

▸ 24056-0203

좌표평면 위의 세 점 A, B, C가 다음 조건을 만족시킨다.

(가) $\overrightarrow{AB}=(-1, 3)$, $\overrightarrow{AC}=(4, 2)$
(나) 삼각형 ABC의 무게중심을 G라 할 때, 점 G의 좌표는 $(2, 2)$이다.

벡터 $\overrightarrow{OA}$의 모든 성분의 합은? (단, O는 원점이다.)

① $\frac{1}{3}$ ② $\frac{2}{3}$ ③ 1
④ $\frac{4}{3}$ ⑤ $\frac{5}{3}$

12

▸ 24056-0204

좌표평면 위에 두 점 A$(0, 3)$, B$(2, 0)$이 있다. $|\overrightarrow{AP}|=3$을 만족시키는 좌표평면 위의 점 P에 대하여 $|\overrightarrow{OP}+2\overrightarrow{OB}|$의 값이 최소일 때, 벡터 $\overrightarrow{AP}$의 모든 성분의 합은? (단, O는 원점이다.)

① $-\frac{21}{5}$ ② $-\frac{19}{5}$ ③ $-\frac{17}{5}$
④ -3 ⑤ $-\frac{13}{5}$

유형 4 평면벡터의 내적의 정의와 성질

출제경향 | 평면벡터의 크기와 두 벡터가 이루는 각의 크기를 이용하여 두 벡터의 내적을 구하는 문제가 출제된다.

출제유형잡기 | 두 평면벡터의 크기와 두 평면벡터가 이루는 각의 크기 및 벡터의 내적의 성질과 두 벡터의 평행과 수직 관계 등을 이용하여 문제를 해결한다.

필수유형 4 | 2017학년도 수능 9월 모의평가 |

두 벡터 $\vec{a}$, $\vec{b}$에 대하여 $|\vec{a}|=1$, $|\vec{b}|=3$이고, 두 벡터 $6\vec{a}+\vec{b}$와 $\vec{a}-\vec{b}$가 서로 수직일 때, $\vec{a}\cdot\vec{b}$의 값은? [3점]

① $-\frac{3}{10}$ ② $-\frac{3}{5}$ ③ $-\frac{9}{10}$
④ $-\frac{6}{5}$ ⑤ $-\frac{3}{2}$

13

▸ 24056-0205

두 벡터 $\vec{a}$, $\vec{b}$에 대하여 $|\vec{a}|=1$, $|\vec{b}|=2$, $|2\vec{a}-\vec{b}|=2\sqrt{2}$일 때, $|\vec{a}+\vec{b}|$의 값은?

① 1 ② $\sqrt{2}$ ③ $\sqrt{3}$
④ 2 ⑤ $\sqrt{5}$

14

▸ 24056-0206

두 벡터 $\vec{a}$, $\vec{b}$에 대하여

$|\vec{a}|=6$, $|\vec{a}-\vec{b}|=3$

을 만족시키는 $|\vec{b}|$의 값이 오직 하나 존재할 때, 두 벡터 $\vec{a}$, $\vec{b}$가 이루는 각의 크기를 θ라 하자. $\cos^2\theta$의 값은?

① $\frac{1}{4}$ ② $\frac{3}{8}$ ③ $\frac{1}{2}$
④ $\frac{5}{8}$ ⑤ $\frac{3}{4}$

15

▸ 24056-0207

영벡터가 아닌 서로 다른 세 벡터 $\vec{a}$, $\vec{b}$, $\vec{c}$에 대하여 $|\vec{a}+\vec{b}|=2$, $|\vec{a}+\vec{b}+\vec{c}|=2$이고 두 벡터 $\vec{a}+\vec{b}$, $\vec{c}$가 이루는 각의 크기가 $\frac{2}{3}\pi$이다. 두 벡터 $\vec{a}$, $\vec{c}$가 서로 평행하고 $\vec{a}\cdot(\vec{b}+\vec{c})=(\vec{a}+\vec{b})\cdot\vec{c}$일 때, $|\vec{b}+\vec{c}|$의 값은?

① 2 ② $\sqrt{5}$ ③ $\sqrt{6}$
④ $\sqrt{7}$ ⑤ $2\sqrt{2}$

유형 5 성분으로 나타낸 평면벡터의 내적

출제경향 | 성분으로 나타낸 평면벡터의 내적을 구하는 문제가 출제된다.

출제유형잡기 | 성분으로 나타낸 두 평면벡터의 내적을 구하는 방법을 이용하여 문제를 해결한다.

필수유형 5

| 2016학년도 수능 9월 모의평가 |

좌표평면 위의 네 점 O(0, 0), A(4, 2), B(0, 2), C(2, 0)에 대하여 $\overrightarrow{OA}\cdot\overrightarrow{BC}$의 값은? [3점]

① -4 ② -2 ③ 0
④ 2 ⑤ 4

16

▸ 24056-0208

두 벡터 $\vec{a}=(2,\ k+1)$, $\vec{b}=(3k-4,\ k)$에 대하여 $\vec{a}\cdot\vec{b}=10$일 때, 양수 k의 값은?

① 1 ② $\frac{3}{2}$ ③ 2
④ $\frac{5}{2}$ ⑤ 3

17

▸ 24056-0209

좌표평면 위에 두 점 A$(-1,\ 2)$, B$(2,\ -2)$와 직선 $x=1$ 위의 점 C가 있다. $\overrightarrow{AC}\cdot\overrightarrow{BC}=|\overrightarrow{AB}|^2$을 만족시키는 모든 점 C의 y좌표의 곱은?

① -31 ② -30 ③ -29
④ -28 ⑤ -27

18

▸ 24056-0210

세 벡터 $\vec{a}=(1,\ -1)$, $\vec{b}=(k,\ k+1)$, $\vec{c}=(0,\ -2k-1)$에 대하여 두 벡터 $\vec{a}$, $\vec{b}$가 이루는 각의 크기를 α, 두 벡터 $\vec{a}+\vec{b}$, $\vec{b}+\vec{c}$가 이루는 각의 크기를 β라 하자. $\alpha+\beta=\frac{3}{2}\pi$일 때, 0이 아닌 실수 k의 값은?

① $-\frac{5}{2}$ ② -2 ③ $-\frac{3}{2}$
④ -1 ⑤ $-\frac{1}{2}$

유형 6 도형에서의 평면벡터의 내적

출제경향 | 평면벡터의 크기와 두 벡터가 이루는 각의 크기를 이용하여 두 벡터의 내적을 구하는 문제가 출제된다.

출제유형잡기 | 두 평면벡터의 크기와 두 평면벡터가 이루는 각의 크기를 이용하여 평면벡터의 내적을 구하거나 평면벡터의 내적의 기하적 의미를 이용하여 문제를 해결한다.

필수유형 6

| 2024학년도 수능 6월 모의평가 |

그림과 같이 한 변의 길이가 1인 정사각형 ABCD에서

$$(\overrightarrow{AB}+k\overrightarrow{BC})\cdot(\overrightarrow{AC}+3k\overrightarrow{CD})=0$$

일 때, 실수 k의 값은? [3점]

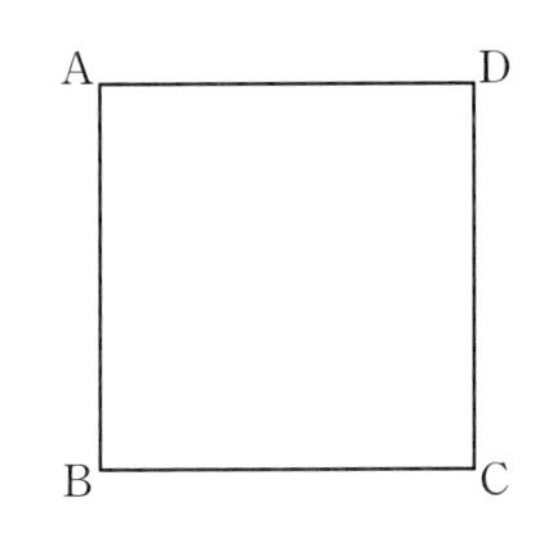

① 1 ② $\frac{1}{2}$ ③ $\frac{1}{3}$

④ $\frac{1}{4}$ ⑤ $\frac{1}{5}$

19

▸ 24056-0211

그림과 같이 길이가 2인 선분 AB를 지름으로 하는 원 위에 $\overline{AC}=1$인 점 C가 있다. 현 BC의 중점을 P라 할 때, $\overrightarrow{AP}\cdot\overrightarrow{CB}$의 값은?

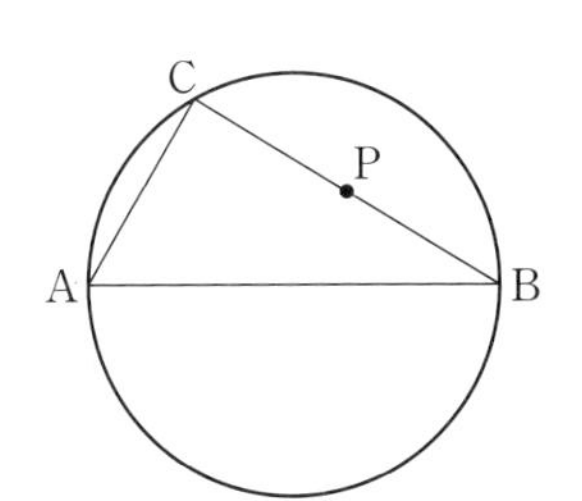

① 1 ② $\frac{3}{2}$ ③ 2

④ $\frac{5}{2}$ ⑤ 3

20

▸ 24056-0212

그림과 같이 $\overline{AB}=2$, $\overline{AD}=3$인 직사각형 ABCD에서 선분 BD를 $2:1$로 내분하는 점을 P라 하자.
$(\overrightarrow{AP}+\overrightarrow{CP})\cdot(\overrightarrow{BP}+\overrightarrow{DP})$의 값은?

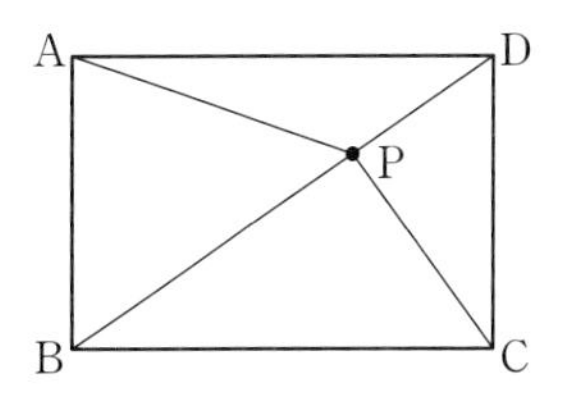

① $\frac{11}{9}$ ② $\frac{23}{18}$ ③ $\frac{4}{3}$

④ $\frac{25}{18}$ ⑤ $\frac{13}{9}$

21

▸ 24056-0213

한 변의 길이가 3인 정삼각형 ABC에 대하여 선분 AB를 $1:2$로 내분하는 점을 P, 선분 AC를 $1:m$으로 내분하는 점을 Q라 하자. $\overrightarrow{CP}\cdot\overrightarrow{BQ}=0$일 때, 양수 m의 값은?

① 2 ② 3 ③ 4

④ 5 ⑤ 6

22

▸ 24056-0214

그림과 같이 길이가 2인 선분 AB를 지름으로 하는 반원의 호 위에 두 점 C, D가 있다. 선분 AB의 중점을 O라 하고, $\angle CAB=\frac{\pi}{3}$, $\angle DOB=\frac{\pi}{6}$일 때, 선분 BC와 선분 OD가 만나는 점을 P라 하자. $\overrightarrow{PB}\cdot\overrightarrow{CD}$의 값은?

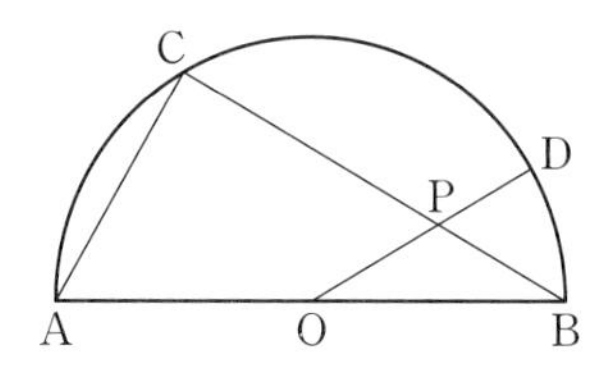

① $\frac{2+\sqrt{3}}{6}$　② $\frac{3+\sqrt{3}}{6}$　③ $\frac{2+\sqrt{3}}{3}$
④ $\frac{3+\sqrt{3}}{3}$　⑤ $\frac{2+\sqrt{3}}{2}$

23

▸ 24056-0215

$\overline{AB}=\overline{AC}$이고 외접원의 반지름의 길이가 $\frac{7}{4}$인 예각삼각형 ABC가 있다. 선분 BC를 3 : 1로 내분하는 점을 P, 외접원 위의 점 중 A가 아닌 한 점을 Q라 할 때, 두 점 P, Q는 다음 조건을 만족시킨다.

> (가) $\overrightarrow{AB}\cdot\overrightarrow{BP}=-\frac{9}{2}$
> (나) $\overrightarrow{PA}\cdot\overrightarrow{PB}=\overrightarrow{PB}\cdot\overrightarrow{PQ}$

$\overrightarrow{PQ}\cdot\overrightarrow{AQ}$의 값은?

① $\frac{9}{2}$　② $\frac{19}{4}$　③ 5
④ $\frac{21}{4}$　⑤ $\frac{11}{2}$

유형 7 도형에서의 평면벡터의 내적의 최대, 최소

출제경향 | 주어진 도형의 기하적 성질을 이용하여 평면벡터의 내적의 최댓값 또는 최솟값을 구하는 문제가 출제된다.

출제유형잡기 | 다음 성질을 이용하여 문제를 해결한다.

(1) $\vec{a}\cdot(\vec{b}+\vec{c})=\vec{a}\cdot\vec{b}+\vec{a}\cdot\vec{c}$

(2) 그림에서

$\overrightarrow{AB}\cdot\overrightarrow{AC}=|\overrightarrow{AB}|^2$

$\overrightarrow{CA}\cdot\overrightarrow{CB}=|\overrightarrow{CB}|^2$

(3) $\overrightarrow{AB}=\overrightarrow{OB}-\overrightarrow{OA}$

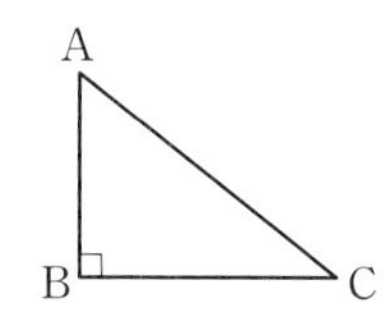

필수유형 7

| 2011학년도 수능 |

그림과 같이 평면 위에 정삼각형 ABC와 선분 AC를 지름으로 하는 원 O가 있다. 선분 BC 위의 점 D를 $\angle DAB=\frac{\pi}{15}$가 되도록 정한다. 점 X가 원 O 위를 움직일 때, 두 벡터 $\overrightarrow{AD}$, $\overrightarrow{CX}$의 내적 $\overrightarrow{AD}\cdot\overrightarrow{CX}$의 값이 최소가 되도록 하는 점 X를 점 P라 하자. $\angle ACP=\frac{q}{p}\pi$일 때, $p+q$의 값을 구하시오. (단, p와 q는 서로소인 자연수이다.) [4점]

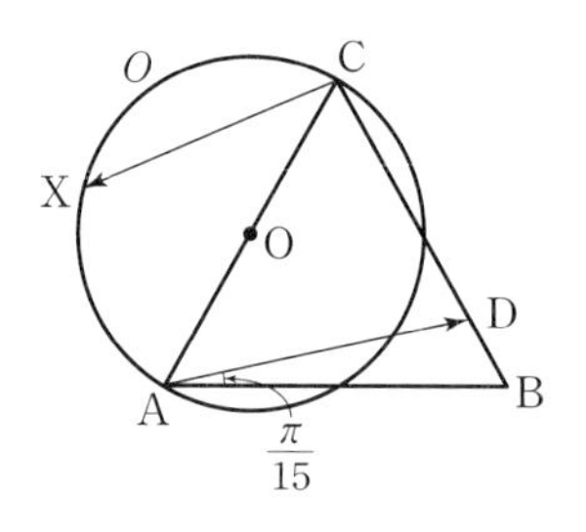

24

▸ 24056-0216

$\overline{AC}=3$, $\overline{BC}=4$이고 $\angle BCA=\frac{\pi}{2}$인 직각삼각형 ABC가 있다. 변 AB 위를 움직이는 점 P에 대하여 $(\overrightarrow{AB}+\overrightarrow{AC})\cdot\overrightarrow{AP}$의 최댓값은?

① 33　② 34　③ 35
④ 36　⑤ 37

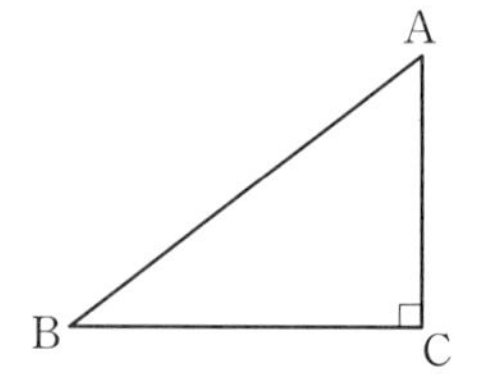

25

▸ 24056-0217

좌표평면에서 점 A$(-2,\ 1)$과 포물선 $y=x^2$ 위를 움직이는 점 P에 대하여 $\overrightarrow{OA}\cdot\overrightarrow{AP}$의 최솟값은? (단, O는 원점이다.)

① -6 ② -5 ③ -4
④ -3 ⑤ -2

26

▸ 24056-0218

그림과 같이 $\overline{AB}=\overline{CD}=\sqrt{5}$, $\overline{AD}=2$, $\overline{BC}=4$인 사다리꼴 ABCD가 있다. 선분 BD 위를 움직이는 점을 P, 선분 AD 위를 움직이는 점을 Q라 할 때, $\overrightarrow{AP}\cdot\overrightarrow{CQ}$의 최댓값은?

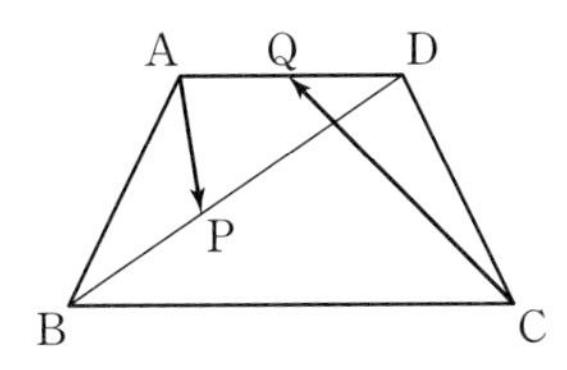

① -1 ② $-\frac{3}{4}$ ③ $-\frac{1}{2}$
④ $-\frac{1}{4}$ ⑤ 0

27

▸ 24056-0219

그림과 같이 좌표평면에서 네 점 A$(0,\ 1)$, B$(-1,\ 0)$, C$(0,\ -1)$, D$(1,\ 0)$에 대하여 선분 AB 위를 움직이는 점 P와 중심이 원점 O이고 반지름의 길이가 1인 부채꼴의 호 CD 위를 움직이는 점 Q가 있다. $\overrightarrow{PO}=\overrightarrow{QX}$를 만족시키는 점 X가 나타내는 영역을 D라 하자. 영역 D 위의 점 Y에 대하여 $\overrightarrow{AD}\cdot\overrightarrow{OY}$의 값이 최대가 되도록 하는 점 Y가 나타내는 선분의 길이를 a, 최소가 되도록 하는 점 Y가 나타내는 선분의 길이를 b라 할 때, a^2+b^2의 값을 구하시오.

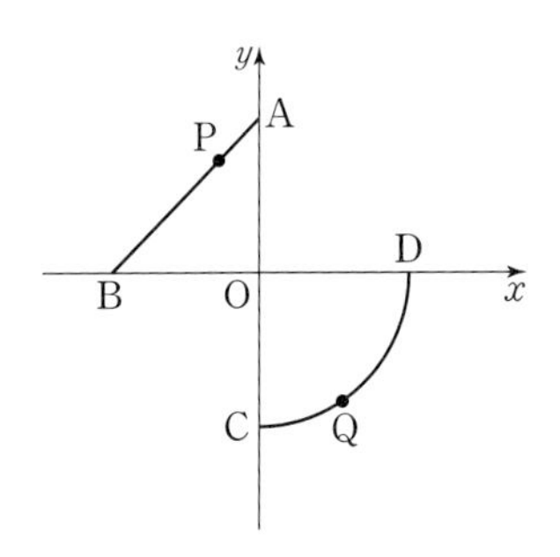

유형 8 벡터로 나타낸 직선의 방정식과 원의 방정식

출제경향 | 좌표평면에서 벡터로 나타낸 직선의 방정식 또는 원의 방정식을 구하는 문제가 출제된다.

출제유형잡기 | 좌표평면에서 벡터로 나타낸 직선의 방정식 또는 원의 방정식을 구하는 방법을 이용하여 문제를 해결한다.

필수유형 8 | 2023학년도 수능 |

좌표평면에서 세 벡터

$\vec{a}=(2, 4)$, $\vec{b}=(2, 8)$, $\vec{c}=(1, 0)$

에 대하여 두 벡터 $\vec{p}$, $\vec{q}$가

$(\vec{p}-\vec{a})\cdot(\vec{p}-\vec{b})=0$, $\vec{q}=\frac{1}{2}\vec{a}+t\vec{c}$ (t는 실수)

를 만족시킬 때, $|\vec{p}-\vec{q}|$의 최솟값은? [3점]

① $\frac{3}{2}$ ② 2 ③ $\frac{5}{2}$ ④ 3 ⑤ $\frac{7}{2}$

28

▸ 24056-0220

좌표평면 위의 직선 $\frac{x-1}{2}=\frac{y+3}{3}$과 수직이고 점 $(1, 5)$를 지나는 직선의 x절편은?

① 7 ② $\frac{15}{2}$ ③ 8 ④ $\frac{17}{2}$ ⑤ 9

29

▸ 24056-0221

좌표평면에서 두 점 $\mathrm{A}(0, 2)$, $\mathrm{B}(3, 6)$에 대하여 두 점 P, Q는

$\overrightarrow{\mathrm{PA}}\cdot\overrightarrow{\mathrm{PB}}=0$, $\overrightarrow{\mathrm{AB}}\cdot\overrightarrow{\mathrm{PQ}}=0$

을 만족시킨다. 점 Q가 x축 위의 점일 때, 점 Q가 나타내는 도형의 길이는?

① $\frac{23}{3}$ ② $\frac{47}{6}$ ③ 8 ④ $\frac{49}{6}$ ⑤ $\frac{25}{3}$

30

▸ 24056-0222

좌표평면에서 벡터 $\vec{a}=(3, 0)$에 대하여 두 벡터 $\vec{p}$, $\vec{q}$가 다음 조건을 만족시킬 때, $\vec{p}\cdot\vec{q}$의 값은?

(가) $|\vec{p}-\vec{a}|^2=\frac{4}{3}\vec{p}\cdot\vec{a}$
(나) $3(\vec{p}-\vec{q})=7\vec{a}$
(다) $\vec{q}\cdot(\vec{p}+\vec{a})=0$

① 6 ② 7 ③ 8 ④ 9 ⑤ 10

09 공간도형과 공간좌표

① 직선과 평면의 위치 관계

(1) 평면의 결정 조건

① 한 직선 위에 있지 않은 서로 다른 세 점　② 한 직선과 그 직선 위에 있지 않은 한 점
③ 한 점에서 만나는 두 직선　④ 평행한 두 직선

(2) 공간에서 서로 다른 두 직선의 위치 관계

① 한 점에서 만난다.　② 평행하다.　③ 꼬인 위치에 있다.

(3) 직선과 평면의 위치 관계

① 직선이 평면에 포함된다.　② 한 점에서 만난다.　③ 평행하다.

(4) 서로 다른 두 평면의 위치 관계

① 만난다.　② 평행하다.

② 공간에서 꼬인 위치에 있는 두 직선이 이루는 각

두 직선 l, m이 꼬인 위치에 있을 때, 직선 m 위의 한 점 O를 지나고 직선 l에 평행한 직선을 l'이라 하면 두 직선 l', m은 점 O에서 만나고 한 평면을 결정한다. 이때 두 직선 l', m이 이루는 각 중 크지 않은 것을 두 직선 l, m이 이루는 각이라고 한다.

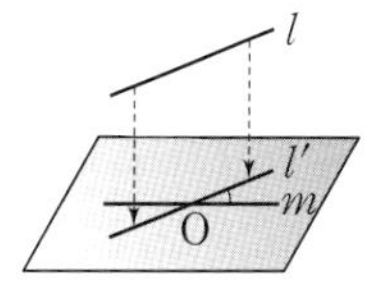

③ 공간에서 직선과 평면이 이루는 각 및 직선과 평면의 수직 관계

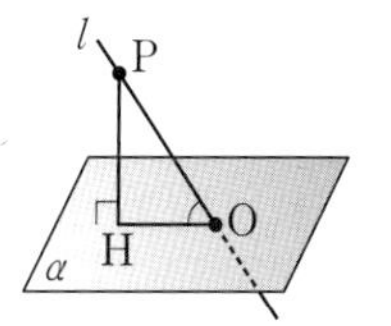

(1) 직선 l이 평면 α와 점 O에서 만날 때, 점 O가 아닌 직선 l 위의 한 점 P에서 평면 α에 내린 수선의 발을 H라 하자. 이때 $\angle$POH를 직선 l과 평면 α가 이루는 각이라고 한다.

(2) 공간에서 직선 l이 평면 α와 한 점 O에서 만나고 평면 α 위의 모든 직선과 수직일 때, 직선 l과 평면 α는 서로 수직이라 하고, 기호로 $l \perp \alpha$와 같이 나타낸다. 이때 직선 l을 평면 α의 수선, 점 O를 수선의 발이라고 한다. 일반적으로 직선 l이 평면 α 위의 평행하지 않은 두 직선과 각각 수직이면 $l \perp \alpha$이다.

④ 삼수선의 정리

평면 α 위에 있지 않은 한 점 P, 평면 α 위의 한 점 O, 점 O를 지나지 않고 평면 α 위에 있는 직선 l, 직선 l 위의 한 점 H에 대하여 다음이 성립하고 이를 삼수선의 정리라고 한다.

(1) $\overline{\mathrm{PO}} \perp \alpha$, $\overline{\mathrm{OH}} \perp l$이면 $\overline{\mathrm{PH}} \perp l$

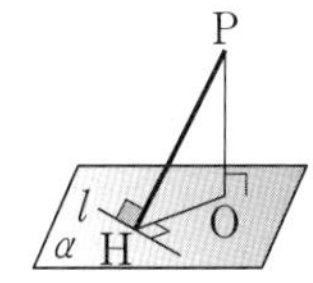

(2) $\overline{\mathrm{PO}} \perp \alpha$, $\overline{\mathrm{PH}} \perp l$이면 $\overline{\mathrm{OH}} \perp l$

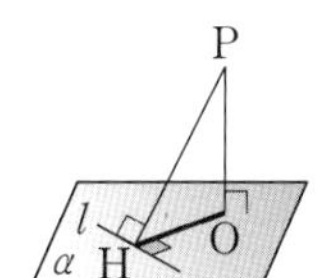

(3) $\overline{\mathrm{PH}} \perp l$, $\overline{\mathrm{OH}} \perp l$, $\overline{\mathrm{PO}} \perp \overline{\mathrm{OH}}$이면 $\overline{\mathrm{PO}} \perp \alpha$

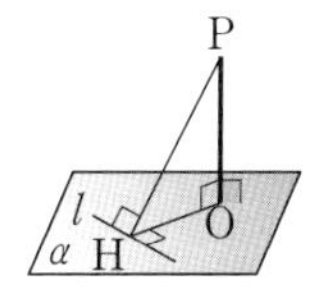

⑤ 이면각

한 직선 l에서 만나는 두 반평면 α, β로 이루어진 도형을 이면각이라고 한다. 두 반평면 α, β의 교선 l 위의 한 점 O를 지나고 직선 l에 수직인 두 반직선 OA, OB를 두 반평면 α, β에 각각 그으면 점 O의 위치에 관계없이 $\angle$AOB의 크기는 일정하다. 이 일정한 각의 크기를 이면각의 크기라고 한다. 서로 다른 두 평면이 만나면 네 개의 이면각이 생기는데, 이 중에서 크기가 크지 않은 한 이면각의 크기를 두 평면이 이루는 각의 크기라고 한다.

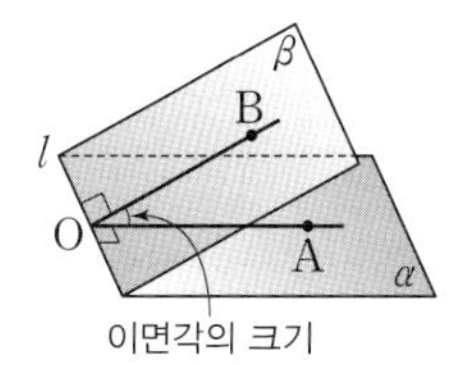

Note

기하

Note

⑥ 정사영

(1) 정사영 : 평면 α 위에 있지 않은 한 점 P에서 평면 α에 내린 수선의 발 P′을 점 P의 평면 α 위로의 정사영이라고 한다. 또 도형 F에 속하는 각 점의 평면 α 위로의 정사영 전체로 이루어진 도형 F'을 도형 F의 평면 α 위로의 정사영이라고 한다.

(2) 정사영의 길이 : 선분 AB의 평면 α 위로의 정사영을 선분 A′B′, 직선 AB와 평면 α가 이루는 각의 크기를 θ $(0^\circ \le \theta \le 90^\circ)$라 하면

$$\overline{\mathrm{A'B'}}=\overline{\mathrm{AB}}\cos\theta$$

(3) 정사영의 넓이 : 평면 α 위의 도형 F의 평면 β 위로의 정사영을 F'이라 하고, 두 도형 F, F'의 넓이를 각각 S, S'이라 할 때, 두 평면 α와 β가 이루는 각의 크기를 θ $(0^\circ \le \theta \le 90^\circ)$라 하면

$$S'=S\cos\theta$$

⑦ 공간좌표

(1) 공간의 한 점 O에서 서로 직교하는 세 수직선을 각각 x축, y축, z축이라 하고, 이 세 축을 통틀어 좌표축이라고 한다. 이와 같이 좌표축이 정해진 공간을 좌표공간이라 하고, 세 좌표축이 만나는 점 O를 좌표공간의 원점이라고 한다. 또 x축과 y축, y축과 z축, z축과 x축으로 결정되는 평면을 각각 xy평면, yz평면, zx평면이라고 한다.

(2) 좌표공간의 한 점 P에 대하여 점 P를 지나면서 x축, y축, z축에 수직인 평면이 각각 x축, y축, z축과 만나는 점의 x축, y축, z축 위에서의 좌표를 각각 a, b, c라 할 때, 좌표공간의 점 P와 세 실수 a, b, c의 순서쌍 (a, b, c)는 일대일대응이 된다. 이 순서쌍 (a, b, c)를 점 P의 공간좌표 또는 좌표라 하고, 기호로 $\mathrm{P}(a, b, c)$와 같이 나타낸다. 이때 세 실수 a, b, c를 각각 점 P의 x좌표, y좌표, z좌표라고 한다.

⑧ 두 점 사이의 거리

좌표공간에서 두 점 $\mathrm{A}(x_1, y_1, z_1)$, $\mathrm{B}(x_2, y_2, z_2)$ 사이의 거리는

$$\overline{\mathrm{AB}}=\sqrt{(x_2-x_1)^2+(y_2-y_1)^2+(z_2-z_1)^2}$$

특히 원점 $\mathrm{O}(0, 0, 0)$과 점 $\mathrm{A}(x_1, y_1, z_1)$ 사이의 거리는 $\overline{\mathrm{OA}}=\sqrt{x_1^2+y_1^2+z_1^2}$

⑨ 선분의 내분점과 외분점

좌표공간의 두 점 $\mathrm{A}(x_1, y_1, z_1)$, $\mathrm{B}(x_2, y_2, z_2)$에 대하여

(1) 선분 AB를 $m : n$ $(m>0, n>0)$으로 내분하는 점 P의 좌표는

$$\left(\frac{mx_2+nx_1}{m+n}, \frac{my_2+ny_1}{m+n}, \frac{mz_2+nz_1}{m+n}\right)$$

(2) 선분 AB를 $m : n$ $(m>0, n>0, m\neq n)$으로 외분하는 점 Q의 좌표는

$$\left(\frac{mx_2-nx_1}{m-n}, \frac{my_2-ny_1}{m-n}, \frac{mz_2-nz_1}{m-n}\right)$$

(3) 선분 AB의 중점 M의 좌표는 $\left(\frac{x_1+x_2}{2}, \frac{y_1+y_2}{2}, \frac{z_1+z_2}{2}\right)$

(4) 세 점 $\mathrm{A}(x_1, y_1, z_1)$, $\mathrm{B}(x_2, y_2, z_2)$, $\mathrm{C}(x_3, y_3, z_3)$을 꼭짓점으로 하는 삼각형 ABC의 무게중심 G의 좌표는 $\left(\frac{x_1+x_2+x_3}{3}, \frac{y_1+y_2+y_3}{3}, \frac{z_1+z_2+z_3}{3}\right)$

⑩ 구의 방정식

(1) 중심의 좌표가 (a, b, c)이고 반지름의 길이가 r인 구의 방정식은 $(x-a)^2+(y-b)^2+(z-c)^2=r^2$
특히 중심이 원점이고 반지름의 길이가 r인 구의 방정식은 $x^2+y^2+z^2=r^2$

(2) x, y, z에 대한 이차방정식 $x^2+y^2+z^2+Ax+By+Cz+D=0$은 중심의 좌표가
$\left(-\frac{A}{2}, -\frac{B}{2}, -\frac{C}{2}\right)$이고 반지름의 길이가 $\frac{\sqrt{A^2+B^2+C^2-4D}}{2}$인 구의 방정식이다.

(단, $A^2+B^2+C^2-4D>0$)

유형 1 직선과 직선, 직선과 평면의 위치 관계

출제경향 | 입체도형에서 직선과 직선, 직선과 평면의 위치 관계를 파악하는 문제가 출제된다.

출제유형잡기 | 입체도형에서 꼭짓점, 모서리, 면이 어떤 위치 관계인지를 파악한다.

필수유형 1 | 2005학년도 수능 9월 모의평가 |

사면체 ABCD의 면 ABC, ACD의 무게중심을 각각 P, Q라 하자. **보기**에서 두 직선이 꼬인 위치에 있는 것을 있는 대로 고른 것은? [3점]

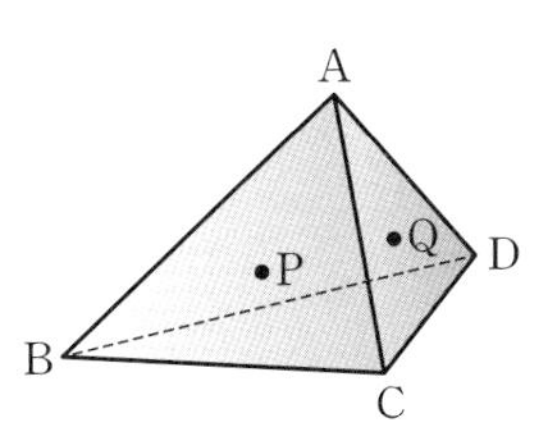

보기

ㄱ. 직선 CD와 직선 BQ
ㄴ. 직선 AD와 직선 BC
ㄷ. 직선 PQ와 직선 BD

① ㄴ ② ㄷ ③ ㄱ, ㄴ
④ ㄱ, ㄷ ⑤ ㄱ, ㄴ, ㄷ

01

▸ 24056-0223

그림과 같이 정삼각기둥 ABC−DEF의 서로 다른 두 꼭짓점을 지나는 직선 중 직선 BF가 아닌 한 직선과 직선 BF를 포함하는 서로 다른 평면의 개수는?

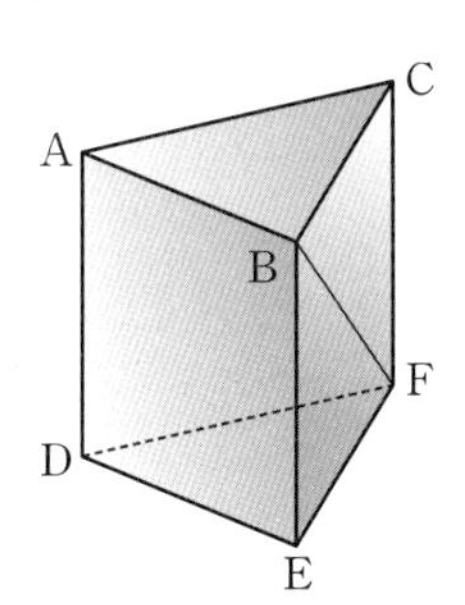

① 1 ② 2 ③ 3
④ 4 ⑤ 5

02

▸ 24056-0224

그림과 같은 정육면체 ABCD−EFGH에 대하여 **보기**에서 옳은 것만을 있는 대로 고른 것은?

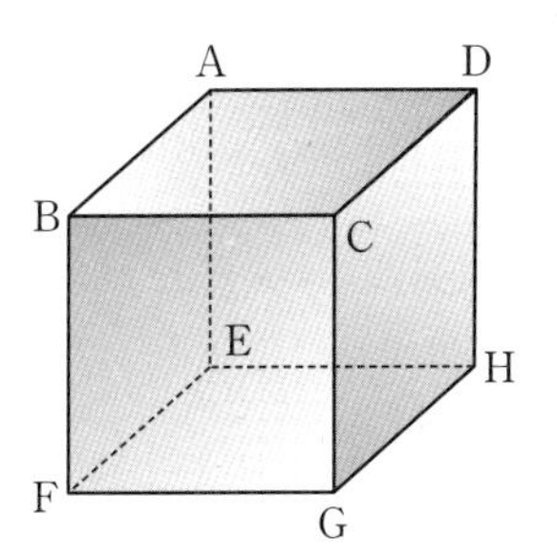

보기

ㄱ. 정육면체의 모서리를 연장한 직선 중에서 직선 AG와 꼬인 위치에 있는 직선의 개수는 6이다.
ㄴ. 정육면체의 꼭짓점 중 점 A, 점 G가 아닌 한 꼭짓점과 직선 AG를 포함하는 서로 다른 평면의 개수는 4이다.
ㄷ. 정육면체의 서로 다른 두 꼭짓점을 지나는 직선 중 평면 AFH와 평행한 직선의 개수는 3이다.

① ㄱ ② ㄴ ③ ㄱ, ㄴ
④ ㄱ, ㄷ ⑤ ㄴ, ㄷ

유형 2 두 직선이 이루는 각, 직선과 평면이 이루는 각

출제경향 | 공간에서 도형의 성질을 이용하여 두 직선이 이루는 각의 크기를 구하거나 직선과 평면이 이루는 각의 크기를 구하는 문제가 출제된다.

출제유형잡기 | 두 직선이 이루는 각, 직선과 평면의 수직의 정의를 이용할 수 있도록 직선 또는 평면을 적절히 나타내고 구하는 각이 포함되는 직각삼각형을 만들어 각의 크기를 구한다.

필수유형 2

| 2015학년도 수능 |

평면 α 위에 있는 서로 다른 두 점 A, B를 지나는 직선을 l이라 하고, 평면 α 위에 있지 않은 점 P에서 평면 α에 내린 수선의 발을 H라 하자. $\overline{AB}=\overline{PA}=\overline{PB}=6$, $\overline{PH}=4$일 때, 점 H와 직선 l 사이의 거리는? [3점]

① $\sqrt{11}$ ② $2\sqrt{3}$ ③ $\sqrt{13}$
④ $\sqrt{14}$ ⑤ $\sqrt{15}$

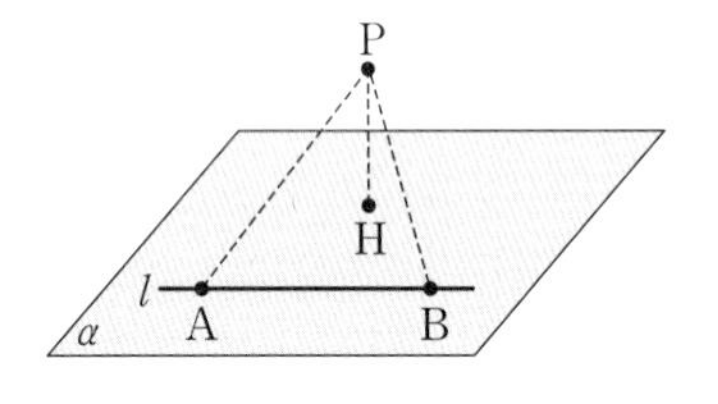

03

▸ 24056-0225

그림과 같이 한 모서리의 길이가 2인 정육면체 ABCD−EFGH에서 두 선분 DG, CH의 교점을 I라 하자. 두 직선 AC, EI가 이루는 각의 크기를 θ라 할 때, $\cos\theta$의 값은?

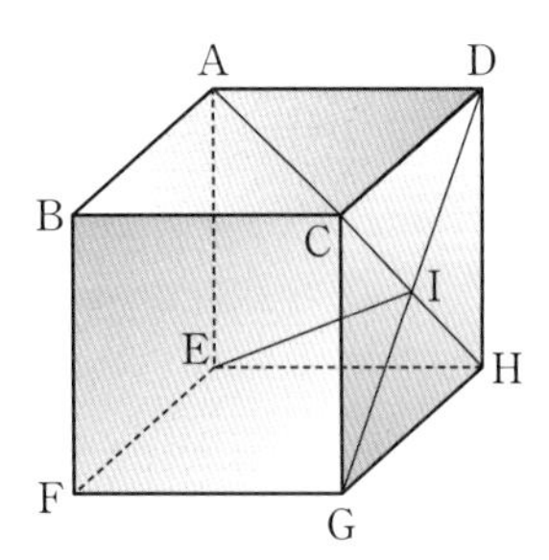

① $\frac{\sqrt{2}}{2}$ ② $\frac{3}{4}$ ③ $\frac{\sqrt{10}}{4}$
④ $\frac{\sqrt{11}}{4}$ ⑤ $\frac{\sqrt{3}}{2}$

04

▸ 24056-0226

그림과 같이 밑면 BCDE가 정사각형이고 $\overline{AB}=\overline{AC}=\overline{AD}=\overline{AE}=6$인 사각뿔 A−BCDE에서 두 변 BC, BE의 중점을 각각 M, N이라 할 때, 두 직선 AM, DN이 이루는 각의 크기를 θ라 하자. $\cos\theta=\frac{2}{5}$일 때, 정사각형 BCDE의 넓이를 구하시오.

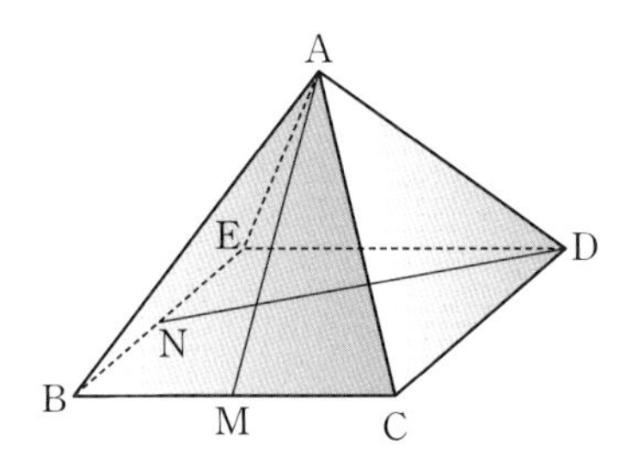

05

▸ 24056-0227

그림과 같이 밑면의 반지름의 길이가 2인 원기둥이 있다. 선분 AB는 이 원기둥의 한 밑면의 지름이고, C, D는 다른 밑면의 둘레 위의 서로 다른 두 점이다. 점 A에서 다른 밑면에 내린 수선의 발이 C일 때, 네 점 A, B, C, D가 다음 조건을 만족시킨다.

(가) 직선 BC가 원기둥의 한 밑면과 이루는 각의 크기는 $\frac{\pi}{3}$이다.
(나) 두 직선 AB, CD가 이루는 각의 크기는 $\frac{\pi}{6}$이다.

두 직선 AD, BC가 이루는 각의 크기를 θ라 할 때, $\cos\theta=\frac{q}{p}\sqrt{15}$이다. $p+q$의 값을 구하시오.

(단, p와 q는 서로소인 자연수이다.)

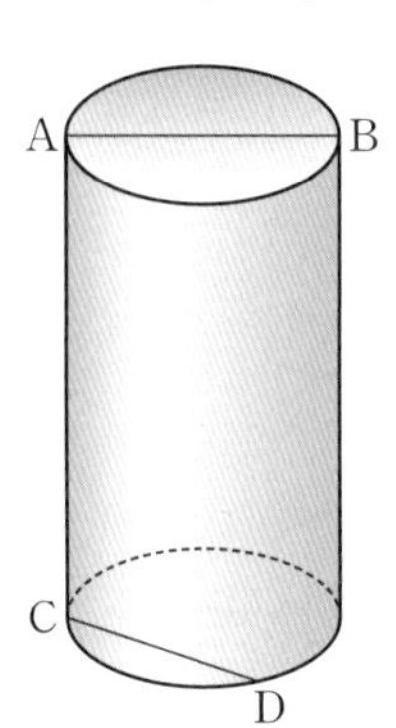

유형 3 삼수선의 정리

출제경향 | 공간도형에서 삼수선의 정리를 이용하여 직선의 위치 관계를 파악하고 선분의 길이, 도형의 넓이 등을 구하는 문제가 출제된다.

출제유형잡기 | 입체도형의 성질과 모서리, 면, 꼭짓점이 어떤 위치 관계에 있는지 파악하고 이를 바탕으로 삼수선의 정리를 이용하여 수직인 두 직선 또는 직각삼각형을 찾아 문제를 해결한다.

필수유형 3 | 2023학년도 수능 9월 모의평가 |

그림과 같이 밑면의 반지름의 길이가 4, 높이가 3인 원기둥이 있다. 선분 AB는 이 원기둥의 한 밑면의 지름이고 C, D는 다른 밑면의 둘레 위의 서로 다른 두 점이다. 네 점 A, B, C, D가 다음 조건을 만족시킬 때, 선분 CD의 길이는? [3점]

(가) 삼각형 ABC의 넓이는 16이다.
(나) 두 직선 AB, CD는 서로 평행하다.

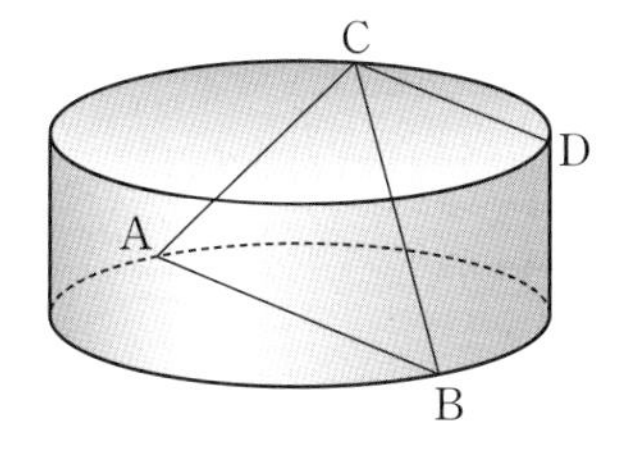

① 5 ② $\frac{11}{2}$ ③ 6
④ $\frac{13}{2}$ ⑤ 7

06

▸ 24056-0228

그림과 같이 $\overline{AB}=\overline{BC}=4$인 직각이등변삼각형 ABC가 있다. 꼭짓점 C는 평면 α 위에 놓여 있고 두 점 A, B에서 평면 α에 내린 수선의 발을 각각 A′, B′이라 하자. $\overline{AA'}=4$, $\overline{BB'}=2$일 때, 점 B와 직선 A′C 사이의 거리는?

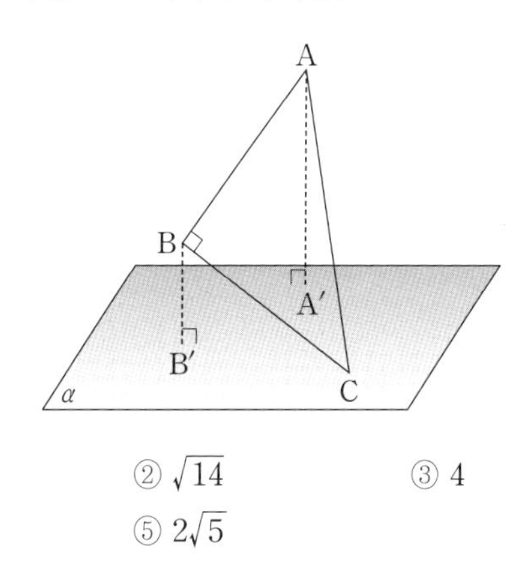

① $2\sqrt{3}$ ② $\sqrt{14}$ ③ 4
④ $3\sqrt{2}$ ⑤ $2\sqrt{5}$

07

▸ 24056-0229

그림과 같이 한 모서리의 길이가 4인 정육면체 ABCD−EFGH에서 두 선분 AC, BD의 교점을 M, 두 선분 EG, FH의 교점을 N이라 하자. 점 G에서 선분 MF에 내린 수선의 발을 I라 할 때, 삼각형 IGN의 넓이는?

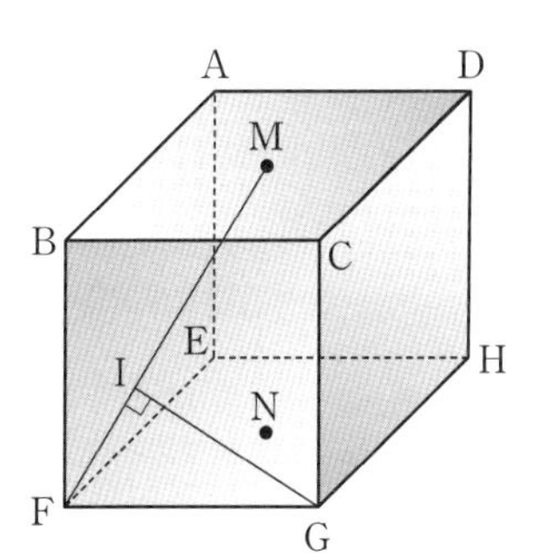

① $\sqrt{6}$ ② $2\sqrt{2}$ ③ $\frac{4\sqrt{6}}{3}$
④ $\frac{5\sqrt{2}}{2}$ ⑤ $\frac{3\sqrt{6}}{2}$

기하

08

▸ 24056-0230

평면 α 위에 있는 점 A를 중심으로 하고 반지름의 길이가 $\sqrt{5}$인 원을 C, 원 C 위의 점 B에서의 접선을 l이라 하자. 평면 α 위에 있지 않은 점 P가 다음 조건을 만족시킨다.

> (가) 점 P에서 평면 α에 내린 수선의 발은 직선 l 위에 있다.
> (나) 직선 PA가 평면 α와 이루는 각의 크기를 θ_1, 두 직선 PA, PB가 이루는 각의 크기를 θ_2라 할 때,
> $\tan\theta_1=2$, $\tan\theta_2=\frac{\sqrt{2}}{4}$이다.

직선 PB가 평면 α와 이루는 각의 크기를 θ라 할 때, $\cos^2\theta$의 값은?

① $\frac{1}{10}$　② $\frac{1}{8}$　③ $\frac{1}{6}$　④ $\frac{1}{4}$　⑤ $\frac{1}{2}$

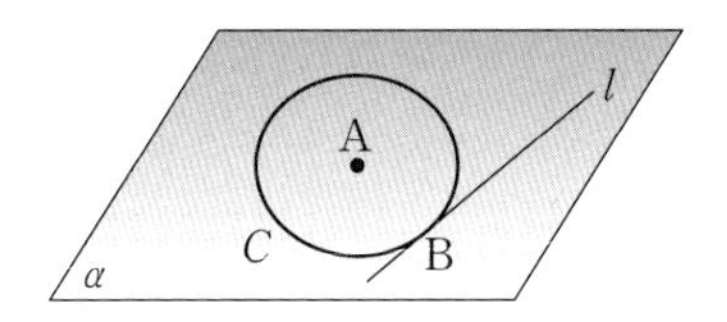

유형 4 이면각

출제경향 | 공간에서 두 평면이 이루는 각의 크기를 구하는 문제가 출제된다.

출제유형잡기 | 두 평면의 교선 위의 한 점에서 교선에 수직인 두 직선을 각 평면에 그어 두 평면이 이루는 각의 크기를 구한다.

필수유형 4

| 2023학년도 수능 |

좌표공간에 직선 AB를 포함하는 평면 α가 있다. 평면 α 위에 있지 않은 점 C에 대하여 직선 AB와 직선 AC가 이루는 예각의 크기를 θ_1이라 할 때 $\sin\theta_1=\frac{4}{5}$이고, 직선 AC와 평면 α가 이루는 예각의 크기는 $\frac{\pi}{2}-\theta_1$이다. 평면 ABC와 평면 α가 이루는 예각의 크기를 θ_2라 할 때, $\cos\theta_2$의 값은? [3점]

① $\frac{\sqrt{7}}{4}$　② $\frac{\sqrt{7}}{5}$　③ $\frac{\sqrt{7}}{6}$　④ $\frac{\sqrt{7}}{7}$　⑤ $\frac{\sqrt{7}}{8}$

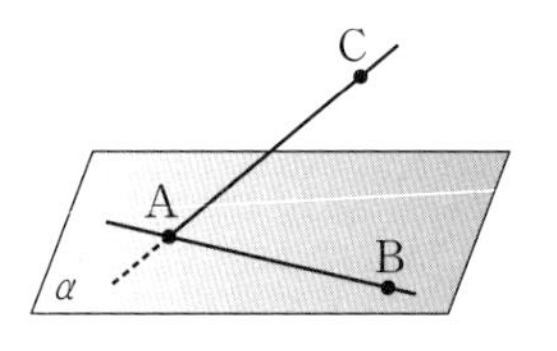

09

▸ 24056-0231

한 변의 길이가 12인 정삼각형 BCD를 한 면으로 하는 사면체 ABCD의 꼭짓점 A에서 평면 BCD에 내린 수선의 발을 H라 할 때, 점 H는 삼각형 BCD의 내부에 놓여 있고, 직선 BH가 직선 CD와 서로 수직이다. 직선 AB가 평면 ACD에 수직이고, $\cos(\angle ACD)=\frac{3}{5}$일 때, 삼각형 CDH의 넓이는 $\frac{q}{p}\sqrt{3}$이다. $p+q$의 값을 구하시오. (단, p와 q는 서로소인 자연수이다.)

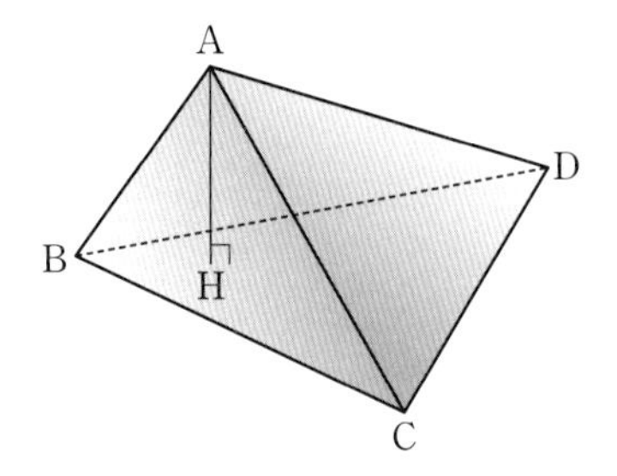

10

▸ 24056-0232

한 변의 길이가 6인 정삼각형 BCD를 한 면으로 하고 $\overline{AB}=\overline{AC}=\overline{AD}$인 사면체 ABCD가 있다. 평면 ABC와 평면 BCD가 이루는 각의 크기가 $\frac{\pi}{3}$일 때, $\sin^2(\angle ACB)$의 값은?

① $\frac{2}{7}$　② $\frac{3}{7}$　③ $\frac{4}{7}$　④ $\frac{5}{7}$　⑤ $\frac{6}{7}$

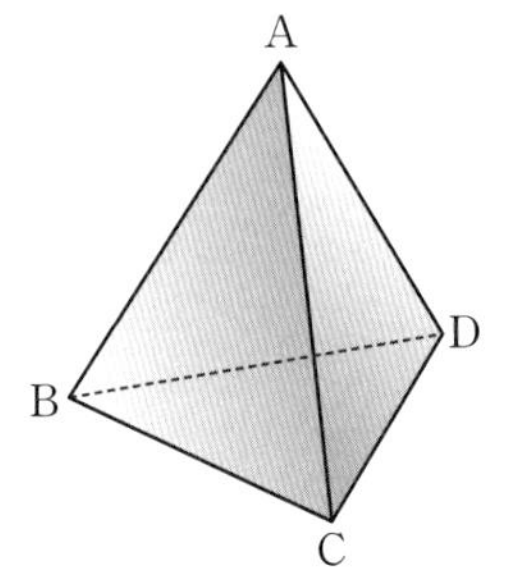

11

▸ 24056-0233

평면 α 위에 한 변의 길이가 4인 정삼각형 ABC가 있다. 평면 α 위에 있지 않은 점 P에서 평면 α에 내린 수선의 발이 변 AC의 중점이고, 직선 PB와 평면 α가 이루는 각의 크기는 $\frac{\pi}{4}$일 때, 평면 PBA와 평면 PBC가 이루는 각의 크기를 θ라 하자. $\cos\theta$의 값은?

① $\frac{1}{10}$　② $\frac{1}{5}$　③ $\frac{3}{10}$
④ $\frac{2}{5}$　⑤ $\frac{1}{2}$

12

▸ 24056-0234

그림과 같이 $\overline{AB}=\overline{AD}$, $\overline{AE}=2\sqrt{2}$인 직육면체 ABCD$-$EFGH에서 변 FH를 $1:2$로 내분하는 점을 I, 점 I를 지나고 직선 EG에 평행한 직선이 변 EF, 변 FG와 만나는 점을 각각 J, K라 하고, 변 DH의 중점을 M이라 하자. 평면 BJK와 평면 MJK가 서로 수직일 때, 삼각형 MJK의 넓이는?

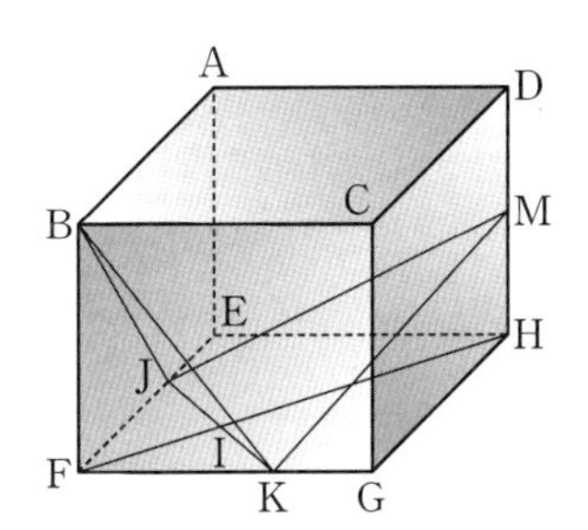

① 4　② $\sqrt{17}$　③ $3\sqrt{2}$
④ $\sqrt{19}$　⑤ $2\sqrt{5}$

13

▸ 24056-0235

그림과 같이 평면 α 위에 $\overline{AB}=4$인 직사각형 ABCD가 있고, 반지름의 길이가 2인 구 S가 점 D에서 평면 α에 접하고 있다. 선분 AD 위의 점 E와 선분 BC 위의 점 F에 대하여 직선 EF를 포함하는 평면 β가 구 S 위의 점 D가 아닌 점 P에서 접할 때, 평면 α와 평면 β가 이루는 각의 크기를 θ라 하자.
$\overline{AE}=\overline{CF}=3$이고, 직선 BD와 직선 EF가 서로 수직일 때, $\cos\theta$의 값은?

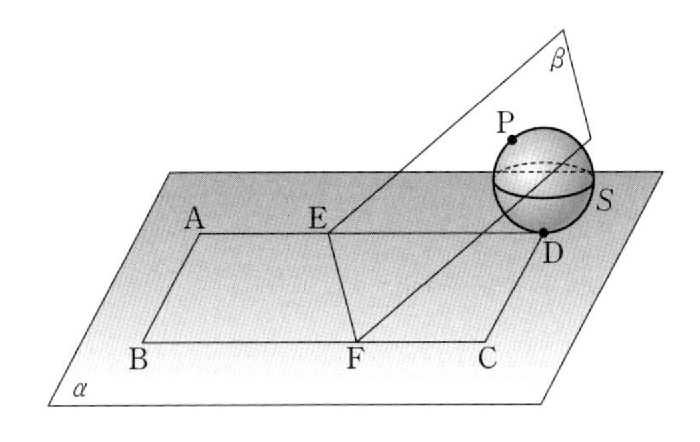

① $\frac{5}{12}$　② $\frac{1}{2}$　③ $\frac{7}{12}$
④ $\frac{2}{3}$　⑤ $\frac{3}{4}$

기하

유형 5 정사영의 길이와 넓이

출제경향 | 주어진 도형의 정사영의 길이 또는 넓이를 구하는 문제, 정사영의 넓이를 이용하여 두 평면이 이루는 각의 크기를 구하는 문제가 출제된다.

출제유형잡기 | 직선과 평면이 이루는 각, 평면과 평면이 이루는 각의 크기를 이용하여 주어진 도형의 정사영의 길이 또는 넓이를 구한다.

필수유형 5 | 2024학년도 수능 |

좌표공간에 평면 α가 있다. 평면 α 위에 있지 않은 서로 다른 두 점 A, B의 평면 α 위로의 정사영을 각각 A′, B′이라 할 때,

$\overline{AB}=\overline{A'B'}=6$

이다. 선분 AB의 중점 M의 평면 α 위로의 정사영을 M′이라 할 때,

$\overline{PM'}\perp\overline{A'B'}$, $\overline{PM'}=6$

이 되도록 평면 α 위에 점 P를 잡는다. 삼각형 A′B′P의 평면 ABP 위로의 정사영의 넓이가 $\frac{9}{2}$일 때, 선분 PM의 길이는? [3점]

① 12 ② 15 ③ 18
④ 21 ⑤ 24

14

▸ 24056-0236

그림과 같이 밑면의 반지름의 길이가 3, 높이가 5인 원기둥이 있다. 세 점 A, B, C는 이 원기둥의 한 밑면의 둘레 위의 서로 다른 세 점이고, 점 C에서 다른 밑면에 내린 수선의 발을 D라 하자. $\overline{AB}=4$이고 $\angle CAB=\frac{\pi}{2}$일 때, 삼각형 ABC의 평면 DAB 위로의 정사영의 넓이는?

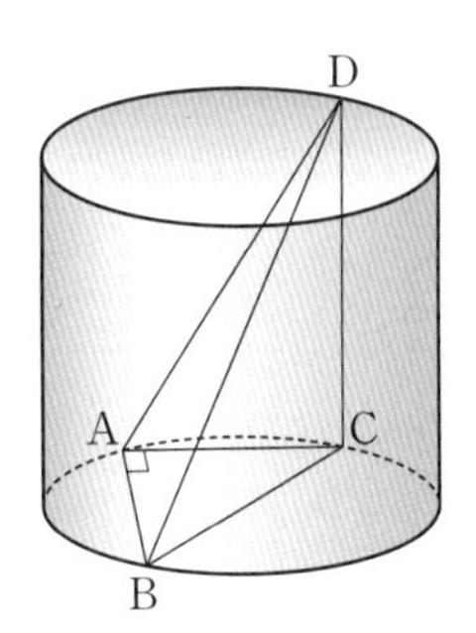

① $\frac{5\sqrt{5}}{3}$ ② $2\sqrt{5}$ ③ $\frac{7\sqrt{5}}{3}$
④ $\frac{8\sqrt{5}}{3}$ ⑤ $3\sqrt{5}$

15

▸ 24056-0237

그림과 같이 $\overline{AB}=4$, $\overline{AD}=3$, $\overline{AE}=4$인 직육면체 ABCD−EFGH에서 변 GH의 중점을 M이라 하자. 변 FG 위의 점 P가 $\angle BPF=\angle MPG$를 만족시킬 때, 평면 BPM과 평면 EFGH가 이루는 각의 크기를 θ라 하자. $\cos^2\theta$의 값은?

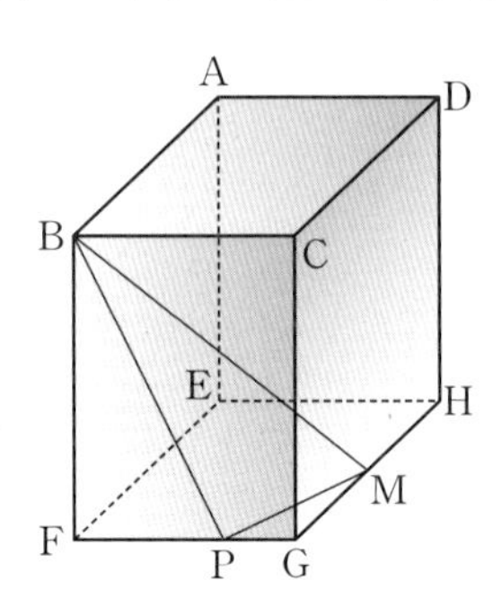

① $\frac{1}{9}$ ② $\frac{1}{8}$ ③ $\frac{1}{7}$
④ $\frac{1}{6}$ ⑤ $\frac{1}{5}$

16

▸ 24056-0238

그림과 같이 한 변의 길이가 각각 4, 6인 두 정사각형 ABCD, EFGH를 밑면으로 하고 높이가 $\sqrt{14}$인 사각뿔대 ABCD−EFGH가 있다. 변 BF의 평면 AFC 위로의 정사영의 길이가 $\frac{q}{p}\sqrt{2}$일 때, $p+q$의 값을 구하시오.
(단, p와 q는 서로소인 자연수이고, $\overline{AE}=\overline{BF}=\overline{CG}=\overline{DH}$이다.)

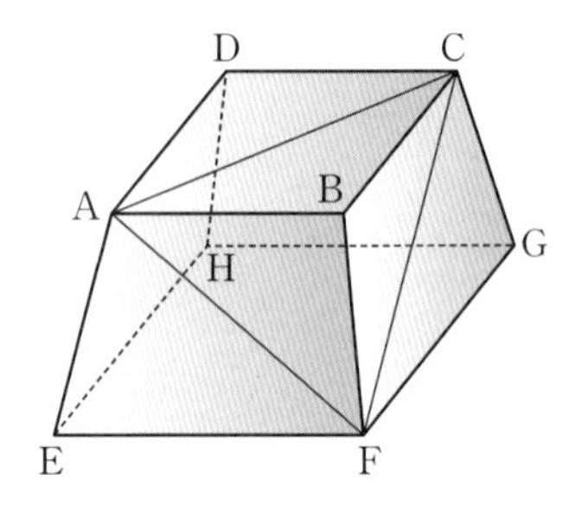

17

▸ 24056-0239

그림과 같이 한 변의 길이가 4인 정삼각형 ABC의 한 꼭짓점 A가 평면 α 위에 있고, 직선 BC가 평면 α 위의 점 D에서 만난다. 세 점 A, B, C가 다음 조건을 만족시킨다.

> (가) 평면 α와 직선 AB, 직선 AC가 이루는 각의 크기를 각각 θ_1, θ_2라 할 때, $\sin\theta_1 = 3\sin\theta_2$이다.
> (나) 삼각형 ABC의 평면 α 위로의 정사영의 넓이는 $2\sqrt{5}$이다.

점 B에서 평면 α에 내린 수선의 발을 E라 할 때, 사면체 BADE의 부피는?

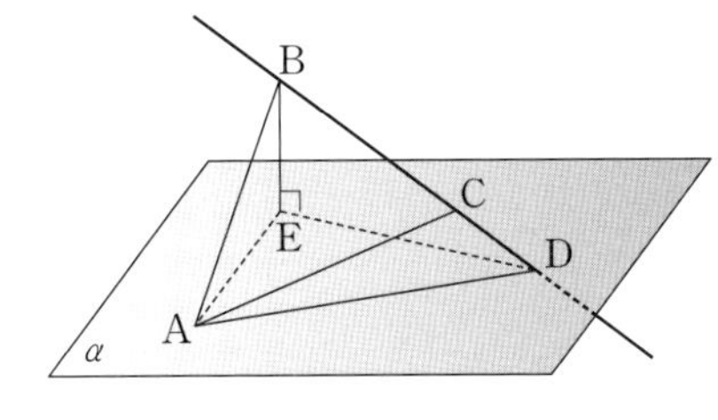

① $2\sqrt{10}$　② $3\sqrt{5}$　③ $5\sqrt{2}$
④ $\sqrt{55}$　⑤ $2\sqrt{15}$

유형 6 공간좌표와 두 점 사이의 거리

출제경향 | 좌표공간에서 제시된 조건을 만족시키는 점의 좌표를 구하거나 선분의 길이를 구하는 문제가 출제된다.

출제유형잡기 | 좌표공간에서 주어진 점의 좌표축 또는 좌표평면에 대하여 대칭인 점의 좌표, 좌표축 또는 좌표평면에 내린 수선의 발의 좌표를 구하여 문제를 해결한다. 또한 두 점 사이의 거리를 이용하여 점의 좌표 또는 선분의 길이를 구한다.

필수유형 6

| 2023학년도 수능 |

좌표공간의 점 $A(2, 2, -1)$을 x축에 대하여 대칭이동한 점을 B라 하자. 점 $C(-2, 1, 1)$에 대하여 선분 BC의 길이는? [2점]

① 1　② 2　③ 3
④ 4　⑤ 5

18

▸ 24056-0240

좌표공간의 점 $A(-1, a, 2)$에서 xy평면에 내린 수선의 발을 B, 점 A를 z축에 대하여 대칭이동한 점을 C라 하자. 선분 BC의 길이가 6일 때, 양수 a의 값은?

① $\sqrt{5}$　② $\sqrt{6}$　③ $\sqrt{7}$
④ $2\sqrt{2}$　⑤ 3

기하

19

▶ 24056-0241

좌표공간의 두 점 A(1, a, 3), B(1$-a$, 3, -2)에 대하여 삼각형 OAB가 $\overline{\text{OA}}=\overline{\text{OB}}$인 이등변삼각형일 때, 삼각형 OAB의 xy평면 위로의 정사영의 넓이는? (단, O는 원점이다.)

① 2 ② $\frac{5}{2}$ ③ 3
④ $\frac{7}{2}$ ⑤ 4

20

▶ 24056-0242

좌표공간의 두 점 A(5, 0, 0), B$\left(0, \frac{5}{2}, 0\right)$에 대하여 점 P(3, a, b) ($b>0$)이 다음 조건을 만족시킨다.

(가) 점 P에서 xy평면에 내린 수선의 발을 H라 할 때, 직선 AB와 직선 OH는 서로 수직이다.
(나) 평면 PAB와 xy평면이 이루는 각의 크기를 θ라 할 때, $\cos\theta=\frac{\sqrt{5}}{3}$이다.

$\overline{\text{OP}}^2$의 값을 구하시오. (단, O는 원점이다.)

유형 7 선분의 내분점과 외분점

출제경향 | 좌표공간에 주어진 선분의 내분점, 외분점 또는 삼각형의 무게중심의 좌표를 구하는 문제가 출제된다.

출제유형잡기 | 선분의 내분점, 외분점의 좌표를 구하여 문제를 해결한다. 또 삼각형의 무게중심이 중선을 꼭짓점으로부터 2 : 1로 내분함을 이용하여 삼각형의 무게중심의 좌표를 구한다.

필수유형 7

| 2024학년도 수능 |

좌표공간의 두 점 A(a, -2, 6), B(9, 2, b)에 대하여 선분 AB의 중점의 좌표가 (4, 0, 7)일 때, $a+b$의 값은? [2점]

① 1 ② 3 ③ 5
④ 7 ⑤ 9

21

▶ 24056-0243

좌표공간의 두 점 A(-2, a, 2), B(b, -2, 3)에 대하여 선분 AB를 2 : 1로 내분하는 점이 z축 위에 있을 때, 선분 AB의 길이는?

① $2\sqrt{10}$ ② $\sqrt{42}$ ③ $2\sqrt{11}$
④ $\sqrt{46}$ ⑤ $4\sqrt{3}$

22

▸ 24056-0244

좌표공간의 원점 O와 두 점 A$(6, 0, 0)$, P(a, b, c) $(b>0, c>0)$을 꼭짓점으로 하는 삼각형 OAP가 정삼각형일 때, 삼각형 OAP의 무게중심을 G라 하자. 직선 AG와 xy평면이 이루는 각의 크기 θ에 대하여 $\sin\theta=\frac{\sqrt{3}}{6}$일 때, $\frac{b^2}{a\times c}$의 값은?

① 1　② 2　③ 3　④ 4　⑤ 5

23

▸ 24056-0245

좌표공간에 y축을 포함하고 xy평면과 이루는 각의 크기가 θ인 평면 α와 두 점 A$(0, 3, 0)$, B$(3\sqrt{3}, 0, 0)$이 있다. 평면 α 위의 점 P에서 xy평면에 내린 수선의 발이 선분 AB를 $1:2$로 내분하고, 평면 OBP가 xy평면과 이루는 각의 크기가 $\frac{\pi}{4}$일 때, $\cos^2\theta$의 값은? (단, O는 원점이고, 점 P의 z좌표는 양수이다.)

① $\frac{2}{7}$　② $\frac{1}{3}$　③ $\frac{8}{21}$　④ $\frac{3}{7}$　⑤ $\frac{10}{21}$

유형 8 구의 방정식

출제경향 | 좌표공간에서 구의 방정식, 구와 좌표축 또는 좌표평면과의 관계를 묻는 문제가 출제된다.

출제유형잡기 | 좌표공간에서 구와 관련된 문제는 좌표평면에서의 원의 성질을 확장하여 해결한다. 즉, 구와 직선이 만나서 생기는 선분의 중점과 구의 중심을 지나는 직선은 선분에 수직이고, 구와 평면이 만나서 생기는 원의 중심과 구의 중심을 지나는 직선은 원을 포함하는 평면에 수직임을 이용한다.

필수유형 8

| 2024학년도 수능 9월 모의평가 |

좌표공간에 중심이 A$(0, 0, 1)$이고 반지름의 길이가 4인 구 S가 있다. 구 S가 xy평면과 만나서 생기는 원을 C라 하고, 점 A에서 선분 PQ까지의 거리가 2가 되도록 원 C 위에 두 점 P, Q를 잡는다. 구 S가 선분 PQ를 지름으로 하는 구 T와 만나서 생기는 원 위에서 점 B가 움직일 때, 삼각형 BPQ의 xy평면 위로의 정사영의 넓이의 최댓값은?

(단, 점 B의 z좌표는 양수이다.) [4점]

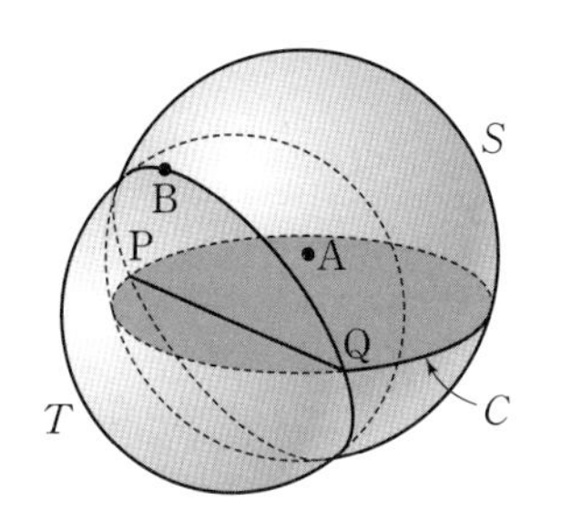

① 6　② $3\sqrt{6}$　③ $6\sqrt{2}$　④ $3\sqrt{10}$　⑤ $6\sqrt{3}$

24

▸ 24056-0246

좌표공간에서 구 $x^2+y^2+z^2-6x-4y+2z+k=0$이 x축에 접할 때, 상수 k의 값은? (단, $k<14$)

① 5　② 6　③ 7　④ 8　⑤ 9

25

▸ 24056-0247

좌표공간에서 중심이 C인 구 S: $(x-6)^2+(y-a)^2+(z-b)^2=36$이 x축과 서로 다른 두 점 A, B에서 만나고, 구 S가 평면 ABC와 만나서 생기는 도형 위의 점 중 z좌표가 가장 큰 점을 P라 하자. 평면 ABC와 xy평면이 이루는 각의 크기가 $\frac{\pi}{3}$이고 점 P의 z좌표가 $5\sqrt{3}$일 때, $\overline{\text{OC}}^2$의 값은? (단, $a>0$, $b>0$이고, O는 원점이다.)

① 46　② 48　③ 50　④ 52　⑤ 54

26

▸ 24056-0248

좌표공간에서 점 A를 중심으로 하는 구 S가 xy평면과 만나서 생기는 원 C_1 위의 세 점 B(0, 3, 0), C(6, 3, 0), D가 다음 조건을 만족시킨다.

(가) $\angle\text{BDC}=\frac{\pi}{2}$, $\overline{\text{CD}}=4$
(나) 직선 AD와 xy평면이 이루는 각의 크기를 θ라 할 때, $\tan\theta=2$이다.

점 A를 지나고 xy평면과 평행한 평면이 구 S와 만나서 생기는 원 C_2 위를 움직이는 점 P에 대하여 삼각형 PCD의 넓이의 최댓값은? (단, 점 A의 z좌표는 양수이다.)

① $4\sqrt{26}$　② $12\sqrt{3}$　③ $8\sqrt{7}$　④ $4\sqrt{29}$　⑤ $4\sqrt{30}$

27

▸ 24056-0249

좌표공간에서 x축에 접하고 중심이 A인 구

$$S: (x-4)^2+(y-a)^2+(z-b)^2=20$$

$(a>0,\ 0<b<2\sqrt{5})$

가 있다. 구 S 위를 움직이고 z좌표가 양수인 점 P의 xy평면 위로의 정사영을 P_1이라 할 때, 점 P_1이 다음 조건을 만족시킨다.

(가) 점 P_1은 구 S가 xy평면과 만나서 생기는 도형 위의 점 중 y좌표가 a보다 큰 점이다.
(나) 점 A의 xy평면 위로의 정사영 A_1에 대하여 삼각형 OA_1P_1의 넓이가 최대가 되도록 하는 점 P를 Q라 할 때, $\overline{\text{OQ}}=8$이다.

평면 OA_1Q가 구 S와 만나서 생기는 도형의 넓이가 $k\pi$일 때, k의 값을 구하시오. (단, O는 원점이다.)

이 책의 차례 CONTENTS

실전편

실전 모의고사 1회

제한시간 100분 | 배 점 100점

5지선다형

01
▸ 24054-1001

$\left(\frac{1}{2}\right)^{\sqrt{3}} \times 4^{\frac{\sqrt{3}}{2}}$의 값은? [2점]

① $\frac{1}{4}$　② $\frac{1}{2}$　③ 1　④ 2　⑤ 4

02
▸ 24054-1002

$\lim_{x \to 1} \frac{\sqrt{x^2+x}-\sqrt{2}}{x-1}$의 값은? [2점]

① $\frac{\sqrt{2}}{4}$　② $\frac{\sqrt{2}}{2}$　③ $\frac{3\sqrt{2}}{4}$　④ $\sqrt{2}$　⑤ $\frac{5\sqrt{2}}{4}$

03
▸ 24054-1003

등차수열 $\{a_n\}$에 대하여

$a_2+a_4=10$, $a_6-a_3=6$

일 때, a_8의 값은? [3점]

① 11　② 12　③ 13　④ 14　⑤ 15

04
▸ 24054-1004

함수 $f(x)=x^3+ax$에 대하여

$$\lim_{h \to 0} \frac{f(1+h)-f(1-h)}{h}=10$$

일 때, 상수 a의 값은? [3점]

① -1　② 0　③ 1　④ 2　⑤ 3

05

▸ 24054-1005

$\sum_{k=1}^{n} \frac{1}{(k+1)(k+2)} > \frac{2}{5}$를 만족시키는 자연수 n의 최솟값은? [3점]

① 8　② 9　③ 10　④ 11　⑤ 12

06

▸ 24054-1006

1보다 큰 양수 p에 대하여 함수 $y=x^2$의 그래프와 x축 및 직선 $x=p$로 둘러싸인 부분의 넓이를 A라 하고, 함수 $y=\frac{x^2}{p}$의 그래프와 함수 $y=x^2$의 그래프 및 직선 $x=p$로 둘러싸인 부분의 넓이를 B라 하자. $A : B=3 : 1$을 만족시키는 p의 값은? [3점]

① $\frac{9}{8}$　② $\frac{5}{4}$　③ $\frac{11}{8}$　④ $\frac{3}{2}$　⑤ $\frac{13}{8}$

07

▸ 24054-1007

$\pi < \theta < \frac{3}{2}\pi$인 θ에 대하여 $\tan^2\theta - \tan^2\theta \sin^2\theta = \frac{4}{5}$일 때, $\cos^2\theta + \tan\theta$의 값은? [3점]

① $\frac{8}{5}$　② $\frac{9}{5}$　③ 2　④ $\frac{11}{5}$　⑤ $\frac{12}{5}$

08

▸ 24054-1008

다항함수 $f(x)$가 모든 실수 x에 대하여

$$f(x)+(x-1)f'(x)=4x^3+4x$$

를 만족시킬 때, $f'(1)$의 값은? [3점]

① 2 ② 4 ③ 6
④ 8 ⑤ 10

09

▸ 24054-1009

그림과 같이 $0<x<\frac{\pi}{2}$에서 두 곡선 $y=3\cos x$, $y=8\tan x$가 만나는 점을 A, 두 곡선 $y=6\cos x$, $y=16\tan x$가 만나는 점을 B라 할 때, 선분 AB의 길이는? [4점]

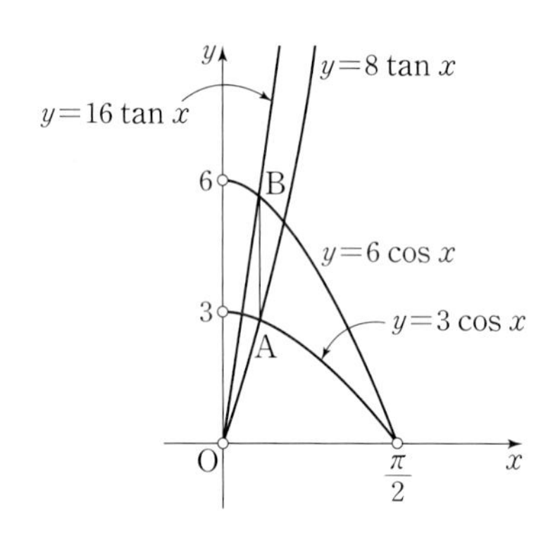

① 2 ② $\sqrt{5}$ ③ $\sqrt{6}$
④ $\sqrt{7}$ ⑤ $2\sqrt{2}$

10

▸ 24054-1010

그림은 원점을 출발하여 수직선 위를 움직이는 점 P의 시각 t $(0\le t\le c)$에서의 속도 $v(t)$의 그래프이다.

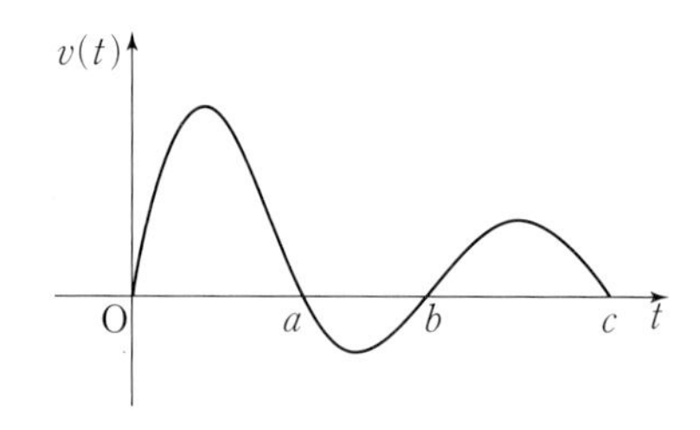

점 P가 다음 조건을 만족시킬 때, 점 P가 시각 $t=a$에서 $t=c$까지 움직인 거리는?

(단, $0<a<b<c$이고, $v(a)=v(b)=v(c)=0$이다.) [4점]

(가) 점 P가 시각 $t=0$에서 $t=b$까지 움직인 거리는 12이다.
(나) $0\le t\le c$에서 점 P가 출발할 때의 방향과 반대 방향으로 움직인 거리는 5이다.
(다) 점 P의 시각 $t=c$에서의 위치는 8이다.

① 11 ② 12 ③ 13
④ 14 ⑤ 15

11

▸ 24054-1011

그림과 같이 반지름의 길이가 4인 원 위에 5개의 점 A, B, C, D, E가 있다.

$$\sin(\angle \mathrm{BAD}) = \frac{3}{4},\ \sin(\angle \mathrm{CED}) = \frac{\sqrt{7}}{4}$$

일 때, 삼각형 BCD의 넓이는? (단, 점 C는 호 BD 중 길이가 짧은 호 위에 있고, $0 < \angle \mathrm{BAD} < \frac{\pi}{2}$, $0 < \angle \mathrm{CED} < \frac{\pi}{2}$이다.) [4점]

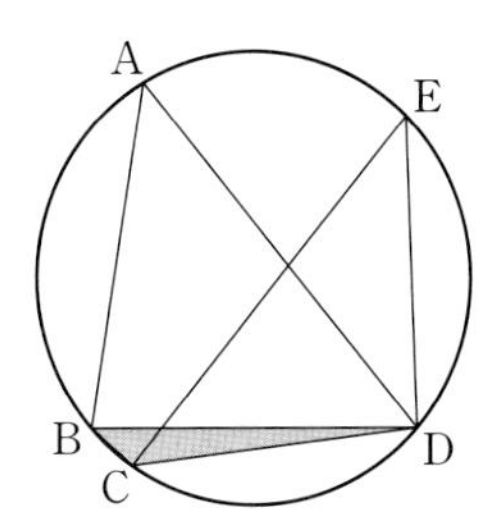

① $\frac{3\sqrt{7}}{8}$ ② $\frac{\sqrt{7}}{2}$ ③ $\frac{5\sqrt{7}}{8}$
④ $\frac{3\sqrt{7}}{4}$ ⑤ $\frac{7\sqrt{7}}{8}$

12

▸ 24054-1012

최고차항의 계수가 1인 사차함수 $f(x)$에 대하여 곡선 $y=f(x)$ 위의 점 $(0,\ 4)$에서의 접선이 곡선 위의 점 $(-1,\ 1)$에서 이 곡선에 접할 때, $f'(1)$의 값은? [4점]

① 11 ② 12 ③ 13
④ 14 ⑤ 15

13

▸ 24054-1013

그림과 같이 자연수 n $(n\geq 2)$에 대하여 두 곡선 $y=\log_2 x$, $y=\log_{2^n} x$ 및 x축이 직선 $x=\frac{1}{2}$과 만나는 점을 각각 A, B, C라 하고 직선 $x=2$와 만나는 점을 각각 D, E, F라 하자. 두 사각형 AEDB, BFEC의 겹치는 부분의 넓이가 $\frac{1}{3}$이 되도록 하는 n의 값은? [4점]

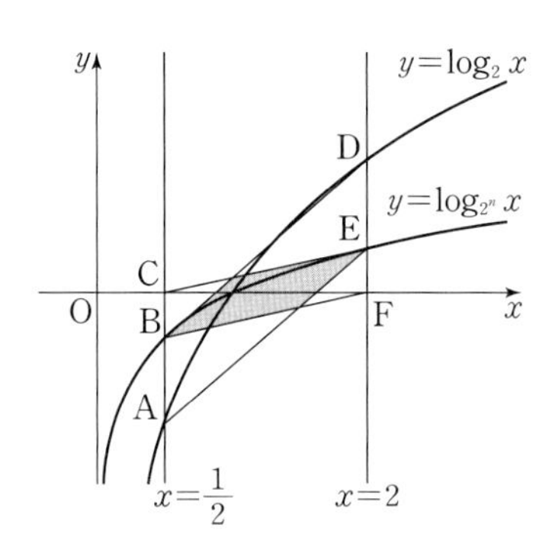

① 2　　② 3　　③ 4　　④ 5　　⑤ 6

14

▸ 24054-1014

실수 a와 함수

$$f(x)=\int_0^x (t-1)(2t^3+t^2-4t-a)\,dt$$

에 대하여 **보기**에서 옳은 것만을 있는 대로 고른 것은? [4점]

보기

ㄱ. 실수 a의 값에 관계없이 곡선 $y=f(x)$는 원점을 지난다.

ㄴ. $a=-1$일 때, 함수 $f(x)$는 $x=1$에서 극대이다.

ㄷ. 함수 $f(x)$가 $x=p$에서 극대 또는 극소인 서로 다른 실수 p의 개수가 2가 되도록 하는 10 이하의 자연수 a의 개수는 7이다.

① ㄱ　　② ㄷ　　③ ㄱ, ㄴ　　④ ㄱ, ㄷ　　⑤ ㄴ, ㄷ

15

▸ 24054-1015

수열 $\{a_n\}$의 첫째항부터 제n항까지의 합을 S_n이라 하자. 수열 $\{a_n\}$이 다음 조건을 만족시킬 때, $\sum_{k=1}^{10} S_{4k}$의 값은?

(단, 모든 자연수 n에 대하여 $a_n \neq 0$이다.) [4점]

> $a_1=1$이고, 모든 자연수 n에 대하여
>
> $$a_{n+1}=\begin{cases} a_n+1 & \left(\dfrac{S_n}{a_n}\text{이 자연수인 경우}\right) \\ a_n-1 & \left(\dfrac{S_n}{a_n}\text{이 자연수가 아닌 경우}\right) \end{cases}$$
>
> 이다.

① 600 ② 610 ③ 620
④ 630 ⑤ 640

단답형

16

▸ 24054-1016

방정식

$$\log_4 4(x-2)=\log_2(x-4)$$

를 만족시키는 실수 x의 값을 p라 하자. $p \geq n$을 만족시키는 자연수 n의 최댓값을 구하시오. [3점]

17

▸ 24054-1017

함수 $f(x)$에 대하여 $f'(x)=3x^2+8x-1$이고 $f(0)=2$일 때, $f(-1)$의 값을 구하시오. [3점]

18

▸ 24054-1018

모든 항이 양수인 수열 $\{a_n\}$에 대하여

$$a_1=1,\ \sum_{k=1}^{9}\frac{ka_{k+1}-(k+1)a_k}{a_{k+1}a_k}=\frac{2}{3}$$

일 때, a_{10}의 값을 구하시오. [3점]

19

▸ 24054-1019

자연수 k에 대하여 $\int_{-a}^{a}(x^2-k)\,dx=0$이 되도록 하는 양의 실수 a의 값을 $f(k)$라 할 때, $\sum_{k=1}^{10}\{f(k)\}^2$의 값을 구하시오. [3점]

20

▸ 24054-1020

다항함수 $f(x)$와 함수 $g(x)=\begin{cases}\dfrac{px+2}{x-2} & (x\neq2)\\ 2 & (x=2)\end{cases}$가 다음 조건을 만족시킨다.

(가) $\lim_{x\to\infty}\dfrac{f(x^2)+1}{x^2+1}=2$

(나) 함수 $f(x)g(x)$가 실수 전체의 집합에서 연속이다.

$f(10)+g(10)$의 값을 구하시오. (단, p는 상수이다.) [4점]

21

▸ 24054-1021

양의 실수 $a\left(a\neq\frac{2}{3},\ a\neq1\right)$과 상수 b에 대하여 세 집합 A, B, C를

$A=\{x\,|\,a^{x^2+bx}\geq a^{x+2},\ x$는 실수$\}$,

$B=\left\{x\,\middle|\,\left(a+\frac{1}{3}\right)^{x^2+bx}\geq\left(a+\frac{1}{3}\right)^{x+2},\ x\text{는 실수}\right\}$,

$C=\{x\,|\,x\in A$이고 $x\in B,\ x$는 실수$\}$

라 하자. 집합 C는 유한집합이고 $1\in C$가 되도록 하는 모든 a와 b에 대하여 $p<a$를 만족시키는 실수 p의 최댓값을 M, 집합 C의 모든 원소의 곱을 c라 할 때, $|3\times M\times b\times c|$의 값을 구하시오. [4점]

22

▸ 24054-1022

삼차함수 $f(x)=(x+2)(x-1)^2$에 대하여 0이 아닌 실수 전체의 집합에서 정의된 함수

$$g(x)=\begin{cases} f(x) & (x<0) \\ k-f(-x) & (x>0) \end{cases}$$

이 있다. 곡선 $y=g(x)$ 위의 점 $(t,\ g(t))\ (t\neq0)$에서의 접선 $y=h(x)$가 다음 조건을 만족시킨다.

> 직선 $y=h(x)$가 곡선 $y=g(x)$와 만나는 점의 개수가 2 이상일 때, 방정식 $g(x)=h(x)$의 서로 다른 모든 실근의 곱이 음수가 되도록 하는 모든 실수 t의 값의 집합은
>
> $\{t\,|\,t\leq-p$ 또는 $t=p$ 또는 $t\geq1\}\ (0<p<1)$
>
> 이다.

$(k\times p)^3$의 값을 구하시오. (단, k는 상수이다.) [4점]

5지선다형

기하

23

▸ 24056-1023

구 $x^2+y^2+z^2-2x+4y-6z=0$의 반지름의 길이는? [2점]

① $2\sqrt{3}$ ② $\sqrt{13}$ ③ $\sqrt{14}$
④ $\sqrt{15}$ ⑤ 4

24

▸ 24056-1024

그림과 같이 쌍곡선 $\frac{x^2}{3}-y^2=1$의 한 초점 F를 지나고 기울기가 $\sqrt{3}$인 직선이 쌍곡선의 두 점근선과 만나는 점을 각각 P, Q라 할 때, 삼각형 OQP의 넓이는? (단, 점 F의 x좌표와 점 P의 y좌표는 모두 양수이고, O는 원점이다.) [3점]

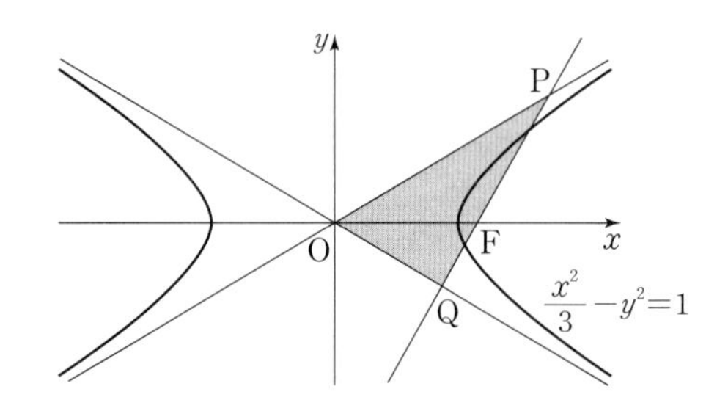

① $\sqrt{3}$ ② $\frac{5\sqrt{3}}{4}$ ③ $\frac{3\sqrt{3}}{2}$
④ $\frac{7\sqrt{3}}{4}$ ⑤ $2\sqrt{3}$

25

▸ 24056-1025

그림과 같이 좌표공간에 세 점 A(5, 1, 0), B(1, 4, 0), C(0, 0, 4)가 있다. 점 C에서 직선 AB에 내린 수선의 발을 H라 할 때, 삼각형 OHC의 넓이는? (단, O는 원점이다.) [3점]

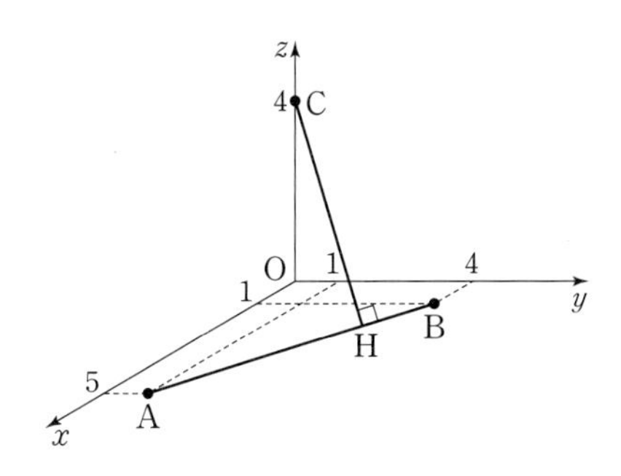

① 6　　② $\frac{32}{5}$　　③ $\frac{34}{5}$

④ $\frac{36}{5}$　　⑤ $\frac{38}{5}$

26

▸ 24056-1026

타원 $\frac{x^2}{a^2}+\frac{y^2}{b^2}=1$ 위의 점 $\left(\frac{a}{2}, \frac{\sqrt{3}b}{2}\right)$에서의 접선이 x축, y축과 만나는 점을 각각 A, B라 하자. 삼각형 OAB의 넓이가 $6\sqrt{6}$일 때, a^2+2b^2의 최솟값은?

(단, O는 원점이고, a와 b는 양수이다.) [3점]

① 32　　② 34　　③ 36

④ 38　　⑤ 40

27

▶ 24056-1027

그림과 같이 한 변의 길이가 1인 정삼각형 ABC가 있다. 선분 BC 위의 점 P에 대하여

$$\frac{3\overrightarrow{BA}+10\overrightarrow{BP}}{13}\cdot\overrightarrow{AP}=0$$

일 때, $|\overrightarrow{CP}|$의 값은? [3점]

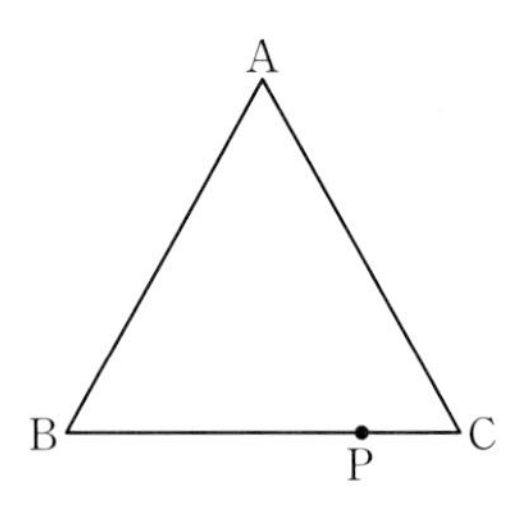

① $\frac{3}{16}$ ② $\frac{7}{32}$ ③ $\frac{1}{4}$
④ $\frac{9}{32}$ ⑤ $\frac{5}{16}$

28

▶ 24056-1028

그림과 같이 $p_1<p_2$인 두 양수 p_1, p_2에 대하여 두 포물선

C_1 : $y^2=4p_1x$, C_2 : $y^2=4p_2(x-p_2+p_1)$

이 있다. 포물선 C_1의 준선을 l, 포물선 C_2의 꼭짓점과 초점을 각각 A, F라 하고, 두 포물선 C_1, C_2의 교점을 P, 점 P에서 준선 l에 내린 수선의 발을 H라 하자. 삼각형 PAF의 넓이를 S_1, 삼각형 PHA의 넓이를 S_2라 하자. $\overline{PA}=\overline{PF}$일 때, **보기**에서 옳은 것만을 있는 대로 고른 것은?

(단, 점 P는 제1사분면 위의 점이다.) [4점]

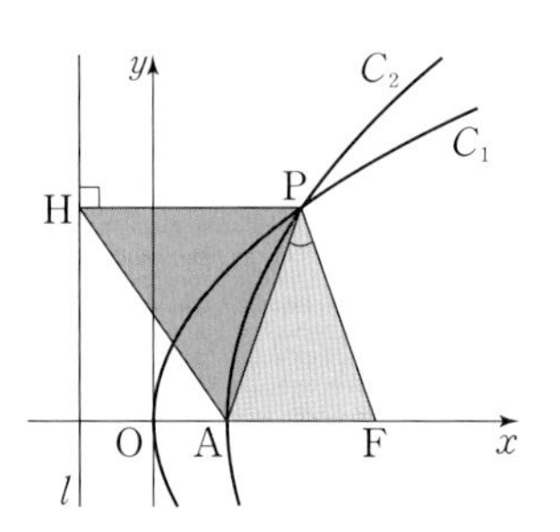

보기

ㄱ. 점 A는 포물선 C_1의 초점과 일치한다.

ㄴ. $\sin(\angle APF)=\frac{4\sqrt{2}}{9}$

ㄷ. $S_2-S_1=4\sqrt{2}$이면 $p_1\times p_2=8$이다.

① ㄱ ② ㄱ, ㄴ ③ ㄱ, ㄷ
④ ㄴ, ㄷ ⑤ ㄱ, ㄴ, ㄷ

단답형

29

▸ 24056-1029

좌표평면 위에 두 점 A$(3, 0)$, B$(0, 4)$가 있다.
원 $(x+1)^2+y^2=1$ 위를 움직이는 점 P와 선분 AB 위를 움직이는 점 Q에 대하여 $|\overrightarrow{PQ}|$의 최댓값과 최솟값을 각각 M, m이라 할 때, $M+m=p+\sqrt{q}$이다. $10p+q$의 값을 구하시오.
(단, O는 원점이고, p와 q는 유리수이다.) [4점]

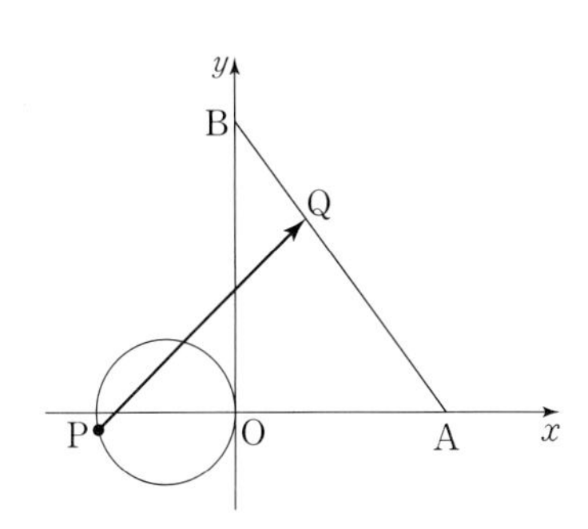

30

▸ 24056-1030

그림과 같이 밑면이 한 변의 길이가 $2\sqrt{2}$인 정사각형 ABCD이고, $\overline{OA}=\overline{OB}=\overline{OC}=\overline{OD}=4$인 정사각뿔 O$-$ABCD가 있다. 선분 OB를 $2:1$로 내분하는 점을 P, 선분 OD를 $2:1$로 내분하는 점을 Q, 평면 APQ와 선분 OC의 교점을 R이라 하면 삼각형 OAR의 평면 OAB 위로의 정사영의 넓이는 $\frac{q}{p}\sqrt{7}$이다. $p+q$의 값을 구하시오. (단, p와 q는 서로소인 자연수이다.)
[4점]

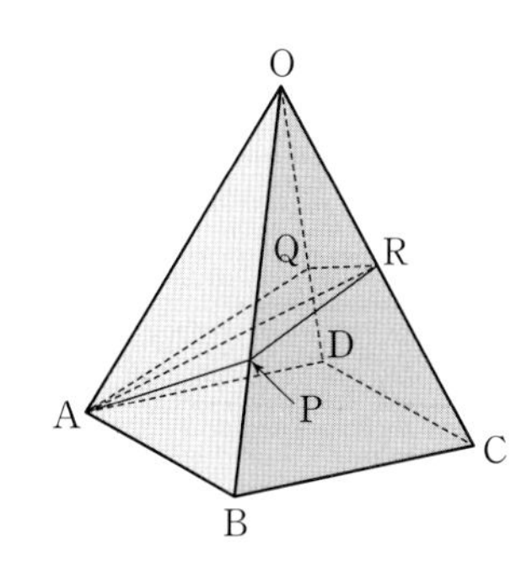

실전 모의고사 2회

제한시간 100분 | 배 점 100점

5지선다형

01

▸ 24054-1031

$\dfrac{\sqrt[3]{16}\times\sqrt[6]{4}}{\sqrt{8}}$의 값은? [2점]

① $\sqrt[3]{2}$ ② $\sqrt[4]{2}$ ③ $\sqrt[5]{2}$ ④ $\sqrt[6]{2}$ ⑤ $\sqrt[7]{2}$

02

▸ 24054-1032

$\lim\limits_{x\to 2}\dfrac{3x}{x^2-x-2}\left(\dfrac{1}{2}-\dfrac{1}{x}\right)$의 값은? [2점]

① $\dfrac{1}{2}$ ② 1 ③ $\dfrac{3}{2}$ ④ 2 ⑤ $\dfrac{5}{2}$

03

▸ 24054-1033

모든 항이 양수인 등비수열 $\{a_n\}$에 대하여

$$a_2a_4=1,\ \frac{a_{10}}{a_5}=1024$$

일 때, $\log_2 a_1$의 값은? [3점]

① -1 ② -2 ③ -3 ④ -4 ⑤ -5

04

▸ 24054-1034

다항함수 $f(x)$에 대하여 함수 $(x^2+x)f(x)$가 $x=1$에서 극소이고, 이때의 극솟값이 -4일 때, $f'(1)$의 값은? [3점]

① 1 ② 2 ③ 3 ④ 4 ⑤ 5

05

▸ 24054-1035

$\frac{\pi}{2}<\theta<\frac{3}{2}\pi$이고 $\tan^2\theta+4\tan\theta+1=0$일 때, $\sin\theta-\cos\theta$의 값은? [3점]

① $-\frac{\sqrt{6}}{2}$ ② $-\frac{\sqrt{3}}{2}$ ③ 0
④ $\frac{\sqrt{3}}{2}$ ⑤ $\frac{\sqrt{6}}{2}$

06

▸ 24054-1036

$a_2=5$, $a_4=11$인 등차수열 $\{a_n\}$에 대하여 부등식

$$\sum_{k=1}^{m}\frac{1}{a_k a_{k+1}}>\frac{4}{25}$$

를 만족시키는 자연수 m의 최솟값은? [3점]

① 11 ② 13 ③ 15
④ 17 ⑤ 19

07

▸ 24054-1037

좌표평면에서 다음 조건을 만족시키는 직선 l과 원점 사이의 거리는? [3점]

(가) 직선 l은 제2사분면을 지나고, 직선 $x-y+1=0$과 평행하다.
(나) 직선 l이 곡선 $y=x^3-2x+2$와 만나는 서로 다른 점의 개수는 2이다.

① $2\sqrt{2}$ ② 3 ③ $\sqrt{10}$
④ $\sqrt{11}$ ⑤ $2\sqrt{3}$

08

▸ 24054-1038

삼차함수 $f(x)=ax^3+3ax^2+bx+2$가 다음 조건을 만족시키도록 하는 두 정수 a, b에 대하여 ab의 최솟값은? [3점]

> $x_1<x_2$인 모든 실수 x_1, x_2에 대하여 $f(x_1)>f(x_2)$이다.

① -6　② -3　③ 0　④ 3　⑤ 6

09

▸ 24054-1039

최고차항의 계수가 3인 이차함수 $f(x)$가

$$\int_{-1}^{3} f(x)\,dx=\int_{2}^{3} f(x)\,dx=\int_{3}^{4} f(x)\,dx$$

를 만족시킬 때, $f(0)$의 값은? [4점]

① 6　② 7　③ 8　④ 9　⑤ 10

10

▸ 24054-1040

양수 a에 대하여 함수 $y=a\sin 2ax+2$의 그래프와 직선 $y=3$이 만난다. 이때 만나는 모든 점의 x좌표 중 양수인 것을 작은 수부터 차례로 k_1, k_2, k_3, $\cdots$이라 하자. $k_3+k_4=a\pi$일 때, a의 값은? [4점]

① $\sqrt{2}$　② $\frac{3}{2}$　③ $\frac{\sqrt{10}}{2}$　④ $\frac{\sqrt{11}}{2}$　⑤ $\sqrt{3}$

11

▸ 24054-1041

$|a| \neq 3$, $a \neq 0$인 정수 a에 대하여 곡선 $y=\left(\frac{a^2}{9}\right)^{|x|}-3$과 직선 $y=ax$가 서로 다른 두 점에서 만날 때, 부등식

$$(a^4)^{a^2-2a+9} \geq (a^6)^{a^2-a-4}$$

을 만족시키는 모든 정수 a의 값의 합은? [4점]

① -6 ② -3 ③ 0 ④ 3 ⑤ 6

12

▸ 24054-1042

1보다 큰 두 자연수 m, n에 대하여 두 수 $a=\sqrt[m]{2^{10}} \times \sqrt[n]{2^{24}}$, $b=\sqrt[n]{3^{24}}$이 다음 조건을 만족시킨다.

(가) 두 수 a, b는 모두 자연수이다.
(나) a는 16의 배수이다.

두 수 m, n의 모든 순서쌍 (m, n)의 개수는? [4점]

① 16 ② 18 ③ 20 ④ 22 ⑤ 24

13

▸ 24054-1043

두 실수 a, k에 대하여 함수 $f(x)$를

$$f(x)=\begin{cases} k(x-a)(x-a+2) & (x<a) \\ |x-a-1|-1 & (a\le x\le a+2) \\ k(x-a-4)(x-a-2) & (x>a+2) \end{cases}$$

라 할 때, **보기**에서 옳은 것만을 있는 대로 고른 것은? [4점]

보기

ㄱ. $a=-1$이면 함수 $y=f(x)$의 그래프는 y축에 대하여 대칭이다.

ㄴ. $0\le k\le 1$이면 함수 $f(x)$의 최솟값은 -1이다.

ㄷ. 함수 $f(x)$가 $x=2$에서만 미분가능하지 않으면 $a+k=\frac{1}{2}$이다.

① ㄱ ② ㄷ ③ ㄱ, ㄴ
④ ㄴ, ㄷ ⑤ ㄱ, ㄴ, ㄷ

14

▸ 24054-1044

최고차항의 계수가 1인 사차함수 $f(x)$가 다음 조건을 만족시킨다.

(가) 모든 실수 x에 대하여 $f(-x)=f(x)$이다.
(나) 함수 $f(x)$는 $x=2$에서 극값을 갖는다.

두 실수 m, n과 함수 $f(x)$에 대하여 함수 $g(x)$는

$$g(x)=\begin{cases} f(x) & (x\ge 0) \\ f(x-m)+n & (x<0) \end{cases}$$

이다. 함수 $g(x)$가 실수 전체의 집합에서 미분가능하도록 하는 m, n의 모든 순서쌍 (m, n)에 대하여 $m+n$의 최댓값은? [4점]

① 14 ② 16 ③ 18
④ 20 ⑤ 22

15

▸ 24054-1045

그림과 같이 중심이 O이고 반지름의 길이가 2, 중심각의 크기가 $\frac{2}{3}\pi$인 부채꼴 OAB가 있다. 선분 OB의 중점 M과 호 AB 위의 점 중에서 A가 아닌 점 P에 대하여 $\angle \mathrm{OAM} = \angle \mathrm{OPM}$일 때, 삼각형 PMA의 둘레의 길이는? [4점]

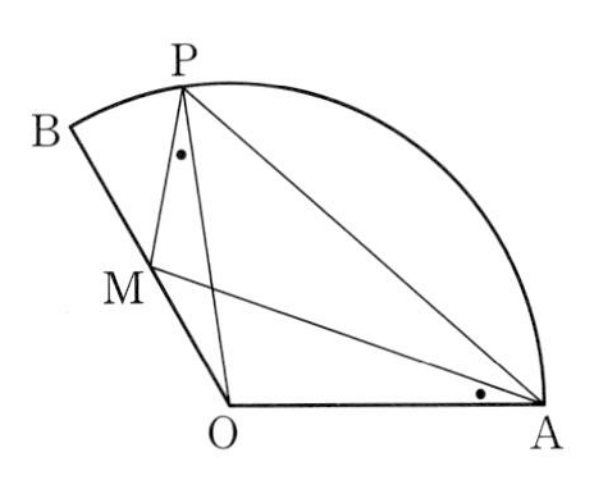

① $\frac{17\sqrt{7}}{7}$　② $\frac{18\sqrt{7}}{7}$　③ $\frac{19\sqrt{7}}{7}$

④ $\frac{20\sqrt{7}}{7}$　⑤ $3\sqrt{7}$

단답형

16

▸ 24054-1046

부등식 $\log_2(x^2-x-6) \le \log_{\sqrt{2}} 6$을 만족시키는 모든 정수 x의 값의 합을 구하시오. [3점]

17

▸ 24054-1047

수열 $\{a_n\}$이 모든 자연수 n에 대하여

$$\sum_{k=1}^{n} a_k = 2^n - 5n$$

을 만족시킬 때, $\sum_{n=1}^{4} a_{2n-1}$의 값을 구하시오. [3점]

18

▸ 24054-1048

시각 $t=0$일 때 동시에 원점을 출발하여 수직선 위를 움직이는 두 점 P, Q의 시각 t $(t\geq 0)$에서의 속도가 각각

$v_1(t)=3t-5$, $v_2(t)=7-t$

이다. 시각 $t=k$에서 두 점 P, Q가 만날 때, 양수 k의 값을 구하시오. [3점]

19

▸ 24054-1049

최고차항의 계수가 1인 삼차함수 $f(x)$의 도함수 $f'(x)$에 대하여 $f'(-1)=f'(3)=0$이다. 함수 $f(x)$가 다음 조건을 만족시킬 때, $f(1)$의 값을 구하시오. [3점]

(가) $f(0)>0$
(나) 함수 $f(x)$의 극댓값과 극솟값의 곱이 0이다.

20

▸ 24054-1050

모든 항이 정수이고 다음 조건을 만족시키는 모든 수열 $\{a_n\}$에 대하여 a_5의 값의 합을 구하시오. [4점]

(가) $a_1=100$이고, 모든 자연수 n에 대하여

$$a_{n+2}=\begin{cases} a_n-a_{n+1} & (n\text{이 홀수인 경우}) \\ 2a_{n+1}-a_n & (n\text{이 짝수인 경우}) \end{cases}$$

이다.
(나) 6 이하의 모든 자연수 m에 대하여 $a_m a_{m+1}>0$이다.

21

▸ 24054-1051

함수 $f(x)=\int_0^x (2x-t)(3t^2+at+b)\,dt$와 도함수 $f'(x)$가 다음 조건을 만족시키도록 하는 정수 a와 실수 b에 대하여 $\left|\frac{a}{b}\right|$의 값을 구하시오. [4점]

> (가) $f'(1)=0$
> (나) 열린구간 $(0, 1)$에 속하는 모든 실수 k에 대하여 x에 대한 방정식 $f(x)=f(k)$의 서로 다른 실근의 개수는 2이다.

22

▸ 24054-1052

함수 $f(x)=x^4-\frac{8}{3}x^3-2x^2+8x+2$와 상수 k에 대하여 함수 $g(x)$는

$g(x)=|f(x)-k|$

이고 두 집합 A, B를

$A=\left\{x\,\middle|\,\lim_{h\to 0-}\frac{g(x+h)-g(x)}{h}+\lim_{h\to 0+}\frac{g(x+h)-g(x)}{h}=0\right\}$,

$B=\{g(x)\,|\,x\in A\}$

라 할 때, $n(A)=7$, $n(B)=3$이다. 집합 B의 모든 원소의 합이 $\frac{q}{p}$일 때, $p+q$의 값을 구하시오.

(단, p와 q는 서로소인 자연수이다.) [4점]

5지선다형

기하

23

▸ 24056-1053

좌표공간의 점 A$(3,\ 2,\ -1)$에서 x축에 내린 수선의 발을 B, 점 A를 y축에 대하여 대칭이동한 점을 C라 할 때, 선분 BC의 길이는? [2점]

① $\sqrt{41}$　② $\sqrt{42}$　③ $\sqrt{43}$
④ $2\sqrt{11}$　⑤ $3\sqrt{5}$

24

▸ 24056-1054

두 초점이 F$(c,\ 0)$, F$'(-c,\ 0)(c>0)$인 타원 $\frac{x^2}{16}+\frac{y^2}{12}=1$ 위의 점 $(2,\ 3)$에서의 접선이 x축, y축과 만나는 점을 각각 P, Q라 할 때, 삼각형 F'PQ의 넓이는? [3점]

① 12　② 14　③ 16
④ 18　⑤ 20

25

▶ 24056-1055

두 초점이 F, F′인 쌍곡선 $\frac{x^2}{9}-\frac{y^2}{a}=1$과 점 F를 지나고 x축에 수직인 직선이 만나는 두 점을 A, B라 하자. 삼각형 AF′B가 정삼각형일 때, 양수 a의 값은? (단, 점 F의 x좌표는 양수이다.) [3점]

① 12 ② 14 ③ 16 ④ 18 ⑤ 20

26

▶ 24056-1056

좌표평면 위에 두 점 A$(-3, 3)$, B$(1, 3)$과 원 C : $(x-2)^2+(y-1)^2=4$가 있다. 선분 AB 위를 움직이는 점 P와 원 C 위를 움직이는 점 Q에 대하여

$$\overrightarrow{OX}=\overrightarrow{OP}+\overrightarrow{OQ}$$

라 하자. $|\overrightarrow{OX}|$의 최댓값을 M, 최솟값을 m이라 할 때, $M-m$의 값은? (단, O는 원점이다.) [3점]

① 4 ② $\frac{9}{2}$ ③ 5 ④ $\frac{11}{2}$ ⑤ 6

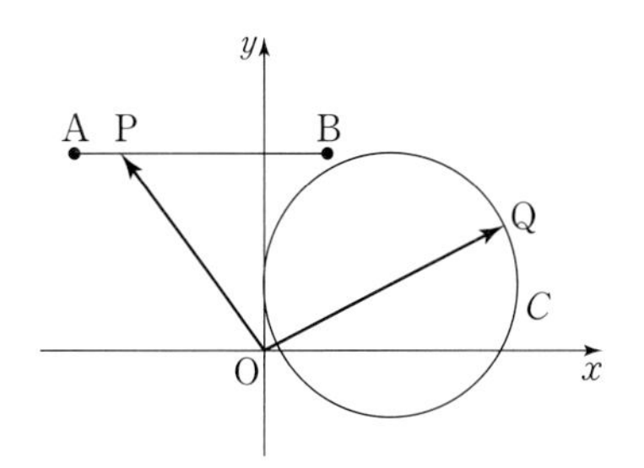

27

▸ 24056-1057

그림과 같이 초점이 F이고 준선이 l인 포물선 $y^2=4px\ (p>0)$ 위의 점 중 제1사분면에 있는 점 A에 대하여 직선 FA가 이 포물선과 만나는 점 중 A가 아닌 점을 B, 직선 l과 만나는 점을 C라 하고, 점 B에서 직선 l에 내린 수선의 발을 H라 하자. 세 개의 수 $\overline{\mathrm{FB}}$, $\overline{\mathrm{FA}}$, $\overline{\mathrm{BC}}$가 이 순서대로 등차수열을 이루고 삼각형 CBH의 넓이가 $4\sqrt{2}$일 때, 선분 AB의 길이는?

(단, 직선 FA의 기울기는 양수이다.) [3점]

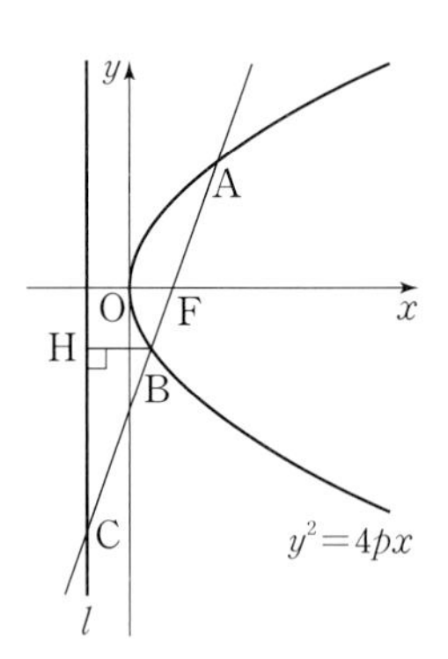

① 6　② $\frac{13}{2}$　③ 7　④ $\frac{15}{2}$　⑤ 8

28

▸ 24056-1058

그림과 같이 $\overline{\mathrm{AB}}=2$, $\overline{\mathrm{BC}}=4$인 평행사변형 ABCD와 선분 BC를 지름으로 하는 반원의 호 위를 움직이는 점 P가 있다. $\overrightarrow{\mathrm{AC}}\cdot\overrightarrow{\mathrm{DP}}$의 최댓값이 3일 때, $\overrightarrow{\mathrm{DA}}\cdot\overrightarrow{\mathrm{DB}}$의 값은?

(단, 반원의 호는 평행사변형 ABCD의 외부에 있다.) [4점]

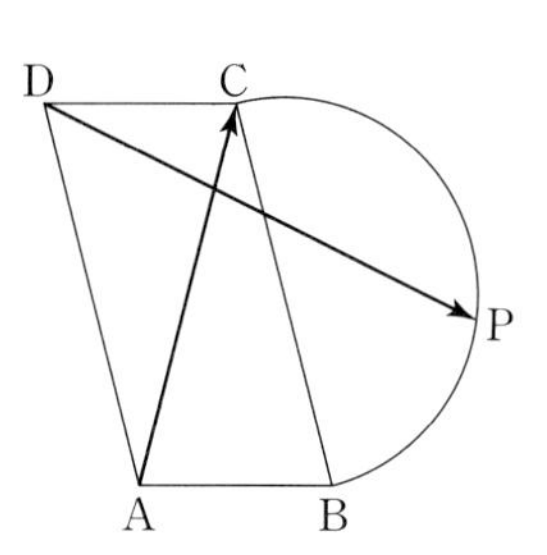

① 17　② 18　③ 19　④ 20　⑤ 21

단답형

29

▸ 24056-1059

네 양수 a, b, c, r에 대하여 좌표공간에서 구 $S : (x-a)^2+(y-b)^2+(z-c)^2=r^2$이 xy평면과 만나서 생기는 원을 C_1, yz평면과 만나서 생기는 원을 C_2라 하면 두 원 C_1, C_2가 다음 조건을 만족시킨다.

(가) 원 C_2의 넓이는 원 C_1의 넓이의 4배이다.
(나) 두 원 C_1, C_2는 한 점에서만 만난다.

$b^2=60ac$이고, 원점 O와 구 S 위의 점 P에 대하여 $\overline{\mathrm{OP}}$의 최솟값이 $4\sqrt{5}$일 때, $\left(\dfrac{a\times b\times c}{r}\right)^2$의 값을 구하시오.

(단, $a<r$, $c<r$) [4점]

30

▸ 24056-1060

그림과 같이 평면 α 위에 모든 모서리의 길이가 2인 정사각뿔 A$-$BCDE와 $\overline{\mathrm{FC}}>\overline{\mathrm{AB}}$이고 $\overline{\mathrm{FC}}=\overline{\mathrm{FD}}=\overline{\mathrm{FG}}=\overline{\mathrm{FH}}$인 정사각뿔 F$-$CGHD가 있다. 삼각형 ACD의 평면 FCD 위로의 정사영의 넓이가 1일 때, 삼각형 ACD의 평면 FGH 위로의 정사영의 넓이는 S이고, 사면체 ACDF의 부피는 V이다.

$(S\times V)^2=\dfrac{q}{p}$일 때, $p+q$의 값을 구하시오. (단, 선분 AF는 평면 α와 만나지 않고, p와 q는 서로소인 자연수이다.) [4점]

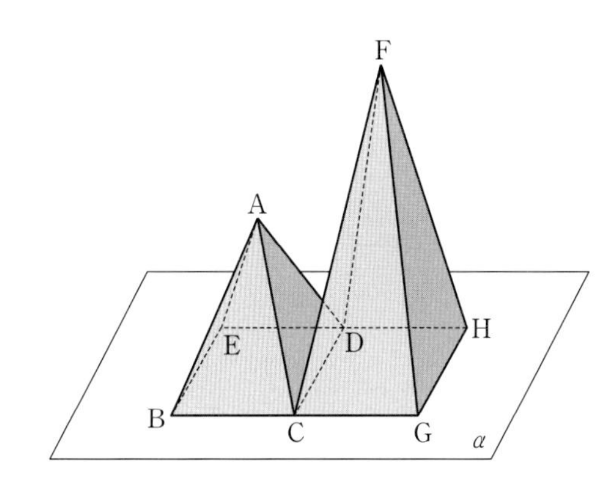

실전 모의고사 3회

제한시간 100분 | 배 점 100점

5지선다형

01

▸ 24054-1061

$4^{2-\sqrt{3}} \times 2^{2\sqrt{3}}$의 값은? [2점]

① 2 ② 4 ③ 8 ④ 16 ⑤ 32

02

▸ 24054-1062

$\lim_{x \to 1} \frac{1}{x^2-1}\left(\frac{1}{x+1}-\frac{1}{2}\right)$의 값은? [2점]

① $-\frac{1}{8}$ ② $-\frac{1}{4}$ ③ $-\frac{3}{8}$ ④ $-\frac{1}{2}$ ⑤ $-\frac{5}{8}$

03

▸ 24054-1063

등차수열 $\{a_n\}$에 대하여

$2a_1=a_4,\ a_2+a_3=9$

일 때, a_6의 값은? [3점]

① 6 ② 8 ③ 10 ④ 12 ⑤ 14

04

▸ 24054-1064

다항함수 $f(x)$에 대하여 함수 $g(x)$를

$g(x)=(3x-4)f(x)$

라 하자. $\lim_{h \to 0} \frac{f(2+2h)-2}{h}=5$일 때, $g'(2)$의 값은? [3점]

① 11 ② 12 ③ 13 ④ 14 ⑤ 15

05

▸ 24054-1065

두 상수 a, b에 대하여

$$\lim_{x \to 1} \frac{x^3-1}{x^2+ax+b} = \frac{1}{2}$$

일 때, $a-b$의 값은? [3점]

① 9 ② 11 ③ 13 ④ 15 ⑤ 17

06

▸ 24054-1066

함수 $f(x)=x^3-ax^2+(a-2)x+a$는 $x=a$에서 극소이다. 함수 $f(x)$의 극댓값은? (단, a는 상수이다.) [3점]

① $\frac{10}{9}$ ② $\frac{32}{27}$ ③ $\frac{34}{27}$ ④ $\frac{4}{3}$ ⑤ $\frac{38}{27}$

07

▸ 24054-1067

중심이 원점 O이고 반지름의 길이가 1인 원 C 위의 점 중 제1사분면에 있는 점 P에서의 접선 l이 x축, y축과 만나는 점을 각각 Q, R이라 하고 $\angle RQO=\theta$라 하자. 삼각형 ROQ의 넓이가 $\frac{2\sqrt{3}}{3}$일 때, $\sin\theta \times \cos\theta$의 값은? [3점]

① $\frac{\sqrt{2}}{8}$ ② $\frac{\sqrt{3}}{8}$ ③ $\frac{\sqrt{2}}{4}$ ④ $\frac{\sqrt{3}}{4}$ ⑤ $\frac{1}{2}$

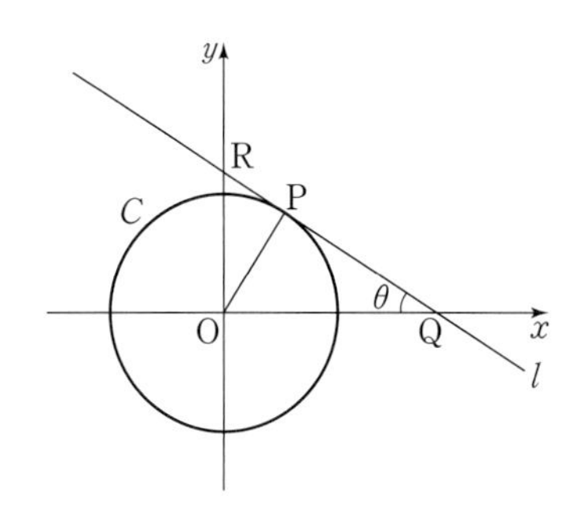

08

▸ 24054-1068

점 $(0,\ 1)$에서 곡선 $y=x^3-3x^2$에 그은 두 접선의 기울기를 각각 m_1, m_2라 하자. m_1+m_2의 값은? [3점]

① $\frac{3}{8}$ ② $\frac{1}{2}$ ③ $\frac{5}{8}$

④ $\frac{3}{4}$ ⑤ $\frac{7}{8}$

09

▸ 24054-1069

수열 $\{a_n\}$이 $a_1=1$이고 모든 자연수 n에 대하여

$$a_{n+1}=\begin{cases} \sqrt[3]{2}a_n & (a_n<2) \\ \frac{1}{2}a_n & (a_n\geq 2) \end{cases}$$

를 만족시킨다. 수열 $\{a_n\}$의 첫째항부터 제n항까지의 곱을 T_n이라 할 때, $\log_2 T_{100}$의 값은? [4점]

① 10 ② 20 ③ 30

④ 40 ⑤ 50

10

▸ 24054-1070

그림과 같이 $x\geq 0$에서 곡선 $y=x^3-x$와 직선 $y=3x$로 둘러싸인 부분의 넓이를 직선 $y=mx$가 이등분할 때, 상수 m의 값은? (단, $0<m<3$) [4점]

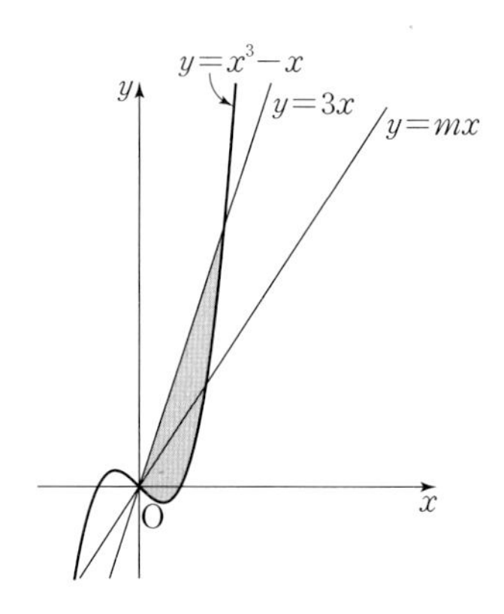

① $2(\sqrt{2}-1)$ ② $3-\sqrt{2}$ ③ $2\sqrt{2}-1$

④ $\frac{3\sqrt{2}}{2}$ ⑤ $\sqrt{2}+1$

11

▸ 24054-1071

다항함수 $f(x)$가 모든 실수 x에 대하여

$$xf(x)=\frac{2}{3}x^3+ax^2+b+\int_1^x f(t)\,dt$$

를 만족시킨다. $f(0)=f(1)=1$일 때, $f(b-a)$의 값은?

(단, a, b는 상수이다.) [4점]

① 1　② $\frac{11}{9}$　③ $\frac{13}{9}$　④ $\frac{5}{3}$　⑤ $\frac{17}{9}$

12

▸ 24054-1072

그림과 같이 곡선 $y=x^3+6x^2+9x$ 위의 점 $\mathrm{P}(t,\ t^3+6t^2+9t)$ $(-1<t<0)$에서의 접선을 l이라 하고, 점 P를 지나고 직선 l에 수직인 직선을 m이라 하자. 두 직선 l, m이 y축과 만나는 점을 각각 Q, R이라 하고, 삼각형 PRQ의 넓이를 $S(t)$라 할 때, $\lim_{t\to 0-}\frac{S(t)}{t^2}$의 값은? [4점]

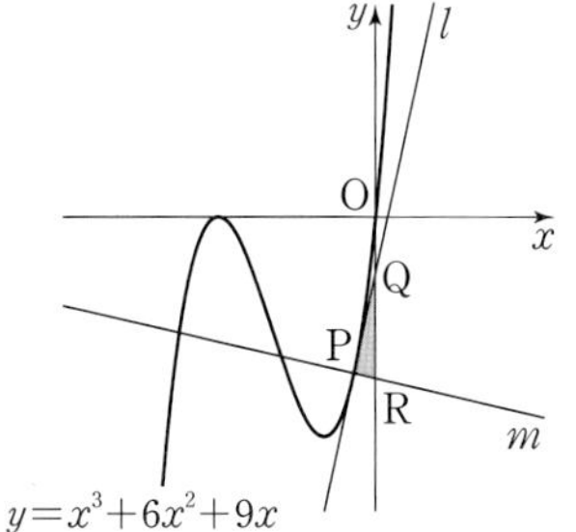

① $\frac{41}{9}$　② $\frac{43}{9}$　③ 5　④ $\frac{47}{9}$　⑤ $\frac{49}{9}$

13

▸ 24054-1073

함수 $f(x)=\log_2 x$가 있다. 그림과 같이 자연수 n에 대하여 함수 $y=f(x)$의 그래프 위의 점 $P_n(2^n,\ f(2^n))$에서 x축에 내린 수선의 발을 H_n이라 하고, 선분 OH_n의 중점을 Q_n이라 하자. 삼각형 $P_nQ_nH_n$의 외접원 C_n의 넓이를 S_n이라 할 때, $\dfrac{S_{10}-50S_1}{S_4-2S_2}$의 값은 k이다. $f(k)$의 값은? (단, O는 원점이다.) [4점]

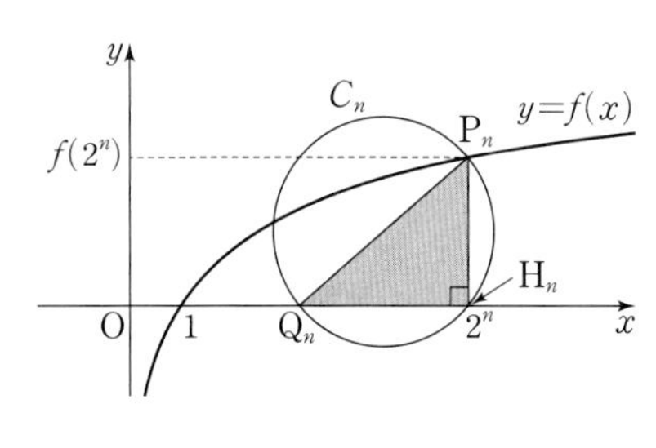

① 6　② 8　③ 10　④ 12　⑤ 14

14

▸ 24054-1074

실수 전체의 집합에서 정의된 함수

$$f(x)=\int_0^x 12t(t-1)(t-3)\,dt$$

에 대하여 **보기**에서 옳은 것만을 있는 대로 고른 것은? [4점]

보기

ㄱ. $f'(2)=-24$

ㄴ. 함수 $f(x)$의 극댓값은 5이다.

ㄷ. 함수 $f(x+1)-f(x)$는 $x=\dfrac{5}{3}$에서 극솟값을 갖는다.

① ㄱ　② ㄴ　③ ㄱ, ㄷ　④ ㄴ, ㄷ　⑤ ㄱ, ㄴ, ㄷ

15

▸ 24054-1075

실수 전체의 집합에서 정의된 함수 $f(x)$가 닫힌구간 $[-1, 1]$에서

$$f(x)=\begin{cases} -x^2 & (-1\le x<0) \\ x^2 & (0\le x\le 1) \end{cases}$$

이고, 모든 실수 x에 대하여 $f(x)=f(x-2)+2$를 만족시킨다. 자연수 n에 대하여 곡선 $y=f(x)$와 x축 및 두 직선 $x=-3$, $x=n$으로 둘러싸인 부분의 넓이가 $\frac{194}{3}$일 때, n의 값은? [4점]

① 7　② 8　③ 9　④ 10　⑤ 11

단답형

16

▸ 24054-1076

방정식

$$\log_4(4x-x^2)=1+\log_2(x-1)$$

을 만족시키는 실수 x의 값을 구하시오. [3점]

17

▸ 24054-1077

두 수열 $\{a_n\}$, $\{b_n\}$에 대하여

$$\sum_{k=1}^{10}(2a_k+3)=100,\ \sum_{k=1}^{10}(3b_k+2k)=500$$

일 때, $\sum_{k=1}^{10}(a_k+b_k)$의 값을 구하시오. [3점]

18

▸ 24054-1078

그림과 같이 자연수 n에 대하여 원 C_n : $x^2+y^2=n^2$이 원점 O를 지나고 x축의 양의 방향과 이루는 각의 크기가 $30°$인 직선 l과 만나는 제1사분면 위의 점을 P_n이라 하자. 원 C_n이 x축과 만나는 점 중 x좌표가 양수인 점을 H_n이라 하고, 점 H_n을 지나고 x축에 수직인 직선과 직선 l이 만나는 점을 Q_n이라 할 때, 삼각형 $P_nH_nQ_n$의 넓이를 S_n이라 하자. $\sum_{k=1}^{8} S_k = a+b\sqrt{3}$일 때, $b-a$의 값을 구하시오. (단, a, b는 유리수이다.) [3점]

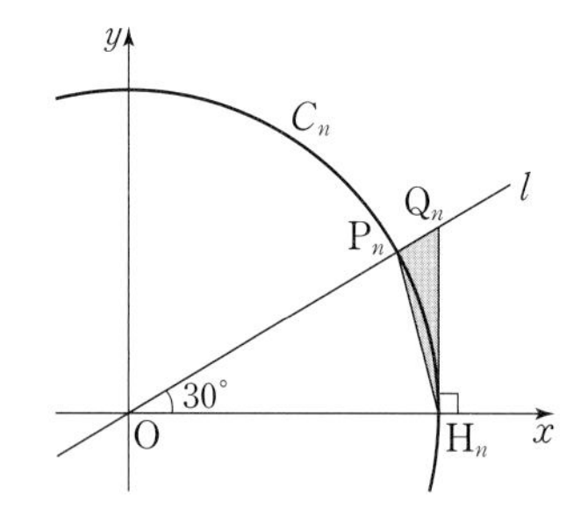

19

▸ 24054-1079

실수 전체의 집합에서 정의된 함수 $f(x)$가 구간 $[-2, 6)$에서

$$f(x)=\begin{cases} x^2+2x+2 & (-2\le x<2) \\ \frac{1}{2}x^2-4x & (2\le x<6) \end{cases}$$

이고, 모든 실수 x에 대하여 $f(x)=f(x+8)$을 만족시킨다. 열린구간 $(-20, 20)$에서 함수 $f(x)$가 $x=a$에서 극소인 모든 실수 a를 작은 수부터 크기순으로 나열한 것을 a_1, a_2, a_3, $\cdots$, a_m (m은 자연수)라 하고, $x=b$에서 극대인 모든 실수 b를 작은 수부터 크기순으로 나열한 것을 b_1, b_2, b_3, $\cdots$, b_n (n은 자연수)라 하자. $\sum_{k=1}^{m} a_k + \sum_{k=1}^{n} |b_k|$의 값을 구하시오. [3점]

20

▸ 24054-1080

수직선 위를 움직이는 점 P의 시각 t $(t\ge0)$에서의 속도 $v(t)$와 가속도 $a(t)$가 다음 조건을 만족시킨다.

(가) $v(t)$는 t에 대한 삼차함수이다.
(나) 0 이상의 모든 실수 t에 대하여
$v(t)+ta(t)=4t^3-3t^2-4t$이다.

시각 $t=0$에서 $t=3$까지 점 P가 움직인 거리를 l이라 할 때, $12\times l$의 값을 구하시오. [4점]

21

▸ 24054-1081

그림과 같이 중심이 각각 $A(-1, 0)$, $B(2, 0)$이고 원점 O를 지나는 두 원을 각각 C_1, C_2라 하자. 원점을 출발하여 시계 반대 방향으로 원 C_1 위를 움직이는 점 P와 점 $(4, 0)$을 출발하여 시계 반대 방향으로 원 C_2 위를 움직이는 점 Q에 대하여 두 선분 AP, BQ가 x축의 양의 방향과 이루는 각의 크기를 모두 θ라 하자. 삼각형 POQ의 넓이를 $S(\theta)$라 할 때, $S(\theta)=1$이 되도록 하는 θ의 값을 작은 수부터 크기순으로 나열한 것을 α_1, α_2, α_3, $\cdots$, α_n (n은 자연수)라 하자. $\frac{12}{\pi}\times(\alpha_2-\alpha_1+\alpha_4-\alpha_3)$의 값을 구하시오. (단, $0<\theta<2\pi$이고 $\theta\neq\pi$이다.) [4점]

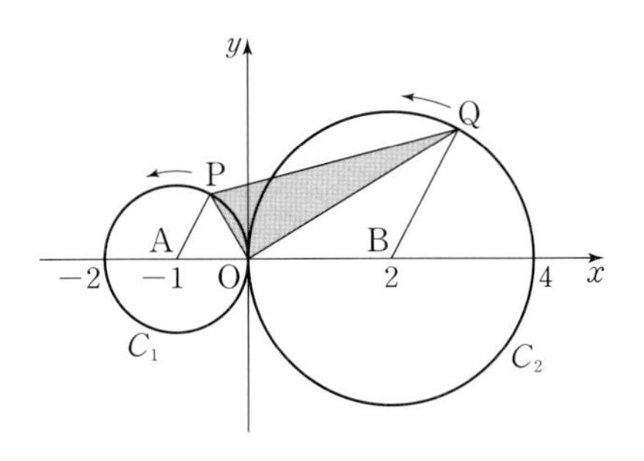

22

▸ 24054-1082

최고차항의 계수가 1인 삼차함수 $f(x)$에 대하여 함수 $g(x)$를

$$g(x)=\begin{cases} f(x)+2x & (x<-1) \\ -f(x)-2x+a & (-1\le x<2) \\ f(x)+2x+b & (x\ge 2) \end{cases}$$

라 하면 함수 $g(x)$는 실수 전체의 집합에서 미분가능하다. $g(-2)=6$일 때, $g(1)+g(3)$의 값을 구하시오.

(단, a, b는 상수이다.) [4점]

5지선다형

기하

23

▸ 24056-1083

좌표공간의 점 P를 x축에 대하여 대칭이동한 점을 Q라 하고, 점 Q를 xy평면에 대하여 대칭이동한 점을 R이라 하자.
$\overline{\mathrm{QR}}=6$, $\overline{\mathrm{PR}}=8$일 때, 선분 PQ의 길이는? [2점]

① 9 ② 10 ③ 11
④ 12 ⑤ 13

24

▸ 24056-1084

초점이 $\mathrm{F}(p,\ 0)\ (p>0)$이고 원점을 꼭짓점으로 하는 포물선 C 위의 점 중 제1사분면에 있는 점 A에서 x축에 내린 수선의 발이 초점 F와 일치한다. 점 A에서 포물선 C의 준선에 내린 수선의 발을 H라 할 때, 삼각형 FAH의 넓이가 8이다. 상수 p의 값은? [3점]

① 1 ② 2 ③ 3
④ 4 ⑤ 5

25

▸ 24056-1085

타원 $\frac{x^2}{a^2}+\frac{y^2}{b^2}=1$ 위의 점 $(4, 3)$에서의 접선의 x절편이 8일 때, 이 타원의 두 초점 사이의 거리는? (단, a, b는 상수이다.) [3점]

① $4\sqrt{3}$　② $2\sqrt{14}$　③ 8
④ $6\sqrt{2}$　⑤ $4\sqrt{5}$

26

▸ 24056-1086

a, b가 상수일 때, 좌표평면 위의 네 점 $\mathrm{O}(0, 0)$, $\mathrm{A}(a, 3)$, $\mathrm{B}(a, 8)$, $\mathrm{C}(0, b)$에 대하여 두 선분 AC, OB의 중점이 서로 일치하고, $\overrightarrow{\mathrm{AC}} \cdot \overrightarrow{\mathrm{OB}}=0$이다. 두 벡터 $\overrightarrow{\mathrm{OA}}$, $\overrightarrow{\mathrm{OC}}$가 이루는 각의 크기를 $\theta\ (0^\circ<\theta<90^\circ)$라 할 때, $\cos\theta$의 값은? (단, $a>0$) [3점]

① $\frac{2}{5}$　② $\frac{1}{2}$　③ $\frac{3}{5}$
④ $\frac{7}{10}$　⑤ $\frac{4}{5}$

27

▸ 24056-1087

그림과 같이 $\overline{AB}=4$, $\overline{BC}=3$인 직사각형 ABCD 모양의 종이에서 대각선 AC를 접는 선으로 하여 사면체 PABC가 되도록 종이를 접는다. 점 P의 평면 ABC 위로의 정사영 H가 선분 AB 위에 있을 때, $\dfrac{\overline{BH}}{\overline{AH}}$의 값은? [3점]

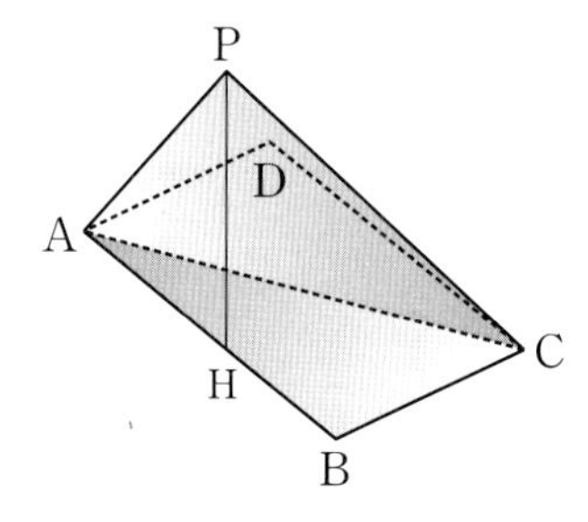

① $\dfrac{11}{18}$ ② $\dfrac{2}{3}$ ③ $\dfrac{13}{18}$
④ $\dfrac{7}{9}$ ⑤ $\dfrac{5}{6}$

28

▸ 24056-1088

좌표평면 위의 두 점 A$(1,\ -2)$, B$(5,\ 6)$에 대하여 $\overrightarrow{AP}\cdot\overrightarrow{BP}=0$을 만족시키는 점 P가 나타내는 도형을 C라 하고, 선분 AB의 중점 M과 x축 위의 점 Q$(a,\ 0)$ $(a>7)$을 지나는 직선이 도형 C와 만나는 점을 R이라 하자. 도형 C 위에 있는 제1사분면 위의 점 S를 점 M에 대하여 대칭이동시킨 점을 S′이라 하면 점 S′은 제2사분면 위의 점이다. $\angle$RSQ$=\angle$RS′M이고 $|\overrightarrow{QS}|=3$일 때, 실수 a의 값은?

(단, 점 R은 선분 MQ 위에 있다.) [4점]

① 8 ② $\sqrt{66}$ ③ $2\sqrt{17}$
④ $\sqrt{70}$ ⑤ $6\sqrt{2}$

단답형

29

▸ 24056-1089

그림과 같이 좌표평면에서 두 원

$C_1 : x^2+y^2=16$, $C_2 : (x-4)^2+(y-3)^2=9$

가 만나는 두 점을 각각 A, B라 하자. 원 C_1 위를 움직이는 점 P, 원 C_2 위를 움직이는 점 Q에 대하여 $\overrightarrow{AB} \cdot \overrightarrow{PQ}$의 최댓값이 $\frac{q}{p}$일 때, $p+q$의 값을 구하시오. (단, 점 A의 x좌표는 점 B의 x좌표보다 작고, p와 q는 서로소인 자연수이다.) [4점]

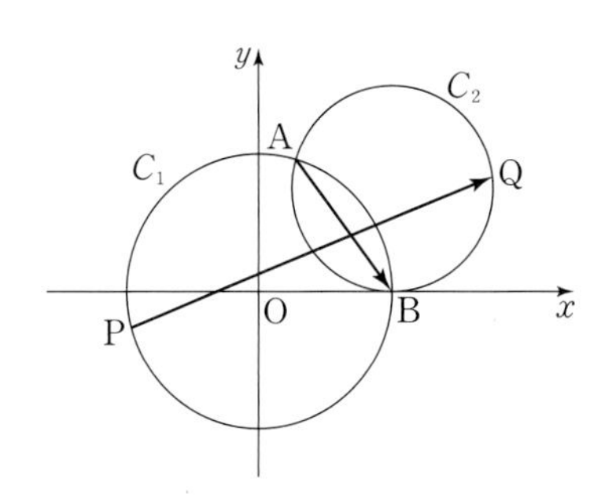

30

▸ 24056-1090

좌표공간의 세 점 A(1, 0, 0), B(3, 0, 0), C(2, k, 0)에 대하여 점 P가 다음 조건을 만족시킨다.

> (가) 점 P는 삼각형 ABC의 무게중심이다.
> (나) 점 P에서 두 선분 AB, CA에 이르는 거리가 서로 같다.

점 C를 지나고 xy평면에 수직인 직선 위의 점을 D라 하고, 점 P를 중심으로 하고 반지름의 길이가 $\overline{CP}$인 구 S와 직선 CP가 만나는 점 중에서 C가 아닌 점을 E라 하자. 두 점 D, E를 지나고 직선 AB에 평행한 평면을 α라 할 때, 선분 CD의 평면 α 위로의 정사영의 길이가 $2\sqrt{3}$이다. 점 D의 z좌표가 p일 때, p의 값을 구하시오. (단, $k>0$, $p>0$) [4점]

실전 모의고사 4회

제한시간 100분 | 배 점 100점

5지선다형

01

▸ 24054-1091

$\log_3 \sqrt{3}+\log_3 9$의 값은? [2점]

① $\frac{1}{2}$ ② $\frac{3}{2}$ ③ $\frac{5}{2}$

④ $\frac{7}{2}$ ⑤ $\frac{9}{2}$

02

▸ 24054-1092

$\lim_{x \to 2} \frac{x^2+6x-16}{x^2-x-2}$의 값은? [2점]

① 2 ② $\frac{7}{3}$ ③ $\frac{8}{3}$

④ 3 ⑤ $\frac{10}{3}$

03

▸ 24054-1093

등차수열 $\{a_n\}$에 대하여

$a_4=4,\ a_2+a_5=11$

일 때, a_3+a_{11}의 값은? [3점]

① -9 ② -10 ③ -11

④ -12 ⑤ -13

04

▸ 24054-1094

두 다항함수 $f(x)=2x^3+5$, $g(x)=x^2+3x+1$에 대하여 함수 $h(x)$를 $h(x)=f(x)g(x)$라 할 때, $h'(1)$의 값은? [3점]

① 60 ② 65 ③ 70

④ 75 ⑤ 80

05

▸ 24054-1095

$1 \le x \le 4$에서 함수 $f(x)=2^{x-k}+m$의 최댓값이 10, 최솟값이 3일 때, $k+m$의 값은? (단, k, m은 상수이다.) [3점]

① 1　　② 2　　③ 3
④ 4　　⑤ 5

06

▸ 24054-1096

함수 $f(x)=\frac{1}{3}x^3+x^2-3x+a$가 $x=b$에서 극솟값 $\frac{10}{3}$을 가질 때, $a+b$의 값은? (단, a, b는 상수이다.) [3점]

① 6　　② 7　　③ 8
④ 9　　⑤ 10

07

▸ 24054-1097

모든 항이 양수인 수열 $\{a_n\}$이 모든 자연수 n에 대하여

$$\log_2 a_{n+1} - \log_2 a_n = -\frac{1}{2}$$

을 만족시킨다. 수열 $\{a_n\}$의 첫째항부터 제n항까지의 합을 S_n이라 할 때, $\frac{S_{2m}}{S_m}=\frac{9}{8}$이다. $m \times \frac{a_{2m}}{a_m}$의 값은? [3점]

① $\frac{1}{4}$　　② $\frac{1}{2}$　　③ $\frac{3}{4}$
④ 1　　⑤ $\frac{5}{4}$

08

▸ 24054-1098

함수 $f(x)=-x^3+ax+4$에 대하여 곡선 $y=f(x)$ 위의 점 $(1,\ f(1))$에서의 접선의 방정식이 $y=x+b$이다. $a+b$의 값은? (단, a, b는 상수이다.) [3점]

① 4　② 6　③ 8　④ 10　⑤ 12

09

▸ 24054-1099

그림과 같이 $x>0$에서 두 함수 $y=3\tan\pi x$, $y=2\cos\pi x$의 그래프가 만나는 점 중 x좌표가 가장 작은 점을 P라 하고, 함수 $y=2\cos\pi x$의 그래프가 x축과 만나는 점 중 x좌표가 가장 작은 점을 Q, 두 번째로 작은 점을 R이라 하자. 삼각형 PQR의 넓이는? [4점]

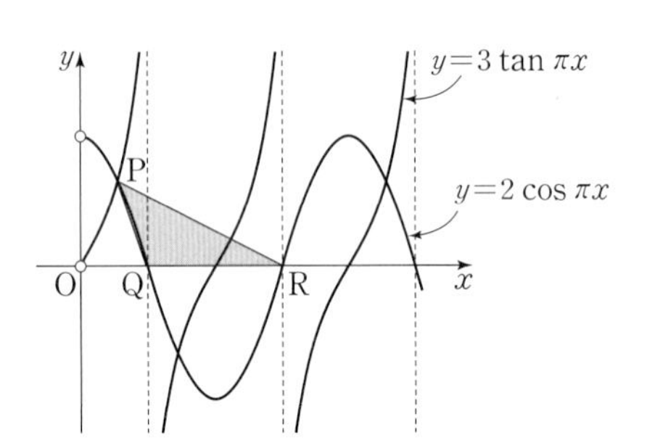

① $\frac{\sqrt{3}}{6}$　② $\frac{\sqrt{3}}{3}$　③ $\frac{\sqrt{3}}{2}$　④ $\frac{2\sqrt{3}}{3}$　⑤ $\frac{5\sqrt{3}}{6}$

10

▸ 24054-1100

그림과 같이 양수 a에 대하여 직선 $y=-ax+4$와 곡선 $y=\frac{a^2}{2}x^2$ 및 x축으로 둘러싸인 부분의 넓이를 S_1, 직선 $y=-ax+4$와 곡선 $y=\frac{a^2}{2}x^2\ (x\geq 0)$ 및 y축으로 둘러싸인 부분의 넓이를 S_2라 하자. $S_2-S_1=\frac{14}{3}$일 때, a의 값은? [4점]

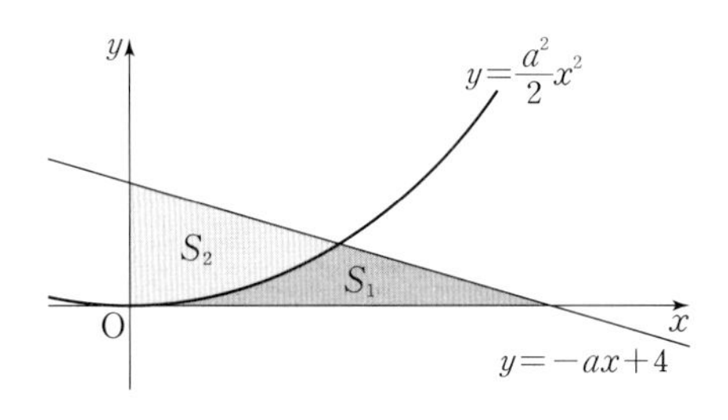

① $\frac{1}{7}$　② $\frac{2}{7}$　③ $\frac{3}{7}$　④ $\frac{4}{7}$　⑤ $\frac{5}{7}$

11

▶ 24054-1101

그림과 같이 선분 AB를 지름으로 하는 원에 내접하는 사각형 ACBD가 있다.

$\overline{AB}=4$, $\overline{AC}=\overline{BC}$, $\overline{CD}=3$

일 때, 선분 BD의 길이는? (단, $\overline{AD}>\overline{BD}$) [4점]

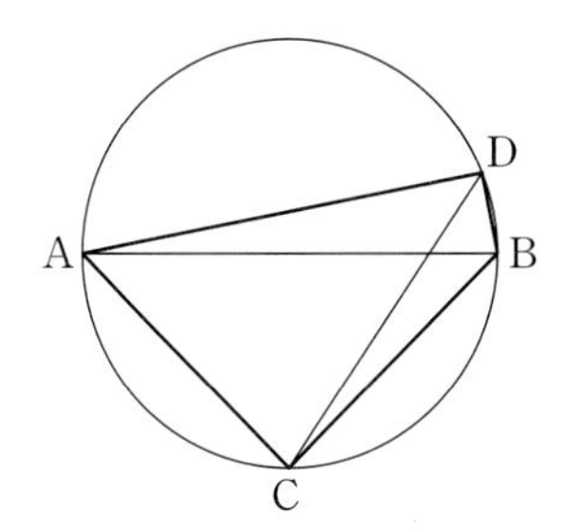

① $\frac{3\sqrt{2}-\sqrt{14}}{2}$ ② $\frac{2\sqrt{5}-\sqrt{14}}{2}$ ③ $\frac{3\sqrt{2}-2\sqrt{3}}{2}$

④ $\frac{2\sqrt{5}-2\sqrt{3}}{2}$ ⑤ $\frac{2\sqrt{5}-\sqrt{3}}{2}$

12

▶ 24054-1102

함수 $f(x)=\left|4\cos\left(\frac{\pi}{2}-\frac{x}{3}\right)+k\right|-5$의 최댓값을 M, 최솟값을 m이라 할 때, $M-m=7$이 되도록 하는 모든 실수 k의 값의 곱은? [4점]

① -3 ② -6 ③ -9

④ -12 ⑤ -15

13
▸ 24054-1103

최고차항의 계수가 3인 이차함수 $f(x)$가 다음 조건을 만족시킨다.

(가) 모든 실수 x에 대하여 $f(2-x)=f(2+x)$이다.
(나) x에 대한 방정식 $|f(x)|=k$가 서로 다른 네 개의 실근을 갖도록 하는 자연수 k의 개수는 6이다.

함수 $g(x)$를 $g(x)=\int_0^x f(t)\,dt$라 할 때, $\int_0^4 g(x)\,dx$의 최솟값은? [4점]

① -32 ② -28 ③ -24
④ -20 ⑤ -16

14
▸ 24054-1104

실수 k에 대하여 함수 $f(x)$를

$$f(x)=\begin{cases} x^2-4x+k & (x<0) \\ -x^2+4x+k & (x\geq 0) \end{cases}$$

이라 하자. 실수 t에 대하여 함수 $y=|f(x)|$의 그래프와 직선 $y=t$의 교점의 개수를 $g(t)$라 할 때, **보기**에서 옳은 것만을 있는 대로 고른 것은? [4점]

보기

ㄱ. 함수 $f(x)$가 $x\geq a$에서 감소할 때, 양수 a의 최솟값은 2이다.
ㄴ. $k=-2$일 때, $g(1)=6$이다.
ㄷ. $-4<k<0$인 모든 실수 k와 실수 b에 대하여 $\lim_{t\to b-} g(t) > \lim_{t\to b+} g(t)$를 만족시키는 서로 다른 모든 $g(b)$의 값의 합은 8이다.

① ㄱ ② ㄱ, ㄴ ③ ㄱ, ㄷ
④ ㄴ, ㄷ ⑤ ㄱ, ㄴ, ㄷ

15

▶ 24054-1105

첫째항이 2인 두 수열 $\{a_n\}$, $\{b_n\}$이 모든 자연수 n에 대하여 다음 조건을 만족시킨다.

(가) $\dfrac{a_{n+1}}{a_n}=\dfrac{a_{n+2}}{a_{n+1}}$

(나) $\displaystyle\sum_{k=1}^{n}\frac{a_{k+1}b_k}{4^k}=2^n+n(n+1)$

a_5+b_{10}의 값은? [4점]

① 772 ② 774 ③ 776
④ 778 ⑤ 780

단답형

16

▶ 24054-1106

방정식

$$2^{x+2}-24=2^x$$

을 만족시키는 실수 x의 값을 구하시오. [3점]

17

▶ 24054-1107

다항함수 $f(x)$에 대하여

$$f'(x)=3x^2+4x+1,\ f(0)=1$$

일 때, $\displaystyle\int_{-3}^{3}f(x)\,dx$의 값을 구하시오. [3점]

18

▸ 24054-1108

두 수열 $\{a_n\}$, $\{b_n\}$에 대하여

$$\sum_{n=1}^{4}(a_n+b_n)=36,\ \sum_{n=1}^{4}(a_n-b_n)=14$$

일 때, $\sum_{n=1}^{4}(2a_n+b_n)$의 값을 구하시오. [3점]

19

▸ 24054-1109

자연수 k에 대하여 점 $(-2,\ k)$에서 곡선 $y=x^3-3x^2$에 그을 수 있는 접선의 개수를 $f(k)$라 할 때, $\sum_{k=1}^{20}f(k)$의 값을 구하시오. [3점]

20

▸ 24054-1110

시각 $t=0$일 때 동시에 원점을 출발하여 수직선 위를 움직이는 두 점 P, Q의 시각 $t\ (t\geq 0)$에서의 속도가 각각

$$v_1(t)=2t^2+2t,\ v_2(t)=t^2-2t$$

이다. 시각 $t=k$일 때 점 P의 가속도가 점 Q의 가속도의 3배이고 시각 $t=0$에서 $t=k$까지 두 점 P, Q가 움직인 거리의 차가 a일 때, $3a$의 값을 구하시오. (단, a, k는 상수이다.) [4점]

21

▸ 24054-1111

10보다 작은 두 자연수 k, m에 대하여 두 함수

$$f(x)=|2^x-k|+m,$$

$$g(x)=\left(\log_2 \frac{x}{4}\right)^2+2\log_4 x-2$$

가 있다. x에 대한 방정식 $(g \circ f)(x)=0$이 n개의 실근을 갖도록 하는 k, m의 모든 순서쌍 (k, m)의 개수를 a_n이라 하자. a_1+a_3의 값을 구하시오. [4점]

22

▸ 24054-1112

사차함수 $f(x)$가 다음 조건을 만족시킨다.

(가) $\lim_{x \to \infty} \frac{f(x)}{x^4}=\lim_{x \to 0} \frac{f(x)}{2x^2}=\frac{1}{2}$

(나) $0<x_1<x_2$인 임의의 두 실수 x_1, x_2에 대하여
$f(x_2)-f(x_1)+x_2^2-x_1^2>0$이다.

$f(\sqrt{2})$의 최솟값을 m이라 할 때, $9m^2$의 값을 구하시오. [4점]

5지선다형

기하

23

▸ 24056-1113

좌표공간의 두 점 P$(a,\ 3,\ a)$, Q$(2,\ -1,\ 6)$에 대하여 선분 PQ의 중점이 yz평면 위에 있을 때, 선분 OP의 길이는?

(단, O는 원점이다.) [2점]

① $\sqrt{13}$ ② $\sqrt{14}$ ③ $\sqrt{15}$
④ 4 ⑤ $\sqrt{17}$

24

▸ 24056-1114

평행하지 않은 두 벡터 $\vec{a}$, $\vec{b}$와 한 직선 위에 있는 세 점 A, B, C에 대하여

$$\overrightarrow{OA}=3\vec{a}+2\vec{b},\ \overrightarrow{OB}=\vec{a}-\vec{b},\ \overrightarrow{OC}=k\vec{a}+4\vec{b}$$

를 만족시킨다. 실수 k의 값은?

(단, $\vec{a}\neq\vec{0}$, $\vec{b}\neq\vec{0}$이고, O는 원점이다.) [3점]

① $\frac{11}{3}$ ② 4 ③ $\frac{13}{3}$
④ $\frac{14}{3}$ ⑤ 5

25

▸ 24056-1115

타원 $\frac{x^2}{9}+\frac{y^2}{4}=1$의 두 초점을 모두 지나고 중심이 원점인 쌍곡선의 한 점근선의 방정식이 $y=2x$이다. 쌍곡선의 두 초점을 F, F$'$이라 할 때, 선분 FF$'$의 길이는? [3점]

① 10 ② 12 ③ 14
④ 16 ⑤ 18

26

▸ 24056-1116

그림과 같이 타원 $\frac{x^2}{16}+\frac{y^2}{9}=1$의 두 초점을 F, F$'$이라 하고, 이 타원이 y축의 양의 방향과 만나는 점을 A라 하자. 점 A를 중심으로 하고 선분 AF를 반지름으로 하는 원이 타원과 만나는 두 점을 각각 B, C라 할 때, 사각형 ABFC의 둘레의 길이는? (단, 점 F의 x좌표는 양수이고, 점 B의 x좌표가 점 C의 x좌표보다 작다.) [3점]

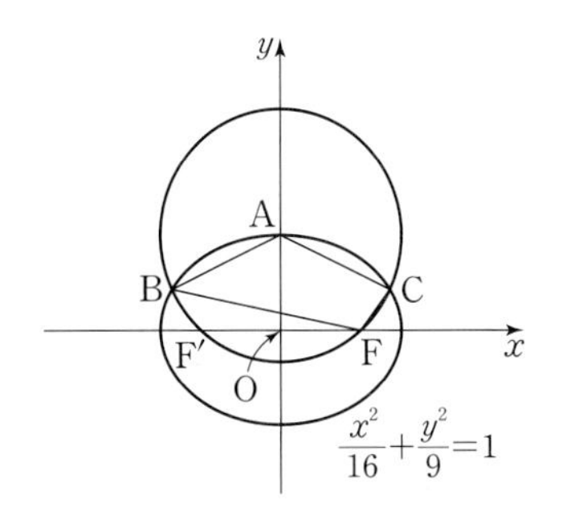

① 12 ② 14 ③ 16
④ 18 ⑤ 20

27

▶ 24056-1117

그림과 같이 한 모서리의 길이가 2인 정육면체 ABCD$-$EFGH가 있다. 모서리 GH의 중점을 M이라 하고, 평면 AFM과 평면 EFGH가 이루는 예각의 크기를 θ라 할 때, $\tan\theta$의 값은? [3점]

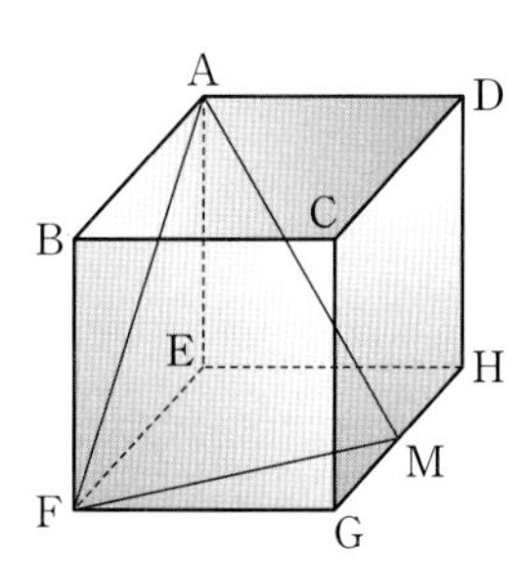

① 1　② $\frac{\sqrt{5}}{2}$　③ $\frac{\sqrt{6}}{2}$　④ $\frac{\sqrt{7}}{2}$　⑤ $\sqrt{2}$

28

▶ 24056-1118

그림과 같이 포물선 $y^2=2x$와 직선 $y=x-5$가 만나는 두 점을 각각 A, B라 하고, 포물선 위의 두 점 A, B에서의 접선을 각각 l_A, l_B라 하자. 두 직선 l_A, l_B가 만나는 점을 C(p, q), 삼각형 ABC의 넓이를 S라 할 때, $p+q+S$의 값은?

(단, 점 A의 x좌표가 점 B의 x좌표보다 작다.) [4점]

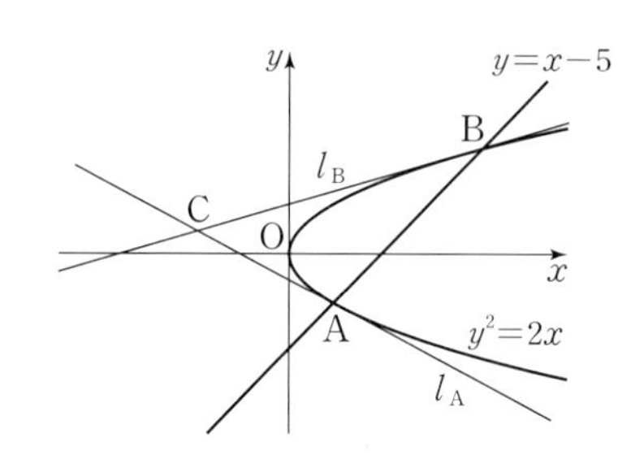

① $-6+7\sqrt{11}$　② $-5+9\sqrt{11}$　③ $-4+9\sqrt{11}$　④ $-5+11\sqrt{11}$　⑤ $-4+11\sqrt{11}$

단답형

29

▸ 24056-1119

평면 위에 한 변의 길이가 2인 정사각형 ABCD가 있다. 이 평면 위의 두 점 P, Q가 다음 조건을 만족시킨다.

(가) $\overrightarrow{AC} \cdot \overrightarrow{CP} = 0$
(나) $\overrightarrow{BP} \cdot (\overrightarrow{CA} + \overrightarrow{CD}) = 0$
(다) $|\overrightarrow{AQ}| = 1$

점 Q가 그리는 도형이 선분 AB와 만나는 점을 R이라 하고, $\overrightarrow{RQ} \cdot \overrightarrow{BP}$의 최댓값을 M이라 할 때, $(M-2)^2$의 값을 구하시오. [4점]

30

▸ 24056-1120

한 모서리의 길이가 4인 정사면체 ABCD가 있다. 두 정삼각형 ABC, ACD의 무게중심을 각각 G, G′이라 하고, 선분 BC의 중점을 M이라 하자. 삼각형 GMG′의 평면 BCD 위로의 정사영의 넓이를 S라 할 때, $S^2 = \frac{q}{p}$이다. $p+q$의 값을 구하시오.

(단, p와 q는 서로소인 자연수이다.) [4점]

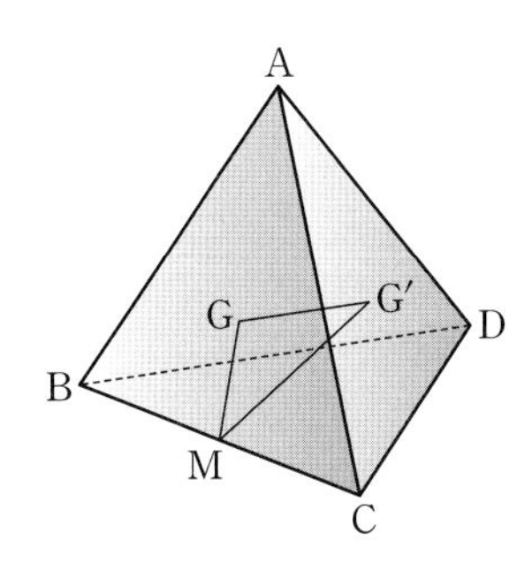

실전 모의고사 5회

제한시간 100분 | 배 점 100점

5지선다형

01

▸ 24054-1121

$\sqrt[4]{27}\times\left(\frac{1}{3}\right)^{-\frac{1}{4}}$의 값은? [2점]

① $\frac{1}{9}$ ② $\frac{1}{3}$ ③ 1 ④ 3 ⑤ 9

02

▸ 24054-1122

$\lim_{x\to\infty}\frac{\sqrt{4x^2+x}-\sqrt{x^2+2x}}{3x}$의 값은? [2점]

① $\frac{1}{3}$ ② $\frac{2}{3}$ ③ 1 ④ $\frac{4}{3}$ ⑤ $\frac{5}{3}$

03

▸ 24054-1123

첫째항이 3인 등차수열 $\{a_n\}$에 대하여

$a_3+a_7=a_5+a_6-2$

일 때, a_{20}의 값은? [3점]

① 33 ② 35 ③ 37 ④ 39 ⑤ 41

04

▸ 24054-1124

함수 $f(x)=|x^2-2x|$에 대하여 $\lim_{x\to0+}\frac{f(x)}{x}\times\lim_{x\to2+}\frac{f(x)}{x-2}$의 값은? [3점]

① 2 ② 4 ③ 6 ④ 8 ⑤ 10

05

▸ 24054-1125

$\frac{3}{2}\pi < \theta < 2\pi$인 θ에 대하여

$$\sin(\pi+\theta)\tan\left(\frac{\pi}{2}+\theta\right)=\frac{5}{13}$$

일 때, $\sin\theta$의 값은? [3점]

① $-\frac{12}{13}$　② $-\frac{5}{12}$　③ 0
④ $\frac{5}{12}$　⑤ $\frac{12}{13}$

06

▸ 24054-1126

함수 $f(x)=-\frac{1}{3}x^3+x^2+ax+2$가 $x=-1$에서 극소일 때, 함수 $f(x)$의 극댓값은? (단, a는 상수이다.) [3점]

① 7　② 9　③ 11
④ 13　⑤ 15

07

▸ 24054-1127

등비수열 $\{a_n\}$에 대하여

$$\sum_{k=1}^{3}a_k=\frac{7}{2},\ \sum_{k=1}^{3}(2a_{k+1}-a_k)=\frac{21}{2}$$

일 때, a_6의 값은? [3점]

① 10　② 12　③ 14
④ 16　⑤ 18

08

▸ 24054-1128

함수 $f(x)=x^4+ax^2-x+4$에 대하여 곡선 $y=f(x)$ 위의 점 $(-1,\ 4)$에서의 접선을 l이라 하자. 곡선 $y=f(x)$와 직선 l로 둘러싸인 부분의 넓이는? (단, a는 상수이다.) [3점]

① $\frac{4}{5}$　② $\frac{14}{15}$　③ $\frac{16}{15}$
④ $\frac{6}{5}$　⑤ $\frac{4}{3}$

09

▸ 24054-1129

두 실수 a, b에 대하여 함수 $f(x)=a\sin \pi x+b$가 다음 조건을 만족시킬 때, $f\left(\frac{b^4}{a^2}\right)$의 값은? (단, $a\neq 0$) [4점]

(가) 닫힌구간 $[1,\ 2]$에서 함수 $f(x)$의 최솟값과 닫힌구간 $[4,\ 5]$에서 함수 $f(x)$의 최댓값이 모두 2이다.
(나) 닫힌구간 $\left[\frac{1}{3},\ \frac{1}{2}\right]$에서 함수 $f(x)$의 최댓값이 -1이다.

① 1　② 2　③ 3
④ 4　⑤ 5

10

▸ 24054-1130

다항함수 $f(x)$가 모든 실수 x에 대하여

$$f(x)=x^3-3x^2+a\int_{-1}^{2}|f'(t)|\,dt$$

를 만족시킨다. $x\geq 0$인 모든 실수 x에 대하여 $f(x)\geq 0$이 성립하도록 하는 실수 a의 최솟값은? [4점]

① $\frac{1}{6}$　② $\frac{1}{5}$　③ $\frac{1}{4}$
④ $\frac{1}{3}$　⑤ $\frac{1}{2}$

11

▶ 24054-1131

1보다 큰 실수 m에 대하여 함수 $y=|x+2|-1$의 그래프와 직선 $y=m$이 만나는 두 점의 x좌표 중 큰 값을 $f(m)$, 작은 값을 $g(m)$이라 하자. $f(m)$의 제곱근 중 음수인 것의 값과 $g(m)$의 세제곱근 중 실수인 것의 값이 같을 때, $f(m)\times g(m)$의 값은? [4점]

① -32 ② -28 ③ -24
④ -20 ⑤ -16

12

▶ 24054-1132

최고차항의 계수가 양수이고 $f(0)=f(1)=0$인 삼차함수 $f(x)$에 대하여 실수 전체의 집합에서 정의된 함수

$$g(x)=\int_{-x}^{x} f(|t|)\,dt$$

가 다음 조건을 만족시킨다.

(가) $g(2)=0$
(나) 함수 $g(x)$의 모든 극솟값의 합은 -1이다.

$f(3)$의 값은? [4점]

① 8 ② 9 ③ 10
④ 11 ⑤ 12

13

▸ 24054-1133

그림과 같이 $\overline{AB}=3$, $\overline{BC}=\sqrt{5}$, $\cos(\angle ABC)=-\frac{\sqrt{5}}{5}$인 사각형 ABCD에 대하여 삼각형 ABC의 외접원의 중심을 O라 하고, 직선 AO와 이 외접원이 만나는 점 중 점 A가 아닌 점을 E라 하자. 삼각형 ACD의 내접원의 중심이 점 O와 일치할 때, 선분 DE의 길이는? [4점]

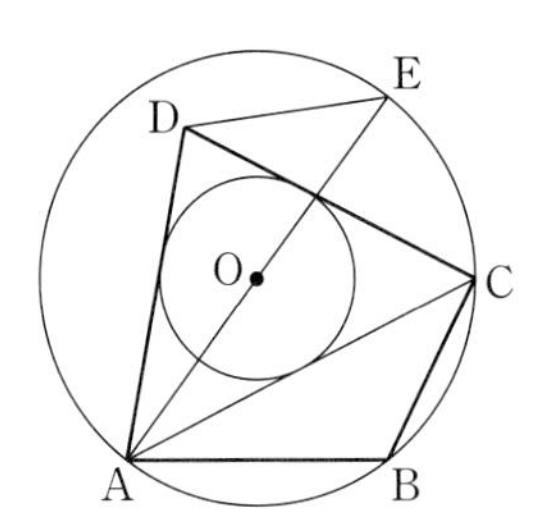

① $\frac{4\sqrt{2}}{3}$ ② $\frac{5\sqrt{2}}{3}$ ③ $\frac{4\sqrt{5}}{3}$

④ $\frac{5\sqrt{5}}{3}$ ⑤ $2\sqrt{5}$

14

▸ 24054-1134

최고차항의 계수가 1이고 $f'(-1)=f'(1)=0$인 삼차함수 $f(x)$가 있다. 실수 t에 대하여 함수 $g(x)$를

$$g(x)=\begin{cases} f(x) & (x\le t) \\ -f(x)+2f(t) & (x>t) \end{cases}$$

라 할 때, 함수 $g(x)$의 최댓값을 $h(t)$라 하자. **보기**에서 옳은 것만을 있는 대로 고른 것은? [4점]

보기

ㄱ. $h(0)=h(2)$

ㄴ. $h(0)=0$일 때, 함수 $g(x)$가 실수 전체의 집합에서 미분가능하도록 하는 모든 실수 t에 대하여 $h(t)$의 값의 합은 0이다.

ㄷ. t에 대한 방정식 $h(t)=0$의 서로 다른 실근의 개수가 2일 때, $h(0)=-4$이다.

① ㄱ ② ㄱ, ㄴ ③ ㄱ, ㄷ

④ ㄴ, ㄷ ⑤ ㄱ, ㄴ, ㄷ

15

▸ 24054-1135

모든 항이 2 이상인 수열 $\{a_n\}$이 다음 조건을 만족시킨다.

> (가) $a_1=2$
> (나) 모든 자연수 n에 대하여
> $$a_{n+2}=\begin{cases} \dfrac{a_{n+1}}{2} & (a_{n+1}\geq a_n) \\ 4a_{n+1}-4 & (a_{n+1}<a_n) \end{cases}$$
> 이다.

자연수 k와 5 이하의 자연수 m이

$a_k=k$, $a_{k+m}=k+m$

을 만족시킬 때, $2k+m$의 값은? [4점]

① 10 ② 14 ③ 18 ④ 22 ⑤ 26

단답형

16

▸ 24054-1136

부등식

$\log_3(x^2-1)<1+\log_3(x+1)$

을 만족시키는 정수 x의 개수를 구하시오. [3점]

17

▸ 24054-1137

함수 $f(x)$에 대하여 $f'(x)=3x^2+6x$이고 $f(1)=f'(1)$일 때, $f(2)$의 값을 구하시오. [3점]

18

▸ 24054-1138

수열 $\{a_n\}$이 모든 자연수 n에 대하여

$$\sum_{k=1}^{n} \frac{a_k}{k^2+k} = \frac{2^n}{n+1}$$

을 만족시킬 때, $\sum_{k=1}^{5} a_k$의 값을 구하시오. [3점]

19

▸ 24054-1139

실수 전체의 집합에서 정의된 함수 $f(x)=x^3+ax^2-a^2x+4$의 극솟값과 닫힌구간 $[b, 0]$에서 함수 $f(x)$의 최솟값이 모두 -1이다. 양수 a와 음수 b에 대하여 $a-b$의 값을 구하시오. [3점]

20

▸ 24054-1140

시각 $t=0$일 때 원점을 출발하여 수직선 위를 움직이는 점 P가 있다. 시각 t $(t \geq 0)$에서의 점 P의 속도 $v(t)$를

$$v(t)=a(t^2-2t) \ (a>0)$$

이라 하자. 점 $\mathrm{A}(-10)$에 대하여 점 P와 점 A 사이의 거리의 최솟값이 2일 때, 점 P가 출발한 후 처음으로 원점을 지나는 시각에서의 점 P의 가속도를 구하시오. (단, a는 상수이다.) [4점]

21

▸ 24054-1141

두 양수 a, b에 대하여 두 함수 $f(x)$, $g(x)$는

$$f(x)=2^{x-a},\ g(x)=\log_2(x+b)+a-b$$

이다. 곡선 $y=f(x)$와 직선 $y=x$는 서로 다른 두 점에서 만나고, 이 두 점 중 x좌표가 작은 점을 $\mathrm{A}(k,\ k)$라 하면 곡선 $y=g(x)$가 점 A를 지난다. 직선 $y=-x-4k$가 곡선 $y=g(x)$와 제3사분면에서 만나는 점을 B, 직선 $y=-x-4k$가 y축과 만나는 점을 C라 하면 삼각형 ABC의 넓이는 $6k^2$이다. 2^{2a+b+k}의 값을 구하시오. [4점]

22

▸ 24054-1142

최고차항의 계수가 양수이고 $f(-1)=0$인 삼차함수 $f(x)$에 대하여 함수

$$g(x)=\int_{-1}^{1} f(t)\,dt \times \int_{-1}^{x} f(t)\,dt$$

가 다음 조건을 만족시킨다.

(가) 모든 실수 x에 대하여 $g(x)\le g(2)$이다.
(나) 실수 k에 대하여 x에 대한 방정식 $g(x)=k$의 서로 다른 실근의 개수를 $h(k)$라 할 때, $\left|\lim_{k\to a+} h(k)-\lim_{k\to a-} h(k)\right|=2$를 만족시키는 실수 a의 값은 3뿐이다.

$30\times g(0)$의 값을 구하시오. [4점]

5지선다형

기하

23

▸ 24056-1143

좌표공간의 점 $A(1,\ -3,\ 2)$를 xy평면에 대하여 대칭이동한 점을 P라 하고, 점 A를 z축에 대하여 대칭이동한 점을 Q라 할 때, 선분 PQ의 길이는? [2점]

① $2\sqrt{11}$　② $4\sqrt{3}$　③ $2\sqrt{13}$
④ $2\sqrt{14}$　⑤ $2\sqrt{15}$

24

▸ 24056-1144

초점이 $F(1,\ 0)$이고 준선이 $x=-3$인 포물선이 점 $(0,\ a)$를 지날 때, 양수 a의 값은? [3점]

① 1　② $\sqrt{2}$　③ 2
④ $2\sqrt{2}$　⑤ 4

25

▸ 24056-1145

두 점 $F(c, 0)$, $F'(-c, 0)$ $(c>0)$을 초점으로 하는 타원 $\frac{x^2}{9}+\frac{y^2}{a^2}=1$에 대하여 점 F를 지나고 x축에 수직인 직선이 타원과 만나는 제1사분면 위의 점을 P라 하자. $\angle FPF'=\frac{\pi}{3}$일 때, 이 타원 위의 점 P에서의 접선의 y절편은?

(단, a는 양의 상수이다.) [3점]

① 3　② $\frac{19}{6}$　③ $\frac{10}{3}$　④ $\frac{7}{2}$　⑤ $\frac{11}{3}$

26

▸ 24056-1146

좌표평면 위의 점 $A(0, 2)$와 제1사분면 위의 점 B에 대하여

$$|\overrightarrow{OP}-(\overrightarrow{OA}+\overrightarrow{OB})|=\overrightarrow{OA}\cdot\overrightarrow{OB}$$

를 만족시키는 점 P가 나타내는 도형을 D라 하자. 도형 D가 y축과 한 점에서만 만나고 점 $\left(2, \frac{1}{2}\right)$을 지날 때, 도형 D의 둘레의 길이는? (단, O는 원점이다.) [3점]

① 8π　② 10π　③ 12π　④ 14π　⑤ 16π

27

▸ 24056-1147

좌표공간에 두 점 O, A$(0,\ 6,\ 2)$를 지나는 직선 l과 점 O를 지나면서 xy평면 위에 있는 직선 m이 있다. 점 A에서 직선 m에 내린 수선의 발을 B라 하고, 두 직선 l, m이 이루는 각의 크기를 θ_1, 직선 m이 x축과 이루는 각의 크기를 θ_2라 하자.
평면 OAB와 xy평면이 이루는 각의 크기가 $\frac{\pi}{6}$일 때, $\left(\frac{\cos\theta_1}{\cos\theta_2}\right)^2$의 값은? (단, O는 원점이다.) [3점]

① $\frac{1}{5}$　② $\frac{3}{5}$　③ 1　④ $\frac{7}{5}$　⑤ $\frac{9}{5}$

28

▸ 24056-1148

그림과 같이 두 초점이 F$(c,\ 0)$, F$'(-c,\ 0)$ $(c>0)$인 쌍곡선 $\frac{x^2}{4}-\frac{y^2}{12}=1$ 위에 있는 제1사분면 위의 점 P와 제2사분면 위의 점 Q가

$$\overline{\mathrm{PF}} : \overline{\mathrm{QF'}}=1 : 3,\ \angle\mathrm{PFF'}=\angle\mathrm{QF'P}$$

를 만족시킨다. $\overline{\mathrm{PQ}}=4\sqrt{10}$일 때, $\overline{\mathrm{PF'}}+\overline{\mathrm{QF}}$의 값은? [4점]

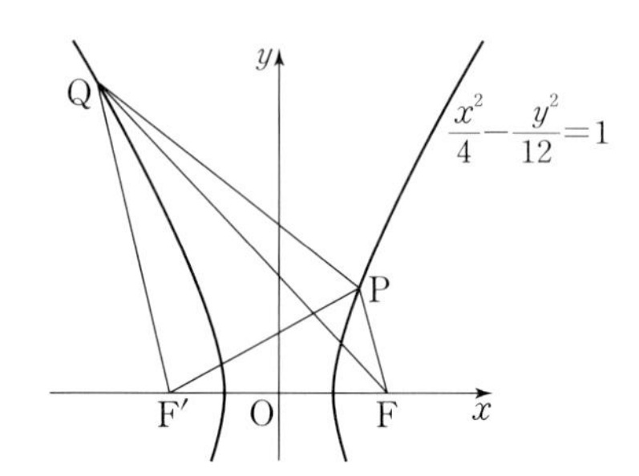

① 20　② 22　③ 24　④ 26　⑤ 28

단답형

29

▶ 24056-1149

평면 위에 한 변의 길이가 2인 정삼각형 ABC가 있다. 이 평면 위의 두 점 P, Q가 다음 조건을 만족시킨다.

(가) $\overrightarrow{BP} \cdot \overrightarrow{BA} = 2\overrightarrow{BP} \cdot \overrightarrow{BC} = -2$
(나) $\overrightarrow{AQ} \cdot \overrightarrow{CQ} = 0$

$\overrightarrow{CP} \cdot \overrightarrow{BQ}$의 최댓값을 M, 최솟값을 m이라 할 때, $4(M^2+m^2)$의 값을 구하시오. [4점]

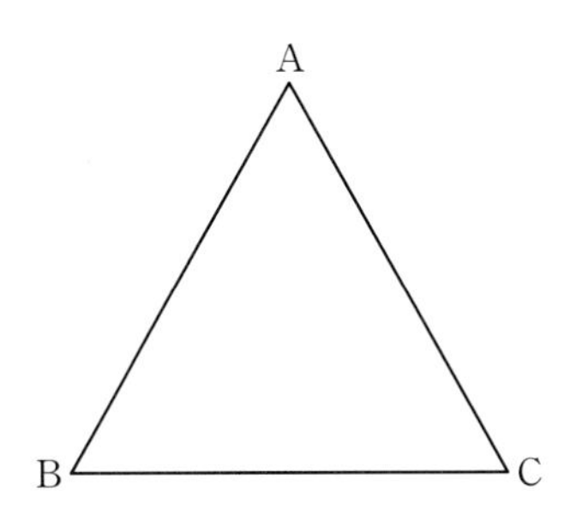

30

▶ 24056-1150

좌표공간에 원점 O와 세 점 A$(6, 0, 0)$, B$(0, 2\sqrt{3}, 0)$, C$(0, 0, 4)$가 있다. 중심이 선분 OC 위에 있는 구 S가 xy평면, 평면 ABC와 만나서 생기는 원을 각각 C_1, C_2라 할 때, 두 원 C_1, C_2는 다음 조건을 만족시킨다.

(가) 원 C_1의 반지름의 길이는 $\frac{4}{3}$이다.
(나) 원 C_2의 중심의 xy평면 위로의 정사영은 원 C_1 위에 있다.

원 C_2의 xy평면 위로의 정사영의 넓이가 $\frac{q}{p}\pi$일 때, $p+q$의 값을 구하시오. (단, p와 q는 서로소인 자연수이다.) [4점]

한눈에 보는 정답

유형편

01 지수함수와 로그함수

본문 6~13쪽

필수유형 1 ①	01 ②	02 ④	03 ⑤
	04 ③		
필수유형 2 ①	05 ④	06 ①	07 120
필수유형 3 ④	08 ③	09 ④	10 3
	11 65		
필수유형 4 ④	12 ①	13 ②	14 8
필수유형 5 ③	15 ⑤	16 ③	17 ⑤
	18 ③		
필수유형 6 3	19 ⑤	20 ④	21 ②
필수유형 7 192	22 ③	23 ②	24 ④
필수유형 8 ④	25 ①	26 6	27 ⑤

02 삼각함수

본문 16~22쪽

필수유형 1 ②	01 ④	02 ④	03 ②
필수유형 2 ④	04 ⑤	05 ⑤	06 ②
필수유형 3 ④	07 ①	08 ③	09 ④
	10 8	11 ③	
필수유형 4 ③	12 ④	13 ①	14 ⑤
필수유형 5 8	15 ③	16 ③	17 ③
필수유형 6 ①	18 ⑤	19 10	20 ③
	21 ③	22 ⑤	

03 수열

본문 25~36쪽

필수유형 1 ③	01 ⑤	02 ⑤	03 ②
필수유형 2 7	04 12	05 ②	06 ④
필수유형 3 ①	07 ③	08 ③	09 ④
필수유형 4 64	10 ①	11 ①	12 6
필수유형 5 ③	13 ③	14 ②	15 12
필수유형 6 ②	16 68	17 ①	18 58
필수유형 7 24	19 ⑤	20 ③	21 24
필수유형 8 91	22 ②	23 ④	24 16
필수유형 9 ⑤	25 ②	26 ④	27 16
필수유형 10 ④	28 ①	29 25	30 ④
필수유형 11 ①	31 ②	32 ③	33 ⑤
필수유형 12 ④	34 ①		

04 함수의 극한과 연속

본문 39~45쪽

필수유형 1 ②	01 ⑤	02 ④	03 ④
필수유형 2 ④	04 ①	05 ④	06 ②
필수유형 3 30	07 ④	08 ③	09 ②
	10 ⑤		
필수유형 4 ②	11 ①	12 ③	13 ⑤
	14 ②		
필수유형 5 ③	15 ④	16 6	17 22
필수유형 6 ⑤	18 ⑤	19 ①	20 ⑤
필수유형 7 ④	21 ①	22 5	23 ②

05 다항함수의 미분법

본문 48~58쪽

필수유형 1 11	01 ⑤	02 ①	03 ③
필수유형 2 ④	04 ③	05 ④	06 8
필수유형 3 ③	07 ②	08 ①	09 ⑤
필수유형 4 ⑤	10 ④	11 ④	12 ⑤
필수유형 5 6	13 ③	14 ①	15 ⑤
필수유형 6 6	16 ②	17 80	18 ②
필수유형 7 ③	19 ②	20 ②	21 ④
필수유형 8 ⑤	22 ④	23 ②	24 ①
필수유형 9 7	25 ③	26 ⑤	27 7
필수유형 10 ⑤	28 41	29 ②	30 ③
필수유형 11 ①	31 ①	32 ①	33 ④

06 다항함수의 적분법

본문 61~69쪽

필수유형 1 15	01 ④	02 ③	03 ④
필수유형 2 ②	04 ②	05 ②	06 ⑤
필수유형 3 ②	07 ②	08 ④	09 ③
필수유형 4 ④	10 ⑤	11 ⑤	12 ④
	13 ②		
필수유형 5 39	14 ①	15 12	16 ②
필수유형 6 ②	17 ①	18 ⑤	19 ②
	20 42	21 28	
필수유형 7 ④	22 ③	23 ②	24 36
필수유형 8 17	25 ⑤	26 ②	27 ①
	28 5	29 10	

07 이차곡선

본문 72~80쪽

필수유형 1 ③	01 ③	02 ①	03 ②
	04 ③		
필수유형 2 ④	05 ⑤	06 ④	07 73
	08 ⑤		
필수유형 3 80	09 8	10 ①	11 9
	12 ④		
필수유형 4 ③	13 ②	14 ④	15 ③
	16 ⑤		
필수유형 5 ①	17 32	18 ①	19 ⑤
	20 ④		
필수유형 6 ①	21 ①	22 ③	23 ④
	24 ④		

08 평면벡터

본문 83~92쪽

필수유형 1 ②	01 ⑤	02 ①	03 ③
	04 ⑤	05 ⑤	
필수유형 2 53	06 ②	07 ②	08 ②
	09 17		
필수유형 3 ⑤	10 ①	11 ④	12 ①
필수유형 4 ②	13 ⑤	14 ⑤	15 ④
필수유형 5 ⑤	16 ③	17 ①	18 ④
필수유형 6 ②	19 ②	20 ⑤	21 ③
	22 ②	23 ④	
필수유형 7 17	24 ②	25 ①	26 ①
	27 10		
필수유형 8 ②	28 ④	29 ⑤	30 ①

09 공간도형과 공간좌표

본문 95~104쪽

필수유형 1 ③	01 ③	02 ④	
필수유형 2 ①	03 ⑤	04 64	05 23
필수유형 3 ③	06 ①	07 ③	08 ①
	09 67		
필수유형 4 ①	10 ③	11 ②	12 ⑤
	13 ④		
필수유형 5 ⑤	14 ④	15 ④	16 7
	17 ②		
필수유형 6 ⑤	18 ③	19 ②	20 61
필수유형 7 ④	21 ④	22 ②	23 ④
필수유형 8 ①	24 ⑤	25 ④	26 ④
	27 18		

실전 모의고사 1회

본문 106~117쪽

01 ③ 02 ③ 03 ⑤ 04 ④ 05 ②
06 ④ 07 ④ 08 ④ 09 ⑤ 10 ①
11 ④ 12 ⑤ 13 ② 14 ① 15 ①
16 9 17 6 18 30 19 165 20 15
21 8 22 108 23 ③ 24 ③ 25 ⑤
26 ③ 27 ③ 28 ⑤ 29 49 30 13

실전 모의고사 2회

본문 118~129쪽

01 ④ 02 ① 03 ④ 04 ③ 05 ⑤
06 ④ 07 ① 08 ④ 09 ① 10 ③
11 ① 12 ② 13 ⑤ 14 ③ 15 ②
16 4 17 66 18 6 19 16 20 34
21 3 22 35 23 ① 24 ⑤ 25 ④
26 ③ 27 ① 28 ② 29 96 30 59

실전 모의고사 3회

본문 130~141쪽

01 ④ 02 ① 03 ② 04 ① 05 ①
06 ② 07 ④ 08 ④ 09 ⑤ 10 ③
11 ③ 12 ① 13 ④ 14 ⑤ 15 ⑤
16 2 17 165 18 85 19 45 20 91
21 16 22 52 23 ② 24 ② 25 ②
26 ③ 27 ④ 28 ① 29 173 30 4

실전 모의고사 4회

본문 142~153쪽

01 ③ 02 ⑤ 03 ② 04 ② 05 ③
06 ① 07 ③ 08 ④ 09 ③ 10 ②
11 ① 12 ③ 13 ③ 14 ② 15 ④
16 3 17 42 18 61 19 33 20 152
21 19 22 16 23 ⑤ 24 ③ 25 ①
26 ③ 27 ② 28 ⑤ 29 20 30 247

실전 모의고사 5회

본문 154~165쪽

01 ④ 02 ① 03 ⑤ 04 ② 05 ①
06 ③ 07 ④ 08 ③ 09 ⑤ 10 ⑤
11 ① 12 ⑤ 13 ② 14 ③ 15 ②
16 2 17 25 18 100 19 8 20 24
21 36 22 10 23 ④ 24 ④ 25 ①
26 ② 27 ⑤ 28 ③ 29 218 30 35

호남대학교
HONAM UNIVERSITY
위니TV
YouTube
입학홍보대사
Instagram
카톡상담
Kakaotalk
취뽀
호남대학교
2025학년도 신입생모집

2025학년도

수능 연계교재

수능완성

수학영역

수학 Ⅰ · 수학 Ⅱ · 기하

정답과 풀이

01 지수함수와 로그함수

본문 6~13쪽

필수유형 1 ①	01 ②	02 ④	03 ⑤
	04 ③		
필수유형 2 ①	05 ④	06 ①	07 120
필수유형 3 ④	08 ③	09 ④	10 3
	11 65		
필수유형 4 ④	12 ①	13 ②	14 8
필수유형 5 ③	15 ⑤	16 ③	17 ⑤
	18 ③		
필수유형 6 3	19 ⑤	20 ④	21 ②
필수유형 7 192	22 ③	23 ②	24 ④
필수유형 8 ④	25 ①	26 6	27 ⑤

필수유형 1

$-n^2+9n-18$의 n제곱근 중에서 음의 실수가 존재하기 위해서는

n이 홀수일 때, $-n^2+9n-18<0$

n이 짝수일 때, $-n^2+9n-18>0$

이어야 한다.

(i) n이 홀수일 때

$-n^2+9n-18<0$에서 $(n-3)(n-6)>0$

즉, $n<3$ 또는 $n>6$

$2\le n\le 11$이므로 $2\le n<3$ 또는 $6<n\le 11$

이를 만족시키는 홀수는 7, 9, 11이다.

(ii) n이 짝수일 때

$-n^2+9n-18>0$에서 $(n-3)(n-6)<0$

즉, $3<n<6$

$2\le n\le 11$이므로 $3<n<6$

이를 만족시키는 짝수는 4이다.

(i), (ii)에 의하여 조건을 만족시키는 모든 n의 값의 합은

$4+7+9+11=31$

답 ①

01

$$\sqrt[8]{2}\times\sqrt[4]{2}\times\sqrt[8]{32}+\sqrt[3]{3}\times\sqrt[3]{9}=(\sqrt[8]{2}\times\sqrt[8]{4})\times\sqrt[8]{32}+\sqrt[3]{3}\times\sqrt[3]{9}$$
$$=\sqrt[8]{2\times4}\times\sqrt[8]{32}+\sqrt[3]{3\times9}$$
$$=\sqrt[8]{8}\times\sqrt[8]{32}+\sqrt[3]{27}=\sqrt[8]{8\times32}+\sqrt[3]{27}$$
$$=\sqrt[8]{2^8}+\sqrt[3]{3^3}=2+3=5$$

답 ②

02

$\sqrt[3]{k}=\sqrt[4]{2k}$에서 $(\sqrt[3]{k})^{12}=(\sqrt[4]{2k})^{12}$

이때 $(\sqrt[3]{k})^{12}=\{(\sqrt[3]{k})^3\}^4=k^4$, $(\sqrt[4]{2k})^{12}=\{(\sqrt[4]{2k})^4\}^3=(2k)^3=8k^3$

이므로 $k^4=8k^3$, $k^3(k-8)=0$

$k>0$이므로 $k=8$

답 ④

03

$\sqrt[2n+1]{a^2+3}+\sqrt[2n+1]{7(1-a)}=0$에서

$\sqrt[2n+1]{a^2+3}=-\sqrt[2n+1]{7(1-a)}$ …… ㉠

이때 $2n+1$이 홀수이므로

$-\sqrt[2n+1]{7(1-a)}=\sqrt[2n+1]{-7(1-a)}=\sqrt[2n+1]{7(a-1)}$

㉠에서 $\sqrt[2n+1]{a^2+3}=\sqrt[2n+1]{7(a-1)}$

그러므로 $a^2+3=7(a-1)$, $a^2-7a+10=0$, $(a-2)(a-5)=0$

$a=2$ 또는 $a=5$

따라서 모든 실수 a의 값의 합은 $2+5=7$

답 ⑤

참고

$a>1$인 경우, $\sqrt[2n+1]{7(1-a)}$와 $\sqrt[2n+1]{-7(1-a)}$의 관계를 나타내면 다음과 같다.

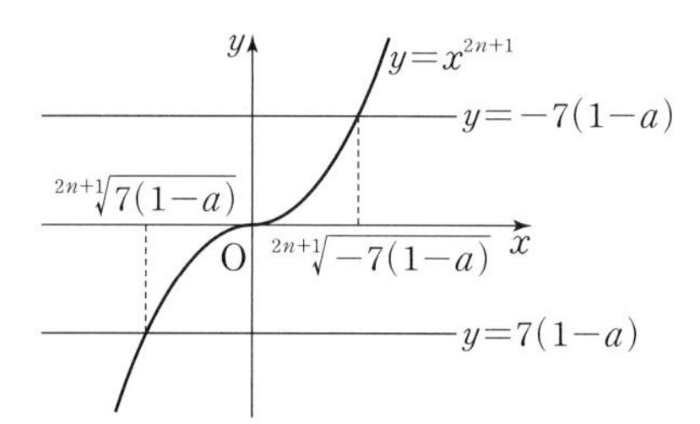

다른 풀이

$\sqrt[2n+1]{a^2+3}=-\sqrt[2n+1]{7(1-a)}$에서

$(\sqrt[2n+1]{a^2+3})^{2n+1}=(-\sqrt[2n+1]{7(1-a)})^{2n+1}$

$a^2+3=-7(1-a)$, $a^2-7a+10=0$, $(a-2)(a-5)=0$

$a=2$ 또는 $a=5$

따라서 모든 실수 a의 값의 합은 $2+5=7$

04

$g(n)=(n-a)(n-a-4)$라 하자.

n이 홀수이면 $g(n)$의 값의 부호와 관계없이 $f(n)=1$이므로 $f(3)=1$이다.

n이 짝수이면

$g(n)>0$일 때, $f(n)=2$

$g(n)=0$일 때, $f(n)=1$

$g(n)<0$일 때, $f(n)=0$

(i) $0<a<2$일 때

$4<a+4<6$이므로 $g(2)<0$, $g(4)<0$이고 $f(2)=f(4)=0$

$f(2)+f(3)+f(4)=0+1+0=1$

이므로 주어진 조건을 만족시키지 않는다.

(ii) $a=2$일 때

$a+4=6$이므로 $g(2)=0$, $g(4)<0$이고 $f(2)=1$, $f(4)=0$

$f(2)+f(3)+f(4)=1+1+0=2$

이므로 주어진 조건을 만족시키지 않는다.

(iii) $2<a<4$일 때

$6<a+4<8$이므로 $g(2)>0$, $g(4)<0$이고 $f(2)=2$, $f(4)=0$

$f(2)+f(3)+f(4)=2+1+0=3$

이므로 주어진 조건을 만족시키지 않는다.

(iv) $a=4$일 때

$a+4=8$이므로 $g(2)>0$, $g(4)=0$이고 $f(2)=2$, $f(4)=1$

$f(2)+f(3)+f(4)=2+1+1=4$

이므로 주어진 조건을 만족시킨다.

(v) $a>4$일 때

$a+4>8$이므로 $g(2)>0$, $g(4)>0$이고 $f(2)=2$, $f(4)=2$

$f(2)+f(3)+f(4)=2+1+2=5$

이므로 주어진 조건을 만족시키지 않는다.

(i)~(v)에서 $a=4$

답 ③

필수유형 2

$\sqrt[3]{24}\times 3^{\frac{2}{3}}=24^{\frac{1}{3}}\times 3^{\frac{2}{3}}=(2^3\times 3)^{\frac{1}{3}}\times 3^{\frac{2}{3}}$

$=2^{3\times\frac{1}{3}}\times 3^{\frac{1}{3}}\times 3^{\frac{2}{3}}$

$=2^1\times 3^{\frac{1}{3}+\frac{2}{3}}=2^1\times 3^1$

$=2\times 3=6$

답 ①

05

$\left(\frac{1}{5}\right)^{\frac{1}{3}}\times 5^{-\sqrt{3}}\times\left(5^{\frac{4}{9}+\frac{\sqrt{3}}{3}}\right)^3=(5^{-1})^{\frac{1}{3}}\times 5^{-\sqrt{3}}\times 5^{\left(\frac{4}{9}+\frac{\sqrt{3}}{3}\right)\times 3}$

$=5^{-\frac{1}{3}}\times 5^{-\sqrt{3}}\times 5^{\frac{4}{3}+\sqrt{3}}=5^{-\frac{1}{3}+(-\sqrt{3})+\left(\frac{4}{3}+\sqrt{3}\right)}$

$=5^1=5$

답 ④

06

$a^{b^2+\frac{a}{b}}=2^{\frac{1}{b}}$에서 $\left(a^{b^2+\frac{a}{b}}\right)^b=\left(2^{\frac{1}{b}}\right)^b$, $a^{\left(b^2+\frac{a}{b}\right)\times b}=2^{\frac{1}{b}\times b}$

$a^{b^3+a}=2$ …… ㉠

$a^{\frac{1}{b}}=4^{b^2-\frac{a}{b}}$에서 $\left(a^{\frac{1}{b}}\right)^b=\left(4^{b^2-\frac{a}{b}}\right)^b$, $a^{\frac{1}{b}\times b}=4^{\left(b^2-\frac{a}{b}\right)\times b}$

$a=4^{b^3-a}$ …… ㉡

㉡을 ㉠에 대입하면 $(4^{b^3-a})^{b^3+a}=2$

$4^{(b^3-a)\times(b^3+a)}=4^{b^6-a^2}=(2^2)^{b^6-a^2}=2^{2(b^6-a^2)}=2$이므로

$2(b^6-a^2)=1$

따라서 $b^6-a^2=\frac{1}{2}$

답 ①

07

$\sqrt[n]{(2^k)^5}=\sqrt[n]{2^{5k}}=2^{\frac{5k}{n}}$의 값이 자연수가 되기 위해서는 n은 2 이상인 $5k$의 양의 약수이어야 한다.

그러므로 $f(k)$의 값은 $5k$의 양의 약수의 개수에서 1을 뺀 값과 같고 $f(k)=3$에서 $5k$의 양의 약수의 개수는 4이다.

$4=1\times 4=2\times 2$이므로 $k=5^2$ 또는 k는 5가 아닌 소수이다.

$k\le 25$이므로 k의 값은 2, 3, 7, 11, 13, 17, 19, 23, 25이고 그 합은

$2+3+7+11+13+17+19+23+25=120$

답 120

필수유형 3

선분 PQ를 $m:(1-m)$으로 내분하는 점의 좌표는

$\frac{m\log_5 12+(1-m)\log_5 3}{m+(1-m)}$

$=m(\log_5 12-\log_5 3)+\log_5 3$

$=m\times\log_5\frac{12}{3}+\log_5 3=m\times\log_5 4+\log_5 3$

$=\log_5 4^m+\log_5 3=\log_5(4^m\times 3)$

이므로 $\log_5(4^m\times 3)=1$에서 $4^m\times 3=5$

따라서 $4^m=\frac{5}{3}$

답 ④

08

$\log_3\frac{5}{8}+\log_3\frac{36}{5}-\log_3\frac{1}{2}=\left(\log_3\frac{5}{8}+\log_3\frac{36}{5}\right)-\log_3\frac{1}{2}$

$=\log_3\left(\frac{5}{8}\times\frac{36}{5}\right)-\log_3\frac{1}{2}=\log_3\frac{9}{2}-\log_3\frac{1}{2}$

$=\log_3\left(\frac{9}{2}\times 2\right)=\log_3 9=\log_3 3^2=2$

답 ③

09

$\log_2 a+\log_2 b=n$에서 $\log_2 ab=n$, $ab=2^n$

a, b가 자연수이므로

$a+b\ge 2\sqrt{ab}=2\sqrt{2^n}$ (단, 등호는 $a=b$일 때 성립)

(i) n이 홀수일 때

$a=b$, $ab=2^n$인 두 자연수 a, b가 존재하지 않으므로

집합 A_n의 모든 원소 (a, b)에 대하여 $a+b>2\sqrt{2^n}$이 성립한다.

(ii) n이 짝수일 때

$a=b$, $ab=2^n$

즉, $a+b=2\sqrt{2^n}$인 두 자연수 a, b가 존재하므로 집합 A_n의 어떤 원소 (a, b)에 대하여 $a+b>2\sqrt{2^n}$이 성립하지 않는다.

(i), (ii)에서 n은 홀수이어야 하므로 주어진 조건을 만족시키는 10 이하의 모든 자연수 n은 1, 3, 5, 7, 9이고 그 개수는 5이다.

답 ④

다른 풀이

$\log_2 a+\log_2 b=n$에서 $\log_2 ab=n$, $ab=2^n$이고 a, b가 자연수이므로

$A_n=\{(2^k, 2^{n-k})\,|\,k=0, 1, 2, \cdots, n-1, n\}$

$0\le k\le n$인 모든 정수 k에 대하여

$2^k+2^{n-k}\ge 2\sqrt{2^n}$ $\left(\text{단, 등호는 } 2^k=2^{n-k}\text{, 즉 } k=\frac{n}{2}\text{일 때 성립}\right)$

(i) n이 홀수일 때

$k=\frac{n}{2}$을 만족시키는 $0\le k\le n$인 정수 k가 존재하지 않으므로

$0\le k\le n$인 모든 정수 k에 대하여 $2^k+2^{n-k}>2\sqrt{2^n}$이 성립한다.

(ii) n이 짝수일 때

$k=\frac{n}{2}$일 때 $2^k+2^{n-k}=2\sqrt{2^n}$이므로

어떤 정수 k에 대하여 $2^k+2^{n-k}>2\sqrt{2^n}$이 성립하지 않는다.

(i), (ii)에서 n은 홀수이어야 하므로 주어진 조건을 만족시키는 10 이하의 모든 자연수 n은 1, 3, 5, 7, 9이고 그 개수는 5이다.

10

$\log_{|x-a|}\{-|x-a^2+1|+2\}$가 정의되기 위해서는

밑의 조건 $|x-a|>0$, $|x-a|\neq 1$과

진수의 조건 $-|x-a^2+1|+2>0$을 모두 만족시켜야 한다.

밑의 조건에 의하여 $x\neq a$, $x\neq a-1$, $x\neq a+1$ …… ㉠

진수의 조건에 의하여 $|x-a^2+1|<2$

$-2<x-a^2+1<2$, $a^2-3<x<a^2+1$

$x=a^2-2$ 또는 $x=a^2-1$ 또는 $x=a^2$ …… ㉡

두 집합 A, B를 $A=\{a-1, a, a+1\}$, $B=\{a^2-2, a^2-1, a^2\}$이라 하면 ㉠, ㉡에서 함수 $f(a)$의 값은 집합 $B-A$의 원소의 개수와 같다.

(i) $a=1$일 때

$A=\{0, 1, 2\}$, $B=\{-1, 0, 1\}$, $B-A=\{-1\}$이므로

집합 $B-A$의 원소의 개수는 1이고, $f(a)=1$이다.

(ii) $a=2$일 때

$A=\{1, 2, 3\}$, $B=\{2, 3, 4\}$, $B-A=\{4\}$이므로

집합 $B-A$의 원소의 개수는 1이고, $f(a)=1$이다.

(iii) $a\geq 3$일 때

집합 A의 원소 중 가장 큰 원소 $a+1$과 집합 B의 원소 중 가장 작은 원소 a^2-2에 대하여

$$(a^2-2)-(a+1)=a^2-a-3=\left(a-\frac{1}{2}\right)^2-\frac{13}{4}$$
$$\geq\left(3-\frac{1}{2}\right)^2-\frac{13}{4}=3>0$$

이므로 $A\cap B=\varnothing$

그러므로 집합 $B-A$의 원소의 개수는 3이고, $f(a)=3$이다.

(i), (ii), (iii)에서 $f(a)=3$을 만족시키는 a의 최솟값은 3이다.

답 3

11

$\log_2 a-\log_2 b+\log_2 c-\log_2 d$

$=(\log_2 a-\log_2 b)+(\log_2 c-\log_2 d)$

$=\log_2\frac{a}{b}+\log_2\frac{c}{d}=\log_2\frac{ac}{bd}$

이므로 $\log_2 a-\log_2 b+\log_2 c-\log_2 d=m$에서 $\log_2\frac{ac}{bd}=m$

$2^m=\frac{ac}{bd}$ …… ㉠

$5\in\{a, b, c, d\}$ 또는 $7\in\{a, b, c, d\}$이면 ㉠을 만족시키지 않는다.

또한 ㉠을 만족시키기 위해서는

$\{3, 6\}\cap\{a, b, c, d\}=\{3, 6\}$ 또는 $\{3, 6\}\cap\{a, b, c, d\}=\varnothing$

이고 집합 $\{a, b, c, d\}$의 원소의 개수가 4이므로

$\{3, 6\}\cap\{a, b, c, d\}=\{3, 6\}$이다.

(i) $3\in\{a, c\}$, $6\in\{b, d\}$일 때

$a=3$, $b=6$이라 하면

$c=8$, $d=2$일 때 2^m의 값은 $2^m=\frac{3\times 8}{6\times 2}=2$로 최대이고

$c=2$, $d=8$일 때 2^m의 값은 $2^m=\frac{3\times 2}{6\times 8}=\frac{1}{8}$로 최소이다.

(ii) $6\in\{a, c\}$, $3\in\{b, d\}$일 때

$a=6$, $b=3$이라 하면

$c=8$, $d=2$일 때 2^m의 값은 $2^m=\frac{6\times 8}{3\times 2}=8$로 최대이고

$c=2$, $d=8$일 때 2^m의 값은 $2^m=\frac{6\times 2}{3\times 8}=\frac{1}{2}$로 최소이다.

(i), (ii)에서 2^m의 최댓값은 8, 최솟값은 $\frac{1}{8}$이므로 $k=8+\frac{1}{8}=\frac{65}{8}$

따라서 $8k=8\times\frac{65}{8}=65$

답 65

참고

2^m의 값이 최대, 최소가 되는 경우는 집합 $\{a, b, c, d\}$가 $\{2, 3, 6, 8\}$인 경우이다. 즉, $2^m=\frac{ac}{bd}$의 최대, 최소이므로 ac의 값이 가장 클 때 최대, ac의 값이 가장 작을 때 최소이다.

필수유형 4

$$\frac{1}{3a}+\frac{1}{2b}=\frac{3a+2b}{3a\times 2b}=\frac{1}{6}\times\frac{3a+2b}{ab}$$
$$=\frac{1}{6}\times\frac{\log_3 32}{\log_9 2}=\frac{1}{6}\times\frac{\log_3 2^5}{\log_{3^2} 2}$$
$$=\frac{1}{6}\times\frac{5\log_3 2}{\frac{1}{2}\log_3 2}=\frac{1}{6}\times 10=\frac{5}{3}$$

답 ④

12

$\log_4 27\times\log_9 8\times(2^{\log_3 5})^{\log_5 9}$

$=\log_{2^2} 3^3\times\log_{3^2} 2^3\times 2^{\log_3 5\times\log_5 9}=\frac{3}{2}\log_2 3\times\frac{3}{2}\log_3 2\times 2^{\log_3 9}$

$=\frac{9}{4}\times(\log_2 3\times\log_3 2)\times 2^{\log_3 3^2}=\frac{9}{4}\times 1\times 2^2=9$

답 ①

13

$2^{\log_a 9}=3^{\log_5 8}$에서

$3^{\log_5 8}=8^{\log_5 3}=(2^3)^{\log_5 3}=2^{3\log_5 3}$이므로

$2^{\log_a 9}=2^{3\log_5 3}$ …… ㉠

㉠의 양변에 밑이 2인 로그를 취하면

$\log_2 2^{\log_a 9}=\log_2 2^{3\log_5 3}$

$\log_a 9\times\log_2 2=3\log_5 3\times\log_2 2$

$\log_a 9=3\log_5 3$, $\log_a 3^2=3\log_5 3$, $2\log_a 3=3\log_5 3$

$\frac{\log_a 3}{\log_5 3}=\frac{\log_3 5}{\log_3 a}=\frac{3}{2}$

$\frac{\log_3 5}{\log_3 a}=\log_a 5$이므로 $\log_a 5=\frac{3}{2}$

답 ②

다른 풀이

$2^{\log_a 9}=3^{\log_5 8}$에서 양변에 밑이 2인 로그를 취하면

$\log_2 2^{\log_a 9}=\log_2 3^{\log_5 8}$

$\log_a 9\times\log_2 2=\log_5 8\times\log_2 3$, $\log_a 9=\log_5 8\times\log_2 3$

양의 실수 b $(b\neq 1)$에 대하여

$\frac{\log_b 9}{\log_b a}=\frac{\log_b 8}{\log_b 5}\times\frac{\log_b 3}{\log_b 2}$

$\frac{\log_b 5}{\log_b a}=\frac{\log_b 8}{\log_b 9}\times\frac{\log_b 3}{\log_b 2}=\frac{\log_b 2^3}{\log_b 3^2}\times\frac{\log_b 3}{\log_b 2}$

$=\frac{3\log_b 2}{2\log_b 3}\times\frac{\log_b 3}{\log_b 2}=\frac{3}{2}$

$\frac{\log_b 5}{\log_b a}=\log_a 5$이므로 $\log_a 5=\frac{3}{2}$

14

x에 대한 이차방정식 $x^2+ax-9=0$의 판별식을 D라 하면

$D=a^2-4\times1\times(-9)=a^2+36>0$이므로

이차방정식 $x^2+ax-9=0$은 서로 다른 두 실근을 갖는다.

두 실근을 α, β $(\alpha<\beta)$라 하면 이차방정식의 근과 계수의 관계에 의하여 $\alpha\beta=-9<0$이므로 $\alpha<0$, $\beta>0$이다.

그러므로 $A=\{\beta\}$

$\log_5 y$가 정의되기 위해서는

$y>0$ …… ㉠

$\log_y 7$이 정의되기 위해서는

$y>0$, $y\neq1$ …… ㉡

$\log_5 y$와 $\log_y 7$이 정의되면 $\log_5 y\times\log_y 7=\log_5 7$이므로

㉠, ㉡에 의하여 $B=\{y\,|\,y>0,\ y\neq1,\ y$는 실수$\}$

집합 A가 집합 B의 부분집합이 아니므로 $\beta=1$

따라서 $1^2+a\times1-9=a-8=0$이므로 $a=8$

답 8

필수유형 5

함수 $y=\log_2(x-a)$의 그래프의 점근선은 직선 $x=a$이므로

점 A의 좌표는 $\left(a,\ \log_2\frac{a}{4}\right)$, 점 B의 좌표는 $\left(a,\ \log_{\frac{1}{2}}a\right)$이다.

두 점 A, B의 x좌표가 서로 같으므로

$\overline{AB}=\left|\log_2\frac{a}{4}-\log_{\frac{1}{2}}a\right|=\left|\log_2\frac{a}{4}+\log_2 a\right|=\left|\log_2\frac{a^2}{4}\right|$

$a>2$에서 $\log_2\frac{a^2}{4}>\log_2 1=0$이므로 $\overline{AB}=\log_2\frac{a^2}{4}$

$\overline{AB}=4$에서 $\log_2\frac{a^2}{4}=4$, $\frac{a^2}{4}=2^4=16$, $a^2=64$

따라서 $a=8$

답 ③

15

함수 $y=\log_2(kx+2k^2+1)$의 그래프가 x축과 만나는 점의 x좌표가 -6이므로

$0=\log_2(-6k+2k^2+1)$, $2k^2-6k+1=1$, $2k(k-3)=0$

$k>0$이므로 $k=3$

답 ⑤

16

곡선 $y=2^{x+5}$을 x축의 방향으로 a만큼 평행이동한 곡선은

$y=2^{(x-a)+5}=2^{x-a+5}$이므로 $f(x)=2^{x-a+5}$

곡선 $y=\left(\frac{1}{2}\right)^{x+7}$을 x축의 방향으로 a^2만큼 평행이동한 곡선은

$y=\left(\frac{1}{2}\right)^{(x-a^2)+7}=\left(\frac{1}{2}\right)^{x-a^2+7}$이고,

이 곡선을 y축에 대하여 대칭이동한 곡선은

$y=\left(\frac{1}{2}\right)^{(-x)-a^2+7}=(2^{-1})^{-x-a^2+7}=2^{x+a^2-7}$이므로 $g(x)=2^{x+a^2-7}$

모든 실수 x에 대하여 $f(x)=g(x)$이므로

$2^{x-a+5}=2^{x+a^2-7}$

$-a+5=a^2-7$, $a^2+a-12=0$, $(a-3)(a+4)=0$

$a>0$이므로 $a=3$

답 ③

17

원점을 O라 하면 삼각형 ACB가 정삼각형이므로 선분 AC의 중점은 O이다.

즉, 두 곡선 $y=a^x-\frac{1}{2}$, $y=b^x-\frac{1}{2}$이 y축에 대하여 대칭이므로

$b=\frac{1}{a}$ …… ㉠

$0=a^x-\frac{1}{2}$에서 $a^x=\frac{1}{2}$

$x=\log_a\frac{1}{2}=-\log_a 2$

이므로 점 A의 좌표는 $(-\log_a 2,\ 0)$이다.

$a^0-\frac{1}{2}=1-\frac{1}{2}=\frac{1}{2}$이므로 점 B의 좌표는 $\left(0,\ \frac{1}{2}\right)$이다.

직각삼각형 AOB에서 $\angle BAO=\frac{\pi}{3}$이므로 $\frac{\overline{BO}}{\overline{AO}}=\sqrt{3}$

$\frac{\frac{1}{2}}{\log_a 2}=\sqrt{3}$, $\log_a 2=\frac{\sqrt{3}}{6}$

$a^{\frac{\sqrt{3}}{6}}=2$ …… ㉡

㉠, ㉡에 의하여

$a^{\frac{2\sqrt{3}}{3}}\times b^{\frac{\sqrt{3}}{3}}=a^{\frac{2\sqrt{3}}{3}}\times\left(\frac{1}{a}\right)^{\frac{\sqrt{3}}{3}}=a^{\frac{2\sqrt{3}}{3}}\times a^{-\frac{\sqrt{3}}{3}}=a^{\frac{\sqrt{3}}{3}}=\left(a^{\frac{\sqrt{3}}{6}}\right)^2=2^2=4$

답 ⑤

18

점 P의 x좌표를 t $(t>1)$이라 하면 $P(t,\ \log_4 t)$이다.

$A(1,\ 0)$, $B(-1,\ 0)$이므로

$m_1=\frac{\log_4 t-0}{t-1}=\frac{\log_4 t}{t-1}$, $m_2=\frac{\log_4 t-0}{t-(-1)}=\frac{\log_4 t}{t+1}$

$\frac{m_2}{m_1}=\frac{3}{5}$에서 $3m_1=5m_2$, $3\times\frac{\log_4 t}{t-1}=5\times\frac{\log_4 t}{t+1}$

$t>1$에서 $\log_4 t>0$이므로 $\frac{3}{t-1}=\frac{5}{t+1}$

$5t-5=3t+3$, $t=4$

$P(4,\ 1)$이므로 직선 AP의 방정식은

$y=\frac{1}{3}x-\frac{1}{3}$

점 $Q(a,\ b)$는 직선 AP 위의 점이므로

$b=\frac{1}{3}a-\frac{1}{3}$ …… ㉠

점 $Q(a,\ b)$는 곡선 $y=g(x)$ 위의 점이므로

$b=\log_k(-a)$, $k^b=-a$

$k^b=-\frac{9}{7}b$이므로 $-a=-\frac{9}{7}b$

$b=\frac{7}{9}a$ ...... ㉡

㉠, ㉡에서 $\frac{7}{9}a=\frac{1}{3}a-\frac{1}{3}$, $\frac{4}{9}a=-\frac{1}{3}$

따라서 $a=-\frac{3}{4}$

답 ③

필수유형 6

$2^{x-6}\le\left(\frac{1}{4}\right)^x$에서 $2^{x-6}\le(2^{-2})^x$

즉, $2^{x-6}\le 2^{-2x}$ ...... ㉠

㉠에서 밑 2가 1보다 크므로

$x-6\le-2x$, $x\le2$

따라서 주어진 부등식을 만족시키는 모든 자연수 x의 값은 1, 2이므로 그 합은

$1+2=3$

답 3

19

$4^{x+4}=(2^2)^{x+4}=2^{2(x+4)}=2^{2x+8}$이므로

$2^{x^2-7}=4^{x+4}$에서 $2^{x^2-7}=2^{2x+8}$

즉, $x^2-7=2x+8$

$x^2-2x-15=0$, $(x+3)(x-5)=0$

따라서 $x=-3$ 또는 $x=5$이므로 모든 실수 x의 값의 합은

$-3+5=2$

답 ⑤

20

로그의 진수의 조건에 의하여

$2x+a>0$, $-x^2+4>0$

$\log_2(2x+a)\le\log_2(-x^2+4)$에서 밑 2가 1보다 크므로

$2x+a\le-x^2+4$

$x^2+2x+(a-4)\le0$ ...... ㉠

부등식 $\log_2(2x+a)\le\log_2(-x^2+4)$의 해가 $x=b$가 되기 위해서는 이차방정식 $x^2+2x+(a-4)=0$의 판별식을 D라 하면

$D=0$이어야 하므로

$\frac{D}{4}=1^2-(a-4)=-a+5=0$, $a=5$

$a=5$를 ㉠에 대입하면

$x^2+2x+1\le0$

$(x+1)^2\le0$에서 $x=-1$

$a=5$, $x=-1$일 때

$2x+a>0$, $-x^2+4>0$이므로 $b=-1$

따라서 $a+b=5+(-1)=4$

답 ④

21

$3^{\{f(x)\}^2-5}=3^{f(x)+1}$에서 $\{f(x)\}^2-5=f(x)+1$

$\log_3[\{f(x)\}^2-5]=\log_3\{f(x)+1\}$에서

$\{f(x)\}^2-5=f(x)+1$ (단, $\{f(x)\}^2-5>0$, $f(x)+1>0$)

$\{f(x)\}^2-5=f(x)+1$에서

$\{f(x)\}^2-f(x)-6=0$, $\{f(x)+2\}\{f(x)-3\}=0$

$f(x)=-2$ 또는 $f(x)=3$

방정식 $3^{\{f(x)\}^2-5}=3^{f(x)+1}$의 서로 다른 실근의 개수가 3이고 이차함수 $f(x)$의 최고차항의 계수가 1이므로 이차함수 $y=f(x)$의 그래프의 꼭짓점의 y좌표는 -2이다. ...... ㉠

한편, $f(x)=-2$인 경우

$\{f(x)\}^2-5=(-2)^2-5=-1\le0$

$f(x)+1=-2+1=-1\le0$

이므로 집합 A를

$A=\{x\mid\log_3[\{f(x)\}^2-5]=\log_3\{f(x)+1\}$, x는 실수$\}$

라 하면

$A=\{x\mid f(x)=3$, x는 실수$\}$

이차함수 $y=f(x)$의 그래프의 대칭축을 $x=a$ (a는 상수)라 하자.

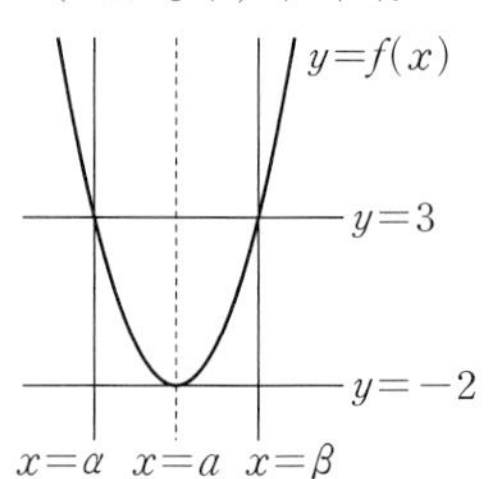

이차방정식 $f(x)=3$은 서로 다른 두 실근을 가지므로 두 실근을 α, β ($\alpha<\beta$)라 하면

$\frac{\alpha+\beta}{2}=a$, $A=\{\alpha, \beta\}$

이때 방정식

$\log_3[\{f(x)\}^2-5]=\log_3\{f(x)+1\}$

의 서로 다른 모든 실근의 합이 6이므로

$\alpha+\beta=2a=6$, $a=3$ ...... ㉡

㉠, ㉡에 의하여 $f(x)=(x-3)^2-2$이므로

$f(5)=(5-3)^2-2=2$

답 ②

필수유형 7

두 곡선 $y=a^{x-1}$, $y=\log_a(x-1)$은 두 곡선 $y=a^x$, $y=\log_a x$를 각각 x축의 방향으로 1만큼 평행이동한 것이다. 두 곡선 $y=a^x$, $y=\log_a x$는 직선 $y=x$에 대하여 대칭이므로 두 곡선 $y=a^{x-1}$, $y=\log_a(x-1)$은 직선 $y=x$를 x축의 방향으로 1만큼 평행이동한 직선인 직선 $y=x-1$에 대하여 대칭이다.

이때 직선 $y=-x+4$는 직선 $y=x-1$과 수직이므로 두 점 A, B는 두 직선 $y=-x+4$, $y=x-1$의 교점인 점 $\mathrm{D}\left(\frac{5}{2}, \frac{3}{2}\right)$에 대하여 대칭이다.

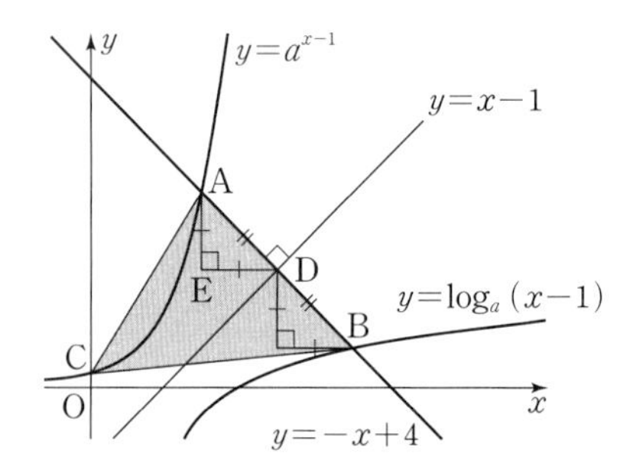

$\overline{\mathrm{AB}}=2\sqrt{2}$이므로 $\overline{\mathrm{AD}}=\overline{\mathrm{BD}}=\sqrt{2}$이고 선분 AD를 빗변으로 하는 직각

이등변삼각형 AED에서 $\overline{\mathrm{AE}}=\overline{\mathrm{DE}}=1$이다.

그러므로 점 A의 좌표는 $\left(\frac{5}{2}-1, \frac{3}{2}+1\right)$, 즉 $\left(\frac{3}{2}, \frac{5}{2}\right)$이다.

점 A가 곡선 $y=a^{x-1}$ 위의 점이므로

$\frac{5}{2}=a^{\frac{3}{2}-1}=a^{\frac{1}{2}}$

즉, $a=\left(\frac{5}{2}\right)^2=\frac{25}{4}$

$y=a^{x-1}$에서 $x=0$일 때 $y=a^{-1}=\frac{1}{a}=\frac{4}{25}$이므로

점 C의 좌표는 $\left(0, \frac{4}{25}\right)$

삼각형 ABC에서 선분 AB를 밑변으로 할 때, 삼각형 ABC의 높이는

점 $\mathrm{C}\left(0, \frac{4}{25}\right)$와 직선 $x+y-4=0$ 사이의 거리와 같으므로

$$\frac{\left|0+\frac{4}{25}-4\right|}{\sqrt{1^2+1^2}}=\frac{\frac{96}{25}}{\sqrt{2}}=\frac{48\sqrt{2}}{25}$$

그러므로 삼각형 ABC의 넓이 S는

$$S=\frac{1}{2}\times\overline{\mathrm{AB}}\times\frac{48\sqrt{2}}{25}=\frac{1}{2}\times2\sqrt{2}\times\frac{48\sqrt{2}}{25}=\frac{96}{25}$$

따라서 $50\times S=50\times\frac{96}{25}=192$

답 192

22

함수 $y=2^{x-5}+a$의 역함수는 $x=2^{y-5}+a$

$2^{y-5}=x-a$, $y-5=\log_2(x-a)$, $y=\log_2(x-a)+5$

즉, $g(x)=\log_2(x-a)+5$

따라서 $a=7$, $b=5$이므로 $a+b=12$

답 ③

23

함수 $y=\left(\frac{1}{2}\right)^{x-3}$의 역함수는 $x=\left(\frac{1}{2}\right)^{y-3}$

$y-3=\log_{\frac{1}{2}} x$, $y=-\log_2 x+3$이고 $\left(\frac{1}{2}\right)^{2-3}=2$이므로

곡선 $y=\left(\frac{1}{2}\right)^{x-3}$ $(x\le2)$를 직선

$y=x$에 대하여 대칭이동한 곡선은

$y=-\log_2 x+3$ $(x\ge2)$이다.

즉, 함수 $f(x)$의 역함수는 $f(x)$이고

$f(f(x))=x$이다.

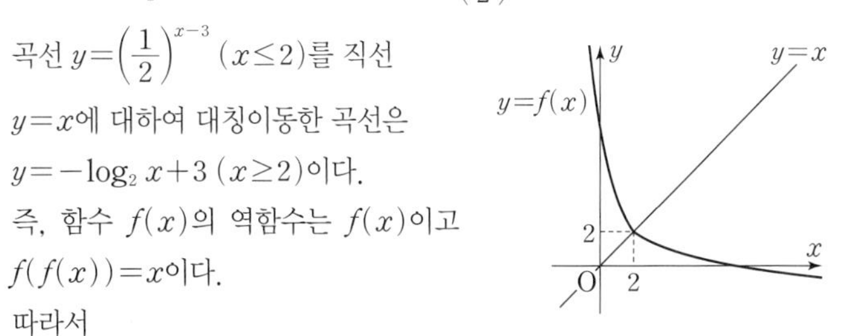

따라서

$$\sum_{n=1}^{6} f\left(f\left(\frac{n}{2}\right)\right)=\sum_{n=1}^{6}\frac{n}{2}=\frac{1}{2}\times\frac{6\times7}{2}=\frac{21}{2}$$

답 ②

24

두 식 $y=x$, $y=-x+k$를 연립하여 풀면

$x=y=\frac{1}{2}k$이므로 점 D의 좌표는 $\left(\frac{1}{2}k, \frac{1}{2}k\right)$

$\overline{\mathrm{AD}}=\frac{\sqrt{2}}{6}k$이므로 점 A의 좌표는

$\left(\frac{1}{2}k+\frac{1}{6}k, \frac{1}{2}k-\frac{1}{6}k\right)$, 즉 $\left(\frac{2}{3}k, \frac{1}{3}k\right)$

두 식 $y=x$, $y=-x+\frac{10}{3}k$를 연립하여 풀면

$x=y=\frac{5}{3}k$이므로 점 E의 좌표는 $\left(\frac{5}{3}k, \frac{5}{3}k\right)$

$\overline{\mathrm{CE}}=\sqrt{2}k$이므로 점 C의 좌표는

$\left(\frac{5}{3}k+k, \frac{5}{3}k-k\right)$, 즉 $\left(\frac{8}{3}k, \frac{2}{3}k\right)$

두 점 A, C는 곡선 $y=\log_a x$ 위의 점이므로

$\frac{1}{3}k=\log_a\frac{2}{3}k$, $\frac{2}{3}k=\log_a\frac{8}{3}k$

두 식을 연립하여 풀면

$2\log_a\frac{2}{3}k=\log_a\frac{8}{3}k$, $\log_a\left(\frac{2}{3}k\right)^2=\log_a\frac{8}{3}k$

$\frac{4}{9}k^2=\frac{8}{3}k$, $k(k-6)=0$

$k>a+1>2$이므로 $k=6$

$k=6$을 $\frac{1}{3}k=\log_a\frac{2}{3}k$에 대입하면 $2=\log_a 4$, $a^2=4$

$a>1$이므로 $a=2$

즉, $a=2$, $k=6$이므로 $y=a^{x+1}+1=2^{x+1}+1$, $y=\log_a x=\log_2 x$

$y=-x+\frac{10}{3}k=-x+20$이고 C$(16, 4)$, E$(10, 10)$

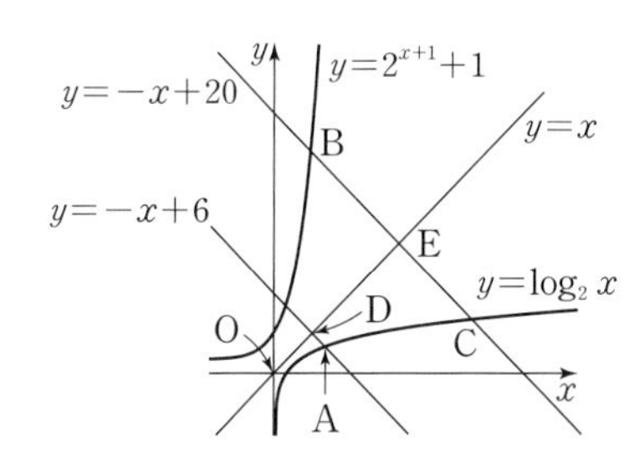

두 곡선 $y=2^x$, $y=\log_2 x$는 직선 $y=x$에 대하여 대칭이고 곡선 $y=2^{x+1}+1$은 곡선 $y=2^x$을 x축의 방향으로 -1만큼, y축의 방향으로 1만큼 평행이동한 곡선이다. 그러므로 점 B는 점 C를 직선 $y=x$에 대하여 대칭이동한 후 x축의 방향으로 -1만큼, y축의 방향으로 1만큼 평행이동한 점이다.

점 C의 좌표가 $(16, 4)$이므로 점 B의 좌표는 $(4-1, 16+1)$,

즉 $(3, 17)$이고 $\overline{\mathrm{BE}}=\sqrt{(10-3)^2+(10-17)^2}=7\sqrt{2}$

따라서 $a\times\overline{\mathrm{BE}}=2\times7\sqrt{2}=14\sqrt{2}$

답 ④

필수유형 8

함수 $f(x)=2\log_{\frac{1}{2}}(x+k)$에서 밑 $\frac{1}{2}$이 1보다 작으므로

닫힌구간 $[0, 12]$에서 함수 $f(x)=2\log_{\frac{1}{2}}(x+k)$의

최댓값은 $f(0)=2\log_{\frac{1}{2}} k$, 최솟값은 $f(12)=2\log_{\frac{1}{2}}(12+k)$이다.

$2\log_{\frac{1}{2}} k=-4$에서 $\log_2 k=2$, $k=2^2=4$

또한 $m=2\log_{\frac{1}{2}}(12+k)=2\log_{\frac{1}{2}} 16=-2\log_2 2^4=-8$이므로

$k+m=4+(-8)=-4$

답 ④

25

$g(x)=3^x$, $h(x)=\log_2 x$라 하면 $f(x)=g(x)h(x)$

$2\le x\le4$에서 함수 $g(x)$의 최댓값과 최솟값은 각각

$g(4)=3^4=81$, $g(2)=3^2=9$

$2\le x\le 4$에서 함수 $h(x)$의 최댓값과 최솟값은 각각

$h(4)=\log_2 4=2$, $h(2)=\log_2 2=1$

따라서 함수 $f(x)=g(x)h(x)$의 최댓값과 최솟값은 각각

$81\times 2=162$, $9\times 1=9$이므로 그 합은

$162+9=171$

답 ①

26

a가 자연수이므로

$\frac{a}{10}+\frac{3}{20}>0$, $\frac{a}{10}+\frac{3}{20}\ne 1$, $\frac{2a+4}{9}>0$, $\frac{2a+4}{9}\ne 1$

즉, 두 함수 $f(x)$, $g(x)$는 모두 지수함수이다.

함수 $f(x)$의 최솟값이 $f(3)$이므로 $0<\frac{a}{10}+\frac{3}{20}<1$

$-\frac{3}{2}<a<\frac{17}{2}$ …… ㉠

함수 $g(x)$의 최솟값이 $g(1)$이므로 $\frac{2a+4}{9}>1$

$a>\frac{5}{2}$ …… ㉡

㉠, ㉡에서 $\frac{5}{2}<a<\frac{17}{2}$

따라서 자연수 a는 3, 4, 5, 6, 7, 8이므로 그 개수는 6이다.

답 6

27

$a\le x\le b$에서 함수 $(g\circ f)(x)=g(f(x))=\log_2\{f(x)\}$의 최댓값을 M, 최솟값을 m이라 하자.

두 실수 c, d $(0<d<c)$에 대하여 $a\le x\le b$에서 함수 $f(x)$의 최댓값을 c, 최솟값을 d라 하면 $M=\log_2 c$, $m=\log_2 d$이다.

$M+m=\log_2 c+\log_2 d=\log_2 cd=0$에서 $cd=1$

즉, $c>1$, $0<d<1$, $d=\frac{1}{c}$

$f(x)=x^2-4x+k=(x-2)^2+k-4$에서

함수 $f(x)$의 최솟값은 $k-4$이다.

(i) $k-4\ge 1$일 때

$f(x)\ge k-4\ge 1$이므로 $(g\circ f)(x)\ge \log_2 1=0$

$0\le m<M$, $M+m>0$이므로 주어진 조건을 만족시키지 않는다.

(ii) $k-4<1$일 때

k가 정수이므로 $k-4\le 0$

즉, 이차함수 $y=f(x)$의 그래프의 꼭짓점의 y좌표는 0 이하이다.

$0<p<1$인 어떤 실수 p에 대하여 x에 대한 방정식 $f(x)=p$의 서로 다른 두 실근을 α, β $(\alpha<\beta)$라 하고, x에 대한 방정식

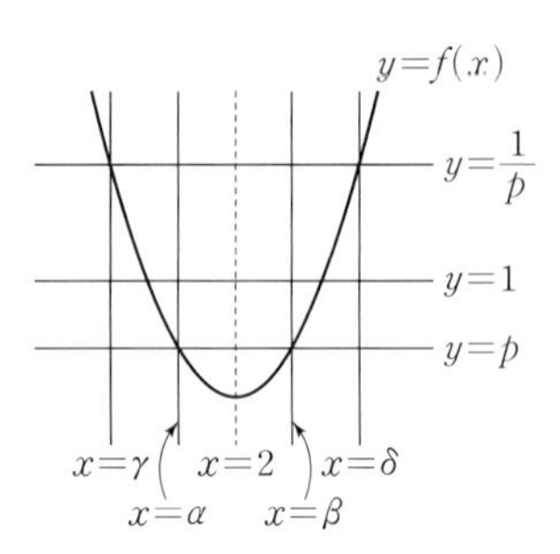

$f(x)=\frac{1}{p}$의 서로 다른 두 실근을 γ, δ $(\gamma<\delta)$라 하면

$\gamma<\alpha<\beta<\delta$

이때 $a=\gamma$, $b=\alpha$ 또는 $a=\beta$, $b=\delta$이면 $M+m=0$이다.

(i), (ii)에서 $k-4<1$, 즉 $k<5$이므로 정수 k의 최댓값은 4이다.

답 ⑤

02 삼각함수

본문 16~22쪽

필수유형 1 ②	01 ④	02 ④	03 ②
필수유형 2 ④	04 ⑤	05 ⑤	06 ②
필수유형 3 ④	07 ①	08 ③	09 ④
	10 8	11 ③	
필수유형 4 ③	12 ④	13 ①	14 ⑤
필수유형 5 8	15 ③	16 ③	17 ③
필수유형 6 ①	18 ⑤	19 10	20 ③
	21 ③	22 ⑤	

필수유형 1

중심각의 크기가 $\sqrt{3}$인 부채꼴의 반지름의 길이를 r이라 하자.

이 부채꼴의 넓이가 $12\sqrt{3}$이므로 $\frac{1}{2}\times r^2\times\sqrt{3}=12\sqrt{3}$

$r^2=24$이고 $r>0$이므로 $r=2\sqrt{6}$

답 ②

01

직선 AP가 원 C_2와 만나는 점 중 P가 아닌 점을 C라 하자.

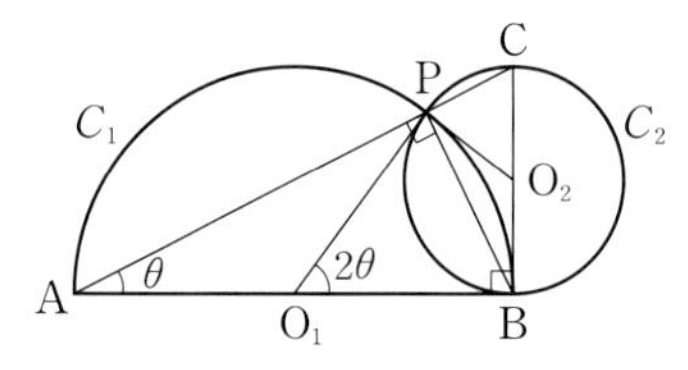

$\angle APB=\frac{\pi}{2}$이므로

점 B에서 직선 AC에 내린 수선의 발이 P이다. $\angle PAB=\theta\left(0<\theta<\frac{\pi}{2}\right)$로 놓으면 부채꼴 O_1BP의 중심각의 크기가 2θ이므로 부채꼴 O_1BP의 호의 길이 l_1은

$l_1=1\times 2\theta=2\theta$ …… ㉠

$\angle ABC=\frac{\pi}{2}$에서 선분 BC는 원 C_2의 지름이고 $\angle PCB=\frac{\pi}{2}-\theta$이므로 중심각의 크기가 π보다 작은 부채꼴 O_2BP의 중심각의 크기는

$2\times\left(\frac{\pi}{2}-\theta\right)=\pi-2\theta$

따라서 부채꼴 O_2BP의 호의 길이 l_2는

$l_2=\frac{1}{2}\times(\pi-2\theta)=\frac{\pi}{2}-\theta$ …… ㉡

㉠, ㉡에서 $l_1+2l_2=2\theta+2\left(\frac{\pi}{2}-\theta\right)=\pi$

답 ④

02

두 점 A, D에서 직선 BC에 내린 수선의 발을 각각 E, F라 하고, 두 선분 AB, CD를 지름으로 하는 원의 중심을 각각 O_1, O_2라 하자.

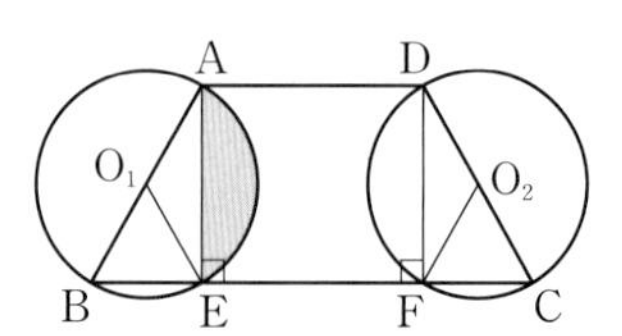

$\overline{BE}=\overline{FC}=\frac{1}{2}\overline{AB}$에서 $\angle ABE=\angle DCF=\frac{\pi}{3}$

$\overline{BE}=a$ $(a>0)$으로 놓으면 $\overline{AD}=2a$, $\overline{AE}=\sqrt{3}a$

중심각의 크기가 π보다 작은 부채꼴 O_1EA와 직사각형 AEFD의 공통부분의 넓이는

$\frac{1}{2}\times a^2\times\frac{2}{3}\pi-\frac{1}{2}\times a^2\times\sin\frac{2}{3}\pi=\frac{a^2}{3}\pi-\frac{\sqrt{3}}{4}a^2$ …… ㉠

사다리꼴 ABCD의 내부와 선분 AB, CD를 각각 지름으로 하는 두 원의 외부의 공통부분의 넓이는 직사각형 AEFD의 넓이에서 ㉠의 2배를 뺀 것과 같으므로

$2a\times\sqrt{3}a-2\times\left(\frac{a^2}{3}\pi-\frac{\sqrt{3}}{4}a^2\right)=\left(\frac{5\sqrt{3}}{2}-\frac{2}{3}\pi\right)a^2$

$\left(\frac{5\sqrt{3}}{2}-\frac{2}{3}\pi\right)a^2=15\sqrt{3}-4\pi$에서 $a^2=6$

$a>0$에서 $a=\sqrt{6}$

따라서 사다리꼴 ABCD의 넓이는

$\frac{1}{2}\times(2a+4a)\times\sqrt{3}a=3\sqrt{3}a^2=18\sqrt{3}$

답 ④

03

$\angle PBQ=\theta\left(0<\theta<\frac{\pi}{2}\right)$로 놓자.

호 AP의 원주각의 크기가 θ이므로 중심각의 크기는 2θ이다.

따라서 호 AP의 길이 l은 $l=2\times2\theta=4\theta$

또 $\overline{PB}=\overline{AB}\cos\theta=4\cos\theta$이므로 부채꼴 BPQ의 넓이 S는

$S=\frac{1}{2}\times(4\cos\theta)^2\times\theta=8\theta\cos^2\theta$

$\frac{S}{l}=\frac{2}{9}$에서 $\frac{8\theta\cos^2\theta}{4\theta}=\frac{2}{9}$, $\cos^2\theta=\frac{1}{9}$

$0<\theta<\frac{\pi}{2}$일 때 $\cos\theta>0$이므로 $\cos\theta=\frac{1}{3}$

$\overline{PB}=4\cos\theta=\frac{4}{3}$이므로 삼각형 ABP의 넓이는

$\frac{1}{2}\times\overline{PA}\times\overline{PB}=\frac{1}{2}\times\sqrt{4^2-\left(\frac{4}{3}\right)^2}\times\frac{4}{3}=\frac{16\sqrt{2}}{9}$

답 ②

필수유형 2

$\cos^2\theta=\frac{4}{9}$이고 $\frac{\pi}{2}<\theta<\pi$일 때 $\cos\theta<0$이므로 $\cos\theta=-\frac{2}{3}$

한편, $\sin^2\theta+\cos^2\theta=1$이므로

$\sin^2\theta=1-\cos^2\theta=1-\frac{4}{9}=\frac{5}{9}$

따라서 $\sin^2\theta+\cos\theta=\frac{5}{9}+\left(-\frac{2}{3}\right)=-\frac{1}{9}$

답 ④

04

이차방정식 $x^2-4x-2=0$의 두 근이 α, β $(\alpha>\beta)$이므로 근과 계수의 관계에 의하여 $\alpha+\beta=4$, $\alpha\beta=-2$

$(\alpha-\beta)^2=(\alpha+\beta)^2-4\alpha\beta=4^2-4\times(-2)=24$

$\alpha>\beta$이므로 $\alpha-\beta=2\sqrt{6}$

$\sin\theta-\cos\theta=\frac{\alpha-\beta}{\alpha+\beta}=\frac{2\sqrt{6}}{4}=\frac{\sqrt{6}}{2}$

$(\sin\theta-\cos\theta)^2=1-2\sin\theta\cos\theta$이므로

$\sin\theta\cos\theta=\frac{1-(\sin\theta-\cos\theta)^2}{2}=\frac{1-\left(\frac{\sqrt{6}}{2}\right)^2}{2}=-\frac{1}{4}$

답 ⑤

05

제2사분면의 점 P의 좌표를 (a, b) $(a<0, b>0)$으로 놓자.

점 Q는 점 P를 y축에 대하여 대칭이동한 점이므로 점 Q의 좌표는 $(-a, b)$이고, 점 R은 점 P를 직선 $y=x$에 대하여 대칭이동한 점이므로 점 R의 좌표는 (b, a)이다.

세 동경 OP, OQ, OR이 나타내는 각의 크기가 각각 α, β, γ이므로

$\sin\alpha=\frac{b}{\sqrt{a^2+b^2}}$, $\cos\beta=\frac{-a}{\sqrt{(-a)^2+b^2}}$, $\tan\gamma=\frac{a}{b}$

$\sin\alpha\cos\beta=\frac{2}{5}$에서 $\frac{b}{\sqrt{a^2+b^2}}\times\frac{-a}{\sqrt{(-a)^2+b^2}}=\frac{2}{5}$

$-5ab=2(a^2+b^2)$ …… ㉠

㉠의 양변을 b^2으로 나누면

$2\left(\frac{a}{b}\right)^2+5\times\frac{a}{b}+2=0$, $\left(\frac{a}{b}+2\right)\left(\frac{2a}{b}+1\right)=0$

$\frac{a}{b}=-2$ 또는 $\frac{a}{b}=-\frac{1}{2}$

$\cos(\angle PQR)<0$, $\angle PQR<\pi$에서 $\frac{\pi}{2}<\angle PQR<\pi$이므로

$\overline{PQ}^2+\overline{QR}^2<\overline{PR}^2$

$(-2a)^2+(\sqrt{(b+a)^2+(a-b)^2})^2<(\sqrt{(b-a)^2+(a-b)^2})^2$

$4a^2+2(a^2+b^2)<2(a-b)^2$, $4a(a+b)<0$

$a<0$, $b>0$이므로 $\frac{a}{b}>-1$

따라서 $\tan\gamma=\frac{a}{b}=-\frac{1}{2}$

답 ⑤

참고

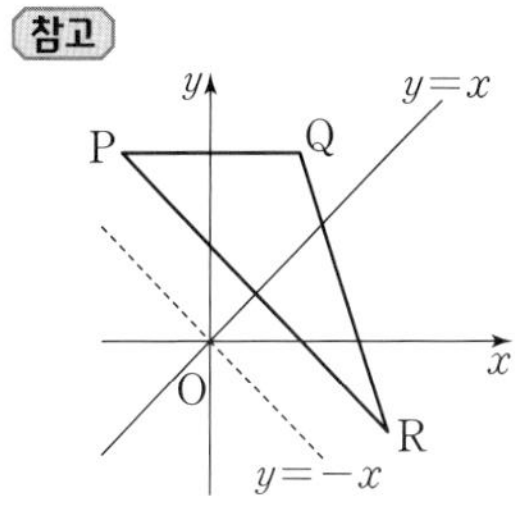

$\tan\gamma=-\frac{1}{2}$일 때

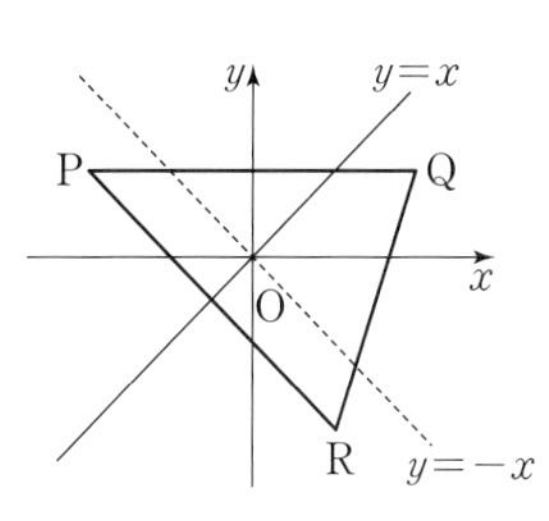

$\tan\gamma=-2$일 때

06

동경 OP가 나타내는 각의 크기가 $\theta\left(\frac{\pi}{2}<\theta<\pi\right)$이므로

원 C: $x^2+y^2=4$ 위의 제2사분면에 있는 점 P의 좌표를 $(2\cos\theta, 2\sin\theta)$로 나타낼 수 있다.

원 C: $x^2+y^2=4$ 위의 점 $P(2\cos\theta, 2\sin\theta)$에서의 접선의 방정식은

$(2\cos\theta)x+(2\sin\theta)y=4$

즉, $y=-\frac{\cos\theta}{\sin\theta}x+\frac{2}{\sin\theta}$ …… ㉠

$x=0$일 때 $y=\frac{2}{\sin\theta}$이므로 점 Q의 좌표는 $\left(0, \frac{2}{\sin\theta}\right)$이다.

이때 직선 QR은 직선 ㉠과 y축에 대하여 대칭이므로 직선 QR의 방정식은 $y=\frac{\cos\theta}{\sin\theta}x+\frac{2}{\sin\theta}$

이고, 점 R의 좌표는 $\left(-\frac{2}{\cos\theta},\ 0\right)$이다.

따라서 사각형 ORQP의 넓이는 두 직각삼각형 POQ, ORQ의 넓이의 합과 같으므로

$$\frac{1}{2}\times(-2\cos\theta)\times\frac{2}{\sin\theta}+\frac{1}{2}\times\left(-\frac{2}{\cos\theta}\right)\times\frac{2}{\sin\theta}$$
$$=-\frac{2\cos\theta}{\sin\theta}-\frac{2}{\sin\theta\cos\theta}=-\frac{2}{\sin\theta}\left(\cos\theta+\frac{1}{\cos\theta}\right)$$

답 ②

필수유형 3

$\sin(-\theta)=-\sin\theta$이므로 $\sin(-\theta)=\frac{1}{7}\cos\theta$에서

$\cos\theta=-7\sin\theta$

이때 $\sin^2\theta+\cos^2\theta=1$이므로

$\sin^2\theta+49\sin^2\theta=1$, $\sin^2\theta=\frac{1}{50}$

한편, $\cos\theta<0$이므로 $\sin\theta=-\frac{1}{7}\cos\theta>0$

따라서 $\sin\theta=\frac{1}{5\sqrt{2}}=\frac{\sqrt{2}}{10}$

답 ④

07

$\sin\left(\frac{5}{2}\pi+\theta\right)=\sin\left(2\pi+\frac{\pi}{2}+\theta\right)=\sin\left(\frac{\pi}{2}+\theta\right)=\cos\theta$

이때 $\cos\theta=\frac{\sqrt{6}}{3}>0$, $\sin\theta<0$이므로

$$\tan\theta=\frac{\sin\theta}{\cos\theta}=\frac{-\sqrt{1-\left(\frac{\sqrt{6}}{3}\right)^2}}{\frac{\sqrt{6}}{3}}=-\frac{\sqrt{3}}{\sqrt{6}}=-\frac{\sqrt{2}}{2}$$

답 ①

08

$\sin(\pi+\theta)=-\sin\theta$, $\cos\left(\frac{\pi}{2}-\theta\right)=\sin\theta$

$\frac{3}{2}\pi<\theta<2\pi$일 때, $\sin\theta<0$, $\cos\theta>0$, $\tan\theta<0$이므로

$\sin\theta-\cos\theta<0$

따라서

$$\sin(\pi+\theta)+\frac{\sqrt{\cos^2\left(\frac{\pi}{2}-\theta\right)}}{|\tan\theta|}-|\sin\theta-\cos\theta|$$
$$=-\sin\theta+\frac{\sqrt{\sin^2\theta}}{-\tan\theta}+(\sin\theta-\cos\theta)$$
$$=-\sin\theta+\frac{-\sin\theta}{-\tan\theta}+(\sin\theta-\cos\theta)$$
$$=-\sin\theta+\cos\theta+\sin\theta-\cos\theta=0$$

답 ③

09

직선 $y=\frac{1}{(2n-1)\pi}x-1$은 세 점 $(0,\ -1)$, $((2n-1)\pi,\ 0)$, $(2(2n-1)\pi,\ 1)$을 지난다. 이때 직선 $y=\frac{1}{(2n-1)\pi}x-1$과 함수 $y=\sin x$의 그래프의 교점의 개수는 $2\times(2n-2)+1=4n-3$이다.

$n^2=4n-3$에서 $(n-1)(n-3)=0$이므로 $n=1$ 또는 $n=3$

$n=1$일 때, 직선 $y=\frac{1}{\pi}x-1$과 함수 $y=\sin x$의 그래프는 그림과 같이 1^2개의 점에서 만난다.

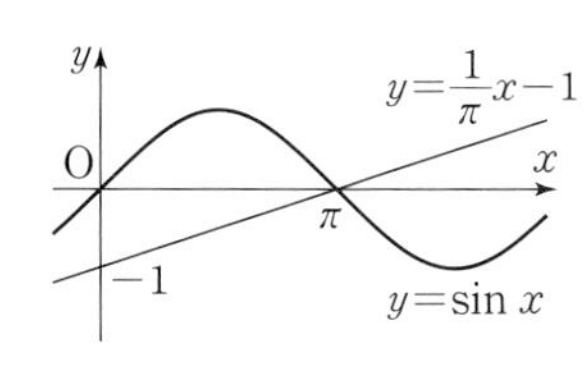

$n=3$일 때, 직선 $y=\frac{1}{5\pi}x-1$과 함수 $y=\sin x$의 그래프는 그림과 같이 3^2개의 점에서 만난다.

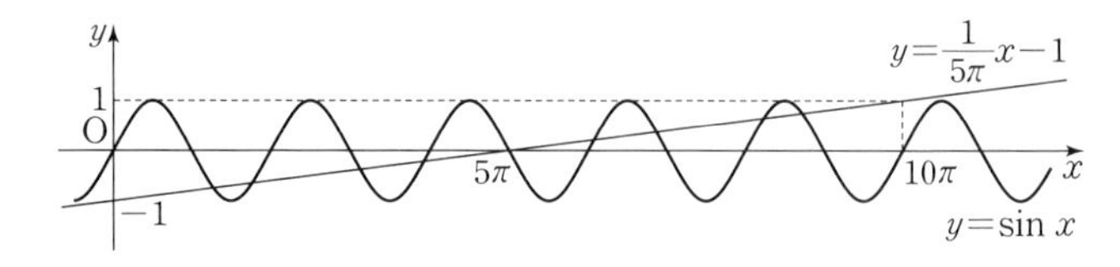

따라서 구하는 모든 자연수 n의 값의 합은 4이다.

답 ④

10

$|a|+c=2\sqrt{2}$, $-|a|+c=0$에서 $|a|=\sqrt{2}$, $c=\sqrt{2}$

$f\left(\frac{5}{12}\pi\right)=f\left(\frac{17}{12}\pi\right)=0$에서 함수 $f(x)$의 주기는 $\frac{17}{12}\pi-\frac{5}{12}\pi=\pi$이므로

$\frac{2\pi}{|b|}=\pi$, $|b|=2$

따라서 $a^2+b^2+c^2=(\sqrt{2})^2+2^2+(\sqrt{2})^2=8$

답 8

11

삼각형 OPQ가 한 변의 길이가 $\frac{4}{3}a$인 정삼각형이므로 점 P의 좌표를 $\left(\frac{2}{3}a,\ \frac{2\sqrt{3}}{3}a\right)$로 놓을 수 있다.

이때 점 $\mathrm{P}\left(\frac{2}{3}a,\ \frac{2\sqrt{3}}{3}a\right)$는 곡선 $y=\left|\tan\frac{\pi x}{2a}\right|$ 위의 점이므로

$\left|\tan\frac{\pi}{3}\right|=\frac{2\sqrt{3}}{3}a$에서 $a=\frac{3}{2}$

따라서 $f(x)=\left|\tan\frac{\pi x}{3}\right|$이므로

$$a\times f\left(-\frac{1}{2}\right)=\frac{3}{2}\times\left|\tan\left(-\frac{\pi}{6}\right)\right|$$
$$=\frac{3}{2}\times\left|-\tan\frac{\pi}{6}\right|=\frac{\sqrt{3}}{2}$$

답 ③

필수유형 4

함수 $f(x)=a-\sqrt{3}\tan 2x$의 그래프의 주기는 $\frac{\pi}{2}$이다.

함수 $f(x)$가 닫힌구간 $\left[-\frac{\pi}{6},\ b\right]$에서 최댓값과 최솟값을 가지므로

$-\frac{\pi}{6}<b<\frac{\pi}{4}$이다.

한편, 함수 $y=f(x)$의 그래프는 닫힌구간 $\left[-\frac{\pi}{6},\ b\right]$에서 x의 값이 증가할 때, y의 값은 감소하므로 함수 $f(x)$는 $x=-\frac{\pi}{6}$에서 최댓값 7을 갖는다.

즉, $f\left(-\frac{\pi}{6}\right)=a-\sqrt{3}\tan\left(-\frac{\pi}{3}\right)=7$에서

$a+\sqrt{3}\tan\frac{\pi}{3}=7,\ a+3=7,\ a=4$

함수 $f(x)$는 $x=b$에서 최솟값 3을 가지므로

$f(b)=4-\sqrt{3}\tan 2b=3$에서 $\tan 2b=\frac{\sqrt{3}}{3}$

이때 $-\frac{\pi}{3}<2b<\frac{\pi}{2}$이므로 $2b=\frac{\pi}{6},\ b=\frac{\pi}{12}$

따라서 $a\times b=4\times\frac{\pi}{12}=\frac{\pi}{3}$

답 ③

12

$4-3\sin^2\theta=t$로 놓으면 $\sin^2\theta=\frac{4-t}{3}$

$0<\theta<2\pi$에서 $-1\le\sin\theta\le1$이므로 $1\le t\le4$

$f(\theta)=\frac{3}{t}-\frac{4(4-t)}{3}=\boxed{\frac{4t}{3}+\frac{3}{t}-\frac{16}{3}}$

이때 $t>0$이므로

$\boxed{\frac{4t}{3}+\frac{3}{t}-\frac{16}{3}}\ge2\sqrt{\frac{4t}{3}\times\frac{3}{t}}-\frac{16}{3}=4-\frac{16}{3}=\boxed{-\frac{4}{3}}$ ...... ㉠

$\frac{4t}{3}=\frac{3}{t}$에서 $t^2=\frac{9}{4}$, 즉 $t=\frac{3}{2}$이고, $1\le\frac{3}{2}\le4$이므로 부등식 ㉠에서 등호는 $t=\frac{3}{2}$, 즉 $\sin^2\theta=\boxed{\frac{5}{6}}$일 때 성립한다.

따라서 함수 $f(\theta)$는 $\sin^2\theta=\boxed{\frac{5}{6}}$일 때, 최솟값 $\boxed{-\frac{4}{3}}$를 갖는다.

이상에서 $g(t)=\frac{4t}{3}+\frac{3}{t}-\frac{16}{3},\ p=-\frac{4}{3},\ q=\frac{5}{6}$이고,

$p+q=-\frac{4}{3}+\frac{5}{6}=-\frac{1}{2}$이므로

$g\left(-\frac{1}{p+q}\right)=g(2)=\frac{8}{3}+\frac{3}{2}-\frac{16}{3}=-\frac{7}{6}$

답 ④

13

$\sin\left(\frac{3}{2}\pi-x\right)=\sin\left(\pi+\frac{\pi}{2}-x\right)=-\sin\left(\frac{\pi}{2}-x\right)=-\cos x$

$\cos\left(x+\frac{\pi}{2}\right)=-\sin x$이므로

$f(x)=\sin^2\left(\frac{3}{2}\pi-x\right)+k\cos\left(x+\frac{\pi}{2}\right)+k+1$

$=(-\cos x)^2+k(-\sin x)+k+1=1-\sin^2x-k\sin x+k+1$

$=-\sin^2x-k\sin x+k+2=-\left(\sin x+\frac{k}{2}\right)^2+\frac{k^2}{4}+k+2$

$\sin x=t\ (-1\le t\le1)$로 놓으면

$f(x)=-\left(t+\frac{k}{2}\right)^2+\frac{k^2}{4}+k+2$

(i) $-\frac{k}{2}>1$, 즉 $k<-2$일 때

함수 $f(x)$는 $t=\sin x=1$일 때 최대이다.

이때 $-1^2-k+k+2=1\ne3$이므로 조건을 만족시키지 않는다.

(ii) $-\frac{k}{2}<-1$, 즉 $k>2$일 때

함수 $f(x)$는 $t=\sin x=-1$일 때 최대이다.

$-(-1)^2+k+k+2=3,\ 2k+1=3$에서 $k=1$

이때 $k>2$를 만족시키지 않는다.

(iii) $-1\le-\frac{k}{2}\le1$, 즉 $-2\le k\le2$일 때

함수 $f(x)$는 $t=\sin x=-\frac{k}{2}$일 때 최대이므로

$\frac{k^2}{4}+k+2=3,\ k^2+4k-4=0,\ k=-2\pm2\sqrt{2}$

$-2\le k\le2$이므로 $k=-2+2\sqrt{2}=2(\sqrt{2}-1)$

(i), (ii), (iii)에서 조건을 만족시키는 실수 k의 값은 $2(\sqrt{2}-1)$이다.

답 ①

14

ㄱ. $t=\frac{\pi}{2}$일 때 $f(x)=\begin{cases}\cos x & \left(0\le x\le\frac{\pi}{2}\right)\\ -\cos x & \left(\frac{\pi}{2}<x\le2\pi\right)\end{cases}$ 이므로

함수 $y=f(x)$의 그래프는 그림과 같다.

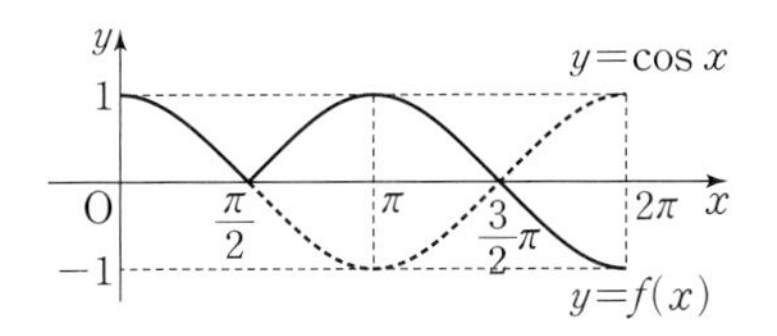

$M\left(\frac{\pi}{2}\right)=1,\ m\left(\frac{\pi}{2}\right)=-1$이므로 $M\left(\frac{\pi}{2}\right)-m\left(\frac{\pi}{2}\right)=2$ (참)

ㄴ. (i) $0<t\le\frac{\pi}{2}$일 때

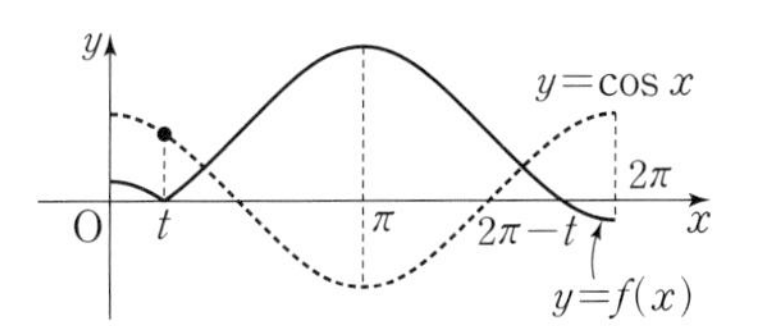

$M(t)=f(\pi)=\cos t-\cos\pi=\cos t+1,$

$m(t)=f(2\pi)=\cos t-\cos2\pi=\cos t-1$

이므로 $M(t)-m(t)=2$

(ii) $\frac{\pi}{2}<t<\frac{3}{2}\pi$일 때

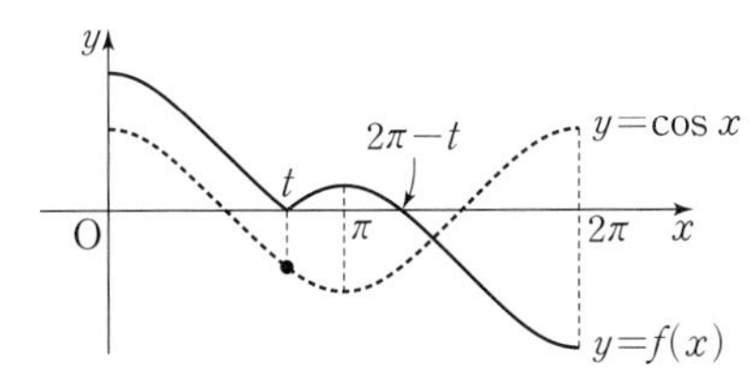

$M(t)=f(0)=\cos0-\cos t=1-\cos t,$

$m(t)=f(2\pi)=\cos t-\cos2\pi=\cos t-1$

이므로 $M(t)-m(t)=2-2\cos t$

(iii) $\frac{3}{2}\pi\le t<2\pi$일 때

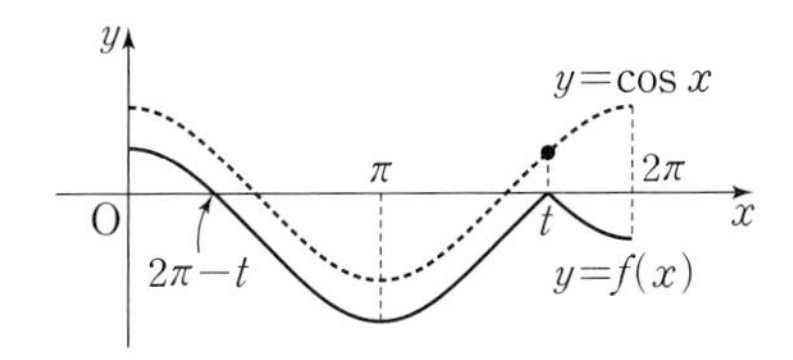

$M(t)=f(0)=\cos 0-\cos t=1-\cos t$,

$m(t)=f(\pi)=\cos \pi-\cos t=-1-\cos t$

이므로 $M(t)-m(t)=2$

(ⅰ), (ⅱ), (ⅲ)에서 $M(t)-m(t)=2$를 만족시키는 실수 t의 값의 범위는 $0<t\le\frac{\pi}{2}$ 또는 $\frac{3}{2}\pi\le t<2\pi$ (거짓)

ㄷ. ㄴ에서

$0<t\le\frac{\pi}{2}$일 때, $M(t)+m(t)=2\cos t$

$\frac{\pi}{2}<t<\frac{3}{2}\pi$일 때, $M(t)+m(t)=0$

$\frac{3}{2}\pi\le t<2\pi$일 때, $M(t)+m(t)=-2\cos t$

이므로 $\frac{\pi}{2}\le t\le\frac{3}{2}\pi$일 때 $M(t)+m(t)=0$

따라서 $M(t)+m(t)=0$을 만족시키는 실수 t의 최솟값은 $\frac{\pi}{2}$이고 최댓값은 $\frac{3}{2}\pi$이므로 그 합은 2π이다. (참)

이상에서 옳은 것은 ㄱ, ㄷ이다.

답 ⑤

필수유형 5

함수 $f(x)$의 최솟값이 $-a+8-a=8-2a$이므로 조건 (가)를 만족시키려면 $8-2a\ge0$, 즉 $a\le4$이어야 한다.

그런데 $a=1$ 또는 $a=2$ 또는 $a=3$일 때는 함수 $f(x)$의 최솟값이 0보다 크므로 조건 (나)를 만족시킬 수 없다. 그러므로 $a=4$

이때 $f(x)=4\sin bx+4$이고 이 함수의 주기는 $\frac{2\pi}{b}$이므로

$0\le x<\frac{2\pi}{b}$일 때 방정식 $f(x)=0$의 실근은 $\frac{3\pi}{2b}$뿐이다.

그러므로 $0\le x<2\pi$일 때, 방정식 $f(x)=0$의 서로 다른 실근의 개수가 4가 되려면 $\frac{3\pi}{2b}+\frac{2\pi}{b}\times3<2\pi\le\frac{3\pi}{2b}+\frac{2\pi}{b}\times4$, 즉

$\frac{15\pi}{2b}<2\pi\le\frac{19\pi}{2b}$이어야 한다.

$\frac{15}{4}<b\le\frac{19}{4}$에서 b는 자연수이므로 $b=4$

따라서 $a+b=4+4=8$

답 8

15

$\log_{|\sin\theta|}\tan\theta$에서 로그의 밑과 진수의 조건에 의하여

$|\sin\theta|\ne0$, $|\sin\theta|\ne1$, $\tan\theta>0$

이때 $0<|\sin\theta|<1$이므로 $0<\log_{|\sin\theta|}\tan\theta<1$이 성립하려면

$0<|\sin\theta|<\tan\theta<1$

$0<\theta<\frac{\pi}{2}$일 때, $\sin\theta>0$, $0<\cos\theta<1$이므로

$$|\sin\theta|-\tan\theta=\sin\theta-\frac{\sin\theta}{\cos\theta}=\frac{\sin\theta(\cos\theta-1)}{\cos\theta}<0$$

$\pi<\theta<\frac{3}{2}\pi$일 때, $\sin\theta<0$, $-1<\cos\theta<0$이므로

$$|\sin\theta|-\tan\theta=-\sin\theta-\frac{\sin\theta}{\cos\theta}=-\frac{\sin\theta(\cos\theta+1)}{\cos\theta}<0$$

그러므로 $\tan\theta>0$인 θ의 범위에서 부등식 $|\sin\theta|<\tan\theta$는 항상 성립한다.

$0<\tan\theta<1$에서 $0<\theta<\frac{\pi}{4}$, $\pi<\theta<\frac{5}{4}\pi$ …… ㉠

㉠의 범위에서 $\sin\theta$, $\cos\theta$의 값의 부호는 같고,

$0<|\sin\theta|<|\cos\theta|$이므로 $\frac{\cos\theta}{\sin\theta}>1$

$\left(\frac{\cos\theta}{\sin\theta}\right)^{\cos\theta+1}<\left(\frac{\sin\theta}{\cos\theta}\right)^{\cos\theta}$의 양변에 $\left(\frac{\cos\theta}{\sin\theta}\right)^{\cos\theta}$을 곱하면

$\left(\frac{\cos\theta}{\sin\theta}\right)^{2\cos\theta+1}<\left(\frac{\sin\theta}{\cos\theta}\times\frac{\cos\theta}{\sin\theta}\right)^{\cos\theta}=1$

$2\cos\theta+1<0$, $\cos\theta<-\frac{1}{2}$

$\frac{2}{3}\pi<\theta<\frac{4}{3}\pi$ …… ㉡

따라서 ㉠, ㉡에서 구하는 θ의 값의 범위는

$\pi<\theta<\frac{5}{4}\pi$

답 ③

16

$y=x^2-4x\sin\frac{n\pi}{6}+3-2\cos^2\frac{n\pi}{6}$

$=\left(x-2\sin\frac{n\pi}{6}\right)^2-4\sin^2\frac{n\pi}{6}+3-2\cos^2\frac{n\pi}{6}$

$=\left(x-2\sin\frac{n\pi}{6}\right)^2+1-2\sin^2\frac{n\pi}{6}$ …… ㉠

이므로 이차함수 ㉠의 그래프의 꼭짓점의 좌표는

$\left(2\sin\frac{n\pi}{6},\ 1-2\sin^2\frac{n\pi}{6}\right)$

이 점과 직선 $y=\frac{1}{2}x+\frac{3}{2}$, 즉 $x-2y+3=0$ 사이의 거리가 $\frac{3\sqrt{5}}{5}$보다 작으려면

$$\frac{\left|2\sin\frac{n\pi}{6}-2\left(1-2\sin^2\frac{n\pi}{6}\right)+3\right|}{\sqrt{5}}<\frac{3\sqrt{5}}{5}$$

$\left|4\sin^2\frac{n\pi}{6}+2\sin\frac{n\pi}{6}+1\right|<3$

$-3<4\sin^2\frac{n\pi}{6}+2\sin\frac{n\pi}{6}+1<3$

(ⅰ) $4\sin^2\frac{n\pi}{6}+2\sin\frac{n\pi}{6}+1>-3$에서

$2\sin^2\frac{n\pi}{6}+\sin\frac{n\pi}{6}+2>0$ …… ㉡

$2\left(\sin\frac{n\pi}{6}+\frac{1}{4}\right)^2+\frac{15}{8}>0$이므로 ㉡은 모든 자연수 n에 대하여 성립한다.

(ⅱ) $4\sin^2\frac{n\pi}{6}+2\sin\frac{n\pi}{6}+1<3$에서

$2\sin^2\frac{n\pi}{6}+\sin\frac{n\pi}{6}-1<0$

$\left(2\sin\frac{n\pi}{6}-1\right)\left(\sin\frac{n\pi}{6}+1\right)<0$

$-1<\sin\frac{n\pi}{6}<\frac{1}{2}$ …… ㉢

㉢을 만족시키는 12 이하의 자연수 n의 값은 6, 7, 8, 10, 11, 12이다.

따라서 (ⅰ), (ⅱ)를 모두 만족시키는 12 이하의 자연수 n의 개수는 6이다.

답 ③

17

ㄱ. $t=\frac{1}{2}$일 때, $\left(x-\sin\frac{\pi}{2}\right)\left(x+\cos\frac{\pi}{2}\right)=0$

즉, 이차방정식 $x(x-1)=0$의 두 실근은 0, 1이므로

$\alpha\left(\frac{1}{2}\right)=1$, $\beta\left(\frac{1}{2}\right)=0$

따라서 $\alpha\left(\frac{1}{2}\right)>\frac{1}{2}$ (참)

ㄴ. 이차방정식 $(x-\sin\pi t)(x+\cos\pi t)=0$의 실근은

$x=\sin\pi t$ 또는 $x=-\cos\pi t$

$\sin\pi t=-\cos\pi t$, 즉 $\tan\pi t=-1$에서

$0\le t\le 2$이므로 $\pi t=\frac{3}{4}\pi$ 또는 $\pi t=\frac{7}{4}\pi$

즉, $t=\frac{3}{4}$ 또는 $t=\frac{7}{4}$

따라서 $\alpha(t)=\beta(t)$를 만족시키는 서로 다른 실수 t의 개수는 2이다. (참)

ㄷ. $0\le t\le\frac{3}{4}$ 또는 $\frac{7}{4}\le t\le 2$일 때, $\sin\pi t\ge-\cos\pi t$이므로

$\alpha(t)=\sin\pi t$, $\beta(t)=-\cos\pi t$

$\frac{3}{4}<t<\frac{7}{4}$일 때, $\sin\pi t<-\cos\pi t$이므로

$\alpha(t)=-\cos\pi t$, $\beta(t)=\sin\pi t$

따라서 $\alpha(t)=\begin{cases}\sin\pi t & \left(0\le t\le\frac{3}{4} \text{ 또는 } \frac{7}{4}\le t\le 2\right)\\ -\cos\pi t & \left(\frac{3}{4}<t<\frac{7}{4}\right)\end{cases}$

$\beta(t)=\begin{cases}-\cos\pi t & \left(0\le t\le\frac{3}{4} \text{ 또는 } \frac{7}{4}\le t\le 2\right)\\ \sin\pi t & \left(\frac{3}{4}<t<\frac{7}{4}\right)\end{cases}$

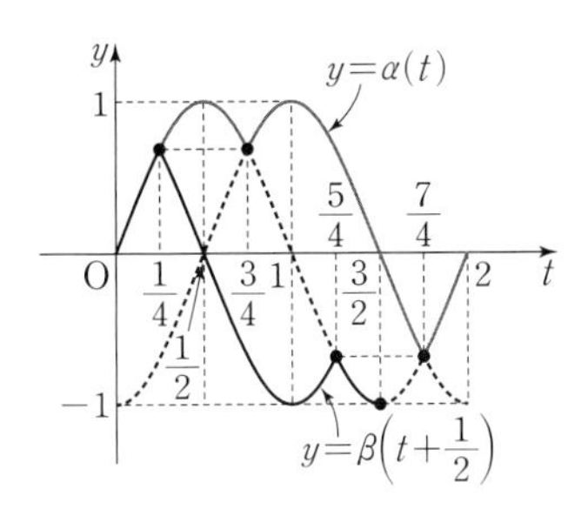

(i) $0\le s\le\frac{1}{4}$일 때, $\frac{1}{2}\le s+\frac{1}{2}\le\frac{3}{4}$이므로

$\alpha(s)-\beta\left(s+\frac{1}{2}\right)=\sin\pi s-\left\{-\cos\pi\left(s+\frac{1}{2}\right)\right\}$

$=\sin\pi s+\cos\left(\pi s+\frac{\pi}{2}\right)=\sin\pi s-\sin\pi s=0$

(ii) $\frac{1}{4}<s\le\frac{3}{4}$일 때, $\frac{3}{4}<s+\frac{1}{2}\le\frac{5}{4}$이므로

$\alpha(s)-\beta\left(s+\frac{1}{2}\right)=\sin\pi s-\sin\pi\left(s+\frac{1}{2}\right)$

$=\sin\pi s-\cos\pi s>0$

(iii) $\frac{3}{4}<s<\frac{5}{4}$일 때, $\frac{5}{4}<s+\frac{1}{2}<\frac{7}{4}$이므로

$\alpha(s)-\beta\left(s+\frac{1}{2}\right)=-\cos\pi s-\sin\pi\left(s+\frac{1}{2}\right)$

$=-\cos\pi s-\cos\pi s=-2\cos\pi s>0$

(iv) $\frac{5}{4}\le s\le\frac{3}{2}$일 때, $\frac{7}{4}\le s+\frac{1}{2}\le 2$이므로

$\alpha(s)-\beta\left(s+\frac{1}{2}\right)=-\cos\pi s-\left\{-\cos\pi\left(s+\frac{1}{2}\right)\right\}$

$=-\cos\pi s+\cos\left(\pi s+\frac{\pi}{2}\right)$

$=-\cos\pi s-\sin\pi s>0$

따라서 $\alpha(s)=\beta\left(s+\frac{1}{2}\right)$을 만족시키는 실수 $s\left(0\le s\le\frac{3}{2}\right)$의 범위는 $0\le s\le\frac{1}{4}$이므로 그 최댓값은 $\frac{1}{4}$이다. (거짓)

이상에서 옳은 것은 ㄱ, ㄴ이다.

답 ③

필수유형 6

$\angle\text{BAC}=\angle\text{CAD}=\theta\left(0<\theta<\frac{\pi}{2}\right)$라 하면

삼각형 ABC에서 코사인법칙에 의하여

$\overline{\text{BC}}^2=\overline{\text{AB}}^2+\overline{\text{AC}}^2-2\times\overline{\text{AB}}\times\overline{\text{AC}}\times\cos\theta$

$=5^2+(3\sqrt{5})^2-2\times5\times3\sqrt{5}\times\cos\theta$

$=70-30\sqrt{5}\cos\theta$

삼각형 ACD에서 코사인법칙에 의하여

$\overline{\text{CD}}^2=\overline{\text{AC}}^2+\overline{\text{AD}}^2-2\times\overline{\text{AC}}\times\overline{\text{AD}}\times\cos\theta$

$=(3\sqrt{5})^2+7^2-2\times3\sqrt{5}\times7\times\cos\theta$

$=94-42\sqrt{5}\cos\theta$

$\angle\text{BAC}=\angle\text{CAD}$이므로 $\overline{\text{BC}}=\overline{\text{CD}}$, 즉 $\overline{\text{BC}}^2=\overline{\text{CD}}^2$이다.

이때 $70-30\sqrt{5}\cos\theta=94-42\sqrt{5}\cos\theta$에서 $\cos\theta=\frac{2\sqrt{5}}{5}$

$\overline{\text{BC}}^2=70-30\sqrt{5}\cos\theta=70-30\sqrt{5}\times\frac{2\sqrt{5}}{5}=10$, $\overline{\text{BC}}=\sqrt{10}$

한편, $\sin^2\theta=1-\cos^2\theta=1-\left(\frac{2\sqrt{5}}{5}\right)^2=\frac{1}{5}$이고,

$\sin\theta>0$이므로 $\sin\theta=\frac{\sqrt{5}}{5}$

구하는 원의 반지름의 길이를 R이라 하면 삼각형 ABC에서 사인법칙에 의하여 $\frac{\overline{\text{BC}}}{\sin\theta}=2R$이므로 $\frac{\sqrt{10}}{\frac{\sqrt{5}}{5}}=2R$, $5\sqrt{2}=2R$

따라서 $R=\frac{5\sqrt{2}}{2}$

답 ①

18

삼각형 ABC의 외접원의 반지름의 길이를 R이라 하면 사인법칙에 의하여 $\frac{a}{\sin A}=\frac{b}{\sin B}=\frac{c}{\sin C}=2R$

즉, $\sin A=\frac{a}{2R}$, $\sin B=\frac{b}{2R}$, $\sin C=\frac{c}{2R}$

$\sin A=\sin C$에서 $a=c$

$\sin A:\sin B=2:3$에서 $a:b=2:3$

$a=2k$, $b=3k$, $c=2k(k>0)$으로 놓으면 코사인법칙에 의하여

$\cos A=\frac{(3k)^2+(2k)^2-(2k)^2}{2\times3k\times2k}=\frac{3}{4}$

$\cos B=\frac{(2k)^2+(2k)^2-(3k)^2}{2\times2k\times2k}=-\frac{1}{8}$

$\cos C=\cos A=\frac{3}{4}$이므로

$$\frac{\cos A+\cos B}{\cos C}=\frac{\frac{3}{4}-\frac{1}{8}}{\frac{3}{4}}=\frac{5}{6}$$

답 ⑤

19

$\overline{AB}=\overline{DE}$, $\overline{AB}/\!/\overline{DE}$에서 사각형 ABDE는 평행사변형이므로

$\angle BAE=\angle BDE$

사각형 ABDE가 원에 내접하므로 $\angle BAE+\angle BDE=\pi$

따라서 사각형 ABDE는 직사각형이므로 두 선분 AD, BE는 원의 지름이다. $\cos(\angle ACB)=\cos(\angle AEB)=\cos(\angle EBD)=\frac{1}{3}$이므로

$\sin(\angle ACB)=\sqrt{1-\left(\frac{1}{3}\right)^2}=\frac{2\sqrt{2}}{3}$

삼각형 ABC의 외접원의 지름의 길이가 6이므로 사인법칙에 의하여

$\frac{\overline{AB}}{\sin(\angle ACB)}=6$, 즉 $\overline{AB}=6\times\frac{2\sqrt{2}}{3}=4\sqrt{2}$

삼각형 ABC에서 $\overline{AC}=k\ (k>0)$으로 놓으면 $\overline{BC}=5$이므로 삼각형 ABC에서 코사인법칙에 의하여

$\overline{AB}^2=\overline{AC}^2+\overline{BC}^2-2\times\overline{AC}\times\overline{BC}\times\cos(\angle ACB)$

$32=k^2+25-\frac{10}{3}k$, $3k^2-10k-21=0$

$k>0$이므로 $k=\frac{5+2\sqrt{22}}{3}$, 즉 $\overline{AC}=\frac{5+2\sqrt{22}}{3}$

따라서 $p=\frac{5}{3}$, $q=\frac{2}{3}$이므로 $9pq=10$

답 10

20

$\overline{PH}=a\ (a>0)$이라 하면 $\angle PHO=\frac{\pi}{2}$, $\angle POH=\frac{\pi}{6}$이므로

$\overline{OP}=\frac{\overline{PH}}{\sin\frac{\pi}{6}}=2a$

점 Q가 부채꼴 PRH의 호 RH를 이등분하므로

$\angle QPH=\theta\left(0<\theta<\frac{\pi}{2}\right)$

라 하면 $\angle QPR=\theta$이고

$\angle OPH=\frac{\pi}{3}$이므로

$\frac{\pi}{3}+2\theta=\pi$에서 $\theta=\frac{\pi}{3}$

삼각형 OPQ에서 코사인법칙에 의하여

$\overline{OQ}^2=\overline{OP}^2+\overline{PQ}^2-2\times\overline{OP}\times\overline{PQ}\times\cos(\angle OPQ)$

$4^2=(2a)^2+a^2-2\times 2a\times a\times\cos\frac{2}{3}\pi$, $7a^2=16$

$a>0$이므로 $a=\frac{4\sqrt{7}}{7}$

따라서 부채꼴 PRH의 넓이는

$\frac{1}{2}\times\left(\frac{4\sqrt{7}}{7}\right)^2\times\frac{2}{3}\pi=\frac{16}{21}\pi$

답 ③

21

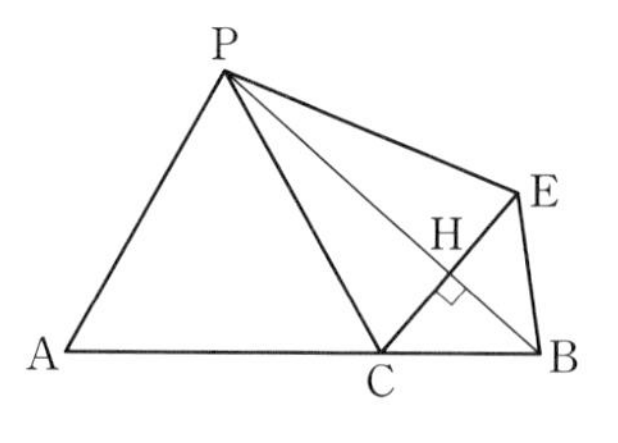

선분 CE는 두 원 O_2, O_3의 공통인 현이므로 두 직선 PB, CE는 서로 수직이다.

삼각형 PAC는 한 변의 길이가 2인 정삼각형이므로 삼각형 PAB에서 코사인법칙에 의하여

$\overline{PB}^2=\overline{PA}^2+\overline{AB}^2-2\times\overline{PA}\times\overline{AB}\times\cos(\angle PAB)$

$=2^2+3^2-2\times2\times3\times\frac{1}{2}=7$

$\overline{PB}>0$이므로 $\overline{PB}=\sqrt{7}$

점 P에서 선분 AB에 내린 수선의 길이가 $\sqrt{3}$이므로 삼각형 PCB의 넓이는 $\frac{1}{2}\times1\times\sqrt{3}=\frac{\sqrt{3}}{2}$

이때 두 선분 PB, CE의 교점을 H라 하면

$\frac{1}{2}\times\overline{CH}\times\overline{PB}=\frac{\sqrt{3}}{2}$, $\overline{CH}=\frac{\sqrt{3}}{\sqrt{7}}=\frac{\sqrt{21}}{7}$

$\overline{CE}=2\times\overline{CH}=\frac{2\sqrt{21}}{7}$

삼각형 EDC의 외접원 O_3의 반지름의 길이가 2이므로 사인법칙에 의하여 $\frac{\overline{CE}}{\sin(\angle EDC)}=2\times2$

따라서 $\sin(\angle EDC)=\frac{\overline{CE}}{4}=\frac{\sqrt{21}}{14}$

답 ③

22

$\overline{AB}=2a$, $\overline{AC}=3a\ (a>0)$으로 놓고,

$\overline{BD}=3b$, $\overline{DC}=2b\ (b>0)$으로 놓자.

$\overline{AD}=k\ (k>0)$으로 놓으면

$\frac{\cos(\angle ABD)}{\cos(\angle ACD)}=\frac{1}{2}$에서

$2\cos(\angle ABD)=\cos(\angle ACD)$

$2\times\frac{(2a)^2+(3b)^2-k^2}{2\times2a\times3b}=\frac{(3a)^2+(2b)^2-k^2}{2\times3a\times2b}$

$k^2=14b^2-a^2$ …… ㉠

$\cos(\angle BDA)=\cos(\pi-\angle CDA)=-\cos(\angle CDA)$이므로

$\frac{(3b)^2+k^2-(2a)^2}{2\times3b\times k}=-\frac{(2b)^2+k^2-(3a)^2}{2\times2b\times k}$

$k^2=7a^2-6b^2$ …… ㉡

㉠, ㉡에서 $14b^2-a^2=7a^2-6b^2$

즉, $b^2=\frac{2}{5}a^2$이므로 ㉡에 대입하면 $k^2=7a^2-\frac{12}{5}a^2=\frac{23}{5}a^2$

따라서 $\frac{\overline{AD}}{\overline{AB}}=\frac{k}{2a}=\frac{1}{2}\times\sqrt{\frac{23}{5}}=\frac{\sqrt{115}}{10}$

답 ⑤

03 수열

본문 25~36쪽

필수유형 1 ③	01 ⑤	02 ⑤	03 ②
필수유형 2 7	04 12	05 ②	06 ④
필수유형 3 ①	07 ③	08 ③	09 ④
필수유형 4 64	10 ①	11 ①	12 6
필수유형 5 ③	13 ③	14 ②	15 12
필수유형 6 ②	16 68	17 ①	18 58
필수유형 7 24	19 ⑤	20 ③	21 24
필수유형 8 91	22 ②	23 ④	24 16
필수유형 9 ⑤	25 ②	26 ④	27 16
필수유형 10 ④	28 ①	29 25	30 ④
필수유형 11 ①	31 ②	32 ③	33 ⑤
필수유형 12 ④	34 ①		

필수유형 1

등차수열 $\{a_n\}$의 공차를 d라 하면

$a_1=2a_5=2(a_1+4d)$에서

$a_1+8d=0$ ⋯⋯ ㉠

$a_8+a_{12}=(a_1+7d)+(a_1+11d)$

$=2a_1+18d=-6$

$a_1+9d=-3$ ⋯⋯ ㉡

㉠, ㉡을 연립하여 풀면 $a_1=24$, $d=-3$이므로

$a_2=a_1+d=21$

답 ③

01

등차수열 $\{a_n\}$의 공차를 d라 하면

$a_1+a_3=a_1+(a_1+2d)=0$에서 $a_1=-d$이므로

$a_3+2a_4+3a_5=(a_1+2d)+2(a_1+3d)+3(a_1+4d)$

$=d+4d+9d=14d$

$a_3+2a_4+3a_5=14$에서 $d=1$, $a_1=-1$

따라서 $a_{10}=a_1+9d=-1+9=8$

답 ⑤

02

등차수열 $\{a_n\}$의 공차를 d라 하자.

조건 (가)에서 등차수열 $\{a_n\}$의 모든 항이 정수이므로 a_1, d의 값도 모두 정수이다.

조건 (나)에서 $|a_4|-a_3=0$이므로

$|a_1+3d|=a_1+2d$ ⋯⋯ ㉠

(i) $a_1\ge-3d$일 때

㉠에서 $a_1+3d=a_1+2d$, $d=0$

이때 $a_n=a_1\ge0$이 되어 조건 $a_{10}<0$을 만족시키지 않는다.

(ii) $a_1<-3d$일 때

㉠에서 $-(a_1+3d)=a_1+2d$, $a_1=-\frac{5d}{2}$

a_1의 값은 정수이므로 $d=2d'$ (d'은 정수)로 놓으면

$a_1=-5d'$

$-5d'<-3d$, 즉 $-5d'<-6d'$에서 $d'<0$

즉, d'의 값은 음의 정수이므로 $d'\le-1$

이때 $a_{10}=a_1+9d=13d'<0$이므로 조건을 만족시킨다.

따라서 $a_2=a_1+d=-5d'+2d'=-3d'\ge3$이므로 a_2의 최솟값은 3이다.

답 ⑤

03

등차수열 $\{a_n\}$의 공차를 d ($d>0$)이라 하자.

$(a_5)^2-(a_3)^2=(a_5-a_3)(a_5+a_3)=2d(2a_1+6d)$

$(a_9)^2-(a_7)^2=(a_9-a_7)(a_9+a_7)=2d(2a_1+14d)$

$(a_5)^2-(a_3)^2=4$, $(a_9)^2-(a_7)^2=20$에서

$2d(2a_1+6d)=4$ ⋯⋯ ㉠

$2d(2a_1+14d)=20$ ⋯⋯ ㉡

㉠, ㉡에서 $\frac{2d(2a_1+14d)}{2d(2a_1+6d)}=\frac{a_1+7d}{a_1+3d}=5$

$a_1+7d=5a_1+15d$

$a_1=-2d$ ⋯⋯ ㉢

㉢을 ㉠에 대입하면

$2d(-4d+6d)=4$, $d^2=1$

$d>0$이므로 $d=1$

따라서 $a_4=a_1+3d=-2d+3d=d=1$

답 ②

필수유형 2

$S_{k+2}-S_k=-12-(-16)=4$에서

$a_{k+2}+a_{k+1}=4$

등차수열 $\{a_n\}$의 공차가 2이므로

$a_1+2(k+1)+a_1+2k=4$, $2a_1+4k=2$

$a_1=1-2k$ ⋯⋯ ㉠

한편, $S_k=\frac{k\{2a_1+2(k-1)\}}{2}=-16$이고 ㉠을 대입하면

$\frac{k\{2(1-2k)+2(k-1)\}}{2}=-16$

$k^2=16$에서 k는 자연수이므로 $k=4$

이것을 ㉠에 대입하면 $a_1=-7$

따라서 $a_{2k}=a_8=a_1+7d=-7+7\times2=7$

답 7

04

등차수열 $\{a_n\}$의 공차를 d라 하면 $a_1+a_2+a_3+\cdots+a_{10}=100$에서

$\frac{10(2a_1+9d)}{2}=100$

$2a_1+9d=20$ ⋯⋯ ㉠

$a_1+a_2+a_3+a_4+a_5=2(a_6+a_7+a_8+a_9+a_{10})$에서

$5a_1+10d=2(5a_1+35d)$

즉, $a_1+12d=0$에서 $a_1=-12d$

㉠에서 $2\times(-12d)+9d=20$

$d=-\frac{4}{3}$, $a_1=-12\times\left(-\frac{4}{3}\right)=16$

따라서 $a_4=a_1+3d=16+3\times\left(-\frac{4}{3}\right)=12$

답 12

05

등차수열 $\{a_n\}$의 공차를 d $(d\neq 0)$이라 하면

모든 자연수 n에 대하여 $a_{n+1}-a_n=d$이므로

$b_4=a_1-a_2+a_3-a_4=-2d$

$b_4=4$에서 $d=-2$

$b_{2n}=(a_1-a_2)+(a_3-a_4)+(a_5-a_6)+\cdots+(a_{2n-1}-a_{2n})$

$=2+2+2+\cdots+2=2n$

이므로 수열 $\{b_{2n}\}$은 첫째항이 2이고 공차가 2인 등차수열이다.

따라서 수열 $\{b_{2n}\}$의 첫째항부터 제10항까지의 합은

$\frac{10(2\times 2+9\times 2)}{2}=110$

답 ②

06

$y=\frac{x}{x-1}$, $y=nx$를 연립하면

$\frac{x}{x-1}=nx$, $nx^2-(n+1)x=0$, $x\{nx-(n+1)\}=0$

$x=0$ 또는 $x=\frac{n+1}{n}$

점 P_n의 좌표는 $\left(\frac{n+1}{n}, n+1\right)$이므로

$\overline{AP_n}=\sqrt{\left(\frac{n+1}{n}-1\right)^2+(n+1)^2}=\sqrt{\frac{1}{n^2}+(n+1)^2}$

이때 모든 자연수 n에 대하여

$n+1<\sqrt{\frac{1}{n^2}+(n+1)^2}<n+2$

가 성립하므로 선분 AP_n 위의 점 중 점 A와의 거리가 자연수인 점의 개수는 $n+1$이다.

따라서 $a_n=n+1$이므로 수열 $\{a_n\}$의 첫째항부터 제8항까지의 합은

$\frac{8(2+9)}{2}=44$

답 ④

필수유형 3

등비수열 $\{a_n\}$의 공비를 r $(r>0)$이라 하자.

$a_2+a_4=30$ ...... ㉠

한편, $a_4+a_6=\frac{15}{2}$에서

$r^2(a_2+a_4)=\frac{15}{2}$ ...... ㉡

㉠을 ㉡에 대입하면

$r^2\times 30=\frac{15}{2}$, $r^2=\frac{1}{4}$

$r>0$이므로 $r=\frac{1}{2}$

㉠에서 $a_1r+a_1r^3=30$

$a_1\times\frac{1}{2}+a_1\times\left(\frac{1}{2}\right)^3=30$, $a_1\times\frac{5}{8}=30$

따라서 $a_1=30\times\frac{8}{5}=48$

답 ①

07

첫째항과 공비가 모두 자연수 p이므로 $a_n=p^n$

$\frac{a_6}{a_4}-\frac{a_3}{a_2}=\frac{p^6}{p^4}-\frac{p^3}{p^2}=p^2-p$

$\frac{a_6}{a_4}-\frac{a_3}{a_2}<6$에서 $p^2-p<6$

$(p+2)(p-3)<0$, $-2<p<3$

따라서 조건을 만족시키는 모든 자연수 p의 값의 합은

$1+2=3$

답 ③

08

조건 (가)에서 $\log_2 a_{n+1}=1+\log_2 a_n=\log_2 2a_n$

$a_{n+1}=2a_n$이므로 수열 $\{a_n\}$은 공비가 2인 등비수열이다.

$a_1a_3a_5a_7=a_1\times 2^2a_1\times 2^4a_1\times 2^6a_1=2^{12}a_1^4$

이므로 조건 (나)에서

$2^{12}a_1^4=2^{10}$, $a_1^4=\frac{1}{4}$

$a_1=-\frac{\sqrt{2}}{2}$ 또는 $a_1=\frac{\sqrt{2}}{2}$

$a_1>0$이므로 $a_1=\frac{\sqrt{2}}{2}$

따라서 $a_1+a_3=\frac{\sqrt{2}}{2}+\frac{\sqrt{2}}{2}\times 2^2=\frac{5\sqrt{2}}{2}$

답 ③

09

조건 (나)에서 $a_9=b_9=12$이므로

$a_5=a_9-4d=12-4d$

$a_6=a_9-3d=12-3d$

$b_{11}=b_9r^2=12r^2$

조건 (다)에서 $a_5+a_6=b_{11}$이므로

$(12-4d)+(12-3d)=12r^2$

$24-7d=12r^2$

$12(2-r^2)=7d$ ...... ㉠

이때 $2-r^2$의 값은 0이 아닌 7의 배수이고, 조건 (가)에서 $r^2<100$이므로

$2-r^2=-7$ 또는 $2-r^2=-14$

즉, $r^2=9$ 또는 $r^2=16$

(i) $r^2=9$, 즉 $r=-3$ 또는 $r=3$일 때

㉠에서 $d=\frac{12(2-r^2)}{7}=-12$

$r=-3$일 때, $a_8+b_8=(a_9-d)+\frac{b_9}{r}=24+\frac{12}{-3}=20$

$r=3$일 때, $a_8+b_8=(a_9-d)+\frac{b_9}{r}=24+\frac{12}{3}=28$

(ii) $r^2=16$, 즉 $r=-4$ 또는 $r=4$일 때

㉠에서 $d=\frac{12(2-r^2)}{7}=-24$

$r=-4$일 때, $a_8+b_8=(a_9-d)+\frac{b_9}{r}=36+\frac{12}{-4}=33$

$r=4$일 때, $a_8+b_8=(a_9-d)+\frac{b_9}{r}=36+\frac{12}{4}=39$

따라서 a_8+b_8의 최댓값은 39이고, 최솟값은 20이므로 그 합은

$39+20=59$

답 ④

필수유형 4

등비수열 $\{a_n\}$의 공비를 r이라 하면

$r=1$일 때, 모든 자연수 n에 대하여 $a_n=1$이므로 $\frac{S_6}{S_3}=\frac{6}{3}=2$,

$2a_4-7=-5$가 되어 주어진 조건을 만족시키지 않는다. 즉, $r\neq1$이다.

$$\frac{S_6}{S_3}=\frac{\frac{r^6-1}{r-1}}{\frac{r^3-1}{r-1}}=\frac{r^6-1}{r^3-1}=\frac{(r^3+1)(r^3-1)}{r^3-1}=r^3+1$$이고

$2a_4-7=2r^3-7$이므로 $\frac{S_6}{S_3}=2a_4-7$에서

$r^3+1=2r^3-7$, $r^3=8$

따라서 $a_7=a_1r^6=1\times8^2=64$

답 64

10

$P(x)=x^{10}+x^9+\cdots+x^2+x+1$로 놓자.

다항식 $P(x)$를 $2x-1$로 나눈 나머지를 R이라 하면 몫이 $Q(x)$이므로

$P(x)=(2x-1)Q(x)+R$ …… ㉠

나머지정리에 의하여

$$R=P\left(\frac{1}{2}\right)=\left(\frac{1}{2}\right)^{10}+\left(\frac{1}{2}\right)^9+\cdots+\frac{1}{2}+1=\frac{1-\left(\frac{1}{2}\right)^{11}}{1-\frac{1}{2}}=2-\frac{1}{2^{10}}$$

㉠의 양변에 $x=1$을 대입하면

$P(1)=Q(1)+R$

따라서 다항식 $Q(x)$를 $x-1$로 나눈 나머지는

$Q(1)=P(1)-R=11-\left(2-\frac{1}{2^{10}}\right)=9+2^{-10}$

답 ①

11

$a_n=a_1r^{n-1}$이므로

$a_8-a_6=a_1r^7-a_1r^5=a_1r^5(r^2-1)$

$S_8-S_6=a_7+a_8=a_1r^6+a_1r^7=a_1r^6(r+1)$

$\frac{a_8-a_6}{S_8-S_6}=4$에서

$\frac{a_1r^5(r^2-1)}{a_1r^6(r+1)}=4$, $\frac{r-1}{r}=4$, $r-1=4r$

따라서 $r=-\frac{1}{3}$

답 ①

12

등비수열 $\{a_n\}$의 공비를 r $(r\neq1)$이라 하자.

$S_3=\frac{a_1(1-r^3)}{1-r}$, $S_6=\frac{a_1(1-r^6)}{1-r}=\frac{a_1(1+r^3)(1-r^3)}{1-r}$

$|2S_3|=|S_6|$에서 $S_6=2S_3$ 또는 $S_6=-2S_3$

$S_6=2S_3$일 때,

$\frac{a_1(1+r^3)(1-r^3)}{1-r}=\frac{2a_1(1-r^3)}{1-r}$

$1+r^3=2$, 즉 $r=1$이 되어 조건을 만족시키지 않는다.

$S_6=-2S_3$일 때,

$\frac{a_1(1+r^3)(1-r^3)}{1-r}=-\frac{2a_1(1-r^3)}{1-r}$

$1+r^3=-2$, 즉 $r^3=-3$

$a_4+a_7=a_1r^3+a_1r^6=a_1r^3(1+r^3)=a_1\times(-3)\times(1-3)=6a_1$

따라서 $k=6$

답 6

필수유형 5

$x^2-nx+4(n-4)=0$에서 $(x-4)(x-n+4)=0$

$x=4$ 또는 $x=n-4$

한편, 세 수 1, α, β가 이 순서대로 등차수열을 이루므로

$2\alpha=\beta+1$ …… ㉠

(i) $\alpha=4$, $\beta=n-4$일 때

$\alpha<\beta$이므로 $4<n-4$에서 $n>8$

㉠에서 $8=(n-4)+1$이므로 $n=11$

(ii) $\alpha=n-4$, $\beta=4$일 때

$\alpha<\beta$이므로 $n-4<4$에서 $n<8$

㉠에서 $2(n-4)=4+1$이므로 $n=\frac{13}{2}$

(i), (ii)에서 구하는 자연수 n의 값은 11이다.

답 ③

13

$f(\log_2 3)=2^{\log_2 3}=3^{\log_2 2}=3$

$f(\log_2 3+2)=2^{\log_2 3+2}=2^2\times2^{\log_2 3}=4\times3^{\log_2 2}=4\times3=12$

$f(\log_2(t^2+4t))=2^{\log_2(t^2+4t)}=(t^2+4t)^{\log_2 2}=t^2+4t$

세 실수 $f(\log_2 3)$, $f(\log_2 3+2)$, $f(\log_2(t^2+4t))$, 즉 3, 12, t^2+4t가 이 순서대로 등차수열을 이루므로

$3+(t^2+4t)=2\times12$

$t^2+4t-21=0$, $(t-3)(t+7)=0$

따라서 $t>0$이므로 $t=3$

답 ③

14

세 수 $a-1$, b, $c+1$이 이 순서대로 등차수열을 이루므로

$2b=(a-1)+(c+1)=a+c$ …… ㉠

세 수 c, $a+c$, $4a$가 이 순서대로 등비수열을 이루므로

$(a+c)^2=c\times4a$, 즉 $(a-c)^2=0$

$a=c$ …… ㉡

㉠에서 $2b=2a$, 즉 $a=b$ …… ㉢

따라서 ㉡, ㉢에서 $\frac{ab}{c^2}=\frac{a^2}{a^2}=1$

답 ②

15

두 수 a_1, a_4는 방정식 $x^2-6x+k=x$, 즉 $x^2-7x+k=0$의 서로 다른 두 실근이다.

그러므로 이차방정식의 근과 계수의 관계에 의하여

$a_1+a_4=7$, $a_1a_4=k$ …… ㉠

또 두 수 a_2, a_3은 방정식 $x^2-6x+k=-x$, 즉 $x^2-5x+k=0$의 서로 다른 두 실근이다.

그러므로 이차방정식의 근과 계수의 관계에 의하여

$a_2+a_3=5$, $a_2a_3=k$ …… ㉡

네 수 0, a_1, a_2, a_3이 이 순서대로 등차수열을 이루므로

$a_1-0=a_2-a_1=a_3-a_2$에서

$a_2=2a_1$, $a_3=a_1+a_2=3a_1$

㉡에서 $a_2+a_3=5a_1=5$이므로 $a_1=1$

따라서 ㉠에서 $a_4=7-a_1=6$, $k=a_1a_4=6$이므로

$a_4+k=12$

답 12

필수유형 6

$S_3-S_2=a_3$이므로 a_6-2a_3

등차수열 $\{a_n\}$의 공차를 d라 하면

$2+5d=2(2+2d)$에서

$2+5d=4+4d$, $d=2$

따라서 $a_{10}=2+9\times2=20$이므로

$S_{10}=\frac{10(a_1+a_{10})}{2}=\frac{10\times(2+20)}{2}=110$

답 ②

16

$S_5-S_3=a_5+a_4=(5^2+3\times5)+(4^2+3\times4)$

$=40+28=68$

답 68

17

수열 $\{b_n\}$은 첫째항이 S_1+4, 즉 a_1+4이고 공비가 4인 등비수열이므로

$b_n=S_n+4=(a_1+4)\times4^{n-1}$

$S_n=(a_1+4)\times4^{n-1}-4$

2 이상의 자연수 n에 대하여

$a_n=S_n-S_{n-1}=\{(a_1+4)\times4^{n-1}-4\}-\{(a_1+4)\times4^{n-2}-4\}$

$=(a_1+4)(4^{n-1}-4^{n-2})=(a_1+4)(4-1)\times4^{n-2}$

$=3(a_1+4)\times4^{n-2}$

$a_2=21$에서 $3(a_1+4)=21$, $a_1=3$

따라서 $a_1+a_3=3+21\times4=87$

답 ①

18

$S_{n+1}-S_n=a_{n+1}$이므로 조건 (나)에서

$a_{n+1}=(a_{n+1})^2-pna_{n+1}$

$a_{n+1}(a_{n+1}-pn-1)=0$

$a_{n+1}>0$이므로

$a_{n+1}=pn+1$

조건 (가)에서 $a_2=p+1=4$이므로 $p=3$

따라서 $a_{20}=3\times19+1=58$

답 58

필수유형 7

$\sum_{k=1}^{10}(2a_k-b_k)=\sum_{k=1}^{10}2a_k-\sum_{k=1}^{10}b_k=2\sum_{k=1}^{10}a_k-\sum_{k=1}^{10}b_k$

$=2\times10-\sum_{k=1}^{10}b_k=20-\sum_{k=1}^{10}b_k=34$

에서 $\sum_{k=1}^{10}b_k=20-34=-14$

따라서 $\sum_{k=1}^{10}(a_k-b_k)=\sum_{k=1}^{10}a_k-\sum_{k=1}^{10}b_k=10-(-14)=24$

답 24

19

$4\sum_{n=1}^{5}a_n+10\sum_{n=1}^{5}b_n=\sum_{n=1}^{5}4a_n+\sum_{n=1}^{5}10b_n=\sum_{n=1}^{5}(4a_n+10b_n)$

$=\sum_{n=1}^{5}4\left(a_n+\frac{5}{2}b_n\right)=\sum_{n=1}^{5}\left(4\times\frac{3}{2}\right)=\sum_{n=1}^{5}6$

$=6\times5=30$

답 ⑤

20

$a_{n+4}=a_n$에서 $a_5=a_1$, $a_6=a_2$, $a_7=a_3$, $a_8=a_4$이므로

$\sum_{n=1}^{8}a_n=(a_1+a_2+a_3+a_4)+(a_5+a_6+a_7+a_8)$

$=(a_1+a_2+a_3+a_4)+(a_1+a_2+a_3+a_4)$

$=2(a_1+a_2+a_3+a_4)=2\sum_{n=1}^{4}a_n=2\times\frac{7}{2}=7$

$b_{n+2}=b_n$에서 $b_7=b_5=b_3=b_1$, $b_8=b_6=b_4=b_2$이므로

$\sum_{n=1}^{8}b_n=(b_1+b_2)+(b_3+b_4)+(b_5+b_6)+(b_7+b_8)$

$=(b_1+b_2)+(b_1+b_2)+(b_1+b_2)+(b_1+b_2)$

$=4(b_1+b_2)=4\sum_{n=1}^{2}b_n=4\times\frac{3}{4}=3$

따라서 $\sum_{n=1}^{8}(a_n+b_n)=\sum_{n=1}^{8}a_n+\sum_{n=1}^{8}b_n=7+3=10$

답 ③

21

$\sum_{k=p}^{q}a_k=\sum_{k=1}^{q}a_k-\sum_{k=1}^{p-1}a_k=q^2-(p-1)^2$

$=(q-p+1)(q+p-1)=27$ …… ㉠

$27=1\times27=3\times9=9\times3=27\times1$이므로 ㉠에서

$q-p+1=1$, $q+p-1=27$인 경우 $p=14$, $q=14$

$q-p+1=3$, $q+p-1=9$인 경우 $p=4$, $q=6$

$q-p+1=9$, $q+p-1=3$인 경우 $p=-2$, $q=6$

$q-p+1=27$, $q+p-1=1$인 경우 $p=-12$, $q=14$

이 중 조건 $2\le p<q$를 만족시키는 경우는 $p=4$, $q=6$인 경우뿐이다.

따라서 $p\times q=4\times 6=24$

답 24

참고

$2\le p<q$이므로 $q-p+1\ge 2$, $q+p-1\ge 4$

$(q+p-1)-(q-p+1)=2(p-1)>0$

$27=1\times 27=3\times 9$에서 ㉠을 만족시키는 경우는

$q-p+1=3$, $q+p-1=9$인 경우뿐이다.

두 식 $q-p=2$, $q+p=10$을 연립하여 풀면

$p=4$, $q=6$

따라서 $p\times q=4\times 6=24$

필수유형 8

$a_n=2n^2-3n+1$이므로

$$\sum_{n=1}^{7}(a_n-n^2+n)=\sum_{n=1}^{7}\{(2n^2-3n+1)-n^2+n\}=\sum_{n=1}^{7}(n^2-2n+1)$$
$$=\sum_{n=1}^{7}n^2-2\sum_{n=1}^{7}n+\sum_{n=1}^{7}1$$
$$=\frac{7\times 8\times 15}{6}-2\times\frac{7\times 8}{2}+1\times 7$$
$$=140-56+7=91$$

답 91

다른 풀이

$a_n=2n^2-3n+1$이므로

$$\sum_{n=1}^{7}(a_n-n^2+n)=\sum_{n=1}^{7}\{(2n^2-3n+1)-n^2+n\}=\sum_{n=1}^{7}(n^2-2n+1)$$
$$=\sum_{n=1}^{7}(n-1)^2=\sum_{k=1}^{6}k^2=\frac{6\times 7\times 13}{6}=91$$

22

$a_n=\dfrac{|3\times(-1)+4\times 0-n|}{\sqrt{3^2+4^2}}=\dfrac{n+3}{5}$이므로

$$\sum_{n=1}^{10}a_n=\sum_{n=1}^{10}\frac{n+3}{5}=\frac{1}{5}\sum_{n=1}^{10}(n+3)=\frac{1}{5}\times\left(\sum_{n=1}^{10}n+\sum_{n=1}^{10}3\right)$$
$$=\frac{1}{5}\times\left(\frac{10\times 11}{2}+3\times 10\right)=17$$

답 ②

23

$a_1=\sum_{k=1}^{2}|k-1|=0+1=1$

$a_2=\sum_{k=1}^{4}|k-2|=1+0+1+2=4$

$a_3=\sum_{k=1}^{6}|k-3|=2+1+0+1+2+3=9$

$a_4=\sum_{k=1}^{8}|k-4|=3+2+1+0+1+2+3+4=16$

$a_5=\sum_{k=1}^{10}|k-5|=4+3+2+1+0+1+2+3+4+5=25$

따라서 $\sum_{n=1}^{5}a_n=a_1+a_2+a_3+a_4+a_5=1+4+9+16+25=55$

답 ④

참고

$a_1=1$이고 $n\ge 2$일 때

$$\sum_{k=1}^{2n}|k-n|=|1-n|+|2-n|+\cdots$$
$$+|(n-1)-n|+|n-n|+|(n+1)-n|+\cdots$$
$$+|(2n-1)-n|+|2n-n|$$
$$=2\sum_{k=1}^{n-1}k+n=2\times\frac{n(n-1)}{2}+n=n^2$$

이므로 $a_n=n^2$

따라서 $\sum_{n=1}^{5}a_n=\sum_{n=1}^{5}n^2=\dfrac{5\times 6\times 11}{6}=55$

24

$\sum_{k=1}^{p}(k^3-nk)=\sum_{k=1}^{q}(k^3-nk)$에서

$$\left\{\frac{p(p+1)}{2}\right\}^2-n\times\frac{p(p+1)}{2}=\left\{\frac{q(q+1)}{2}\right\}^2-n\times\frac{q(q+1)}{2}$$

$$\left\{\frac{p(p+1)}{2}\right\}^2-\left\{\frac{q(q+1)}{2}\right\}^2=n\times\frac{p(p+1)}{2}-n\times\frac{q(q+1)}{2}$$

$$\left\{\frac{p(p+1)}{2}+\frac{q(q+1)}{2}\right\}\times\left\{\frac{p(p+1)}{2}-\frac{q(q+1)}{2}\right\}$$
$$=n\left\{\frac{p(p+1)}{2}-\frac{q(q+1)}{2}\right\}$$

$p\ne q$이므로 $\dfrac{p(p+1)}{2}+\dfrac{q(q+1)}{2}=n$

$p^2+q^2+p+q=2n$ …… ㉠

㉠을 만족시키는 두 자연수 p와 q의 값에 대하여 20 이하의 자연수 n의 값을 표로 나타내면 다음과 같다.

p	q	n	p	q	n	p	q	n
1	2	4	2	3	9	3	4	16
1	3	7	2	4	13			
1	4	11	2	5	18			
1	5	16						

따라서 $n=16$

답 16

필수유형 9

$$\sum_{k=1}^{10}(S_k-a_k)$$
$$=\sum_{k=1}^{10}S_k-\sum_{k=1}^{10}a_k=\left(\sum_{k=1}^{9}S_k+S_{10}\right)-S_{10}=\sum_{k=1}^{9}S_k$$
$$=\sum_{k=1}^{9}\frac{1}{k(k+1)}=\sum_{k=1}^{9}\left(\frac{1}{k}-\frac{1}{k+1}\right)$$
$$=\left(1-\frac{1}{2}\right)+\left(\frac{1}{2}-\frac{1}{3}\right)+\left(\frac{1}{3}-\frac{1}{4}\right)+\cdots+\left(\frac{1}{8}-\frac{1}{9}\right)+\left(\frac{1}{9}-\frac{1}{10}\right)$$
$$=1-\frac{1}{10}=\frac{9}{10}$$

답 ⑤

25

$n^2x^2-nx+\dfrac{1}{4}=\left(nx-\dfrac{1}{2}\right)^2=0$에서 $x=\dfrac{1}{2n}$이므로 $a_n=\dfrac{1}{2n}$

따라서

$$\sum_{n=1}^{6} a_n a_{n+1} = \sum_{n=1}^{6} \left\{ \frac{1}{2n} \times \frac{1}{2(n+1)} \right\} = \frac{1}{4} \sum_{n=1}^{6} \frac{1}{n(n+1)}$$

$$= \frac{1}{4} \sum_{n=1}^{6} \left(\frac{1}{n} - \frac{1}{n+1} \right)$$

$$= \frac{1}{4} \times \left\{ \left(1-\frac{1}{2}\right) + \left(\frac{1}{2}-\frac{1}{3}\right) + \left(\frac{1}{3}-\frac{1}{4}\right) + \left(\frac{1}{4}-\frac{1}{5}\right) + \left(\frac{1}{5}-\frac{1}{6}\right) + \left(\frac{1}{6}-\frac{1}{7}\right) \right\}$$

$$= \frac{1}{4} \times \left(1-\frac{1}{7}\right) = \frac{3}{14}$$

답 ②

26

$$\sum_{k=1}^{10} \left(\frac{1}{k+1} x^k - \frac{1}{k} x^{k+1} \right)$$

$$= \left(\frac{1}{2}x - x^2\right) + \left(\frac{1}{3}x^2 - \frac{1}{2}x^3\right) + \left(\frac{1}{4}x^3 - \frac{1}{3}x^4\right) + \cdots + \left(\frac{1}{9}x^8 - \frac{1}{8}x^9\right) + \left(\frac{1}{10}x^9 - \frac{1}{9}x^{10}\right) + \left(\frac{1}{11}x^{10} - \frac{1}{10}x^{11}\right)$$

$$= \frac{1}{2}x + \left(\frac{1}{3}-1\right)x^2 + \left(\frac{1}{4}-\frac{1}{2}\right)x^3 + \cdots + \left(\frac{1}{10}-\frac{1}{8}\right)x^9 + \left(\frac{1}{11}-\frac{1}{9}\right)x^{10} - \frac{1}{10}x^{11}$$

이므로 $a_1=\frac{1}{2}$, $a_{11}=-\frac{1}{10}$이고

$a_n = \frac{1}{n+1} - \frac{1}{n-1}$ $(2 \le n \le 10)$

따라서

$$\sum_{n=1}^{11} a_n = \frac{1}{2} + \sum_{n=2}^{10} \left(\frac{1}{n+1} - \frac{1}{n-1} \right) + \left(-\frac{1}{10}\right)$$

$$= \frac{2}{5} - \sum_{n=2}^{10} \left(\frac{1}{n-1} - \frac{1}{n+1} \right)$$

$$= \frac{2}{5} - \left\{ \left(1-\frac{1}{3}\right) + \left(\frac{1}{2}-\frac{1}{4}\right) + \left(\frac{1}{3}-\frac{1}{5}\right) + \cdots + \left(\frac{1}{7}-\frac{1}{9}\right) + \left(\frac{1}{8}-\frac{1}{10}\right) + \left(\frac{1}{9}-\frac{1}{11}\right) \right\}$$

$$= \frac{2}{5} - \left(1 + \frac{1}{2} - \frac{1}{10} - \frac{1}{11}\right) = \frac{2}{5} - \frac{72}{55} = -\frac{10}{11}$$

답 ④

다른 풀이

$$\sum_{k=1}^{10} \left(\frac{1}{k+1} x^k - \frac{1}{k} x^{k+1} \right) = a_1 x + a_2 x^2 + a_3 x^3 + \cdots + a_{10} x^{10} + a_{11} x^{11}$$

이므로 양변에 $x=1$을 대입하면

$$\sum_{k=1}^{10} \left(\frac{1}{k+1} - \frac{1}{k} \right) = a_1 + a_2 + a_3 + \cdots + a_{10} + a_{11}$$

$$\sum_{k=1}^{10} \left(\frac{1}{k+1} - \frac{1}{k} \right)$$

$$= -\sum_{k=1}^{10} \left(\frac{1}{k} - \frac{1}{k+1} \right)$$

$$= -\left\{ \left(1-\frac{1}{2}\right) + \left(\frac{1}{2}-\frac{1}{3}\right) + \left(\frac{1}{3}-\frac{1}{4}\right) + \cdots + \left(\frac{1}{9}-\frac{1}{10}\right) + \left(\frac{1}{10}-\frac{1}{11}\right) \right\}$$

$$= -\left(1-\frac{1}{11}\right) = -\frac{10}{11}$$

이므로

$$\sum_{n=1}^{11} a_n = a_1 + a_2 + a_3 + \cdots + a_{10} + a_{11} = -\frac{10}{11}$$

27

$$\sum_{n=1}^{12} \frac{d}{\sqrt{a_n} + \sqrt{a_{n+1}}} = \sum_{n=1}^{12} \frac{d \times (\sqrt{a_n} - \sqrt{a_{n+1}})}{a_n - a_{n+1}}$$

$$= \sum_{n=1}^{12} \frac{d \times (\sqrt{a_n} - \sqrt{a_{n+1}})}{-d} = -\sum_{n=1}^{12} (\sqrt{a_n} - \sqrt{a_{n+1}})$$

$$= -\{(\sqrt{a_1} - \sqrt{a_2}) + (\sqrt{a_2} - \sqrt{a_3}) + (\sqrt{a_3} - \sqrt{a_4}) + \cdots + (\sqrt{a_{11}} - \sqrt{a_{12}}) + (\sqrt{a_{12}} - \sqrt{a_{13}})\}$$

$$= -\sqrt{a_1} + \sqrt{a_{13}} = -1 + \sqrt{a_{13}}$$

이므로 10 이하의 자연수 m에 대하여

$-1+\sqrt{a_{13}}=m$, $\sqrt{a_{13}}=m+1$

$a_{13}=(m+1)^2=m^2+2m+1$

$a_{13}=a_1+12d=1+12d$이므로

$1+12d=m^2+2m+1$

$12d=m(m+2)$ ...... ㉠

$m=1$일 때, $m(m+2)=1\times3=3$이므로 ㉠을 만족시키는 자연수 d는 존재하지 않는다.

$m=2$일 때, $m(m+2)=2\times4=8$이므로 ㉠을 만족시키는 자연수 d는 존재하지 않는다.

$m=3$일 때, $m(m+2)=3\times5=15$이므로 ㉠을 만족시키는 자연수 d는 존재하지 않는다.

$m=4$일 때, $m(m+2)=4\times6=24$이므로 ㉠에서 $d=2$

$m=5$일 때, $m(m+2)=5\times7=35$이므로 ㉠을 만족시키는 자연수 d는 존재하지 않는다.

$m=6$일 때, $m(m+2)=6\times8=48$이므로 ㉠에서 $d=4$

$m=7$일 때, $m(m+2)=7\times9=63$이므로 ㉠을 만족시키는 자연수 d는 존재하지 않는다.

$m=8$일 때, $m(m+2)=8\times10=80$이므로 ㉠을 만족시키는 자연수 d는 존재하지 않는다.

$m=9$일 때, $m(m+2)=9\times11=99$이므로 ㉠을 만족시키는 자연수 d는 존재하지 않는다.

$m=10$일 때, $m(m+2)=10\times12=120$이므로 ㉠에서 $d=10$

따라서 모든 자연수 d의 값은 2, 4, 10이므로 그 합은

$2+4+10=16$

답 16

필수유형 10

$a_{n+1}+a_n=(-1)^{n+1}\times n$에서

$a_{n+1}=-a_n+(-1)^{n+1}\times n$

$a_1=12$이므로

$a_2=-a_1+1=-11$, $a_3=-a_2-2=9$

$a_4=-a_3+3=-6$, $a_5=-a_4-4=2$

$a_6=-a_5+5=3$, $a_7=-a_6-6=-9$

$a_8=-a_7+7=16$

따라서 $a_k>a_1$인 자연수 k의 최솟값은 8이다.

답 ④

28

$a_1=2$이므로 $a_2=\frac{5}{6a_1+3}=\frac{5}{6\times2+3}=\frac{1}{3}$

따라서 $a_3=\frac{5}{6a_2+3}=\frac{5}{6\times\frac{1}{3}+3}=1$

답 ①

29

$\sum_{n=1}^{10}\log_2 a_n=\log_2\{(a_1a_2)(a_3a_4)(a_5a_6)(a_7a_8)(a_9a_{10})\}$

$=\log_2(2^1\times2^3\times2^5\times2^7\times2^9)=\log_2 2^{1+3+5+7+9}$

$=\log_2 2^{25}=25$

답 25

30

조건 (가)에서 $a_{n+1}=a_n+2$ 또는 $a_{n+1}=2a_n$

$a_1=4$이므로 조건 (나)에 의하여 $a_2=2a_1=2\times4=8$

$a_3=a_2+2=8+2=10$ 또는 $a_3=2a_2=2\times8=16$

(i) $a_3=10$인 경우

조건 (나)에 의하여

$a_4=2a_3=2\times10=20$

$a_5=a_4+2=20+2=22$ 또는 $a_5=2a_4=2\times20=40$

$a_5=22$일 때,

조건 (나)에 의하여

$a_6=2a_5=2\times22=44$

$a_7=a_6+2=44+2=46$ 또는 $a_7=2a_6=2\times44=88$

이므로 조건 (다)를 만족시키지 않는다.

$a_5=40$일 때,

조건 (나)에 의하여

$a_6=2a_5=2\times40=80$

조건 (다)에 의하여

$a_7=2a_6=2\times80=160$ …… ㉠

(ii) $a_3=16$인 경우

조건 (나)에 의하여

$a_4=2a_3=2\times16=32$

$a_5=a_4+2=32+2=34$ 또는 $a_5=2a_4=2\times32=64$

$a_5=34$일 때,

조건 (나)에 의하여

$a_6=2a_5=2\times34=68$

조건 (다)에 의하여

$a_7=a_6+2=68+2=70$ …… ㉡

$a_5=64$일 때,

조건 (나)에 의하여

$a_6=2a_5=2\times64=128$

조건 (다)에 의하여

$a_7=a_6+2=128+2=130$ …… ㉢

(i), (ii)에서 주어진 조건을 만족시키는 경우는 ㉠, ㉡, ㉢의 세 가지 경우이므로

$M=160$, $m=70$

따라서 $M+m=160+70=230$

답 ④

필수유형 11

$a_1=1<7$이므로 $a_2=2\times a_1=2\times1=2$

$a_2=2<7$이므로 $a_3=2\times a_2=2\times2=4$

$a_3=4<7$이므로 $a_4=2\times a_3=2\times4=8$

$a_4=8\geq7$이므로 $a_5=a_4-7=8-7=1$

$a_5=1<7$이므로 $a_6=2\times a_5=2\times1=2$

⋮

그러므로

$1=a_1=a_5=a_9=\cdots$, $2=a_2=a_6=a_{10}=\cdots$,

$4=a_3=a_7=a_{11}=\cdots$, $8=a_4=a_8=a_{12}=\cdots$

따라서 $\sum_{k=1}^{8}a_k=2\times(1+2+4+8)=2\times15=30$

답 ①

31

수열 $\{a_n\}$이

$\{a_n\}$: 1, 1, −1, 1, 1, −1, 1, 1, −1, 1, 1, −1, …이므로

수열 $\{S_n\}$은

$\{S_n\}$: 1, 2, 1, 2, 3, 2, 3, 4, 3, 4, 5, 4, 5, 6, 5, …

따라서 $S_m=3$을 만족시키는 모든 자연수 m은 $m=5$ 또는 $m=7$ 또는 $m=9$이므로 그 합은

$5+7+9=21$

답 ②

참고

$m\geq10$인 모든 자연수 m에 대하여 $S_m>3$이다.

32

$a_1>0$, $k>0$이므로 모든 자연수 n에 대하여 $a_n>0$이다.

$a_na_{n+1}=k$에서 $a_{n+1}=\frac{k}{a_n}$

$a_1=a\ (a>0)$이라 하면

$a_2=\frac{k}{a}$, $a_3=\frac{k}{\frac{k}{a}}=a$, $a_4=\frac{k}{a}$, …

이므로

$a=a_1=a_3=a_5=\cdots=a_{29}$, $\frac{k}{a}=a_2=a_4=a_6=\cdots=a_{30}$

$\sum_{n=1}^{30}a_n=(a_1+a_2)+(a_3+a_4)+(a_5+a_6)+\cdots+(a_{29}+a_{30})$

$=15(a_1+a_2)=15\left(a+\frac{k}{a}\right)$

한편, $a>0$, $\frac{k}{a}>0$이므로

$a+\frac{k}{a}\geq2\sqrt{a\times\frac{k}{a}}=2\sqrt{k}$ $\left(\text{단, 등호는 } a=\frac{k}{a}\text{, 즉 } a=\sqrt{k}\text{일 때 성립}\right)$

즉, $\sum_{n=1}^{30}a_n\geq15\times2\sqrt{k}=30\sqrt{k}$

$\sum_{n=1}^{30}a_n$의 값은 $a=\sqrt{k}$일 때 최솟값 $30\sqrt{k}$를 가지므로

$30\sqrt{k}=90$에서 $\sqrt{k}=3$

따라서 $k=9$

답 ③

33

$k=1$일 때, $a_1=2$이므로

$\{a_n\}$: 2, 2, 6, 10, 14, ⋯

이고 $a_1=a_2=2$

$k=2$일 때, $a_1=6$이므로

$\{a_n\}$: 6, 2, 2, 6, 10, ⋯

이고 $a_1=a_4=6$

$k=3$일 때, $a_1=10$이므로

$\{a_n\}$: 10, 6, 2, 2, 6, 10, 14, ⋯

이고 $a_1=a_6=10$

$k=4$일 때, $a_1=14$이므로

$\{a_n\}$: 14, 10, 6, 2, 2, 6, 10, 14, ⋯

이고 $a_1=a_8=14$

이와 같은 과정을 반복하면

$a_1=4k-2$일 때 $a_1=a_{2k}$

$a_1=a_{20}$에서 $2k=20$

따라서 $k=10$

답 ⑤

참고

$a_1=4k-2$, $a_2=4k-6$, ⋯, $a_k=4k-2-4(k-1)=2$,

$a_{k+1}=2$, $a_{k+2}=6$, $a_{k+3}=10$, ⋯

이므로 자연수 p에 대하여

$a_{k+p}=2+(p-1)\times4=4p-2$

$p=k$일 때, $a_{2k}=4k-2$이므로

$a_1=a_{2k}$

필수유형 12

(i) $n=1$일 때, (좌변)$=3$, (우변)$=3$이므로 ($*$)이 성립한다.

(ii) $n=m$일 때, ($*$)이 성립한다고 가정하면

$$\sum_{k=1}^{m}a_k=2^{m(m+1)}-(m+1)\times2^{-m}$$

이다. $n=m+1$일 때,

$$\begin{aligned}\sum_{k=1}^{m+1}a_k&=\sum_{k=1}^{m}a_k+a_{m+1}\\&=2^{m(m+1)}-(m+1)\times2^{-m}\\&\quad+\{2^{2(m+1)}-1\}\times2^{(m+1)m}+m\times2^{-(m+1)}\\&=2^{m(m+1)}-(m+1)\times2^{-m}\\&\quad+(2^{2m+2}-1)\times\boxed{2^{m(m+1)}}+m\times2^{-m-1}\\&=\boxed{2^{m(m+1)}}\times\boxed{2^{2m+2}}-\frac{m+2}{2}\times2^{-m}\\&=2^{(m+1)(m+2)}-(m+2)\times2^{-(m+1)}\end{aligned}$$

이다. 따라서 $n=m+1$일 때도 ($*$)이 성립한다.

(i), (ii)에 의하여 모든 자연수 n에 대하여

$\sum_{k=1}^{n}a_k=2^{n(n+1)}-(n+1)\times2^{-n}$이다.

따라서 $f(m)=2^{m(m+1)}$, $g(m)=2^{2m+2}$이므로

$$\frac{g(7)}{f(3)}=\frac{2^{16}}{2^{12}}=2^4=16$$

답 ④

34

(i) $n=1$일 때, (좌변)$=2$, (우변)$=2$이므로 ($*$)이 성립한다.

(ii) $n=m$일 때, ($*$)이 성립한다고 가정하면

$$\sum_{k=1}^{m}k^2 2^{m-k+1}=3\times2^{m+2}-2m^2-8m-12$$

이다. $n=m+1$일 때,

$$\begin{aligned}&\sum_{k=1}^{m+1}k^2 2^{(m+1)-k+1}\\&=\sum_{k=1}^{m+1}k^2 2^{m-k+2}\\&=\sum_{k=1}^{m}k^2 2^{m-k+2}+\boxed{(m+1)^2\times2}\\&=\boxed{2}\times\sum_{k=1}^{m}k^2 2^{m-k+1}+\boxed{(m+1)^2\times2}\\&=\boxed{2}\times(3\times2^{m+2}-2m^2-8m-12)+\boxed{(m+1)^2\times2}\\&=3\times2^{m+3}-2(m+1)^2-8(m+1)-12\end{aligned}$$

이다. 따라서 $n=m+1$일 때도 ($*$)이 성립한다.

(i), (ii)에 의하여 모든 자연수 n에 대하여

$$\sum_{k=1}^{n}k^2 2^{n-k+1}=3\times2^{n+2}-2n^2-8n-12$$

이다.

따라서 $f(m)=2(m+1)^2$, $p=2$이므로

$f(p)=f(2)=2\times(2+1)^2=18$

답 ①

04 함수의 극한과 연속

본문 39~45쪽

필수유형 1 ②	01 ⑤	02 ④	03 ④
필수유형 2 ④	04 ①	05 ④	06 ②
필수유형 3 30	07 ④	08 ③	09 ②
	10 ⑤		
필수유형 4 ②	11 ①	12 ③	13 ⑤
	14 ②		
필수유형 5 ③	15 ④	16 6	17 22
필수유형 6 ⑤	18 ⑤	19 ①	20 ⑤
필수유형 7 ④	21 ①	22 5	23 ②

필수유형 1

$x \to 0-$일 때, $f(x) \to -2$이므로 $\lim_{x \to 0-} f(x) = -2$

$x \to 1+$일 때, $f(x) \to 1$이므로 $\lim_{x \to 1+} f(x) = 1$

따라서 $\lim_{x \to 0-} f(x) + \lim_{x \to 1+} f(x) = -2+1 = -1$

답 ②

01

$x \to -2+$일 때, $f(x) \to 2$이므로 $\lim_{x \to -2+} f(x) = 2$

$x \to 1-$일 때, $f(x) \to 2$이므로 $\lim_{x \to 1-} f(x) = 2$

따라서 $\lim_{x \to -2+} f(x) + \lim_{x \to 1-} f(x) = 2+2 = 4$

답 ⑤

02

$\lim_{x \to 1-} f(x) = \lim_{x \to 1-} (ax-1) = a-1$

$\lim_{x \to 1+} f(x) = \lim_{x \to 1+} (x^2+ax+4) = a+5$

$\left\{\lim_{x \to 1-} f(x)\right\}^2 = \lim_{x \to 1+} f(x)$이므로

$(a-1)^2 = a+5$, $a^2-3a-4=0$, $(a+1)(a-4)=0$

$a=-1$ 또는 $a=4$

따라서 양수 a의 값은 4이다.

답 ④

03

함수 $y=f(x-1)$의 그래프는 함수 $y=f(x)$의 그래프를 x축의 방향으로 1만큼 평행이동한 것과 같으므로

$\lim_{x \to 1-} f(x-1) = \lim_{x \to 0-} f(x) = 2$

함수 $y=f(x+1)$의 그래프는 함수 $y=f(x)$의 그래프를 x축의 방향으로 -1만큼 평행이동한 것과 같으므로

$\lim_{x \to 1+} f(x+1) = \lim_{x \to 2+} f(x) = -1$

$\lim_{x \to 1-} f(x-1) + \lim_{x \to 1+} f(x+1) = 2+(-1) = 1$이고 그림에서

$\lim_{x \to 1+} f(x) = 1$이다.

따라서 $\lim_{x \to k+} f(x) = 1$을 만족시키는 정수 k의 값은 1이다.

답 ④

필수유형 2

$$\lim_{x \to \infty} \frac{\sqrt{x^2-2}+3x}{x+5} = \lim_{x \to \infty} \frac{\sqrt{1-\frac{2}{x^2}}+3}{1+\frac{5}{x}} = \frac{1+3}{1+0} = 4$$

답 ④

04

$$\lim_{x \to \infty} \frac{(1-2x)(1+2x)}{(x+2)^2} = \lim_{x \to \infty} \frac{-4x^2+1}{x^2+4x+4} = \lim_{x \to \infty} \frac{-4+\frac{1}{x^2}}{1+\frac{4}{x}+\frac{4}{x^2}} = \frac{-4}{1} = -4$$

답 ①

05

$$\lim_{x \to 1} \frac{x^2-1}{\sqrt{x^2+3}-\sqrt{x+3}}$$

$$= \lim_{x \to 1} \frac{(x-1)(x+1)(\sqrt{x^2+3}+\sqrt{x+3})}{(\sqrt{x^2+3}-\sqrt{x+3})(\sqrt{x^2+3}+\sqrt{x+3})}$$

$$= \lim_{x \to 1} \frac{(x-1)(x+1)(\sqrt{x^2+3}+\sqrt{x+3})}{(x^2+3)-(x+3)}$$

$$= \lim_{x \to 1} \frac{(x-1)(x+1)(\sqrt{x^2+3}+\sqrt{x+3})}{x(x-1)}$$

$$= \lim_{x \to 1} \frac{(x+1)(\sqrt{x^2+3}+\sqrt{x+3})}{x}$$

$$= 2 \times (2+2) = 8$$

답 ④

06

$$\lim_{x \to \infty} \{\sqrt{x^2+ax+b}-(ax+b)\}$$

$$= \lim_{x \to \infty} \frac{\{\sqrt{x^2+ax+b}-(ax+b)\}\{\sqrt{x^2+ax+b}+(ax+b)\}}{\sqrt{x^2+ax+b}+(ax+b)}$$

$$= \lim_{x \to \infty} \frac{(x^2+ax+b)-(ax+b)^2}{\sqrt{x^2+ax+b}+(ax+b)}$$

$$= \lim_{x \to \infty} \frac{(1-a^2)x^2+a(1-2b)x+(b-b^2)}{\sqrt{x^2+ax+b}+(ax+b)}$$

$$= \lim_{x \to \infty} \frac{(1-a^2)x+a(1-2b)+\frac{b-b^2}{x}}{\sqrt{1+\frac{a}{x}+\frac{b}{x^2}}+\left(a+\frac{b}{x}\right)} \quad \cdots\cdots ㉠$$

㉠의 값이 존재하므로 $1-a^2=0$이고, $a>0$이므로 $a=1$

㉠에서

$$\lim_{x \to \infty} \frac{(1-2b)+\frac{b-b^2}{x}}{\sqrt{1+\frac{1}{x}+\frac{b}{x^2}}+\left(1+\frac{b}{x}\right)} = \frac{1-2b}{2}$$

이므로 $\frac{1-2b}{2} = -2$에서 $1-2b=-4$, $b=\frac{5}{2}$

따라서 $a+b=1+\frac{5}{2}=\frac{7}{2}$

답 ②

필수유형 3

$\lim_{x\to1}(x+1)f(x)=1$이므로

$\lim_{x\to1}(2x^2+1)f(x)=\lim_{x\to1}\left\{\frac{2x^2+1}{x+1}\times(x+1)f(x)\right\}$

$=\lim_{x\to1}\frac{2x^2+1}{x+1}\times\lim_{x\to1}(x+1)f(x)=\frac{3}{2}\times1=\frac{3}{2}$

따라서 $a=\frac{3}{2}$이므로 $20a=20\times\frac{3}{2}=30$

답 30

07

$\lim_{x\to1}\frac{f(x)}{x+1}=3$에서 $\lim_{x\to1}\frac{x+1}{f(x)}=\frac{1}{3}$이므로

$\lim_{x\to1}\frac{x^2+3}{(x+1)f(x)}=\lim_{x\to1}\left\{\frac{x^2+3}{(x+1)^2}\times\frac{x+1}{f(x)}\right\}$

$=\lim_{x\to1}\frac{x^2+3}{(x+1)^2}\times\lim_{x\to1}\frac{x+1}{f(x)}=\frac{4}{2^2}\times\frac{1}{3}=\frac{1}{3}$

답 ④

08

$\lim_{x\to0}\frac{f(x)-3}{x}=4$에서 $x\to0$일 때 (분모)$\to0$이고 극한값이 존재하므로 (분자)$\to0$이어야 한다.

즉, $\lim_{x\to0}\{f(x)-3\}=f(0)-3=0$에서 $f(0)=3$이므로

$\lim_{x\to0}\frac{\{f(x)\}^2-4f(x)+3}{x}=\lim_{x\to0}\frac{\{f(x)-1\}\{f(x)-3\}}{x}$

$=\lim_{x\to0}\frac{f(x)-3}{x}\times\lim_{x\to0}\{f(x)-1\}$

$=4\times2=8$

답 ③

09

$\lim_{x\to1}(-2x^2+5)=3$, $\lim_{x\to1}(-4x+7)=3$이므로

함수의 극한의 대소 관계에 의하여 $\lim_{x\to1}\{f(x)+g(x)\}=3$

$\lim_{x\to1}f(x)=\alpha$, $\lim_{x\to1}g(x)=\beta$라 하면 $\alpha+\beta=3$ …… ㉠

$\lim_{x\to1}\{f(x)+2g(x)\}=\lim_{x\to1}f(x)+2\lim_{x\to1}g(x)=\alpha+2\beta=0$

이면 ㉠에 의하여 $\alpha=6$, $\beta=-3$이고,

$\lim_{x\to1}\{2f(x)+g(x)\}=2\lim_{x\to1}f(x)+\lim_{x\to1}g(x)=2\alpha+\beta=9\neq0$

이므로 $\lim_{x\to1}\frac{2f(x)+g(x)}{f(x)+2g(x)}=8$을 만족시킬 수 없다.

그러므로 $\lim_{x\to1}\{f(x)+2g(x)\}\neq0$이고

$\lim_{x\to1}\frac{2f(x)+g(x)}{f(x)+2g(x)}=\frac{2\lim_{x\to1}f(x)+\lim_{x\to1}g(x)}{\lim_{x\to1}f(x)+2\lim_{x\to1}g(x)}$

$=\frac{2\alpha+\beta}{\alpha+2\beta}=8$ …… ㉡

㉠에서 $\beta=3-\alpha$이므로 이것을 ㉡에 대입하면

$\frac{2\alpha+(3-\alpha)}{\alpha+2(3-\alpha)}=\frac{\alpha+3}{-\alpha+6}=8$에서 $\alpha=5$이고 $\beta=-2$

따라서 $\lim_{x\to1}\{f(x)-g(x)\}=\lim_{x\to1}f(x)-\lim_{x\to1}g(x)=5-(-2)=7$

답 ②

10

조건 (가)에서 $x\to0$일 때 (분모)$\to0$이고 극한값이 존재하므로 (분자)$\to0$이어야 한다.

즉, $\lim_{x\to0}\{f(x)+g(x)-2\}=0$에서 $\lim_{x\to0}f(x)+\lim_{x\to0}g(x)=2$

$\lim_{x\to0}f(x)=a$, $\lim_{x\to0}g(x)=b$라 하면 $a+b=2$ …… ㉠

조건 (나)에서 $\lim_{x\to0}\{f(x)+x\}\{g(x)-2\}=\lim_{x\to0}x^2\{f(x)+9\}$

$\lim_{x\to0}f(x)\times\lim_{x\to0}\{g(x)-2\}=0$이므로

$a(b-2)=0$ …… ㉡

㉠, ㉡을 연립하여 풀면 $a=0$, $b=2$이므로

$\lim_{x\to0}f(x)=0$, $\lim_{x\to0}g(x)=2$

$\lim_{x\to0}\frac{f(x)}{x}=c$, $\lim_{x\to0}\frac{g(x)-2}{x}=d$라 하면 조건 (가)에서

$\lim_{x\to0}\frac{f(x)+g(x)-2}{x}=\lim_{x\to0}\frac{f(x)}{x}+\lim_{x\to0}\frac{g(x)-2}{x}=5$

이므로 $c+d=5$ ……㉢

조건 (나)에서 $x\neq0$일 때

$\left\{\frac{f(x)}{x}+1\right\}\left\{\frac{g(x)-2}{x}\right\}=f(x)+9$이므로

$\lim_{x\to0}\left\{\frac{f(x)}{x}+1\right\}\left\{\frac{g(x)-2}{x}\right\}=\lim_{x\to0}\{f(x)+9\}$에서

$\lim_{x\to0}\left\{\frac{f(x)}{x}+1\right\}\times\lim_{x\to0}\frac{g(x)-2}{x}=\lim_{x\to0}f(x)+9$

$(c+1)d=9$ ……㉣

㉢, ㉣을 연립하여 풀면 $c=2$, $d=3$이므로

$\lim_{x\to0}\frac{f(x)}{x}=2$, $\lim_{x\to0}\frac{g(x)-2}{x}=3$

따라서

$\lim_{x\to0}\frac{f(x)g(x)\{g(x)-2\}}{x^2}=\lim_{x\to0}\frac{f(x)}{x}\times\lim_{x\to0}g(x)\times\lim_{x\to0}\frac{g(x)-2}{x}$

$=2\times2\times3=12$

답 ⑤

필수유형 4

$\lim_{x\to0}\frac{f(x)}{x}=1$에서 $x\to0$일 때 (분모)$\to0$이고 극한값이 존재하므로 (분자)$\to0$이어야 한다. 즉, $\lim_{x\to0}f(x)=f(0)=0$

$\lim_{x\to1}\frac{f(x)}{x-1}=1$에서 $x\to1$일 때 (분모)$\to0$이고 극한값이 존재하므로 (분자)$\to0$이어야 한다. 즉, $\lim_{x\to1}f(x)=f(1)=0$

$f(0)=f(1)=0$이므로 삼차함수 $f(x)$를

$f(x)=x(x-1)(ax+b)$ (a는 0이 아닌 상수, b는 상수)라 하자.

$\lim_{x\to0}\frac{f(x)}{x}=\lim_{x\to0}(x-1)(ax+b)=-b$이므로

$-b=1$에서 $b=-1$

$\lim_{x \to 1} \frac{f(x)}{x-1} = \lim_{x \to 1} x(ax+b) = a+b$이므로

$a+b=a-1=1$에서 $a=2$

따라서 $f(x)=x(x-1)(2x-1)$이므로

$f(2)=2\times1\times3=6$

답 ②

11

$\lim_{x \to 2} \frac{2-\sqrt{ax+b}}{x^2-2x}=1$ …… ㉠

에서 $x \to 2$일 때 (분모)$\to 0$이고 극한값이 존재하므로 (분자)$\to 0$이어야 한다.

즉, $\lim_{x \to 2}(2-\sqrt{ax+b})=0$에서 $2-\sqrt{2a+b}=0$, $2a+b=4$이므로

$b=-2a+4$ …… ㉡

㉡을 ㉠에 대입하면

$$\begin{aligned}\lim_{x \to 2} \frac{2-\sqrt{ax-2a+4}}{x^2-2x} &= \lim_{x \to 2} \frac{(2-\sqrt{ax-2a+4})(2+\sqrt{ax-2a+4})}{(x^2-2x)(2+\sqrt{ax-2a+4})} \\ &= \lim_{x \to 2} \frac{4-(ax-2a+4)}{x(x-2)(2+\sqrt{ax-2a+4})} \\ &= \lim_{x \to 2} \frac{-a(x-2)}{x(x-2)(2+\sqrt{ax-2a+4})} \\ &= \lim_{x \to 2} \frac{-a}{x(2+\sqrt{ax-2a+4})} \\ &= \frac{-a}{2\times(2+2)} = -\frac{a}{8} = 1\end{aligned}$$

에서 $a=-8$이고, ㉡에서 $b=20$

따라서 $a+b=-8+20=12$

답 ①

12

$\lim_{x \to 2} \frac{f(x)+x^2}{x-2}=10$에서 $x \to 2$일 때 (분모)$\to 0$이고 극한값이 존재하므로 (분자)$\to 0$이어야 한다.

즉, $\lim_{x \to 2}\{f(x)+x^2\}=f(2)+4=0$에서 $f(2)=-4$

이차함수 $f(x)$의 최고차항의 계수가 -1이면 함수 $f(x)+x^2$은 일차함수 또는 상수함수이다.

이때 함수 $f(x)+x^2$이 상수함수이면 $\lim_{x \to 2} \frac{f(x)+x^2}{x-2}=10$이 될 수 없으므로 함수 $f(x)+x^2$은 일차함수이고 $f(x)+x^2=10(x-2)$이다.

즉, $f(x)=-x^2+10x-20$이고 이때 $f(3)=-9+30-20=1$이므로 주어진 조건을 만족시키지 않는다.

이차함수 $f(x)$의 최고차항의 계수가 -1이 아니면 함수 $f(x)+x^2$은 이차함수이고 $\lim_{x \to 2} \frac{f(x)+x^2}{x-2}=10$을 만족시켜야 하므로

$f(x)+x^2=a(x-2)(x-k)$ (a는 0이 아닌 상수, k는 상수)라 하자.

$$\begin{aligned}\lim_{x \to 2} \frac{f(x)+x^2}{x-2} &= \lim_{x \to 2} \frac{a(x-2)(x-k)}{x-2} = \lim_{x \to 2} a(x-k) \\ &= a(2-k)=10 \quad \cdots\cdots ㉠\end{aligned}$$

$f(3)=3$이므로 $f(3)+9=a(3-k)$에서

$a(3-k)=12$ …… ㉡

㉠, ㉡에서 $2a-ak=10$, $3a-ak=12$이므로

$a=2$, $k=-3$

따라서 $f(x)=2(x-2)(x+3)-x^2$이므로

$f(4)=28-16=12$

답 ③

13

$\lim_{x \to 1} \frac{f(x)-f(-1)}{x-1}=3$에서 $x \to 1$일 때 (분모)$\to 0$이고 극한값이 존재하므로 (분자)$\to 0$이어야 한다.

즉, $\lim_{x \to 1}\{f(x)-f(-1)\}=f(1)-f(-1)=0$에서

$f(1)=f(-1)$

이때 $f(1)=f(-1)\neq0$이면 $\lim_{x \to 0} \frac{f(x+1)}{f(x-1)} = \frac{f(1)}{f(-1)}=1$이 되어 주어진 조건을 만족시킬 수 없으므로 $f(1)=f(-1)=0$이다.

$f(x)=a(x+1)(x-1)(x-k)$ (a는 0이 아닌 상수, k는 상수)라 하면

$$\begin{aligned}\lim_{x \to 0} \frac{f(x+1)}{f(x-1)} &= \lim_{x \to 0} \frac{ax(x+2)(x+1-k)}{ax(x-2)(x-1-k)} \\ &= \lim_{x \to 0} \frac{(x+2)(x+1-k)}{(x-2)(x-1-k)} \\ &= \frac{2(1-k)}{-2(-1-k)} = \frac{1-k}{1+k} = -3\end{aligned}$$

에서 $1-k=-3-3k$, $2k=-4$이므로 $k=-2$

$$\begin{aligned}\lim_{x \to 1} \frac{f(x)-f(-1)}{x-1} &= \lim_{x \to 1} \frac{a(x+1)(x-1)(x+2)}{x-1} \\ &= \lim_{x \to 1} a(x+1)(x+2) = 6a = 3\end{aligned}$$

에서 $a=\frac{1}{2}$

따라서 $f(x)=\frac{1}{2}(x+1)(x-1)(x+2)$이므로

$f(3)=\frac{1}{2}\times4\times2\times5=20$

답 ⑤

14

$\lim_{x \to 1} \frac{f(x)g(x)}{x-1}=0$에서 $x \to 1$일 때 (분모)$\to 0$이고 극한값이 존재하므로 (분자)$\to 0$이어야 한다.

즉, $\lim_{x \to 1} f(x)g(x)=f(1)g(1)=0$ …… ㉠

$\lim_{x \to 1} \frac{f(x)-g(x)}{x-1}=5$에서 $x \to 1$일 때 (분모)$\to 0$이고 극한값이 존재하므로 (분자)$\to 0$이어야 한다.

즉, $\lim_{x \to 1}\{f(x)-g(x)\}=f(1)-g(1)=0$ …… ㉡

㉠, ㉡을 연립하여 풀면 $f(1)=g(1)=0$이므로 두 상수 a, b에 대하여 $f(x)=(x-1)(x+a)$, $g(x)=(x-1)(x+b)$라 하자.

$$\begin{aligned}\lim_{x \to 1} \frac{f(x)-g(x)}{x-1} &= \lim_{x \to 1} \frac{(x-1)(x+a)-(x-1)(x+b)}{x-1} \\ &= \lim_{x \to 1}\{(x+a)-(x+b)\} \\ &= (1+a)-(1+b) = a-b = 5 \quad \cdots\cdots ㉢\end{aligned}$$

$f(2)=2+a$, $g(3)=2(3+b)$이므로 $f(2)=g(3)$에서

$2+a=6+2b$, $a-2b=4$ …… ㉣

㉢, ㉣을 연립하여 풀면 $a=6$, $b=1$

따라서 $f(x)=(x-1)(x+6)$, $g(x)=(x-1)(x+1)$이므로

$f(0)+g(0)=-6+(-1)=-7$

답 ②

필수유형 5

곡선 $y=x^2$ 위의 점 P의 좌표를 $(a,\ a^2)$ $(a>0)$이라 하면 점 P와 직선 $y=2tx-1$, 즉 $2tx-y-1=0$ 사이의 거리는

$$\frac{|2ta-a^2-1|}{\sqrt{(2t)^2+(-1)^2}}=\frac{|a^2-2ta+1|}{\sqrt{4t^2+1}} \quad \cdots\cdots ㉠$$

이때 $a^2-2ta+1=(a-t)^2+1-t^2$이고 $0<t<1$이므로

$a^2-2ta+1>0$이다.

그러므로 ㉠은 $a=t$일 때 최소이고 점 P의 좌표는 $(t,\ t^2)$이다.

직선 OP의 방정식이 $y=tx$이므로

$tx=2tx-1$에서 $x=\frac{1}{t}$이고 점 Q의 좌표는 $\left(\frac{1}{t},\ 1\right)$

따라서

$$\lim_{t\to1-}\frac{\overline{\mathrm{PQ}}}{1-t}=\lim_{t\to1-}\frac{\sqrt{\left(\frac{1}{t}-t\right)^2+(1-t^2)^2}}{1-t}$$
$$=\lim_{t\to1-}\frac{(1-t^2)\sqrt{\frac{1}{t^2}+1}}{1-t}$$
$$=\lim_{t\to1-}(1+t)\sqrt{\frac{1}{t^2}+1}=2\sqrt{2}$$

답 ③

15

$\overline{\mathrm{PQ}}=3t-(\sqrt{t^2+3t+4}-2)=3t+2-\sqrt{t^2+3t+4}$이므로

삼각형 OPQ의 넓이 $S(t)$는

$$S(t)=\frac{1}{2}\times t\times\overline{\mathrm{PQ}}=\frac{1}{2}\times t\times(3t+2-\sqrt{t^2+3t+4})$$

따라서

$$\lim_{t\to0+}\frac{S(t)}{t^2}=\lim_{t\to0+}\frac{\frac{1}{2}t(3t+2-\sqrt{t^2+3t+4})}{t^2}$$
$$=\lim_{t\to0+}\frac{3t+2-\sqrt{t^2+3t+4}}{2t}$$
$$=\lim_{t\to0+}\frac{(3t+2-\sqrt{t^2+3t+4})(3t+2+\sqrt{t^2+3t+4})}{2t(3t+2+\sqrt{t^2+3t+4})}$$
$$=\lim_{t\to0+}\frac{(9t^2+12t+4)-(t^2+3t+4)}{2t(3t+2+\sqrt{t^2+3t+4})}$$
$$=\lim_{t\to0+}\frac{8t^2+9t}{2t(3t+2+\sqrt{t^2+3t+4})}$$
$$=\lim_{t\to0+}\frac{8t+9}{2(3t+2+\sqrt{t^2+3t+4})}=\frac{9}{8}$$

답 ④

16

이차함수 $y=f(x)$의 그래프의 꼭짓점이 $\mathrm{P}(t,\ 0)$이므로 양수 a에 대하여 $f(x)=a(x-t)^2$이라 하면 점 $\mathrm{A}(0,\ 1)$이 곡선 $y=f(x)$ 위의 점이므로 $a(-t)^2=1$에서 $a=\frac{1}{t^2}$

$$f(x)=\frac{1}{t^2}(x-t)^2=\frac{1}{t^2}x^2-\frac{2}{t}x+1$$

$\frac{1}{t^2}x^2-\frac{2}{t}x+1=3x+1$에서 $\frac{1}{t^2}x^2-\left(\frac{2}{t}+3\right)x=0$

$\frac{1}{t^2}x\{x-(3t^2+2t)\}=0$이므로 $x=0$ 또는 $x=3t^2+2t$

그러므로 점 Q의 좌표는 $(3t^2+2t,\ 9t^2+6t+1)$이다.

점 P에서 직선 QR에 내린 수선의 발을 H라 하고, 직선 QR이 y축과 만나는 점을 S라 하면

$\overline{\mathrm{QH}}=\overline{\mathrm{QS}}-\overline{\mathrm{HS}}=(3t^2+2t)-t=3t^2+t$

$\overline{\mathrm{QR}}=2\times\overline{\mathrm{QH}}=6t^2+2t$이고

$\overline{\mathrm{AS}}=(9t^2+6t+1)-1=9t^2+6t$

그러므로 삼각형 AQR의 넓이 $S(t)$는

$$S(t)=\frac{1}{2}\times\overline{\mathrm{QR}}\times\overline{\mathrm{AS}}$$
$$=\frac{1}{2}\times(6t^2+2t)\times(9t^2+6t)=\frac{1}{2}\times2t(3t+1)\times3t(3t+2)$$
$$=3t^2(3t+1)(3t+2)$$

따라서

$$\lim_{t\to0+}\frac{S(t)}{t^2}=\lim_{t\to0+}\frac{3t^2(3t+1)(3t+2)}{t^2}$$
$$=\lim_{t\to0+}3(3t+1)(3t+2)$$
$$=3\times1\times2=6$$

답 6

17

$x<0$일 때 $f(x)=\frac{-2x-1}{x}=-\frac{1}{x}-2$이므로

$x<0$에서 함수 $y=|f(x)|$의 그래프의 점근선의 방정식은 $y=2$이다.

$x\geq0$일 때 $f(x)=x^2-8x+a=(x-4)^2+a-16$이므로

양수 a의 범위를 나누어 함수 $g(t)$를 생각할 수 있다.

(i) $a-16\geq0$, 즉 $a\geq16$인 경우

함수 $y=|f(x)|$의 그래프는 그림과 같다.

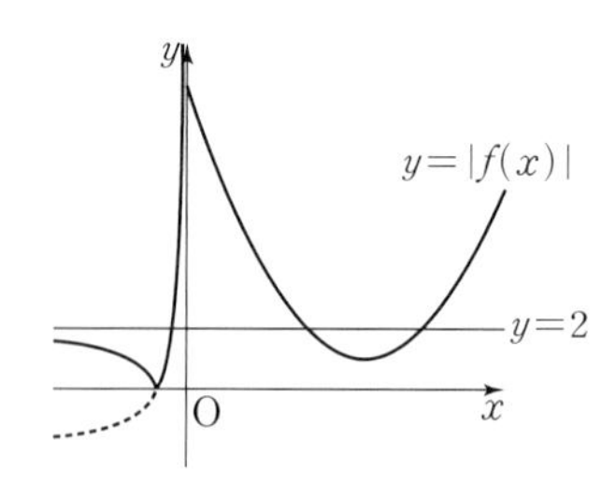

그러므로 $\lim_{t\to k-}g(t)-\lim_{t\to k+}g(t)>2$를 만족시키는 상수 k가 존재하지 않는다.

(ii) $-2<a-16<0$, 즉 $14<a<16$인 경우

함수 $y=|f(x)|$의 그래프는 그림과 같다.

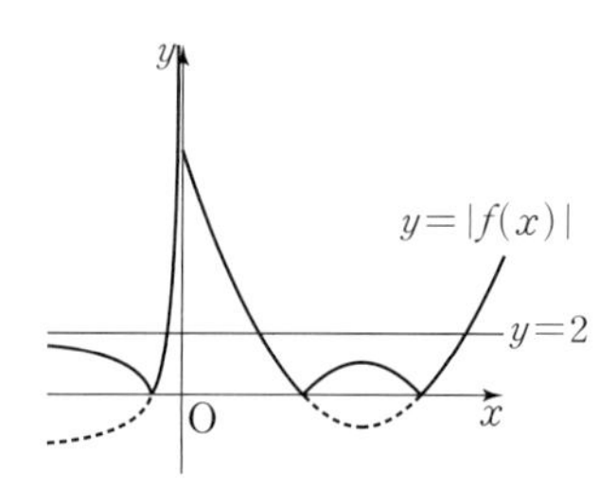

그러므로 $\lim_{t \to k-} g(t) - \lim_{t \to k+} g(t) > 2$를 만족시키는 상수 k가 존재하지 않는다.

(iii) $a-16=-2$, 즉 $a=14$인 경우

함수 $y=|f(x)|$의 그래프는 그림과 같다.

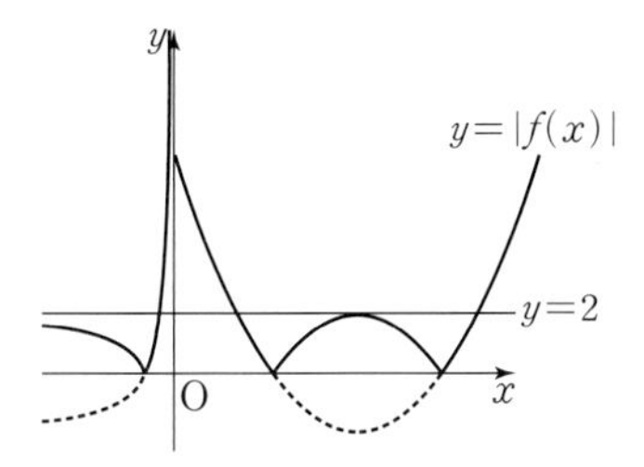

이때 $\lim_{t \to 2-} g(t)=6$, $\lim_{t \to 2+} g(t)=3$이므로

$\lim_{t \to k-} g(t) - \lim_{t \to k+} g(t) > 2$를 만족시키는 상수 $k=2$가 존재한다.

(iv) $-8<a-16<-2$, 즉 $8<a<14$인 경우

함수 $y=|f(x)|$의 그래프는 그림과 같다.

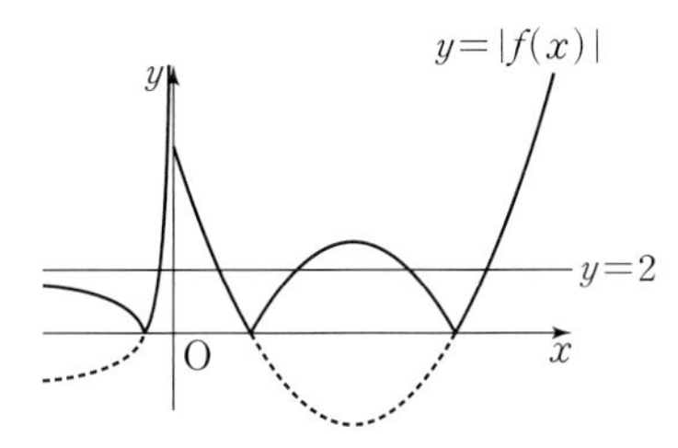

그러므로 $\lim_{t \to k-} g(t) - \lim_{t \to k+} g(t) > 2$를 만족시키는 상수 k가 존재하지 않는다.

(v) $a-16=-8$, 즉 $a=8$인 경우

함수 $y=|f(x)|$의 그래프는 그림과 같다.

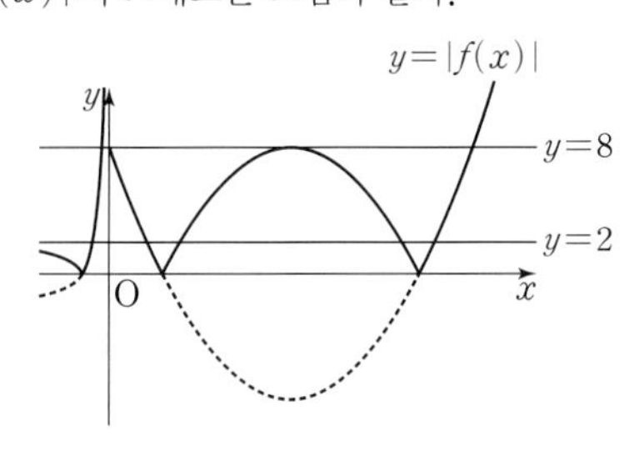

이때 $\lim_{t \to 8-} g(t)=5$, $\lim_{t \to 8+} g(t)=2$이므로

$\lim_{t \to k-} g(t) - \lim_{t \to k+} g(t) > 2$를 만족시키는 상수 $k=8$이 존재한다.

(vi) $-16<a-16<-8$, 즉 $0<a<8$인 경우

함수 $y=|f(x)|$의 그래프는 그림과 같다.

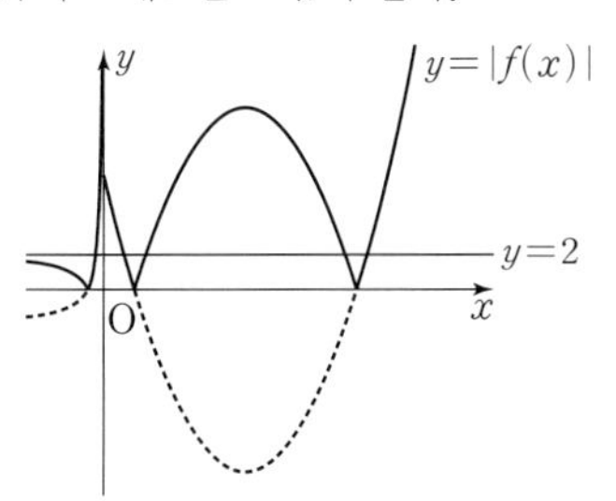

그러므로 $\lim_{t \to k-} g(t) - \lim_{t \to k+} g(t) > 2$를 만족시키는 상수 k가 존재하지 않는다.

(i)~(vi)에 의하여 주어진 조건을 만족시키는 상수 k가 존재하도록 하는 모든 양수 a의 값은 8, 14이고 그 합은 22이다.

답 22

필수유형 6

함수 $|f(x)|$가 실수 전체의 집합에서 연속이므로 $x=-1$과 $x=3$에서도 연속이다.

함수 $|f(x)|$가 $x=-1$에서 연속이므로

$\lim_{x \to -1-} |f(x)| = \lim_{x \to -1+} |f(x)| = |f(-1)|$이어야 한다.

$\lim_{x \to -1-} |f(x)| = \lim_{x \to -1-} |x+a| = |-1+a|$

$\lim_{x \to -1+} |f(x)| = \lim_{x \to -1+} |x| = |-1| = 1$

$|f(-1)| = |-1| = 1$

이므로 $|-1+a|=1$

$a>0$이므로 $a=2$

함수 $|f(x)|$가 $x=3$에서 연속이므로

$\lim_{x \to 3-} |f(x)| = \lim_{x \to 3+} |f(x)| = |f(3)|$이어야 한다. 이때

$\lim_{x \to 3-} |f(x)| = \lim_{x \to 3-} |x| = |3| = 3$

$\lim_{x \to 3+} |f(x)| = \lim_{x \to 3+} |bx-2| = |3b-2|$

$|f(3)| = |3b-2|$

이므로 $|3b-2|=3$

$b>0$이므로 $b=\frac{5}{3}$

따라서 $a+b=2+\frac{5}{3}=\frac{11}{3}$

답 ⑤

18

함수 $f(x)$가 구간 $[-2, \infty)$에서 연속이므로 $x=a$에서도 연속이다.

즉, $\lim_{x \to a} f(x) = f(a)$이어야 한다.

$$\begin{aligned}\lim_{x \to a} \frac{x-a}{\sqrt{x+2}-\sqrt{a+2}} &= \lim_{x \to a} \frac{(x-a)(\sqrt{x+2}+\sqrt{a+2})}{(\sqrt{x+2}-\sqrt{a+2})(\sqrt{x+2}+\sqrt{a+2})} \\ &= \lim_{x \to a} \frac{(x-a)(\sqrt{x+2}+\sqrt{a+2})}{x-a} \\ &= \lim_{x \to a} (\sqrt{x+2}+\sqrt{a+2}) \\ &= 2\sqrt{a+2} = 6\end{aligned}$$

에서 $\sqrt{a+2}=3$, $a+2=9$

따라서 $a=7$

답 ⑤

19

$f(x)=x^2+ax+b$ (a, b는 상수)라 하자.

함수 $g(x)$가 $x=1$에서 불연속이므로

$\lim_{x \to 1-} g(x) = \lim_{x \to 1-} f(x) = f(1) \neq 4$

함수 $|g(x)|$가 실수 전체의 집합에서 연속이므로 $x=1$에서 연속이고

$\lim_{x \to 1-} |g(x)| = \lim_{x \to 1-} |f(x)| = |f(1)| = 4$

$f(1) \neq 4$이므로 $f(1)=-4$ …… ㉠

함수 $h(x)$가 실수 전체의 집합에서 연속이므로 $x=1$에서 연속이고

$\lim_{x \to 1-} h(x) = \lim_{x \to 1-} f(x-2) = \lim_{x \to -1-} f(x) = f(-1) = 4$ …… ㉡

㉠에서 $f(1)=1+a+b=-4$

㉡에서 $f(-1)=1-a+b=4$

두 식을 연립하여 풀면 $a=-4$, $b=-1$

따라서 $f(x)=x^2-4x-1$이므로

$f(-2)=4+8-1=11$

답 ①

20

ㄱ. $f(1)=1$이므로 원 C와 직선 $y=x$가 한 점에서 만나야 한다.

원 C의 중심 $\mathrm{P}(3,\ 4)$와 직선 $y=x$, 즉 $x-y=0$ 사이의 거리가

$\dfrac{|3-4|}{\sqrt{1^2+(-1)^2}}=\dfrac{1}{\sqrt{2}}=\dfrac{\sqrt{2}}{2}$

이므로 $r=\dfrac{\sqrt{2}}{2}$이다. (참)

ㄴ.

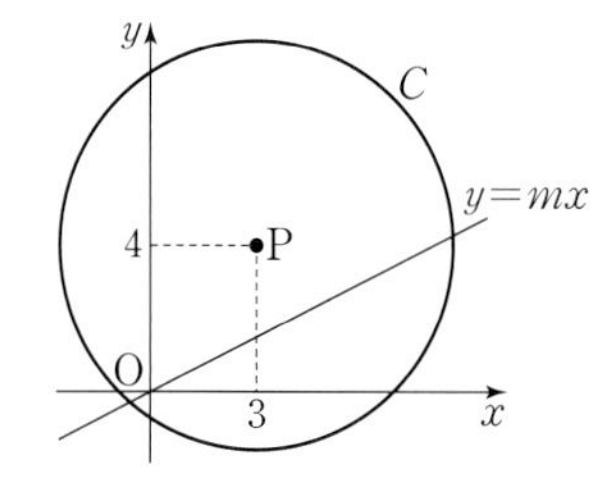

$r>5$인 경우 그림과 같이 원점 O가 원 C의 내부에 있으므로 직선 $y=mx$와 원 C는 m의 값에 상관없이 두 점에서 만난다.

따라서 $r>5$이면 모든 실수 m에 대하여 $f(m)=2$이다. (참)

ㄷ. (i) $0<r<3$인 경우

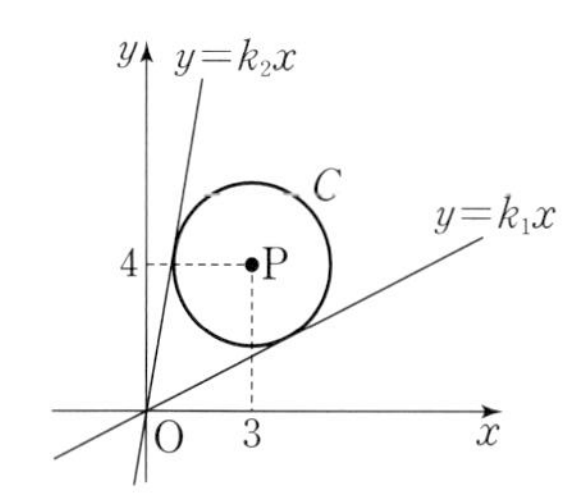

그림과 같이 $k_1<k_2$인 두 실수 k_1, k_2에 대하여 원 C는 직선 $y=k_1x$, 직선 $y=k_2x$와 접하므로 함수 $f(m)$은 다음과 같다.

$$f(m)=\begin{cases} 0 \ (m<k_1) \\ 1 \ (m=k_1) \\ 2 \ (k_1<m<k_2) \\ 1 \ (m=k_2) \\ 0 \ (m>k_2) \end{cases}$$

따라서 함수 $f(m)$은 $m=k_1$, $m=k_2$에서 불연속이다.

(ii) $r=3$인 경우

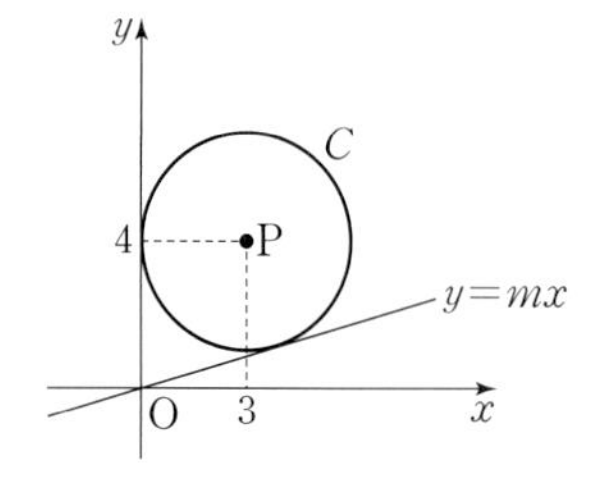

점 $\mathrm{P}(3,\ 4)$와 직선 $y=mx$, 즉 $mx-y=0$ 사이의 거리가

$\dfrac{|3m-4|}{\sqrt{m^2+1}}$이므로 원 C가 직선 $y=mx$와 접하려면

$\dfrac{|3m-4|}{\sqrt{m^2+1}}=3$에서 $(3m-4)^2=9(m^2+1)$, $m=\dfrac{7}{24}$

이때 함수 $f(m)$은 다음과 같다.

$$f(m)=\begin{cases} 0 \left(m<\dfrac{7}{24}\right) \\ 1 \left(m=\dfrac{7}{24}\right) \\ 2 \left(m>\dfrac{7}{24}\right) \end{cases}$$

따라서 함수 $f(m)$은 $m=\dfrac{7}{24}$에서만 불연속이다.

(iii) $3<r<5$인 경우

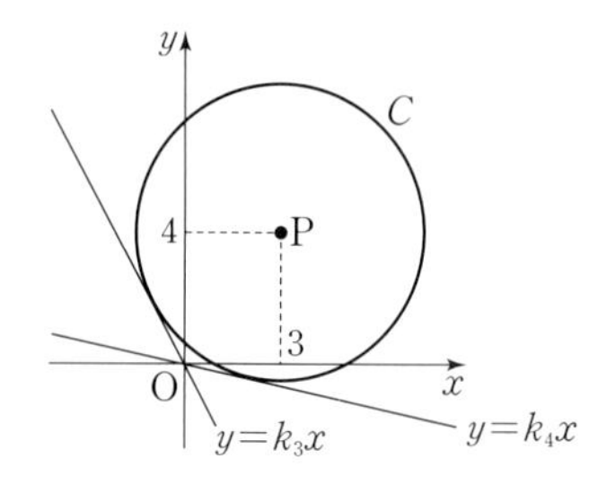

그림과 같이 $k_3<k_4$인 두 실수 k_3, k_4에 대하여 원 C는 직선 $y=k_3x$, 직선 $y=k_4x$와 접하므로 함수 $f(m)$은 다음과 같다.

$$f(m)=\begin{cases} 2 \ (m<k_3) \\ 1 \ (m=k_3) \\ 0 \ (k_3<m<k_4) \\ 1 \ (m=k_4) \\ 2 \ (m>k_4) \end{cases}$$

따라서 함수 $f(m)$은 $m=k_3$, $m=k_4$에서 불연속이다.

(iv) $r=5$인 경우

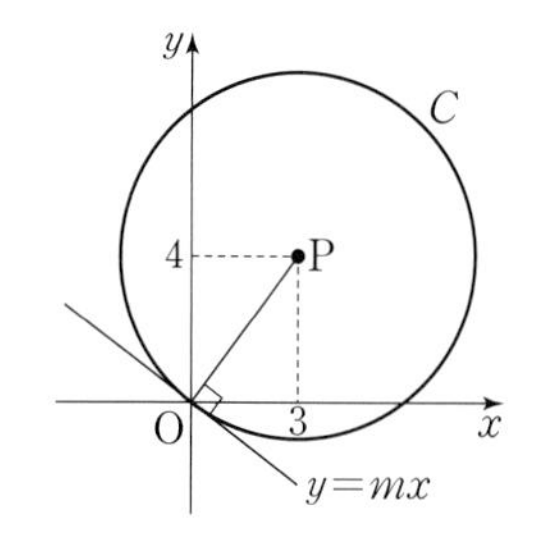

그림과 같이 원 C가 원점 O를 지나고 직선 OP의 기울기가 $\dfrac{4}{3}$이므로 직선 $y=-\dfrac{3}{4}x$가 원 C와 점 O에서 접한다.

이때 함수 $f(m)$은 다음과 같다.

$$f(m)=\begin{cases} 2 \left(m\neq-\dfrac{3}{4}\right) \\ 1 \left(m=-\dfrac{3}{4}\right) \end{cases}$$

따라서 함수 $f(m)$은 $m=-\dfrac{3}{4}$에서만 불연속이다.

(v) $r>5$인 경우

ㄴ에서 $r>5$이면 모든 실수 m에 대하여 $f(m)=2$이므로 함수 $f(m)$은 실수 전체의 집합에서 연속이다.

(i)~(v)에 의하여 $r=3$, $r=5$일 때 함수 $f(m)$이 $m=k$에서 불연속인 k의 개수가 1이므로 그 합은 $3+5=8$이다. (참)

이상에서 옳은 것은 ㄱ, ㄴ, ㄷ이다.

답 ⑤

필수유형 7

$g(x)=\{f(x)\}^2$이라 하자.
함수 $g(x)$가 실수 전체의 집합에서 연속이려면 $x=a$에서 연속이어야 한다.
즉, $\lim_{x\to a-} g(x)=\lim_{x\to a+} g(x)=g(a)$이어야 한다.
이때
$\lim_{x\to a-} g(x)=\lim_{x\to a-}\{f(x)\}^2=\lim_{x\to a-}(-2x+6)^2=(-2a+6)^2$
$\lim_{x\to a+} g(x)=\lim_{x\to a+}\{f(x)\}^2=\lim_{x\to a+}(2x-a)^2=a^2$
$g(a)=\{f(a)\}^2=a^2$
이므로 $(-2a+6)^2=a^2$에서
$a^2-8a+12=0$
$(a-2)(a-6)=0$
$a=2$ 또는 $a=6$
따라서 모든 상수 a의 값의 합은
$2+6=8$

답 ④

21

함수 $f(x)g(x)$가 실수 전체의 집합에서 연속이려면 함수 $f(x)g(x)$가 $x=a$에서 연속이어야 한다.
즉, $\lim_{x\to a-} f(x)g(x)=\lim_{x\to a+} f(x)g(x)=f(a)g(a)$이어야 한다.
이때
$\lim_{x\to a-} f(x)g(x)=\lim_{x\to a-}(x+3)(x^2+ax+a-1)$
$=(a+3)(2a^2+a-1)$
$\lim_{x\to a+} f(x)g(x)=\lim_{x\to a+}(3x-4)(x^2+ax+a-1)$
$=(3a-4)(2a^2+a-1)$
$f(a)g(a)=(3a-4)(2a^2+a-1)$
이므로 $(a+3)(2a^2+a-1)=(3a-4)(2a^2+a-1)$에서
$\{(3a-4)-(a+3)\}(2a^2+a-1)=0$
$(2a-7)(2a-1)(a+1)=0$에서
$a=\frac{7}{2}$ 또는 $a=\frac{1}{2}$ 또는 $a=-1$
따라서 모든 실수 a의 값의 합은
$\frac{7}{2}+\frac{1}{2}+(-1)=3$

답 ①

22

$h(x)=f(x)-ng(x)$라 하면 방정식 $f(x)=ng(x)$의 실근은 방정식 $h(x)=0$의 실근과 같다.
$h(x)=x^3+x^2-nx+2n$에서 $h(-3)=5n-18$, $h(-2)=4n-4$이고, 방정식 $h(x)=0$이 열린구간 $(-3, -2)$에서 오직 하나의 실근을 가지려면 $h(-3)h(-2)<0$이어야 하므로
$(5n-18)(4n-4)<0$, $1<n<\frac{18}{5}$
따라서 조건을 만족시키는 자연수 n은 2, 3이고 그 합은 $2+3=5$이다.

답 5

23

임의의 실수 x에 대하여 $f(x)>0$이면 함수 $g(x)$, $h(x)$는 실수 전체의 집합에서 연속이므로 주어진 조건을 만족시킬 수 없다. 그러므로 $\alpha\le\beta$인 두 상수 α, β에 대하여 함수 $f(x)$를 $f(x)=(x+\alpha)(x+\beta)$라 하면
$g(x)=\frac{x}{f(x^2+4)}=\frac{x}{(x^2+4+\alpha)(x^2+4+\beta)}$
이다. 이때 $0<4+\alpha$이면 $0<4+\beta$이므로 모든 실수 x에 대하여 $f(x^2+4)>0$이고, 함수 $g(x)$는 실수 전체의 집합에서 연속이므로 조건 (가)를 만족시킬 수 없다.
$4+\alpha<0$이면 함수 $g(x)$는 $x=-\sqrt{-\alpha-4}$, $x=\sqrt{-\alpha-4}$에서 불연속이므로 조건 (가)를 만족시킬 수 없다. 그러므로 $4+\alpha=0$, 즉 $\alpha=-4$이어야 하고, $f(x)=(x-4)(x+\beta)$이다.
이때 조건 (나)에서 함수 $h(x)$가 $x=b$, $x=c$ $(b<c)$에서만 불연속이고 $h(x)=\frac{f(x-4)}{f(x^2)}=\frac{(x-8)(x-4+\beta)}{(x+2)(x-2)(x^2+\beta)}$이므로 함수 $h(x)$가 $x=-2$, $x=2$에서만 불연속이려면 $\beta>0$ 또는 $\beta=-4$이어야 한다.
(i) $\beta=-4$인 경우
$h(x)=\frac{(x-8)^2}{(x+2)^2(x-2)^2}$이고, $b=-2$, $c=2$이므로
$\lim_{x\to -2} h(x)$의 값이 존재하지 않는다.
(ii) $\beta>0$인 경우
$h(x)=\frac{(x-8)(x-4+\beta)}{(x+2)(x-2)(x^2+\beta)}$이고, $b=-2$, $c=2$이므로
$\lim_{x\to -2} h(x)$의 값이 존재하려면
$\lim_{x\to -2} h(x)=\lim_{x\to -2}\frac{(x-8)(x-4+\beta)}{(x+2)(x-2)(x^2+\beta)}$에서 $x\to -2$일 때
(분모)$\to 0$이므로 (분자)$\to 0$이어야 한다.
즉, $\lim_{x\to -2}(x-8)(x-4+\beta)=-10(-6+\beta)=0$이므로 $\beta=6$이다.
$\lim_{x\to -2} h(x)=\lim_{x\to -2}\frac{(x-8)(x+2)}{(x+2)(x-2)(x^2+6)}$
$=\lim_{x\to -2}\frac{x-8}{(x-2)(x^2+6)}$
$=\frac{-10}{-4\times 10}=\frac{1}{4}$
이므로 $\lim_{x\to -2} h(x)$의 값이 존재한다.
따라서 $f(x)=(x-4)(x+6)$이므로 $f(c)=f(2)=-16$이고
$f(c)\times\lim_{x\to b} h(x)=-16\times\frac{1}{4}=-4$

답 ②

05 다항함수의 미분법

본문 48~58쪽

필수유형 1 11	01 ⑤	02 ①	03 ③
필수유형 2 ④	04 ③	05 ④	06 8
필수유형 3 ③	07 ②	08 ①	09 ⑤
필수유형 4 ⑤	10 ④	11 ④	12 ⑤
필수유형 5 6	13 ③	14 ①	15 ⑤
필수유형 6 6	16 ②	17 80	18 ②
필수유형 7 ③	19 ②	20 ②	21 ④
필수유형 8 ⑤	22 ④	23 ②	24 ①
필수유형 9 7	25 ③	26 ⑤	27 7
필수유형 10 ⑤	28 41	29 ②	30 ③
필수유형 11 ①	31 ①	32 ①	33 ④

필수유형 1

함수 $f(x)=x^3-6x^2+5x$에서 x의 값이 0에서 4까지 변할 때의 평균변화율은

$\frac{f(4)-f(0)}{4-0}=\frac{(4^3-6\times4^2+5\times4)-0}{4}=-3$

$f'(x)=3x^2-12x+5$이므로

$\frac{f(4)-f(0)}{4-0}=f'(a)$에서 $-3=3a^2-12a+5$

$3a^2-12a+8=0$, $a=\frac{6\pm2\sqrt{3}}{3}$

이때 $3<2\sqrt{3}<4$이므로 $0<\frac{6-2\sqrt{3}}{3}<\frac{6+2\sqrt{3}}{3}<4$

그러므로 구하는 모든 실수 a의 값은 $\frac{6-2\sqrt{3}}{3}$, $\frac{6+2\sqrt{3}}{3}$이고 모든 실수 a의 값의 곱은 $\frac{6-2\sqrt{3}}{3}\times\frac{6+2\sqrt{3}}{3}=\frac{8}{3}$이다.

따라서 $p=3$, $q=8$이므로

$p+q=3+8=11$

답 11

01

$\lim_{h\to0}\frac{f(1+2h)-f(1)}{h}=2\lim_{h\to0}\frac{f(1+2h)-f(1)}{2h}=2f'(1)=4$

에서 $f'(1)=2$

따라서

$$\lim_{h\to0}\frac{f\left(1+\frac{h}{2}\right)-f\left(1-\frac{h}{3}\right)}{h}$$

$$=\lim_{h\to0}\frac{f\left(1+\frac{h}{2}\right)-f(1)-f\left(1-\frac{h}{3}\right)+f(1)}{h}$$

$$=\lim_{h\to0}\left\{\frac{1}{2}\times\frac{f\left(1+\frac{h}{2}\right)-f(1)}{\frac{h}{2}}+\frac{1}{3}\times\frac{f\left(1-\frac{h}{3}\right)-f(1)}{-\frac{h}{3}}\right\}$$

$$=\frac{1}{2}f'(1)+\frac{1}{3}f'(1)=\frac{5}{6}f'(1)=\frac{5}{6}\times2=\frac{5}{3}$$

답 ⑤

02

이차함수 $y=f(x)$의 그래프가 y축에 대하여 대칭이므로

$f(-1)=f(1)$, $f(-2)=f(2)$이고 $f(1)\neq f(2)$이다.

이때 $\lim_{x\to2}\frac{f(x)+af(-2)}{x-2}=\lim_{x\to2}\frac{f(x)+af(2)}{x-2}$에서 $x\to2$일 때 (분모)$\to0$이고 극한값이 존재하므로 (분자)$\to0$이어야 한다.

즉, $\lim_{x\to2}\{f(x)+af(2)\}=f(2)+af(2)=(a+1)f(2)=0$

$f(2)\neq0$이므로 $a=-1$

함수 $f(x)$에서 x의 값이 -2에서 -1까지 변할 때의 평균변화율 p는

$p=\frac{f(-1)-f(-2)}{-1-(-2)}=f(-1)-f(-2)=f(1)-f(2)$

함수 $f(x)$에서 x의 값이 -1에서 2까지 변할 때의 평균변화율 q는

$q=\frac{f(2)-f(-1)}{2-(-1)}=\frac{f(2)-f(-1)}{3}=\frac{f(2)-f(1)}{3}$

$=-\frac{f(1)-f(2)}{3}=-\frac{p}{3}$

따라서 $\frac{q}{p}=-\frac{1}{3}$

답 ①

03

곡선 $y=f(x)$ 위의 점 $(1, f(1))$에서의 접선의 기울기는 $f'(1)$이고, 곡선 $y=g(x)$ 위의 점 $(1, g(1))$에서의 접선의 기울기는 $g'(1)$이다.

이때 두 접선이 서로 수직이므로

$f'(1)g'(1)=-1$ ······ ㉠

한편, $\lim_{x\to1}\frac{f(x)-2}{g(1)-g(x)}=4$에서 $x\to1$일 때 (분모)$\to0$이고 극한값이 존재하므로 (분자)$\to0$이어야 한다.

즉, $\lim_{x\to1}\{f(x)-2\}=f(1)-2=0$에서 $f(1)=2$이므로

$$\lim_{x\to1}\frac{f(x)-2}{g(1)-g(x)}=\lim_{x\to1}\frac{f(x)-f(1)}{g(1)-g(x)}$$

$$=-\lim_{x\to1}\left\{\frac{f(x)-f(1)}{x-1}\times\frac{1}{\frac{g(x)-g(1)}{x-1}}\right\}$$

$$=-\frac{f'(1)}{g'(1)}=4$$

$f'(1)=-4g'(1)$ ······ ㉡

㉡을 ㉠에 대입하면

$f'(1)g'(1)=-4g'(1)\times g'(1)=-4\times\{g'(1)\}^2=-1$

$\{g'(1)\}^2=\frac{1}{4}$에서 $g'(1)=-\frac{1}{2}$ 또는 $g'(1)=\frac{1}{2}$

$g'(1)=-\frac{1}{2}$이면 $f'(1)=-4g'(1)=-4\times\left(-\frac{1}{2}\right)=2$

이므로 $f'(1)+g'(1)=2+\left(-\frac{1}{2}\right)=\frac{3}{2}$

$g'(1)=\frac{1}{2}$이면 $f'(1)=-4g'(1)=-4\times\frac{1}{2}=-2$

이므로 $f'(1)+g'(1)=-2+\frac{1}{2}=-\frac{3}{2}$

이때 $f'(1)+g'(1)>0$이므로 $f'(1)=2$, $g'(1)=-\frac{1}{2}$

따라서 $f(1)\times\{f'(1)+g'(1)\}=2\times\frac{3}{2}=3$

답 ③

필수유형 2

함수 $f(x)$가 실수 전체의 집합에서 미분가능하므로 $x=1$에서도 미분가능하다. 함수 $f(x)$가 $x=1$에서 미분가능하면 $x=1$에서 연속이므로

$\lim_{x\to1-}f(x)=\lim_{x\to1+}f(x)=f(1)$이어야 한다.

이때

$\lim_{x\to1-}f(x)=\lim_{x\to1-}(x^3+ax+b)=1+a+b$

$\lim_{x\to1+}f(x)=\lim_{x\to1+}(bx+4)=b+4$

$f(1)=b+4$

이므로 $1+a+b=b+4$에서 $a=3$

또한 함수 $f(x)$가 $x=1$에서 미분가능하므로

$\lim_{x\to1-}\frac{f(x)-f(1)}{x-1}=\lim_{x\to1+}\frac{f(x)-f(1)}{x-1}$이어야 한다.

이때

$$\begin{aligned}\lim_{x\to1-}\frac{f(x)-f(1)}{x-1}&=\lim_{x\to1-}\frac{(x^3+3x+b)-(b+4)}{x-1}\\&=\lim_{x\to1-}\frac{x^3+3x-4}{x-1}\\&=\lim_{x\to1-}\frac{(x-1)(x^2+x+4)}{x-1}\\&=\lim_{x\to1-}(x^2+x+4)=1+1+4=6\end{aligned}$$

$$\begin{aligned}\lim_{x\to1+}\frac{f(x)-f(1)}{x-1}&=\lim_{x\to1+}\frac{(bx+4)-(b+4)}{x-1}\\&=\lim_{x\to1+}\frac{b(x-1)}{x-1}=\lim_{x\to1+}b=b\end{aligned}$$

이므로 $b=6$

따라서 $a+b=3+6=9$

답 ④

04

함수 $f(x)$가 실수 전체의 집합에서 미분가능하므로 $x=a$에서도 미분가능하다. 함수 $f(x)$가 $x=a$에서 미분가능하면 $x=a$에서 연속이므로

$\lim_{x\to a-}f(x)=\lim_{x\to a+}f(x)=f(a)$이어야 한다.

이때

$\lim_{x\to a-}f(x)=\lim_{x\to a-}(2x-4)=2a-4$

$\lim_{x\to a+}f(x)=\lim_{x\to a+}(x^2-4x+b)=a^2-4a+b$

$f(a)=a^2-4a+b$

이므로 $2a-4=a^2-4a+b$에서 $b=-a^2+6a-4$

또한 함수 $f(x)$가 $x=a$에서 미분가능하므로

$\lim_{x\to a-}\frac{f(x)-f(a)}{x-a}=\lim_{x\to a+}\frac{f(x)-f(a)}{x-a}$이어야 한다.

이때

$$\begin{aligned}\lim_{x\to a-}\frac{f(x)-f(a)}{x-a}&=\lim_{x\to a-}\frac{(2x-4)-(a^2-4a+b)}{x-a}\\&=\lim_{x\to a-}\frac{(2x-4)-(2a-4)}{x-a}\\&=\lim_{x\to a-}\frac{2(x-a)}{x-a}=\lim_{x\to a-}2=2\end{aligned}$$

$$\begin{aligned}\lim_{x\to a+}\frac{f(x)-f(a)}{x-a}&=\lim_{x\to a+}\frac{(x^2-4x+b)-(a^2-4a+b)}{x-a}\\&=\lim_{x\to a+}\frac{(x-a)(x+a-4)}{x-a}\\&=\lim_{x\to a+}(x+a-4)=2a-4\end{aligned}$$

이므로 $2=2a-4$에서 $a=3$

따라서 $b=-a^2+6a-4=-3^2+6\times3-4=5$이므로

$f(x)=\begin{cases}2x-4 & (x<3)\\x^2-4x+5 & (x\geq3)\end{cases}$에서

$f(b-a)=f(5-3)=f(2)=2\times2-4=0$

답 ③

05

$$\begin{aligned}f(x)&=(x-2)|(x-a)(x-b)^2|=(x-2)(x-b)^2|x-a|\\&=\begin{cases}-(x-2)(x-b)^2(x-a) & (x<a)\\(x-2)(x-b)^2(x-a) & (x\geq a)\end{cases}\end{aligned}$$

함수 $f(x)$가 실수 전체의 집합에서 미분가능하려면 함수 $f(x)$는 $x=a$에서 미분가능해야 한다.

즉, $\lim_{x\to a-}\frac{f(x)-f(a)}{x-a}=\lim_{x\to a+}\frac{f(x)-f(a)}{x-a}$이어야 한다.

이때

$$\begin{aligned}\lim_{x\to a-}\frac{f(x)-f(a)}{x-a}&=\lim_{x\to a-}\frac{-(x-2)(x-b)^2(x-a)}{x-a}\\&=-\lim_{x\to a-}(x-2)(x-b)^2=-(a-2)(a-b)^2\end{aligned}$$

$$\begin{aligned}\lim_{x\to a+}\frac{f(x)-f(a)}{x-a}&=\lim_{x\to a+}\frac{(x-2)(x-b)^2(x-a)}{x-a}\\&=\lim_{x\to a+}(x-2)(x-b)^2=(a-2)(a-b)^2\end{aligned}$$

이므로 $-(a-2)(a-b)^2=(a-2)(a-b)^2$에서

$(a-2)(a-b)^2=0$

$a=2$ 또는 $a=b$

한 자리의 자연수 a, b에 대하여

$a=2$일 때 모든 순서쌍 (a, b)의 개수는

$(2, 1)$, $(2, 2)$, $(2, 3)$, $\cdots$, $(2, 9)$로 9

$a=b$일 때 모든 순서쌍 (a, b)의 개수는

$(1, 1)$, $(2, 2)$, $(3, 3)$, $\cdots$, $(9, 9)$로 9

이때 순서쌍 $(2, 2)$가 중복되므로 구하는 모든 순서쌍 (a, b)의 개수는

$9+9-1=17$

답 ④

06

조건 (가)의 $\{f(x)-x^2+3x-4\}\{f(x)+x^2-5x+2\}=0$에서

$f(x)=x^2-3x+4$ 또는 $f(x)=-x^2+5x-2$

$g(x)=x^2-3x+4$, $h(x)=-x^2+5x-2$라 하면 방정식

$g(x)=h(x)$에서 $x^2-3x+4=-x^2+5x-2$

$2x^2-8x+6=0$, $2(x-1)(x-3)=0$

$x=1$ 또는 $x=3$이므로 두 함수 $y=g(x)$, $y=h(x)$의 그래프는 그림과 같다.

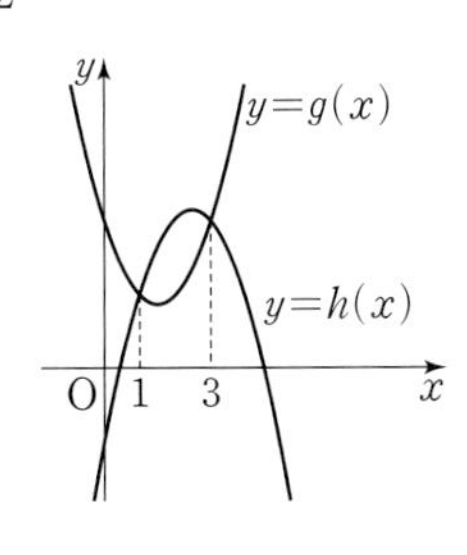

실수 전체의 집합에서 연속인 함수 $f(x)$가 $f(x)=g(x)$ 또는 $f(x)=h(x)$이고,

조건 (나)에서

$\lim_{x\to a-}\frac{f(x)-f(a)}{x-a}\neq\lim_{x\to a+}\frac{f(x)-f(a)}{x-a}$를 만족시키는 실수 a의 값이 오직 1개뿐이므로 함수 $f(x)$는 $x=a$에서만 미분가능하지 않은 함수이다.

따라서 조건을 만족시키는 함수 $f(x)$는

$f(x)=\begin{cases}g(x) & (x<1)\\ h(x) & (x\geq1)\end{cases}$ 또는 $f(x)=\begin{cases}g(x) & (x<3)\\ h(x) & (x\geq3)\end{cases}$

또는 $f(x)=\begin{cases}h(x) & (x<1)\\ g(x) & (x\geq1)\end{cases}$ 또는 $f(x)=\begin{cases}h(x) & (x<3)\\ g(x) & (x\geq3)\end{cases}$

이때 $g(0)=4$, $g(2)=2$, $h(0)=-2$, $h(2)=4$이므로 함수 $f(x)$가

$f(x)=\begin{cases}g(x) & (x<1)\\ h(x) & (x\geq1)\end{cases}$이면 $f(0)+f(2)=g(0)+h(2)=4+4=8$

$f(x)=\begin{cases}g(x) & (x<3)\\ h(x) & (x\geq3)\end{cases}$이면 $f(0)+f(2)=g(0)+g(2)=4+2=6$

$f(x)=\begin{cases}h(x) & (x<1)\\ g(x) & (x\geq1)\end{cases}$이면 $f(0)+f(2)=h(0)+g(2)=-2+2=0$

$f(x)=\begin{cases}h(x) & (x<3)\\ g(x) & (x\geq3)\end{cases}$이면 $f(0)+f(2)=h(0)+h(2)=-2+4=2$

따라서 $f(0)+f(2)$의 값은 8 또는 6 또는 0 또는 2이므로

$f(0)+f(2)$의 최댓값과 최솟값은 각각 $M=8$, $m=0$이고

$M+m=8+0=8$

답 8

필수유형 3

$g(x)=x^2f(x)$에서

$g'(x)=(x^2)'f(x)+x^2f'(x)=2xf(x)+x^2f'(x)$

따라서 $g'(2)=4f(2)+4f'(2)=4\times1+4\times3=16$

답 ③

07

$g(x)=(x^2+a)f(x)$에서 $g(1)=(a+1)f(1)$

이때 $f'(1)=g(1)$이므로

$f'(1)=(a+1)f(1)$ …… ㉠

$g'(x)=2xf(x)+(x^2+a)f'(x)$이므로

$g'(1)=2f(1)+(a+1)f'(1)$ …… ㉡

㉠을 ㉡에 대입하면

$g'(1)=2f(1)+(a+1)\times(a+1)f(1)=(a^2+2a+3)f(1)$

이때 $g'(1)=11f(1)$이므로

$(a^2+2a+3)f(1)=11f(1)$, $(a^2+2a-8)f(1)=0$

$(a+4)(a-2)f(1)=0$

$a>0$, $f(1)\neq0$이므로 $a=2$

따라서 $\frac{f'(1)}{f(1)}=a+1=2+1=3$

답 ②

08

최고차항의 계수가 1인 이차함수 $f(x)$를

$f(x)=x^2+ax+b$ (a, b는 상수)라 하자.

함수 $y=f(x)$의 그래프와 직선 $y=f(2)$가 만나는 서로 다른 두 점 A, B의 x좌표는 이차방정식 $f(x)=f(2)$의 서로 다른 두 실근이다.

$f(x)=f(2)$에서 $x^2+ax+b=4+2a+b$

$x^2+ax-2a-4=0$ …… ㉠

이때 두 점 A, B의 x좌표의 합이 6이므로 이차방정식 ㉠의 두 실근의 합도 6이다.

이차방정식의 근과 계수의 관계에 의하여 $-a=6$, 즉 $a=-6$이므로

$f(x)=x^2-6x+b$

따라서 $f'(x)=2x-6$이므로

$$\sum_{n=1}^{10}f'(n)=\sum_{n=1}^{10}(2n-6)=2\sum_{n=1}^{10}n-\sum_{n=1}^{10}6$$
$$=2\times\frac{10\times11}{2}-6\times10=50$$

답 ①

참고

도함수 $f'(x)$를 다음과 같이 구할 수도 있다.

함수 $y=f(x)$의 그래프와 직선 $y=f(2)$가 만나는 서로 다른 두 점 A, B의 x좌표는 이차방정식 $f(x)=f(2)$의 서로 다른 두 실근이다. 이때 최고차항의 계수가 1인 이차방정식 $f(x)-f(2)=0$의 서로 다른 두 실근의 합이 6이므로 상수 c $(c\neq9)$에 대하여

$f(x)-f(2)=x^2-6x+c$ …… ㉠

로 놓을 수 있다.

㉠의 양변을 x에 대하여 미분하면 $f'(x)=2x-6$이다.

09

조건 (가)의 $\lim_{x\to\infty}\frac{\{f(x)\}^2+x^2f(x)}{x^4}=6$에서 함수 $\{f(x)\}^2+x^2f(x)$는 x^4의 계수가 6인 사차함수임을 알 수 있다.

다항함수 $f(x)$가 상수함수 또는 일차함수이면 함수 $\{f(x)\}^2+x^2f(x)$는 사차함수가 될 수 없으므로 조건 (가)를 만족시키지 않는다.

또한 다항함수 $f(x)$가 차수가 3 이상인 함수이면 함수 $\{f(x)\}^2+x^2f(x)$는 차수가 6 이상인 다항함수이므로 조건 (가)를 만족시키지 않는다.

함수 $f(x)$를 x^2의 계수가 양수 a인 이차함수라 하자.

함수 $\{f(x)\}^2$은 x^4의 계수가 a^2인 사차함수이고, 함수 $x^2f(x)$는 x^4의 계수가 a인 사차함수이므로 함수 $\{f(x)\}^2+x^2f(x)$는 x^4의 계수가 a^2+a인 사차함수이다.

따라서 $a^2+a=6$이므로 $(a+3)(a-2)=0$

$a>0$이므로 $a=2$

조건 (나)에서

$$\lim_{x\to1}\frac{f(x^2)-f(1)}{x-1}=\lim_{x\to1}\left\{(x+1)\times\frac{f(x^2)-f(1)}{x^2-1}\right\}=2$$

이때 $x^2=t$라 하면 $x\to1$일 때 $t\to1$이므로

$$\lim_{x\to1}\frac{f(x^2)-f(1)}{x^2-1}=\lim_{t\to1}\frac{f(t)-f(1)}{t-1}=f'(1)$$

따라서

$$\lim_{x\to1}\frac{f(x^2)-f(1)}{x-1}=\lim_{x\to1}\left\{(x+1)\times\frac{f(x^2)-f(1)}{x^2-1}\right\}$$
$$=\lim_{x\to1}(x+1)\times\lim_{x\to1}\frac{f(x^2)-f(1)}{x^2-1}=2f'(1)=2$$

에서 $f'(1)=1$

$f(x)=2x^2+bx+c$ (b, c는 상수)라 하면 $f'(x)=4x+b$이므로
$f'(1)=4+b=1$에서 $b=-3$
즉, $f'(x)=4x-3$
한편, $\lim_{x\to\infty} x\left\{f\left(2+\frac{2}{x}\right)-f(2)\right\}$에서 $\frac{1}{x}=h$로 놓으면 $x\to\infty$일 때 $h\to0+$이므로

$$\lim_{x\to\infty} x\left\{f\left(2+\frac{2}{x}\right)-f(2)\right\}=\lim_{h\to0+}\frac{f(2+2h)-f(2)}{h}$$
$$=2\times\lim_{h\to0+}\frac{f(2+2h)-f(2)}{2h}$$
$$=2f'(2)$$
$$=2\times(4\times2-3)=10$$

답 ⑤

필수유형 4

곡선 $y=f(x)$ 위의 점 $(0, 0)$에서의 접선의 기울기는 $f'(0)$이므로 접선의 방정식은
$y=f'(0)x$ …… ㉠
점 $(1, 2)$가 곡선 $y=xf(x)$ 위의 점이므로 $f(1)=2$
$y=xf(x)$에서 $y'=f(x)+xf'(x)$이므로 곡선 $y=xf(x)$ 위의 점 $(1, 2)$에서의 접선의 기울기는 $f(1)+f'(1)=2+f'(1)$이고 접선의 방정식은 $y-2=\{2+f'(1)\}(x-1)$, 즉
$y=\{2+f'(1)\}x-f'(1)$ …… ㉡
두 접선이 일치하므로 ㉠, ㉡에서
$f'(0)=2+f'(1)$, $-f'(1)=0$
즉, $f'(0)=2$, $f'(1)=0$
삼차함수 $f(x)$를
$f(x)=ax^3+bx^2+cx+d$ ($a\neq0$, a, b, c, d는 상수)
라 하면 $f(0)=0$이므로 $d=0$
$f(1)=2$이므로
$a+b+c=2$, $c=2-a-b$
즉, $f(x)=ax^3+bx^2+(2-a-b)x$이고
$f'(x)=3ax^2+2bx+2-a-b$
이때 $f'(0)=2$이므로
$f'(0)=2-a-b=2$
$b=-a$ …… ㉢
$f'(1)=0$이므로
$f'(1)=3a+2b+2-a-b=0$
$2a+b=-2$ …… ㉣
㉢을 ㉣에 대입하여 풀면 $a=-2$, $b=2$
따라서 $f'(x)=-6x^2+4x+2$이므로
$f'(2)=-24+8+2=-14$

답 ⑤

10

조건 (가)에서 점 $A(1, 2)$가 두 곡선 $y=f(x)$, $y=g(x)$ 위의 점이므로
$f(1)=1-3+2+a=2$, $a=2$
$g(1)=1+b+c=2$, $c=1-b$
$f(x)=x^3-3x^2+2x+2$에서 $f'(x)=3x^2-6x+2$이므로
$f'(1)=3-6+2=-1$
$g(x)=x^2+bx+c$에서 $g'(x)=2x+b$이므로 $g'(1)=2+b$
조건 (나)에서 곡선 $y=f(x)$ 위의 점 A에서의 접선과 곡선 $y=g(x)$ 위의 점 A에서의 접선이 서로 수직이므로 $f'(1)g'(1)=-1$
즉, $-1\times(2+b)=-1$이므로
$b=-1$이고 $c=1-b=1-(-1)=2$
따라서 $|abc|=|2\times(-1)\times2|=4$

답 ④

11

$f(x)=x^3-3x^2-8x+5$라 하면 $f'(x)=3x^2-6x-8$
곡선 $y=f(x)$ 위의 점 $(a, f(a))$에서의 접선의 기울기가 1이려면
$f'(a)=1$
$3a^2-6a-8=1$, $3(a+1)(a-3)=0$
$a=-1$ 또는 $a=3$
$f(-1)=-1-3+8+5=9$, $f(3)=27-27-24+5=-19$이므로
곡선 $y=f(x)$ 위의 두 점 $(-1, 9)$, $(3, -19)$에서의 접선의 기울기는 모두 1이다.
곡선 $y=f(x)$ 위의 점 $(-1, 9)$에서의 접선의 방정식은
$y-9=f'(-1)(x+1)$, $y=1\times(x+1)+9$
즉, $x-y+10=0$이므로 두 직선 l_1, l_2 사이의 거리는 점 $(3, -19)$와 직선 $x-y+10=0$ 사이의 거리와 같다.
따라서 구하는 거리를 d라 하면
$$d=\frac{|3-(-19)+10|}{\sqrt{1^2+(-1)^2}}=16\sqrt{2}$$

답 ④

12

$f(x)=(x-3)^2+1$, $g(x)=(x-3)^3+a(x-3)^2+b(x-3)+1$
에 대하여 두 곡선 $y=f(x)$, $y=g(x)$를 x축의 방향으로 -3만큼, y축의 방향으로 -1만큼 평행이동한 그래프를 나타내는 함수를 각각 $y=F(x)$, $y=G(x)$라 하면
$F(x)=x^2$, $G(x)=x^3+ax^2+bx$이고
$F'(x)=2x$, $G'(x)=3x^2+2ax+b$
또한 두 곡선 $y=f(x)$, $y=g(x)$에 접하고 기울기가 2인 직선 l과 두 점 A, B를 x축의 방향으로 -3만큼, y축의 방향으로 -1만큼 평행이동한 직선과 두 점을 각각 l', A$'$, B$'$이라 하면 구하는 선분 AB의 길이는 선분 A$'$B$'$의 길이와 같다.
점 A$'$은 기울기가 2인 직선 l'이 곡선 $y=F(x)$와 접할 때의 접점이므로 점 A$'$의 x좌표는 $F'(x)=2$에서 $2x=2$, $x=1$
$F(1)=1$이므로 점 A$'$의 좌표는 $(1, 1)$이고, 직선 l'의 방정식은
$y-1=2(x-1)$, $y=2x-1$
한편, 점 A$'(1, 1)$은 곡선 $y=G(x)$ 위의 점이므로
$G(1)=1+a+b=1$, $b=-a$ …… ㉠
곡선 $y=G(x)$ 위의 점 A$'(1, 1)$에서의 접선의 기울기도 2이므로
$G'(1)=3+2a+b=2$, $2a+b=-1$ …… ㉡
㉠을 ㉡에 대입하면 $2a+(-a)=-1$

$a=-1$이므로 $b=-a=1$
이때 곡선 $y=G(x)$와 직선 l'이 만나는 점의 x좌표는
$x^3-x^2+x=2x-1$에서 $x^3-x^2-x+1=0$, $(x-1)^2(x+1)=0$
$x=1$ 또는 $x=-1$
$G(-1)=-3$이므로 점 B′의 좌표는 $(-1, -3)$이다.
따라서 $\overline{AB}=\overline{A'B'}=\sqrt{(-1-1)^2+(-3-1)^2}=2\sqrt{5}$

답 ⑤

참고
두 점 A, B의 좌표는 A$(4, 2)$, B$(2, -2)$이고,
직선 l의 방정식은 $y=2x-6$이다.

필수유형 5

$f(x)=x^3+ax^2-(a^2-8a)x+3$에서
$f'(x)=3x^2+2ax-(a^2-8a)$
함수 $f(x)$가 실수 전체의 집합에서 증가하기 위한 필요조건은 모든 실수 x에 대하여 $f'(x)\geq0$인 것이다. 이 경우 이차방정식 $f'(x)=0$의 판별식을 D라 하면 $D\leq0$이어야 하므로
$\dfrac{D}{4}=a^2+3(a^2-8a)\leq0$
$4a(a-6)\leq0$, $0\leq a\leq6$
이때 $0<a<6$인 경우에는 $D<0$, 즉 모든 실수 x에 대하여 $f'(x)>0$이므로 함수 $f(x)$가 실수 전체의 집합에서 증가한다. 또한 $a=0$ 또는 $a=6$인 경우에는 하나의 실수 α에서만 $f'(\alpha)=0$이고 이를 제외한 모든 실수 x에 대하여 $f'(x)>0$이므로 이 경우에도 함수 $f(x)$가 실수 전체의 집합에서 증가한다.
따라서 함수 $f(x)$가 실수 전체의 집합에서 증가하기 위한 필요충분조건은 $0\leq a\leq6$이므로 실수 a의 최댓값은 6이다.

답 6

13

$f(x)=-x^3+6x^2+ax+5$에서 $f'(x)=-3x^2+12x+a$
함수 $f(x)$가 역함수를 가지려면 실수 전체의 집합에서 증가하거나 감소하여야 한다. 이에 대한 필요조건을 생각하면 모든 실수 x에 대하여 $f'(x)\geq0$이거나 모든 실수 x에 대하여 $f'(x)\leq0$이어야 한다.
이때 함수 $y=f'(x)$의 그래프는 위로 볼록인 이차함수의 그래프이므로 모든 실수 x에 대하여 $f'(x)\leq0$이어야 한다. 즉, 이차방정식 $f'(x)=0$의 판별식을 D라 하면 $D\leq0$이어야 하므로
$\dfrac{D}{4}=6^2+3a\leq0$, $a\leq-12$
이때 $a<-12$인 경우에는 $D<0$, 즉 모든 실수 x에 대하여 $f'(x)<0$이므로 함수 $f(x)$가 실수 전체의 집합에서 감소한다. 또한 $a=-12$인 경우에는 $f'(2)=0$이고, $x=2$를 제외한 모든 실수 x에 대하여 $f'(x)<0$이므로 이 경우에도 함수 $f(x)$가 실수 전체의 집합에서 감소한다.
따라서 함수 $f(x)$가 실수 전체의 집합에서 감소하기 위한 필요충분조건은 $a\leq-12$이므로 실수 a의 최댓값은 -12이다.

답 ③

14

조건 (가)에서 최고차항의 계수가 1이고 모든 항의 계수가 정수인 삼차함수 $f(x)$는 $f(x)=x^3+ax^2+bx+c$ (a, b, c는 정수)로 놓을 수 있다.

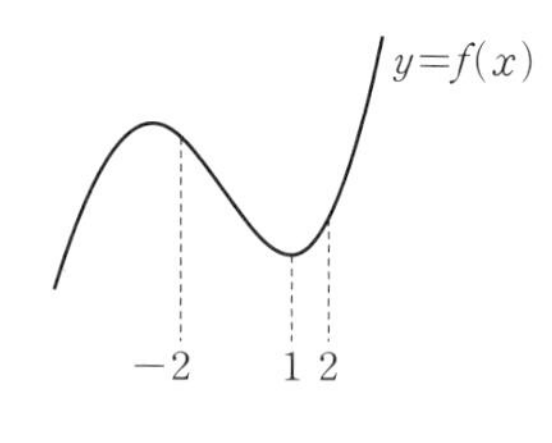

조건 (나)에서 함수 $f(x)$가 열린구간 $(-2, 1)$에서 감소하고 조건 (다)에서 함수 $f(x)$가 열린구간 $(1, 2)$에서 증가하므로 삼차함수의 그래프의 개형을 생각하면 $f'(1)=0$이어야 하고 $f'(-2)\leq0$, $f'(2)>0$이어야 한다.
$f'(x)=3x^2+2ax+b$이므로
$f'(1)=3+2a+b=0$에서 $b=-2a-3$
$f'(-2)=12-4a+b=12-4a+(-2a-3)=-6a+9\leq0$
에서 $a\geq\dfrac{3}{2}$ …… ㉠
$f'(2)=12+4a+b=12+4a+(-2a-3)=2a+9>0$
에서 $a>-\dfrac{9}{2}$ …… ㉡
㉠, ㉡에서 $a\geq\dfrac{3}{2}$
a는 정수이므로 $a\geq2$
따라서 $f(x)=x^3+ax^2-(2a+3)x+c$에서
$f(3)-f(2)=\{27+9a-3(2a+3)+c\}-\{8+4a-2(2a+3)+c\}$
$=3a+16\geq3\times2+16=22$
이므로 $f(3)-f(2)$의 최솟값은 22이다.

답 ①

15

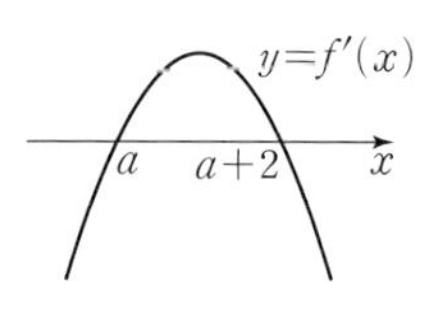

삼차함수 $f(x)$의 도함수 $f'(x)$는 이차함수이고 두 조건 (가), (나)에 의하여 함수 $f'(x)$를 $f'(x)=k(x-a)(x-a-2)$ (k는 $k<0$인 상수)로 놓을 수 있다.

ㄱ. 열린구간 $(a, a+2)$에 속하는 모든 실수 x에 대하여 $f'(x)>0$이므로 함수 $f(x)$는 열린구간 $(a, a+2)$에서 증가한다. (참)

ㄴ. $h(x)=f(x)-f'(a+1)x$라 하면
$h'(x)=f'(x)-f'(a+1)$
이때 $f'(x)$는 최고차항의 계수가 음수인 이차함수이고 $f'(a)=f'(a+2)$이므로 함수 $y=f'(x)$의 그래프는 직선 $x=\dfrac{a+(a+2)}{2}$, 즉 직선 $x=a+1$에 대하여 대칭이고, 함수 $f'(x)$의 최댓값은 $f'(a+1)$이다.
따라서 열린구간 $(a, a+1)$에 속하는 모든 실수 x에 대하여 $h'(x)<0$이므로 함수 $h(x)=f(x)-f'(a+1)x$는 열린구간 $(a, a+1)$에서 감소한다. (참)

ㄷ. 함수 $g(x)$의 도함수가 $f'(x)+f'(x+1)$이므로
$g'(x)=f'(x)+f'(x+1)$
$=k(x-a)(x-a-2)+k(x-a+1)(x-a-1)$
$=k\{2x^2-2(2a+1)x+2a^2+2a-1\}$
$k<0$이므로 $g'(x)=0$에서
$x=\dfrac{2a+1\pm\sqrt{(2a+1)^2-2(2a^2+2a-1)}}{2}=a+\dfrac{1\pm\sqrt{3}}{2}$
함수 $y=g'(x)$의 그래프는 위로 볼록한 이차함수의 그래프이므로 열린구간 $\left(a+\dfrac{1-\sqrt{3}}{2}, a+\dfrac{1+\sqrt{3}}{2}\right)$에서 $g'(x)>0$, 즉 이 구간에서 함수 $g(x)$는 증가한다.

이때 $a+\frac{1-\sqrt{3}}{2}-\left(a-\frac{1}{4}\right)=\frac{3-2\sqrt{3}}{4}<0$

$a+\frac{1+\sqrt{3}}{2}-\left(a+\frac{5}{4}\right)=\frac{-3+2\sqrt{3}}{4}>0$

즉, $a+\frac{1-\sqrt{3}}{2}<a-\frac{1}{4}<a+\frac{5}{4}<a+\frac{1+\sqrt{3}}{2}$이므로

함수 $g(x)$는 열린구간 $\left(a-\frac{1}{4},\ a+\frac{5}{4}\right)$에서 증가한다. (참)

이상에서 옳은 것은 ㄱ, ㄴ, ㄷ이다.

답 ⑤

필수유형 6

$f(x)=ax^3+bx+a$에서 $f'(x)=3ax^2+b$

이때 함수 $f(x)$가 $x=1$에서 극솟값 -2를 가지므로

$f(1)=-2$, $f'(1)=0$이다.

$f(1)=-2$에서 $a+b+a=-2$

$2a+b=-2$ ...... ㉠

$f'(1)=0$에서 $3a+b=0$ ...... ㉡

㉠, ㉡을 연립하여 풀면 $a=2$, $b=-6$이므로

$f(x)=2x^3-6x+2$, $f'(x)=6x^2-6$

$f'(x)=0$에서 $6x^2-6=0$, $6(x+1)(x-1)=0$

$x=-1$ 또는 $x=1$

함수 $f(x)$의 증가와 감소를 표로 나타내면 다음과 같다.

x	$\cdots$	-1	$\cdots$	1	$\cdots$
$f'(x)$	$+$	0	$-$	0	$+$
$f(x)$	↗	극대	↘	극소	↗

따라서 함수 $f(x)$는 $x=-1$에서 극대이므로 함수 $f(x)$의 극댓값은

$f(-1)=-2+6+2=6$

답 6

16

최고차항의 계수가 1인 사차함수 $f(x)$를

$f(x)=x^4+ax^3+bx^2+cx+d$ (a, b, c, d는 상수)라 하자.

$f(-x)=x^4-ax^3+bx^2-cx+d$이고

모든 실수 x에 대하여 $f(-x)=f(x)$이므로

$x^4-ax^3+bx^2-cx+d=x^4+ax^3+bx^2+cx+d$

$2ax^3+2cx=0$ ...... ㉠

㉠이 x에 대한 항등식이므로 $a=0$, $c=0$

즉, $f(x)=x^4+bx^2+d$

함수 $f(x)$가 $x=1$에서 극솟값 3을 가지므로 $f(1)=3$, $f'(1)=0$이다.

$f(1)=3$에서 $1+b+d=3$

$d=2-b$ ...... ㉡

$f'(x)=4x^3+2bx$이므로 $f'(1)=0$에서 $4+2b=0$

$b=-2$ ...... ㉢

㉢을 ㉡에 대입하면 $d=2-b=2-(-2)=4$

그러므로 $f(x)=x^4-2x^2+4$, $f'(x)=4x^3-4x$

$f'(x)=0$에서 $4x^3-4x=0$

$4x(x+1)(x-1)=0$

$x=-1$ 또는 $x=0$ 또는 $x=1$

함수 $f(x)$의 증가와 감소를 표로 나타내면 다음과 같다.

x	$\cdots$	-1	$\cdots$	0	$\cdots$	1	$\cdots$
$f'(x)$	$-$	0	$+$	0	$-$	0	$+$
$f(x)$	↘	극소	↗	극대	↘	극소	↗

따라서 함수 $f(x)$는 $x=0$에서 극대이므로 함수 $f(x)$의 극댓값은

$f(0)=4$

답 ②

17

$f(x)=\frac{1}{a}(x^3-2bx^2+b^2x+1)$에서 $f'(x)=\frac{1}{a}(3x^2-4bx+b^2)$

$f'(x)=0$에서 $\frac{1}{a}(3x^2-4bx+b^2)=0$

$\frac{1}{a}(3x-b)(x-b)=0$

$x=\frac{b}{3}$ 또는 $x=b$

자연수 b에 대하여 $\frac{b}{3}<b$이므로 함수 $f(x)$의 증가와 감소를 표로 나타내면 다음과 같다.

x	$\cdots$	$\frac{b}{3}$	$\cdots$	b	$\cdots$
$f'(x)$	$+$	0	$-$	0	$+$
$f(x)$	↗	극대	↘	극소	↗

함수 $f(x)$는 $x=\frac{b}{3}$에서 극댓값 $f\left(\frac{b}{3}\right)$를 갖고, $x=b$에서 극솟값 $f(b)$를 갖는다.

$f\left(\frac{b}{3}\right)=\frac{1}{a}\left(\frac{b^3}{27}-\frac{2b^3}{9}+\frac{b^3}{3}+1\right)=\frac{4b^3}{27a}+\frac{1}{a}$

$f(b)=\frac{1}{a}(b^3-2b^3+b^3+1)=\frac{1}{a}$

이때 극댓값과 극솟값의 차가 4이므로

$f\left(\frac{b}{3}\right)-f(b)=\left(\frac{4b^3}{27a}+\frac{1}{a}\right)-\frac{1}{a}=\frac{4b^3}{27a}=4$

$b^3=27a=3^3\times a$ ...... ㉠

a, b가 모두 100보다 작은 자연수이므로 ㉠이 성립하려면 a의 값은 어떤 자연수의 세제곱이어야 한다.

$a=1^3=1$일 때 $b^3=3^3\times 1^3=(3\times 1)^3=3^3$이므로 $b=3$

$a=2^3=8$일 때 $b^3=3^3\times 2^3=(3\times 2)^3=6^3$이므로 $b=6$

$a=3^3=27$일 때 $b^3=3^3\times 3^3=(3\times 3)^3=9^3$이므로 $b=9$

$a=4^3=64$일 때 $b^3=3^3\times 4^3=(3\times 4)^3=12^3$이므로 $b=12$

$a\ge 5^3=125$이면 a가 100보다 큰 자연수가 되어 조건을 만족시키지 않는다.

따라서 $a+b$의 값은 $1+3=4$ 또는 $8+6=14$ 또는 $27+9=36$ 또는 $64+12=76$이므로 $a+b$의 최댓값과 최솟값은 각각 $M=76$, $m=4$이고

$M+m=76+4=80$

답 80

18

함수 $f(x)$가 실수 전체의 집합에서 연속이면 함수 $f(x)$는 $x=0$에서도 연속이므로 $\lim_{x\to 0-}f(x)=\lim_{x\to 0+}f(x)=f(0)$이어야 한다.

이때 $\lim_{x\to 0-} f(x)=\lim_{x\to 0-} a(x^3-3x+1)=a$,

$\lim_{x\to 0+} f(x)=\lim_{x\to 0+} (x^2+2ax+b)=b$,

$f(0)=b$

이므로 $a=b$

한편, $y=a(x^3-3x+1)$에서 $y'=a(3x^2-3)=3a(x+1)(x-1)$이고

$y=x^2+2ax+a$에서 $y'=2x+2a=2(x+a)$이므로

$x\neq 0$인 모든 실수 x에서 정의된 함수 $g(x)$의 도함수 $g'(x)$를

$g'(x)=\begin{cases} 3a(x+1)(x-1) & (x<0) \\ 2(x+a) & (x>0) \end{cases}$ 이라 하면 0이 아닌 실수 t에 대하여 함수 $f(x)$의 $x=t$에서의 미분계수는 $g'(t)$와 일치한다.

(i) $a<0$일 때

함수 $f(x)$의 증가와 감소를 표로 나타내면 다음과 같다.

x	$\cdots$	-1	$\cdots$	0	$\cdots$	$-a$	$\cdots$
$g'(x)$	$-$	0	$+$		$-$	0	$+$
$f(x)$	↘	극소	↗	극대	↘	극소	↗

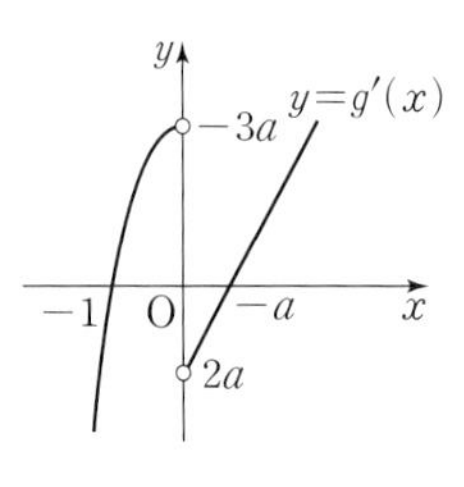

함수 $f(x)$는 열린구간 $(-1, 0)$에서 증가하고, 열린구간 $(0, -a)$에서 감소하므로 $x=0$을 포함하는 어떤 열린구간에 속하는 모든 x에 대하여 $f(x)\leq f(0)$이다. 즉, 함수 $f(x)$는 $x=0$에서 극댓값 $f(0)$을 갖는다.

조건 (가)에서 함수 $f(x)$의 극댓값이 -1이므로

$f(0)=b=-1$, $a=b=-1$

조건 (나)에서 양수 c에 대하여 함수 $f(x)$가 $x=c$에서 극솟값을 가지므로 $c=-a=-(-1)=1$

(ii) $a>0$일 때

함수 $f(x)$의 증가와 감소를 표로 나타내면 다음과 같다.

x	$\cdots$	-1	$\cdots$	0	$\cdots$
$g'(x)$	$+$	0	$-$		$+$
$f(x)$	↗	극대	↘	극소	↗

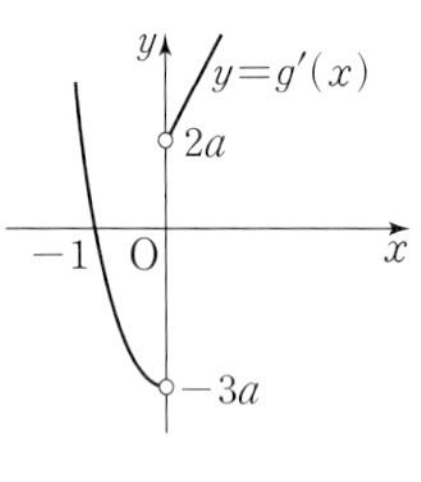

함수 $f(x)$는 열린구간 $(-1, 0)$에서 감소하고, 구간 $(0, \infty)$에서 증가하므로 $x=0$을 포함하는 어떤 열린구간에 속하는 모든 x에 대하여 $f(x)\geq f(0)$이다. 즉, 함수 $f(x)$는 $x=0$에서 극솟값 $f(0)$을 갖는다.

조건 (가)에서 함수 $f(x)$의 극댓값이 -1이므로

$f(-1)=3a=-1$, $a=-\frac{1}{3}$

이때 $a=-\frac{1}{3}$은 $a>0$에 모순이다.

(i), (ii)에서 $a=b=-1$, $c=1$

따라서 $f(x)=\begin{cases} -x^3+3x-1 & (x<0) \\ x^2-2x-1 & (x\geq 0) \end{cases}$ 에서

$f(c)=f(1)=1-2-1=-2$이므로

$ab+f(c)=-1\times(-1)+(-2)=-1$

답 ②

필수유형 7

$f(x)=x^3-3x^2-9x-12$에서

$f'(x)=3x^2-6x-9=3(x+1)(x-3)$

$f'(x)=0$에서 $x=-1$ 또는 $x=3$

함수 $f(x)$의 증가와 감소를 표로 나타내면 다음과 같다.

x	$\cdots$	-1	$\cdots$	3	$\cdots$
$f'(x)$	$+$	0	$-$	0	$+$
$f(x)$	↗	극대	↘	극소	↗

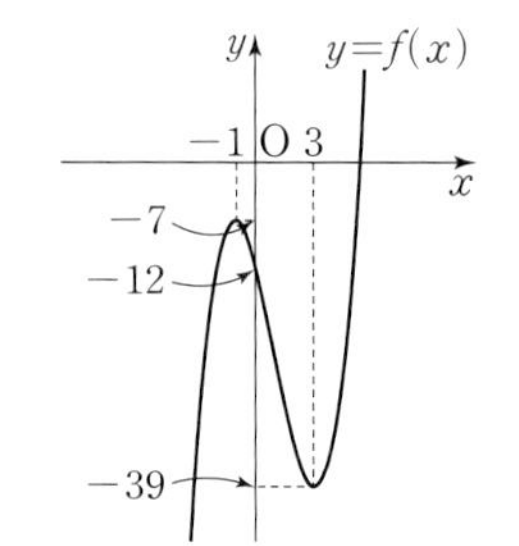

이때 $f(-1)=-7$, $f(3)=-39$이므로 곡선 $y=f(x)$는 그림과 같다.

한편, 조건 (가)의

$xg(x)=|xf(x-p)+qx|$에서

$xg(x)=|x||f(x-p)+q|$이므로

$g(x)=\begin{cases} -|f(x-p)+q| & (x<0) \\ |f(x-p)+q| & (x>0) \end{cases}$ …… ㉠

함수 $g(x)$가 실수 전체의 집합에서 연속이므로 함수 $g(x)$는 $x=0$에서도 연속이다. 즉, $\lim_{x\to 0-} g(x)=\lim_{x\to 0+} g(x)=g(0)$이다.

이때 $\lim_{x\to 0-} g(x)=\lim_{x\to 0-} \{-|f(x-p)+q|\}=-|f(-p)+q|$,

$\lim_{x\to 0+} g(x)=\lim_{x\to 0+} |f(x-p)+q|=|f(-p)+q|$이므로

$-|f(-p)+q|=|f(-p)+q|=g(0)$

$-|f(-p)+q|=|f(-p)+q|$에서 $|f(-p)+q|=0$

$f(-p)+q=0$, 즉 $g(0)=0$이므로 곡선 $y=g(x)$는 원점을 지난다.

한편, 곡선 $y=f(x-p)+q$는 곡선 $y=f(x)$를 x축의 방향으로 p만큼, y축의 방향으로 q만큼 평행이동한 것이다. ㉠에서 곡선 $y=g(x)$는 곡선 $y=f(x-p)+q$ $(x\geq 0)$에서 $y<0$인 부분을 x축에 대하여 대칭이동하고, 곡선 $y=f(x-p)+q$ $(x<0)$에서 $y>0$인 부분을 x축에 대하여 대칭이동한 것이다.

이때 곡선 $y=f(x-p)+q$가 $x>0$에서 $y<0$인 부분이 존재하지 않으면 함수 $y=g(x)$가 실수 전체의 집합에서 미분가능하므로 조건 (나)를 만족시키지 않는다. 조건 (나)에서 함수 $g(x)$가 $x=a$에서 미분가능하지 않은 실수 a의 개수가 1이어야 하므로 $g(t)=0$인 양수 t가 존재하여야 한다.

이때 함수 $g(x)$는 $x=t$에서 미분가능하지 않고 조건 (나)에서 함수 $g(x)$가 $x=a$에서 미분가능하지 않은 실수 a의 개수가 1이므로 함수 $g(x)$는 $x=0$에서 미분가능하다. 즉, $g'(0)=0$이어야 하므로 함수 $y=f(x)$의 그래프 위의 점인 $(-1, -7)$이 원점에 오도록 평행이동하면 된다.

따라서 $p=1$, $q=7$이므로 $p+q=1+7=8$

답 ③

참고

함수 $y=g(x)$의 그래프는 그림과 같다.

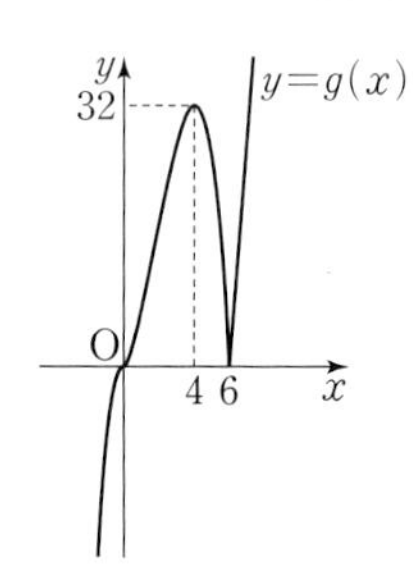

19

$f(x)=a\{(x+2)(x-2)\}^2=a(x^2-4)^2=a(x^4-8x^2+16)$에서

$f'(x)=a(4x^3-16x)=4ax(x+2)(x-2)$

$f'(x)=0$에서 $x=-2$ 또는 $x=0$ 또는 $x=2$

$a>0$이므로 함수 $f(x)$의 증가와 감소를 표로 나타내면 다음과 같다.

x	$\cdots$	-2	$\cdots$	0	$\cdots$	2	$\cdots$
$f'(x)$	$-$	0	$+$	0	$-$	0	$+$
$f(x)$	↘	극소	↗	극대	↘	극소	↗

$f(-2)=0$, $f(0)=16a$, $f(2)=0$이므로 함수 $y=f(x)$의 그래프는 그림과 같다.

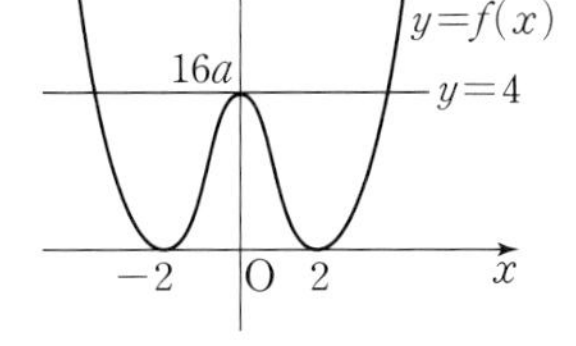

함수 $y=f(x)$의 그래프와 직선 $y=4$가 만나는 서로 다른 점의 개수가 3이려면 $16a=4$, 즉 $a=\frac{1}{4}$이어야 한다.

따라서 $f(x)=\frac{1}{4}(x+2)^2(x-2)^2$이므로

$f(4a)=f(1)=\frac{1}{4}\times3^2\times(-1)^2=\frac{9}{4}$

답 ②

20

함수 $f(x)$가 최고차항의 계수가 1인 삼차함수이므로 방정식 $f(x)+kx=0$은 삼차방정식이고, 이 방정식은 적어도 하나의 실근을 갖는다.

조건 (가)에서 함수 $|f(x)+kx|$가 실수 전체의 집합에서 미분가능하므로 실수 α에 대하여 방정식 $f(x)+kx=0$은 오직 하나의 근 $x=\alpha$를 가져야 하고, $f'(\alpha)+k=0$이어야 한다.

그러므로 $f(x)+kx=(x-\alpha)^3$

즉, $f(x)=(x-\alpha)^3-kx$로 놓을 수 있다.

조건 (나)에서 $\lim_{x\to1}\frac{f(x)+kx}{x-1}=\lim_{x\to1}\frac{(x-\alpha)^3}{x-1}$의 값이 존재하고

$x\to1$일 때 (분모)$\to0$이므로 (분자)$\to0$이어야 한다.

즉, $\lim_{x\to1}(x-\alpha)^3=(1-\alpha)^3=0$에서 $\alpha=1$이므로

$f(x)=(x-1)^3-kx=x^3-3x^2+(3-k)x-1$

$f'(x)=3x^2-6x+(3-k)$

따라서 $f(2)=1-2k$, $f'(2)=12-12+(3-k)=3-k$이므로

$f(2)+f'(2)=0$에서

$(1-2k)+(3-k)=4-3k=0$

즉, $k=\frac{4}{3}$

답 ②

21

$f(x)=3x^4-4x^3-12x^2+k$에서

$f'(x)=12x^3-12x^2-24x=12x(x^2-x-2)=12x(x+1)(x-2)$

$f'(x)=0$에서

$x=-1$ 또는 $x=0$ 또는 $x=2$

함수 $f(x)$의 증가와 감소를 표로 나타내면 다음과 같다.

x	$\cdots$	-1	$\cdots$	0	$\cdots$	2	$\cdots$
$f'(x)$	$-$	0	$+$	0	$-$	0	$+$
$f(x)$	↘	극소	↗	극대	↘	극소	↗

$f(-1)=3+4-12+k=k-5$, $f(0)=k$

$f(2)=48-32-48+k=k-32$

이므로 함수 $y=f(x)$의 그래프의 개형은 다음과 같다.

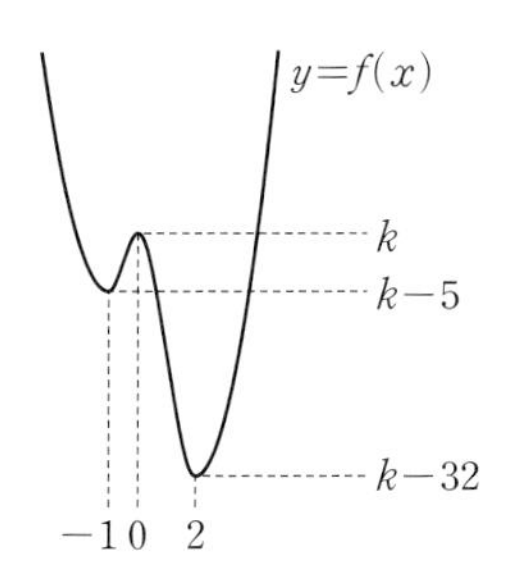

이때 함수 $y=f(x)$의 그래프와 x축이 서로 다른 세 점에서만 만나려면 $f(-1)=0$ 또는 $f(0)=0$이어야 한다. 즉, $k=5$ 또는 $k=0$이어야 한다.

(i) $k=0$일 때

그림과 같이 함수 $y=f(x)$의 그래프는 x축과 원점 O에서 접한다. 이때 함수 $y=f(x)$의 그래프와 x축이 만나는 서로 다른 세 점 A, B, C의 x좌표가 각각 a, b, c $(a<b<c)$이므로 $a<0$, $b=0$, $c>0$이다.

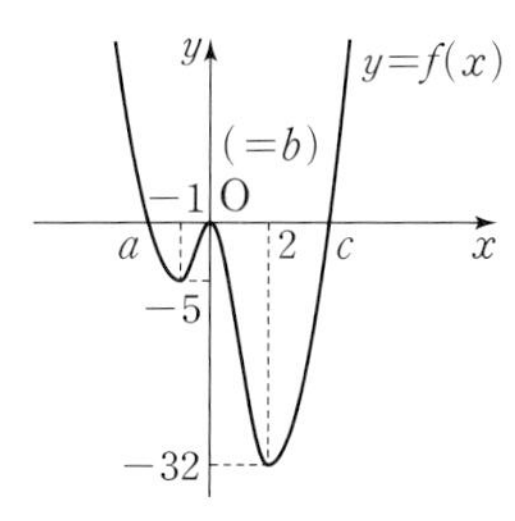

(ii) $k=5$일 때

그림과 같이 함수 $y=f(x)$의 그래프는 x축과 점 $(-1, 0)$에서 접한다. 이때 함수 $y=f(x)$의 그래프와 x축이 만나는 서로 다른 세 점 A, B, C의 x좌표가 각각 a, b, c $(a<b<c)$이므로 $a=-1$, $b>0$, $c>0$이다.

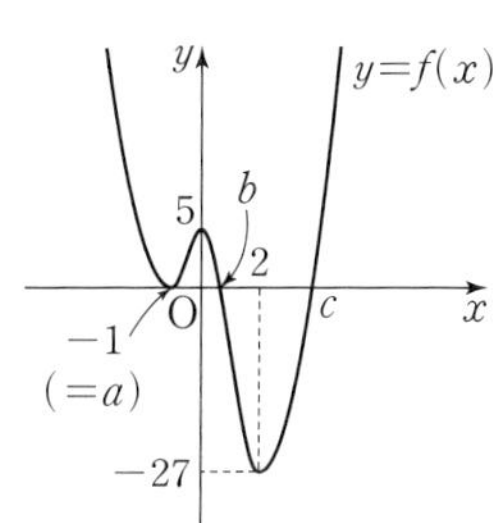

(i), (ii)에 의하여 $abc<0$이려면 $k=5$이어야 한다.

함수 $f(x)=3x^4-4x^3-12x^2+5$에 대하여 방정식 $f(x)=0$의 근은

$3x^4-4x^3-12x^2+5=0$

$(x+1)(3x^3-7x^2-5x+5)=0$

$(x+1)^2(3x^2-10x+5)=0$

이때 세 점 A, B, C의 x좌표 -1, b, c $(-1<b<c)$는 모두 방정식 $f(x)=0$의 근이므로 두 수 b, c는 이차방정식 $3x^2-10x+5=0$의 근이고, 근과 계수의 관계에 의하여 $bc=\frac{5}{3}$이다.

따라서 $\frac{k}{abc}=\frac{5}{-1\times\frac{5}{3}}=-3$이므로

$f\left(\frac{k}{abc}\right)=f(-3)=243+108-108+5=248$

답 ④

필수유형 8

함수 $f(x)$는 최고차항의 계수가 1인 삼차함수이므로

$f(x)=x^3+ax^2+bx+c$ (a, b, c는 상수)라 하면

$f'(x)=3x^2+2ax+b$

함수 $g(x)$가 실수 전체의 집합에서 미분가능하므로 함수 $g(x)$는 $x=0$에서도 미분가능하다.

함수 $g(x)$는 $x=0$에서 연속이므로 $\lim_{x\to 0-} g(x)=\lim_{x\to 0+} g(x)=g(0)$이어야 한다.

이때 $\lim_{x\to 0-} g(x)=\lim_{x\to 0-} \frac{1}{2}=\frac{1}{2}$,

$\lim_{x\to 0+} g(x)=\lim_{x\to 0+} f(x)=f(0)=c$,

$g(0)=f(0)=c$이므로 $c=\frac{1}{2}$

한편, 함수 $g(x)$가 $x=0$에서 미분가능하므로

$\lim_{x\to 0-} \frac{g(x)-g(0)}{x-0}=\lim_{x\to 0+} \frac{g(x)-g(0)}{x-0}$이어야 한다.

이때 $\lim_{x\to 0-} \frac{g(x)-g(0)}{x-0}=\lim_{x\to 0-} \frac{\frac{1}{2}-\frac{1}{2}}{x}=0$,

$\lim_{x\to 0+} \frac{g(x)-g(0)}{x-0}=\lim_{x\to 0+} \frac{f(x)-f(0)}{x}=f'(0)=b$

이므로 $b=0$

그러므로 $f(x)=x^3+ax^2+\frac{1}{2}$, $f'(x)=3x^2+2ax$

ㄱ. $g(0)+g'(0)=f(0)+f'(0)=\frac{1}{2}+0=\frac{1}{2}$ (참)

ㄴ. $f'(x)=x(3x+2a)=0$에서 $x=0$ 또는 $x=-\frac{2}{3}a$

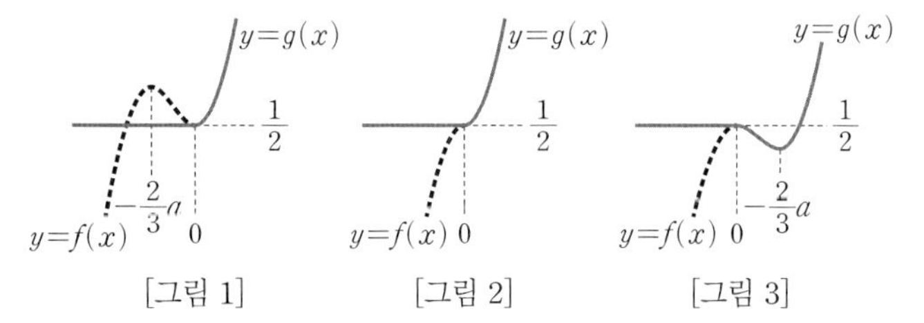

이때 $-\frac{2}{3}a<0$, 즉 $a>0$이면 함수 $y=g(x)$의 그래프의 개형은 [그림 1]과 같고, $-\frac{2}{3}a=0$, 즉 $a=0$이면 함수 $y=g(x)$의 그래프의 개형은 [그림 2]와 같다. 또한 $-\frac{2}{3}a>0$, 즉 $a<0$이면 함수 $y=g(x)$의 그래프의 개형은 [그림 3]과 같다. 이때 $a\geq 0$일 때 함수 $g(x)$의 최솟값은 $\frac{1}{2}$이고, $a<0$일 때 함수 $g(x)$의 최솟값은

$g\left(-\frac{2}{3}a\right)=f\left(-\frac{2}{3}a\right)=-\frac{8}{27}a^3+\frac{4}{9}a^3+\frac{1}{2}=\frac{4}{27}a^3+\frac{1}{2}<\frac{1}{2}$

따라서 $g(x)$의 최솟값이 $\frac{1}{2}$보다 작으려면 $a<0$이어야 하므로

$g(1)=f(1)=1+a+\frac{1}{2}=\frac{3}{2}+a<\frac{3}{2}$ (참)

ㄷ. ㄴ에서 $a<0$이므로 함수 $y=g(x)$의 그래프의 개형은 [그림 3]과 같고 함수 $g(x)$의 최솟값은 $g\left(-\frac{2}{3}a\right)=\frac{4}{27}a^3+\frac{1}{2}$이다. 이때 함수 $g(x)$의 최솟값이 0이므로

$\frac{4}{27}a^3+\frac{1}{2}=0$, $a^3=-\frac{27}{8}$, $a=-\frac{3}{2}$

따라서 $f(x)=x^3-\frac{3}{2}x^2+\frac{1}{2}$이므로

$g(2)=f(2)=8-\frac{3}{2}\times 4+\frac{1}{2}=\frac{5}{2}$ (참)

이상에서 옳은 것은 ㄱ, ㄴ, ㄷ이다.

답 ⑤

22

$f(x)=\frac{1}{3}x^3+x^2-3x+1$에서

$f'(x)=x^2+2x-3=(x+3)(x-1)$

$f'(x)=0$에서 $x=-3$ 또는 $x=1$

닫힌구간 $[-2, 2]$에서 함수 $f(x)$의 증가와 감소를 표로 나타내면 다음과 같다.

x	-2	$\cdots$	1	$\cdots$	2
$f'(x)$		$-$	0	$+$	
$f(x)$	$f(-2)$	↘	극소	↗	$f(2)$

이때 $f(-2)=-\frac{8}{3}+4+6+1=\frac{25}{3}$, $f(1)=\frac{1}{3}+1-3+1=-\frac{2}{3}$,

$f(2)=\frac{8}{3}+4-6+1=\frac{5}{3}$이므로 닫힌구간 $[-2, 2]$에서 함수 $f(x)$는 $x=-2$일 때 최댓값 $\frac{25}{3}$를 갖고, $x=1$일 때 최솟값 $-\frac{2}{3}$를 갖는다.

따라서 $M=\frac{25}{3}$, $m=-\frac{2}{3}$이므로

$M-m=\frac{25}{3}-\left(-\frac{2}{3}\right)=9$

답 ④

23

$f(x)=x^4-14x^2-24x$에서

$f'(x)=4x^3-28x-24=4(x^3-7x-6)=4(x+1)(x+2)(x-3)$

$f'(x)=0$에서 $x=-2$ 또는 $x=-1$ 또는 $x=3$

함수 $f(x)$의 증가와 감소를 표로 나타내면 다음과 같다.

x	$\cdots$	-2	$\cdots$	-1	$\cdots$	3	$\cdots$
$f'(x)$	$-$	0	$+$	0	$-$	0	$+$
$f(x)$	↘	극소	↗	극대	↘	극소	↗

이때 $f(-2)=16-56+48=8$,

$f(-1)=1-14+24=11$,

$f(3)=81-126-72=-117$

이므로 함수 $y=f(x)$의 그래프는 그림과 같다.

함수 $y=f(x)$의 그래프와 직선 $y=11$이 만나는 점의 x좌표는 방정식

$f(x)=11$에서

$x^4-14x^2-24x=11$

$x^4-14x^2-24x-11=0$

$(x+1)(x^3-x^2-13x-11)=0$

$(x+1)^2(x^2-2x-11)=0$

$x=-1$ (중근) 또는 $x=1\pm 2\sqrt{3}$

닫힌구간 $[a, -1]$에서 함수 $f(x)=x^4-14x^2-24x$의 최댓값이 11, 최솟값이 8이려면 $1-2\sqrt{3}\leq a\leq -2$이어야 하므로

$M=-2$, $m=1-2\sqrt{3}$

따라서 $M+m=-2+(1-2\sqrt{3})=-1-2\sqrt{3}$

답 ②

24

조건 (나)에서 최고차항의 계수가 1인 삼차함수 $f(x)$에 대하여 곡선 $y=f(x)$가 x축과 두 점 $(-2,\ 0)$, $(1,\ 0)$에서만 만나므로

$f(x)=(x+2)^2(x-1)$ 또는 $f(x)=(x+2)(x-1)^2$이다.

$f(x)=(x+2)^2(x-1)$일 때 $f(0)=-4$

$f(x)=(x+2)(x-1)^2$일 때 $f(0)=2$

조건 (가)에서 $f(0)>0$이므로 $f(x)=(x+2)(x-1)^2$이다.

$f(x)=(x+2)(x-1)^2=x^3-3x+2$에서 $f'(x)=3x^2-3$이므로

곡선 $y=f(x)$ 위의 점 $\mathrm{A}(a,\ f(a))$에서의 접선을 l이라 하면 직선 l의 방정식은

$y-f(a)=f'(a)(x-a)$, $y-(a^3-3a+2)=(3a^2-3)(x-a)$

$y=(3a^2-3)x-2a^3+2$

곡선 $y=f(x)$와 직선 l이 만나는 점의 x좌표는

$x^3-3x+2=(3a^2-3)x-2a^3+2$에서

$x^3-3a^2x+2a^3=0$, $(x-a)^2(x+2a)=0$

$x=a$ (중근) 또는 $x=-2a$

이므로 곡선 $y=f(x)$와 직선 l이 만나는 점 중 A가 아닌 점 B의 x좌표는 $-2a$이다. 즉, $\mathrm{B}(-2a,\ f(-2a))$이다.

이때 $-2<a<-\frac{1}{2}$에서 $1<-2a<4$이므로 점 B의 y좌표 $f(-2a)$는 0보다 크다.

$\overline{\mathrm{AC}}=f(a)=a^3-3a+2$,

$\overline{\mathrm{BD}}=f(-2a)=-8a^3+6a+2$이므로

$\overline{\mathrm{AC}}-\overline{\mathrm{BD}}$

$=(a^3-3a+2)-(-8a^3+6a+2)$

$=9a^3-9a$

$g(a)=9a^3-9a$라 하면

$g'(a)=27a^2-9=9(\sqrt{3}a+1)(\sqrt{3}a-1)$

$-2<a<-\frac{1}{2}$이므로 $g'(a)=0$에서 $a=-\frac{1}{\sqrt{3}}=-\frac{\sqrt{3}}{3}$

열린구간 $\left(-2,\ -\frac{1}{2}\right)$에서 함수 $g(a)$의 증가와 감소를 표로 나타내면 다음과 같다.

a	(-2)	$\cdots$	$-\frac{\sqrt{3}}{3}$	$\cdots$	$\left(-\frac{1}{2}\right)$
$g'(a)$		$+$	0	$-$	
$g(a)$		↗	극대	↘	

따라서 함수 $g(a)$는 $a=-\frac{\sqrt{3}}{3}$일 때 최댓값 $g\left(-\frac{\sqrt{3}}{3}\right)$을 가지므로

$a_1=-\frac{\sqrt{3}}{3}$

답 ①

필수유형 9

$f(x)=2x^3-6x^2+k$라 하면 방정식 $2x^3-6x^2+k=0$의 실근은 함수 $y=f(x)$의 그래프와 x축이 만나는 점의 x좌표이다.

$f'(x)=6x^2-12x=6x(x-2)$이므로

$f'(x)=0$에서 $x=0$ 또는 $x=2$

함수 $f(x)$의 증가와 감소를 표로 나타내면 다음과 같다.

x	$\cdots$	0	$\cdots$	2	$\cdots$
$f'(x)$	$+$	0	$-$	0	$+$
$f(x)$	↗	극대	↘	극소	↗

함수 $f(x)$는 $x=0$에서 극대이고, $x=2$에서 극소이다.

이때 방정식 $2x^3-6x^2+k=0$의 서로 다른 양의 실근의 개수가 2이려면 그림과 같이 함수 $f(x)$의 극댓값은 양수이고, 함수 $f(x)$의 극솟값은 음수이어야 한다.

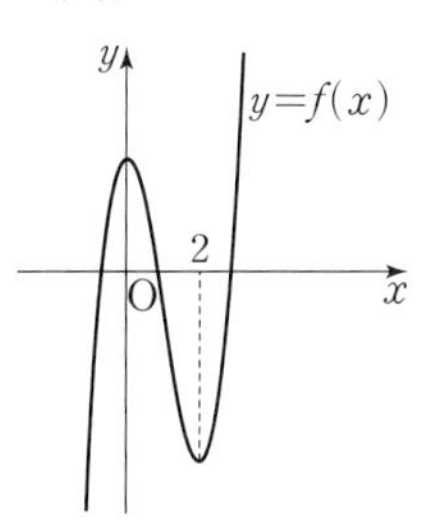

이때 $f(0)=k$, $f(2)=k-8$이므로

$k>0$, $k-8<0$, 즉 $0<k<8$

따라서 구하는 정수 k의 값은

1, 2, 3, 4, 5, 6, 7이므로 그 개수는 7이다.

답 7

25

방정식 $f(x)=g(x)$에서 $x^3-8x=-3x^2+x+a$

즉, $x^3+3x^2-9x=a$

$h(x)=x^3+3x^2-9x$라 하면 방정식 $f(x)=g(x)$의 서로 다른 실근의 개수는 함수 $y=h(x)$의 그래프가 직선 $y=a$와 만나는 서로 다른 점의 개수와 같다.

$h'(x)=3x^2+6x-9=3(x+3)(x-1)$이므로

$h'(x)=0$에서 $x=-3$ 또는 $x=1$

함수 $h(x)$의 증가와 감소를 표로 나타내면 다음과 같다.

x	$\cdots$	-3	$\cdots$	1	$\cdots$
$h'(x)$	$+$	0	$-$	0	$+$
$h(x)$	↗	극대	↘	극소	↗

$h(-3)=27$, $h(1)=-5$이므로

함수 $y=h(x)$의 그래프는 그림과 같다.

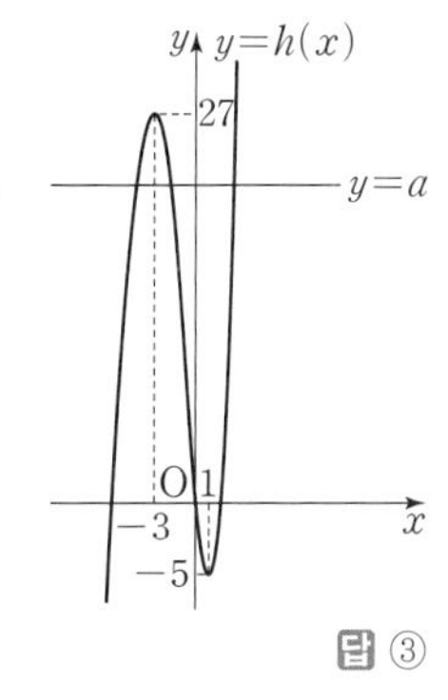

함수 $y=h(x)$의 그래프와 직선 $y=a$가 만나는 점의 개수가 3이려면 $-5<a<27$이어야 한다.

따라서 구하는 정수 a의 최댓값은 26이다.

답 ③

26

방정식 $2x^3+3x^2-12x-k=0$에서 $2x^3+3x^2-12x=k$

$f(x)=2x^3+3x^2-12x$라 하면 방정식 $2x^3+3x^2-12x=k$의 서로 다른 실근의 개수는 함수 $y=f(x)$의 그래프와 직선 $y=k$가 만나는 서로 다른 점의 개수와 같다.

이때 a, b는 모두 0 또는 자연수이므로 $ab=2$이려면 $a=1$, $b=2$ 또는 $a=2$, $b=1$이어야 한다.

$f'(x)=6x^2+6x-12=6(x+2)(x-1)$이므로

$f'(x)=0$에서 $x=-2$ 또는 $x=1$

함수 $f(x)$의 증가와 감소를 표로 나타내면 다음과 같다.

x	$\cdots$	-2	$\cdots$	1	$\cdots$
$f'(x)$	$+$	0	$-$	0	$+$
$f(x)$	↗	극대	↘	극소	↗

$f(-2)=20$, $f(1)=-7$, $f(0)=0$이므로 함수 $y=f(x)$의 그래프는 그림과 같다.

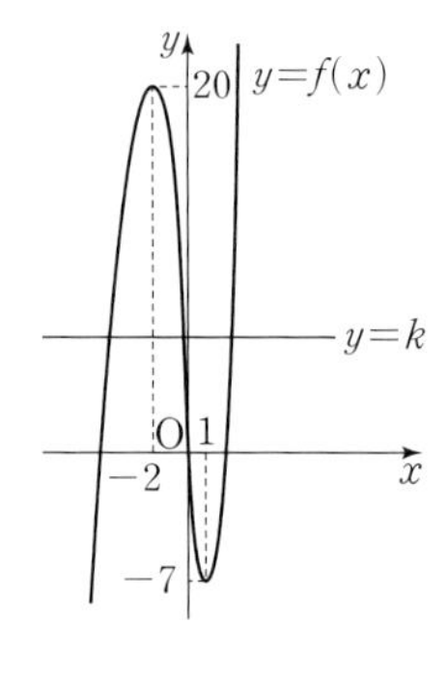

이때 $a=1$, $b=2$가 되도록 하는 k의 값의 범위는 $0<k<20$이고,
$a=2$, $b=1$이 되도록 하는 k의 값의 범위는 $-7<k<0$
따라서 조건을 만족시키는 정수 k의 값은
$-6, -5, -4, \cdots, -1, 1, 2, \cdots, 19$이므로
구하는 정수 k의 개수는
$6+19=25$

답 ⑤

27

조건 (가)에서 최고차항의 계수가 1인 삼차함수 $f(x)$의 도함수 $f'(x)$가 $\alpha<\beta$인 두 실수 α, β에 대하여 $f'(\alpha)=f'(\beta)=0$이므로 함수 $f(x)$는 $x=\alpha$에서 극대, $x=\beta$에서 극소이다.
조건 (나)에서 $f(\alpha)f(\beta)<0$이므로 $f(\alpha)>0$, $f(\beta)<0$이고,
$f(\alpha)+f(\beta)>0$이므로
$|f(\alpha)|>|f(\beta)|$이다. 그러므로 함수 $y=f(x)$, $y=|f(x)|$의 그래프는 그림과 같다.

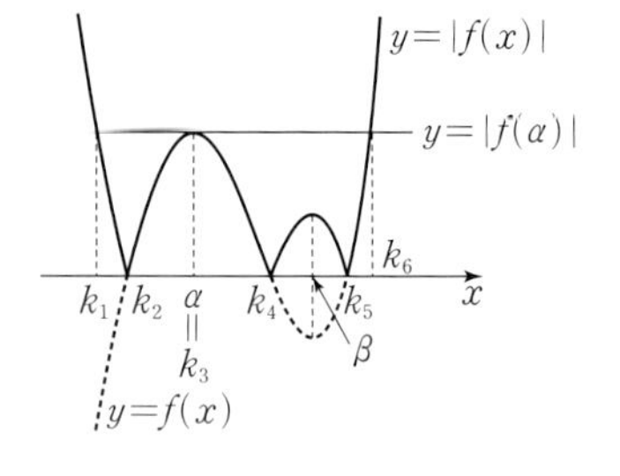

방정식 $|f(x)|=|f(k)|$의 서로 다른 실근의 개수가 3이려면 함수 $y=|f(x)|$의 그래프가 직선 $y=|f(k)|$와 서로 다른 세 점에서 만나야 하므로 $|f(k)|=0$ 또는 $|f(k)|=|f(\alpha)|$이어야 한다.
따라서 $k_1, k_2, k_3, \cdots, k_m$은 함수 $y=|f(x)|$의 그래프가 직선 $y=0$ 또는 직선 $y=|f(\alpha)|$와 만나는 점들의 x좌표이므로 $m=6$이다.
$k_1<k_2<k_3<\cdots<k_6$이므로 $\alpha=k_3$
$|f(k_1)|=|f(k_3)|=|f(k_6)|=|f(\alpha)|$
$|f(k_2)|=|f(k_4)|=|f(k_5)|=0$
이때 $f(k_1)=-f(\alpha)$, $f(k_3)=f(k_6)=f(\alpha)$이므로

$$\sum_{i=1}^{m} f(k_i)=\sum_{i=1}^{6} f(k_i)=f(k_1)+f(k_2)+f(k_3)+f(k_4)+f(k_5)+f(k_6)$$
$$=-f(\alpha)+0+f(\alpha)+0+0+f(\alpha)=f(\alpha)$$

따라서 $m=6$, $n=1$이므로
$m+n=6+1=7$

답 7

필수유형 10

$f(x)=x^3-x+6$, $g(x)=x^2+a$에서 $h(x)=f(x)-g(x)$라 하면
$h(x)=(x^3-x+6)-(x^2+a)=x^3-x^2-x+6-a$이므로
$h'(x)=3x^2-2x-1=(3x+1)(x-1)$
$h'(x)=0$에서 $x=-\frac{1}{3}$ 또는 $x=1$
함수 $h(x)$의 증가와 감소를 표로 나타내면 다음과 같다.

x	$\cdots$	$-\frac{1}{3}$	$\cdots$	1	$\cdots$
$h'(x)$	$+$	0	$-$	0	$+$
$h(x)$	↗	극대	↘	극소	↗

$x\geq 0$일 때 함수 $h(x)$의 최솟값은 $h(1)$이다.
이때 $x\geq 0$인 모든 실수 x에 대하여 부등식 $f(x)\geq g(x)$, 즉 $h(x)\geq 0$이 성립하려면 $h(1)\geq 0$이어야 하므로 $h(1)=5-a\geq 0$, $a\leq 5$
따라서 구하는 실수 a의 최댓값은 5이다.

답 ⑤

28

$f(x)=\frac{1}{3}x^3+\frac{1}{4}x^2-3x+a$라 하면
$f'(x)=x^2+\frac{1}{2}x-3=\frac{1}{2}(x+2)(2x-3)$이므로
$f'(x)=0$에서 $x=-2$ 또는 $x=\frac{3}{2}$
함수 $f(x)$의 증가와 감소를 표로 나타내면 다음과 같다.

x	$\cdots$	-2	$\cdots$	$\frac{3}{2}$	$\cdots$
$f'(x)$	$+$	0	$-$	0	$+$
$f(x)$	↗	극대	↘	극소	↗

$x>0$에서 함수 $f(x)$는 $x=\frac{3}{2}$일 때 최솟값을 갖고, $x\geq 2$인 모든 자연수 x에 대하여 $f(x)\geq f(2)$이다.
따라서 모든 자연수 x에 대하여 부등식 $f(x)\geq 0$이 성립하려면 $f(1)\geq 0$, $f(2)\geq 0$이어야 한다.
$f(1)=\frac{1}{3}+\frac{1}{4}-3+a=a-\frac{29}{12}$, $f(2)=\frac{8}{3}+1-6+a=a-\frac{7}{3}$이므로
$f(1)\geq 0$에서 $a\geq \frac{29}{12}$
$f(2)\geq 0$에서 $a\geq \frac{7}{3}$
이때 $\frac{7}{3}<\frac{29}{12}$이므로 $a\geq \frac{29}{12}$
즉, 실수 a의 최솟값은 $\frac{29}{12}$이다.
따라서 $p=12$, $q=29$이므로
$p+q=12+29=41$

답 41

29

함수 $y=g(x)$는 함수 $y=f(x)$의 그래프를 x축에 대하여 대칭이동한 후, y축의 방향으로 k만큼 평행이동한 그래프를 나타내는 함수이므로
$g(x)=-f(x)+k$
부등식 $f(x)\geq g(x)$에서 $f(x)\geq -f(x)+k$
$f(x)\geq \frac{k}{2}$ …… ㉠
$f(x)=x^4-3x^3+x^2$에서
$f'(x)=4x^3-9x^2+2x=x(4x-1)(x-2)$이므로

$f'(x)=0$에서 $x=0$ 또는 $x=\frac{1}{4}$ 또는 $x=2$

함수 $f(x)$의 증가와 감소를 표로 나타내면 다음과 같다.

x	$\cdots$	0	$\cdots$	$\frac{1}{4}$	$\cdots$	2	$\cdots$
$f'(x)$	$-$	0	$+$	0	$-$	0	$+$
$f(x)$	↘	극소	↗	극대	↘	극소	↗

이때 $f(0)=0$, $f(2)=16-24+4=-4$이므로 함수 $f(x)$의 최솟값은 -4이다.

따라서 모든 실수 x에 대하여 부등식 ㉠이 성립하려면 $\frac{k}{2}\le -4$, 즉 $k\le -8$이어야 하므로 구하는 실수 k의 최댓값은 -8이다.

답 ②

30

$f(x)=x^3+ax^2-a^2x+5$라 하면

$f'(x)=3x^2+2ax-a^2=(x+a)(3x-a)$

$f'(x)=0$에서 $x=-a$ 또는 $x=\frac{a}{3}$

$x\ge 0$인 모든 실수 x에 대하여 부등식 $f(x)\ge 0$이 성립하려면 a의 값에 따라 다음과 같다.

(i) $a<0$일 때

$-a>0$, $\frac{a}{3}<0$이므로 함수 $f(x)$의 증가와 감소를 표로 나타내면 다음과 같다.

x	$\cdots$	$\frac{a}{3}$	$\cdots$	$-a$	$\cdots$
$f'(x)$	$+$	0	$-$	0	$+$
$f(x)$	↗	극대	↘	극소	↗

구간 $[0, \infty)$에서 함수 $f(x)$는 $x=-a$일 때 최솟값 $f(-a)$를 가지므로 $x\ge 0$인 모든 실수 x에 대하여 부등식 $f(x)\ge 0$이 성립하려면 $f(-a)\ge 0$이어야 한다.

$f(-a)=-a^3+a^3+a^3+5=a^3+5\ge 0$

$a^3\ge -5$, $a\ge -\sqrt[3]{5}$

이때 $a<0$이므로 $-\sqrt[3]{5}\le a<0$

(ii) $a=0$일 때

$f(x)=x^3+5$이므로 $x\ge 0$인 모든 실수 x에 대하여 부등식 $f(x)\ge 0$이 성립한다.

(iii) $a>0$일 때

$-a<0$, $\frac{a}{3}>0$이므로 함수 $f(x)$의 증가와 감소를 표로 나타내면 다음과 같다.

x	$\cdots$	$-a$	$\cdots$	$\frac{a}{3}$	$\cdots$
$f'(x)$	$+$	0	$-$	0	$+$
$f(x)$	↗	극대	↘	극소	↗

구간 $[0, \infty)$에서 함수 $f(x)$는 $x=\frac{a}{3}$에서 최솟값 $f\left(\frac{a}{3}\right)$를 가지므로 $x\ge 0$인 모든 실수 x에 대하여 부등식 $f(x)\ge 0$이 성립하려면 $f\left(\frac{a}{3}\right)\ge 0$이어야 한다.

$f\left(\frac{a}{3}\right)=\frac{a^3}{27}+\frac{a^3}{9}-\frac{a^3}{3}+5=-\frac{5}{27}(a^3-27)\ge 0$

$a^3\le 27$, $a\le 3$

이때 $a>0$이므로 $0<a\le 3$

(i), (ii), (iii)에 의하여 $x\ge 0$인 모든 실수 x에 대하여 주어진 부등식이 성립하도록 하는 a의 값의 범위는

$-\sqrt[3]{5}\le a\le 3$

이때 $-2<-\sqrt[3]{5}<-1$이므로 정수 a의 값은 -1, 0, 1, 2, 3이다.

따라서 구하는 모든 정수 a의 개수는 5이다.

답 ③

필수유형 11

점 P의 시각 t에서의 속도를 v라 하면

$v=\frac{dx}{dt}=3t^2+2at+b$

점 P의 시각 t에서의 가속도는 $\frac{dv}{dt}=6t+2a$

시각 $t=1$에서 점 P가 운동 방향을 바꾸므로 시각 $t=1$에서의 점 P의 속도는 0이다.

즉, $3+2a+b=0$이므로

$b=-2a-3$ …… ㉠

시각 $t=2$에서의 점 P의 가속도가 0이므로 $12+2a=0$, $a=-6$

$a=-6$을 ㉠에 대입하면

$b=-2\times(-6)-3=9$

따라서 $a+b=-6+9=3$

답 ①

31

점 P의 시각 t에서의 속도를 v라 하면

$v=\frac{dx}{dt}=3t^2-8t+k$

시각 $t=1$에서의 점 P의 속도가 5이므로

$3-8+k=5$, $k=10$

이때 시각 $t=\alpha$에서의 점 P의 속도도 5이므로 두 수 1, α는 방정식 $v=5$의 근이다.

$3t^2-8t+10=5$에서 $3t^2-8t+5=0$, $(t-1)(3t-5)=0$

$t=1$ 또는 $t=\frac{5}{3}$

즉, $\alpha=\frac{5}{3}$이므로 $\frac{k}{\alpha}=\frac{10}{\frac{5}{3}}=6$

점 P의 시각 t에서의 가속도를 a라 하면

$a=\frac{dv}{dt}=6t-8$

따라서 시각 $t=\frac{k}{\alpha}$, 즉 $t=6$에서의 점 P의 가속도는

$6\times 6-8=28$

답 ①

32

두 점 P, Q의 시각 t에서의 속도를 각각 v_1, v_2라 하면

$v_1=\frac{dx_1}{dt}=3t^2-12t+9$, $v_2=\frac{dx_2}{dt}=-t^3+2mt+n$

$v_1=0$에서 $3t^2-12t+9=0$

$3(t-1)(t-3)=0$

$t=1$ 또는 $t=3$

그러므로 점 P는 $0\le t<1$ 또는 $t>3$인 시각 t에서 $v_1>0$이므로 양의 방향으로 움직이고, $1<t<3$인 시각 t에서 $v_1<0$이므로 음의 방향으로 움직인다. 또한 점 Q는 $0\le t<1$ 또는 $t>3$인 시각 t에서 음의 방향으로 움직이고, $1<t<3$인 시각 t에서 양의 방향으로 움직여야 하므로 시각 $t=1$과 시각 $t=3$에서 점 Q의 속도는 0이어야 한다.

즉, $t=1$과 $t=3$이 방정식 $v_2=0$의 근이어야 하므로

$-1+2m+n=0$ …… ㉠

$-27+6m+n=0$ …… ㉡

㉠, ㉡을 연립하여 풀면 $m=\frac{13}{2}$, $n=-12$이므로

$|m+n|=\left|\frac{13}{2}+(-12)\right|=\frac{11}{2}$

따라서 점 P의 시각 t에서의 가속도를 a_1이라 하면

$a_1=\frac{dv_1}{dt}=6t-12$

이므로 시각 $t=|m+n|$, 즉 $t=\frac{11}{2}$에서의 점 P의 가속도는

$6\times\frac{11}{2}-12=21$

답 ①

참고

$m=\frac{13}{2}$, $n=-12$이면 점 Q의 시각 t에서의 속도 v_2는

$v_2=-t^3+13t-12=-(t+4)(t-1)(t-3)$

이므로 점 Q는 $0\le t<1$ 또는 $t>3$인 시각 t에서 $v_2<0$이고, $1<t<3$인 시각 t에서 $v_2>0$이다.

33

점 P의 시각 t에서의 속도를 v라 하면

$v=\frac{dx}{dt}=-t^2+2kt+28-11k$

조건 (가)에서 시각 $t=\alpha$와 시각 $t=\beta$에서 점 P가 움직이는 방향이 바뀌므로 시각 $t=\alpha$와 시각 $t=\beta$에서의 점 P의 속도가 0이다.

그러므로 t에 대한 이차방정식 $-t^2+2kt+28-11k=0$, 즉 $t^2-2kt+11k-28=0$의 두 근이 α, β이므로 근과 계수의 관계에 의하여

$\alpha+\beta=2k$, $\alpha\beta=11k-28$

이때 $\beta-\alpha=4$이므로

$(\beta-\alpha)^2=(\alpha+\beta)^2-4\alpha\beta$에서

$4^2=(2k)^2-4(11k-28)$, $k^2-11k+24=0$

$(k-3)(k-8)=0$

$k=3$ 또는 $k=8$ …… ㉠

조건 (나)에서 시각 $t=4$에서의 점 P의 속도가 양수이므로

$-16+8k+28-11k>0$, $-3k+12>0$

$k<4$ …… ㉡

㉠, ㉡에서 $k=3$

따라서 $v=-t^2+6t-5$이므로 시각 $t=k$, 즉 $t=3$에서의 점 P의 속도는

$-9+18-5=4$

답 ④

06 다항함수의 적분법

본문 61~69쪽

필수유형 1 15	01 ④	02 ③	03 ④
필수유형 2 ②	04 ②	05 ②	06 ⑤
필수유형 3 ②	07 ②	08 ④	09 ③
필수유형 4 ④	10 ⑤	11 ⑤	12 ④
	13 ②		
필수유형 5 39	14 ①	15 12	16 ②
필수유형 6 ②	17 ①	18 ⑤	19 ②
	20 42	21 28	
필수유형 7 ④	22 ③	23 ②	24 36
필수유형 8 17	25 ⑤	26 ②	27 ①
	28 5	29 10	

필수유형 1

$f(x)=\int f'(x)\,dx=\int(4x^3-2x)\,dx$

$=x^4-x^2+C$ (단, C는 적분상수)

이때 $f(0)=3$이므로 $C=3$

따라서 $f(x)=x^4-x^2+3$이므로

$f(2)=16-4+3=15$

답 15

01

$f'(x)=4x^3-8x+7$에서 $f'(1)=4-8+7=3$

$f(x)=\int f'(x)\,dx=\int(4x^3-8x+7)\,dx$

$=x^4-4x^2+7x+C$ (단, C는 적분상수)

이므로 $f(1)=1-4+7+C=C+4$

곡선 $y=f(x)$ 위의 점 $(1,\ f(1))$에서의 접선의 방정식은

$y-f(1)=f'(1)(x-1)$

$y-(C+4)=3(x-1)$, $y=3x+C+1$

이 접선의 y절편이 3이므로 $C+1=3$, $C=2$

따라서 $f(x)=x^4-4x^2+7x+2$이므로

$f(2)=16-16+14+2=16$

답 ④

02

$\int\{f(x)-3\}\,dx+\int xf'(x)\,dx=x^3-2x^2$에서

$\int\{f(x)+xf'(x)-3\}\,dx=x^3-2x^2$

이때 $\{xf(x)\}'=f(x)+xf'(x)$이므로 $xf(x)$는 $f(x)+xf'(x)$의 한 부정적분이다.

$\int\{f(x)+xf'(x)-3\}\,dx=xf(x)-3x+C=x^3-2x^2$

$xf(x)=x^3-2x^2+3x-C$ (단, C는 적분상수) …… ㉠

㉠의 양변에 $x=0$을 대입하면 $C=0$이므로

$xf(x)=x^3-2x^2+3x$

$x \neq 0$일 때 $f(x)=x^2-2x+3$

이때 함수 $f(x)$가 다항함수이므로 $f(x)=x^2-2x+3$이다.

$f'(x)=2x-2=2(x-1)$이므로 $f'(x)=0$에서 $x=1$

$x=1$의 좌우에서 $f'(x)$의 부호가 음에서 양으로 바뀌므로 함수 $f(x)$는 $x=1$에서 극소이다.

따라서 $a=1$이므로

$f(a)=f(1)=1-2+3=2$

답 ③

참고

함수 $f(x)$는 다음과 같이 구할 수도 있다.

$$\int \{f(x)-3\}\,dx+\int xf'(x)\,dx=x^3-2x^2$$

의 양변을 x에 대하여 미분하면

$f(x)-3+xf'(x)=3x^2-4x$

$f(x)+xf'(x)=3x^2-4x+3$ …… ㉠

다항함수 $f(x)$가 상수함수 또는 일차함수 또는 차수가 3 이상인 함수이면 ㉠이 성립하지 않는다.

$f(x)=ax^2+bx+c$ ($a\neq 0$, a, b, c는 상수)라 하면

$f'(x)=2ax+b$이므로 ㉠에서

$(ax^2+bx+c)+x(2ax+b)=3ax^2+2bx+c=3x^2-4x+3$

따라서 $a=1$, $b=-2$, $c=3$이므로 $f(x)=x^2-2x+3$이다.

03

$f'(x)=\begin{cases} x^2-4x & (|x|<1) \\ -4x^3+x^2 & (|x|\geq 1) \end{cases}$에서 함수 $f(x)$는 x의 값에 따라 다음과 같다.

(i) $x\leq -1$일 때

$f'(x)=-4x^3+x^2$이므로

$f(x)=\int(-4x^3+x^2)\,dx=-x^4+\frac{1}{3}x^3+C_1$ (단, C_1은 적분상수)

(ii) $-1<x<1$일 때

$f'(x)=x^2-4x$이므로

$f(x)=\int(x^2-4x)\,dx=\frac{1}{3}x^3-2x^2+C_2$ (단, C_2는 적분상수)

(iii) $x\geq 1$일 때

$f'(x)=-4x^3+x^2$이므로

$f(x)=\int(-4x^3+x^2)\,dx=-x^4+\frac{1}{3}x^3+C_3$ (단, C_3은 적분상수)

이때 함수 $f(x)$가 실수 전체의 집합에서 미분가능하므로 실수 전체의 집합에서 연속이다.

함수 $f(x)$가 $x=-1$에서 연속이므로

$\lim_{x\to -1-}f(x)=\lim_{x\to -1+}f(x)=f(-1)$이어야 한다.

$\lim_{x\to -1-}f(x)=\lim_{x\to -1-}\left(-x^4+\frac{1}{3}x^3+C_1\right)=C_1-\frac{4}{3}$,

$\lim_{x\to -1+}f(x)=\lim_{x\to -1+}\left(\frac{1}{3}x^3-2x^2+C_2\right)=C_2-\frac{7}{3}$에서

$C_1-\frac{4}{3}=C_2-\frac{7}{3}$

$C_2=1+C_1$

함수 $f(x)$가 $x=1$에서 연속이므로 $\lim_{x\to 1-}f(x)=\lim_{x\to 1+}f(x)=f(1)$이어야 한다.

$\lim_{x\to 1-}f(x)=\lim_{x\to 1-}\left(\frac{1}{3}x^3-2x^2+C_2\right)=C_2-\frac{5}{3}$,

$\lim_{x\to 1+}f(x)=\lim_{x\to 1+}\left(-x^4+\frac{1}{3}x^3+C_3\right)=C_3-\frac{2}{3}$에서

$C_2-\frac{5}{3}=C_3-\frac{2}{3}$

$C_3=C_2-1=(1+C_1)-1=C_1$

그러므로 $f(x)=\begin{cases} -x^4+\frac{1}{3}x^3+C_1 & (x\leq -1 \text{ 또는 } x\geq 1) \\ \frac{1}{3}x^3-2x^2+1+C_1 & (-1<x<1) \end{cases}$이고

$f(-2)=-16-\frac{8}{3}+C_1=C_1-\frac{56}{3}$

$f(0)=1+C_1$

$f(2)=-16+\frac{8}{3}+C_1=C_1-\frac{40}{3}$

따라서 $\frac{f(0)-f(-2)}{f(0)-f(2)}=\frac{(1+C_1)-\left(C_1-\frac{56}{3}\right)}{(1+C_1)-\left(C_1-\frac{40}{3}\right)}=\frac{\frac{59}{3}}{\frac{43}{3}}=\frac{59}{43}$

답 ④

필수유형 2

주어진 조건에서 $f(0)=0$, $f(1)=1$, $\int_0^1 f(x)\,dx=\frac{1}{6}$이므로

$0\leq x\leq 1$일 때, 함수 $y=f(x)$의 그래프의 개형이 그림과 같다고 하자.

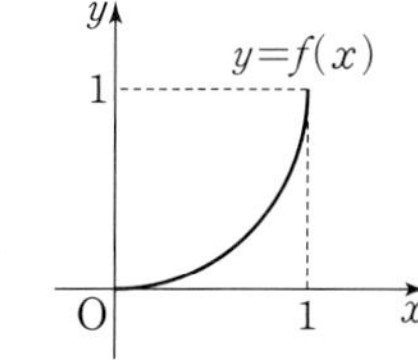

또한 조건 (가)에서

$-1<x<0$일 때, 함수 $y=g(x)$의 그래프는 $0<x<1$일 때의 함수 $y=f(x)$의 그래프를 x축에 대하여 대칭이동한 후 x축의 방향으로 -1만큼, y축의 방향으로 1만큼 평행이동한 것과 같다.

이때 조건 (나)에서 함수 $g(x)$는 주기가 2인 주기함수이므로 함수 $y=g(x)$의 그래프의 개형은 그림과 같이 나타낼 수 있다.

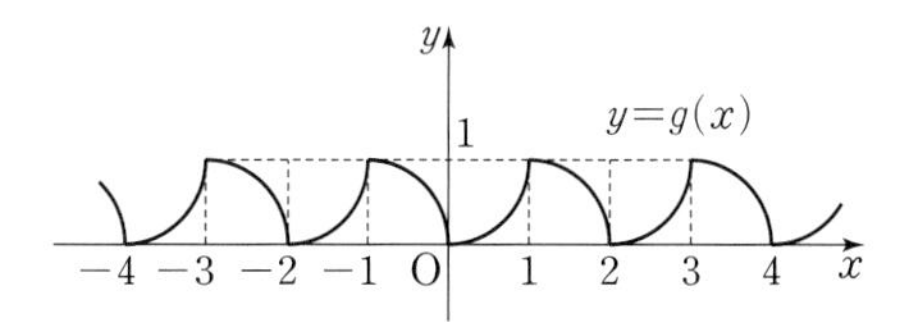

한편, $\int_0^1 g(x)\,dx=\int_0^1 f(x)\,dx=\frac{1}{6}$이고

$\int_{-1}^0 g(x)\,dx=1-\int_0^1 f(x)\,dx=1-\frac{1}{6}=\frac{5}{6}$이므로

$\int_{-1}^1 g(x)\,dx=\int_{-1}^0 g(x)\,dx+\int_0^1 g(x)\,dx=\frac{5}{6}+\frac{1}{6}=1$

이때 함수 $g(x)$의 주기는 2이므로

$$\int_{-3}^2 g(x)\,dx=\int_{-3}^{-1} g(x)\,dx+\int_{-1}^1 g(x)\,dx+\int_1^2 g(x)\,dx$$
$$=\int_{-1}^1 g(x)\,dx+\int_{-1}^1 g(x)\,dx+\int_{-1}^0 g(x)\,dx$$
$$=1+1+\frac{5}{6}=\frac{17}{6}$$

답 ②

04

$\int_{-1}^{k}(4x-k)\,dx=\left[2x^2-kx\right]_{-1}^{k}=(2k^2-k^2)-(2+k)$

$=k^2-k-2=-\frac{9}{4}$

에서 $k^2-k+\frac{1}{4}=0$, $\left(k-\frac{1}{2}\right)^2=0$

따라서 $k=\frac{1}{2}$

답 ②

05

$\int_{-1}^{0}f(x)\,dx=\int_{-1}^{a}f(x)\,dx$에서 $\int_{-1}^{a}f(x)\,dx-\int_{-1}^{0}f(x)\,dx=0$

$\int_{-1}^{a}f(x)\,dx+\int_{0}^{-1}f(x)\,dx=0$, $\int_{0}^{a}f(x)\,dx=0$

$\int_{0}^{a}f(x)\,dx=\int_{0}^{a}(6x^2-6x-5)\,dx=\left[2x^3-3x^2-5x\right]_{0}^{a}$

$=2a^3-3a^2-5a$

이므로 $2a^3-3a^2-5a=0$

$a(a+1)(2a-5)=0$에서 $a=-1$ 또는 $a=0$ 또는 $a=\frac{5}{2}$

따라서 구하는 양수 a의 값은 $\frac{5}{2}$이다.

답 ②

06

$0\le x\le a$일 때, $|f(x)|=-f(x)=ax-x^2$이고

$a<x\le 3$일 때, $|f(x)|=f(x)=x^2-ax$이므로

$\int_{0}^{3}|f(x)|\,dx=\int_{0}^{a}(ax-x^2)\,dx+\int_{a}^{3}(x^2-ax)\,dx$

$\int_{0}^{3}f(x)\,dx=\int_{0}^{a}(x^2-ax)\,dx+\int_{a}^{3}(x^2-ax)\,dx$이므로

$\int_{0}^{3}|f(x)|\,dx=\int_{0}^{3}f(x)\,dx+2$에서

$\int_{0}^{a}(ax-x^2)\,dx=\int_{0}^{a}(x^2-ax)\,dx+2$

$2\int_{0}^{a}(ax-x^2)\,dx=2$, $\int_{0}^{a}(ax-x^2)\,dx=1$

$\int_{0}^{a}(ax-x^2)\,dx=\left[\frac{a}{2}x^2-\frac{1}{3}x^3\right]_{0}^{a}=\frac{1}{2}a^3-\frac{1}{3}a^3=\frac{1}{6}a^3$이므로

$\frac{1}{6}a^3=1$에서 $a^3=6$

따라서 $af(-a)=a\times(-a)\times(-2a)=2a^3=12$

답 ⑤

필수유형 3

$f(x)=x^2+ax+b$에서 $f'(x)=2x+a$이므로

$f(x)f'(x)=(x^2+ax+b)(2x+a)$

$=2x^3+3ax^2+(a^2+2b)x+ab$

$\int_{-1}^{1}f(x)f'(x)\,dx=\int_{-1}^{1}\{2x^3+3ax^2+(a^2+2b)x+ab\}\,dx$

$=2\int_{0}^{1}(3ax^2+ab)\,dx=2\left[ax^3+abx\right]_{0}^{1}$

$=2(a+ab)=2a(1+b)=0$

에서 $a\ne0$이므로 $b=-1$이고, $f(x)=x^2+ax-1$

$\int_{-3}^{3}\{f(x)+f'(x)\}\,dx=\int_{-3}^{3}\{(x^2+ax-1)+(2x+a)\}\,dx$

$=\int_{-3}^{3}\{x^2+(a+2)x+(a-1)\}\,dx$

$=2\int_{0}^{3}\{x^2+(a-1)\}\,dx$

$=2\left[\frac{1}{3}x^3+(a-1)x\right]_{0}^{3}$

$=2(9+3a-3)=6(a+2)=0$

에서 $a=-2$

따라서 $f(x)=x^2-2x-1$이므로

$f(3)=9-6-1=2$

답 ②

07

$\int_{-a}^{a}(3x^2+2ax-a)\,dx=2\int_{0}^{a}(3x^2-a)\,dx=2\left[x^3-ax\right]_{0}^{a}$

$=2(a^3-a^2)=2a+4$

에서 $a^3-a^2-a-2=0$, $(a-2)(a^2+a+1)=0$

모든 실수 a에 대하여 $a^2+a+1=\left(a+\frac{1}{2}\right)^2+\frac{3}{4}>0$이므로 $a=2$

답 ②

08

$f(x)$가 최고차항의 계수가 1인 삼차함수이므로 $f'(x)$는 최고차항의 계수가 3인 이차함수이고, 삼차함수 $f(x)$가 $x=-1$, $x=2$에서 극값을 가지므로

$f'(x)=3(x+1)(x-2)=3x^2-3x-6$

$f(x)=\int f'(x)\,dx=\int(3x^2-3x-6)\,dx$

$=x^3-\frac{3}{2}x^2-6x+C$ (단, C는 적분상수)

$\int_{-2}^{2}f(x)\,dx=\int_{-2}^{2}\left(x^3-\frac{3}{2}x^2-6x+C\right)dx=2\int_{0}^{2}\left(-\frac{3}{2}x^2+C\right)dx$

$=2\left[-\frac{1}{2}x^3+Cx\right]_{0}^{2}=2(-4+2C)=0$

에서 $C=2$

따라서 $f(x)=x^3-\frac{3}{2}x^2-6x+2$이므로

$f(4)=64-24-24+2=18$

답 ④

09

ㄱ. 조건 (가)에서 $f(0)=-4a$이고,
조건 (나)에서 $f(4)=-2f(0)$이므로 $f(4)=8a$ (참)

ㄴ. $f(-2)=0$이고, 모든 실수 x에 대하여 $f(x+4)=-2f(x)$이므로 모든 정수 k에 대하여 $f(4k-2)=0$이다.
또한 모든 정수 k에 대하여
$\lim_{x\to(4k-2)-}f(x)=\lim_{x\to(4k-2)+}f(x)=0$이므로 함수 $f(x)$는

$x=4k-2$에서 연속이고, 함수 $f(x)$는 실수 전체의 집합에서 연속이다. 모든 정수 k에 대하여 닫힌구간 $[4k-2,\ 4k+2]$에서 함수 $y=f(x)$의 그래프를 x축에 대하여 대칭이동한 후 각 함숫값을 2배 한 그래프를 x축의 방향으로 4만큼 평행이동시킨 그래프가 닫힌구간 $[4k+2,\ 4k+6]$에서 함수 $y=f(x)$의 그래프와 일치한다.
그러므로 함수 $y=f(x)$의 그래프는 그림과 같다.

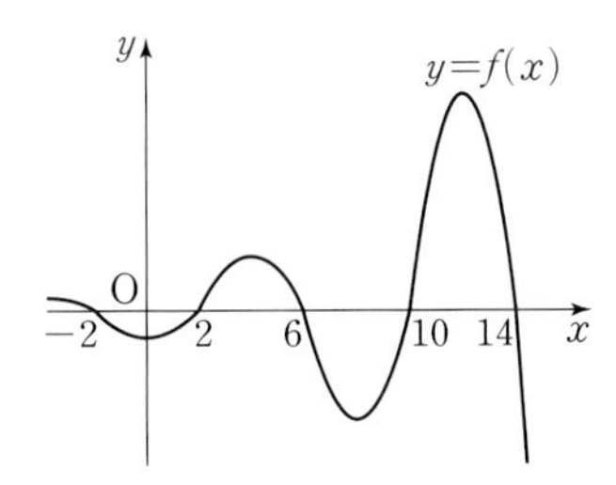

모든 정수 k에 대하여

$\int_{4k+2}^{4k+6} f(x)\,dx=-2\int_{4k-2}^{4k+2} f(x)\,dx$가 성립하므로

$\int_{6}^{10} f(x)\,dx=-2\int_{2}^{6} f(x)\,dx$ …… ㉠

또한 $-2\le x\le 2$에서 함수 $y=f(x)$의 그래프는 y축에 대하여 대칭이므로 $2\le x\le 6$에서 함수 $y=f(x)$의 그래프는 직선 $x=4$에 대하여 대칭이고, $6\le x\le 10$에서 함수 $y=f(x)$의 그래프는 직선 $x=8$에 대하여 대칭이다.

그러므로 $\int_{6}^{8} f(x)\,dx=\int_{8}^{10} f(x)\,dx$이고

$\int_{6}^{10} f(x)\,dx=2\int_{6}^{8} f(x)\,dx$

㉠에서 $2\int_{6}^{8} f(x)\,dx=-2\int_{2}^{6} f(x)\,dx$이므로

$\int_{6}^{8} f(x)\,dx=-\int_{2}^{6} f(x)\,dx$

따라서 $\int_{2}^{8} f(x)\,dx=\int_{2}^{6} f(x)\,dx+\int_{6}^{8} f(x)\,dx=0$ (거짓)

ㄷ. $\int_{2}^{6} f(x)\,dx=-2\int_{-2}^{2} f(x)\,dx$이고,

$\int_{2}^{6} f(x)\,dx=2\int_{2}^{4} f(x)\,dx$이므로

$\int_{2}^{4} f(x)\,dx=-\int_{-2}^{2} f(x)\,dx$ …… ㉡

$\int_{-2}^{4} f(x)\,dx=0$ …… ㉢

$\int_{10}^{14} f(x)\,dx=-2\int_{6}^{10} f(x)\,dx$이고

$\int_{10}^{14} f(x)\,dx=2\int_{10}^{12} f(x)\,dx$이므로

$\int_{10}^{12} f(x)\,dx=-\int_{6}^{10} f(x)\,dx$

$\int_{6}^{12} f(x)\,dx=0$ …… ㉣

㉢, ㉣에 의하여

$$\int_{-2}^{12} f(x)\,dx=\int_{-2}^{4} f(x)\,dx+\int_{4}^{6} f(x)\,dx+\int_{6}^{12} f(x)\,dx$$
$$=\int_{4}^{6} f(x)\,dx$$

㉡에서 $\int_{4}^{6} f(x)\,dx=\int_{2}^{4} f(x)\,dx=-\int_{-2}^{2} f(x)\,dx$이고,

$$\int_{-2}^{2} f(x)\,dx=\int_{-2}^{2} a(x^2-4)\,dx=2a\int_{0}^{2}(x^2-4)\,dx$$
$$=2a\left[\frac{1}{3}x^3-4x\right]_0^2=2a\left(\frac{8}{3}-8\right)=-\frac{32}{3}a$$

이므로 $\int_{-2}^{12} f(x)\,dx=\frac{32}{3}a$

따라서 $\frac{32}{3}a=4$에서 $a=\frac{3}{8}$ (참)

이상에서 옳은 것은 ㄱ, ㄷ이다.

답 ③

필수유형 4

$xf(x)=2x^3+ax^2+3a+\int_{1}^{x} f(t)\,dt$ …… ㉠

㉠의 양변에 $x=1$을 대입하면

$f(1)=2+a+3a+0$이므로

$f(1)=4a+2$ …… ㉡

㉠의 양변에 $x=0$을 대입하면

$0=3a+\int_{1}^{0} f(t)\,dt=3a-\int_{0}^{1} f(t)\,dt$이므로

$\int_{0}^{1} f(t)\,dt=3a$ …… ㉢

$f(1)=\int_{0}^{1} f(t)\,dt$이므로 ㉡, ㉢에서 $4a+2=3a$

$a=-2$이고 $f(1)=-6$

㉠에 $a=-2$를 대입하고 양변을 x에 대하여 미분하면

$f(x)+xf'(x)=6x^2-4x+f(x)$

$xf'(x)=6x^2-4x$

$x\ne 0$일 때 $f'(x)=6x-4$

이때 함수 $f(x)$가 다항함수이므로 $f'(x)=6x-4$이다.

$$f(x)=\int f'(x)\,dx=\int (6x-4)\,dx$$
$$=3x^2-4x+C \text{ (단, } C\text{는 적분상수)}$$

$f(1)=3-4+C=-6$에서 $C=-5$

따라서 $f(x)=3x^2-4x-5$이므로 $f(3)=27-12-5=10$이고

$a+f(3)=-2+10=8$

답 ④

10

$f(x)=x^2+x\int_{0}^{2} f(t)\,dt+\int_{-1}^{1} f(t)\,dt$에서

$\int_{0}^{2} f(t)\,dt=a$, $\int_{-1}^{1} f(t)\,dt=b$ (a, b는 상수)라 하면

$f(x)=x^2+ax+b$

$a=\int_{0}^{2}(t^2+at+b)\,dt=\left[\frac{1}{3}t^3+\frac{a}{2}t^2+bt\right]_0^2=\frac{8}{3}+2a+2b$

이므로 $a+2b+\frac{8}{3}=0$ …… ㉠

$$b=\int_{-1}^{1}(t^2+at+b)\,dt=2\int_{0}^{1}(t^2+b)\,dt=2\left[\frac{1}{3}t^3+bt\right]_0^1$$
$$=2\left(\frac{1}{3}+b\right)=\frac{2}{3}+2b$$

이므로 $b=-\frac{2}{3}$ …… ㉡

㉡을 ㉠에 대입하면 $a=-\frac{4}{3}$

따라서 $f(x)=x^2-\frac{4}{3}x-\frac{2}{3}$이므로

$f(4)=16-\frac{16}{3}-\frac{2}{3}=10$

답 ⑤

11

$(1-x)f(x)=x^3-6x^2+9x-\int_{-1}^{x}f(t)\,dt$ …… ㉠

㉠의 양변에 $x=-1$을 대입하면

$2f(-1)=-16$에서 $f(-1)=-8$

㉠의 양변을 x에 대하여 미분하면

$-f(x)+(1-x)f'(x)=3x^2-12x+9-f(x)$

$(1-x)f'(x)=3(x-1)(x-3)$

$f(x)$가 다항함수이므로 $f'(x)=-3x+9$

$f(x)=\int(-3x+9)\,dx=-\frac{3}{2}x^2+9x+C$ (단, C는 적분상수)

$f(-1)=-\frac{3}{2}-9+C=-8$에서 $C=\frac{5}{2}$

따라서 $f(x)=-\frac{3}{2}x^2+9x+\frac{5}{2}$이므로

$f(1)=-\frac{3}{2}+9+\frac{5}{2}=10$

답 ⑤

12

$\int_{0}^{2}f(t)\,dt=a$ (a는 상수)라 하면

$f'(x)=3x^2+ax$

$f(x)=\int f'(x)\,dx=\int(3x^2+ax)\,dx$

$=x^3+\frac{a}{2}x^2+C$ (단, C는 적분상수)

$f(2)=8+2a+C$, $f'(2)=12+2a$이고 $f(2)=f'(2)$이므로

$8+2a+C=12+2a$에서 $C=4$

$f(x)=x^3+\frac{a}{2}x^2+4$이므로

$\int_{0}^{2}\left(x^3+\frac{a}{2}x^2+4\right)dx=\left[\frac{1}{4}x^4+\frac{a}{6}x^3+4x\right]_{0}^{2}=4+\frac{4}{3}a+8$

$=\frac{4}{3}a+12=a$

에서 $a=-36$

따라서 $f(x)=x^3-18x^2+4$이므로

$f(1)=1-18+4=-13$

답 ④

13

$\int_{0}^{1}f(t)\,dt=a$ (a는 상수)라 하면 $f(x)=-2x+3|a|$

(ⅰ) $a\geq0$인 경우

$f(x)=-2x+3a$이므로

$\int_{0}^{1}(-2x+3a)\,dx=\left[-x^2+3ax\right]_{0}^{1}=-1+3a=a$에서 $a=\frac{1}{2}$

따라서 $f(x)=-2x+\frac{3}{2}$이므로 $f(0)=\frac{3}{2}$

(ⅱ) $a<0$인 경우

$f(x)=-2x-3a$이므로

$\int_{0}^{1}(-2x-3a)\,dx=\left[-x^2-3ax\right]_{0}^{1}=-1-3a=a$에서 $a=-\frac{1}{4}$

따라서 $f(x)=-2x+\frac{3}{4}$이므로 $f(0)=\frac{3}{4}$

(ⅰ), (ⅱ)에 의하여 모든 $f(0)$의 값의 합은

$\frac{3}{2}+\frac{3}{4}=\frac{9}{4}$

답 ②

필수유형 5

$g(x)=\int_{0}^{x}f(t)\,dt$의 양변을 x에 대하여 미분하면 $g'(x)=f(x)$이고, $f(x)$가 최고차항의 계수가 1인 이차함수이므로 $g(x)$는 최고차항의 계수가 $\frac{1}{3}$인 삼차함수이다.

주어진 조건에서 $x\geq1$인 모든 실수 x에 대하여 $g(x)\geq g(4)$이므로 삼차함수 $g(x)$는 구간 $[1, \infty)$에서 $x=4$일 때 극소이면서 최소이다.

즉, $g'(4)=f(4)=0$이므로 $f(x)=(x-4)(x-a)$ (a는 상수)라 하자.

(ⅰ) $g(4)\geq0$인 경우

$x\geq1$인 모든 실수 x에 대하여 $g(x)\geq g(4)\geq0$이므로 $x\geq1$에서 $|g(x)|=g(x)$이다.

또한 주어진 조건에서 $x\geq1$인 모든 실수 x에 대하여 $|g(x)|\geq|g(3)|$, 즉 $g(x)\geq g(3)$이어야 하는데 $g(3)>g(4)$이므로 $x\geq1$인 모든 실수 x에 대하여 $|g(x)|\geq|g(3)|$일 수 없다.

(ⅱ) $g(4)<0$인 경우

$x\geq1$인 모든 실수 x에 대하여 $|g(x)|\geq|g(3)|$이려면 $g(4)<0$이므로 $g(3)=0$이어야 한다.

$f(x)=(x-4)(x-a)=x^2-(a+4)x+4a$이므로

$g(x)=\int_{0}^{x}\{t^2-(a+4)t+4a\}\,dt=\left[\frac{1}{3}t^3-\frac{a+4}{2}t^2+4at\right]_{0}^{x}$

$=\frac{1}{3}x^3-\frac{a+4}{2}x^2+4ax$

$g(3)=9-\frac{9}{2}(a+4)+12a=0$에서 $\frac{15}{2}a-9=0$, $a=\frac{6}{5}$

(ⅰ), (ⅱ)에서 $f(x)=(x-4)\left(x-\frac{6}{5}\right)$이므로

$f(9)=5\times\frac{39}{5}=39$

답 39

14

$f(t)=\int_{-t}^{t}(x^2+tx-2t)\,dx=2\int_{0}^{t}(x^2-2t)\,dx$

$=2\left[\frac{1}{3}x^3-2tx\right]_{0}^{t}=\frac{2}{3}t^3-4t^2$

이므로 $f'(t)=2t^2-8t=2t(t-4)$

$f'(t)=0$에서 $t=0$ 또는 $t=4$

함수 $f(t)$의 증가와 감소를 표로 나타내면 다음과 같다.

t	$\cdots$	0	$\cdots$	4	$\cdots$
$f'(t)$	+	0	−	0	+
$f(t)$	↗	극대	↘	극소	↗

따라서 함수 $f(t)$의 극솟값은

$f(4)=\frac{128}{3}-64=-\frac{64}{3}$

답 ①

15

$f(x)$가 모든 실수 x에 대하여 $f(-x)=-f(x)$이고 최고차항의 계수가 양수인 삼차함수이므로 $f(x)=ax^3+bx$ (a, b는 상수, $a>0$)이라 하자.

$g(2)=\int_{-4}^{2} f(t)\,dt=\int_{-4}^{2}(at^3+bt)\,dt=\left[\frac{a}{4}t^4+\frac{b}{2}t^2\right]_{-4}^{2}$

$=(4a+2b)-(64a+8b)=-60a-6b=0$

에서 $b=-10a$이고,

$f(x)=ax^3-10ax=ax(x+\sqrt{10})(x-\sqrt{10})$

한편, $g'(x)=f(x)$이므로 함수 $g(x)$의 증가와 감소를 표로 나타내면 다음과 같다.

x	$\cdots$	$-\sqrt{10}$	$\cdots$	0	$\cdots$	$\sqrt{10}$	$\cdots$
$f(x)$	−	0	+	0	−	0	+
$g(x)$	↘	극소	↗	극대	↘	극소	↗

함수 $g(x)$의 극댓값이 8이므로

$g(0)=a\int_{-4}^{0}(x^3-10x)\,dx=a\left[\frac{1}{4}x^4-5x^2\right]_{-4}^{0}$

$=a\{0-(-16)\}=16a=8$

에서 $a=\frac{1}{2}$

따라서 $f(x)=\frac{1}{2}x^3-5x$이므로

$f(4)=32-20=12$

답 12

16

조건 (가)에서 $\int_{0}^{2} f(t)\,dt=a$ (a는 상수)라 하면

$f(x)=x^3+4ax-a^2$

$\int_{0}^{2}(x^3+4ax-a^2)\,dx=\left[\frac{1}{4}x^4+2ax^2-a^2x\right]_{0}^{2}=4+8a-2a^2=a$에서

$2a^2-7a-4=0$, $(a-4)(2a+1)=0$

$a=-\frac{1}{2}$ 또는 $a=4$

함수 $f(x)$가 조건 (나)를 만족시키려면 실수 전체의 집합에서 증가해야 하므로 모든 실수 x에 대하여 $f'(x)\geq 0$이어야 한다.

$a=-\frac{1}{2}$인 경우 $f(x)=x^3-2x-\frac{1}{4}$이고 $f'(x)=3x^2-2$

이때 $f'(x)<0$인 실수 x가 존재하므로 조건 (나)를 만족시키지 않는다.

$a=4$인 경우 $f(x)=x^3+16x-16$이고 $f'(x)=3x^2+16$

이때 모든 실수 x에 대하여 $f'(x)>0$이므로 조건 (나)를 만족시킨다.

따라서 $f(2)=8+32-16=24$

답 ②

필수유형 6

$f(x)=0$에서 $x=0$ 또는 $x=2$ 또는 $x=3$이므로 두 점 P, Q의 좌표는 각각 $(2, 0)$, $(3, 0)$이다.

이때 (A의 넓이)$=\int_{0}^{2} f(x)\,dx$, (B의 넓이)$=-\int_{2}^{3} f(x)\,dx$이므로

(A의 넓이)$-$(B의 넓이)$=\int_{0}^{2} f(x)\,dx-\left\{-\int_{2}^{3} f(x)\,dx\right\}$

$=\int_{0}^{2} f(x)\,dx+\int_{2}^{3} f(x)\,dx$

$=\int_{0}^{3} f(x)\,dx$

$\int_{0}^{3} f(x)\,dx=\int_{0}^{3} kx(x-2)(x-3)\,dx=k\int_{0}^{3}(x^3-5x^2+6x)\,dx$

$=k\left[\frac{1}{4}x^4-\frac{5}{3}x^3+3x^2\right]_{0}^{3}=k\left(\frac{81}{4}-45+27\right)=\frac{9}{4}k$

따라서 $\frac{9}{4}k=3$이므로 $k=\frac{4}{3}$

답 ②

17

$y=x^2-ax=x(x-a)$이고, $y=-x^3+ax^2=-x^2(x-a)$이므로

두 곡선 $y=x(x-a)$,

$y=-x^2(x-a)$는 그림과 같다.

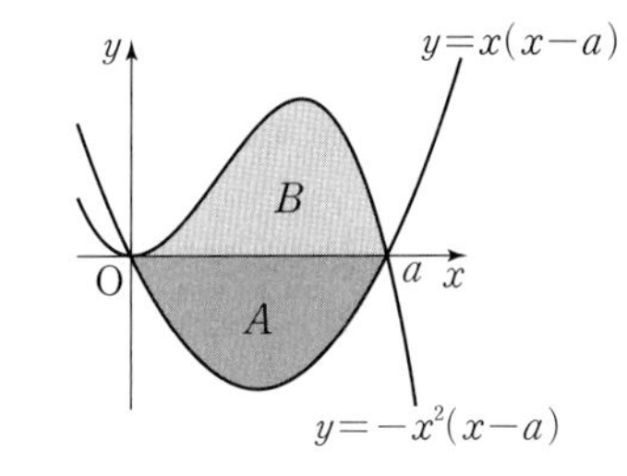

$A=\int_{0}^{a}(-x^2+ax)\,dx$,

$B=\int_{0}^{a}(-x^3+ax^2)\,dx$이고

$A=B$에서 $A-B=0$이므로

$\int_{0}^{a}(-x^2+ax)\,dx-\int_{0}^{a}(-x^3+ax^2)\,dx$

$=\int_{0}^{a}\{x^3-(a+1)x^2+ax\}\,dx=\left[\frac{1}{4}x^4-\frac{a+1}{3}x^3+\frac{a}{2}x^2\right]_{0}^{a}$

$=\frac{1}{4}a^4-\left(\frac{1}{3}a^4+\frac{1}{3}a^3\right)+\frac{1}{2}a^3=-\frac{1}{12}a^4+\frac{1}{6}a^3$

$=-\frac{1}{12}a^3(a-2)=0$

$a>0$이므로 $a=2$

답 ①

18

직선 $y=x+2$가 곡선 $y=x^2-3x+k$와 점 $\mathrm{P}(a, b)$에서 접한다고 하자.

$f(x)=x^2-3x+k$라 하면 $f'(x)=2x-3$

곡선 위의 점 P에서의 접선의 기울기가 1이므로

$f'(a)=2a-3=1$에서 $a=2$

점 P는 직선 $y=x+2$ 위의 점이므로 $b=a+2$에서 $b=4$

또한 점 P는 곡선 $y=x^2-3x+k$ 위의 점이므로

$4=4-6+k$에서 $k=6$

따라서 곡선 $y=x^2-3x+6$과 두 직선 $y=x+2$, $x=6$으로 둘러싸인 부분의 넓이는

$$\int_2^6 |(x^2-3x+6)-(x+2)|\,dx$$

$$=\int_2^6 |x^2-4x+4|\,dx=\int_2^6 (x^2-4x+4)\,dx=\left[\frac{1}{3}x^3-2x^2+4x\right]_2^6$$

$$=(72-72+24)-\left(\frac{8}{3}-8+8\right)=24-\frac{8}{3}=\frac{64}{3}$$

답 ⑤

19

함수 $g(x)$가 $g(x)=\begin{cases} 2f(x) & (f(x)\geq 0) \\ 0 & (f(x)<0) \end{cases}$이므로 두 함수 $y=f(x)$, $y=g(x)$의 그래프는 그림과 같다.

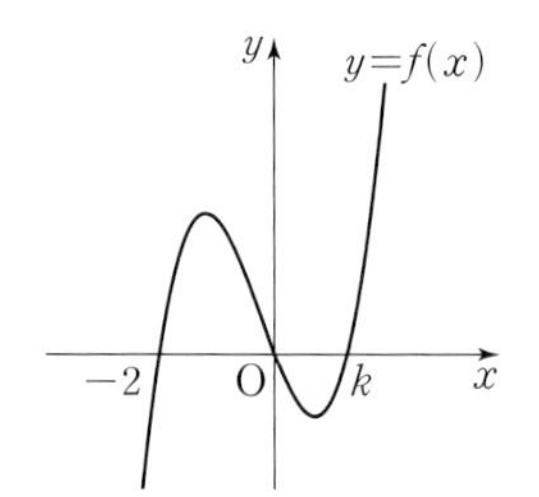

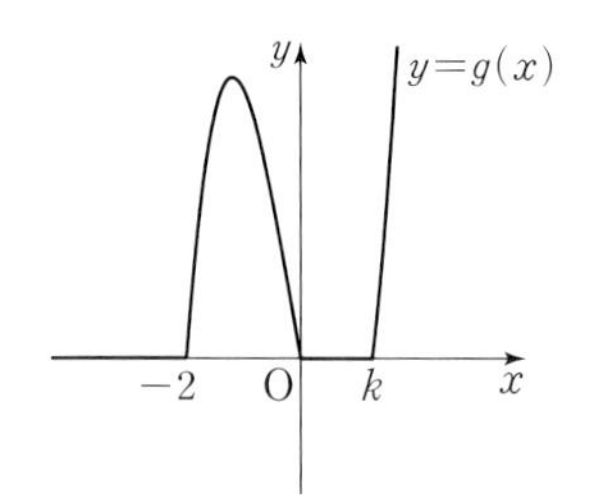

그러므로 함수 $y=g(x)$의 그래프와 x축으로 둘러싸인 부분의 넓이는

$$\int_{-2}^0 2f(x)\,dx=2\int_{-2}^0 \{x^3+(2-k)x^2-2kx\}\,dx$$

$$=2\left[\frac{1}{4}x^4+\frac{2-k}{3}x^3-kx^2\right]_{-2}^0$$

$$=2\left\{0-\left(4+\frac{8k-16}{3}-4k\right)\right\}=\frac{8}{3}k+\frac{8}{3}$$

$\frac{8}{3}k+\frac{8}{3}=6$이므로 $\frac{8}{3}k=\frac{10}{3}$

따라서 $k=\frac{5}{4}$

답 ②

20

$ax=3$에서 $x=\frac{3}{a}$이므로 직선 $y=ax$와 선분 BC가 만나는 점의 x좌표가 $\frac{3}{a}$이고,

$S_1=\frac{1}{2}\times\frac{3}{a}\times 3=\frac{9}{2a}$

$S_2=\int_0^3 \frac{1}{a}x^2\,dx=\frac{1}{a}\int_0^3 x^2\,dx=\frac{1}{a}\left[\frac{1}{3}x^3\right]_0^3=\frac{9}{a}$

$S_2=2S_1$이고, S_1, S_2, S_3이 이 순서대로 등비수열을 이루므로

$S_3=2S_2=\frac{18}{a}$

원점 O에 대하여 $S_1+S_2+S_3$은 정사각형 OABC의 넓이와 같으므로

$\frac{9}{2a}+\frac{9}{a}+\frac{18}{a}=\frac{63}{2a}=9$

$2a=7$

따라서 $12a=42$

답 42

21

함수 $g(x)$가 실수 전체의 집합에서 연속이므로 $x=1$, $x=3$에서도 연속이다.

$\lim_{x\to 1-} g(x)=\lim_{x\to 1+} g(x)=g(1)$에서

즉, $\lim_{x\to 1-} g(x)=\lim_{x\to 1-} x=1$, $\lim_{x\to 1+} g(x)=\lim_{x\to 1+} f(x)=f(1)$,

$g(1)=f(1)$이므로 $f(1)=1$

또한 $\lim_{x\to 3-} g(x)=\lim_{x\to 3+} g(x)=g(3)$에서

$\lim_{x\to 3-} g(x)=\lim_{x\to 3-} f(x)=f(3)$, $\lim_{x\to 3+} g(x)=\lim_{x\to 3+} x=3$,

$g(3)=f(3)$이므로 $f(3)=3$

그러므로 음수 a에 대하여 $f(x)=a(x-1)(x-3)+x$로 놓을 수 있고, 함수 $y=g(x)$의 그래프의 개형은 그림과 같다.

두 직선 $y=x$, $x=4$와 x축으로 둘러싸인 부분의 넓이가 $\frac{1}{2}\times 4\times 4=8$이므로 함수 $y=g(x)$의 그래프와 직선 $y=x$로 둘러싸인 부분의 넓이는

$\frac{34}{3}-8=\frac{10}{3}$이어야 한다. 즉,

$$\int_1^3 |g(x)-x|\,dx=\int_1^3 \{f(x)-x\}\,dx=\int_1^3 a(x-1)(x-3)\,dx$$

$$=a\int_1^3 (x^2-4x+3)\,dx=a\left[\frac{1}{3}x^3-2x^2+3x\right]_1^3$$

$$=a\left\{(9-18+9)-\left(\frac{1}{3}-2+3\right)\right\}=-\frac{4}{3}a=\frac{10}{3}$$

에서 $a=-\frac{5}{2}$

그러므로 $f(x)=-\frac{5}{2}(x-1)(x-3)+x$이고

$f'(x)=-\frac{5}{2}\{(x-3)+(x-1)\}+1=-5x+11$

$f'(x)=0$에서 $x=\frac{11}{5}$

함수 $f(x)$는 최고차항의 계수가 음수인 이차함수이므로

$x=\frac{11}{5}$에서 최댓값을 갖고 함수 $f(x)$의 최댓값은

$f\left(\frac{11}{5}\right)=-\frac{5}{2}\times\frac{6}{5}\times\left(-\frac{4}{5}\right)+\frac{11}{5}=\frac{12}{5}+\frac{11}{5}=\frac{23}{5}$

따라서 $p=5$, $q=23$이므로

$p+q=5+23=28$

답 28

필수유형 7

조건 (가)에 의하여 함수 $y=f(x)$의 그래프를 x축의 방향으로 3만큼, y축의 방향으로 4만큼 평행이동한 그래프는 함수 $y=f(x)$의 그래프와 일치한다.

조건 (나)에서

$$\int_0^6 f(x)\,dx=\int_0^3 f(x)\,dx+\int_3^6 f(x)\,dx$$

$$=\int_0^3 f(x)\,dx+\int_3^6 \{f(x-3)+4\}\,dx$$

$$=\int_0^3 f(x)\,dx+\int_0^3 \{f(x)+4\}\,dx$$
$$=2\int_0^3 f(x)\,dx+12=0$$

이므로 $\int_0^3 f(x)\,dx=-6$이고

$\int_0^3 f(x)\,dx+\int_3^6 f(x)\,dx=0$이므로 $\int_3^6 f(x)\,dx=6$

또한 함수 $f(x)$는 실수 전체의 집합에서 증가하는 함수이고, $f(6)>0$이므로 $x\ge6$일 때 $f(x)>0$이다.

따라서 구하는 넓이는

$$\int_6^9 |f(x)|\,dx=\int_6^9 f(x)\,dx=\int_6^9 \{f(x-3)+4\}\,dx$$
$$=\int_3^6 f(x)\,dx+12=6+12=18$$

답 ④

22

함수 $f(x)$의 역함수가 존재하고 $f(2)=2$, $f(4)=8$이므로 함수 $f(x)$는 실수 전체의 집합에서 증가한다.

그림과 같이 점 A, B, C, D, E, F의 좌표를 각각 $(2, 0)$, $(2, 2)$, $(0, 2)$, $(4, 0)$, $(4, 8)$, $(0, 8)$이라 하고, 곡선 $y=f(x)$와 두 직선 $y=2$, $y=8$ 및 y축으로 둘러싸인 부분의 넓이를 S_1, $\int_2^4 f(x)\,dx=S_2$라 하자.

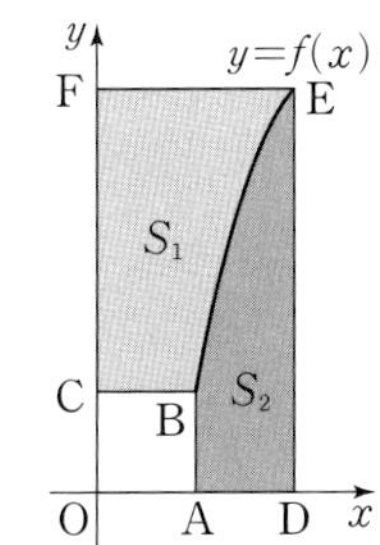

원점 O에 대하여 사각형 ODEF의 넓이에서 사각형 OABC의 넓이를 뺀 값은 S_1+S_2와 같으므로

$S_1+S_2=4\times8-2\times2=28$

이때 $S_1=16$이므로 $S_2=12$

따라서 $\int_2^4 f(x)\,dx=12$

답 ③

23

방정식 $f(x)=0$은 서로 다른 세 실근 a, 1, b $(a<1<b)$를 갖고 a, 1, b는 이 순서대로 등차수열을 이루므로

$b-1=1-a=d$ $(d>0)$이라 하면

$f(x)=(x-1+d)(x-1)(x-1-d)$

한편, 곡선 $y=f(x)$와 x축으로 둘러싸인 부분의 넓이는 곡선 $y=f(x)$를 x축의 방향으로 -1만큼 평행이동시킨 곡선 $y=f(x+1)$과 x축으로 둘러싸인 부분의 넓이와 같다.

$f(x+1)=x(x-d)(x+d)=x^3-d^2x$이고 곡선 $y=f(x+1)$은 원점에 대하여 대칭이므로 곡선 $y=f(x+1)$과 x축으로 둘러싸인 부분의 넓이는

$$\int_{-d}^0 (x^3-d^2x)\,dx+\int_0^d (-x^3+d^2x)\,dx$$
$$=2\int_0^d (-x^3+d^2x)\,dx=2\left[-\frac{1}{4}x^4+\frac{d^2}{2}x^2\right]_0^d$$
$$=2\left(-\frac{d^4}{4}+\frac{d^4}{2}\right)=\frac{d^4}{2}$$

$\frac{d^4}{2}=128$, 즉 $d^4=256$에서 $d>0$이므로 $d=4$

따라서 $f(x)=(x+3)(x-1)(x-5)$이므로

$f(6)=9\times5\times1=45$

답 ②

24

$\int_0^6 x\,dx=\left[\frac{1}{2}x^2\right]_0^6=18-0=18$,

$\int_6^8 x\,dx=\left[\frac{1}{2}x^2\right]_6^8=32-18=14$이므로

$\int_0^6 f(x)\,dx=\int_6^8 f(x)\,dx$를 만족시키려면 함수 $y=f(x)$의 그래프의 개형은 그림과 같아야 한다.

닫힌구간 $[0, 6]$에서 직선 $y=x$와 곡선 $y=f(x)$로 둘러싸인 부분의 넓이를 S_1이라 하고, 닫힌구간 $[6, 8]$에서 직선 $y=x$와 곡선 $y=f(x)$로 둘러싸인 부분의 넓이를 S_2라 하자.

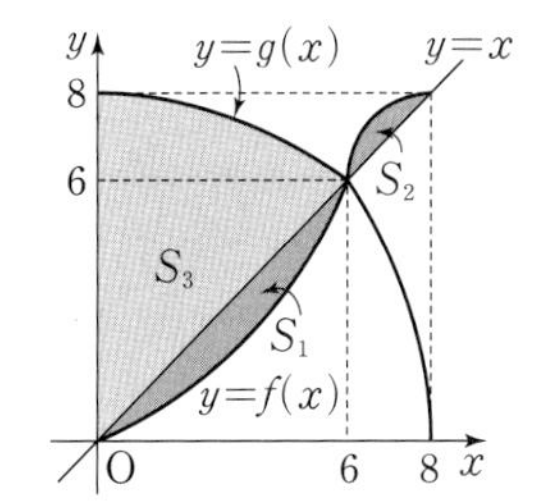

$\int_0^6 f(x)\,dx=18-S_1$,

$\int_6^8 f(x)\,dx=14+S_2$

이므로 $18-S_1=14+S_2$에서 $S_1+S_2=4$

또한 곡선 $y=g(x)$는 직선 $y=x$에 대하여 대칭이므로 곡선 $y=g(x)$와 직선 $y=x$ 및 y축으로 둘러싸인 부분의 넓이를 S_3이라 하면 곡선 $y=g(x)$와 직선 $y=x$ 및 x축으로 둘러싸인 부분의 넓이도 S_3이다.

$$\int_0^6 \{g(x)-f(x)\}\,dx=S_3+S_1$$

$$\int_6^8 \{f(x)-g(x)\}\,dx=\frac{1}{2}\times8\times8-S_3+S_2=32-S_3+S_2$$

따라서

$$\int_0^8 |f(x)-g(x)|\,dx$$
$$=\int_0^6 \{g(x)-f(x)\}\,dx+\int_6^8 \{f(x)-g(x)\}\,dx$$
$$=(S_3+S_1)+(32-S_3+S_2)$$
$$=32+S_1+S_2=32+4=36$$

답 36

필수유형 8

$t\ge2$일 때

$$v(t)=\int a(t)\,dt=\int (6t+4)\,dt$$
$$=3t^2+4t+C \text{ (단, } C\text{는 적분상수)}$$

조건 (가)에서 $v(2)=0$이므로 $12+8+C=0$에서 $C=-20$

$0\le t\le2$일 때 $v(t)\le0$이고, $t\ge2$일 때 $v(t)\ge0$이다.

따라서 시각 $t=0$에서 $t=3$까지 점 P가 움직인 거리는

$$\int_0^3 |v(t)|\,dt=\int_0^2 |v(t)|\,dt+\int_2^3 |v(t)|\,dt$$
$$=\int_0^2 (8t-2t^3)\,dt+\int_2^3 (3t^2+4t-20)\,dt$$

$=\left[4t^2-\frac{1}{2}t^4\right]_0^2+\left[t^3+2t^2-20t\right]_2^3$
$=(16-8)+\{(27+18-60)-(8+8-40)\}$
$=8+9=17$

답 17

25

점 P의 시각 t $(t\geq 0)$에서의 가속도를 $a(t)$라 하면
$a(t)=v'(t)=6t-4$
시각 $t=k$에서의 점 P의 가속도가 8이므로
$6k-4=8$에서 $k=2$
따라서 시각 $t=0$에서 $t=2$까지 점 P의 위치의 변화량은
$\int_0^2 v(t)\,dt=\int_0^2 (3t^2-4t+5)\,dt=\left[t^3-2t^2+5t\right]_0^2=8-8+10=10$

답 ⑤

26

시각 $t=0$에서의 점 P의 위치와 시각 $t=3$에서의 점 P의 위치가 서로 같으므로 시각 $t=0$에서 시각 $t=3$까지 점 P의 위치의 변화량이 0이다.
$\int_0^3 v(t)\,dt=\int_0^3 (t^2-kt)\,dt=\left[\frac{1}{3}t^3-\frac{k}{2}t^2\right]_0^3=9-\frac{9}{2}k=0$
에서 $k=2$
따라서 점 P가 시각 $t=0$에서 $t=3$까지 움직인 거리는
$\int_0^3 |v(t)|\,dt=\int_0^3 |t^2-2t|\,dt=\int_0^2 (-t^2+2t)\,dt+\int_2^3 (t^2-2t)\,dt$
$=\left[-\frac{1}{3}t^3+t^2\right]_0^2+\left[\frac{1}{3}t^3-t^2\right]_2^3$
$=\left(-\frac{8}{3}+4\right)+\left\{(9-9)-\left(\frac{8}{3}-4\right)\right\}=\frac{8}{3}$

답 ②

27

점 P가 움직이는 방향이 바뀌는 순간 $v(t)=0$이므로
$t^2-5t+4=0$에서 $(t-1)(t-4)=0$
$t=1$ 또는 $t=4$에서 점 P가 움직이는 방향이 바뀌므로 $t_1=1$, $t_2=4$
시각 $t=1$에서의 점 P의 위치가 10이므로
시각 $t=4$에서의 점 P의 위치는 $10+\int_1^4 v(t)\,dt$이고
$\int_1^4 v(t)\,dt=\int_1^4 (t^2-5t+4)\,dt=\left[\frac{1}{3}t^3-\frac{5}{2}t^2+4t\right]_1^4$
$=\left(\frac{64}{3}-40+16\right)-\left(\frac{1}{3}-\frac{5}{2}+4\right)=-\frac{9}{2}$
따라서 시각 $t=4$에서의 점 P의 위치는
$10+\left(-\frac{9}{2}\right)=\frac{11}{2}$

답 ①

28

시각 t에서 두 점 P, Q의 위치를 각각 $x_1(t)$, $x_2(t)$라 하면
$x_1(t)=k+\int_0^t v_1(t)\,dt=k+\int_0^t (3t^2-12t+k)\,dt$
$=k+\left[t^3-6t^2+kt\right]_0^t=t^3-6t^2+kt+k$
$x_2(t)=2k+\int_0^t v_2(t)\,dt=2k+\int_0^t (-2t-4)\,dt$
$=2k+\left[-t^2-4t\right]_0^t=-t^2-4t+2k$
$x_1(t)=x_2(t)$에서
$t^3-6t^2+kt+k=-t^2-4t+2k$
$t^3-5t^2+(k+4)t-k=0$, $(t-1)(t^2-4t+k)=0$
$x_1(1)=x_2(1)$이므로 두 점 P, Q는 시각 $t=1$일 때 만난다.
이때 두 점 P, Q가 출발한 후 한 번만 만나려면 t에 대한 이차방정식 $t^2-4t+k=0$의 실근이 존재하지 않거나 양수인 실근이 존재한다면 그 실근은 $t=1$뿐이어야 한다.
이차방정식 $t^2-4t+k=0$의 실근이 존재하는 경우 실근이 모두 음수일 수 없고, $t=1$을 실근으로 갖는 경우 $k=3$이므로 $t=3$도 실근으로 갖게 되어 주어진 조건을 만족시킬 수 없다.
그러므로 이차방정식 $t^2-4t+k=0$의 실근이 존재하지 않아야 하고 이차방정식 $t^2-4t+k=0$의 판별식을 D라 하면 $\frac{D}{4}=4-k<0$이어야 하므로 $k>4$
따라서 구하는 자연수 k의 최솟값은 5이다.

답 5

29

시각 $t=0$에서 $t=5$까지 점 P가 움직인 거리가 12이므로
$\int_0^5 |v(t)|\,dt=12$
시각 $t=0$에서 $t=3$까지 점 P의 위치의 변화량이 -7이므로
$\int_0^3 v(t)\,dt=-7$
조건 (가)에서 $0\leq t\leq 5$인 모든 실수 t에 대하여 $v(5-t)=v(5+t)$이므로 함수 $y=v(t)$ $(0\leq t\leq 10)$의 그래프는 직선 $t=5$에 대하여 대칭이다.
그러므로 $\int_5^{10} |v(t)|\,dt=\int_0^5 |v(t)|\,dt=12$이고
$\int_7^{10} v(t)\,dt=\int_0^3 v(t)\,dt=-7$이다.
한편, 조건 (나)에서 $0<t<3$인 모든 실수 t에 대하여 $v(t)<0$이므로
$\int_0^3 |v(t)|\,dt=\int_0^3 \{-v(t)\}\,dt=-\int_0^3 v(t)\,dt=7$
시각 $t=3$에서 $t=10$까지 점 P가 움직인 거리는
$\int_3^{10} |v(t)|\,dt=\int_0^5 |v(t)|\,dt+\int_5^{10} |v(t)|\,dt-\int_0^3 |v(t)|\,dt$
$=12+12-7=17$
시각 $t=3$에서 $t=10$까지 점 P가 움직인 거리와 시각 $t=7$에서의 점 P의 위치가 같으므로 시각 $t=7$에서의 점 P의 위치가 17이다.
따라서 시각 $t=10$에서의 점 P의 위치는
$17+\int_7^{10} v(t)\,dt=17+(-7)=10$

답 10

07 이차곡선

본문 72~80쪽

필수유형 1 ③	01 ③	02 ①	03 ②
	04 ③		
필수유형 2 ④	05 ⑤	06 ④	07 73
	08 ⑤		
필수유형 3 80	09 8	10 ①	11 9
	12 ④		
필수유형 4 ③	13 ②	14 ④	15 ③
	16 ⑤		
필수유형 5 ①	17 32	18 ①	19 ⑤
	20 ④		
필수유형 6 ①	21 ①	22 ③	23 ④
	24 ④		

필수유형 1

두 점 A, C의 x좌표를 각각 x_1, x_2라 하면

$\overline{AB}=x_1+p$

이때 $\overline{AB}=\overline{BF}$이므로

$\overline{BF}=x_1+p$ …… ㉠

한편, 점 C에서 포물선의 준선에 내린 수선의 발을 C′이라 하면

$\overline{CF}=\overline{CC'}=x_2+p$ …… ㉡

이때 $\overline{BC}+3\overline{CF}=6$이므로 ㉠, ㉡에서

$\overline{BC}+3\overline{CF}=\overline{BF}+2\overline{CF}$

$=(x_1+p)+2(x_2+p)$

$=x_1+2x_2+3p=6$ …… ㉢

$\overline{AB}=\overline{BF}$이고 포물선의 정의에 의하여 $\overline{AF}=\overline{AB}$이므로

삼각형 ABF는 정삼각형이다. 즉, $\angle OFB=\angle ABF=\frac{\pi}{3}$

이때 $\overline{BF}\cos\frac{\pi}{3}=2p$, $\overline{CF}\cos\frac{\pi}{3}=p-x_2$이므로

$(x_1+p)\times\frac{1}{2}=2p$, $(x_2+p)\times\frac{1}{2}=p-x_2$

즉, $x_1=3p$, $x_2=\frac{1}{3}p$ …… ㉣

㉣을 ㉢에 대입하면 $3p+\frac{2}{3}p+3p=6$

따라서 $\frac{20}{3}p=6$이므로 $p=\frac{9}{10}$

답 ③

01

포물선 $y^2=4x$의 초점은 F$(1, 0)$이고 준선의 방정식은 $x=-1$

x축과 준선이 만나는 점을 A라 하면

$\overline{AF}=2$ …… ㉠

$\overline{PF}=a$라 하면 포물선의 정의에 의하여

$\overline{PH}=\overline{PF}=a$

삼각형 PQF가 정삼각형이므로 $\angle PFQ=\frac{\pi}{3}$

두 직선 PF, HQ는 서로 평행하므로

$\angle HQA=\angle PFQ=\frac{\pi}{3}$

사각형 PHQF가 평행사변형이므로

$\overline{HQ}=\overline{PF}=a$

$\overline{AQ}=\overline{HQ}\times\cos\frac{\pi}{3}=\frac{a}{2}$

$\overline{AF}=\overline{AQ}+\overline{FQ}=\frac{a}{2}+a=\frac{3}{2}a$

㉠에서 $\frac{3}{2}a=2$, $a=\frac{4}{3}$

따라서 사각형 PHQF의 둘레의 길이는

$\overline{PH}+\overline{HQ}+\overline{QF}+\overline{FP}$

$=4a=4\times\frac{4}{3}=\frac{16}{3}$

답 ③

02

포물선 $y^2=4px$의 초점은 F$(p, 0)$이고 준선 $x=-p$와 x축이 만나는 점은 Q$(-p, 0)$이다.

원점을 O라 하면

$\overline{QF}=\overline{QO}+\overline{OF}=p+p=2p$

$\overline{PF}=\frac{3}{2}\times\overline{QF}=\frac{3}{2}\times2p=3p$

점 P에서 준선에 내린 수선의 발을 H, x축에 내린 수선의 발을 I라 하면 포물선의 정의에 의하여

$\overline{PH}=\overline{PF}=3p$

$\overline{FI}=\overline{QI}-\overline{FQ}=\overline{PH}-\overline{FQ}=3p-2p=p$

$\overline{PI}=\sqrt{\overline{PF}^2-\overline{FI}^2}=\sqrt{(3p)^2-p^2}=2\sqrt{2}p$

$\overline{HQ}=\overline{PI}=2\sqrt{2}p$이므로

$\overline{PQ}=\sqrt{\overline{PH}^2+\overline{HQ}^2}=\sqrt{(3p)^2+(2\sqrt{2}p)^2}=\sqrt{17}p$

따라서 $\sqrt{17}p=\sqrt{34}$이므로

$p=\sqrt{2}$

답 ①

03

포물선 C의 꼭짓점을 B라 하면 점 B는 선분 AF의 중점이므로

B$\left(\frac{k-1}{2}, 0\right)$이다.

$\overline{FB}=k-\frac{k-1}{2}=\frac{k+1}{2}$이므로 포물선 C는 포물선 $y^2=2(k+1)x$를 x축의 방향으로 $\frac{k-1}{2}$만큼 평행이동한 것이다.

그러므로 포물선 C의 방정식은

$y^2=2(k+1)\left(x-\frac{k-1}{2}\right)$

y축 위의 점 Q의 좌표를 $(0,\ a)$라 하면

점 P는 선분 AQ를 $3:2$로 외분하므로 $\mathrm{P}(2,\ 3a)$

점 R은 선분 AQ를 $2:1$로 외분하므로 $\mathrm{R}(1,\ 2a)$

두 점 P, R은 포물선 C 위의 점이므로

$9a^2=2(k+1)\left(2-\frac{k-1}{2}\right)$ …… ㉠

$4a^2=2(k+1)\left(1-\frac{k-1}{2}\right)$ …… ㉡

㉠÷㉡을 하면

$\frac{9}{4}=\frac{\frac{5-k}{2}}{\frac{3-k}{2}},\ 9(3-k)=4(5-k)$

$k=\frac{7}{5}$

이 값을 ㉡에 대입하면

$4a^2=2\times\frac{12}{5}\times\frac{4}{5},\ a^2=\frac{24}{25}$

$a>0$이므로 $a=\frac{2\sqrt{6}}{5}$

두 점 P, R에서 포물선 C의 준선에 내린 수선의 발을 각각 $\mathrm{H_1}$, $\mathrm{H_2}$라 하면 포물선의 정의에 의하여

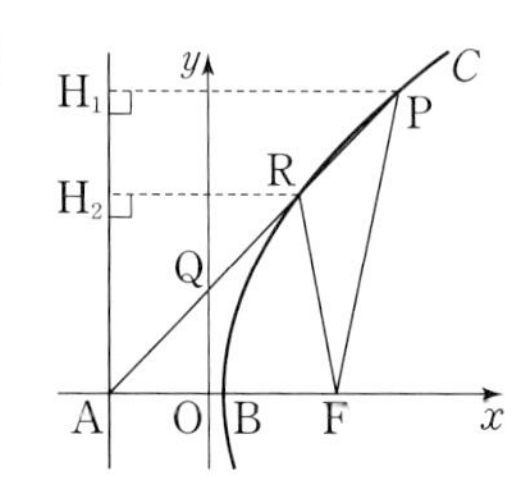

$\overline{\mathrm{PF}}=\overline{\mathrm{PH_1}}=3$

$\overline{\mathrm{RF}}=\overline{\mathrm{RH_2}}=2$

$\overline{\mathrm{PR}}=\sqrt{(2-1)^2+(3a-2a)^2}$

$=\sqrt{1+a^2}=\sqrt{\frac{49}{25}}=\frac{7}{5}$

따라서 삼각형 PRF의 둘레의 길이는

$\overline{\mathrm{PF}}+\overline{\mathrm{RF}}+\overline{\mathrm{PR}}=3+2+\frac{7}{5}=\frac{32}{5}$

답 ②

04

점 Q에서 준선에 내린 수선의 발을 I라 하고 $\overline{\mathrm{PF}}=a$, $\overline{\mathrm{QF}}=b\ (a>b)$라 하면 포물선의 정의에 의하여

$\overline{\mathrm{PH}}=\overline{\mathrm{PF}}=a$

$\overline{\mathrm{QI}}=\overline{\mathrm{QF}}=b$

$\overline{\mathrm{QH}}=\overline{\mathrm{PH}}=a$이므로 직각삼각형 QHI에서

$\overline{\mathrm{HI}}=\sqrt{\overline{\mathrm{QH}}^2-\overline{\mathrm{QI}}^2}=\sqrt{a^2-b^2}$

점 P에서 직선 QI에 내린 수선의 발을 J라 하면 직각삼각형 PQJ에서

$\overline{\mathrm{PQ}}=\sqrt{\overline{\mathrm{PJ}}^2+\overline{\mathrm{QJ}}^2}=\sqrt{\overline{\mathrm{HI}}^2+(\overline{\mathrm{PH}}-\overline{\mathrm{QI}})^2}$

$=\sqrt{(a^2-b^2)+(a-b)^2}=\sqrt{2a(a-b)}$

삼각형 PFQ에서 코사인법칙에 의하여

$\cos(\angle\mathrm{PFQ})=\frac{\overline{\mathrm{PF}}^2+\overline{\mathrm{QF}}^2-\overline{\mathrm{PQ}}^2}{2\times\overline{\mathrm{PF}}\times\overline{\mathrm{QF}}}$

$\frac{7}{12}=\frac{a^2+b^2-2a(a-b)}{2ab},\ 6a^2-5ab-6b^2=0$

$(3a+2b)(2a-3b)=0$

$a>0,\ b>0$이므로 $2a=3b$

$b=\frac{2}{3}a$

따라서 직선 PQ의 기울기는

$\frac{\overline{\mathrm{PJ}}}{\overline{\mathrm{QJ}}}=\frac{\overline{\mathrm{HI}}}{\overline{\mathrm{QJ}}}=\frac{\sqrt{a^2-b^2}}{a-b}=\frac{\sqrt{a^2-\frac{4}{9}a^2}}{a-\frac{2}{3}a}=\frac{\frac{\sqrt{5}}{3}a}{\frac{1}{3}a}=\sqrt{5}$

답 ③

필수유형 2

타원 C의 장축의 길이가 24이고

$\overline{\mathrm{F'P}}=\overline{\mathrm{F'F}}=12-(-4)=16$이므로 타원의 정의에 의하여

$\overline{\mathrm{FP}}+\overline{\mathrm{F'P}}=\overline{\mathrm{FP}}+16=24$

$\overline{\mathrm{FP}}=8$

점 $\mathrm{F'}(-4,\ 0)$이 타원 $\frac{x^2}{a^2}+\frac{y^2}{b^2}=1$의 한 초점이고 이 타원의 중심은 원점이므로 나머지 한 초점을 A라 하면 $\mathrm{A}(4,\ 0)$이다.

또한 타원의 방정식에서

$a^2-b^2=4^2=16$ …… ㉠

점 Q는 선분 F'P의 중점이므로

$\overline{\mathrm{F'Q}}=8$

이때 $\overline{\mathrm{AF'}}:\overline{\mathrm{FF'}}=\overline{\mathrm{QF'}}:\overline{\mathrm{PF'}}$이므로 삼각형 QF'A와 삼각형 PF'F는 서로 닮음이고 닮음비는 $1:2$이다.

즉, $\overline{\mathrm{QA}}:\overline{\mathrm{PF}}=1:2$이고 $\overline{\mathrm{PF}}=8$이므로 $\overline{\mathrm{QA}}=4$

$\overline{\mathrm{F'Q}}+\overline{\mathrm{QA}}=8+4=12$이므로

타원 $\frac{x^2}{a^2}+\frac{y^2}{b^2}=1$의 장축의 길이는 12이다.

$2a=12$에서 $a=6$이므로 $a^2=36$

㉠에서 $b^2=20$

따라서 $\overline{\mathrm{PF}}+a^2+b^2=8+36+20=64$

답 ④

05

타원 $\frac{x^2}{7}+\frac{y^2}{3}=1$의 두 초점의 좌표를 $\mathrm{F}(c,\ 0)$, $\mathrm{F'}(-c,\ 0)\ (c>0)$이라 하면

$c^2=7-3=4,\ c=2$

$\overline{\mathrm{FF'}}=2c=4$

사각형 PF'QF의 넓이는 삼각형 PF'F의 넓이의 2배이므로

점 P에서 x축에 내린 수선의 발을 H라 하면

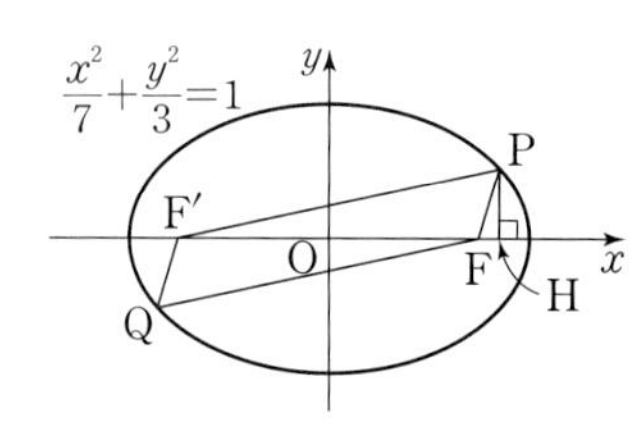

(사각형 $\mathrm{PF'QF}$의 넓이)$=2\times$(삼각형 $\mathrm{PF'F}$의 넓이)

$$=2\times\frac{1}{2}\times\overline{\mathrm{FF'}}\times\overline{\mathrm{PH}}$$

$2\sqrt{3}=\overline{\mathrm{FF'}}\times\overline{\mathrm{PH}}=4\times\overline{\mathrm{PH}}$

$\overline{\mathrm{PH}}=\frac{\sqrt{3}}{2}$

즉, 점 P의 y좌표가 $\frac{\sqrt{3}}{2}$이므로

$\frac{x^2}{7}+\frac{\left(\frac{\sqrt{3}}{2}\right)^2}{3}=1$에서 $x^2=\frac{21}{4}$

$x=-\frac{\sqrt{21}}{2}$ 또는 $x=\frac{\sqrt{21}}{2}$

점 P가 제1사분면 위의 점이므로 점 P의 x좌표는 $\frac{\sqrt{21}}{2}$이다.

따라서 $\overline{\mathrm{PQ}}^2=(2\overline{\mathrm{OP}})^2=4\overline{\mathrm{OP}}^2=4\left\{\left(\frac{\sqrt{21}}{2}\right)^2+\left(\frac{\sqrt{3}}{2}\right)^2\right\}=24$

답 ⑤

06

$\overline{\mathrm{AF}}=\overline{\mathrm{AF'}}$이므로 삼각형 $\mathrm{AF'F}$는 이등변삼각형이다.

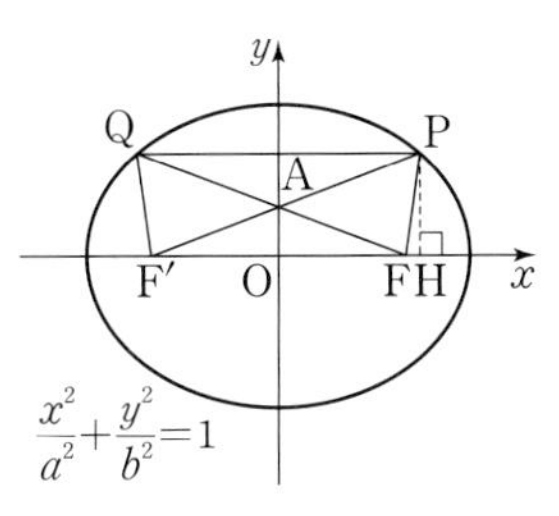

타원 $\frac{x^2}{a^2}+\frac{y^2}{b^2}=1$은 y축에 대하여 대칭이고 두 직선 $\mathrm{PF'}$, QF도 y축에 대하여 대칭이므로 두 점 P, Q도 y축에 대하여 대칭이다.

(삼각형 PAF의 둘레의 길이)$=\overline{\mathrm{PA}}+\overline{\mathrm{AF}}+\overline{\mathrm{PF}}=\overline{\mathrm{PA}}+\overline{\mathrm{AF'}}+\overline{\mathrm{PF}}$

$$=\overline{\mathrm{PF'}}+\overline{\mathrm{PF}}=2a=6$$

에서 $a=3$

$b^2=a^2-2^2=3^2-2^2=5$

$b>0$이므로 $b=\sqrt{5}$

(삼각형 $\mathrm{QF'P}$의 둘레의 길이)$=\overline{\mathrm{QF'}}+\overline{\mathrm{F'P}}+\overline{\mathrm{PQ}}=\overline{\mathrm{PF}}+\overline{\mathrm{F'P}}+\overline{\mathrm{PQ}}$

$$=2a+\overline{\mathrm{PQ}}=6+\overline{\mathrm{PQ}}=\frac{21}{2}$$

에서 $\overline{\mathrm{PQ}}=\frac{9}{2}$

즉, 점 P의 x좌표는 $\frac{9}{4}$이므로

$\frac{\left(\frac{9}{4}\right)^2}{9}+\frac{y^2}{5}=1$에서

$y^2=5\times\left(1-\frac{81}{16\times9}\right)=\frac{35}{16}$

$y>0$이므로 $y=\frac{\sqrt{35}}{4}$, 즉 $\mathrm{P}\left(\frac{9}{4}, \frac{\sqrt{35}}{4}\right)$

점 P에서 x축에 내린 수선의 발을 H라 하면 $\overline{\mathrm{PH}}=\frac{\sqrt{35}}{4}$

따라서 삼각형 $\mathrm{PF'F}$의 넓이는

$\frac{1}{2}\times\overline{\mathrm{FF'}}\times\overline{\mathrm{PH}}=\frac{1}{2}\times4\times\frac{\sqrt{35}}{4}=\frac{\sqrt{35}}{2}$

답 ④

07

타원의 장축의 길이를 $2k$라 하면 단축의 길이가 $4\sqrt{6}$이고 $\overline{\mathrm{OF}}=5$이므로

$k^2=(2\sqrt{6})^2+5^2=49$, 즉 $k=7$

$\overline{\mathrm{PF}}=2a$, $\overline{\mathrm{PF'}}=2b$라 하면 점 P는 선분 $\mathrm{FF'}$을 지름으로 하는 원 위의 점이므로 $\angle\mathrm{FPF'}=\frac{\pi}{2}$

직각삼각형 $\mathrm{PF'F}$에서 $\overline{\mathrm{F'F}}=10$이므로

$\overline{\mathrm{PF}}^2+\overline{\mathrm{PF'}}^2=\overline{\mathrm{F'F}}^2$

$(2a)^2+(2b)^2=10^2$

즉, $a^2+b^2=25$ …… ㉠

타원의 정의에 의하여

$\overline{\mathrm{PF}}+\overline{\mathrm{PF'}}=2k$

즉, $2a+2b=14$이므로

$b=7-a$

이 식을 ㉠에 대입하면

$a^2+(7-a)^2=25$, $2a^2-14a+24=0$

$2(a-3)(a-4)=0$

$a=3$ 또는 $a=4$

$b>a$이므로 $a=3$, $b=4$

따라서 직각삼각형 $\mathrm{PF'M}$에서

$\overline{\mathrm{F'M}}^2=\overline{\mathrm{PM}}^2+\overline{\mathrm{PF'}}^2=a^2+(2b)^2=3^2+8^2=73$

답 73

08

타원 C_1의 정의에 의하여

$\overline{\mathrm{PF}}+\overline{\mathrm{PF'}}=10$ …… ㉠

$\overline{\mathrm{PF}}-\overline{\mathrm{PF'}}=\frac{10}{3}$ …… ㉡

㉠, ㉡을 연립하여 풀면

$\overline{\mathrm{PF}}=\frac{20}{3}$, $\overline{\mathrm{PF'}}=\frac{10}{3}$

직선 PQ는 $\angle\mathrm{F'PF}$를 이등분하므로 각의 이등분선의 성질에 의하여

$\overline{\mathrm{QF}}:\overline{\mathrm{QF'}}=\overline{\mathrm{PF}}:\overline{\mathrm{PF'}}=\frac{20}{3}:\frac{10}{3}$

즉, $\overline{\mathrm{QF}}=2\overline{\mathrm{QF'}}$이므로

$\overline{\mathrm{FF'}}=\overline{\mathrm{QF}}+\overline{\mathrm{QF'}}=2\overline{\mathrm{QF'}}+\overline{\mathrm{QF'}}=3\overline{\mathrm{QF'}}$

$\mathrm{F}(c, 0)$, $\mathrm{F'}(-c, 0)$ $(c>0)$이라 하면

$c^2=25-16=9$, $c=3$

$3\overline{\mathrm{QF'}}=\overline{\mathrm{FF'}}=6$이므로

$\overline{\mathrm{QF'}}=2$이고 $\overline{\mathrm{QF}}=4$

$\overline{\mathrm{FR}}=a$라 하면

타원 C_1의 정의에 의하여 $\overline{\mathrm{F'R}}=10-a$

타원 C_2의 정의에 의하여 $\overline{\mathrm{QR}}=9-a$

$\angle\mathrm{FQR}=\theta$라 하면 $\angle\mathrm{F'QR}=\pi-\theta$

삼각형 FQR에서 코사인법칙에 의하여

$\cos\theta=\frac{\overline{\mathrm{QF}}^2+\overline{\mathrm{QR}}^2-\overline{\mathrm{FR}}^2}{2\times\overline{\mathrm{QF}}\times\overline{\mathrm{QR}}}=\frac{16+(9-a)^2-a^2}{2\times4\times(9-a)}$

삼각형 $\mathrm{F'QR}$에서 코사인법칙에 의하여

$\cos(\pi-\theta)=\frac{\overline{\mathrm{QF'}}^2+\overline{\mathrm{QR}}^2-\overline{\mathrm{F'R}}^2}{2\times\overline{\mathrm{QF'}}\times\overline{\mathrm{QR}}}=\frac{4+(9-a)^2-(10-a)^2}{2\times2\times(9-a)}$

$\cos(\pi-\theta)=-\cos\theta$이므로

$$\frac{4+(9-a)^2-(10-a)^2}{2\times2\times(9-a)}=-\frac{16+(9-a)^2-a^2}{2\times4\times(9-a)}$$

$4a-30=18a-97$

$a=\frac{67}{14}$

따라서 $\overline{QR}=9-a=9-\frac{67}{14}=\frac{59}{14}$

답 ⑤

필수유형 3

쌍곡선 C_1: $x^2-\frac{y^2}{24}=1$의 주축의 길이는 2,

쌍곡선 C_2: $\frac{x^2}{4}-\frac{y^2}{21}=1$의 주축의 길이는 4이고

두 쌍곡선 C_1, C_2의 초점은 모두 $F(5, 0)$, $F'(-5, 0)$이다.

점 P는 쌍곡선 C_1 위에 있는 제2사분면 위의 점이므로

$\overline{PF}=\overline{PF'}+2$ …… ㉠

점 Q는 쌍곡선 C_2 위에 있는 제2사분면 위의 점이므로

$\overline{QF}=\overline{QF'}+4$ …… ㉡

$\overline{PQ}+\overline{QF}$, $2\overline{PF'}$, $\overline{PF}+\overline{PF'}$이 이 순서대로 등차수열을 이루므로

$4\overline{PF'}=(\overline{PQ}+\overline{QF})+(\overline{PF}+\overline{PF'})$

㉡에 의하여

$\overline{PQ}+\overline{QF}=\overline{PQ}+\overline{QF'}+4=\overline{PF'}+4$이므로

$4\overline{PF'}=(\overline{PF'}+4)+(\overline{PF}+\overline{PF'})$

$2\overline{PF'}-4+\overline{PF}$

이 식에 ㉠을 대입하면

$2\overline{PF'}=4+(\overline{PF'}+2)$

즉, $\overline{PF'}=6$

이때 삼각형 PF′F는 $\overline{PF'}=6$, $\overline{PF}=8$, $\overline{FF'}=10$이므로 $\angle F'PF=\frac{\pi}{2}$인 직각삼각형이다.

$\tan(\angle PF'F)=\frac{\overline{PF}}{\overline{PF'}}=\frac{8}{6}=\frac{4}{3}$

따라서 직선 PQ의 기울기 m의 값이 $\frac{4}{3}$이므로

$60m=60\times\frac{4}{3}=80$

답 80

09

쌍곡선 $\frac{x^2}{4}-\frac{y^2}{6}=1$의 두 초점의 좌표를 $F(c, 0)$, $F'(-c, 0)$ $(c>0)$이라 하면

$c^2=4+6=10$, $c=\sqrt{10}$

$\overline{OF}=\overline{OF'}=\sqrt{10}$

$\overline{OP}=\overline{OF}$이므로 $\overline{OP}=\sqrt{10}$

즉, $\overline{OF}=\overline{OF'}=\overline{OP}=\sqrt{10}$이므로 점 P는 원점 O를 중심으로 하고 선분 FF′이 지름인 원 위의 점이다.

그러므로 $\angle FPF'=\frac{\pi}{2}$

삼각형 PF′F는 $\angle FPF'=\frac{\pi}{2}$인 직각삼각형이므로

$\overline{PF'}^2+\overline{PF}^2=\overline{FF'}^2=(\overline{OF}+\overline{OF'})^2$ …… ㉠

$\overline{PF}=k$라 하면 쌍곡선의 정의에 의하여

$\overline{PF'}=4+\overline{PF}=4+k$

㉠에서

$(4+k)^2+k^2=(\sqrt{10}+\sqrt{10})^2$

$2(k^2+4k-12)=0$

$2(k+6)(k-2)=0$

$k>0$이므로 $k=2$

$\overline{PF}=2$, $\overline{PF'}=4+2=6$

따라서 $\overline{PF}+\overline{PF'}=2+6=8$

답 8

10

쌍곡선의 주축의 길이를 $2a$, $\overline{PF}=k$라 하자.

$\overline{PF}:\overline{QF}=1:2$에서 $\overline{QF}=2k$

쌍곡선의 정의에 의하여

$\overline{PF'}=2a+\overline{PF}=2a+k$, $\overline{QF'}=2a+\overline{QF}=2a+2k$

삼각형 PF′Q의 둘레의 길이는

$\overline{PF'}+\overline{QF'}+\overline{PQ}=\overline{PF'}+\overline{QF'}+(\overline{PF}+\overline{QF})$

$=(2a+k)+(2a+2k)+(k+2k)=4a+6k=20$

$2a+3k=10$ …… ㉠

삼각형 PF′F의 둘레의 길이는

$\overline{PF}+\overline{PF'}+\overline{FF'}=k+(2a+k)+FF'=2a+2k+\overline{FF'}$

삼각형 QFF′의 둘레의 길이는

$\overline{QF}+\overline{QF'}+\overline{FF'}=2k+(2a+2k)+\overline{FF'}=2a+4k+\overline{FF'}$

두 삼각형 PF′F, QFF′의 둘레의 길이의 차가 4이므로

$|(2a+2k+\overline{FF'})-(2a+4k+\overline{FF'})|=2k=4$

$k=2$

㉠에서 $a=2$

따라서 쌍곡선의 주축의 길이는

$2a=2\times2=4$

답 ①

11

쌍곡선 $\frac{x^2}{9}-\frac{y^2}{a^2}=1$의 두 초점을 $F(c, 0)$, $F'(-c, 0)$ $(c>0)$이라 하자.

조건 (가)에서 점 Q가 y축 위의 점이므로 $\overline{FQ}=\overline{F'Q}$

$\overline{PF'}=2k$라 하면

$\overline{PQ}=\overline{FQ}=\overline{F'Q}$이므로

$\overline{PF'}=\overline{PQ}+\overline{F'Q}=\overline{PQ}+\overline{PQ}=2\overline{PQ}=2k$

즉, $\overline{PQ}=\overline{FQ}=\overline{F'Q}=k$

쌍곡선의 정의에 의하여

$\overline{PF}=\overline{PF'}-6=2k-6$

조건 (나)에서 $\overline{RF}=\overline{PF}=2k-6$

이때 $2k-6>0$이므로 $k>3$

$\overline{\mathrm{PF'}}=8\overline{\mathrm{PR}}$이므로

$\overline{\mathrm{PR}}=\frac{1}{8}\times\overline{\mathrm{PF'}}=\frac{1}{8}\times 2k=\frac{k}{4}$

$\angle\mathrm{QFP}=\angle\mathrm{QPF}=\angle\mathrm{FRP}$이므로 두 이등변삼각형 QFP, FPR은 서로 닮음이다.

이때 $\overline{\mathrm{FQ}}:\overline{\mathrm{FP}}=\overline{\mathrm{PF}}:\overline{\mathrm{PR}}$이므로

$k:(2k-6)=(2k-6):\frac{k}{4}$

$\frac{k^2}{4}=(2k-6)^2$, $5k^2-32k+48=0$

$(5k-12)(k-4)=0$

$k>3$이므로 $k=4$

따라서

$$\begin{aligned}\overline{\mathrm{RF'}}+\overline{\mathrm{RF}}&=(\overline{\mathrm{PF'}}-\overline{\mathrm{PR}})+\overline{\mathrm{RF}}\\&=\left(2k-\frac{k}{4}\right)+(2k-6)\\&=\frac{15}{4}k-6\\&=\frac{15}{4}\times 4-6=9\end{aligned}$$

답 9

12

쌍곡선 $\frac{x^2}{16}-\frac{y^2}{9}=1$의 두 초점을 $\mathrm{F}(c,\ 0)$, $\mathrm{F'}(-c,\ 0)$ $(c>0)$이라 하면

$c^2=16+9=25$, $c=5$

$\overline{\mathrm{FF'}}=2c=10$

두 점 P, Q는 중심이 F인 원 위의 점이므로 $\overline{\mathrm{PF}}=k$라 하면

$\overline{\mathrm{QF}}=\overline{\mathrm{PF}}=k$

쌍곡선의 정의에 의하여

$\overline{\mathrm{PF'}}=\overline{\mathrm{PF}}+8=k+8$, $\overline{\mathrm{QF'}}=\overline{\mathrm{QF}}-8=k-8$

$\overline{\mathrm{PQ}}=\overline{\mathrm{PF'}}-\overline{\mathrm{QF'}}=(k+8)-(k-8)=16$

점 F에서 선분 PQ에 내린 수선의 발을 H라 하면 $\overline{\mathrm{PF}}=\overline{\mathrm{QF}}$이므로

$\overline{\mathrm{PH}}=\frac{1}{2}\overline{\mathrm{PQ}}=\frac{1}{2}\times 16=8$

$\overline{\mathrm{F'H}}=\overline{\mathrm{PF'}}-\overline{\mathrm{PH}}=(k+8)-8=k$

직각삼각형 PHF에서

$\overline{\mathrm{FH}}^2=\overline{\mathrm{PF}}^2-\overline{\mathrm{PH}}^2=k^2-64$ …… ㉠

직각삼각형 F'HF에서

$\overline{\mathrm{FH}}^2=\overline{\mathrm{FF'}}^2-\overline{\mathrm{F'H}}^2=100-k^2$ …… ㉡

㉠, ㉡에서 $k^2-64=100-k^2$

$k^2=82$

$k>0$이므로 $k=\sqrt{82}$

㉠에서 $\overline{\mathrm{FH}}=\sqrt{k^2-64}=3\sqrt{2}$

따라서 삼각형 PQF의 넓이는

$\frac{1}{2}\times\overline{\mathrm{PQ}}\times\overline{\mathrm{FH}}=\frac{1}{2}\times 16\times 3\sqrt{2}=24\sqrt{2}$

답 ④

필수유형 4

포물선 $y^2=4x$ 위의 점 $\mathrm{A}(4,\ 4)$에서의 접선의 방정식은

$4y=2(x+4)$

$y=\frac{1}{2}x+2$ …… ㉠

포물선의 준선의 방정식은 $x=-1$이므로 $\mathrm{D}(-1,\ 0)$

㉠에 $x=-1$을 대입하면

$y=-\frac{1}{2}+2=\frac{3}{2}$

즉, $\mathrm{B}\left(-1,\ \frac{3}{2}\right)$

㉠에 $y=0$을 대입하면 $0=\frac{1}{2}x+2$, $x=-4$

즉, $\mathrm{C}(-4,\ 0)$

따라서 $\overline{\mathrm{BD}}=\frac{3}{2}$, $\overline{\mathrm{CD}}=3$이므로 삼각형 BCD의 넓이는

$\frac{1}{2}\times\overline{\mathrm{CD}}\times\overline{\mathrm{BD}}=\frac{1}{2}\times 3\times\frac{3}{2}=\frac{9}{4}$

답 ③

13

포물선 $y^2=8x$의 초점은 $\mathrm{F}(2,\ 0)$이다.

이 포물선에 접하고 기울기가 $-\frac{1}{2}$인 접선의 방정식은

$y=-\frac{1}{2}x-4$ …… ㉠

이 식을 포물선의 방정식 $y^2=8x$에 대입하면

$\left(-\frac{1}{2}x-4\right)^2=8x$

$x^2-16x+64=0$

$(x-8)^2=0$

$x=8$

이 값을 ㉠에 대입하면

$y=-\frac{1}{2}\times 8-4=-8$

따라서 점 P의 좌표가 $(8,\ -8)$이므로 직선 PF의 기울기는

$\frac{0-(-8)}{2-8}=-\frac{4}{3}$

답 ②

14

포물선 $y^2=6x$의 초점은 $\mathrm{F}\left(\frac{3}{2},\ 0\right)$이다.

삼각형 PFR이 정삼각형이므로 $\angle\mathrm{PFR}=\frac{\pi}{3}$

직선 PF의 기울기는 $\tan(\angle\mathrm{PFR})=\tan\frac{\pi}{3}=\sqrt{3}$

이므로 직선 PF의 방정식은

$y=\sqrt{3}\left(x-\frac{3}{2}\right)$ …… ㉠

이 식을 포물선의 방정식 $y^2=6x$에 대입하면

$3\left(x-\frac{3}{2}\right)^2=6x$

$4x^2-20x+9=0$, $(2x-1)(2x-9)=0$

이므로 $x=\frac{1}{2}$ 또는 $x=\frac{9}{2}$

이 값을 ㉠에 대입하면

$x=\frac{1}{2}$인 경우 $y<0$이 되어 점 P가 제1사분면 위의 점이라는 조건을 만족시키지 않는다.

$x=\frac{9}{2}$인 경우 $y=\sqrt{3}\left(\frac{9}{2}-\frac{3}{2}\right)=3\sqrt{3}$

그러므로 $\mathrm{P}\left(\frac{9}{2}, 3\sqrt{3}\right)$이고, 포물선 위의 점 P에서의 접선 l의 방정식은

$3\sqrt{3}y=3\left(x+\frac{9}{2}\right)$, $y=\frac{\sqrt{3}}{3}x+\frac{3\sqrt{3}}{2}$

직선 l과 x축이 만나는 점을 A라 할 때 $\mathrm{A}\left(-\frac{9}{2}, 0\right)$이고 직선 l의 기울기가 $\frac{\sqrt{3}}{3}$이므로 $\angle \mathrm{QAF}=\frac{\pi}{6}$

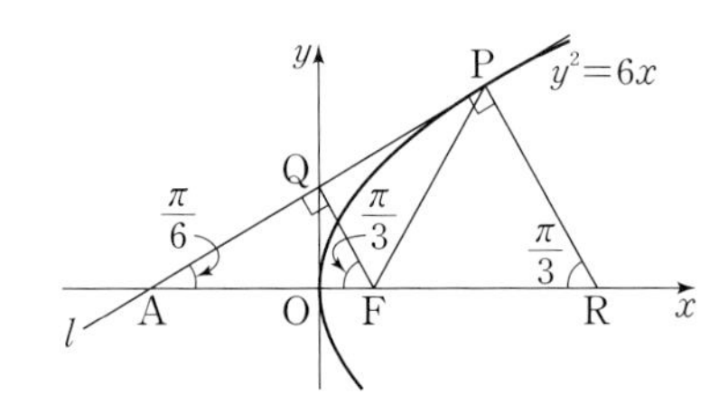

삼각형 PAR에서

$\angle \mathrm{RPA}=\pi-\angle \mathrm{PAR}-\angle \mathrm{ARP}=\pi-\frac{\pi}{6}-\frac{\pi}{3}=\frac{\pi}{2}$이고

$\angle \mathrm{FPA}=\frac{\pi}{2}-\angle \mathrm{RPF}=\frac{\pi}{2}-\frac{\pi}{3}=\frac{\pi}{6}$

즉, 삼각형 FPA는 $\overline{\mathrm{PF}}=\overline{\mathrm{AF}}=6$인 이등변삼각형이므로 삼각형 PQF의 넓이는

$\frac{1}{2}\times(\text{삼각형 FPA의 넓이})=\frac{1}{2}\times\left(\frac{1}{2}\times 6\times 6\times \sin\frac{2}{3}\pi\right)$

$=\frac{9\sqrt{3}}{2}$

답 ④

15

포물선 $y^2=4px$ 위의 점 P의 좌표를 (x_1, y_1) $(x_1>0, y_1>0)$이라 하면 포물선 $y^2=4px$ 위의 점 P에서의 접선의 방정식은

$y_1y=2p(x+x_1)$

이 접선과 x축이 만나는 점을 C, 원점을 O라 하면

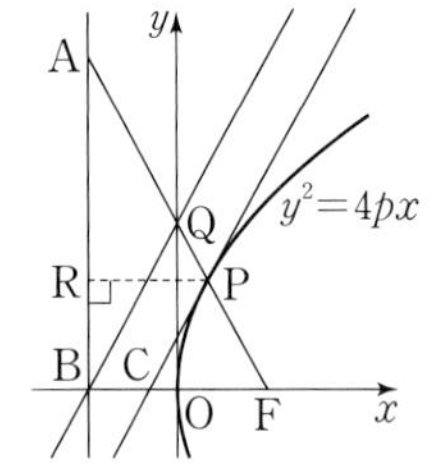

$\mathrm{C}(-x_1, 0)$

$\overline{\mathrm{FC}}=\overline{\mathrm{FO}}+\overline{\mathrm{OC}}=p+x_1$ ...... ㉠

점 P에서 준선에 내린 수선의 발을 R이라 하면

$\overline{\mathrm{PR}}=p+x_1$

포물선의 정의에 의하여

$\overline{\mathrm{FP}}=\overline{\mathrm{PR}}=p+x_1$ ...... ㉡

㉠, ㉡에서 $\overline{\mathrm{FP}}=\overline{\mathrm{FC}}$

두 삼각형 QOF, ABF는 서로 닮음이고 닮음비가 $\overline{\mathrm{FO}}:\overline{\mathrm{FB}}=1:2$이므로

$\overline{\mathrm{FQ}}=\frac{1}{2}\times\overline{\mathrm{AF}}=\frac{1}{2}\times 12=6$

두 삼각형 PCF, QBF는 서로 닮음이므로

$\overline{\mathrm{FB}}=\overline{\mathrm{FQ}}=6$

$\overline{\mathrm{FB}}=2p$이므로 $2p=6$

따라서 $p=3$

답 ③

16

포물선 $C_1: y^2=8x$의 초점 F의 좌표는 $(2, 0)$이고 점 P의 좌표를 (x_1, y_1) $(x_1>0, y_1>0)$이라 하면 포물선 C_1 위의 점 P에서의 접선의 방정식은

$y_1y=4(x+x_1)$

이 직선의 x절편은 $-x_1$이므로

$\mathrm{F'}(-x_1, 0)$

점 $\mathrm{P}(x_1, y_1)$은 포물선 C_1 위의 점이므로

${y_1}^2=8x_1$

$\overline{\mathrm{PF'}}=\sqrt{(-x_1-x_1)^2+(0-y_1)^2}$

$=\sqrt{4{x_1}^2+{y_1}^2}=\sqrt{4{x_1}^2+8x_1}$ ...... ㉠

원점 O는 선분 FF′ 위에 있으므로

$\overline{\mathrm{FF'}}=\overline{\mathrm{F'O}}+\overline{\mathrm{FO}}=x_1+2$

$\overline{\mathrm{FF'}}:\overline{\mathrm{PH}}=2:3$에서

$\overline{\mathrm{PH}}=\frac{3}{2}\overline{\mathrm{FF'}}=\frac{3}{2}(x_1+2)=\frac{3}{2}x_1+3$

포물선 C_2의 정의에 의하여

$\overline{\mathrm{PF'}}=\overline{\mathrm{PH}}=\frac{3}{2}x_1+3$ ...... ㉡

㉠, ㉡에서 $\sqrt{4{x_1}^2+8x_1}=\frac{3}{2}x_1+3$

$4{x_1}^2+8x_1=\frac{9}{4}{x_1}^2+9x_1+9$

$7{x_1}^2-4x_1-36=0$

$(7x_1-18)(x_1+2)=0$

$x_1>0$이므로 $x_1=\frac{18}{7}$

점 P에서 y축에 내린 수선의 발을 I, 포물선 C_2의 준선과 x축이 만나는 점을 R이라 하면

$\overline{\mathrm{RO}}=\overline{\mathrm{HI}}=\overline{\mathrm{PH}}-\overline{\mathrm{PI}}=\left(\frac{3}{2}x_1+3\right)-x_1=\frac{x_1}{2}+3$

$\mathrm{R}\left(-\frac{x_1}{2}-3, 0\right)$이고 점 Q는 선분 RF′의 중점이므로 점 Q의 x좌표는

$\frac{\left(-\frac{x_1}{2}-3\right)+(-x_1)}{2}=-\frac{3}{4}x_1-\frac{3}{2}=-\frac{3}{4}\times\frac{18}{7}-\frac{3}{2}=-\frac{24}{7}$

즉, $\overline{\mathrm{QO}}=\frac{24}{7}$

따라서 선분 FQ의 길이는

$\overline{\mathrm{FQ}}=\overline{\mathrm{QO}}+\overline{\mathrm{FO}}=\frac{24}{7}+2=\frac{38}{7}$

답 ⑤

필수유형 5

타원 $\frac{x^2}{16}+\frac{y^2}{12}=1$에서 $\sqrt{16-12}=2$이므로

$\mathrm{F}(2, 0)$, $\mathrm{F'}(-2, 0)$

이때 $\overline{\mathrm{FF'}}=4$

또 타원 $\frac{x^2}{16}+\frac{y^2}{12}=1$ 위의 점 P$(2,\ 3)$에서의 접선 l의 방정식은

$\frac{2x}{16}+\frac{3y}{12}=1$, 즉 $\frac{x}{8}+\frac{y}{4}=1$

접선 l이 x축과 만나는 점 S의 x좌표는

$\frac{x}{8}+\frac{0}{4}=1$에서 $x=8$이므로 점 S의 좌표는 $(8,\ 0)$이다.

한편, $\angle \mathrm{QF'F}=\angle \mathrm{RF'S}$, $\angle \mathrm{F'FQ}=\angle \mathrm{F'SR}$이므로

두 삼각형 FQF′, SRF′은 서로 닮음이고,

$\overline{\mathrm{F'F}}=4$, $\overline{\mathrm{F'S}}=10$이므로 닮음비는 $2:5$이다.

이때 $\overline{\mathrm{SR}}=\frac{5}{2}\overline{\mathrm{FQ}}$, $\overline{\mathrm{F'R}}=\frac{5}{2}\overline{\mathrm{F'Q}}$

타원의 정의에 의하여

$\overline{\mathrm{FQ}}+\overline{\mathrm{F'Q}}=2\times4=8$

이므로 삼각형 SRF′의 둘레의 길이는

$$\begin{aligned}\overline{\mathrm{F'S}}+\overline{\mathrm{SR}}+\overline{\mathrm{F'R}}&=10+\frac{5}{2}\overline{\mathrm{FQ}}+\frac{5}{2}\overline{\mathrm{F'Q}}=10+\frac{5}{2}(\overline{\mathrm{FQ}}+\overline{\mathrm{F'Q}})\\&=10+\frac{5}{2}\times8=30\end{aligned}$$

답 ①

17

타원 $\frac{x^2}{12}+\frac{y^2}{6}=1$에 접하고 기울기가 $\frac{1}{2}$인 접선의 방정식은

$y=\frac{1}{2}x\pm\sqrt{12\times\left(\frac{1}{2}\right)^2+6}$, $y=\frac{1}{2}x\pm3$

제2사분면을 지나는 접선의 방정식은 $y=\frac{1}{2}x+3$ …… ㉠

이 접선의 접점 P의 좌표를 $(x_1,\ y_1)$이라 하면

타원 위의 점 P에서의 접선의 방정식은 $\frac{x_1x}{12}+\frac{y_1y}{6}=1$

즉, $y=-\frac{x_1}{2y_1}x+\frac{6}{y_1}$ …… ㉡

두 방정식 ㉠, ㉡이 나타내는 직선은 서로 같으므로

$-\frac{x_1}{2y_1}=\frac{1}{2}$, $\frac{6}{y_1}=3$에서 $x_1=-2$, $y_1=2$

두 점 P, Q는 원점에 대하여 대칭이므로 두 점 P, Q 사이의 거리는 원점 O와 점 P 사이의 거리의 2배이다.

따라서 $l=\overline{\mathrm{PQ}}=2\overline{\mathrm{PO}}=2\sqrt{{x_1}^2+{y_1}^2}=2\sqrt{(-2)^2+2^2}=4\sqrt{2}$이므로

$l^2=(4\sqrt{2})^2=32$

답 32

18

점 A에서 타원에 그은 접선의 접점 P의 좌표를 $(x_1,\ y_1)$ $(x_1>0,\ y_1>0)$이라 하자.

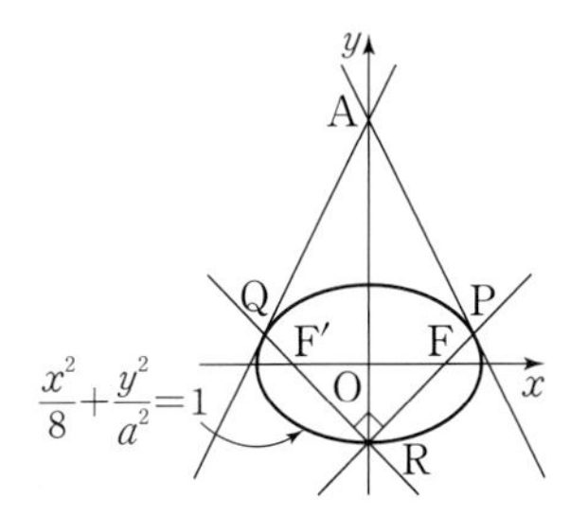

타원 $\frac{x^2}{8}+\frac{y^2}{a^2}=1$ 위의 점 P$(x_1,\ y_1)$에서의 접선의 방정식은

$\frac{x_1x}{8}+\frac{y_1y}{a^2}=1$

점 A$(0,\ k)$가 이 접선 위의 점이므로

$\frac{y_1\times k}{a^2}=1$

$k=\frac{a^2}{y_1}$

두 직선 PF, QF′이 y축에 대하여 대칭이므로 두 직선이 만나는 점 R은 y축 위의 점이다.

$\angle \mathrm{PRQ}=\frac{\pi}{2}$이므로 $\angle \mathrm{PRO}=\frac{\pi}{4}$이다.

직선 PR의 기울기가 $\tan\left(\frac{\pi}{2}-\angle \mathrm{PRO}\right)=\tan\frac{\pi}{4}=1$이므로

R$(0,\ -c)$이다.

즉, $a=c$이므로

$c^2=8-a^2=8-c^2$

$2c^2=8$, $c^2=4$

$c>0$이므로 $a=c=2$

직선 FR의 방정식은

$y=x-2$

이고, 세 점 P, F, R은 한 직선 위에 있으므로

$y_1=x_1-2$ …… ㉠

점 P$(x_1,\ y_1)$은 타원 $\frac{x^2}{8}+\frac{y^2}{4}=1$ 위의 점이므로

$\frac{{x_1}^2}{8}+\frac{{y_1}^2}{4}=1$

이 식에 ㉠을 대입하면

$\frac{{x_1}^2}{8}+\frac{(x_1-2)^2}{4}=1$

$x_1(3x_1-8)=0$

$x_1>0$이므로 $x_1=\frac{8}{3}$

이 값을 ㉠에 대입하면

$y_1=\frac{8}{3}-2=\frac{2}{3}$

따라서 $k=\frac{a^2}{y_1}=\frac{4}{\frac{2}{3}}=6$

답 ①

19

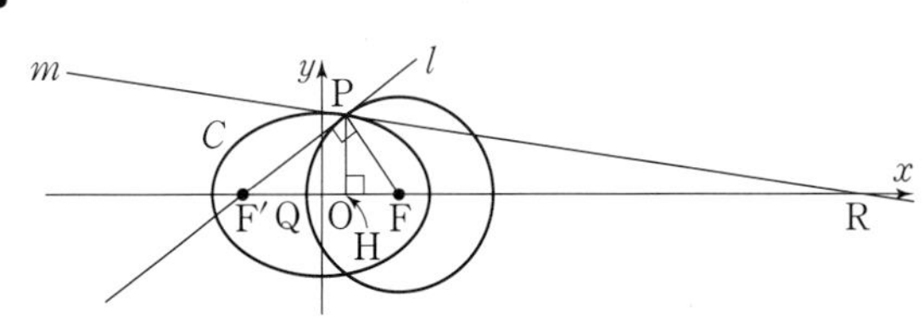

$\overline{\mathrm{FQ}}:\overline{\mathrm{F'Q}}=3:2$이므로 $\overline{\mathrm{FQ}}=3k$, $\overline{\mathrm{F'Q}}=2k$ $(k>0)$이라 하자.

점 Q는 선분 FF′ 위의 점이므로

$\overline{\mathrm{FF'}}=\overline{\mathrm{FQ}}+\overline{\mathrm{F'Q}}=3k+2k=5k$

$5k=2c$에서 $c=\frac{5}{2}k$

점 Q는 중심이 F이고 반지름의 길이가 $\overline{\mathrm{PF}}$인 원 위의 점이므로

$\overline{\mathrm{PF}}=\overline{\mathrm{FQ}}=3k$

원 위의 점 P에서 원에 접하는 직선 l이 점 F′을 지나므로 삼각형 PF′F는 $\angle FPF'=\frac{\pi}{2}$인 직각삼각형이다.

$\overline{PF'}^2=\overline{FF'}^2-\overline{PF}^2=(5k)^2-(3k)^2=16k^2$

$\overline{PF'}=4k$

타원 C의 방정식을 $\frac{x^2}{a^2}+\frac{y^2}{b^2}=1\ (a>0,\ b>0)$이라 하면 타원의 정의에 의하여

$\overline{PF}+\overline{PF'}=3k+4k=7k=2a$

$a=\frac{7}{2}k$

$b^2=a^2-c^2=\left(\frac{7}{2}k\right)^2-\left(\frac{5}{2}k\right)^2=6k^2$

$b=\sqrt{6}k$

원점을 O, 점 P에서 x축에 내린 수선의 발을 H라 하고 $\angle PFF'=\theta$라 하면 삼각형 PF′F에서

$\cos\theta=\frac{3k}{5k}=\frac{3}{5}$, $\sin\theta=\frac{4k}{5k}=\frac{4}{5}$

삼각형 PHF에서

$\overline{PH}=\overline{PF}\sin\theta=3k\times\frac{4}{5}=\frac{12}{5}k$

$\overline{FH}=\overline{PF}\cos\theta=3k\times\frac{3}{5}=\frac{9}{5}k$

$\overline{OH}=\overline{OF}-\overline{FH}=\frac{5}{2}k-\frac{9}{5}k=\frac{7}{10}k$

이므로 $P\left(\frac{7}{10}k,\ \frac{12}{5}k\right)$

타원 C 위의 점 P에서 타원에 접하는 직선 m의 방정식은

$$\frac{\frac{7}{10}kx}{\left(\frac{7}{2}k\right)^2}+\frac{\frac{12}{5}ky}{(\sqrt{6}k)^2}=1$$

즉, $2x+14y=35k$이므로 $R\left(\frac{35}{2}k,\ 0\right)$

$\overline{F'R}=\overline{F'O}+\overline{OR}=\frac{5}{2}k+\frac{35}{2}k=20k$

$\overline{F'R}=40$이므로

$20k=40$, $k=2$

따라서 $\overline{PF}+\overline{PF'}=7k=7\times2=14$

답 ⑤

20

점 P의 좌표를 $(x_1,\ y_1)\ (x_1<0,\ y_1<0)$이라 하면

타원 $\frac{x^2}{4}+\frac{y^2}{a^2}=1$ 위의 점 P에서의 접선의 방정식은

$\frac{x_1x}{4}+\frac{y_1y}{a^2}=1$

이 직선의 x절편은

$\frac{x_1x}{4}=1$에서 $x=\frac{4}{x_1}$

$\overline{AP}=\overline{PQ}$이므로 점 P에서 x축에 내린 수선의 발을 H라 할 때 선분 AQ의 중점이 H이다.

이때 $H(x_1,\ 0)$이므로 $x_1=\frac{\frac{4}{x_1}+2}{2}$

$x_1^2-x_1-2=0$

$(x_1-2)(x_1+1)=0$

$x_1<0$이므로 $x_1=-1$

$\overline{AF}=\overline{AF'}$이고 타원의 정의에 의하여

$\overline{AF}+\overline{AF'}=2a$

이므로 $\overline{AF'}=a$

한 직선 위의 세 점 A, F′, P의 x좌표가 각각 2, 0, -1이므로

$\overline{AF'}:\overline{PF'}=2:1$

두 점 A, F′의 y좌표가 각각 0, $-c$이므로 점 P의 y좌표인 y_1은

$y_1=-\frac{3}{2}c$, 즉 점 P의 좌표는 $\left(-1,\ -\frac{3}{2}c\right)$

점 $P\left(-1,\ -\frac{3}{2}c\right)$는 타원 위의 점이므로

$$\frac{(-1)^2}{4}+\frac{\left(-\frac{3}{2}c\right)^2}{a^2}=1$$

$c^2=\frac{1}{3}a^2$ …… ㉠

한편, $a^2-4=c^2$이므로 이 식에 ㉠을 대입하면

$a^2-4=\frac{1}{3}a^2$

$a^2=6$

$a>2$이므로 $a=\sqrt{6}$

타원의 정의에 의하여

$\overline{PF}+\overline{PF'}=2a$

따라서 삼각형 AFP의 둘레의 길이는

$$\begin{aligned}\overline{AF}+\overline{PF}+\overline{AP}&=\overline{AF}+\overline{PF}+(\overline{AF'}+\overline{PF'})\\&=(\overline{AF}+\overline{AF'})+(\overline{PF}+\overline{PF'})\\&=2a+2a=4a=4\sqrt{6}\end{aligned}$$

답 ④

필수유형 6

두 양수 a, b에 대하여 두 점 $A(c,\ 0)$, $B(-c,\ 0)$을 초점으로 하는 쌍곡선의 방정식을 $\frac{x^2}{a^2}-\frac{y^2}{b^2}=1$이라 하자.

이 쌍곡선이 점 $(3,\ 3)$을 지나고 점 $(3,\ 3)$에서 직선 $y=2x-3$이 쌍곡선에 접할 때, $\overline{PB}-\overline{PA}$의 값이 최대이다.

쌍곡선 $\frac{x^2}{a^2}-\frac{y^2}{b^2}=1$ 위의 점 $(3,\ 3)$에서의 접선의 방정식은

$\frac{3x}{a^2}-\frac{3y}{b^2}=1$, 즉 $y=\frac{b^2}{a^2}x-\frac{b^2}{3}$

이 직선이 $y=2x-3$이므로

$\frac{b^2}{a^2}=2$, $-\frac{b^2}{3}=-3$에서

$a^2=\frac{9}{2}$, $b^2=9$

두 점 A, B가 쌍곡선의 초점이므로

$c^2=a^2+b^2=\frac{9}{2}+9=\frac{27}{2}$

$c>0$이므로 $c=\frac{3\sqrt{6}}{2}$

답 ①

21

쌍곡선 $\frac{x^2}{4}-\frac{y^2}{12}=1$ 위의 점 P(4, 6)에서의 접선의 방정식은

$\frac{4x}{4}-\frac{6y}{12}=1$

즉, $y=2x-2$이므로 이 접선이 x축과 만나는 점은 A(1, 0)이다.

$c^2=4+12=16$에서 $c>0$이므로 $c=4$

즉, F(4, 0)

$\overline{AF}=3$, $\overline{PF}=6$이고 $\overline{AF}\perp\overline{PF}$이므로 직각삼각형 PAF의 넓이는

$\frac{1}{2}\times\overline{AF}\times\overline{PF}=\frac{1}{2}\times3\times6=9$

답 ①

22

쌍곡선 $\frac{x^2}{12}-\frac{y^2}{a^2}=1$ 위의 점 P(k, -3)에서의 접선의 방정식은

$\frac{kx}{12}+\frac{3y}{a^2}=1$

점 A는 이 접선과 y축이 만나는 점이므로 $A\left(0, \frac{a^2}{3}\right)$이다.

선분 AP의 중점을 M이라 하면 $M\left(\frac{k}{2}, \frac{a^2}{6}-\frac{3}{2}\right)$이다.

쌍곡선의 점근선 중 기울기가 음수인 점근선의 방정식은

$y=-\frac{a}{2\sqrt{3}}x$

이고 점 M이 이 직선 위에 있으므로

$\frac{a^2}{6}-\frac{3}{2}=-\frac{a}{2\sqrt{3}}\times\frac{k}{2}$

$k=2\sqrt{3}\left(\frac{3}{a}-\frac{a}{3}\right)$ ...... ㉠

점 P(k, -3)은 쌍곡선 $\frac{x^2}{12}-\frac{y^2}{a^2}=1$ 위의 점이므로

$\frac{k^2}{12}-\frac{9}{a^2}=1$

$k^2=12\left(1+\frac{9}{a^2}\right)$ ...... ㉡

㉡에 ㉠을 대입하면

$12\left(\frac{3}{a}-\frac{a}{3}\right)^2=12\left(1+\frac{9}{a^2}\right)$

$\frac{a^2}{9}-2=1$

$a^2=27$

$a>0$이므로 $a=3\sqrt{3}$

답 ③

23

쌍곡선 $\frac{x^2}{5}-\frac{y^2}{4}=1$ 위의 점 A의 좌표를 (x_1, y_1) $(x_1>0, y_1>0)$이라 하면 쌍곡선 위의 점 A에서의 접선의 방정식은

$\frac{x_1x}{5}-\frac{y_1y}{4}=1$

이므로 $B\left(0, -\frac{4}{y_1}\right)$이다.

점 C의 y좌표는 $-\frac{4}{y_1}$이고 $\overline{AD}/\!/\overline{BC}$, $\overline{AD}=2\overline{BC}$이므로 점 C의 x좌표는 $\frac{x_1}{2}$이다.

점 $C\left(\frac{x_1}{2}, -\frac{4}{y_1}\right)$는 이 쌍곡선 위의 점이므로

$\frac{\left(\frac{x_1}{2}\right)^2}{5}-\frac{\left(-\frac{4}{y_1}\right)^2}{4}=1$

${x_1}^2=20\left(1+\frac{4}{{y_1}^2}\right)$ ...... ㉠

점 A(x_1, y_1)이 쌍곡선 위의 점이므로

$\frac{{x_1}^2}{5}-\frac{{y_1}^2}{4}=1$ ...... ㉡

㉡에 ㉠을 대입하면

$4\left(1+\frac{4}{{y_1}^2}\right)-\frac{{y_1}^2}{4}=1$

${y_1}^4-12{y_1}^2-64=0$

$({y_1}^2-16)({y_1}^2+4)=0$

${y_1}^2\geq0$에서 ${y_1}^2=16$

$y_1>0$이므로 $y_1=4$

이 식을 ㉠에 대입하면

${x_1}^2=20\times\frac{5}{4}=25$

$x_1>0$이므로 $x_1=5$

따라서 사각형 ADBC는 사다리꼴이므로 그 넓이는

$$\frac{1}{2}\times(\overline{AD}+\overline{BC})\times\overline{BD}=\frac{1}{2}\times\left(x_1+\frac{x_1}{2}\right)\times\left(y_1+\frac{4}{y_1}\right)$$
$$=\frac{1}{2}\times\frac{15}{2}\times5=\frac{75}{4}$$

답 ④

24

$c^2=4+4=8$에서

$c>0$이므로 $c=2\sqrt{2}$

쌍곡선의 정의에 의하여 $\overline{FB}-\overline{F'B}=2\times2=4$이므로

$$\overline{FB}+\overline{AB}=(\overline{FB}-\overline{F'B})+\overline{AB}+\overline{F'B}$$
$$=4+\overline{AF'}=10$$

$\overline{AF'}=6$

점 A는 중심이 점 F′이고 반지름의 길이가 6인 원과 쌍곡선의 교점 중 제1사분면 위의 점이다.

중심이 점 F'이고 반지름의 길이가 6인 원의 방정식은

$x^2+(y+2\sqrt{2})^2=36$ ...... ㉠

$\frac{x^2}{4}-\frac{y^2}{4}=-1$에서 $x^2=y^2-4$ ...... ㉡

㉡을 ㉠에 대입하면

$y^2-4+(y+2\sqrt{2})^2=36$

$y^2+2\sqrt{2}y-16=0$

$(y-2\sqrt{2})(y+4\sqrt{2})=0$

$y=2\sqrt{2}$ 또는 $y=-4\sqrt{2}$

점 A의 y좌표는 양수이므로 $y=2\sqrt{2}$

이 값을 ㉠에 대입하면

$x^2+(4\sqrt{2})^2=36$, $x^2=4$

점 A의 x좌표는 양수이므로 $x=2$

쌍곡선 위의 점 $A(2, 2\sqrt{2})$에서의 접선의 방정식은

$\frac{2x}{4}-\frac{2\sqrt{2}y}{4}=-1$

$\frac{x}{2}-\frac{\sqrt{2}y}{2}=-1$ ...... ㉢

두 점 $A(2, 2\sqrt{2})$, $F'(0, -2\sqrt{2})$를 지나는 직선의 방정식은

$y=\frac{2\sqrt{2}-(-2\sqrt{2})}{2-0}x-2\sqrt{2}$

$y=2\sqrt{2}(x-1)$ ...... ㉣

㉣을 ㉡에 대입하면

$x^2=8(x-1)^2-4$

$7x^2-16x+4=0$, $(7x-2)(x-2)=0$

$x=\frac{2}{7}$ 또는 $x=2$

점 A의 x좌표가 점 B의 x좌표보다 크므로

점 A의 x좌표가 2이고, 점 B의 x좌표는 $\frac{2}{7}$이다.

점 B의 x좌표인 $\frac{2}{7}$를 ㉣에 대입하면

$y=2\sqrt{2}\times\left(\frac{2}{7}-1\right)=-\frac{10\sqrt{2}}{7}$

쌍곡선 위의 점 $B\left(\frac{2}{7}, -\frac{10\sqrt{2}}{7}\right)$에서의 접선의 방정식은

$\frac{x}{14}+\frac{5\sqrt{2}y}{14}=-1$ ...... ㉤

㉢, ㉤을 연립하여 풀면

$x=-4$, $y=-\sqrt{2}$

즉, 점 P의 좌표는 $(-4, -\sqrt{2})$이므로

$p=-4$, $q=-\sqrt{2}$

따라서 $p\times q=(-4)\times(-\sqrt{2})=4\sqrt{2}$

답 ④

08 평면벡터

본문 83~92쪽

필수유형				
필수유형 1	②	01 ⑤	02 ①	03 ③
		04 ⑤	05 ⑤	
필수유형 2	53	06 ②	07 ②	08 ②
		09 17		
필수유형 3	⑤	10 ①	11 ④	12 ①
필수유형 4	②	13 ⑤	14 ⑤	15 ④
필수유형 5	⑤	16 ③	17 ①	18 ④
필수유형 6	②	19 ②	20 ⑤	21 ③
		22 ②	23 ④	
필수유형 7	17	24 ②	25 ①	26 ①
		27 10		
필수유형 8	②	28 ④	29 ⑤	30 ①

필수유형 1

$\overrightarrow{AE}=\overrightarrow{BD}$이므로 선분 CD의 중점을 M이라 하면

$\overrightarrow{AE}+\overrightarrow{BC}=\overrightarrow{BD}+\overrightarrow{BC}$

$=2\overrightarrow{BM}$ ...... ㉠

이때 $\overline{BC}=1$, $\overline{CM}=\frac{1}{2}$, $\angle BCM=\frac{2}{3}\pi$이므로 삼각형 BCM에서 코사인법칙에 의하여

$\overline{BM}^2=\overline{BC}^2+\overline{CM}^2-2\times\overline{BC}\times\overline{CM}\times\cos\frac{2}{3}\pi$

$=1^2+\left(\frac{1}{2}\right)^2-2\times1\times\frac{1}{2}\times\left(-\frac{1}{2}\right)$

$=\frac{7}{4}$

즉, $\overline{BM}=\frac{\sqrt{7}}{2}$

따라서 ㉠에서

$|\overrightarrow{AE}+\overrightarrow{BC}|=|2\overrightarrow{BM}|$

$=2\overline{BM}$

$=2\times\frac{\sqrt{7}}{2}=\sqrt{7}$

답 ②

01

$\vec{x}+\vec{y}=4\vec{a}+\vec{b}$ ...... ㉠

$\vec{x}-\vec{y}=2\vec{a}+3\vec{b}$ ...... ㉡

㉠과 ㉡을 변끼리 더하면

$2\vec{x}=6\vec{a}+4\vec{b}$, $\vec{x}=3\vec{a}+2\vec{b}$

㉠에서

$\vec{y}=4\vec{a}+\vec{b}-\vec{x}=4\vec{a}+\vec{b}-(3\vec{a}+2\vec{b})=\vec{a}-\vec{b}$

이므로

$2\vec{x}+3\vec{y}=2(3\vec{a}+2\vec{b})+3(\vec{a}-\vec{b})=9\vec{a}+\vec{b}$

따라서 $m=9$, $n=1$이므로 $m+n=10$

답 ⑤

02

점 A를 지나고 선분 BC에 평행한 직선과 점 C를 지나고 선분 BC에 수직인 직선이 만나는 점을 F라 하면

$\overrightarrow{BP}=\overrightarrow{DC}-\overrightarrow{AE}$에서

$\overrightarrow{DC}-\overrightarrow{AE}=\overrightarrow{DC}+\overrightarrow{EA}$

$=\overrightarrow{DC}+\overrightarrow{CF}=\overrightarrow{DF}$

즉, $\overrightarrow{BP}=\overrightarrow{DF}$

정삼각형 ABC의 높이는 $\sqrt{3}$이므로

$\overline{DC}=\overline{CF}=\sqrt{3}$

이때 $\angle DCF=\frac{\pi}{3}$이므로 삼각형 DCF는 한 변의 길이가 $\sqrt{3}$인 정삼각형이고 두 직선 DF, BC가 이루는 각의 크기는 $\frac{\pi}{6}$이다.

$\overrightarrow{BP}=\overrightarrow{DF}$에서 $\overline{BP}=\sqrt{3}$이고, $\angle PBC=\frac{\pi}{6}$

이므로 점 P는 선분 AC의 중점이다.

두 점 E, P가 각각 두 변 BC, AC의 중점이므로 삼각형 PEC는 한 변의 길이가 1인 정삼각형이다.

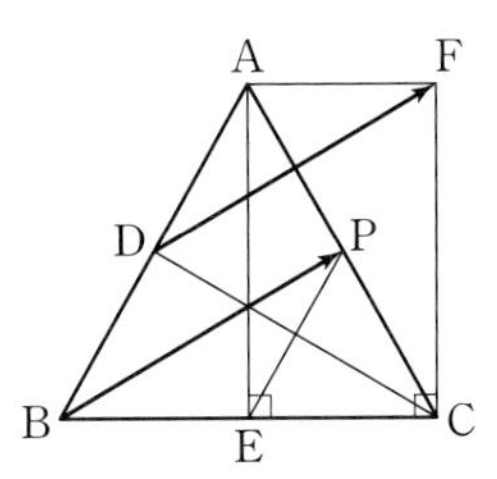

따라서 $|\overrightarrow{EP}|=\overline{EP}=1$

답 ①

03

그림과 같이 선분 BD의 중점을 M이라 하면 점 M은 직사각형 ABCD의 두 대각선 AC, BD의 교점이고 이때 점 G는 선분 AM 위의 점이다. 점 G가 선분 AM을 2 : 1로 내분하므로

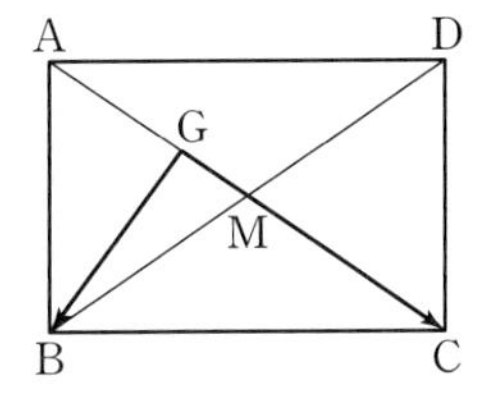

$\overrightarrow{AG}=\frac{2}{3}\overrightarrow{AM}$

$=\frac{2}{3}\left(\frac{\overrightarrow{AB}+\overrightarrow{AD}}{2}\right)$

$=\frac{1}{3}\overrightarrow{AB}+\frac{1}{3}\overrightarrow{AD}$

그러므로

$\overrightarrow{GB}=\overrightarrow{AB}-\overrightarrow{AG}$

$=\overrightarrow{AB}-\left(\frac{1}{3}\overrightarrow{AB}+\frac{1}{3}\overrightarrow{AD}\right)$

$=\frac{2}{3}\overrightarrow{AB}-\frac{1}{3}\overrightarrow{AD}$

또 점 G는 선분 AC를 1 : 2로 내분하는 점이므로

$\overrightarrow{GC}=\frac{2}{3}\overrightarrow{AC}=\frac{2}{3}(\overrightarrow{AB}+\overrightarrow{AD})=\frac{2}{3}\overrightarrow{AB}+\frac{2}{3}\overrightarrow{AD}$

따라서

$\overrightarrow{GB}+\overrightarrow{GC}=\left(\frac{2}{3}\overrightarrow{AB}-\frac{1}{3}\overrightarrow{AD}\right)+\left(\frac{2}{3}\overrightarrow{AB}+\frac{2}{3}\overrightarrow{AD}\right)$

$=\frac{4}{3}\overrightarrow{AB}+\frac{1}{3}\overrightarrow{AD}$

이므로

$m+n=\frac{4}{3}+\frac{1}{3}=\frac{5}{3}$

답 ③

04

점 D에서 선분 BC에 내린 수선의 발을 H라 하자.

$\tan(\angle BCD)=3$이므로 $\overline{HC}=a$, $\overline{DH}=3a$ $(a>0)$으로 놓으면 직각삼각형 DHC에서

$\overline{HC}^2+\overline{DH}^2=\overline{CD}^2$

즉, $a^2+(3a)^2=10$에서 $a=1$이므로 $\overline{HC}=1$, $\overline{DH}=3$

한편,

$\overrightarrow{BP}+\overrightarrow{CP}=2(\overrightarrow{PA}+\overrightarrow{PD})$ ...... ㉠

두 선분 AD, BC의 중점을 각각 M, N이라 하면

$\overrightarrow{PA}+\overrightarrow{PD}=2\overrightarrow{PM}$

$\overrightarrow{BP}+\overrightarrow{CP}=-(\overrightarrow{PB}+\overrightarrow{PC})=-2\overrightarrow{PN}$

이므로 ㉠에서

$-2\overrightarrow{PN}=4\overrightarrow{PM}$, $\overrightarrow{PN}=-2\overrightarrow{PM}$

즉, 점 P는 선분 MN을 1 : 2로 내분하는 점이므로

$\overline{PM}=1$, $\overline{PN}=2$

직각이등변삼각형 APM에서

$\overline{PA}=\sqrt{2}$, $\angle PAM=\frac{\pi}{4}$

선분 DH를 2 : 1로 내분하는 점을 P′이라 하면 삼각형 P′HC는 $\overline{P'H}=\overline{HC}=1$인 직각이등변삼각형이므로

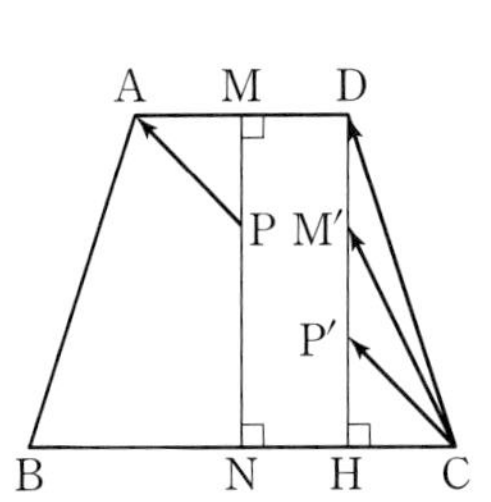

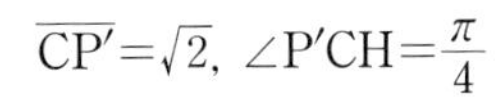

$\overline{CP'}=\sqrt{2}$, $\angle P'CH=\frac{\pi}{4}$

즉, $\overline{CP'}=\overline{PA}$, $\angle P'CH=\angle PAM$

이므로 $\overrightarrow{CP'}=\overrightarrow{PA}$

선분 DP′의 중점을 M′이라 하면

$\overrightarrow{CD}+\overrightarrow{PA}=\overrightarrow{CD}+\overrightarrow{CP'}=2\overrightarrow{CM'}$

이때 $\overline{M'H}=2$이므로 직각삼각형 CM′H에서

$\overline{CM'}=\sqrt{\overline{HC}^2+\overline{M'H}^2}=\sqrt{1^2+2^2}=\sqrt{5}$

따라서 $|\overrightarrow{CD}+\overrightarrow{PA}|=|2\overrightarrow{CM'}|=2\overline{CM'}=2\sqrt{5}$

답 ⑤

05

$\angle ABC=\theta\left(0<\theta<\frac{\pi}{2}\right)$라 하면 평행사변형 ABCD의 넓이가 $4\sqrt{2}$이므로 $\overline{AB}\times\overline{BC}\times\sin\theta=4\sqrt{2}$에서

$2\times3\times\sin\theta=4\sqrt{2}$

$\sin\theta=\frac{2\sqrt{2}}{3}$

$0<\theta<\frac{\pi}{2}$이므로 $\cos\theta=\sqrt{1-\sin^2\theta}=\frac{1}{3}$

삼각형 ABC에서 코사인법칙에 의하여

$\overline{AC}^2=\overline{AB}^2+\overline{BC}^2-2\times\overline{AB}\times\overline{BC}\times\cos\theta$

$=2^2+3^2-2\times2\times3\times\frac{1}{3}=9$

이때 $\overline{AC}>0$이므로 $\overline{AC}=3$

한편, 벡터 $\frac{\overrightarrow{AQ}}{|\overrightarrow{AQ}|}$는 방향이 벡터 $\overrightarrow{AQ}$와 같고 크기가 1인 벡터이므로 선분 BD 위를 움직이는 점 Q에 대하여 $\overrightarrow{AQ'}=\frac{\overrightarrow{AQ}}{|\overrightarrow{AQ}|}$인 점 Q′이 나타내는 도형은 그림과 같이 점 A를 중심으로 하고 반지름의 길이가 1인 원의 일부이다.

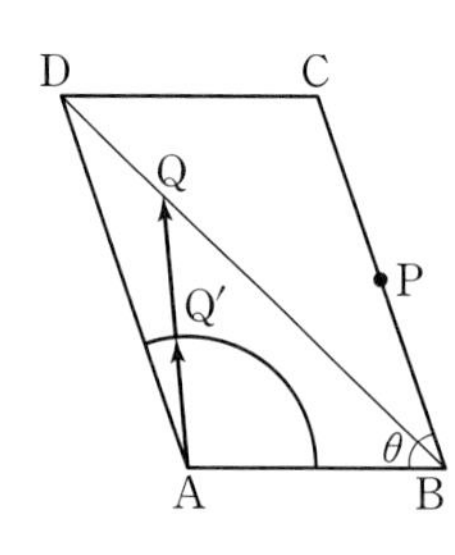

점 B를 중심으로 하고 반지름의 길이가 1인 원이 직선 AB와 만나는 점 중 A에서 먼 점을 E라 하고, 점 E를 지나고 선분 AD에 평행한 직선이 직선 DC와 만나는 점을 F, 점 C를 중심으로 하고 반지름의 길이가 1인 원이 직선 BC와 만나는 점 중 B에서 먼 점을 G라 하면 선분 BC 위를 움직이는 점 P에 대하여 $\overrightarrow{AX}=\overrightarrow{AP}+\frac{\overrightarrow{AQ}}{|\overrightarrow{AQ}|}$를 만족시키는 점 X가 나타내는 영역은 다음 그림의 색칠한 부분과 같다.

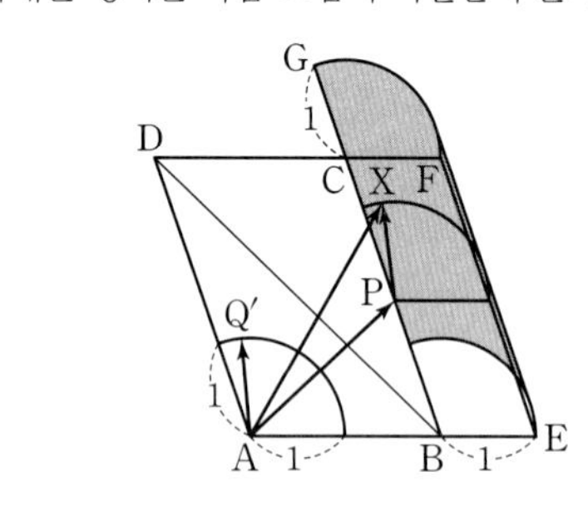

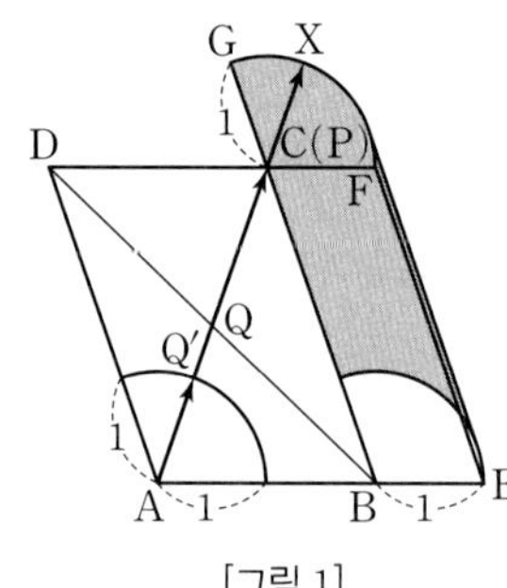

[그림 1]

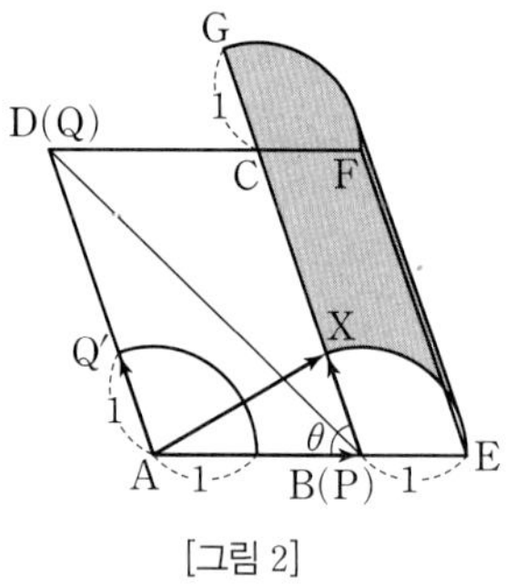

[그림 2]

이때 $|\overrightarrow{AX}|$의 최댓값 M은 [그림 1]과 같이 점 P가 점 C에 있고, 두 벡터 $\overrightarrow{AP}$, $\overrightarrow{AQ}$가 평행할 때이므로

$M=\overline{AC}+1=4$

$|\overrightarrow{AX}|$의 최솟값 m은 [그림 2]와 같이 점 P가 점 B에 있고, 점 Q가 점 D에 있을 때이므로 코사인법칙에 의하여

$m^2=2^2+1^2-2\times2\times1\times\frac{1}{3}=\frac{11}{3}$

따라서 $M^2+m^2=4^2+\frac{11}{3}=\frac{59}{3}$

답 ⑤

필수유형 2

선분 AB의 사등분점을 점 A에서 가까운 점부터 차례로 I_1, I_2, I_3, 선분 BC의 사등분점을 점 B에서 가까운 점부터 차례로 J_1, J_2, J_3, 선분 CA의 사등분점을 점 C에서 가까운 점부터 차례로 K_1, K_2, K_3이라 하자. 이 9개의 점에서 삼각형 ABC의 각 변에 평행하도록 선분을 긋는다.

$\overrightarrow{AX}=\frac{1}{4}(\overrightarrow{AP}+\overrightarrow{AR})+\frac{1}{2}\overrightarrow{AQ}$ …… ㉠

$\frac{1}{2}(\overrightarrow{AP}+\overrightarrow{AR})=\overrightarrow{AP_1}$

이라 하면 점 P_1이 나타내는 영역은 [그림 1]에서 색칠한 부분이다.

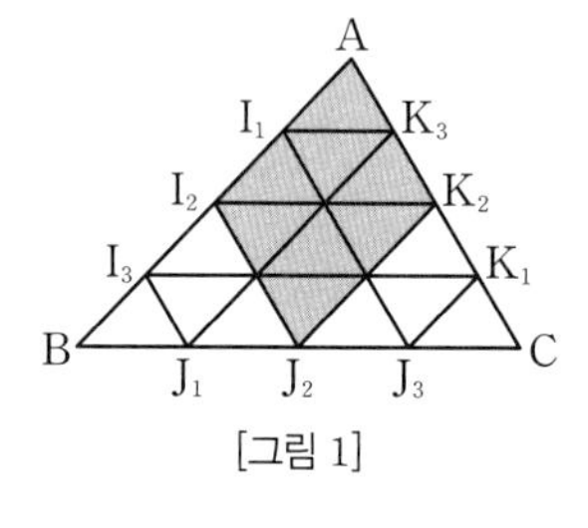

[그림 1]

그러므로 ㉠에서

$$\begin{aligned}\overrightarrow{AX}&=\frac{1}{4}(\overrightarrow{AP}+\overrightarrow{AR})+\frac{1}{2}\overrightarrow{AQ}\\&=\frac{1}{2}\left\{\frac{1}{2}(\overrightarrow{AP}+\overrightarrow{AR})\right\}+\frac{1}{2}\overrightarrow{AQ}\\&=\frac{1}{2}\overrightarrow{AP_1}+\frac{1}{2}\overrightarrow{AQ}\\&=\frac{\overrightarrow{AP_1}+\overrightarrow{AQ}}{2}\end{aligned}$$

즉, 점 X는 선분 P_1Q의 중점이므로 점 Q가 점 B에 있을 때 점 X가 나타내는 영역은 [그림 2]에서 색칠한 부분이다.

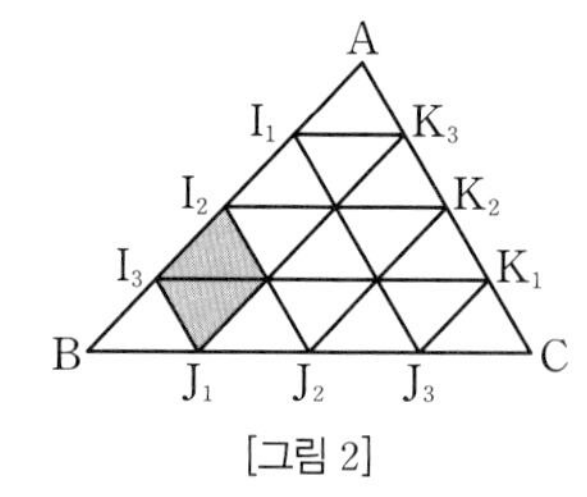

[그림 2]

점 Q가 변 BC 위를 움직이므로 점 X가 나타내는 영역은 [그림 3]에서 색칠한 부분이다.

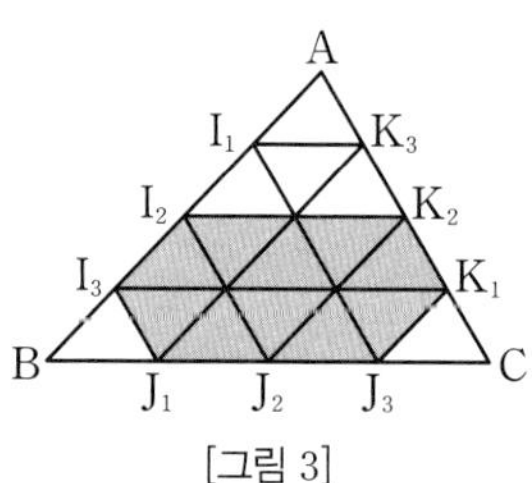

[그림 3]

넓이가 9인 삼각형 ABC에서 합동인 16개의 작은 삼각형 한 개의 넓이는 $\frac{9}{16}$이므로 구하는 넓이는

$\frac{9}{16}\times10=\frac{45}{8}$

따라서 $p=8$, $q=45$이므로 $p+q=53$

답 53

06

$k\overrightarrow{PC}=\frac{2}{3}\overrightarrow{AB}+\frac{1}{3}\overrightarrow{AC}$ …… ㉠

선분 BC를 1 : 2로 내분하는 점을 D라 하면

$\overrightarrow{AD}=\frac{2}{3}\overrightarrow{AB}+\frac{1}{3}\overrightarrow{AC}$

이므로 ㉠에서

$k\overrightarrow{PC}=\overrightarrow{AD}$ …… ㉡

직각삼각형 ABC에서

$\tan(\angle CAB)=\frac{\overline{BC}}{\overline{AB}}=\frac{3}{\sqrt{3}}=\sqrt{3}$이므로

$\angle CAB=\frac{\pi}{3}$이고, $\angle ACB=\frac{\pi}{6}$

한편, $\overline{BD}=1$이므로 직각삼각형 ABD에서

$\overline{AD}=\sqrt{\overline{AB}^2+\overline{BD}^2}=\sqrt{(\sqrt{3})^2+1^2}=2$

즉, 삼각형 ADC는 $\overline{AD}=\overline{CD}=2$인 이등변삼각형이므로

$\angle CAD=\frac{\pi}{6}$

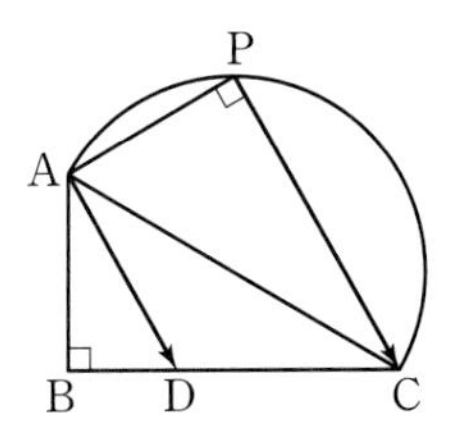

㉡에 의하여 두 벡터 $\overrightarrow{PC}$, $\overrightarrow{AD}$는 서로 평행하므로 점 P는 점 C를 지나고 선분 AD와 평행한 직선이 반원의 호 AC와 만나는 점이다.

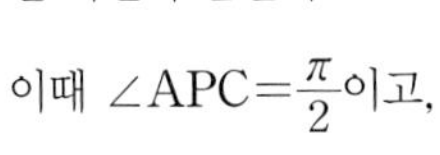

이때 $\angle APC=\frac{\pi}{2}$이고,

$\angle ACP=\angle CAD=\frac{\pi}{6}$이므로

$|\overrightarrow{PC}|=\overline{PC}=\overline{AC}\cos\frac{\pi}{6}=2\sqrt{3}\times\frac{\sqrt{3}}{2}=3$

따라서 $\overrightarrow{AD}=\frac{2}{3}\overrightarrow{PC}$이므로 $k=\frac{2}{3}$

답 ②

07

$\overrightarrow{BP}=\overrightarrow{PA}+3\overrightarrow{PD}$에서

$\overrightarrow{BP}=(\overrightarrow{BA}-\overrightarrow{BP})+3(\overrightarrow{BD}-\overrightarrow{BP})$

$5\overrightarrow{BP}=\overrightarrow{BA}+3\overrightarrow{BD}$

$\overrightarrow{BP}=\frac{\overrightarrow{BA}+3\overrightarrow{BD}}{5}=\frac{4}{5}\times\frac{\overrightarrow{BA}+3\overrightarrow{BD}}{4}$ ...... ㉠

변 AD를 3 : 1로 내분하는 점을 E라 하면 ㉠에서

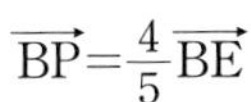

$\overrightarrow{BP}=\frac{4}{5}\overrightarrow{BE}$

즉, 점 P는 선분 BE를 4 : 1로 내분하는 점이고

$\overline{BE}=\sqrt{\overline{AB}^2+\overline{AE}^2}=\sqrt{4^2+3^2}=5$

이므로

$\overline{BP}=\frac{4}{5}\overline{BE}=\frac{4}{5}\times5=4$

$\cos(\angle PBC)=\cos(\angle BEA)=\frac{3}{5}$

따라서 삼각형 PBC에서 코사인법칙에 의하여

$|\overrightarrow{CP}|^2=\overline{CP}^2$

$=\overline{BP}^2+\overline{BC}^2-2\times\overline{BP}\times\overline{BC}\times\cos(\angle PBC)$

$=4^2+4^2-2\times4\times4\times\frac{3}{5}$

$=\frac{64}{5}$

답 ②

08

선분 BC를 2 : 1로 내분하는 점을 D라 하면

$\overrightarrow{AD}=\frac{\overrightarrow{AB}+2\overrightarrow{AC}}{3}$

그러므로

$\overrightarrow{AP}=k(\overrightarrow{AB}+2\overrightarrow{AC})=3k\left(\frac{\overrightarrow{AB}+2\overrightarrow{AC}}{3}\right)=3k\overrightarrow{AD}$ ...... ㉠

즉, 두 벡터 $\overrightarrow{AP}$, $\overrightarrow{AD}$는 서로 평행하고 $k>\frac{1}{3}$이므로 점 P는 반직선 AD 위에 있다.

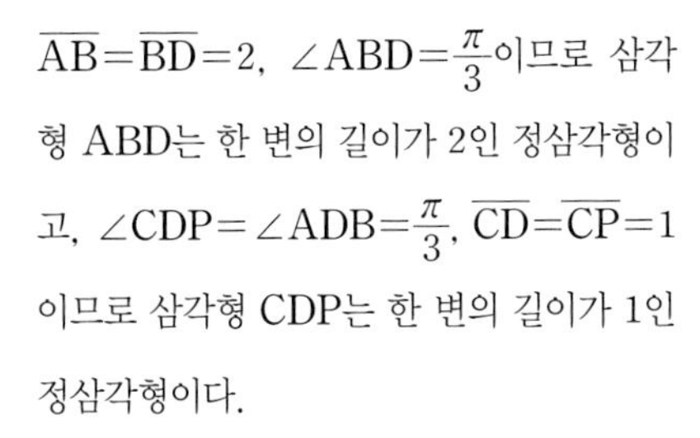

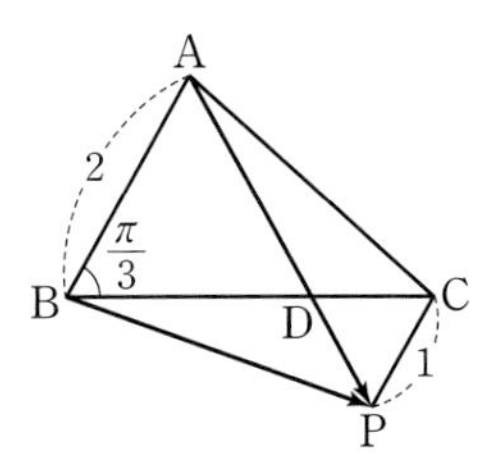

$\overline{AB}=\overline{BD}=2$, $\angle ABD=\frac{\pi}{3}$이므로 삼각형 ABD는 한 변의 길이가 2인 정삼각형이고, $\angle CDP=\angle ADB=\frac{\pi}{3}$, $\overline{CD}=\overline{CP}=1$이므로 삼각형 CDP는 한 변의 길이가 1인 정삼각형이다.

즉, $\overline{AP}=\overline{AD}+\overline{DP}=3=\frac{3}{2}\overline{AD}$이므로 ㉠에서

$3k=\frac{3}{2}$, $k=\frac{1}{2}$

또 삼각형 BPC에서 코사인법칙에 의하여

$\overline{BP}^2=\overline{BC}^2+\overline{CP}^2-2\times\overline{BC}\times\overline{CP}\times\cos\frac{\pi}{3}$

$=3^2+1^2-2\times3\times1\times\frac{1}{2}=7$

따라서 $k\times|\overrightarrow{BP}|^2=k\times\overline{BP}^2=\frac{1}{2}\times7=\frac{7}{2}$

답 ②

09

조건 (가)에서

$\overrightarrow{AP}=t\overrightarrow{AB}+(1-t)\overrightarrow{AC}$

이때 $0\le t\le1$이므로 점 P가 나타내는 도형은 선분 BC이다.

조건 (나)에서 점 Q는 점 P를 중심으로 하고 반지름의 길이가 1인 원 위의 점이므로 점 Q가 나타내는 영역은 그림에서 색칠한 부분과 같고, 그 넓이를 S라 하면

$S=\overline{BC}\times2+\pi\times1^2=2\overline{BC}+\pi$ ...... ㉠

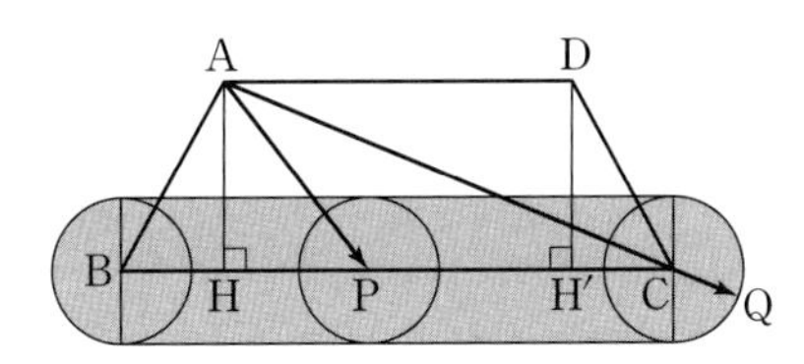

$|\overrightarrow{AQ}|$의 값이 최대일 때는 위의 그림과 같이 점 P가 점 C와 같고 점 Q는 두 벡터 $\overrightarrow{AC}$, $\overrightarrow{PQ}$가 서로 평행할 때이다. 이때의 점 Q를 Q_1이라 할 때, 조건 (나)에 의하여 $\overline{AQ_1}=\overline{AC}+1=8$이므로

$|\overrightarrow{AQ}|\le\overline{AQ_1}=8$에서 $\overline{AC}=7$

$\overline{DC}=x$로 놓으면 삼각형 ACD에서 코사인법칙에 의하여

$\overline{AC}^2=\overline{AD}^2+\overline{DC}^2-2\times\overline{AD}\times\overline{DC}\times\cos\frac{2}{3}\pi$

$7^2=5^2+x^2-2\times5\times x\times\left(-\frac{1}{2}\right)$

$x^2+5x-24=0$, $(x+8)(x-3)=0$

$x>0$이므로 $x=3$

그러므로 $\overline{AB}=\overline{DC}=3$

점 A에서 선분 BC에 내린 수선의 발을 H라 하면 $\angle BAH=\frac{\pi}{6}$이므로

$\overline{BH}=\overline{AB}\sin\frac{\pi}{6}=3\times\frac{1}{2}=\frac{3}{2}$

마찬가지로 점 D에서 선분 BC에 내린 수선의 발을 H′이라 하면

$\overline{H'C}=\overline{DC}\sin\frac{\pi}{6}=3\times\frac{1}{2}=\frac{3}{2}$

그러므로 $\overline{BC}=\overline{BH}+\overline{HH'}+\overline{H'C}=\frac{3}{2}+5+\frac{3}{2}=8$

따라서 ㉠에서 구하는 넓이는

$S=2\times8+\pi=16+\pi$

이므로 $p+q=16+1=17$

답 17

필수유형 3

두 벡터 $\vec{a}$와 $\vec{v}+\vec{b}$가 서로 평행하므로

$\vec{v}+\vec{b}=k\vec{a}$ (k는 0이 아닌 실수)

로 놓을 수 있다. 이때

$\vec{v}=k\vec{a}-\vec{b}=k(3, 1)-(4, -2)=(3k-4, k+2)$

이므로

$|\vec{v}|^2=(3k-4)^2+(k+2)^2$

$\quad=10k^2-20k+20=10(k-1)^2+10$

따라서 $|\vec{v}|^2$의 최솟값은 $k=1$일 때 10이다.

답 ⑤

10

$\overrightarrow{DA}=\overrightarrow{DB}+\overrightarrow{DC}$ ...... ㉠

원점 O에 대하여 ㉠에서

$\overrightarrow{OA}-\overrightarrow{OD}=(\overrightarrow{OB}-\overrightarrow{OD})+(\overrightarrow{OC}-\overrightarrow{OD})$

이므로

$\overrightarrow{OD}=\overrightarrow{OB}+\overrightarrow{OC}-\overrightarrow{OA}=(-1, 0)+(5, 2)-(1, 3)=(3, -1)$

따라서

$\overrightarrow{DA}=\overrightarrow{OA}-\overrightarrow{OD}=(1, 3)-(3, -1)=(-2, 4)$

이므로

$|\overrightarrow{DA}|=\sqrt{(-2)^2+4^2}=2\sqrt{5}$

답 ①

11

조건 (가)에 의하여

$\overrightarrow{AG}=\frac{1}{3}(\overrightarrow{AB}+\overrightarrow{AC})=\frac{1}{3}\overrightarrow{AB}+\frac{1}{3}\overrightarrow{AC}$

$\quad=\left(-\frac{1}{3}, 1\right)+\left(\frac{4}{3}, \frac{2}{3}\right)$

$\quad=\left(1, \frac{5}{3}\right)$ ...... ㉠

이때 $\overrightarrow{AG}=\overrightarrow{OG}-\overrightarrow{OA}$이고, 조건 (나)에서 $\overrightarrow{OG}=(2, 2)$이므로

$\overrightarrow{OA}=\overrightarrow{OG}-\overrightarrow{AG}=(2, 2)-\left(1, \frac{5}{3}\right)=\left(1, \frac{1}{3}\right)$

따라서 벡터 $\overrightarrow{OA}$의 모든 성분의 합은 $1+\frac{1}{3}=\frac{4}{3}$이다.

답 ④

12

$|\overrightarrow{AP}|=3$이므로 점 P가 나타내는 도형은 점 A(0, 3)을 중심으로 하고 반지름의 길이가 3인 원이다.

$\overrightarrow{OP}+2\overrightarrow{OB}=(\overrightarrow{OA}+\overrightarrow{AP})+2\overrightarrow{OB}$

$\quad=(\overrightarrow{OA}+2\overrightarrow{OB})+\overrightarrow{AP}$ ...... ㉠

$\overrightarrow{OA}+2\overrightarrow{OB}=\overrightarrow{OC}$라 하면

$\overrightarrow{OC}=(0, 3)+2(2, 0)=(4, 3)$

이고, ㉠에서

$\overrightarrow{OP}+2\overrightarrow{OB}=\overrightarrow{OC}+\overrightarrow{AP}$

즉, $|\overrightarrow{OP}+2\overrightarrow{OB}|=|\overrightarrow{OC}+\overrightarrow{AP}|$이므로 이 값이 최소가 되려면 그림과 같이 두 벡터 $\overrightarrow{AP}$, $\overrightarrow{OC}$는 서로 평행하고 방향이 반대이어야 한다.

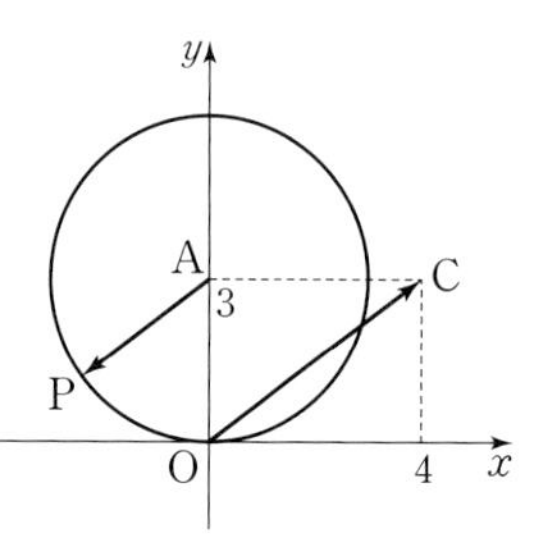

이때 $|\overrightarrow{OC}|=\sqrt{4^2+3^2}=5$이고,

$|\overrightarrow{AP}|=3$이므로

$\overrightarrow{AP}=\frac{3}{5}(-\overrightarrow{OC})=\frac{3}{5}(-4, -3)$

$\quad=\left(-\frac{12}{5}, -\frac{9}{5}\right)$

따라서 벡터 $\overrightarrow{AP}$의 모든 성분의 합은

$-\frac{12}{5}+\left(-\frac{9}{5}\right)=-\frac{21}{5}$

답 ①

필수유형 4

두 벡터 $6\vec{a}+\vec{b}$와 $\vec{a}-\vec{b}$가 서로 수직이므로

$(6\vec{a}+\vec{b})\cdot(\vec{a}-\vec{b})=0$

$6|\vec{a}|^2-5\vec{a}\cdot\vec{b}-|\vec{b}|^2=0$

$|\vec{a}|=1$, $|\vec{b}|=3$이므로 $6\times1-5\vec{a}\cdot\vec{b}-9=0$

$5\vec{a}\cdot\vec{b}=-3$

따라서 $\vec{a}\cdot\vec{b}=-\frac{3}{5}$

답 ②

13

$|2\vec{a}-\vec{b}|^2=(2\vec{a}-\vec{b})\cdot(2\vec{a}-\vec{b})=4|\vec{a}|^2-4\vec{a}\cdot\vec{b}+|\vec{b}|^2$

$|\vec{a}|=1$, $|\vec{b}|=2$, $|2\vec{a}-\vec{b}|=2\sqrt{2}$이므로

$8=4-4\vec{a}\cdot\vec{b}+4$에서 $\vec{a}\cdot\vec{b}=0$

$|\vec{a}+\vec{b}|^2=(\vec{a}+\vec{b})\cdot(\vec{a}+\vec{b})$

$\quad=|\vec{a}|^2+2\vec{a}\cdot\vec{b}+|\vec{b}|^2$

$\quad=1+2\times0+4=5$

$|\vec{a}+\vec{b}|\ge0$이므로 $|\vec{a}+\vec{b}|=\sqrt{5}$

답 ⑤

14

$|\vec{a}|=6$, $|\vec{a}-\vec{b}|=3$이므로

$|\vec{a}-\vec{b}|^2=(\vec{a}-\vec{b})\cdot(\vec{a}-\vec{b})$

$\quad=|\vec{a}|^2-2\vec{a}\cdot\vec{b}+|\vec{b}|^2$

$\quad=|\vec{a}|^2-2|\vec{a}||\vec{b}|\cos\theta+|\vec{b}|^2$

$\quad=36-2\times6\times|\vec{b}|\cos\theta+|\vec{b}|^2=9$

에서 $|\vec{b}|^2-12|\vec{b}|\cos\theta+27=0$

$|\vec{a}|=2|\vec{a}-\vec{b}|=6$을 만족시키는 $|\vec{b}|$의 값이 오직 하나 존재하므로 $|\vec{b}|=x$라 하면 x에 대한 이차방정식 $x^2-(12\cos\theta)x+27=0$의 양의 실근이 오직 하나 존재한다.

이차방정식의 근과 계수의 관계에 의하여 두 근의 곱이 $27>0$이므로 이 이차방정식은 양수인 중근을 가져야 한다.
따라서 이차방정식 $x^2-(12\cos\theta)x+27=0$의 판별식을 D라 하면

$\frac{D}{4}=(-6\cos\theta)^2-27=0$

이므로 $\cos^2\theta=\frac{27}{36}=\frac{3}{4}$

답 ⑤

15

$|\vec{a}+\vec{b}|=2$, $|\vec{a}+\vec{b}+\vec{c}|=2$이고 두 벡터 $\vec{a}+\vec{b}$, $\vec{c}$가 이루는 각의 크기가 $\frac{2}{3}\pi$이므로

$$|\vec{a}+\vec{b}+\vec{c}|^2=(\vec{a}+\vec{b}+\vec{c})\cdot(\vec{a}+\vec{b}+\vec{c})$$
$$=\{(\vec{a}+\vec{b})+\vec{c}\}\cdot\{(\vec{a}+\vec{b})+\vec{c}\}$$
$$=|\vec{a}+\vec{b}|^2+2(\vec{a}+\vec{b})\cdot\vec{c}+|\vec{c}|^2$$
$$=|\vec{a}+\vec{b}|^2+2|\vec{a}+\vec{b}||\vec{c}|\cos\frac{2}{3}\pi+|\vec{c}|^2$$
$$=4+2\times2|\vec{c}|\times\left(-\frac{1}{2}\right)+|\vec{c}|^2$$
$$=4-2|\vec{c}|+|\vec{c}|^2=4$$

에서 $|\vec{c}|^2=2|\vec{c}|$
$|\vec{c}|>0$이므로 $|\vec{c}|=2$
$\vec{a}\cdot(\vec{b}+\vec{c})=(\vec{a}+\vec{b})\cdot\vec{c}$에서
$\vec{a}\cdot\vec{b}+\vec{a}\cdot\vec{c}=\vec{a}\cdot\vec{c}+\vec{b}\cdot\vec{c}$
$\vec{a}\cdot\vec{b}=\vec{b}\cdot\vec{c}$ …… ㉠
두 벡터 $\vec{a}$, $\vec{c}$가 서로 평행하고 $\vec{a}\neq\vec{c}$이므로 $\vec{c}=k\vec{a}$ $(k\neq0,\ k\neq1)$
$\vec{b}\cdot\vec{c}=\vec{b}\cdot(k\vec{a})=k\vec{a}\cdot\vec{b}$
이므로 ㉠에서
$\vec{a}\cdot\vec{b}=k\vec{a}\cdot\vec{b}$
즉, $(k-1)(\vec{a}\cdot\vec{b})=0$
$k\neq1$이므로 $\vec{a}\cdot\vec{b}=0$
㉠에서 $\vec{b}\cdot\vec{c}=\vec{a}\cdot\vec{b}=0$이므로

$(\vec{a}+\vec{b})\cdot\vec{c}=\vec{a}\cdot\vec{c}+\vec{b}\cdot\vec{c}=\frac{1}{k}\vec{c}\cdot\vec{c}+0=\frac{|\vec{c}|^2}{k}=\frac{4}{k}$

또한 $(\vec{a}+\vec{b})\cdot\vec{c}=|\vec{a}+\vec{b}||\vec{c}|\cos\frac{2}{3}\pi=2\times2\times\left(-\frac{1}{2}\right)=-2$이므로

$\frac{4}{k}=-2$에서 $k=-2$

$|\vec{a}+\vec{b}|^2=|\vec{a}|^2+2\vec{a}\cdot\vec{b}+|\vec{b}|^2=\frac{|\vec{c}|^2}{k^2}+|\vec{b}|^2=1+|\vec{b}|^2=4$에서

$|\vec{b}|^2=3$
따라서 $|\vec{b}+\vec{c}|^2=|\vec{b}|^2+2\vec{b}\cdot\vec{c}+|\vec{c}|^2=3+4=7$이므로
$|\vec{b}+\vec{c}|=\sqrt{7}$

답 ④

필수유형 5

$\overrightarrow{OA}=(4,\ 2)$
$\overrightarrow{BC}=\overrightarrow{OC}-\overrightarrow{OB}=(2,\ 0)-(0,\ 2)=(2,\ -2)$
이므로
$\overrightarrow{OA}\cdot\overrightarrow{BC}=(4,\ 2)\cdot(2,\ -2)=4\times2+2\times(-2)=4$

답 ⑤

16

$$\vec{a}\cdot\vec{b}=(2,\ k+1)\cdot(3k-4,\ k)$$
$$=2\times(3k-4)+(k+1)\times k$$
$$=k^2+7k-8=10$$

에서 $k^2+7k-18=0$, $(k-2)(k+9)=0$
$k>0$이므로 $k=2$

답 ③

17

좌표평면의 원점을 O라 하고 점 C의 좌표를 $(1,\ c)$라 하면
$\overrightarrow{AC}=\overrightarrow{OC}-\overrightarrow{OA}=(1,\ c)-(-1,\ 2)=(2,\ c-2)$
$\overrightarrow{BC}=\overrightarrow{OC}-\overrightarrow{OB}=(1,\ c)-(2,\ -2)=(-1,\ c+2)$
$\overrightarrow{AB}=\overrightarrow{OB}-\overrightarrow{OA}=(2,\ -2)-(-1,\ 2)=(3,\ -4)$
이므로 $\overrightarrow{AC}\cdot\overrightarrow{BC}=|\overrightarrow{AB}|^2=\overrightarrow{AB}\cdot\overrightarrow{AB}$에서
$(2,\ c-2)\cdot(-1,\ c+2)=(3,\ -4)\cdot(3,\ -4)$
$2\times(-1)+(c-2)(c+2)=3^2+(-4)^2$
$-2+c^2-4=9+16$
$c^2=31$이므로 $c=\sqrt{31}$ 또는 $c=-\sqrt{31}$
따라서 모든 점 C의 y좌표의 곱은
$\sqrt{31}\times(-\sqrt{31})=-31$

답 ①

18

$\vec{a}\cdot\vec{b}=(1,\ -1)\cdot(k,\ k+1)=k-k-1=-1$

$$\vec{a}\cdot\vec{b}=|\vec{a}||\vec{b}|\cos\alpha$$
$$=\sqrt{1^2+(-1)^2}\sqrt{k^2+(k+1)^2}\cos\alpha$$
$$=\sqrt{2(2k^2+2k+1)}\cos\alpha$$

이므로 $\cos\alpha=-\frac{1}{\sqrt{2(2k^2+2k+1)}}$ …… ㉠

$\vec{a}+\vec{b}=(1,\ -1)+(k,\ k+1)=(k+1,\ k)$
$\vec{b}+\vec{c}=(k,\ k+1)+(0,\ -2k-1)=(k,\ -k)$

$$(\vec{a}+\vec{b})\cdot(\vec{b}+\vec{c})=(k+1,\ k)\cdot(k,\ -k)$$
$$=(k+1)k+k(-k)=k$$

$$(\vec{a}+\vec{b})\cdot(\vec{b}+\vec{c})=|\vec{a}+\vec{b}||\vec{b}+\vec{c}|\cos\beta$$
$$=\sqrt{(k+1)^2+k^2}\sqrt{k^2+(-k)^2}\cos\beta$$
$$=\sqrt{2k^2(2k^2+2k+1)}\cos\beta$$

이므로 $\cos\beta=\frac{k}{\sqrt{2k^2(2k^2+2k+1)}}$ …… ㉡

$\alpha+\beta=\frac{3}{2}\pi$에서 $\beta=\frac{3}{2}\pi-\alpha$이므로

$\cos\beta=\cos\left(\frac{3}{2}\pi-\alpha\right)=-\sin\alpha$ …… ㉢

한편, $\sin^2\alpha+\cos^2\alpha=1$이므로 ㉠, ㉡, ㉢에 의하여

$$\sin^2\alpha+\cos^2\alpha=\cos^2\beta+\cos^2\alpha$$
$$=\frac{k^2}{2k^2(2k^2+2k+1)}+\frac{1}{2(2k^2+2k+1)}$$
$$=\frac{1}{2k^2+2k+1}=1$$

즉, $2k^2+2k+1=1$, $2k(k+1)=0$
이때 $k\neq0$이므로 $k=-1$

답 ④

필수유형 6

$\overrightarrow{AC}=\overrightarrow{AB}+\overrightarrow{BC}$이고 정사각형 ABCD에서 $\overrightarrow{CD}=-\overrightarrow{AB}$이므로

$\overrightarrow{AC}+3k\overrightarrow{CD}=(\overrightarrow{AB}+\overrightarrow{BC})+3k(-\overrightarrow{AB})$

$=(1-3k)\overrightarrow{AB}+\overrightarrow{BC}$

$(\overrightarrow{AB}+k\overrightarrow{BC})\cdot(\overrightarrow{AC}+3k\overrightarrow{CD})$

$=(\overrightarrow{AB}+k\overrightarrow{BC})\cdot\{(1-3k)\overrightarrow{AB}+\overrightarrow{BC}\}$

$=(1-3k)|\overrightarrow{AB}|^2+\overrightarrow{AB}\cdot\overrightarrow{BC}+(k-3k^2)\overrightarrow{BC}\cdot\overrightarrow{AB}+k|\overrightarrow{BC}|^2$

$|\overrightarrow{AB}|=|\overrightarrow{BC}|=1$, $\overrightarrow{AB}\cdot\overrightarrow{BC}=0$이므로

$(\overrightarrow{AB}+k\overrightarrow{BC})\cdot(\overrightarrow{AC}+3k\overrightarrow{CD})$

$=(1-3k)+0+0+k=1-2k$

따라서 $1-2k=0$이므로

$k=\frac{1}{2}$

답 ②

19

$\overrightarrow{AP}\cdot\overrightarrow{CB}=(\overrightarrow{AC}+\overrightarrow{CP})\cdot\overrightarrow{CB}=\overrightarrow{AC}\cdot\overrightarrow{CB}+\overrightarrow{CP}\cdot\overrightarrow{CB}$

$\angle ACB=\frac{\pi}{2}$이므로 $\overrightarrow{AC}\cdot\overrightarrow{CB}=0$

$\overrightarrow{CP}=\frac{1}{2}\overrightarrow{CB}$

$\overline{CB}=\sqrt{\overline{AB}^2-\overline{CA}^2}=\sqrt{2^2-1^2}=\sqrt{3}$

따라서

$\overrightarrow{AP}\cdot\overrightarrow{CB}=\overrightarrow{AC}\cdot\overrightarrow{CB}+\overrightarrow{CP}\cdot\overrightarrow{CB}=0+\frac{1}{2}|\overrightarrow{CB}|^2=\frac{3}{2}$

답 ②

20

$\overrightarrow{AB}=\vec{a}$, $\overrightarrow{AD}=\vec{b}$라 하면 $|\vec{a}|=2$, $|\vec{b}|=3$, $\vec{a}\cdot\vec{b}=0$이고

$\overrightarrow{AC}=\vec{a}+\vec{b}$

점 P는 선분 BD를 $2:1$로 내분하는 점이므로

$\overrightarrow{AP}=\frac{\vec{a}+2\vec{b}}{3}$

$(\overrightarrow{AP}+\overrightarrow{CP})\cdot(\overrightarrow{BP}+\overrightarrow{DP})$

$=(\overrightarrow{AP}+\overrightarrow{AP}-\overrightarrow{AC})\cdot(\overrightarrow{AP}-\overrightarrow{AB}+\overrightarrow{AP}-\overrightarrow{AD})$

$=(2\overrightarrow{AP}-\overrightarrow{AC})\cdot(2\overrightarrow{AP}-\overrightarrow{AB}-\overrightarrow{AD})$

$=(2\overrightarrow{AP}-\overrightarrow{AC})\cdot(2\overrightarrow{AP}-\overrightarrow{AC})$

$=\left|2\times\frac{\vec{a}+2\vec{b}}{3}-(\vec{a}+\vec{b})\right|^2$

$=\frac{1}{9}|-\vec{a}+\vec{b}|^2$

$=\frac{1}{9}|\vec{a}|^2-\frac{2}{9}\vec{a}\cdot\vec{b}+\frac{1}{9}|\vec{b}|^2$

$=\frac{4}{9}+\frac{9}{9}=\frac{13}{9}$

답 ⑤

21

$\overrightarrow{AB}=\vec{a}$, $\overrightarrow{AC}=\vec{b}$라 하면 $|\vec{a}|=|\vec{b}|=3$

$\overrightarrow{AP}=\frac{1}{3}\vec{a}$, $\overrightarrow{AQ}=\frac{1}{m+1}\vec{b}$

$\overrightarrow{CP}\cdot\overrightarrow{BQ}=0$에서

$(\overrightarrow{AP}-\overrightarrow{AC})\cdot(\overrightarrow{AQ}-\overrightarrow{AB})$

$=\left(\frac{1}{3}\vec{a}-\vec{b}\right)\cdot\left(\frac{1}{m+1}\vec{b}-\vec{a}\right)$

$=-\frac{1}{3}|\vec{a}|^2+\left\{1+\frac{1}{3(m+1)}\right\}\vec{a}\cdot\vec{b}-\frac{1}{m+1}|\vec{b}|^2$

$=-\frac{1}{3}\times9+\left\{1+\frac{1}{3(m+1)}\right\}\times3\times3\times\cos\frac{\pi}{3}-\frac{1}{m+1}\times9$

$=\frac{3}{2}-\frac{15}{2(m+1)}=0$

따라서 $m+1=5$이므로 $m=4$

답 ③

22

$\overline{AB}=2$이고 $\angle ACB=\frac{\pi}{2}$, $\angle CAB=\frac{\pi}{3}$이므로 $\overline{AC}=1$

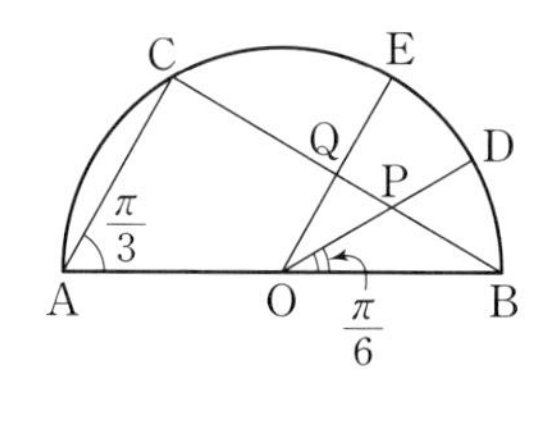

반원의 반지름의 길이가 1이므로 $\overrightarrow{AC}=\overrightarrow{OE}$인 반원 위의 점 E를 잡자. 선분 BC와 선분 OE가 만나는 점을 Q라 하면 $\overline{OA}=\overline{OB}$이고 직선 AC와 직선 OQ는 서로 평행하므로 점 Q는 선분 BC의 중점이다.

$\angle QOB=\frac{\pi}{3}$, $\angle POB=\frac{\pi}{6}$이므로 삼각형 OBQ에서 선분 OP는 $\angle QOB$의 이등분선이고 $\overline{OQ}:\overline{OB}=1:2$이므로 $\overline{QP}:\overline{PB}=1:2$이다.

점 P는 선분 QB를 $1:2$로 내분하는 점이고, 점 Q는 선분 BC의 중점이므로 점 P는 선분 CB를 $2:1$로 내분하는 점이다.

즉, $\overrightarrow{OP}=\frac{2\overrightarrow{OB}+\overrightarrow{OC}}{3}$

한편, 삼각형 OCA는 한 변의 길이가 1인 정삼각형이므로

$\angle AOC=\frac{\pi}{3}$

그러므로 $\angle COD=\pi-\angle AOC-\angle DOB==\pi-\frac{\pi}{3}-\frac{\pi}{6}=\frac{\pi}{2}$

$\angle COB=\angle DOB+\angle COD=\frac{\pi}{6}+\frac{\pi}{2}=\frac{2}{3}\pi$

따라서

$\overrightarrow{PB}\cdot\overrightarrow{CD}=(\overrightarrow{OB}-\overrightarrow{OP})\cdot(\overrightarrow{OD}-\overrightarrow{OC})$

$=\left(\overrightarrow{OB}-\frac{2\overrightarrow{OB}+\overrightarrow{OC}}{3}\right)\cdot(\overrightarrow{OD}-\overrightarrow{OC})$

$=\left(-\frac{1}{3}\overrightarrow{OC}+\frac{1}{3}\overrightarrow{OB}\right)\cdot(\overrightarrow{OD}-\overrightarrow{OC})$

$=-\frac{1}{3}\overrightarrow{OC}\cdot\overrightarrow{OD}+\frac{1}{3}|\overrightarrow{OC}|^2+\frac{1}{3}\overrightarrow{OB}\cdot\overrightarrow{OD}-\frac{1}{3}\overrightarrow{OB}\cdot\overrightarrow{OC}$

$=-\frac{1}{3}\times1\times1\times\cos\frac{\pi}{2}+\frac{1}{3}\times1^2$

$+\frac{1}{3}\times1\times1\times\cos\frac{\pi}{6}-\frac{1}{3}\times1\times1\times\cos\frac{2}{3}\pi$

$=\frac{3+\sqrt{3}}{6}$

답 ②

23

삼각형 ABC는 $\overline{AB}=\overline{AC}$인 이등변삼각형이므로

선분 BC의 중점을 M이라 하면 $\overline{AM}\perp\overline{BC}$

$\overrightarrow{AB}\cdot\overrightarrow{BP}=-\overrightarrow{BA}\cdot\overrightarrow{BP}$

$\qquad=-|\overrightarrow{BM}||\overrightarrow{BP}|$ $\quad$ …… ㉠

이때 $|\overrightarrow{BM}|=\frac{1}{2}|\overrightarrow{BC}|$ $\quad$ …… ㉡

점 P는 선분 BC를 3 : 1로 내분하는 점이므로

$|\overrightarrow{BP}|=\frac{3}{4}|\overrightarrow{BC}|$ $\quad$ …… ㉢

조건 (가)와 ㉠, ㉡, ㉢에 의하여

$-\frac{1}{2}|\overrightarrow{BC}|\times\frac{3}{4}|\overrightarrow{BC}|=-\frac{9}{2}$

$|\overrightarrow{BC}|^2=12$

즉, $|\overrightarrow{BC}|=2\sqrt{3}$

조건 (나)에서 $\overrightarrow{PA}\cdot\overrightarrow{PB}-\overrightarrow{PB}\cdot\overrightarrow{PQ}=0$이므로

$\overrightarrow{PB}\cdot(\overrightarrow{PA}-\overrightarrow{PQ})=0$

$\overrightarrow{PB}\cdot\overrightarrow{QA}=0$

즉, 직선 PB와 직선 QA는 서로 수직이고, 점 Q는 삼각형 ABC의 외접원 위의 점 중 A가 아닌 점이므로 선분 AQ는 이 외접원의 지름이다.

즉, $\overline{AQ}=\frac{7}{2}$

외접원의 중심을 O라 하면

$\overline{OC}=\frac{7}{4}$, $\overline{CM}=\frac{1}{2}\overline{BC}=\frac{1}{2}\times2\sqrt{3}=\sqrt{3}$이므로

$\overline{OM}=\sqrt{\overline{OC}^2-\overline{CM}^2}=\sqrt{\frac{49}{16}-3}=\frac{1}{4}$

$\angle BAC<\frac{\pi}{2}$이므로 $\overline{QM}<\overline{OQ}$

$\overline{QM}=\overline{OQ}-\overline{OM}=\frac{7}{4}-\frac{1}{4}=\frac{3}{2}$

따라서

$\overrightarrow{PQ}\cdot\overrightarrow{AQ}=\overrightarrow{QP}\cdot\overrightarrow{QA}$

$\qquad=|\overrightarrow{QP}||\overrightarrow{QA}|\cos(\angle AQP)$

$\qquad=|\overrightarrow{QA}||\overrightarrow{QM}|$

$\qquad=\frac{7}{2}\times\frac{3}{2}=\frac{21}{4}$

답 ④

필수유형 7

원 O의 중심을 O라 하자.

$\overrightarrow{AD}\cdot\overrightarrow{CX}=\overrightarrow{AD}\cdot(\overrightarrow{OX}-\overrightarrow{OC})$

$\qquad=\overrightarrow{AD}\cdot\overrightarrow{OX}-\overrightarrow{AD}\cdot\overrightarrow{OC}$

에서 네 점 A, C, D, O는 모두 고정된 점이므로 $\overrightarrow{AD}\cdot\overrightarrow{OC}$의 값은 상수이다.

따라서 $\overrightarrow{AD}\cdot\overrightarrow{CX}$의 값이 최소이려면 $\overrightarrow{AD}\cdot\overrightarrow{OX}$의 값이 최소이어야 한다.

두 벡터 $\overrightarrow{AD}$와 $\overrightarrow{OX}$가 이루는 각의 크기를 θ라 하면

$\overrightarrow{AD}\cdot\overrightarrow{OX}=|\overrightarrow{AD}||\overrightarrow{OX}|\cos\theta$

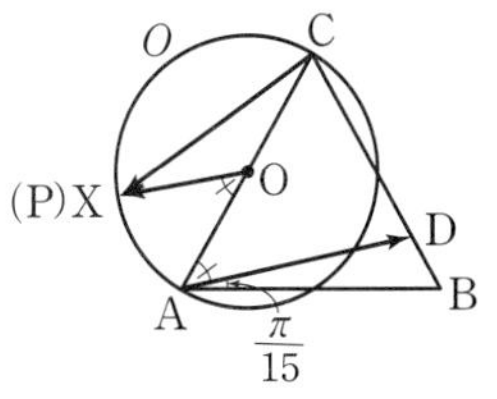

이때 $|\overrightarrow{AD}|$, $|\overrightarrow{OX}|$의 값은 상수이므로 그림과 같이 두 벡터 $\overrightarrow{AD}$와 $\overrightarrow{OX}$가 서로 반대 방향일 때, $\overrightarrow{AD}\cdot\overrightarrow{OX}$의 값이 최소가 된다.

이때

$\angle AOP=\angle CAD$

$\qquad=\frac{\pi}{3}-\frac{\pi}{15}=\frac{4}{15}\pi$

이므로

$\angle ACP=\frac{1}{2}\angle AOP=\frac{2}{15}\pi$

따라서 $p=15$, $q=2$이므로

$p+q=15+2=17$

답 17

24

$\overrightarrow{CA}=\vec{a}$, $\overrightarrow{CB}=\vec{b}$라 하면

$|\vec{a}|=3$, $|\vec{b}|=4$, $\vec{a}\cdot\vec{b}=0$

점 P는 선분 AB 위의 점이므로

$\overrightarrow{CP}=(1-t)\vec{a}+t\vec{b}$ $(0\le t\le 1)$

$(\overrightarrow{AB}+\overrightarrow{AC})\cdot\overrightarrow{AP}$

$=(\overrightarrow{CB}-\overrightarrow{CA}-\overrightarrow{CA})\cdot(\overrightarrow{CP}-\overrightarrow{CA})$

$=(\vec{b}-2\vec{a})\cdot(-t\vec{a}+t\vec{b})$

$=2t|\vec{a}|^2-3t\vec{a}\cdot\vec{b}+t|\vec{b}|^2$

$=2t\times9-0+t\times16=34t$

따라서 $(\overrightarrow{AB}+\overrightarrow{AC})\cdot\overrightarrow{AP}$의 최댓값은 $t=1$일 때 34이다.

답 ②

다른 풀이

점 D가 $\overrightarrow{AC}=\overrightarrow{BD}$를 만족시키는 점이라 하면

$\overrightarrow{AB}+\overrightarrow{AC}=\overrightarrow{AD}$

$\overrightarrow{AD}\cdot\overrightarrow{AP}\le\overrightarrow{AD}\cdot\overrightarrow{AB}$

$\qquad=(\overrightarrow{AB}+\overrightarrow{AC})\cdot\overrightarrow{AB}$

$\qquad=|\overrightarrow{AB}|^2+\overrightarrow{AC}\cdot\overrightarrow{AB}$

$\qquad=|\overrightarrow{AB}|^2+|\overrightarrow{AC}|^2$

$\overline{AB}=\sqrt{3^2+4^2}=5$이므로

$(\overrightarrow{AB}+\overrightarrow{AC})\cdot\overrightarrow{AP}$의 최댓값은 점 P가 점 B에 위치할 때

$|\overrightarrow{AB}|^2+|\overrightarrow{AC}|^2=5^2+3^2=34$이다.

25

포물선 $y=x^2$ 위의 점 P의 좌표를 (t, t^2)이라 하면

$\overrightarrow{OP}=(t, t^2)$

$\overrightarrow{OA}\cdot\overrightarrow{AP}=\overrightarrow{OA}\cdot(\overrightarrow{OP}-\overrightarrow{OA})$

$\qquad=(-2, 1)\cdot(t+2, t^2-1)$

$\qquad=-2(t+2)+(t^2-1)$

$\qquad=t^2-2t-5$

$\qquad=(t-1)^2-6$

따라서 $\overrightarrow{OA}\cdot\overrightarrow{AP}$의 최솟값은 $t=1$일 때, 즉 점 P의 좌표가 $(1, 1)$일 때 -6이다.

답 ①

26

$\overrightarrow{AP}\cdot\overrightarrow{CQ}=\overrightarrow{AP}\cdot(\overrightarrow{AQ}-\overrightarrow{AC})$

$=\overrightarrow{AP}\cdot\overrightarrow{AQ}-\overrightarrow{AP}\cdot\overrightarrow{AC}$

이므로 $\overrightarrow{AP}\cdot\overrightarrow{CQ}$가 최대가 되기 위해서는 $\overrightarrow{AP}\cdot\overrightarrow{AQ}$가 최대이고, $\overrightarrow{AP}\cdot\overrightarrow{AC}$가 최소이어야 한다.

점 A를 지나고 직선 AD와 수직인 직선이 선분 BD와 만나는 점을 H라 하면 점 P가 점 H를 제외한 선분 BH에 있는 경우와 선분 DH에 있는 경우로 나눌 수 있다.

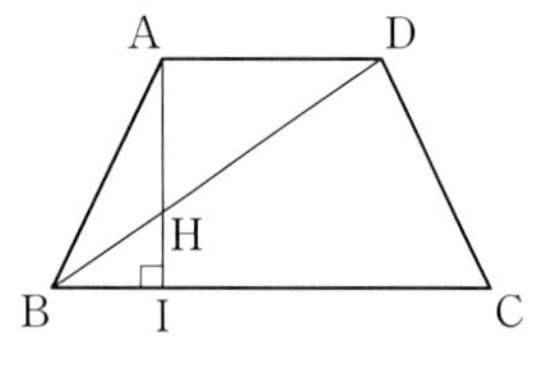

(i) 점 P가 점 H를 제외한 선분 BH에 있는 경우

$\overrightarrow{AP}\cdot\overrightarrow{AQ}$가 최대가 되려면 점 Q는 점 A에 위치해야 한다.

즉, $\overrightarrow{AP}\cdot\overrightarrow{AQ}\le\overrightarrow{AP}\cdot\overrightarrow{AA}=0$

이때 $\overrightarrow{AP}\cdot\overrightarrow{AC}$가 최소가 되기 위해서는 점 P는 점 B에 위치해야 하므로

$\overrightarrow{AP}\cdot\overrightarrow{CQ}\le\overrightarrow{AP}\cdot\overrightarrow{AA}-\overrightarrow{AP}\cdot\overrightarrow{AC}$

$\le-\overrightarrow{AB}\cdot\overrightarrow{AC}$

즉, 두 점 P, Q가 각각 점 B, A에 위치하면 $\overrightarrow{AP}\cdot\overrightarrow{CQ}$가 최대이다.

점 A를 원점, D(2, 0), 점 A에서 직선 BC에 내린 수선의 발을 I라 하면

$\overline{BI}=\frac{1}{2}(\overline{BC}-\overline{AD})$

$=\frac{1}{2}\times(4-2)=1$

$\overline{AI}=\sqrt{\overline{AB}^2-\overline{BI}^2}=\sqrt{5-1}=2$

이므로

B$(-1, -2)$, C$(3, -2)$

$\overrightarrow{AP}\cdot\overrightarrow{CQ}\le-\overrightarrow{AB}\cdot\overrightarrow{AC}$

$=-(-1, -2)\cdot(3, -2)$

$=-1$

(ii) 점 P가 선분 DH에 있는 경우

$\overrightarrow{AP}\cdot\overrightarrow{AQ}$가 최대가 되려면 점 Q는 점 D에 위치해야 한다.

즉, $\overrightarrow{AP}\cdot\overrightarrow{AQ}\le\overrightarrow{AP}\cdot\overrightarrow{AD}$

$\overrightarrow{AP}\cdot\overrightarrow{CQ}\le\overrightarrow{AP}\cdot\overrightarrow{AD}-\overrightarrow{AP}\cdot\overrightarrow{AC}$

$=\overrightarrow{AP}\cdot(\overrightarrow{AD}-\overrightarrow{AC})$

$=\overrightarrow{AP}\cdot\overrightarrow{CD}$

이때 $\overrightarrow{AP}\cdot\overrightarrow{CD}$가 최대가 되기 위해서는 점 P는 점 D에 위치해야 하므로

$\overrightarrow{AP}\cdot\overrightarrow{CQ}\le\overrightarrow{AP}\cdot\overrightarrow{CD}$

$\le\overrightarrow{AD}\cdot\overrightarrow{CD}$

즉, 두 점 Q, P가 모두 점 D에 위치하면 $\overrightarrow{AP}\cdot\overrightarrow{CQ}$가 최대이다.

점 A를 원점, D(2, 0)이라 하면 C$(3, -2)$이므로

$\overrightarrow{AP}\cdot\overrightarrow{CQ}\le\overrightarrow{AD}\cdot\overrightarrow{CD}$

$=\overrightarrow{AD}\cdot(\overrightarrow{AD}-\overrightarrow{AC})$

$=(2, 0)\cdot((2, 0)-(3, -2))$

$=(2, 0)\cdot(-1, 2)$

$=-2$

(i), (ii)에서 $\overrightarrow{AP}\cdot\overrightarrow{CQ}$의 최댓값은 -1이다.

답 ①

27

점 P를 원점에 대하여 대칭이동한 점을 P′이라 하면 점 P′은 선분 CD 위에 있는 점이고

$\overrightarrow{PO}=\overrightarrow{QX}$이므로

$\overrightarrow{PO}=\overrightarrow{OP'}=\overrightarrow{QX}$

이다.

$\overrightarrow{OX}=\overrightarrow{OQ}+\overrightarrow{QX}=\overrightarrow{OQ}+\overrightarrow{OP'}$

이므로 점 X가 나타내는 도형은 선분 CD 위의 점 P′을 중심으로 하고 반지름의 길이가 1, 중심각의 크기가 $\frac{\pi}{2}$이고, 점 P′을 x축의 방향으로 1만큼 평행이동한 점과 y축의 방향으로 -1만큼 평행이동한 점을 호의 양 끝 점으로 갖는 부채꼴 위의 점이다.

이때 점 P′이 선분 CD 위를 움직이므로 점 X가 나타내는 영역은 그림과 같이 E$(2, 0)$, F$(0, -2)$, G$\left(\frac{\sqrt{2}}{2}, -1-\frac{\sqrt{2}}{2}\right)$, H$\left(1+\frac{\sqrt{2}}{2}, -\frac{\sqrt{2}}{2}\right)$라 할 때, 두 선분 EF, GH와 부채꼴 CFG의 호 FG, 부채꼴 DHE의 호 EH로 둘러싸인 도형의 경계 및 내부이다.

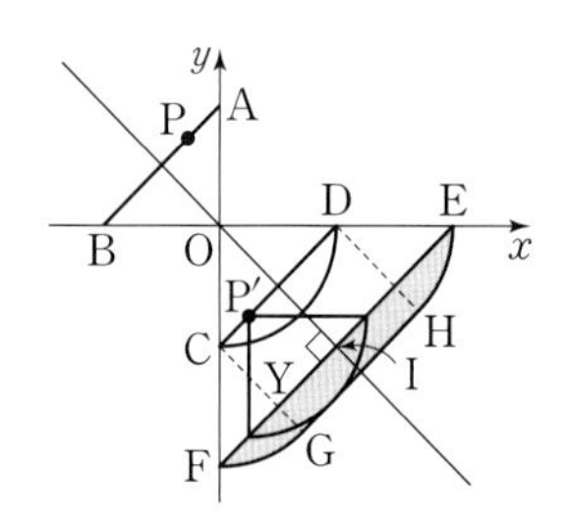

직선 AD의 기울기가 -1이므로 영역 D 위의 점 Y에서 원점 O를 지나고 기울기가 -1인 직선에 내린 수선의 발을 I라 하고 두 벡터 $\overrightarrow{AD}$, $\overrightarrow{OY}$가 이루는 각의 크기를 θ라 하면

$\overrightarrow{AD}\cdot\overrightarrow{OY}=|\overrightarrow{AD}||\overrightarrow{OY}|\cos\theta=\overline{AD}\times\overline{OI}$

이므로 점 Y가 선분 GH 위에 있는 경우 $\overrightarrow{AD}\cdot\overrightarrow{OY}$가 최대이고, 점 Y가 선분 EF 위에 있는 경우 $\overrightarrow{AD}\cdot\overrightarrow{OY}$가 최소이다.

따라서

$a^2=\overline{GH}^2=\overline{CD}^2=1^2+1^2=2$

$b^2=\overline{EF}^2=2^2+2^2=8$

이므로 $a^2+b^2=2+8=10$

답 10

필수유형 8

$\vec{p}=(x, y)$, $\vec{q}=(x', y')$이라 하고

A$(2, 4)$, B$(2, 8)$, C$(1, 0)$, P(x, y), Q(x', y')이라 하자.

$(\vec{p}-\vec{a})\cdot(\vec{p}-\vec{b})=0$이므로

$\overline{AP}\perp\overline{BP}$

이다. 그러므로 점 P는 선분 AB를 지름으로 하는 원 위를 움직인다.

즉, 점 P는 선분 AB의 중점인 점 M(2, 6)을 중심으로 하고 반지름의 길이가 2인 원 위에 있다.

$\vec{q}=\frac{1}{2}\vec{a}+t\vec{c}=\frac{1}{2}(2, 4)+t(1, 0)=(1+t, 2)$

이므로 점 Q는 직선 $y=2$ 위에 있다.

이때 $|\vec{p}-\vec{q}|$의 값은 두 점 P, Q 사이의 거리와 같고 그림과 같이 점 M에서 직선 $y=2$에 내린 수선의 발을 Q′이라 하면 점 P가 점 A에 있고, 점 Q가 점 Q′에 있을 때, 두 점 P, Q 사이의 거리가 최소가 된다.

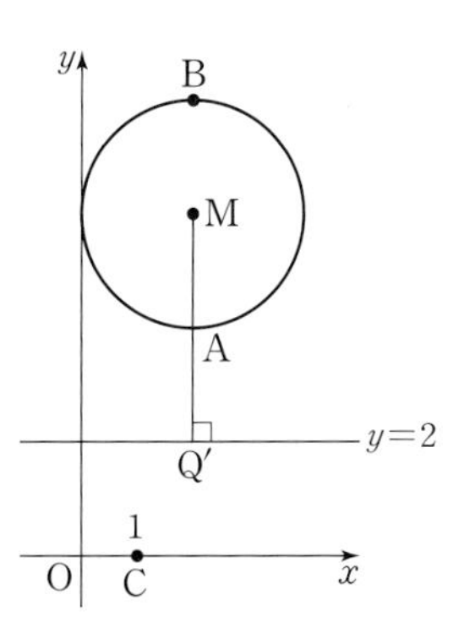

이때 A(2, 4), Q′(2, 2)이므로

$|\vec{p}-\vec{q}|=\overline{PQ}\geq\overline{AQ'}=2$

따라서 구하는 최솟값은 2이다.

답 ②

28

구하는 직선을 l이라 하자.

직선 l 위의 임의의 점을 (x, y)라 하면 직선 l의 방향벡터는

$(x-1, y-5)$

직선 $\frac{x-1}{2}=\frac{y+3}{3}$의 방향벡터는 (2, 3)이므로

$(x-1, y-5)\cdot(2, 3)=0$에서

$2x+3y-17=0$

직선 l의 x절편은 $y=0$일 때의 x좌표이므로

$2x+3\times0-17=0$에서

$x=\frac{17}{2}$

따라서 구하는 x절편은 $\frac{17}{2}$이다.

답 ④

29

$\overrightarrow{PA}\cdot\overrightarrow{PB}=0$이므로 점 P는 선분 AB를 지름으로 하는 원 C 위의 점이다.

$\overrightarrow{AB}\cdot\overrightarrow{PQ}=0$이므로 직선 AB와 직선 PQ는 서로 수직이다.

직선 AB의 기울기는

$\frac{6-2}{3-0}=\frac{4}{3}$

이므로 점 Q가 나타내는 도형은 원 C와 접하고 기울기가 $-\frac{3}{4}$인 두 직선이 x축과 만나는 두 점을 이은 선분이다.

원 C와 접하고 기울기가 $-\frac{3}{4}$인 두 직선의 접점은 각각 A(0, 2), B(3, 6)이므로 접선의 방정식은

$y=-\frac{3}{4}x+2$, $y=-\frac{3}{4}(x-3)+6$

따라서 이 두 접선과 x축이 만나는 점은 각각 $\left(\frac{8}{3}, 0\right)$, $(11, 0)$이므로

점 Q가 나타내는 도형의 길이는

$11-\frac{8}{3}=\frac{25}{3}$

답 ⑤

30

$\vec{p}=(p_1, p_2)$라 하자.

조건 (가)에서

$|(p_1, p_2)-(3, 0)|^2=\frac{4}{3}(p_1, p_2)\cdot(3, 0)$

$(p_1-3)^2+p_2{}^2=4p_1$

$p_1{}^2-10p_1+9+p_2{}^2=0$

$(p_1-5)^2+p_2{}^2=16$

이므로 점 (p_1, p_2)는 원 $(x-5)^2+y^2=16$ 위의 점이다. …… ㉠

조건 (나)에서

$3\vec{p}-3\vec{q}=7\vec{a}$

$\vec{q}=\vec{p}-\frac{7}{3}\vec{a}$

조건 (다)에서

$\left(\vec{p}-\frac{7}{3}\vec{a}\right)\cdot(\vec{p}+\vec{a})=0$

$(p_1-7, p_2)\cdot(p_1+3, p_2)=0$

$p_1{}^2-4p_1-21+p_2{}^2=0$

$(p_1-2)^2+p_2{}^2=25$

이므로 점 (p_1, p_2)는 원 $(x-2)^2+y^2=25$ 위의 점이다. …… ㉡

㉠, ㉡에서 점 (p_1, p_2)는 두 원 $(x-5)^2+y^2=16$, $(x-2)^2+y^2=25$의 교점이므로

$(x-5)^2+y^2=16$, $(x-2)^2+y^2=25$를 연립하면

$x=5$, $y=4$ 또는 $x=5$, $y=-4$

즉, $\vec{p}=(5, 4)$ 또는 $\vec{p}=(5, -4)$이다.

따라서 $\vec{q}=\vec{p}-\frac{7}{3}\vec{a}$에서

$\vec{p}=(5, 4)$일 때, $\vec{q}=(5, 4)-(7, 0)=(-2, 4)$이고

$\vec{p}=(5, -4)$일 때, $\vec{q}=(5, -4)-(7, 0)=(-2, -4)$이므로

$\vec{p}\cdot\vec{q}=-10+16=6$

답 ①

09 공간도형과 공간좌표

본문 95~104쪽

필수유형 1 ③	01 ③	02 ④	
필수유형 2 ①	03 ⑤	04 64	05 23
필수유형 3 ③	06 ①	07 ③	08 ①
	09 67		
필수유형 4 ①	10 ③	11 ②	12 ⑤
	13 ④		
필수유형 5 ⑤	14 ④	15 ④	16 7
	17 ②		
필수유형 6 ⑤	18 ③	19 ②	20 61
필수유형 7 ④	21 ④	22 ②	23 ④
필수유형 8 ①	24 ⑤	25 ④	26 ④
	27 18		

필수유형 1

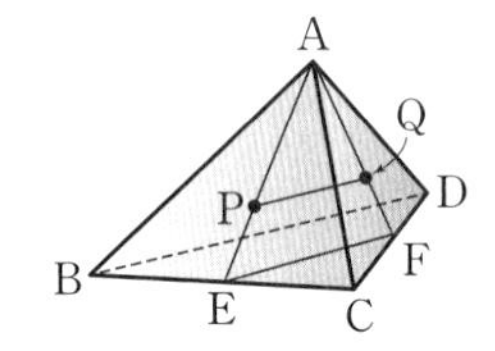

ㄱ. 직선 CD와 직선 BQ는 만나지도 않고 평행하지도 않으므로 꼬인 위치에 있다.

ㄴ. 직선 AD와 직선 BC는 만나지도 않고 평행하지도 않으므로 꼬인 위치에 있다.

ㄷ. 그림에서 선분 BC, 선분 CD의 중점을 각각 E, F라 하면 두 점 P, Q는 각각 선분 AE, 선분 AF를 2 : 1로 내분하는 점이므로 삼각형 AEF에서 $\overline{PQ} /\!/ \overline{EF}$, 삼각형 BCD에서 $\overline{EF} /\!/ \overline{BD}$이다.
즉, $\overline{PQ} /\!/ \overline{BD}$이므로 직선 PQ와 직선 BD는 꼬인 위치에 있지 않다.

이상에서 두 직선이 꼬인 위치에 있는 것은 ㄱ, ㄴ이다.

답 ③

01

정삼각기둥 ABC−DEF의 서로 다른 두 꼭짓점을 지나는 직선 중 한 직선과 직선 BF를 포함하는 평면은 평면 ABF, 평면 BEFC, 평면 BDF이고 그 개수는 3이다.

답 ③

02

ㄱ. 정육면체의 모서리를 연장한 모든 직선 중에서 직선 AG와 꼬인 위치에 있는 직선은 직선 BC, 직선 CD, 직선 BF, 직선 DH, 직선 EF, 직선 EH이고, 그 개수는 6이다. (참)

ㄴ. 직선 AG와 정육면체의 한 꼭짓점을 포함하는 평면은 평면 ABGH, 평면 ADGF, 평면 AEGC이고, 그 개수는 3이다. (거짓)

ㄷ. 정육면체의 서로 다른 두 꼭짓점을 지나는 직선 중 평면 AFH와 평행한 직선은 직선 BD, 직선 BG, 직선 DG이고, 그 개수는 3이다. (참)

이상에서 옳은 것은 ㄱ, ㄷ이다.

답 ④

필수유형 2

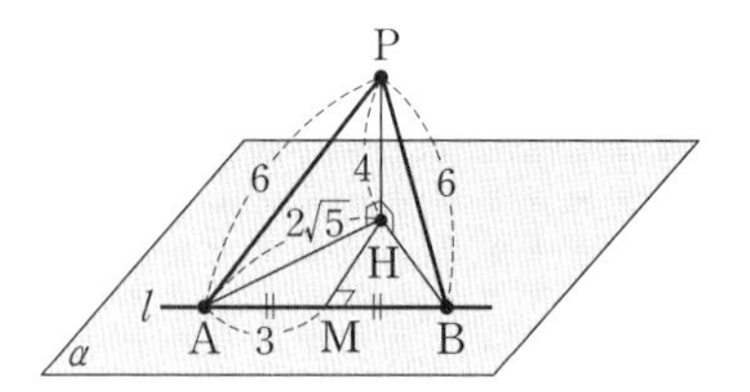

$\overline{PH} \perp \alpha$이므로 직선 PH는 평면 α 위의 모든 직선과 수직이다.
즉, 삼각형 PHA와 삼각형 PHB는 모두 직각삼각형이므로
$\overline{AH}=\sqrt{6^2-4^2}=2\sqrt{5}$, $\overline{BH}=\sqrt{6^2-4^2}=2\sqrt{5}$
이때 삼각형 HAB는 이등변삼각형이므로 선분 AB의 중점을 M이라 하면 $\overline{AB} \perp \overline{HM}$이고, 점 H와 직선 l 사이의 거리는 선분 HM의 길이와 같다.
$\overline{HM}=\sqrt{\overline{AH}^2-\overline{AM}^2}=\sqrt{(2\sqrt{5})^2-3^2}=\sqrt{11}$
따라서 점 H와 직선 l 사이의 거리는 $\sqrt{11}$이다.

답 ①

다른 풀이

선분 AB의 중점을 M이라 하면 $\overline{PH} \perp \alpha$, $\overline{PM} \perp l$이므로 삼수선의 정리에 의하여
$\overline{HM} \perp l$
따라서 $\overline{PM}=\dfrac{\sqrt{3}}{2} \times 6=3\sqrt{3}$이므로 직각삼각형 PMH에서
$\overline{HM}=\sqrt{\overline{PM}^2-\overline{PH}^2}=\sqrt{(3\sqrt{3})^2-4^2}=\sqrt{11}$

03

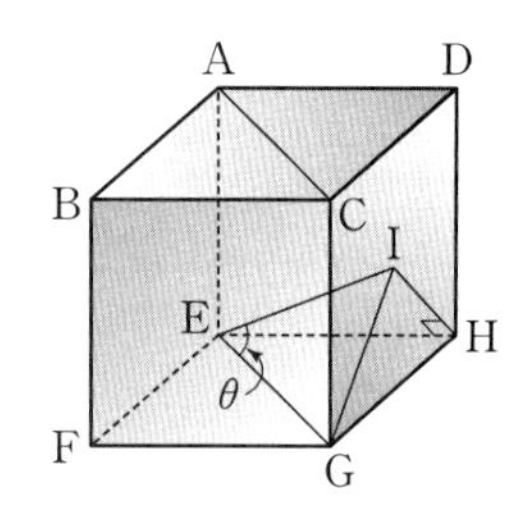

$\overline{EG} /\!/ \overline{AC}$이므로 두 직선 AC, EI가 이루는 각의 크기 θ는 두 직선 EG, EI가 이루는 각의 크기와 같다.
즉, $\angle IEG=\theta$
$\overline{EH} \perp$(평면 CDHG)이므로
$\overline{EH} \perp \overline{IH}$
즉, 삼각형 EHI는 $\angle EHI=\dfrac{\pi}{2}$인 직각삼각형이고 $\overline{IH}=\dfrac{1}{2}\overline{CH}=\sqrt{2}$이므로
$\overline{EI}=\sqrt{\overline{EH}^2+\overline{IH}^2}=\sqrt{2^2+(\sqrt{2})^2}=\sqrt{6}$
$\overline{EG}=\sqrt{\overline{EH}^2+\overline{GH}^2}=\sqrt{2^2+2^2}=2\sqrt{2}$, $\overline{GI}=\dfrac{1}{2}\overline{DG}=\sqrt{2}$
이때 $\overline{EI}^2+\overline{GI}^2=\overline{EG}^2$이므로 삼각형 IEG는 $\angle EIG=\dfrac{\pi}{2}$인 직각삼각형이다.
따라서 직각삼각형 IEG에서
$\cos\theta=\dfrac{\overline{EI}}{\overline{EG}}=\dfrac{\sqrt{6}}{2\sqrt{2}}=\dfrac{\sqrt{3}}{2}$

답 ⑤

04

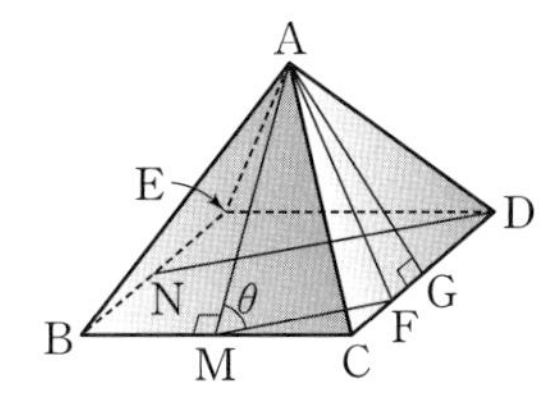

변 CD 위의 점 F를 $\overline{DN}/\!/\overline{FM}$이 되도록 잡으면 두 직선 AM, DN이 이루는 각의 크기 θ는 두 직선 AM, MF가 이루는 각의 크기와 같으므로

$\theta=\angle AMF$

$\overline{DE}:\overline{EN}=2:1$에서 $\overline{CM}:\overline{CF}=2:1$이므로

$\overline{CF}=a$로 놓으면 $\overline{CM}=2a$

$\overline{AM}\perp\overline{BC}$이므로 직각삼각형 AMC에서

$\overline{AM}=\sqrt{\overline{AC}^2-\overline{CM}^2}=\sqrt{6^2-(2a)^2}=\sqrt{36-4a^2}$

선분 CD의 중점을 G라 하면 $\overline{AG}\perp\overline{CD}$이고

$\overline{AG}=\overline{AM}=\sqrt{36-4a^2}$

직각삼각형 AGF에서 $\overline{FG}=a$이므로

$\overline{AF}=\sqrt{\overline{AG}^2+\overline{FG}^2}=\sqrt{(36-4a^2)+a^2}=\sqrt{36-3a^2}$

이때 $\overline{FM}=\sqrt{\overline{CM}^2+\overline{CF}^2}=\sqrt{(2a)^2+a^2}=\sqrt{5}a$이므로

삼각형 AMF에서 코사인법칙에 의하여

$$\cos\theta=\frac{\overline{AM}^2+\overline{FM}^2-\overline{AF}^2}{2\times\overline{AM}\times\overline{FM}}$$

$$=\frac{(36-4a^2)+5a^2-(36-3a^2)}{2\times\sqrt{36-4a^2}\times\sqrt{5}a}$$

$$=\frac{2a}{\sqrt{180-20a^2}}$$

$\cos\theta=\frac{2}{5}$이므로 $\frac{2a}{\sqrt{180-20a^2}}=\frac{2}{5}$에서

$\frac{a}{\sqrt{180-20a^2}}=\frac{1}{5}$이고 양변을 제곱하면

$\frac{a^2}{180-20a^2}=\frac{1}{25}$

$180-20a^2=25a^2$, $45a^2=180$

$a^2=4$

$a>0$이므로 $a=2$

따라서 정사각형 BCDE의 한 변의 길이는 $4a=8$이므로 그 넓이는

$8\times8=64$

답 64

05

점 C에서 다른 밑면에 내린 수선의 발이 A이므로 조건 (가)에 의하여

$\angle ABC=\frac{\pi}{3}$이고, 직각삼각형 ACB에서 $\overline{AB}=4$이므로

$\overline{AC}=\overline{AB}\tan\frac{\pi}{3}=4\times\sqrt{3}=4\sqrt{3}$

$$\overline{BC}=\frac{\overline{AB}}{\cos\frac{\pi}{3}}=\frac{4}{\frac{1}{2}}=8$$

점 B에서 다른 밑면에 내린 수선의 발을 E라 하면 $\overline{AB}/\!/\overline{CE}$이므로 조건 (나)에 의하여 $\angle DCE=\frac{\pi}{6}$이고, 선분 CE가 밑면의 지름이므로 직각삼각형 CDE에서

$\overline{CD}=\overline{CE}\cos\frac{\pi}{6}=4\times\frac{\sqrt{3}}{2}=2\sqrt{3}$

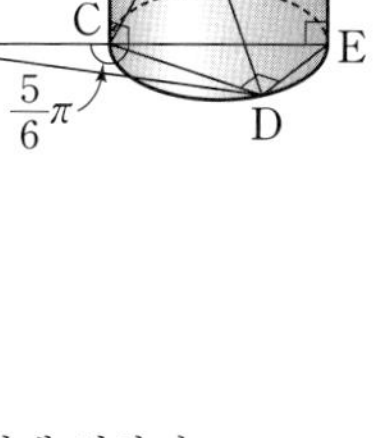

선분 EC의 연장선에 점 F를 $\overline{CF}=4$가 되도록 잡으면 두 직선 AD, BC가 이루는 각의 크기 θ는 두 직선 AD, AF가 이루는 각의 크기와 같으므로

$\angle DAF=\theta$

이때 직선 AC가 평면 CDE와 서로 수직이므로

$\overline{AD}=\sqrt{\overline{AC}^2+\overline{CD}^2}$

$=\sqrt{(4\sqrt{3})^2+(2\sqrt{3})^2}$

$=2\sqrt{15}$

$\angle DCF=\frac{5}{6}\pi$이므로 삼각형 DCF에서 코사인법칙에 의하여

$$\overline{DF}^2=\overline{CD}^2+\overline{CF}^2-2\times\overline{CD}\times\overline{CF}\times\cos\frac{5}{6}\pi$$

$$=(2\sqrt{3})^2+4^2-2\times2\sqrt{3}\times4\times\left(-\frac{\sqrt{3}}{2}\right)$$

$=52$

$\overline{DF}>0$이므로 $\overline{DF}=2\sqrt{13}$

또 $\overline{AF}=\overline{BC}=8$이므로 삼각형 AFD에서 코사인법칙에 의하여

$$\cos\theta=\frac{\overline{AD}^2+\overline{AF}^2-\overline{DF}^2}{2\times\overline{AD}\times\overline{AF}}$$

$$=\frac{(2\sqrt{15})^2+8^2-(2\sqrt{13})^2}{2\times2\sqrt{15}\times8}=\frac{3\sqrt{15}}{20}$$

따라서 $p=20$, $q=3$이므로

$p+q=23$

답 23

필수유형 3

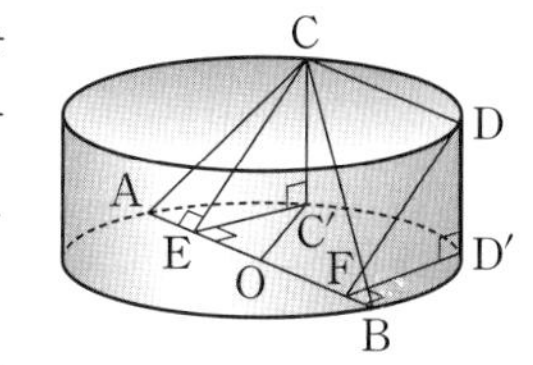

두 점 C, D에서 두 점 A, B를 포함하는 밑면에 내린 수선의 발을 각각 C′, D′이라 하고, 두 점 C′, D′에서 선분 AB에 내린 수선의 발을 각각 E, F라 하자.

$\overline{CC'}\perp$(평면 ABD′C′), $\overline{C'E}\perp\overline{AB}$이므로 삼수선의 정리에 의하여

$\overline{CE}\perp\overline{AB}$

조건 (가)에서 삼각형 ABC의 넓이가 16이므로

$\frac{1}{2}\times\overline{AB}\times\overline{CE}=\frac{1}{2}\times8\times\overline{CE}=16$에서 $\overline{CE}=4$

직각삼각형 CC′E에서 $\overline{CC'}=3$이므로

$\overline{C'E}=\sqrt{\overline{CE}^2-\overline{CC'}^2}=\sqrt{4^2-3^2}=\sqrt{7}$

선분 AB의 중점을 O라 하면 직각삼각형 OC′E에서

$\overline{OE}=\sqrt{\overline{OC'}^2-\overline{C'E}^2}=\sqrt{4^2-(\sqrt{7})^2}=3$

같은 방법으로 $\overline{OF}=3$임을 보일 수 있다.

따라서 조건 (나)에서 두 직선 AB, CD가 서로 평행하므로

$\overline{CD}=\overline{EF}=\overline{OE}+\overline{OF}=3+3=6$

답 ③

06

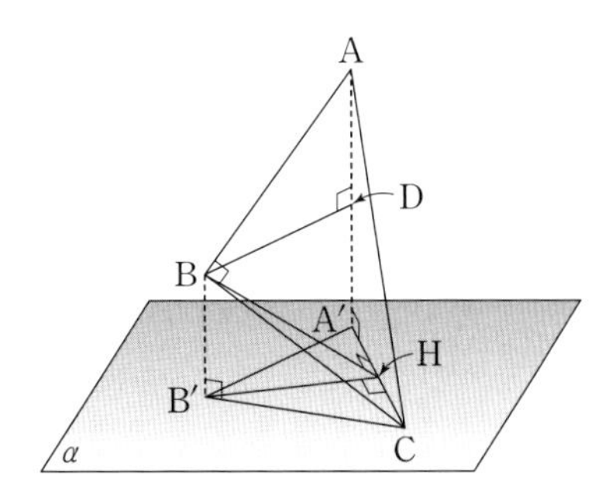

직각이등변삼각형 ABC에서

$\overline{AC}=4\sqrt{2}$, $\overline{AA'}\perp\overline{A'C}$이므로

$\overline{A'C}=\sqrt{\overline{AC}^2-\overline{AA'}^2}=\sqrt{(4\sqrt{2})^2-4^2}=4$

또 $\overline{BB'}\perp\overline{B'C}$이므로

$\overline{B'C}=\sqrt{\overline{BC}^2-\overline{BB'}^2}=\sqrt{4^2-2^2}=2\sqrt{3}$

점 B를 지나고 직선 A′B′과 평행한 직선이 선분 AA′과 만나는 점을 D라 하면

$\overline{AD}=\overline{AA'}-\overline{DA'}=\overline{AA'}-\overline{BB'}=4-2=2$

이때 $\overline{AD}\perp\overline{BD}$이므로

$\overline{BD}=\sqrt{\overline{AB}^2-\overline{AD}^2}=\sqrt{4^2-2^2}=2\sqrt{3}$

그러므로 $\overline{A'B'}=\overline{BD}=2\sqrt{3}$

한편, 점 B에서 선분 A′C에 내린 수선의 발을 H라 하면

$\overline{BB'}\perp$(평면 α)이고 $\overline{BH}\perp\overline{A'C}$이므로 삼수선의 정리에 의하여

$\overline{B'H}\perp\overline{A'C}$

이때 삼각형 A′B′C가 $\overline{A'B'}=\overline{B'C}=2\sqrt{3}$인 이등변삼각형이므로 점 H는 선분 A′C의 중점이다.

그러므로 $\overline{B'H}=\sqrt{\overline{A'B'}^2-\overline{A'H}^2}=\sqrt{(2\sqrt{3})^2-2^2}=2\sqrt{2}$

따라서 점 B에서 직선 A′C 사이의 거리는 선분 BH의 길이이므로

$\overline{BH}=\sqrt{\overline{BB'}^2+\overline{B'H}^2}=\sqrt{2^2+(2\sqrt{2})^2}=2\sqrt{3}$

답 ①

07

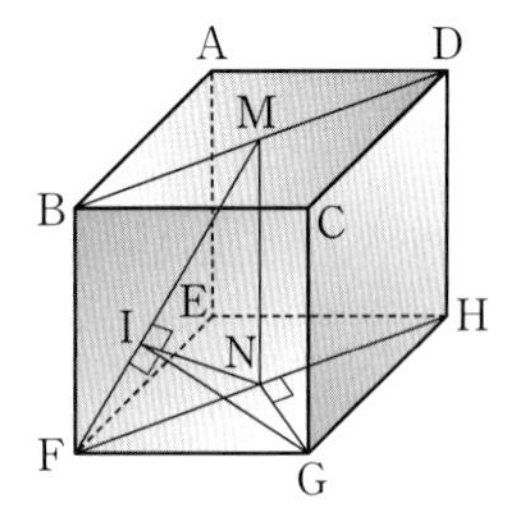

정사각형 EFGH에서 $\overline{GN}\perp\overline{FH}$

선분 BF는 평면 EFGH와 서로 수직이므로 $\overline{GN}\perp\overline{BF}$

그러므로 선분 GN은 평면 BFHD와 서로 수직이고, $\overline{GI}\perp\overline{MF}$이므로 삼수선의 정리에 의하여

$\overline{IN}\perp\overline{MF}$

한편, 직각삼각형 MFN에서

$\overline{MF}=\sqrt{\overline{FN}^2+\overline{MN}^2}=\sqrt{(2\sqrt{2})^2+4^2}=2\sqrt{6}$

삼각형 MFN의 넓이에서

$\frac{1}{2}\times\overline{MF}\times\overline{IN}=\frac{1}{2}\times\overline{FN}\times\overline{MN}$

즉, $\frac{1}{2}\times2\sqrt{6}\times\overline{IN}=\frac{1}{2}\times2\sqrt{2}\times4$에서 $\overline{IN}=\frac{4\sqrt{3}}{3}$

이때 $\overline{GN}=2\sqrt{2}$이고, $\overline{GN}\perp\overline{IN}$이므로 구하는 삼각형 IGN의 넓이는

$\frac{1}{2}\times\overline{GN}\times\overline{IN}=\frac{1}{2}\times2\sqrt{2}\times\frac{4\sqrt{3}}{3}$

$=\frac{4\sqrt{6}}{3}$

답 ③

08

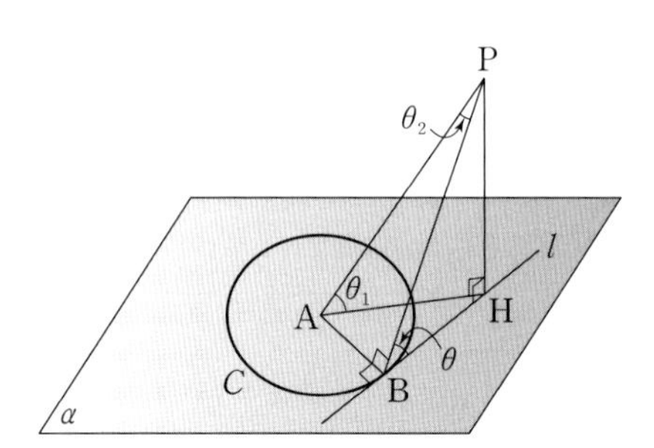

점 P에서 평면 α에 내린 수선의 발을 H라 하면 조건 (가)에 의하여 점 H는 직선 l 위의 점이다.

이때 $\theta_1=\angle PAH$이고 조건 (나)에 의하여 $\tan\theta_1=2$이므로

$\overline{AH}=a$로 놓으면 $\overline{PH}=2a$

직각삼각형 PAH에서

$\overline{PA}=\sqrt{\overline{AH}^2+\overline{PH}^2}=\sqrt{a^2+(2a)^2}=\sqrt{5}a$ …… ㉠

한편, 직선 l이 원 C 위의 점 B에서의 접선이므로 $\overline{BH}\perp\overline{AB}$이고,

$\overline{PH}\perp$(평면 α)이므로 삼수선의 정리에 의하여 $\overline{PB}\perp\overline{AB}$

이때 $\theta_2=\angle APB$이고 조건 (나)에 의하여 $\tan\theta_2=\frac{\sqrt{2}}{4}$이므로

직각삼각형 PAB에서 $\overline{PB}=\frac{\overline{AB}}{\tan\theta_2}=\frac{\sqrt{5}}{\frac{\sqrt{2}}{4}}=2\sqrt{10}$

직각삼각형 PAB에서

$\overline{PA}=\sqrt{\overline{AB}^2+\overline{PB}^2}=\sqrt{(\sqrt{5})^2+(2\sqrt{10})^2}=3\sqrt{5}$ …… ㉡

㉠, ㉡에서 $\sqrt{5}a=3\sqrt{5}$, 즉 $a=3$

$\overline{AH}=a=3$이므로 직각삼각형 ABH에서

$\overline{BH}=\sqrt{\overline{AH}^2-\overline{AB}^2}=\sqrt{3^2-(\sqrt{5})^2}=2$

이때 $\theta=\angle PBH$이므로 직각삼각형 PBH에서

$\cos\theta=\frac{\overline{BH}}{\overline{PB}}=\frac{2}{2\sqrt{10}}=\frac{1}{\sqrt{10}}$

따라서 $\cos^2\theta=\left(\frac{1}{\sqrt{10}}\right)^2=\frac{1}{10}$

답 ①

09

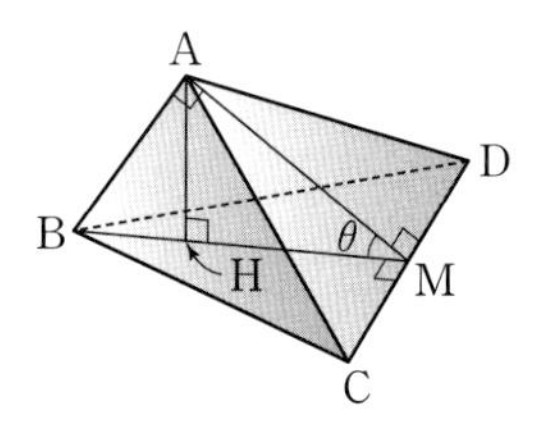

선분 CD의 중점을 M이라 하면 정삼각형 BCD에서 $\overline{BM}\perp\overline{CD}$이고, 직선 BH가 직선 CD와 서로 수직이므로 점 H는 선분 BM 위에 있다.

즉, $\overline{HM}\perp\overline{CD}$이고

$\overline{AH}\perp$(평면 BCD)이므로 삼수선의 정리에 의하여

$\overline{AM}\perp\overline{CD}$

이때 $\cos(\angle ACD)=\frac{3}{5}$이므로 직각삼각형 ACM에서

$$\overline{AC}=\frac{\overline{CM}}{\cos(\angle ACM)}=\frac{6}{\frac{3}{5}}=10$$

$\overline{AM}=\sqrt{\overline{AC}^2-\overline{CM}^2}=\sqrt{10^2-6^2}=8$

한편, 직선 AB가 평면 ACD에 수직이므로 $\overline{AB}\perp\overline{AM}$이고

$\overline{BM}=\frac{\sqrt{3}}{2}\times 12=6\sqrt{3}$이므로

직각삼각형 ABM에서

$\overline{AB}=\sqrt{\overline{BM}^2-\overline{AM}^2}=\sqrt{(6\sqrt{3})^2-8^2}=2\sqrt{11}$

직각삼각형 ABM에서 $\angle AMB=\theta$라 하면

$$\cos\theta=\frac{\overline{AM}}{\overline{BM}}=\frac{8}{6\sqrt{3}}=\frac{4\sqrt{3}}{9}$$

이므로 직각삼각형 AHM에서

$$\overline{HM}=\overline{AM}\cos\theta=8\times\frac{4\sqrt{3}}{9}=\frac{32\sqrt{3}}{9}$$

따라서 삼각형 CDH의 넓이는

$$\frac{1}{2}\times\overline{CD}\times\overline{HM}=\frac{1}{2}\times 12\times\frac{32\sqrt{3}}{9}=\frac{64\sqrt{3}}{3}$$

이므로

$p+q=3+64=67$

답 67

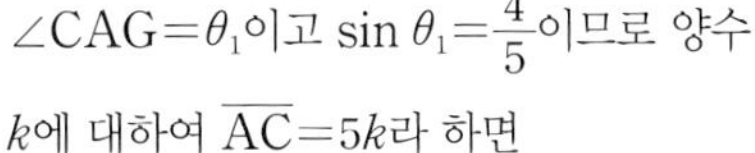

필수유형 4

그림과 같이 점 C에서 직선 AB에 내린 수선의 발을 G라 하면

$\angle CAG=\theta_1$이고 $\sin\theta_1=\frac{4}{5}$이므로 양수 k에 대하여 $\overline{AC}=5k$라 하면

$\overline{CG}=\overline{AC}\sin\theta_1=4k$

점 C에서 평면 α에 내린 수선의 발을 H라 하면 $\angle CAH=\frac{\pi}{2}-\theta_1$이고,

$\cos\theta_1=\sqrt{1-\sin^2\theta_1}=\sqrt{1-\left(\frac{4}{5}\right)^2}=\frac{3}{5}$이므로

$\overline{CH}=\overline{AC}\sin\left(\frac{\pi}{2}-\theta_1\right)=\overline{AC}\cos\theta_1=3k$

$\overline{CH}\perp$(평면 α)이고 $\overline{CG}\perp\overline{AB}$이므로 삼수선의 정리에 의하여

$\overline{GH}\perp\overline{AB}$이고, 이때 $\angle CGH=\theta_2$이다.

직각삼각형 CGH에서

$\overline{GH}=\sqrt{\overline{CG}^2-\overline{CH}^2}=\sqrt{(4k)^2-(3k)^2}=\sqrt{7}k$

따라서 $\cos\theta_2=\frac{\overline{GH}}{\overline{CG}}=\frac{\sqrt{7}k}{4k}=\frac{\sqrt{7}}{4}$

답 ①

10

점 A에서 평면 BCD에 내린 수선의 발을 H라 하고 점 A에서 변 BC에 내린 수선의 발을 I라 하자.

삼각형 ABC가 $\overline{AB}=\overline{AC}$인 이등변삼각형이므로 점 I는 변 BC의 중점이고, 점 H는 정삼각형 BCD의 무게중심이므로 점 H는 선분 DI 위의 점이다.

정삼각형 BCD의 한 변의 길이가 6이므로

$$\overline{HI}=\frac{1}{3}\overline{DI}=\frac{1}{3}\times\left(\frac{\sqrt{3}}{2}\times 6\right)=\sqrt{3}$$

삼수선의 정리에 의하여 $\overline{HI}\perp\overline{BC}$이므로 $\angle AIH=\frac{\pi}{3}$이고,

직각삼각형 AIH에서 $\overline{AI}=\frac{\overline{HI}}{\cos\frac{\pi}{3}}=2\sqrt{3}$

이때 $\overline{CI}=\frac{1}{2}\overline{BC}=3$이므로 직각삼각형 AIC에서

$\overline{AC}=\sqrt{\overline{AI}^2+\overline{CI}^2}=\sqrt{(2\sqrt{3})^2+3^2}=\sqrt{21}$

따라서 직각삼각형 AIC에서

$$\sin(\angle ACI)=\frac{\overline{AI}}{\overline{AC}}=\frac{2\sqrt{3}}{\sqrt{21}}=\frac{2}{\sqrt{7}}$$

이므로

$$\sin^2(\angle ACB)=\sin^2(\angle ACI)=\left(\frac{2}{\sqrt{7}}\right)^2=\frac{4}{7}$$

답 ③

11

정삼각형 ABC에서 변 AC의 중점을 M이라 하면 $\overline{BM}=2\sqrt{3}$

$\overline{PM}\perp$(평면 α)이고, $\angle PBM=\frac{\pi}{4}$이므로 직각삼각형 PBM에서

$\overline{PM}=\overline{BM}\tan\frac{\pi}{4}=2\sqrt{3}$, $\overline{PB}=\frac{\overline{BM}}{\cos\frac{\pi}{4}}=2\sqrt{6}$

한편, 직각삼각형 PAM에서

$\overline{PA}=\sqrt{\overline{AM}^2+\overline{PM}^2}=\sqrt{2^2+(2\sqrt{3})^2}=4$

마찬가지로 직각삼각형 PCM에서 $\overline{PC}=4$

즉, 삼각형 PBA는 $\overline{AB}=\overline{AP}=4$인 이등변삼각형이고, 삼각형 PBC도 $\overline{BC}=\overline{PC}=4$인 이등변삼각형이므로 변 PB의 중점을 N이라 하면 $\overline{AN}\perp\overline{PB}$, $\overline{CN}\perp\overline{PB}$이다.

삼각형 PBA에서

$$\overline{AN}=\sqrt{\overline{AB}^2-\left(\frac{1}{2}\overline{PB}\right)^2}=\sqrt{4^2-(\sqrt{6})^2}=\sqrt{10}$$

같은 방법으로 삼각형 PBC에서 $\overline{\mathrm{CN}}=\sqrt{10}$

이때 삼각형 ANC에서 $\overline{\mathrm{AN}}^2+\overline{\mathrm{CN}}^2>\overline{\mathrm{AC}}^2$이므로

$\angle\mathrm{ANC}=\theta$

따라서 삼각형 ANC에서 코사인법칙에 의하여

$$\cos\theta=\frac{\overline{\mathrm{AN}}^2+\overline{\mathrm{CN}}^2-\overline{\mathrm{AC}}^2}{2\times\overline{\mathrm{AN}}\times\overline{\mathrm{CN}}}$$

$$=\frac{(\sqrt{10})^2+(\sqrt{10})^2-4^2}{2\times\sqrt{10}\times\sqrt{10}}=\frac{1}{5}$$

답 ②

12

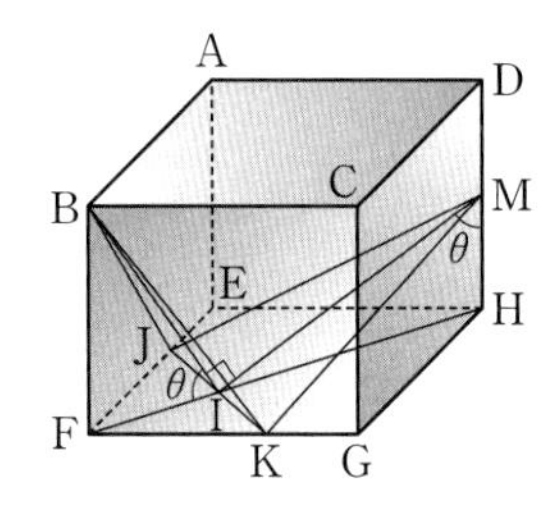

정사각형 EFGH에서 선분 JK가 선분 EG와 평행하므로 $\overline{\mathrm{JK}}\perp\overline{\mathrm{FH}}$

$\overline{\mathrm{BF}}\perp$(평면 EFGH)이고, $\overline{\mathrm{FI}}\perp\overline{\mathrm{JK}}$이므로 삼수선의 정리에 의하여

$\overline{\mathrm{BI}}\perp\overline{\mathrm{JK}}$

$\overline{\mathrm{MH}}\perp$(평면 EFGH)이고, $\overline{\mathrm{HI}}\perp\overline{\mathrm{JK}}$이므로 삼수선의 정리에 의하여

$\overline{\mathrm{MI}}\perp\overline{\mathrm{JK}}$

이때 평면 BJK와 평면 MJK가 서로 수직이므로 $\angle\mathrm{BIM}=\frac{\pi}{2}$

평면 BJK와 평면 EFGH가 이루는 각의 크기를 θ라 하면 $\angle\mathrm{BIF}=\theta$이고, 이때 평면 MJK와 평면 EFGH가 이루는 각의 크기는 $\angle\mathrm{MIH}=\frac{\pi}{2}-\theta$이다.

양수 a에 대하여 $\overline{\mathrm{FI}}=a$로 놓으면 직각삼각형 BFI에서

$\tan\theta=\frac{\overline{\mathrm{BF}}}{\overline{\mathrm{FI}}}=\frac{2\sqrt{2}}{a}$ …… ㉠

$\overline{\mathrm{HI}}=2a$이고 직각삼각형 MIH에서 $\angle\mathrm{IMH}=\theta$이므로

$\tan\theta=\frac{\overline{\mathrm{HI}}}{\overline{\mathrm{MH}}}=\frac{2a}{\sqrt{2}}$ …… ㉡

㉠, ㉡에서

$\frac{2\sqrt{2}}{a}=\frac{2a}{\sqrt{2}}$, $2a^2=4$, $a^2=2$

$a>0$이므로 $a=\sqrt{2}$

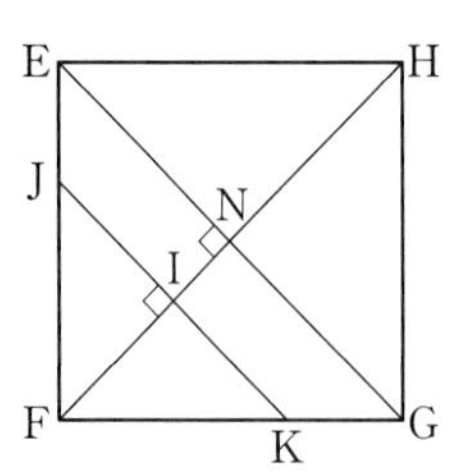

즉, $\overline{\mathrm{FH}}=3a=3\sqrt{2}$이므로 밑면 EFGH는 한 변의 길이가 3인 정사각형이고, 선분 EG의 중점을 N이라 하면 점 I는 선분 FN을 2 : 1로 내분하는 점이므로

$\overline{\mathrm{JK}}=\frac{2}{3}\overline{\mathrm{EG}}=2\sqrt{2}$

직각삼각형 MIH에서

$$\overline{\mathrm{MI}}=\sqrt{\overline{\mathrm{HI}}^2+\overline{\mathrm{MH}}^2}$$

$$=\sqrt{(2\sqrt{2})^2+(\sqrt{2})^2}=\sqrt{10}$$

따라서 삼각형 MJK의 넓이는

$$\frac{1}{2}\times\overline{\mathrm{JK}}\times\overline{\mathrm{MI}}=\frac{1}{2}\times2\sqrt{2}\times\sqrt{10}$$

$$=2\sqrt{5}$$

답 ⑤

13

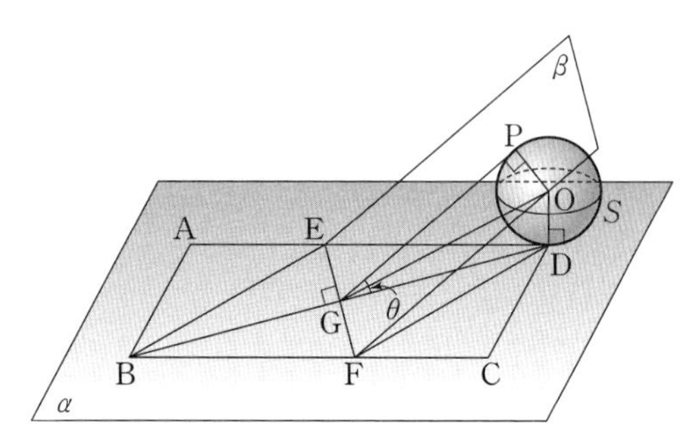

구 S의 중심을 O라 하고, 선분 BD와 선분 EF의 교점을 G라 하자.

$\overline{\mathrm{OD}}\perp$(평면 α)이고 $\overline{\mathrm{DG}}\perp\overline{\mathrm{EF}}$이므로 삼수선의 정리에 의하여

$\overline{\mathrm{OG}}\perp\overline{\mathrm{EF}}$

또 $\overline{\mathrm{OP}}\perp$(평면 β)이고 $\overline{\mathrm{OG}}\perp\overline{\mathrm{EF}}$이므로 삼수선의 정리에 의하여

$\overline{\mathrm{PG}}\perp\overline{\mathrm{EF}}$

그러므로 네 점 O, D, G, P는 한 평면 위에 있고 이때 $\angle\mathrm{PGD}=\theta$이다.

한편, 직각삼각형 CDF에서

$\overline{\mathrm{DF}}=\sqrt{\overline{\mathrm{CF}}^2+\overline{\mathrm{CD}}^2}=\sqrt{3^2+4^2}=5$

이때 사각형 BFDE는 평행사변형이고 두 대각선 BD, EF가 서로 수직이므로 사각형 BFDE는 한 변의 길이가 5인 마름모이다.

이때 직각삼각형 BCD에서 $\overline{\mathrm{BC}}=8$이므로

$\overline{\mathrm{BD}}=\sqrt{\overline{\mathrm{BC}}^2+\overline{\mathrm{CD}}^2}=\sqrt{8^2+4^2}=4\sqrt{5}$

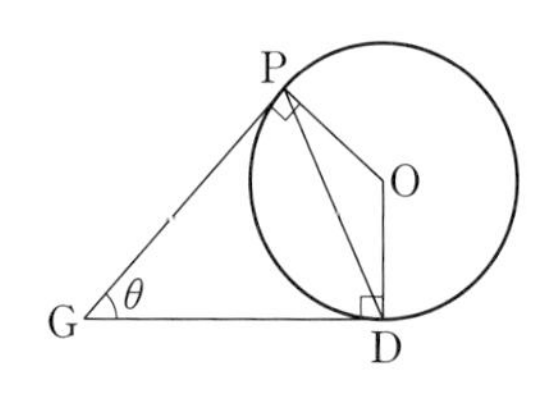

즉, $\overline{\mathrm{GD}}=2\sqrt{5}$이고 직선 GP가 구 S에 접하므로

$\overline{\mathrm{GP}}=\overline{\mathrm{GD}}=2\sqrt{5}$

이때 삼각형 PGD에서 코사인법칙에 의하여

$$\overline{\mathrm{DP}}^2=\overline{\mathrm{GP}}^2+\overline{\mathrm{GD}}^2-2\times\overline{\mathrm{GP}}\times\overline{\mathrm{GD}}\times\cos\theta$$

$$=(2\sqrt{5})^2+(2\sqrt{5})^2-2\times2\sqrt{5}\times2\sqrt{5}\times\cos\theta$$

$$=40-40\cos\theta \quad \cdots\cdots ㉠$$

삼각형 OPD에서 $\angle\mathrm{DOP}=\pi-\theta$이므로 코사인법칙에 의하여

$$\overline{\mathrm{DP}}^2=\overline{\mathrm{OD}}^2+\overline{\mathrm{OP}}^2-2\times\overline{\mathrm{OD}}\times\overline{\mathrm{OP}}\times\cos(\pi-\theta)$$

$$=2^2+2^2-2\times2\times2\times(-\cos\theta)$$

$$=8+8\cos\theta \quad \cdots\cdots ㉡$$

따라서 ㉠, ㉡에서

$40-40\cos\theta=8+8\cos\theta$, $48\cos\theta=32$

이므로 $\cos\theta=\frac{2}{3}$

답 ④

필수유형 5

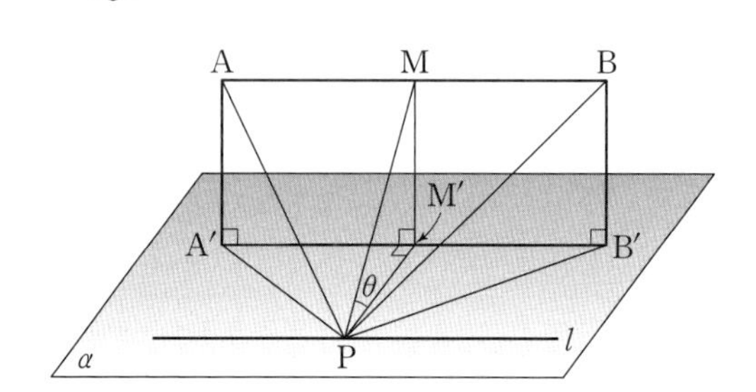

두 점 A, B가 평면 α 위에 있지 않고 $\overline{AB}=\overline{A'B'}$이므로 직선 AB는 평면 α와 평행하다. 그러므로 선분 AB는 평면 α와 만나지 않고, 이때 평면 AA′B′B는 평면 α와 서로 수직이다.

또 선분 AB의 중점 M의 평면 α 위로의 정사영 M′은 선분 A′B′의 중점이고, $\overline{PM'}\perp\overline{A'B'}$이므로 직선 PM′은 선분 A′B′의 수직이등분선이다.

$\overline{PM'}=6$이므로 삼각형 A′B′P의 넓이를 S라 하면

$S=\frac{1}{2}\times\overline{A'B'}\times\overline{PM'}=\frac{1}{2}\times6\times6=18$

한편, 평면 α 위의 점 P를 지나고 직선 A′B′과 평행한 직선을 l이라 하면 $\overline{MM'}\perp\alpha$, $\overline{PM'}\perp l$이므로 삼수선의 정리에 의하여 $\overline{PM}\perp l$이다.

이때 직선 l은 평면 ABP와 평면 α의 교선이므로 평면 ABP와 평면 α가 이루는 각의 크기를 θ라 하면

$\theta=\angle MPM'$

평면 α 위의 삼각형 A′B′P의 평면 ABP 위로의 정사영의 넓이가 $\frac{9}{2}$이므로

$\frac{9}{2}=S\times\cos\theta$에서 $\frac{9}{2}=18\cos\theta$, $\cos\theta=\frac{1}{4}$

따라서 직각삼각형 MPM′에서

$\overline{PM}=\frac{\overline{PM'}}{\cos\theta}=\frac{6}{\frac{1}{4}}=24$

답 ⑤

14

$\angle CAB=\frac{\pi}{2}$이므로 선분 BC는 이 원기둥의 한 밑면의 지름이다.

즉, $\overline{BC}=6$이므로

$\overline{AC}=\sqrt{\overline{BC}^2-\overline{AB}^2}=\sqrt{6^2-4^2}=2\sqrt{5}$

직각삼각형 ACD에서

$\overline{AD}=\sqrt{\overline{AC}^2+\overline{CD}^2}=\sqrt{(2\sqrt{5})^2+5^2}=3\sqrt{5}$

한편, $\overline{DC}\perp$(평면 ABC)이고 $\overline{CA}\perp\overline{AB}$이므로 삼수선의 정리에 의하여 $\overline{DA}\perp\overline{AB}$

즉, 평면 DAB와 평면 ABC가 이루는 각의 크기를 θ라 하면

$\angle DAC=\theta$이고

$\cos\theta=\frac{\overline{AC}}{\overline{AD}}=\frac{2}{3}$

삼각형 ABC의 넓이를 S라 하면

$S=\frac{1}{2}\times\overline{AB}\times\overline{AC}=\frac{1}{2}\times4\times2\sqrt{5}=4\sqrt{5}$

따라서 구하는 넓이를 S'이라 하면

$S'=S\times\cos\theta=4\sqrt{5}\times\frac{2}{3}=\frac{8\sqrt{5}}{3}$

답 ④

15

$\angle BPF=\angle MPG$이므로 직각삼각형 BPF와 직각삼각형 MPG는 서로 닮음이고 $\overline{BF}=4$, $\overline{GM}=2$이므로 그 닮음비는 2 : 1이다. 즉, 점 P는 선분 FG를 2 : 1로 내분하는 점이므로

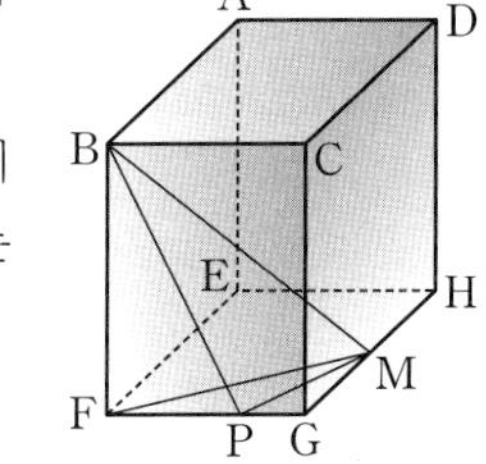

$\overline{FP}=2$, $\overline{GP}=1$

이때

$\overline{BP}=\sqrt{\overline{BF}^2+\overline{FP}^2}=\sqrt{4^2+2^2}=2\sqrt{5}$

$\overline{MP}=\sqrt{\overline{GP}^2+\overline{GM}^2}=\sqrt{1^2+2^2}=\sqrt{5}$

이고, 삼각형 BFM이 $\angle BFM=\frac{\pi}{2}$인 직각삼각형이므로

$\overline{BM}=\sqrt{\overline{BF}^2+\overline{FM}^2}=\sqrt{\overline{BF}^2+(\overline{FG}^2+\overline{GM}^2)}$

$=\sqrt{4^2+(3^2+2^2)}=\sqrt{29}$

삼각형 BPM에서 코사인법칙에 의하여

$\cos(\angle BPM)=\frac{\overline{BP}^2+\overline{MP}^2-\overline{BM}^2}{2\times\overline{BP}\times\overline{MP}}$

$=\frac{(2\sqrt{5})^2+(\sqrt{5})^2-(\sqrt{29})^2}{2\times2\sqrt{5}\times\sqrt{5}}=-\frac{1}{5}$

$\sin(\angle BPM)=\sqrt{1-\cos^2(\angle BPM)}=\frac{2\sqrt{6}}{5}$

그러므로 삼각형 BPM의 넓이는

$\frac{1}{2}\times\overline{BP}\times\overline{MP}\times\sin(\angle BPM)=\frac{1}{2}\times2\sqrt{5}\times\sqrt{5}\times\frac{2\sqrt{6}}{5}=2\sqrt{6}$

삼각형 BPM의 평면 EFGH 위로의 정사영은 삼각형 FPM이고 삼각형 FPM의 넓이는

$\frac{1}{2}\times\overline{FP}\times\overline{GM}=\frac{1}{2}\times2\times2=2$

따라서 $\cos\theta=\frac{(\text{삼각형 FPM의 넓이})}{(\text{삼각형 BPM의 넓이})}=\frac{2}{2\sqrt{6}}=\frac{1}{\sqrt{6}}$이므로

$\cos^2\theta=\frac{1}{6}$

답 ④

다른 풀이

평면 BPM과 평면 EFGH가 이루는 각은 평면 BPM과 평면 ABCD가 이루는 각과 같다.

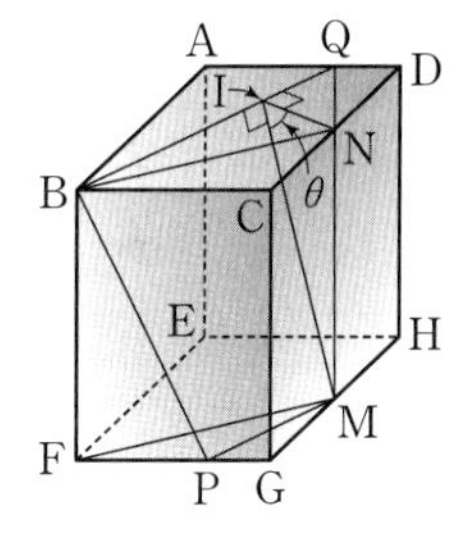

선분 AD를 2 : 1로 내분하는 점을 Q라 하면 직선 BQ는 평면 BPM 위의 직선이고 이때 두 직선 BQ, PM은 서로 평행하다. 점 M에서 평면 ABCD에 내린 수선의 발을 N이라 하면 점 N은 선분 CD의 중점이다. 점 N에서 선분 BQ에 내린 수선의 발을 I라 하면 삼수선의 정리에 의하여 $\overline{MI}\perp\overline{BQ}$이고,

$\angle MIN=\theta$이다.

선분 IN의 길이를 구해 보자.

삼각형 BNQ의 넓이는 직사각형 ABCD의 넓이에서 세 삼각형 ABQ, BCN, DQN의 넓이의 합을 뺀 것과 같으므로

$4\times3-\left(\frac{1}{2}\times2\times4+\frac{1}{2}\times3\times2+\frac{1}{2}\times1\times2\right)=12-(4+3+1)=4$

즉, $\frac{1}{2}\times\overline{BQ}\times\overline{IN}=4$ …… ㉠

이때 $\overline{BQ}=\sqrt{\overline{AB}^2+\overline{AQ}^2}=\sqrt{4^2+2^2}=2\sqrt{5}$이므로 ㉠에서

$\frac{1}{2}\times2\sqrt{5}\times\overline{IN}=4$, $\overline{IN}=\frac{4}{\sqrt{5}}$

직각삼각형 MIN에서

$\overline{MI}=\sqrt{\overline{MN}^2+\overline{IN}^2}=\sqrt{4^2+\left(\frac{4}{\sqrt{5}}\right)^2}=\frac{4\sqrt{6}}{\sqrt{5}}$

따라서 $\cos^2\theta=\left(\frac{\overline{IN}}{\overline{MI}}\right)^2=\left(\frac{\frac{4}{\sqrt{5}}}{\frac{4\sqrt{6}}{\sqrt{5}}}\right)^2=\frac{1}{6}$

16

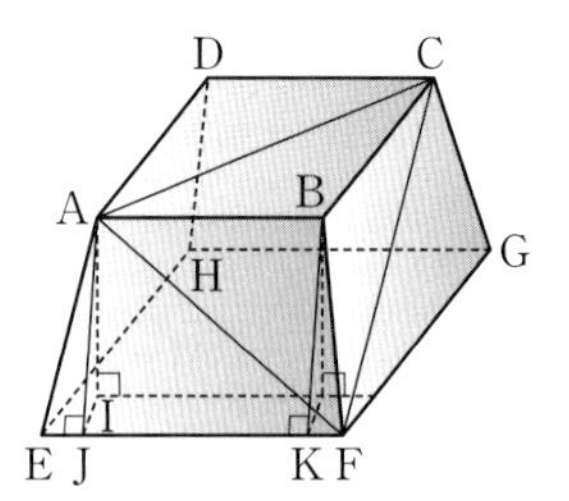

점 A에서 평면 EFGH에 내린 수선의 발을 I, 점 A에서 변 EF에 내린 수선의 발을 J라 하자.

사각뿔대의 옆면이 모두 합동인 등변사다리꼴이므로

$\overline{IJ}=\overline{EJ}=\frac{1}{2}\times(6-4)=1$

직각삼각형 AJI에서

$\overline{AJ}=\sqrt{\overline{AI}^2+\overline{IJ}^2}=\sqrt{(\sqrt{14})^2+1^2}=\sqrt{15}$

직각삼각형 AEJ에서

$\overline{AE}=\sqrt{\overline{AJ}^2+\overline{EJ}^2}=\sqrt{(\sqrt{15})^2+1^2}=4$

한편, 점 B에서 변 EF에 내린 수선의 발을 K라 하면

$\overline{JF}=\overline{JK}+\overline{KF}=4+1=5$

직각삼각형 AJF에서

$\overline{AF}=\sqrt{\overline{AJ}^2+\overline{JF}^2}=\sqrt{(\sqrt{15})^2+5^2}=2\sqrt{10}$

마찬가지로 $\overline{CF}=2\sqrt{10}$

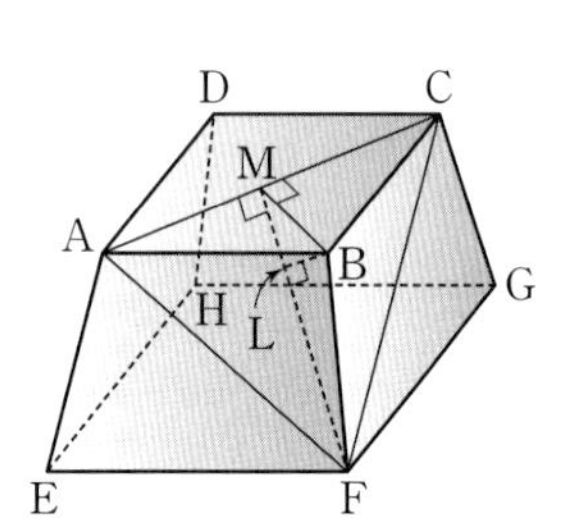

선분 AC의 중점을 M이라 하면

삼각형 AFC는 $\overline{AF}=\overline{CF}=2\sqrt{10}$인 이등변삼각형이므로 $\overline{FM}\perp\overline{AC}$

삼각형 ABC가 $\overline{AB}=\overline{BC}=4$인 이등변삼각형이므로 $\overline{BM}\perp\overline{AC}$

그러므로 점 B의 평면 AFC 위로의 정사영을 L이라 하면 점 L은 선분 FM

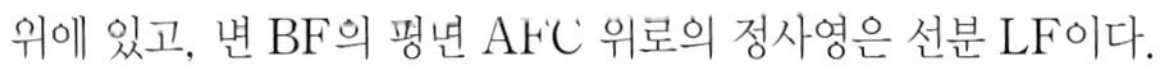

위에 있고, 변 BF의 평면 AFC 위로의 정사영은 선분 LF이다.

정사각형 ABCD에서

$\overline{BM}=\overline{AM}=2\sqrt{2}$

직각삼각형 AFM에서

$\overline{FM}=\sqrt{\overline{AF}^2-\overline{AM}^2}$

$\quad=\sqrt{(2\sqrt{10})^2-(2\sqrt{2})^2}=4\sqrt{2}$

삼각형 BMF에서 $\overline{BF}=\overline{AE}=4$이고,

$\overline{LF}=x$로 놓으면

$\overline{ML}=4\sqrt{2}-x$

직각삼각형 BLF에서

$\overline{BL}^2=\overline{BF}^2-\overline{LF}^2=16-x^2$ ...... ㉠

직각삼각형 BML에서

$\overline{BL}^2=\overline{BM}^2-\overline{ML}^2$

$\quad=(2\sqrt{2})^2-(4\sqrt{2}-x)^2$

$\quad=-24+8\sqrt{2}x-x^2$ ...... ㉡

㉠, ㉡에서

$16-x^2=-24+8\sqrt{2}x-x^2$

$8\sqrt{2}x=40$, $x=\frac{5\sqrt{2}}{2}$

즉, $\overline{LF}=\frac{5\sqrt{2}}{2}$

따라서 $p=2$, $q=5$이므로

$p+q=7$

답 7

17

점 C에서 평면 α에 내린 수선의 발을 F라 하면

$\sin\theta_1=\frac{\overline{BE}}{\overline{AB}}=\frac{\overline{BE}}{4}$, $\sin\theta_2=\frac{\overline{CF}}{\overline{AC}}=\frac{\overline{CF}}{4}$

조건 (가)에 의하여 $\sin\theta_1=3\sin\theta_2$이므로 $\overline{BE}=3\overline{CF}$

즉, 삼각형 CDF와 삼각형 BDE는 서로 닮음이고 그 닮음비는 1 : 3이므로 점 C는 선분 DB를 1 : 2로 내분하는 점이고, $\overline{BC}=4$이므로 $\overline{CD}=2$, $\overline{BD}=6$

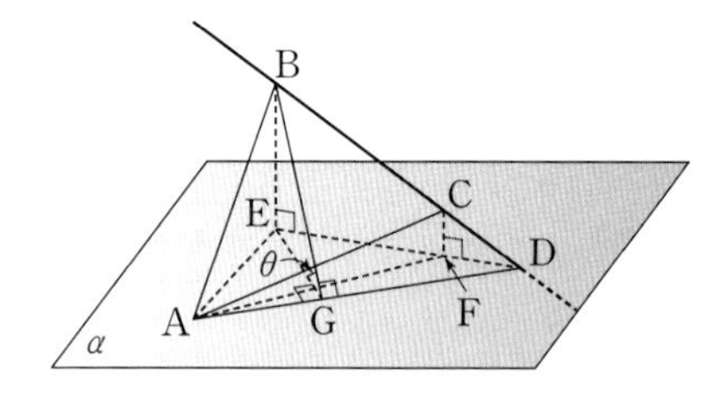

한편, 정삼각형 ABC의 평면 α 위로의 정사영은 삼각형 AEF이고, 점 F가 선분 ED를 2 : 1로 내분하는 점이므로 삼각형 AED의 넓이는 삼각형 AEF의 넓이의 $\frac{3}{2}$배이다.

조건 (나)에 의하여 삼각형 AEF의 넓이가 $2\sqrt{5}$이므로 삼각형 ADE의 넓이는

$\frac{3}{2}\times2\sqrt{5}=3\sqrt{5}$ ...... ㉠

$\overline{BE}\perp$(평면 α)이고, 점 E에서 선분 AD에 내린 수선의 발을 G라 하면 삼수선의 정리에 의하여 $\overline{BG}\perp\overline{AD}$이므로 평면 ADB와 평면 α가 이루는 각의 크기를 θ라 하면 $\theta=\angle BGE$이고

$\cos\theta=\frac{(\text{삼각형 AEF의 넓이})}{(\text{삼각형 ABC의 넓이})}=\frac{2\sqrt{5}}{4\sqrt{3}}=\frac{\sqrt{15}}{6}$

$\sin\theta=\sqrt{1-\cos^2\theta}=\frac{\sqrt{21}}{6}$ ...... ㉡

삼각형 ADB에서 코사인법칙에 의하여

$\overline{AD}^2=\overline{AB}^2+\overline{BD}^2-2\times\overline{AB}\times\overline{BD}\times\cos\frac{\pi}{3}$

$\quad=4^2+6^2-2\times4\times6\times\frac{1}{2}$

$\quad=28$

$\overline{AD}>0$이므로 $\overline{AD}=2\sqrt{7}$

삼각형 ADB의 넓이에서

$\frac{1}{2}\times\overline{AB}\times\overline{BD}\times\sin\frac{\pi}{3}=\frac{1}{2}\times\overline{AD}\times\overline{BG}$

즉, $\frac{1}{2}\times4\times6\times\frac{\sqrt{3}}{2}=\frac{1}{2}\times2\sqrt{7}\times\overline{BG}$

$\overline{BG}=\frac{6\sqrt{21}}{7}$

직각삼각형 BGE에서 ㉡에 의하여

$\overline{BE}=\overline{BG}\sin\theta=\frac{6\sqrt{21}}{7}\times\frac{\sqrt{21}}{6}=3$ ...... ㉢

따라서 사면체 BADE의 부피는 ㉠, ㉢에 의하여

$\frac{1}{3}\times(\text{삼각형 ADE의 넓이})\times\overline{BE}$

$=\frac{1}{3}\times3\sqrt{5}\times3$

$=3\sqrt{5}$

답 ②

필수유형 6

좌표공간의 점 $A(2, 2, -1)$을 x축에 대하여 대칭이동한 점 B의 좌표는

$(2, -2, 1)$

따라서 점 $C(-2, 1, 1)$에 대하여 선분 BC의 길이는

$\overline{BC}=\sqrt{(-2-2)^2+(1+2)^2+(1-1)^2}=\sqrt{16+9}=\sqrt{25}=5$

답 ⑤

18

좌표공간의 점 $A(-1, a, 2)$에서 xy평면에 내린 수선의 발인 점 B의 좌표는

$(-1, a, 0)$

점 $A(-1, a, 2)$를 z축에 대하여 대칭이동한 점 C의 좌표는

$(1, -a, 2)$

$\overline{BC}=6$이므로 $\overline{BC}^2=36$에서

$\{1-(-1)\}^2+(-a-a)^2+(2-0)^2=36$

$4a^2+8=36$, $4a^2=28$, $a^2=7$

$a>0$이므로 $a=\sqrt{7}$

답 ③

19

두 점 $A(1, a, 3)$, $B(1-a, 3, -2)$에 대하여

$\overline{OA}=\sqrt{1^2+a^2+3^2}=\sqrt{a^2+10}$

$\overline{OB}=\sqrt{(1-a)^2+3^2+(-2)^2}=\sqrt{a^2-2a+14}$

$\overline{OA}=\overline{OB}$이므로 $\overline{OA}^2=\overline{OB}^2$에서

$a^2+10=a^2-2a+14$, $2a=4$, $a=2$

즉, $A(1, 2, 3)$, $B(-1, 3, -2)$이고 두 점 A, B에서 xy평면에 내린 수선의 발을 각각 A′, B′이라 하면

$A'(1, 2, 0)$, $B'(-1, 3, 0)$

이때

$\overline{OA'}=\sqrt{1^2+2^2+0^2}=\sqrt{5}$

$\overline{OB'}=\sqrt{(-1)^2+3^2+0^2}=\sqrt{10}$

$\overline{A'B'}=\sqrt{(-1-1)^2+(3-2)^2+(0-0)^2}=\sqrt{5}$

즉, $\overline{OA'}^2+\overline{A'B'}^2=\overline{OB'}^2$이므로 삼각형 OA′B′은 $\angle OA'B'=\frac{\pi}{2}$인 직각이등변삼각형이다.

따라서 삼각형 OAB의 xy평면 위로의 정사영은 삼각형 OA′B′이고 그 넓이는

$\frac{1}{2}\times\overline{OA'}\times\overline{A'B'}=\frac{1}{2}\times\sqrt{5}\times\sqrt{5}=\frac{5}{2}$

답 ②

20

xy평면에서 두 점 A, B를 지나는 직선의 방정식은

$y=-\frac{1}{2}x+\frac{5}{2}$

조건 (가)에 의하여 직선 OH는 직선 AB와 수직이므로 xy평면에서 직선 OH의 방정식은

$y=2x$

이때 $H(3, a, 0)$이므로 $a=6$

즉, $H(3, 6, 0)$

직선 AB와 직선 OH의 교점을 C라 하면

$-\frac{1}{2}x+\frac{5}{2}=2x$에서 $\frac{5}{2}x=\frac{5}{2}$, $x=1$

즉, $C(1, 2, 0)$

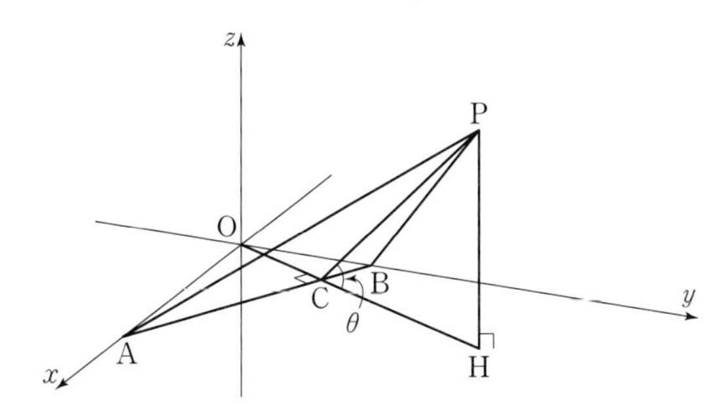

한편, $\overline{PH}\perp$(xy평면)이고 $\overline{CH}\perp\overline{AB}$이므로 삼수선의 정리에 의하여 $\overline{PC}\perp\overline{AB}$이고 $\angle PCH=\theta$

직각삼각형 PCH에서

$\overline{CH}=\sqrt{(1-3)^2+(2-6)^2+(0-0)^2}=2\sqrt{5}$

이고 조건 (나)에 의하여 $\cos\theta=\frac{\sqrt{5}}{3}$이므로

$\overline{CP}=\frac{\overline{CH}}{\cos\theta}=\frac{2\sqrt{5}}{\frac{\sqrt{5}}{3}}=6$

그러므로 $\overline{PH}=\sqrt{\overline{CP}^2-\overline{CH}^2}=\sqrt{6^2-(2\sqrt{5})^2}=4$

따라서 $P(3, 6, 4)$이므로

$\overline{OP}^2=3^2+6^2+4^2=61$

답 61

필수유형 7

선분 AB의 중점의 좌표가 $(4, 0, 7)$이므로

$\frac{a+9}{2}=4$, $\frac{6+b}{2}=7$

즉, $a=-1$, $b=8$이므로

$a+b=7$

답 ④

21

선분 AB를 2 : 1로 내분하는 점의 좌표는

$\left(\frac{2\times b+1\times(-2)}{2+1}, \frac{2\times(-2)+1\times a}{2+1}, \frac{2\times3+1\times2}{2+1}\right)$

즉, $\left(\frac{2b-2}{3}, \frac{a-4}{3}, \frac{8}{3}\right)$

이 점이 z축 위에 있으므로

$\frac{2b-2}{3}=0$, $\frac{a-4}{3}=0$

즉, $a=4$, $b=1$

따라서 $A(-2, 4, 2)$, $B(1, -2, 3)$이므로

$\overline{AB}=\sqrt{(1+2)^2+(-2-4)^2+(3-2)^2}=\sqrt{46}$

답 ④

22

선분 OA의 중점을 M이라 하면
M(3, 0, 0)이고 점 P에서 x축에 내린
수선의 발이 M이므로
$a=3$
점 G는 선분 PM을 2 : 1로 내분하는
점이므로

$\overline{\mathrm{GP}}=\frac{2}{3}\overline{\mathrm{PM}}$

$=\frac{2}{3}\times\left(\frac{\sqrt{3}}{2}\times 6\right)=2\sqrt{3}$

$\overline{\mathrm{GM}}=\frac{1}{2}\overline{\mathrm{GP}}=\sqrt{3}$

한편, 삼각형 OAP의 무게중심 G의 좌표는
$\left(3, \frac{b}{3}, \frac{c}{3}\right)$
점 G에서 xy평면에 내린 수선의 발을 H라 하면 $\angle\mathrm{GAH}=\theta$이고,

$\overline{\mathrm{AG}}=\overline{\mathrm{GP}}=2\sqrt{3}$, $\sin\theta=\frac{\sqrt{3}}{6}$

이므로 직각삼각형 AGH에서

$\overline{\mathrm{GH}}=\overline{\mathrm{AG}}\sin\theta=2\sqrt{3}\times\frac{\sqrt{3}}{6}=1$

즉, $\frac{c}{3}=1$에서 $c=3$
또 $\overline{\mathrm{GH}}\perp(xy$평면$)$, $\overline{\mathrm{GM}}\perp(x$축$)$이므로 삼수선의 정리에 의하여
$\overline{\mathrm{MH}}\perp(x$축$)$이고, 이때 직각삼각형 GMH에서

$\overline{\mathrm{MH}}=\sqrt{\overline{\mathrm{GM}}^2-\overline{\mathrm{GH}}^2}$

$=\sqrt{(\sqrt{3})^2-1^2}=\sqrt{2}$

즉, $\frac{b}{3}=\sqrt{2}$에서 $b=3\sqrt{2}$
따라서 P$(3, 3\sqrt{2}, 3)$이므로

$\frac{b^2}{a\times c}=\frac{(3\sqrt{2})^2}{3\times 3}=2$

답 ②

23

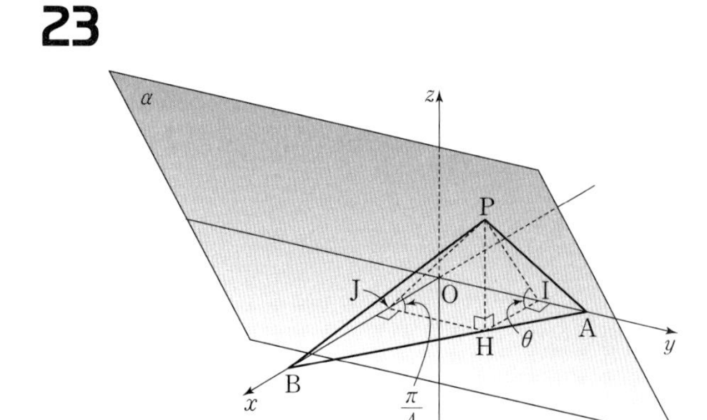

평면 α 위의 점 P에서 xy평면에 내린 수선의 발을 H라 하면 점 H가 선분 AB를 1 : 2로 내분하므로 H$(\sqrt{3}, 2, 0)$이고, 점 P의 z좌표가 양수이므로 P$(\sqrt{3}, 2, k)$ $(k>0)$으로 놓을 수 있다.

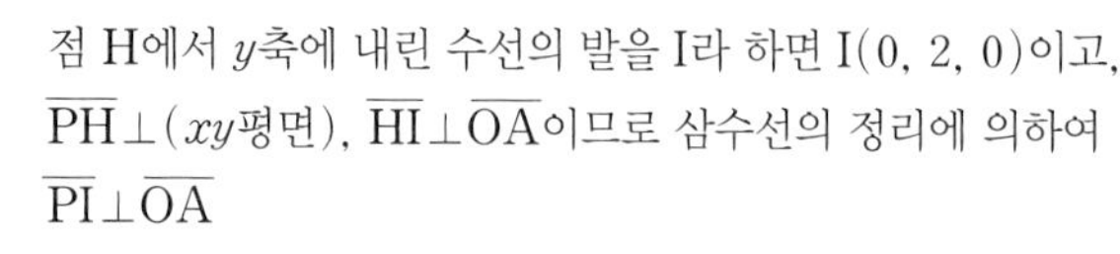

점 H에서 y축에 내린 수선의 발을 I라 하면 I$(0, 2, 0)$이고,
$\overline{\mathrm{PH}}\perp(xy$평면$)$, $\overline{\mathrm{HI}}\perp\overline{\mathrm{OA}}$이므로 삼수선의 정리에 의하여
$\overline{\mathrm{PI}}\perp\overline{\mathrm{OA}}$
즉, $\theta=\angle\mathrm{PIH}$
한편, 점 H에서 x축에 내린 수선의 발을 J라 하면 J$(\sqrt{3}, 0, 0)$이고,
$\overline{\mathrm{PH}}\perp(xy$평면$)$, $\overline{\mathrm{HJ}}\perp\overline{\mathrm{OB}}$이므로 삼수선의 정리에 의하여
$\overline{\mathrm{PJ}}\perp\overline{\mathrm{OB}}$
이때 평면 OBP가 xy평면과 이루는 각의 크기가 $\frac{\pi}{4}$이므로

$\angle\mathrm{PJH}=\frac{\pi}{4}$이고 직각삼각형 PJH에서

$\overline{\mathrm{PH}}=\overline{\mathrm{HJ}}\tan\frac{\pi}{4}=2$, 즉 $k=2$

따라서 P$(\sqrt{3}, 2, 2)$이므로 직각삼각형 PIH에서

$\cos\theta=\frac{\overline{\mathrm{HI}}}{\overline{\mathrm{PI}}}=\frac{\sqrt{3}}{\sqrt{7}}$

이므로 $\cos^2\theta=\frac{3}{7}$

답 ④

필수유형 8

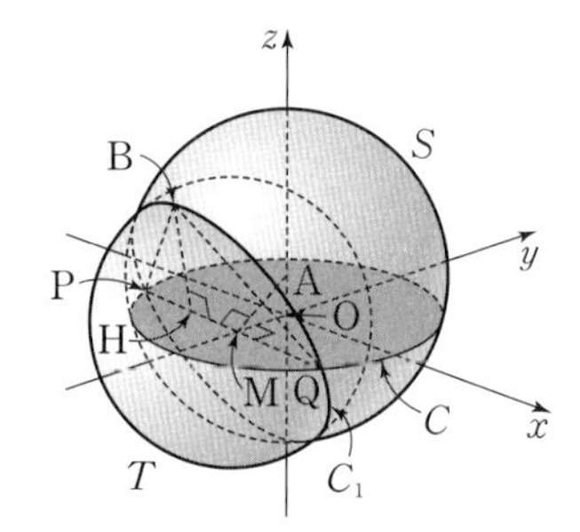

좌표공간에서 원점을 O라 하자.
점 P는 구 S 위의 점이므로 $\overline{\mathrm{AP}}=4$
원점 O에서 선분 PQ에 내린 수선의 발을 M이라 하면 $\overline{\mathrm{PM}}=\overline{\mathrm{QM}}$
$\overline{\mathrm{OA}}\perp(xy$평면$)$, $\overline{\mathrm{OM}}\perp\overline{\mathrm{PQ}}$이므로 삼수선의 정리에 의하여
$\overline{\mathrm{AM}}\perp\overline{\mathrm{PQ}}$이다.
이때 점 A에서 선분 PQ까지의 거리가 2이므로 $\overline{\mathrm{AM}}=2$
직각삼각형 OAM에서
$\overline{\mathrm{OM}}=\sqrt{\overline{\mathrm{AM}}^2-\overline{\mathrm{OA}}^2}=\sqrt{2^2-1^2}=\sqrt{3}$
직각삼각형 APM에서
$\overline{\mathrm{PM}}=\sqrt{\overline{\mathrm{AP}}^2-\overline{\mathrm{AM}}^2}=\sqrt{4^2-2^2}=2\sqrt{3}$
이므로
$\overline{\mathrm{PQ}}=2\overline{\mathrm{PM}}=4\sqrt{3}$
한편, 구 T는 선분 PQ를 지름으로 하는 구이므로 중심이 M이고 반지름의 길이는 $\frac{1}{2}\overline{\mathrm{PQ}}=2\sqrt{3}$이다.

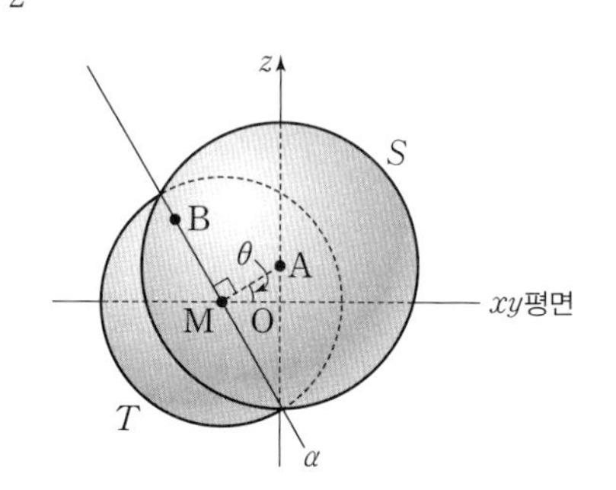

구 S와 구 T가 만나서 생기는 원을 C_1이라 하고, 원 C_1을 포함하는 평면을 α라 하면

$\overline{AM}\perp\alpha$

삼각형 OAM에서 $\angle AMO=\theta$라 하면

$\cos\theta=\dfrac{\overline{OM}}{\overline{AM}}=\dfrac{\sqrt{3}}{2}$이므로 $\theta=\dfrac{\pi}{6}$

그러므로 평면 α와 xy평면이 이루는 각의 크기는

$\dfrac{\pi}{2}-\theta=\dfrac{\pi}{2}-\dfrac{\pi}{6}=\dfrac{\pi}{3}$

점 B에서 선분 PQ에 내린 수선의 발을 H라 하면 원 C_1의 반지름의 길이가 $2\sqrt{3}$이므로

$\overline{BH}\le 2\sqrt{3}$

이때 삼각형 BPQ의 넓이를 S라 하면

$S=\dfrac{1}{2}\times\overline{PQ}\times\overline{BH}\le\dfrac{1}{2}\times4\sqrt{3}\times2\sqrt{3}=12$

삼각형 BPQ의 xy평면 위로의 정사영의 넓이를 S'이라 하면

$S'=S\times\cos\dfrac{\pi}{3}\le 12\times\dfrac{1}{2}=6$

따라서 삼각형 BPQ의 xy평면 위로의 정사영의 넓이의 최댓값은 6이다.

답 ①

24

$x^2+y^2+z^2-6x-4y+2z+k=0$에서

$(x-3)^2+(y-2)^2+(z+1)^2=14-k$

즉, 이 구의 중심을 C라 하면 이 구는 중심이 $C(3, 2, -1)$이고 반지름의 길이가 $\sqrt{14-k}$이다.

점 C에서 x축에 내린 수선의 발을 H라 하면 $H(3, 0, 0)$이고 이 구가 x축에 접하므로 선분 CH의 길이와 반지름의 길이가 같다.

이때

$\overline{CH}=\sqrt{(3-3)^2+(0-2)^2+\{0-(-1)\}^2}=\sqrt{5}$이므로

$\sqrt{14-k}=\sqrt{5}$에서 $14-k=5$

따라서 $k=9$

답 ⑤

25

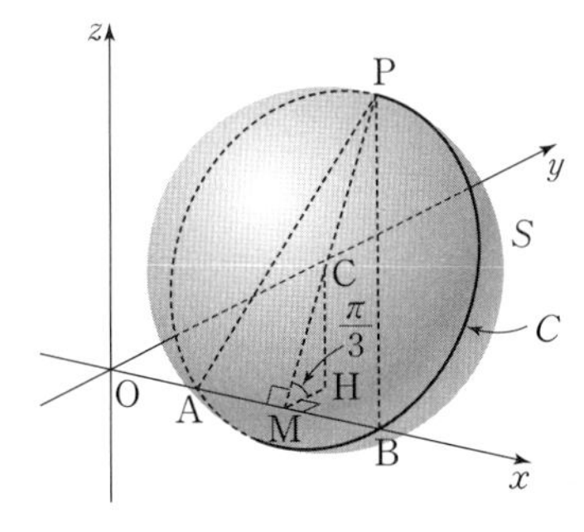

구 S는 점 $C(6, a, b)$ $(a>0, b>0)$을 중심으로 하고 반지름의 길이가 6이다.

점 C에서 xy평면에 내린 수선의 발을 H라 하면 $H(6, a, 0)$

선분 AB의 중점을 M이라 하면 점 C에서 x축에 내린 수선의 발은 M이므로 $M(6, 0, 0)$

$\overline{CH}\perp(xy\text{평면})$이고 $\overline{CM}\perp\overline{AB}$이므로 삼수선의 정리에 의하여

$\overline{MH}\perp\overline{AB}$

평면 ABC와 xy평면이 이루는 각의 크기가 $\dfrac{\pi}{3}$이므로

$\angle CMH=\dfrac{\pi}{3}$

한편, 평면 ABC가 구 S와 만나서 생기는 원을 C라 할 때, 점 P는 원 C 위의 점 중 평면 CMH 위에 있으면서 점 M으로부터 거리가 가장 먼 점이다. 이때 점 P에서 xy평면에 내린 수선의 발을 P′이라 하자.

점 P의 z좌표가 $5\sqrt{3}$이므로 $\overline{PP'}=5\sqrt{3}$이고

$\angle PMP'=\dfrac{\pi}{3}$이므로

$\overline{MP}=\dfrac{\overline{PP'}}{\sin\dfrac{\pi}{3}}=\dfrac{5\sqrt{3}}{\dfrac{\sqrt{3}}{2}}=10$

이때 $\overline{CP}=6$이므로 $\overline{CM}=\overline{MP}-\overline{CP}=10-6=4$

직각삼각형 CMH에서

$\overline{MH}=\overline{CM}\cos\dfrac{\pi}{3}=4\times\dfrac{1}{2}=2$이므로 $a=2$

$\overline{CH}=\overline{CM}\sin\dfrac{\pi}{3}=4\times\dfrac{\sqrt{3}}{2}=2\sqrt{3}$이므로 $b=2\sqrt{3}$

따라서 $C(6, 2, 2\sqrt{3})$이므로

$\overline{OC}^2=6^2+2^2+(2\sqrt{3})^2=52$

답 ④

26

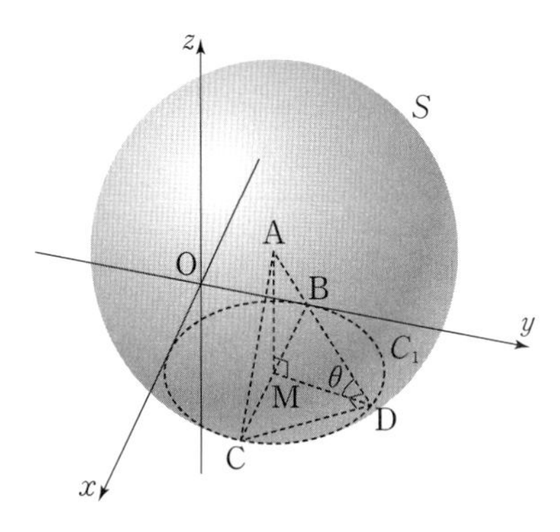

세 점 B, C, D는 원 C_1 위의 점이고 조건 (가)에서 $\angle BDC=\dfrac{\pi}{2}$이므로 선분 BC는 원 C_1의 지름이다.

선분 BC의 중점을 M이라 하면 점 M은 원 C_1의 중심이므로 점 A에서 xy평면에 내린 수선의 발이 M이다.

그러므로 $\angle ADM=\theta$이고, $\overline{MD}=\dfrac{1}{2}\overline{BC}=3$이므로 조건 (나)에 의하여

$\overline{AM}=\overline{MD}\tan\theta=3\times2=6$

직각삼각형 ACM에서

$\overline{AC}=\sqrt{\overline{AM}^2+\overline{CM}^2}=\sqrt{6^2+3^2}=3\sqrt{5}$

이므로 구 S는 점 A를 중심으로 하고 반지름의 길이가 $3\sqrt{5}$이다.

그러므로 점 A를 지나고 xy평면과 평행한 평면이 구 S와 만나서 생기는 원 C_2의 반지름의 길이는 $3\sqrt{5}$이고, 원 C_2의 xy평면 위로의 정사영을 C_2'이라 하면 C_2'은 점 M을 중심으로 하고 반지름의 길이가 $3\sqrt{5}$인 xy평면 위의 원이다.

또 원 C_2 위의 점 P에서 xy평면에 내린 수선의 발을 P′이라 하면 점 P′은 원 C_2' 위의 점이고, 점 P′에서 직선 CD에 내린 수선의 발을 H라 하면 삼수선의 정리에 의하여 $\overline{\mathrm{PH}}\perp$(직선 CD)이다.

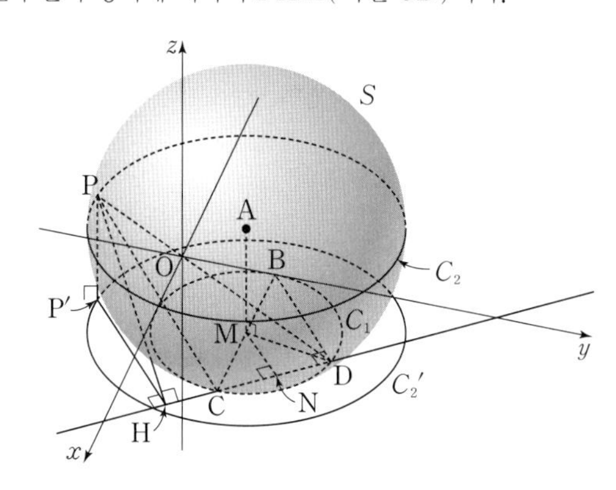

삼각형 PCD의 넓이는

$\frac{1}{2}\times\overline{\mathrm{CD}}\times\overline{\mathrm{PH}}=\frac{1}{2}\times4\times\overline{\mathrm{PH}}=2\overline{\mathrm{PH}}$ …… ㉠

이고,

$\overline{\mathrm{PH}}=\sqrt{\overline{\mathrm{PP'}}^2+\overline{\mathrm{P'H}}^2}=\sqrt{6^2+\overline{\mathrm{P'H}}^2}$ …… ㉡

이므로 삼각형 PCD의 넓이가 최대이려면 선분 P′H의 길이가 최대이어야 한다.

원 C_1의 중심 M에서 현 CD에 내린 수선의 발을 N이라 하면 점 N은 선분 CD의 중점이고, 선분 P′H의 길이가 최대인 경우는 점 P′이 직선 MN과 원 C_2'이 만나는 두 점 중 점 N에서 먼 점일 때이고, 이때 점 H는 점 N이다.

직각삼각형 MCN에서 $\overline{\mathrm{MN}}=\sqrt{\overline{\mathrm{CM}}^2-\overline{\mathrm{CN}}^2}=\sqrt{3^2-2^2}=\sqrt{5}$이므로

$\overline{\mathrm{P'H}}\le\overline{\mathrm{MN}}+3\sqrt{5}=4\sqrt{5}$

즉, ㉡에서 $\overline{\mathrm{PH}}=\sqrt{6^2+\overline{\mathrm{P'H}}^2}\le\sqrt{6^2+(4\sqrt{5})^2}=2\sqrt{29}$

이므로 ㉠에서 $2\overline{\mathrm{PH}}\le2\times2\sqrt{29}=4\sqrt{29}$

따라서 삼각형 PCD의 넓이의 최댓값은 $4\sqrt{29}$이다.

답 ④

참고

위의 그림은 점 D의 좌표가 $\left(\frac{10}{3},\ \frac{9+4\sqrt{5}}{3},\ 0\right)$일 때를 나타낸 것이다.

점 D의 좌표가 $\left(\frac{10}{3},\ \frac{9-4\sqrt{5}}{3},\ 0\right)$일 때도 같은 결과를 얻는다.

27

구 S는 중심이 $\mathrm{A}(4,\ a,\ b)$이고 반지름의 길이가 $2\sqrt{5}$이다.

구 S가 x축에 접하므로 점 A에서 x축에 내린 수선의 발을 B라 하면 $\mathrm{B}(4,\ 0,\ 0)$이고 $\overline{\mathrm{AB}}=2\sqrt{5}$이다.

$\overline{\mathrm{AB}}=\sqrt{(4-4)^2+(a-0)^2+(b-0)^2}=\sqrt{a^2+b^2}$이므로

$\sqrt{a^2+b^2}=2\sqrt{5}$에서

$a^2+b^2=20$ …… ㉠

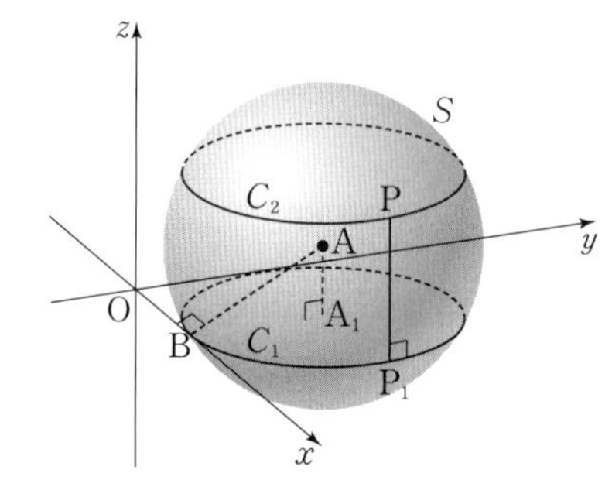

구 S가 xy평면과 만나서 생기는 원을 C_1이라 하면 원 C_1의 중심은 $\mathrm{A_1}(4,\ a,\ 0)$이고 반지름의 길이는 $\overline{\mathrm{A_1B}}=a$이다.

조건 (가)에 의하여 점 $\mathrm{P_1}$은 원 C_1 위의 점 중 y좌표가 a보다 큰 점이고, 점 P의 z좌표가 양수이므로 xy평면과 평행하고 z좌표가 $2b$인 평면과 구 S가 만나서 생기는 원을 C_2라 하면 점 P는 원 C_2 위의 점 중 y좌표가 a보다 큰 점이다.

삼각형 $\mathrm{OA_1P_1}$의 넓이가 최대일 때, 점 $\mathrm{P_1}$은 [그림 1]과 같이 점 $\mathrm{A_1}$을 지나고 직선 $\mathrm{OA_1}$에 수직인 직선 l이 원 C_1과 만나는 점 중 y좌표가 큰 점이다. 이 점을 $\mathrm{Q_1}$이라 하면 점 Q는 점 $\mathrm{Q_1}$을 지나고 z축에 평행한 직선이 원 C_2와 만나는 점이고,

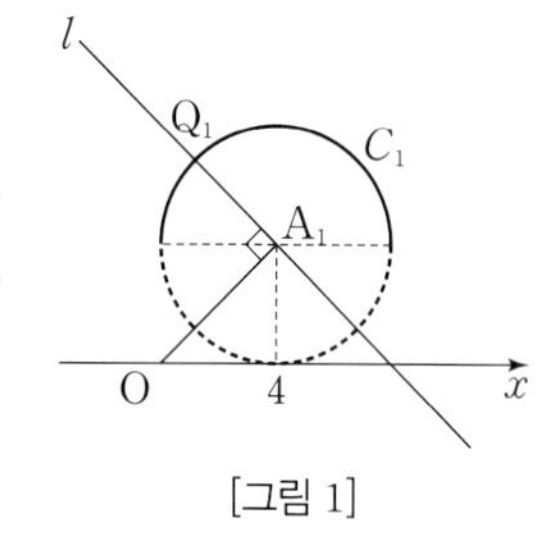

[그림 1]

조건 (나)에 의하여 $\overline{\mathrm{OQ}}=8$이므로

$\overline{\mathrm{OQ}}=\sqrt{\overline{\mathrm{OQ_1}}^2+\overline{\mathrm{QQ_1}}^2}=\sqrt{(\overline{\mathrm{OA_1}}^2+\overline{\mathrm{A_1Q_1}}^2)+\overline{\mathrm{QQ_1}}^2}$

$=\sqrt{(4^2+a^2)+a^2+(2b)^2}$

$=\sqrt{2a^2+4b^2+16}=8$

즉, $2a^2+4b^2+16=64$에서

$a^2+2b^2=24$ …… ㉡

㉠, ㉡을 연립하여 풀면 $a^2=16$, $b^2=4$

$a>0$, $b>0$이므로 $a=4$, $b=2$

구 S를 세 점 A, $\mathrm{A_1}$, $\mathrm{Q_1}$을 지나는 평면으로 자른 단면은 [그림 2]와 같다. 원 C_1의 반지름의 길이가 4이므로 $\overline{\mathrm{A_1Q_1}}=4$이고 $\overline{\mathrm{QQ_1}}=4$이므로

$\angle\mathrm{QA_1Q_1}=\frac{\pi}{4}$

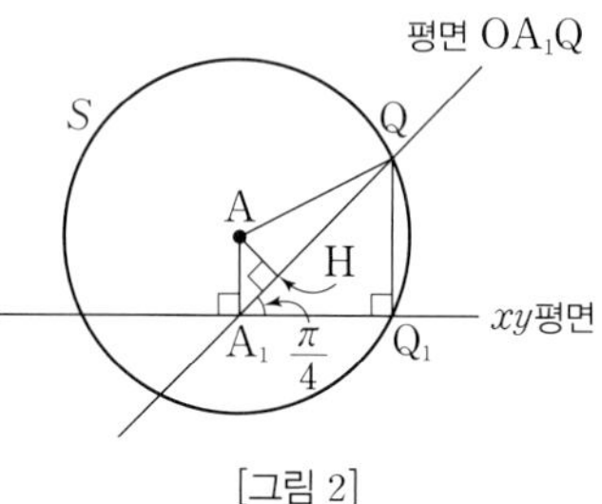

[그림 2]

이때 $\angle\mathrm{AA_1Q}=\angle\mathrm{AA_1Q_1}-\angle\mathrm{QA_1Q_1}=\frac{\pi}{4}$이므로 점 A에서 평면 $\mathrm{OA_1Q}$에 내린 수선의 발을 H라 하면 평면 $\mathrm{OA_1Q}$가 구 S와 만나서 생기는 원의 중심은 H, 반지름의 길이는 $\overline{\mathrm{QH}}$이고,

$\overline{\mathrm{AH}}=\overline{\mathrm{AA_1}}\sin\frac{\pi}{4}=2\times\frac{\sqrt{2}}{2}=\sqrt{2}$

그러므로 직각삼각형 AHQ에서

$\overline{\mathrm{QH}}=\sqrt{\overline{\mathrm{AQ}}^2-\overline{\mathrm{AH}}^2}=\sqrt{(2\sqrt{5})^2-(\sqrt{2})^2}=3\sqrt{2}$

따라서 구하는 넓이는 $(3\sqrt{2})^2\pi=18\pi$이므로

$k=18$

답 18

실전 모의고사 1회

본문 106~117쪽

01 ③	02 ③	03 ⑤	04 ④	05 ②
06 ④	07 ④	08 ④	09 ⑤	10 ①
11 ④	12 ⑤	13 ②	14 ①	15 ①
16 9	17 6	18 30	19 165	20 15
21 8	22 108	23 ③	24 ③	25 ⑤
26 ③	27 ③	28 ⑤	29 49	30 13

01

$$\left(\frac{1}{2}\right)^{\sqrt{3}}\times 4^{\frac{\sqrt{3}}{2}}=(2^{-1})^{\sqrt{3}}\times(2^2)^{\frac{\sqrt{3}}{2}}$$
$$=2^{-\sqrt{3}}\times 2^{\sqrt{3}}=2^{-\sqrt{3}+\sqrt{3}}$$
$$=2^0=1$$

답 ③

02

$$\lim_{x\to1}\frac{\sqrt{x^2+x}-\sqrt{2}}{x-1}=\lim_{x\to1}\frac{(\sqrt{x^2+x}-\sqrt{2})(\sqrt{x^2+x}+\sqrt{2})}{(x-1)(\sqrt{x^2+x}+\sqrt{2})}$$
$$=\lim_{x\to1}\frac{x^2+x-2}{(x-1)(\sqrt{x^2+x}+\sqrt{2})}$$
$$=\lim_{x\to1}\frac{(x-1)(x+2)}{(x-1)(\sqrt{x^2+x}+\sqrt{2})}$$
$$=\lim_{x\to1}\frac{x+2}{\sqrt{x^2+x}+\sqrt{2}}$$
$$=\frac{3}{2\sqrt{2}}=\frac{3\sqrt{2}}{4}$$

답 ③

03

등차수열 $\{a_n\}$의 첫째항을 a, 공차를 d라 하자.

$a_2+a_4=10$에서

$(a+d)+(a+3d)=2a+4d=10$

$a+2d=5$ …… ㉠

$a_6-a_3=6$에서

$(a+5d)-(a+2d)=3d=6$, $d=2$

$d=2$를 ㉠에 대입하면 $a=1$

따라서 $a_8=a+7d=1+7\times2=15$

답 ⑤

다른 풀이

$\frac{a_2+a_4}{2}=a_3$이므로

$a_2+a_4=10$에서 $2a_3=10$, $a_3=5$

등차수열 $\{a_n\}$의 공차를 d라 하면

$a_6=a_3+3d$이므로 $a_6-a_3=3d$

$a_6-a_3=6$에서 $3d=6$, $d=2$

따라서 $a_8=a_3+5d=5+5\times2=15$

04

$$\lim_{h\to0}\frac{f(1+h)-f(1-h)}{h}$$
$$=\lim_{h\to0}\left\{\frac{f(1+h)-f(1)}{h}+\frac{f(1-h)-f(1)}{-h}\right\}$$
$$=f'(1)+f'(1)$$
$$=2f'(1)$$

$2f'(1)=10$에서 $f'(1)=5$

$f(x)=x^3+ax$에서 $f'(x)=3x^2+a$이므로

$f'(1)=3+a=5$

따라서 $a=2$

답 ④

05

$$\sum_{k=1}^{n}\frac{1}{(k+1)(k+2)}$$
$$=\sum_{k=1}^{n}\left(\frac{1}{k+1}-\frac{1}{k+2}\right)$$
$$=\left(\frac{1}{2}-\frac{1}{3}\right)+\left(\frac{1}{3}-\frac{1}{4}\right)+\cdots+\left(\frac{1}{n}-\frac{1}{n+1}\right)+\left(\frac{1}{n+1}-\frac{1}{n+2}\right)$$
$$=\frac{1}{2}-\frac{1}{n+2}$$

$\sum_{k=1}^{n}\frac{1}{(k+1)(k+2)}>\frac{2}{5}$에서

$\frac{1}{2}-\frac{1}{n+2}>\frac{2}{5}$, $\frac{1}{n+2}<\frac{1}{10}$

$n+2>10$, $n>8$

따라서 자연수 n의 최솟값은 9이다.

답 ②

06

$p>1$이므로 두 함수 $y=x^2$, $y=\frac{x^2}{p}$의 그래프는 그림과 같다.

$$A=\int_0^p x^2\,dx=\left[\frac{1}{3}x^3\right]_0^p=\frac{p^3}{3}$$
$$B=\int_0^p\left(x^2-\frac{x^2}{p}\right)dx$$
$$=\int_0^p\left(1-\frac{1}{p}\right)x^2\,dx=\left[\frac{p-1}{3p}x^3\right]_0^p=\frac{(p-1)p^2}{3}$$

$A:B=3:1$에서 $A=3B$이므로

$\frac{p^3}{3}=(p-1)p^2$

$p>1$이므로 양변을 p^2으로 나누면

$\frac{p}{3}=p-1$, $\frac{2}{3}p=1$

따라서 $p=\frac{3}{2}$

답 ④

07

$$\tan^2\theta-\tan^2\theta\sin^2\theta=\tan^2\theta(1-\sin^2\theta)=\tan^2\theta\times\cos^2\theta$$

$$=\frac{\sin^2\theta}{\cos^2\theta}\times\cos^2\theta=\sin^2\theta$$

$\tan^2\theta-\tan^2\theta\sin^2\theta=\frac{4}{5}$에서

$\sin^2\theta=\frac{4}{5}$

$\pi<\theta<\frac{3}{2}\pi$에서 $\sin\theta<0$, $\cos\theta<0$이므로

$\sin\theta=-\frac{2\sqrt{5}}{5}$, $\cos\theta=-\sqrt{1-\frac{4}{5}}=-\frac{\sqrt{5}}{5}$

$\tan\theta=\frac{\sin\theta}{\cos\theta}=\frac{-\frac{2\sqrt{5}}{5}}{-\frac{\sqrt{5}}{5}}=2$

따라서 $\cos^2\theta+\tan\theta=\left(-\frac{\sqrt{5}}{5}\right)^2+2=\frac{1}{5}+2=\frac{11}{5}$

답 ④

08

$g(x)=(x-1)f(x)$로 놓으면 $g(1)=0$이고,
$g'(x)=f(x)+(x-1)f'(x)$
이므로
$g'(x)=4x^3+4x$

$g(x)=\int(4x^3+4x)\,dx$

$=x^4+2x^2+C$ (단, C는 적분상수) …… ㉠

㉠에서 $g(1)=3+C=0$이므로 $C=-3$

이때 $g(x)=x^4+2x^2-3=(x+1)(x-1)(x^2+3)$에서

$x\neq1$일 때 $f(x)=\frac{g(x)}{x-1}=(x+1)(x^2+3)$이므로

$f'(x)=(x^2+3)+(x+1)\times2x=3x^2+2x+3$

따라서 $f'(1)=3+2+3=8$

답 ④

09

두 곡선 $y=3\cos x$, $y=8\tan x$가 만나는 점 A의 x좌표를 a라 하면
$3\cos a=8\tan a$에서

$3\cos a=8\times\frac{\sin a}{\cos a}$

$3\cos^2 a=8\sin a$, $3(1-\sin^2 a)=8\sin a$

$3\sin^2 a+8\sin a-3=0$, $(3\sin a-1)(\sin a+3)=0$

$0<a<\frac{\pi}{2}$에서 $0<\sin a<1$이므로 $\sin a=\frac{1}{3}$

$\cos a=\sqrt{1-\sin^2 a}=\sqrt{1-\left(\frac{1}{3}\right)^2}=\frac{2\sqrt{2}}{3}$

그러므로 점 A의 y좌표는 $3\cos a=3\times\frac{2\sqrt{2}}{3}=2\sqrt{2}$이다.

한편, $6\cos x=16\tan x$에서 $3\cos x=8\tan x$이므로 두 곡선 $y=6\cos x$, $y=16\tan x$가 만나는 점 B의 x좌표는 a이고,

점 B의 y좌표는 $6\cos a=6\times\frac{2\sqrt{2}}{3}=4\sqrt{2}$이다.

따라서 선분 AB의 길이는 $\sqrt{(a-a)^2+(4\sqrt{2}-2\sqrt{2})^2}=2\sqrt{2}$

답 ⑤

10

$\int_0^a v(t)\,dt=A$, $\int_a^b v(t)\,dt=B$, $\int_b^c v(t)\,dt=C$로 놓으면

$A>0$, $B<0$, $C>0$

조건 (가)에서

$\int_0^b |v(t)|\,dt=\int_0^a v(t)\,dt-\int_a^b v(t)\,dt=12$

이므로 $A-B=12$ …… ㉠

점 P가 출발할 때의 방향과 반대 방향으로 움직일 때의 시각 t의 범위는 $a<t<b$이다. 즉, 조건 (나)에서

$\int_a^b |v(t)|\,dt=-\int_a^b v(t)\,dt=5$

이므로 $B=-5$이고, $B=-5$를 ㉠에 대입하면 $A=7$

조건 (다)에서

$\int_0^c v(t)\,dt=A+B+C=8$

이므로 $C=8-(A+B)=8-(7-5)=6$

따라서 점 P가 시각 $t=a$에서 $t=c$까지 움직인 거리는

$\int_a^c |v(t)|\,dt=-\int_a^b v(t)\,dt+\int_b^c v(t)\,dt=-B+C=5+6=11$

답 ①

11

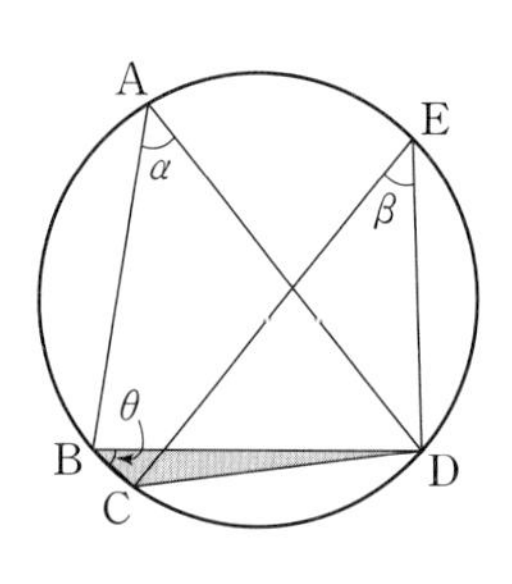

$\angle\mathrm{BAD}=\alpha$, $\angle\mathrm{CED}=\beta$라 하면

$\sin\alpha=\frac{3}{4}$, $\sin\beta=\frac{\sqrt{7}}{4}$

주어진 원의 반지름의 길이가 4이므로
삼각형 ABD에서 사인법칙에 의하여

$\frac{\overline{\mathrm{BD}}}{\sin\alpha}=2\times4$

$\overline{\mathrm{BD}}=8\sin\alpha=8\times\frac{3}{4}=6$

삼각형 ECD에서 사인법칙에 의하여

$\frac{\overline{\mathrm{CD}}}{\sin\beta}=2\times4$

$\overline{\mathrm{CD}}=8\sin\beta=8\times\frac{\sqrt{7}}{4}=2\sqrt{7}$

$\overline{\mathrm{BC}}=x$ $(0<x<8)$, $\angle\mathrm{CBD}=\theta$ $\left(0<\theta<\frac{\pi}{2}\right)$라 하자.

$\angle\mathrm{CED}$와 $\angle\mathrm{CBD}$는 모두 호 CD의 원주각이므로 $\theta=\beta$

즉, $\sin\theta=\sin\beta=\frac{\sqrt{7}}{4}$

$\cos\theta=\sqrt{1-\sin^2\theta}=\sqrt{1-\left(\frac{\sqrt{7}}{4}\right)^2}=\frac{3}{4}$

삼각형 BCD에서 코사인법칙에 의하여
$\overline{\mathrm{CD}}^2=\overline{\mathrm{BC}}^2+\overline{\mathrm{BD}}^2-2\times\overline{\mathrm{BC}}\times\overline{\mathrm{BD}}\times\cos\theta$

$(2\sqrt{7})^2=x^2+6^2-2\times x\times6\times\frac{3}{4}$

$x^2-9x+8=0$, $(x-1)(x-8)=0$

$0<x<8$이므로 $x=1$

따라서 삼각형 BCD의 넓이는

$\frac{1}{2}\times\overline{\mathrm{BC}}\times\overline{\mathrm{BD}}\times\sin\theta=\frac{1}{2}\times1\times6\times\frac{\sqrt{7}}{4}=\frac{3\sqrt{7}}{4}$

답 ④

12

$f(x)=x^4+ax^3+bx^2+cx+d$ (a, b, c, d는 상수)로 놓으면

$f(0)=4$에서 $d=4$, $f(-1)=1$에서 $1-a+b-c+d=1$

이므로 $a-b=4-c$ ...... ㉠

$f'(x)=4x^3+3ax^2+2bx+c$이고,

곡선 $y=f(x)$ 위의 두 점 $(-1, 1)$, $(0, 4)$를 지나는 직선의 기울기는

$\frac{4-1}{0-(-1)}=3$

$f'(0)=3$에서 $c=3$,

$f'(-1)=3$에서 $-4+3a-2b+c=3$

이므로 $3a-2b=4$ ...... ㉡

㉠, ㉡을 연립하여 풀면 $a=2$, $b=1$

따라서 $f'(x)=4x^3+6x^2+2x+3$이므로

$f'(1)=4+6+2+3=15$

답 ⑤

다른 풀이

두 점 $(-1, 1)$, $(0, 4)$를 지나는 직선의 기울기는

$\frac{4-1}{0-(-1)}=3$

이므로 곡선 $y=f(x)$ 위의 두 점 $(0, 4)$, $(-1, 1)$에서의 접선의 방정식은 $y=3x+4$이다.

사차방정식 $f(x)=3x+4$는 $x=-1$, $x=0$을 각각 중근으로 가지고 $f(x)$의 최고차항의 계수가 1이므로

$f(x)-(3x+4)=x^2(x+1)^2$

$f(x)=x^2(x+1)^2+3x+4=x^4+2x^3+x^2+3x+4$

따라서 $f'(x)=4x^3+6x^2+2x+3$이므로

$f'(1)=4+6+2+3=15$

13

$\log_{2^n} x=\frac{1}{n}\log_2 x$이므로

$A\left(\frac{1}{2}, -1\right)$, $B\left(\frac{1}{2}, -\frac{1}{n}\right)$, $C\left(\frac{1}{2}, 0\right)$, $D(2, 1)$, $E\left(2, \frac{1}{n}\right)$, $F(2, 0)$

그러므로 두 사각형 AEDB, BFEC는 각각 평행사변형이고, 사각형 BFEC의 넓이는

$\frac{1}{n}\times\left(2-\frac{1}{2}\right)=\frac{3}{2n}$

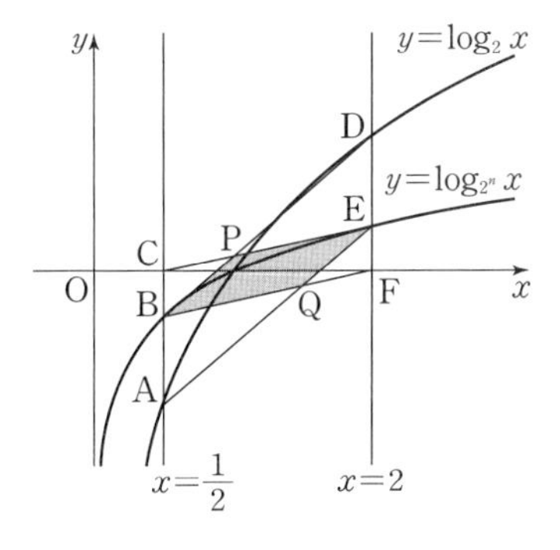

두 직선 BD, CE의 교점을 P, 두 직선 AE, BF의 교점을 Q라 하면 두 삼각형 BPC, EQF는 서로 합동이다.

한편, 두 삼각형 AQB, EQF는 서로 닮은 도형이고 닮음비는

$\overline{AB}:\overline{EF}=\left(1-\frac{1}{n}\right):\frac{1}{n}=(n-1):1$이다.

그러므로 변 EF를 밑변으로 했을 때, 삼각형 EQF의 넓이는

$\frac{1}{2}\times\frac{1}{n}\times\left\{\frac{1}{n}\times\left(2-\frac{1}{2}\right)\right\}=\frac{3}{4n^2}$

두 사각형 AEDB, BFEC의 겹치는 부분의 넓이는 사각형 BFEC의 넓이에서 서로 합동인 두 삼각형 BPC, EQF의 넓이를 뺀 값과 같으므로

$\frac{3}{2n}-2\times\frac{3}{4n^2}=\frac{3}{2n}-\frac{3}{2n^2}$

$\frac{3}{2n}-\frac{3}{2n^2}=\frac{1}{3}$에서

$2n^2-9n+9=0$, $(2n-3)(n-3)=0$

따라서 $n=3$

답 ②

14

ㄱ. $f(0)=0$이므로 실수 a의 값에 관계없이 곡선 $y=f(x)$는 원점을 지난다. (참)

ㄴ. $f'(x)=(x-1)(2x^3+x^2-4x-a)$이므로 $a=-1$이면
$f'(x)=(x-1)(2x^3+x^2-4x+1)=(x-1)^2(2x^2+3x-1)$
따라서 $x=1$의 좌우에서 $f'(x)$의 부호가 바뀌지 않으므로 함수 $f(x)$는 $x=1$에서 극값을 갖지 않는다. (거짓)

ㄷ. $g(x)=2x^3+x^2-4x$로 놓으면
$g'(x)=6x^2+2x-4=2(3x-2)(x+1)$
$g'(x)=0$에서 $x=-1$ 또는 $x=\frac{2}{3}$
함수 $g(x)$의 증가와 감소를 표로 나타내면 다음과 같다.

x	$\cdots$	-1	$\cdots$	$\frac{2}{3}$	$\cdots$
$g'(x)$	+	0	−	0	+
$g(x)$	↗	극대	↘	극소	↗

함수 $g(x)$의 극댓값은 $g(-1)=-2+1+4=3$,

극솟값은 $g\left(\frac{2}{3}\right)=\frac{16}{27}+\frac{4}{9}-\frac{8}{3}=-\frac{44}{27}$

함수 $f(x)$가 $x=p$에서 극대 또는 극소인 서로 다른 실수 p의 개수가 2이려면 방정식 $f'(x)=0$이 하나의 중근과 서로 다른 두 실근을 갖거나 서로 다른 두 실근과 서로 다른 두 허근을 가져야 한다.

(i) 방정식 $f'(x)=0$이 하나의 중근과 서로 다른 두 실근을 갖는 경우

함수 $y=g(x)$의 그래프와 직선 $y=a$가 $x=1$인 점을 포함해서 세 점에서 만나면

ㄴ에서 $a=-1$

함수 $y=g(x)$의 그래프와 직선 $y=a$가 $x=1$이 아닌 두 점에서만 만나면

$a=g\left(\frac{2}{3}\right)=-\frac{44}{27}$ 또는 $a=g(-1)=3$

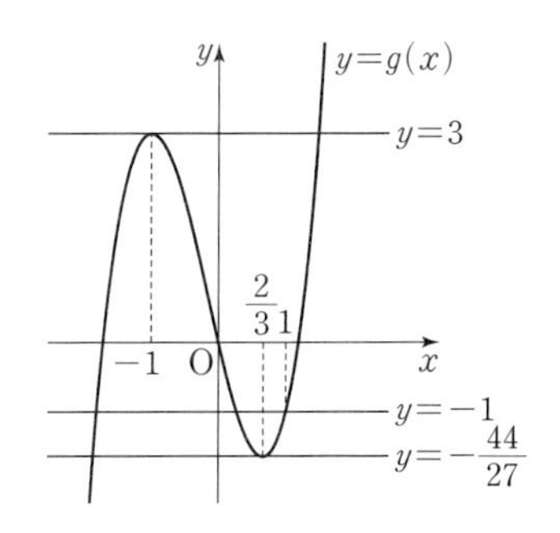

(ii) 방정식 $f'(x)=0$이 서로 다른 두 실근과 서로 다른 두 허근을 갖는 경우

함수 $y=g(x)$의 그래프와 직선 $y=a$가 한 점에서 만나야 하므로

$a>3$ 또는 $a<-\frac{44}{27}$

(i), (ii)에서 구하는 실수 a의 값은

$a\le-\frac{44}{27}$ 또는 $a=-1$ 또는 $a\ge3$

따라서 조건을 만족시키는 10 이하의 자연수 a의 개수는 8이다.

(거짓)

이상에서 옳은 것은 ㄱ이다.

답 ①

15

$a_1=1$, $S_1=1$이므로 $\frac{S_1}{a_1}=\frac{1}{1}=1$

1은 자연수이므로 $a_2=a_1+1=1+1=2$

$a_2=2$, $S_2=3$이므로 $\frac{S_2}{a_2}=\frac{3}{2}$

$\frac{3}{2}$은 자연수가 아니므로 $a_3=a_2-1=2-1=1$

$a_3=1$, $S_3=4$이므로 $\frac{S_3}{a_3}=\frac{4}{1}=4$

4는 자연수이므로 $a_4=a_3+1=1+1=2$

즉, $a_4=2$, $S_4=6$

한편, 어떤 두 자연수 p, q에 대하여 $a_p=2$, $S_p=6q$이면

$\frac{S_p}{a_p}=\frac{6q}{2}=3q$

$3q$는 자연수이므로 $a_{p+1}=a_p+1=2+1=3$

$a_{p+1}=3$, $S_{p+1}=6q+3$이므로 $\frac{S_{p+1}}{a_{p+1}}=\frac{6q+3}{3}=2q+1$

$2q+1$은 자연수이므로 $a_{p+2}=a_{p+1}+1=3+1=4$

$a_{p+2}=4$, $S_{p+2}=6q+7$이므로 $\frac{S_{p+2}}{a_{p+2}}=\frac{6q+7}{4}$

$\frac{6q+7}{4}$은 자연수가 아니므로 $a_{p+3}=a_{p+2}-1=4-1=3$

$a_{p+3}=3$, $S_{p+3}=6q+10$이므로 $\frac{S_{p+3}}{a_{p+3}}=\frac{6q+10}{3}$

$\frac{6q+10}{3}$은 자연수가 아니므로 $a_{p+4}=a_{p+3}-1=3-1=2$

즉, $a_{p+4}=2$, $S_{p+4}=6q+12=6(q+2)$

$6(q+2)$는 6의 배수이므로

$S_{p+4}=S_p+(a_{p+1}+a_{p+2}+a_{p+3}+a_{p+4})=S_p+(3+4+3+2)$

$=S_p+12$

그러므로 수열 $\{S_{4n}\}$은 첫째항이 $S_4=6$, 공차가 12인 등차수열이다.

따라서 $S_{4k}=6+(k-1)\times12=12k-6$이므로

$\sum_{k=1}^{10}S_{4k}=\sum_{k=1}^{10}(12k-6)=12\sum_{k=1}^{10}k-\sum_{k=1}^{10}6=12\times\frac{10\times11}{2}-6\times10=600$

답 ①

16

로그의 진수의 조건에 의하여

$x-2>0$, $x-4>0$

이므로 $x>4$

$\log_4 4(x-2)=\log_2(x-4)$에서

$\frac{1}{2}\log_2 4(x-2)=\log_2(x-4)$, $\log_2 4(x-2)=\log_2(x-4)^2$

$4(x-2)=(x-4)^2$, $x^2-12x+24=0$

$x=6\pm\sqrt{12}=6\pm2\sqrt{3}$

$x>4$이므로 $x=6+2\sqrt{3}$

따라서 $p=6+2\sqrt{3}$이고 $9<6+2\sqrt{3}<10$이므로

$p\ge n$을 만족시키는 자연수 n의 최댓값은 9이다.

답 9

17

$f(x)=\int f'(x)\,dx=\int(3x^2+8x-1)\,dx$

$=x^3+4x^2-x+C$ (단, C는 적분상수)

$f(0)=2$이므로 $C=2$

따라서 $f(x)=x^3+4x^2-x+2$이므로

$f(-1)=(-1)^3+4\times(-1)^2-(-1)+2=6$

답 6

18

$\sum_{k=1}^{9}\frac{ka_{k+1}-(k+1)a_k}{a_{k+1}a_k}$

$=\sum_{k=1}^{9}\left(\frac{k}{a_k}-\frac{k+1}{a_{k+1}}\right)$

$=\left(\frac{1}{a_1}-\frac{2}{a_2}\right)+\left(\frac{2}{a_2}-\frac{3}{a_3}\right)+\left(\frac{3}{a_3}-\frac{4}{a_4}\right)+\cdots+\left(\frac{9}{a_9}-\frac{10}{a_{10}}\right)$

$=\frac{1}{a_1}-\frac{10}{a_{10}}$

$=1-\frac{10}{a_{10}}$

이므로 $1-\frac{10}{a_{10}}=\frac{2}{3}$에서 $\frac{10}{a_{10}}=\frac{1}{3}$

따라서 $a_{10}=30$

답 30

19

$\int_{-a}^{a}(x^2-k)\,dx=2\int_{0}^{a}(x^2-k)\,dx=2\left[\frac{1}{3}x^3-kx\right]_0^a=2\left(\frac{1}{3}a^3-ka\right)$

이므로 $2\left(\frac{1}{3}a^3-ka\right)=0$에서

$a^3-3ka=a(a^2-3k)=0$

$a>0$이므로 $a=\sqrt{3k}$

따라서 $f(k)=\sqrt{3k}$이므로

$\sum_{k=1}^{10}\{f(k)\}^2=\sum_{k=1}^{10}(\sqrt{3k})^2=\sum_{k=1}^{10}3k=3\sum_{k=1}^{10}k=3\times\frac{10\times11}{2}=165$

답 165

20

조건 (가)에서 함수 $f(x^2)$은 최고차항의 계수가 2인 이차함수이므로

$f(x)=2x+a$ (a는 상수)로 놓을 수 있다.

함수 $f(x)g(x)$가 실수 전체의 집합에서 연속이므로 $x=2$에서도 연속

이다.

즉, $\lim_{x \to 2} f(x)g(x) = f(2)g(2)$이어야 하므로

$\lim_{x \to 2} \frac{(2x+a)(px+2)}{x-2} = 2(4+a)$ …… ㉠

㉠에서 $x \to 2$일 때 (분모) $\to 0$이고 극한값이 존재하므로 (분자) $\to 0$ 이어야 한다.

즉, $\lim_{x \to 2} (2x+a)(px+2) = (4+a)(2p+2) = 0$이므로

$a=-4$ 또는 $p=-1$

만약 $p \neq -1$이면 $a=-4$이므로 ㉠에서

$\lim_{x \to 2} \frac{2(x-2)(px+2)}{x-2} = 0$

즉, $2(2p+2)=0$에서 $p=-1$이 되어 모순이다.

그러므로 $p=-1$이다.

$p=-1$을 ㉠의 좌변에 대입하면

$\lim_{x \to 2} \frac{(2x+a)(-x+2)}{x-2} = \lim_{x \to 2} (-2x-a) = -4-a$

이므로 $-4-a=2(4+a)$에서 $3a=-12$, $a=-4$

따라서 $f(x)=2x-4$, $g(x)=\begin{cases} -1 & (x \neq 2) \\ 2 & (x=2) \end{cases}$이므로

$f(10)+g(10)=16+(-1)=15$

답 15

21

(i) $0<a<\frac{2}{3}$일 때

$0<a<1$, $0<a+\frac{1}{3}<1$이므로

$a^{x^2+bx} \geq a^{x+2}$에서 $x^2+bx \leq x+2$

$\left(a+\frac{1}{3}\right)^{x^2+bx} \geq \left(a+\frac{1}{3}\right)^{x+2}$에서 $x^2+bx \leq x+2$

$x^2+bx \leq x+2$에서 $x^2+(b-1)x-2 \leq 0$

이차방정식 $x^2+(b-1)x-2=0$의 판별식을 D라 하면

$D=(b-1)^2+8>0$

이차방정식 $x^2+(b-1)x-2=0$의 두 실근을 α, β $(\alpha<\beta)$라 하면

$A=B=C=\{x \mid \alpha \leq x \leq \beta$, x는 실수$\}$

이므로 주어진 조건을 만족시키지 않는다.

(ii) $\frac{2}{3}<a<1$일 때

$0<a<1$, $a+\frac{1}{3}>1$이므로

$a^{x^2+bx} \geq a^{x+2}$에서 $x^2+bx \leq x+2$ …… ㉠

$\left(a+\frac{1}{3}\right)^{x^2+bx} \geq \left(a+\frac{1}{3}\right)^{x+2}$에서 $x^2+bx \geq x+2$ …… ㉡

㉠, ㉡을 동시에 만족시키려면

$x^2+bx=x+2$, 즉 $x^2+(b-1)x-2=0$

이차방정식 $x^2+(b-1)x-2=0$의 판별식을 D라 하면

$D=(b-1)^2+8>0$

이차방정식 $x^2+(b-1)x-2=0$의 두 실근을 α, β $(\alpha<\beta)$라 하면

$C=\{\alpha, \beta\}$

$n(C)=2$, $1 \in C$이고, 집합 C의 모든 원소의 곱이 c이므로

$C=\{1, c\}$

그러므로 $C=\{\alpha, \beta\}=\{1, c\}$

이차방정식 $x^2+(b-1)x-2=0$의 한 근이 1이므로

$1+(b-1)-2=0$에서 $b=2$

$x^2+(b-1)x-2=x^2+x-2=0$에서

$(x+2)(x-1)=0$, $x=-2$ 또는 $x=1$

즉, $C=\{-2, 1\}$, $c=-2$이므로 조건을 만족시킨다.

(iii) $a>1$일 때

$a>1$, $a+\frac{1}{3}>1$이므로

$a^{x^2+bx} \geq a^{x+2}$에서 $x^2+bx \geq x+2$

$\left(a+\frac{1}{3}\right)^{x^2+bx} \geq \left(a+\frac{1}{3}\right)^{x+2}$에서 $x^2+bx \geq x+2$

$x^2+bx \geq x+2$에서 $x^2+(b-1)x-2 \geq 0$

이차방정식 $x^2+(b-1)x-2=0$의 판별식을 D라 하면

$D=(b-1)^2+8>0$

이차방정식 $x^2+(b-1)x-2=0$의 두 실근을 α, β $(\alpha<\beta)$라 하면

$A=B=C=\{x \mid x \leq \alpha$ 또는 $x \geq \beta$, x는 실수$\}$

이므로 주어진 조건을 만족시키지 않는다.

(i), (ii), (iii)에서

$\frac{2}{3}<a<1$이므로 $p<a$를 만족시키는 실수 p의 최댓값은 $M=\frac{2}{3}$

따라서 $|3 \times M \times b \times c| = \left|3 \times \frac{2}{3} \times 2 \times (-2)\right| = 8$

답 8

22

함수 $y=k-f(-x)$의 그래프는 함수 $y=f(x)$의 그래프를 원점에 대하여 대칭이동한 후 y축의 방향으로 k만큼 평행이동한 그래프이다.

$f(x)=(x+2)(x-1)^2$에서

$f'(x)=(x-1)^2+2(x+2)(x-1)=3(x-1)(x+1)$

$f'(x)=0$에서 $x=-1$ 또는 $x=1$

이때 $x=-1$의 좌우에서 $f'(x)$의 부호가 양에서 음으로 바뀌므로 함수 $f(x)$는 $x=-1$에서 극댓값 $f(-1)=4$를 갖고, 함수 $y=k-f(-x)$는 $x=1$에서 극솟값 $k-4$를 갖는다.

문제의 조건을 만족시키려면 그림과 같이 $k-4=f(0)=2$, 즉 $k=6$이어야 한다.

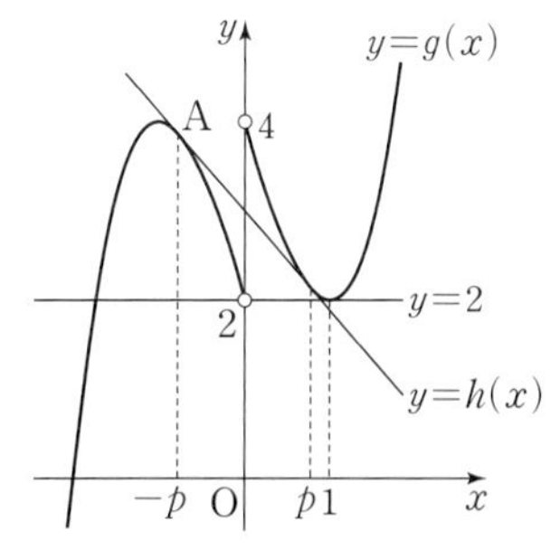

이때 곡선 $y=f(x)$ 위의 점 $A(-p, f(-p))$에서의 접선이 곡선 $y=6-f(-x)$ 위의 점 $(p, 6-f(-p))$에서 접한다.

두 점 $(-p, f(-p))$, $(p, 6-f(-p))$를 지나는 직선의 기울기가 $f'(-p)$이므로

$f'(-p)=\frac{6-f(-p)-f(-p)}{p-(-p)}$

$pf'(-p)=3-f(-p)$ …… ㉠

$f(x)=x^3-3x+2$, $f'(x)=3x^2-3$이므로 ㉠에서

$p(3p^2-3)=3-(-p^3+3p+2)$, $2p^3=1$, $p=\frac{1}{\sqrt[3]{2}}$

따라서 $(k \times p)^3=\left(\frac{6}{\sqrt[3]{2}}\right)^3=\frac{216}{2}=108$

답 108

23

$x^2+y^2+z^2-2x+4y-6z=0$에서

$(x-1)^2+(y+2)^2+(z-3)^2=1^2+2^2+3^2=14$

따라서 구의 반지름의 길이는 $\sqrt{14}$이다.

답 ③

24

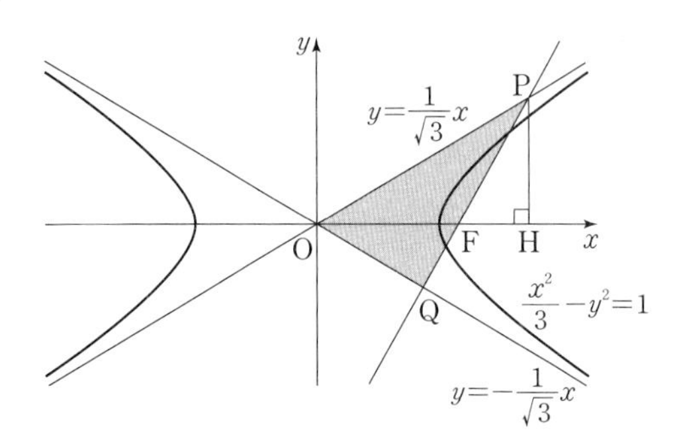

쌍곡선 $\frac{x^2}{3}-y^2=1$의 한 초점 F의 좌표를 $(c, 0)$ $(c>0)$이라 하면

$c=\sqrt{3+1}=2$이므로 $F(2, 0)$이다.

쌍곡선의 두 점근선의 방정식은

$y=\frac{1}{\sqrt{3}}x$, $y=-\frac{1}{\sqrt{3}}x$이므로

$\angle POF=\angle QOF=\frac{\pi}{6}$

점 P에서 x축에 내린 수선의 발을 H라 하면 직선 PF의 기울기가 $\sqrt{3}$이므로

$\angle PFH=\frac{\pi}{3}$

$\angle FPO=\angle PFH-\angle POF=\frac{\pi}{3}-\frac{\pi}{6}=\frac{\pi}{6}$

그러므로 삼각형 OFP는 $\overline{FO}=\overline{FP}=2$, $\angle OFP=\frac{2}{3}\pi$인 이등변삼각형이고, 그 넓이는

$\frac{1}{2}\times2\times2\times\sin\frac{2}{3}\pi=\sqrt{3}$

삼각형 OQF에서 $\angle QFO=\angle PFH=\frac{\pi}{3}$이므로

$\angle OQF=\pi-\angle QOF-\angle QFO=\pi-\frac{\pi}{6}-\frac{\pi}{3}=\frac{\pi}{2}$

그러므로 삼각형 OQF는

$\overline{QO}=2\cos\frac{\pi}{6}=\sqrt{3}$, $\overline{QF}=2\sin\frac{\pi}{6}=1$, $\angle OQF=\frac{\pi}{2}$인 직각삼각형이고, 그 넓이는

$\frac{1}{2}\times\sqrt{3}\times1=\frac{\sqrt{3}}{2}$

따라서 삼각형 OQP의 넓이는

$\sqrt{3}+\frac{\sqrt{3}}{2}=\frac{3\sqrt{3}}{2}$

답 ③

다른 풀이

쌍곡선 $\frac{x^2}{3}-y^2=1$의 한 초점 F의 좌표를 $(c, 0)$ $(c>0)$이라 하면

$c=\sqrt{3+1}=2$이므로 $F(2, 0)$이다.

점 F를 지나고 기울기가 $\sqrt{3}$인 직선의 방정식은

$y=\sqrt{3}(x-2)$ …… ㉠

쌍곡선의 두 점근선의 방정식은

$y=\frac{1}{\sqrt{3}}x$, $y=-\frac{1}{\sqrt{3}}x$이므로

$\angle POF=\angle QOF=\frac{\pi}{6}$

$\angle POQ=\angle POF+\angle QOF=\frac{\pi}{6}+\frac{\pi}{6}=\frac{\pi}{3}$

직선 ㉠이 쌍곡선의 두 점근선과 만나는 점의 좌표를 구하면

$\sqrt{3}(x-2)=\frac{1}{\sqrt{3}}x$에서 $x=3$이므로 $P(3, \sqrt{3})$

$\sqrt{3}(x-2)=-\frac{1}{\sqrt{3}}x$에서 $x=\frac{3}{2}$이므로 $Q\left(\frac{3}{2}, -\frac{\sqrt{3}}{2}\right)$

따라서

$\overline{OP}=\sqrt{(3-0)^2+(\sqrt{3}-0)^2}=2\sqrt{3}$,

$\overline{OQ}=\sqrt{\left(\frac{3}{2}-0\right)^2+\left(-\frac{\sqrt{3}}{2}-0\right)^2}=\sqrt{3}$

이므로 삼각형 OQP의 넓이는

$$\begin{aligned}\frac{1}{2}\times\overline{OP}\times\overline{OQ}\times\sin(\angle POQ)&=\frac{1}{2}\times2\sqrt{3}\times\sqrt{3}\times\sin\frac{\pi}{3}\\&=\frac{1}{2}\times2\sqrt{3}\times\sqrt{3}\times\frac{\sqrt{3}}{2}\\&=\frac{3\sqrt{3}}{2}\end{aligned}$$

25

직선 AB는 xy평면 위에 있다.

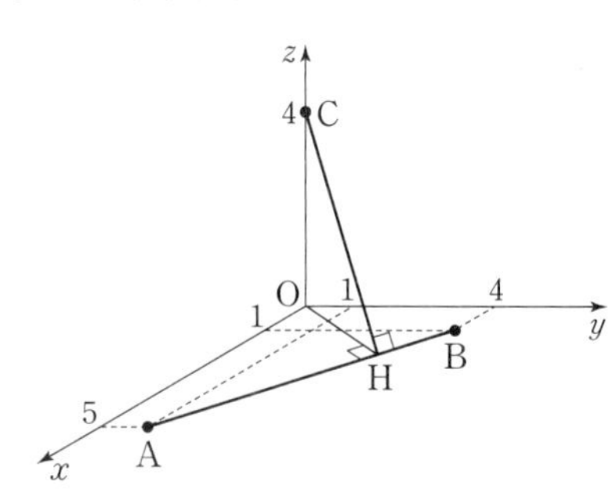

점 C에서 xy평면에 내린 수선의 발이 원점 O이고, $\overline{CH}\perp\overline{AB}$이므로 삼수선의 정리에 의하여

$\overline{OH}\perp\overline{AB}$

xy평면에서 직선 AB의 방정식은

$y-1=\frac{1-4}{5-1}(x-5)$, 즉 $3x+4y-19=0$

원점 O와 직선 $3x+4y-19=0$ 사이의 거리는

$\frac{|-19|}{\sqrt{3^2+4^2}}=\frac{19}{5}$

따라서 선분 OH의 길이는 $\frac{19}{5}$이므로 직각삼각형 OHC의 넓이는

$\frac{1}{2}\times\frac{19}{5}\times4=\frac{38}{5}$

답 ⑤

26

타원 $\frac{x^2}{a^2}+\frac{y^2}{b^2}=1$ 위의 점 $\left(\frac{a}{2}, \frac{\sqrt{3}b}{2}\right)$에서의 접선의 방정식은

$\frac{\frac{a}{2}x}{a^2}+\frac{\frac{\sqrt{3}b}{2}y}{b^2}$, 즉 $\frac{x}{2a}+\frac{\sqrt{3}y}{2b}=1$ …… ㉠

㉠에서 $y=0$일 때 $x=2a$이고, $x=0$일 때 $y=\frac{2}{\sqrt{3}}b=\frac{2\sqrt{3}}{3}b$이므로

$\mathrm{A}(2a, 0)$, $\mathrm{B}\left(0, \frac{2\sqrt{3}}{3}b\right)$이다.

삼각형 OAB의 넓이가 $6\sqrt{6}$이므로

$\frac{1}{2}\times 2a\times\frac{2\sqrt{3}}{3}b=6\sqrt{6}$

$ab=9\sqrt{2}$

이때 $a>0$, $b>0$이므로

$a^2+2b^2\ge 2\sqrt{a^2\times 2b^2}=2\sqrt{2}ab=2\sqrt{2}\times 9\sqrt{2}=36$

(단, 등호는 $a^2=2b^2$, 즉 $a=3\sqrt{2}$, $b=3$일 때 성립한다.)

따라서 a^2+2b^2의 최솟값은 36이다.

답 ③

27

$\overrightarrow{\mathrm{AB}}=\vec{a}$, $\overrightarrow{\mathrm{AC}}=\vec{b}$라 하면

$|\vec{a}|=|\vec{b}|=1$이고

$\vec{a}\cdot\vec{b}=|\vec{a}||\vec{b}|\cos\frac{\pi}{3}=1\times 1\times\frac{1}{2}=\frac{1}{2}$

$|\overrightarrow{\mathrm{CP}}|=x\ (0\le x\le 1)$이라 하면

$|\overrightarrow{\mathrm{BP}}|=1-x$이므로

$\overrightarrow{\mathrm{AP}}=x\vec{a}+(1-x)\vec{b}$ …… ㉠

선분 AP를 10 : 3으로 내분하는 점을 Q라 하면

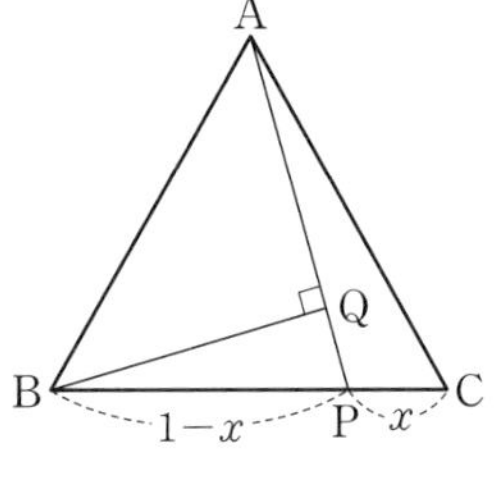

$\overrightarrow{\mathrm{AQ}}=\frac{10}{13}\overrightarrow{\mathrm{AP}}$, $\overrightarrow{\mathrm{BQ}}=\frac{3\overrightarrow{\mathrm{BA}}+10\overrightarrow{\mathrm{BP}}}{13}$

이므로

$\frac{3\overrightarrow{\mathrm{BA}}+10\overrightarrow{\mathrm{BP}}}{13}=-\overrightarrow{\mathrm{AB}}+\overrightarrow{\mathrm{AQ}}=-\vec{a}+\frac{10}{13}\overrightarrow{\mathrm{AP}}$

$\frac{3\overrightarrow{\mathrm{BA}}+10\overrightarrow{\mathrm{BP}}}{13}\cdot\overrightarrow{\mathrm{AP}}=0$에서

$\left(-\vec{a}+\frac{10}{13}\overrightarrow{\mathrm{AP}}\right)\cdot\overrightarrow{\mathrm{AP}}=-\vec{a}\cdot\overrightarrow{\mathrm{AP}}+\frac{10}{13}|\overrightarrow{\mathrm{AP}}|^2=0$

이때 ㉠에 의하여

$\vec{a}\cdot\overrightarrow{\mathrm{AP}}=\vec{a}\cdot\{x\vec{a}+(1-x)\vec{b}\}$

$=x|\vec{a}|^2+(1-x)\vec{a}\cdot\vec{b}$

$=x\times 1^2+(1-x)\times\frac{1}{2}$

$=\frac{1}{2}x+\frac{1}{2}$,

$|\overrightarrow{\mathrm{AP}}|^2=|x\vec{a}+(1-x)\vec{b}|^2$

$=\{x\vec{a}+(1-x)\vec{b}\}\cdot\{x\vec{a}+(1-x)\vec{b}\}$

$=x^2|\vec{a}|^2+2x(1-x)\vec{a}\cdot\vec{b}+(1-x)^2|\vec{b}|^2$

$=x^2\times 1^2+2x(1-x)\times\frac{1}{2}+(1-x)^2\times 1^2$

$=x^2-x+1$

이므로

$-\left(\frac{1}{2}x+\frac{1}{2}\right)+\frac{10}{13}(x^2-x+1)=0$

$20x^2-33x+7=0$

$(4x-1)(5x-7)=0$

$0\le x\le 1$이므로 $x=\frac{1}{4}$

따라서 $|\overrightarrow{\mathrm{CP}}|=\frac{1}{4}$

답 ③

다른 풀이

좌표평면에서 점 B를 원점, 점 C를 $(1, 0)$, 점 A를 $\left(\frac{1}{2}, \frac{\sqrt{3}}{2}\right)$에 일치시키면 실수 $t\ (0\le t\le 1)$에 대하여 점 P를 $\mathrm{P}(t, 0)$으로 놓을 수 있다.

이때 $\overrightarrow{\mathrm{BA}}=\left(\frac{1}{2}, \frac{\sqrt{3}}{2}\right)$, $\overrightarrow{\mathrm{BP}}=(t, 0)$, $\overrightarrow{\mathrm{AP}}=\left(t-\frac{1}{2}, -\frac{\sqrt{3}}{2}\right)$이므로

$\frac{3\overrightarrow{\mathrm{BA}}+10\overrightarrow{\mathrm{BP}}}{13}\cdot\overrightarrow{\mathrm{AP}}=0$에서

$\left(\frac{10}{13}t+\frac{3}{26}, \frac{3\sqrt{3}}{26}\right)\cdot\left(t-\frac{1}{2}, -\frac{\sqrt{3}}{2}\right)=0$

$\left(\frac{10}{13}t+\frac{3}{26}\right)\left(t-\frac{1}{2}\right)+\frac{3\sqrt{3}}{26}\times\left(-\frac{\sqrt{3}}{2}\right)=0$

$\frac{10}{13}t^2-\frac{7}{26}t-\frac{3}{13}=0$, $20t^2-7t-6=0$

$(5t+2)(4t-3)=0$

$0\le t\le 1$이므로 $t=\frac{3}{4}$

따라서 $|\overrightarrow{\mathrm{CP}}|=1-t=1-\frac{3}{4}=\frac{1}{4}$

28

포물선 $C_2 : y^2=4p_2(x-p_2+p_1)$은 포물선 $y^2=4p_2x$를 x축의 방향으로 p_2-p_1만큼 평행이동한 것이고

$-p_2+(p_2-p_1)=-p_1$

이므로 포물선 C_2의 준선의 방정식은 $x=-p_1$이다.

즉, 두 포물선 C_1, C_2의 준선은 모두 l이다.

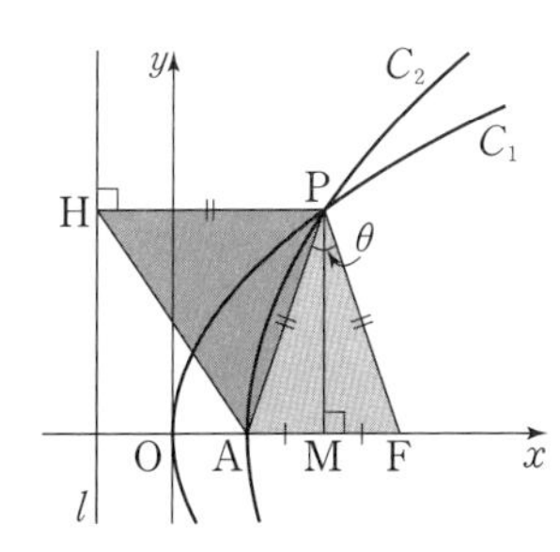

$\mathrm{A}(p_2-p_1, 0)$, $\mathrm{F}(2p_2-p_1, 0)$이고, $\overline{\mathrm{PA}}=\overline{\mathrm{PF}}$에서 점 P의 x좌표는 선분 AF의 중점 M의 x좌표와 같으므로 점 P의 x좌표는

$\frac{(p_2-p_1)+(2p_2-p_1)}{2}=\frac{3p_2-2p_1}{2}$

$t=\frac{3p_2-2p_1}{2}$이라 하면 점 P는 두 포물선 C_1, C_2의 교점이므로

$4p_1t=4p_2(t-p_2+p_1)$

$(p_2-p_1)t=p_2(p_2-p_1)$

$t=p_2$

그러므로 $t=\frac{3p_2-2p_1}{2}=p_2$에서 $p_2=2p_1$ …… ㉠

ㄱ. $A(p_2-p_1,\ 0)$이고, ㉠에 의하여 $p_2=2p_1$이므로 $A(p_1,\ 0)$이다. 또한 포물선 $C_1: y^2=4p_1x$의 초점의 좌표는 $(p_1,\ 0)$이므로 점 A는 포물선 C_1의 초점과 일치한다. (참)

ㄴ. $\angle APF=\theta$라 하자.

포물선 C_2에서 포물선의 정의에 의하여

$\overline{PF}=\overline{PH}=p_2+p_1=2p_1+p_1=3p_1$

이므로 $\overline{PA}=\overline{PF}=\overline{PH}=3p_1$

$A(p_1,\ 0)$, $F(3p_1,\ 0)$이므로 $M(2p_1,\ 0)$, $\overline{AM}=p_1$

직각삼각형 PAM에서

$\overline{PM}=\sqrt{\overline{PA}^2-\overline{AM}^2}=\sqrt{(3p_1)^2-{p_1}^2}=2\sqrt{2}p_1$

그러므로 삼각형 PAF의 넓이는

$\frac{1}{2}\times\overline{AF}\times\overline{PM}=\frac{1}{2}\times\overline{PA}\times\overline{PF}\times\sin\theta$

즉, $\frac{1}{2}\times 2p_1\times 2\sqrt{2}p_1=\frac{1}{2}\times 3p_1\times 3p_1\times\sin\theta$이므로

$2\sqrt{2}{p_1}^2=\frac{9}{2}{p_1}^2\sin\theta$

$\sin\theta=\frac{4\sqrt{2}}{9}$ (참)

ㄷ. 삼각형 PAF의 넓이는

$S_1=\frac{1}{2}\times\overline{AF}\times\overline{PM}=\frac{1}{2}\times 2p_1\times 2\sqrt{2}p_1=2\sqrt{2}{p_1}^2$

삼각형 PHA의 넓이는

$S_2=\frac{1}{2}\times\overline{PH}\times\overline{PM}=\frac{1}{2}\times 3p_1\times 2\sqrt{2}p_1=3\sqrt{2}{p_1}^2$

$S_2-S_1=3\sqrt{2}{p_1}^2-2\sqrt{2}{p_1}^2=\sqrt{2}{p_1}^2$이므로

$\sqrt{2}{p_1}^2=4\sqrt{2}$에서 ${p_1}^2=4$

$p_1>0$이므로 $p_1=2$

$p_1=2$를 ㉠에 대입하면

$p_2=2p_1=2\times 2=4$

그러므로 $p_1\times p_2=2\times 4=8$ (참)

이상에서 옳은 것은 ㄱ, ㄴ, ㄷ이다.

답 ⑤

29

점 $E(-1,\ 0)$에 대하여

$\overrightarrow{PQ}=\overrightarrow{PE}+\overrightarrow{EQ}$

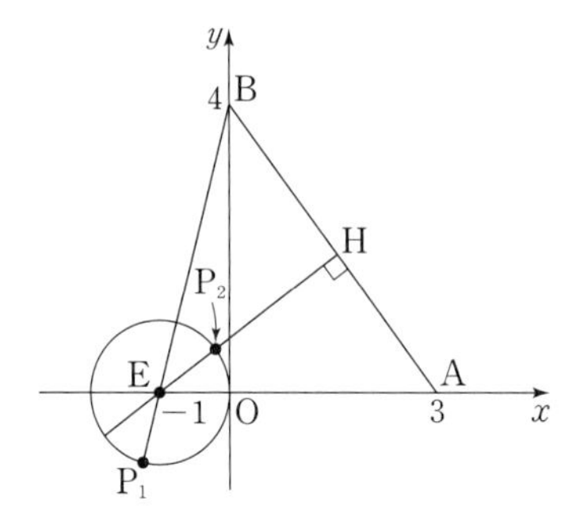

그림과 같이 직선 EB가 원과 만나는 두 점 중 점 B까지의 거리가 먼 점을 P_1이라 하면

$\overline{P_1B}=\sqrt{(0+1)^2+(4-0)^2}+1=\sqrt{17}+1$

이때 $|\overrightarrow{PQ}|$의 값은 점 P가 점 P_1의 위치에 있고 점 Q가 점 B의 위치에 있을 때 최대이므로 $M=\sqrt{17}+1$이다.

한편, 그림과 같이 점 E에서 직선 AB에 내린 수선의 발을 H라 하고, 직선 EH가 원과 만나는 두 점 중 점 H까지의 거리가 가까운 점을 P_2라 하자.

직선 AB의 방정식은

$y-0=\frac{0-4}{3-0}(x-3)$, 즉 $4x+3y-12=0$

점 $E(-1,\ 0)$과 직선 $4x+3y-12=0$ 사이의 거리는

$\frac{|-4-12|}{\sqrt{4^2+3^2}}=\frac{16}{5}$

이때 $|\overrightarrow{PQ}|$의 값은 점 P가 점 P_2의 위치에 있고 점 Q가 점 H의 위치에 있을 때 최소이므로 $m=\frac{16}{5}-1=\frac{11}{5}$이다.

그러므로 $M+m=(\sqrt{17}+1)+\frac{11}{5}=\frac{16}{5}+\sqrt{17}$

따라서 $p=\frac{16}{5}$, $q=17$이므로

$10p+q=10\times\frac{16}{5}+17=49$

답 49

30

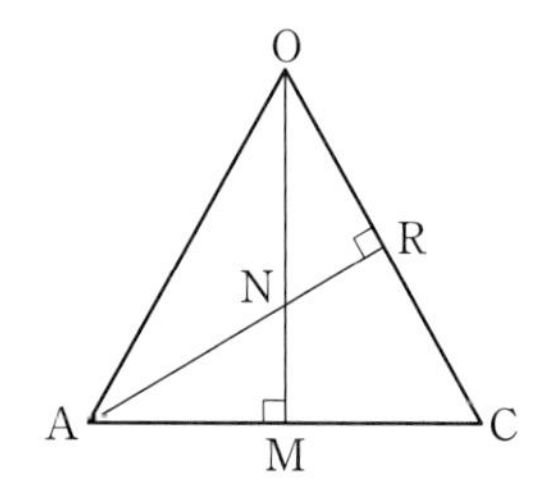

$\overline{AC}=\sqrt{2}\times 2\sqrt{2}=4$이므로 삼각형 OAC는 한 변의 길이가 4인 정삼각형이고, 선분 AC의 중점을 M, 선분 OM을 2 : 1로 내분하는 점을 N이라 하면 점 R은 두 직선 AN, OC의 교점과 같다.

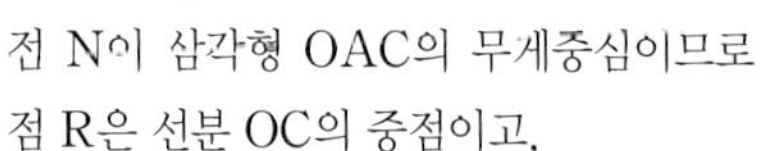

점 N이 삼각형 OAC의 무게중심이므로 점 R은 선분 OC의 중점이고,

삼각형 OAR의 넓이는 삼각형 OAC의 넓이의 $\frac{1}{2}$이다.

즉, 삼각형 OAR의 넓이는

$\frac{1}{2}\times\left(\frac{1}{2}\times 4\times 4\times\sin\frac{\pi}{3}\right)=\frac{1}{2}\times 4\sqrt{3}=2\sqrt{3}$ …… ㉠

두 평면 OAR, OAB가 이루는 예각의 크기를 θ라 하면 두 평면 OAC, OAB가 이루는 예각의 크기도 θ이다.

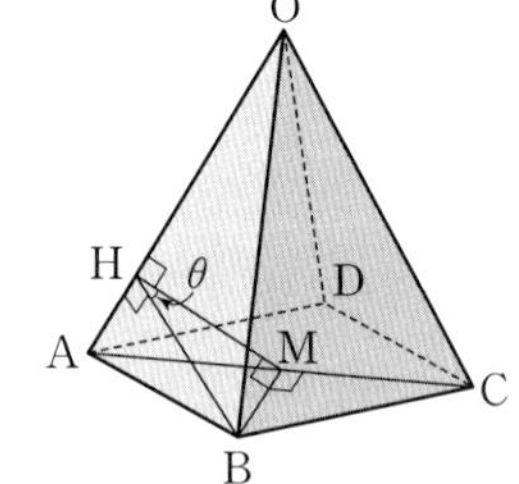

두 평면 OAC, OAB의 교선은 직선 OA이고, 점 B에서 평면 OAC에 내린 수선의 발은 M이다.

점 M에서 선분 OA에 내린 수선의 발을 H라 하면 삼수선의 정리에 의하여

$\overline{BH}\perp\overline{OA}$

직각삼각형 BMH에서

$\angle BHM=\theta$, $\overline{BM}=2$

$\overline{MH}=\overline{AM}\times\sin\frac{\pi}{3}=2\times\frac{\sqrt{3}}{2}=\sqrt{3}$

$\overline{BH}=\sqrt{\overline{BM}^2+\overline{MH}^2}=\sqrt{2^2+(\sqrt{3})^2}=\sqrt{7}$

그러므로 $\cos\theta=\frac{\overline{MH}}{\overline{BH}}=\frac{\sqrt{3}}{\sqrt{7}}=\frac{\sqrt{21}}{7}$ …… ㉡

㉠, ㉡에 의하여 삼각형 OAR의 평면 OAB 위로의 정사영의 넓이는

$2\sqrt{3}\times\frac{\sqrt{21}}{7}=\frac{6\sqrt{7}}{7}$

따라서 $p=7$, $q=6$이므로 $p+q=7+6=13$

답 13

실전 모의고사 2회

본문 118~129쪽

01 ④	02 ①	03 ④	04 ③	05 ⑤
06 ④	07 ①	08 ④	09 ①	10 ③
11 ①	12 ②	13 ⑤	14 ③	15 ②
16 4	17 66	18 6	19 16	20 34
21 3	22 35	23 ①	24 ⑤	25 ④
26 ③	27 ①	28 ②	29 96	30 59

01

$$\frac{\sqrt[3]{16}\times\sqrt[6]{4}}{\sqrt{8}}=\frac{\sqrt[3]{2^4}\times\sqrt[6]{2^2}}{\sqrt{2^3}}=\frac{2^{\frac{4}{3}}\times 2^{\frac{1}{3}}}{2^{\frac{3}{2}}}=2^{\frac{4}{3}+\frac{1}{3}-\frac{3}{2}}=2^{\frac{1}{6}}=\sqrt[6]{2}$$

답 ④

02

$$\lim_{x\to 2}\frac{3x}{x^2-x-2}\left(\frac{1}{2}-\frac{1}{x}\right)=\lim_{x\to 2}\left\{\frac{3x}{(x+1)(x-2)}\times\frac{x-2}{2x}\right\}$$
$$=\lim_{x\to 2}\frac{3}{2(x+1)}=\frac{3}{2\times(2+1)}=\frac{1}{2}$$

답 ①

03

등비수열 $\{a_n\}$의 공비를 r $(r>0)$이라 하면

$\frac{a_{10}}{a_5}=\frac{a_5\times r^5}{a_5}=r^5$이므로

$r^5=1024=4^5$에서 $r=4$

$a_2a_4=(a_1\times 4)\times(a_1\times 4^3)=a_1{}^2\times 4^4=a_1{}^2\times 2^8$이므로

$a_1{}^2\times 2^8=1$에서 $a_1{}^2=\frac{1}{2^8}$

이때 $a_1>0$이므로 $a_1=\frac{1}{2^4}=2^{-4}$

따라서 $\log_2 a_1=\log_2 2^{-4}=-4\log_2 2=-4$

답 ④

04

$g(x)=(x^2+x)f(x)$라 하면 함수 $g(x)$가 $x=1$에서 극소이고, 이때의 극솟값이 -4이므로

$g(1)=-4$, $g'(1)=0$

$g(1)=2f(1)=-4$에서 $f(1)=-2$

$g'(x)=(2x+1)f(x)+(x^2+x)f'(x)$이므로

$g'(1)=3f(1)+2f'(1)=0$에서

$3\times(-2)+2f'(1)=0$

따라서 $f'(1)=3$

답 ③

05

$\tan\theta=\frac{\sin\theta}{\cos\theta}$이므로 $\tan^2\theta+4\tan\theta+1=0$에서

$$\frac{\sin^2\theta}{\cos^2\theta}+4\times\frac{\sin\theta}{\cos\theta}+1=0$$

$\sin^2\theta+4\sin\theta\cos\theta+\cos^2\theta=0$, $1+4\sin\theta\cos\theta=0$

$\sin\theta\cos\theta=-\frac{1}{4}$ …… ㉠

이때

$$(\sin\theta-\cos\theta)^2=(\sin^2\theta+\cos^2\theta)-2\sin\theta\cos\theta$$
$$=1-2\times\left(-\frac{1}{4}\right)=\frac{3}{2}$$

한편, $\frac{\pi}{2}<\theta<\frac{3}{2}\pi$인 θ에 대하여 ㉠이 성립하려면 $\frac{\pi}{2}<\theta<\pi$, 즉 $\sin\theta>0$, $\cos\theta<0$임을 알 수 있다.

따라서 $\sin\theta-\cos\theta>0$이므로

$\sin\theta-\cos\theta=\sqrt{\frac{3}{2}}=\frac{\sqrt{6}}{2}$

답 ⑤

참고

$\frac{\pi}{2}<\theta<\pi$에서 $\sin\theta>0$, $\cos\theta<0$이므로 $\sin\theta\cos\theta<0$

$\pi\le\theta<\frac{3}{2}\pi$에서 $\sin\theta\le 0$, $\cos\theta<0$이므로 $\sin\theta\cos\theta\ge 0$

06

등차수열 $\{a_n\}$의 공차를 d라 하면

$a_4=a_2+2d$

$a_2=5$, $a_4=11$이므로

$11=5+2d$에서 $d=3$

$a_1=a_2-d=5-3=2$

그러므로 등차수열 $\{a_n\}$의 일반항은

$a_n=2+(n-1)\times 3=3n-1$

이때

$$\sum_{k=1}^{m}\frac{1}{a_ka_{k+1}}=\sum_{k=1}^{m}\frac{1}{(3k-1)(3k+2)}$$
$$=\frac{1}{3}\sum_{k=1}^{m}\left(\frac{1}{3k-1}-\frac{1}{3k+2}\right)$$
$$=\frac{1}{3}\left\{\left(\frac{1}{2}-\frac{1}{5}\right)+\left(\frac{1}{5}-\frac{1}{8}\right)+\left(\frac{1}{8}-\frac{1}{11}\right)+\cdots+\left(\frac{1}{3m-1}-\frac{1}{3m+2}\right)\right\}$$
$$=\frac{1}{3}\left(\frac{1}{2}-\frac{1}{3m+2}\right)$$

이므로 $\frac{1}{3}\left(\frac{1}{2}-\frac{1}{3m+2}\right)>\frac{4}{25}$에서

$\frac{1}{2}-\frac{1}{3m+2}>\frac{12}{25}$, $\frac{1}{3m+2}<\frac{1}{50}$

$3m+2>50$, $m>16$

따라서 자연수 m의 최솟값은 17이다.

답 ④

07

조건 (가)에서 직선 l이 직선 $x-y+1=0$, 즉 $y=x+1$과 평행하므로 직선 l의 기울기는 1이다.

한편, $f(x)=x^3-2x+2$라 하면 $f'(x)=3x^2-2$

이때 조건 (나)에서 직선 l이 곡선 $y=x^3-2x+2$와 만나는 서로 다른

점의 개수가 2이므로 직선 l은 곡선 $y=x^3-2x+2$와 접해야 한다.

$f'(x)=1$에서 $3x^2-2=1$, $x^2=1$

$x=-1$ 또는 $x=1$

$f(-1)=3$이므로 곡선 $y=f(x)$ 위의 점 $(-1, 3)$에서의 접선의 방정식은

$y-3=1\times(x+1)$, 즉 $y=x+4$

$f(1)=1$이므로 곡선 $y=f(x)$ 위의 점 $(1, 1)$에서의 접선의 방정식은

$y-1=1\times(x-1)$, 즉 $y=x$

조건 (가)에서 직선 l이 제2사분면을 지나므로 직선 l의 방정식은

$y=x+4$, 즉 $x-y+4=0$

따라서 원점과 직선 l: $x-y+4=0$ 사이의 거리는

$$\frac{|4|}{\sqrt{1^2+(-1)^2}}=2\sqrt{2}$$

답 ①

08

삼차함수 $f(x)=ax^3+3ax^2+bx+2$가 주어진 조건을 만족시키려면 함수 $f(x)$는 실수 전체의 집합에서 감소하여야 한다.

이에 대한 필요조건을 생각하면 모든 실수 x에 대하여

$f'(x)=3ax^2+6ax+b\leq 0$이어야 한다.

이차함수 $y=f'(x)$의 그래프가 직선 $y=0$, 즉 x축과 접하거나 x축보다 항상 아래쪽에 존재하려면 $f'(x)$의 이차항의 계수가 음수이어야 하므로 $a<0$

한편, 이차방정식 $3ax^2+6ax+b=0$의 판별식을 D라 할 때, $D<0$이면 모든 실수 x에 대하여 $f'(x)<0$이므로 함수 $f(x)$가 실수 전체의 집합에서 감소하고, $D=0$이면 하나의 실수 α에서만 $f'(\alpha)=0$이고 이를 제외한 모든 실수 x에 대하여 $f'(x)<0$이므로 이 경우에도 함수 $f(x)$가 실수 전체의 집합에서 감소한다.

따라서 $D\leq 0$이면 함수 $f(x)$가 실수 전체의 집합에서 감소한다.

$$\frac{D}{4}=(3a)^2-3ab=3a(3a-b)\leq 0$$

$a<0$이므로 $3a-b\geq 0$, $b\leq 3a$

이때 두 정수 a, b에 대하여

$a=-1$이면 $b\leq -3$이므로 $ab\geq 3$

$a\leq -2$이면 $b\leq -6$이므로 $ab\geq 12$

따라서 ab의 최솟값은 3이다.

답 ④

09

최고차항의 계수가 3인 이차함수 $f(x)$를

$f(x)=3x^2+ax+b$ (a, b는 상수)라 하자.

$\int_2^3 f(x)\,dx=\int_3^4 f(x)\,dx$에서

$$\int_2^3 (3x^2+ax+b)\,dx=\int_3^4 (3x^2+ax+b)\,dx$$

$$\left[x^3+\frac{a}{2}x^2+bx\right]_2^3=\left[x^3+\frac{a}{2}x^2+bx\right]_3^4$$

$$\left(27+\frac{9}{2}a+3b\right)-(8+2a+2b)=(64+8a+4b)-\left(27+\frac{9}{2}a+3b\right)$$

즉, $a=-18$이므로 $f(x)=3x^2-18x+b$

$\int_{-1}^3 f(x)\,dx=\int_2^3 f(x)\,dx$에서

$$\int_{-1}^3 f(x)\,dx-\int_2^3 f(x)\,dx=0$$

$$\int_{-1}^2 f(x)\,dx=0$$

이므로

$$\int_{-1}^2 (3x^2-18x+b)\,dx=\left[x^3-9x^2+bx\right]_{-1}^2$$
$$=(8-36+2b)-(-1-9-b)$$
$$=3b-18=0$$

$b=6$

따라서 $f(x)=3x^2-18x+6$이므로 $f(0)=6$

답 ①

10

$f(x)=a\sin 2ax+2$라 하면 $a>0$이므로 함수 $f(x)$의 최댓값과 최솟값은 각각 $a+2$, $-a+2$이다.

이때 $-a+2<2$이므로 함수 $y=f(x)$의 그래프와 직선 $y=3$이 만나려면 $a+2\geq 3$, 즉 $a\geq 1$이어야 한다.

(i) $a=1$일 때

함수 $f(x)=\sin 2x+2$의 주기는 $\frac{2\pi}{2}=\pi$, 최댓값과 최솟값은 각각 3, 1이므로 함수 $y=f(x)$의 그래프는 그림과 같다.

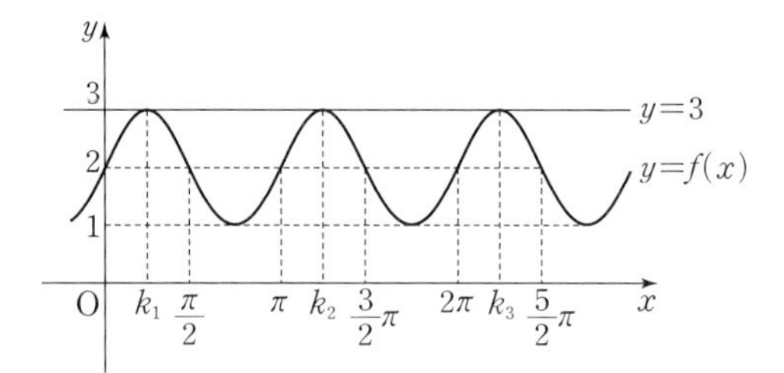

이때 $k_1=\frac{\pi}{4}$, $k_2=\frac{5\pi}{4}$, $k_3=\frac{9\pi}{4}$, $k_4=\frac{13\pi}{4}$, $\cdots$이므로

$$k_3+k_4=\frac{9\pi}{4}+\frac{13\pi}{4}=\frac{11\pi}{2}\neq\pi=a\pi$$

따라서 $a=1$이면 주어진 조건을 만족시키지 않는다.

(ii) $a>1$일 때

함수 $f(x)=a\sin 2ax+2$의 주기는 $\frac{2\pi}{2a}=\frac{\pi}{a}$, 최댓값과 최솟값은 각각 $a+2$, $-a+2$이므로 함수 $y=f(x)$의 그래프의 개형은 그림과 같다.

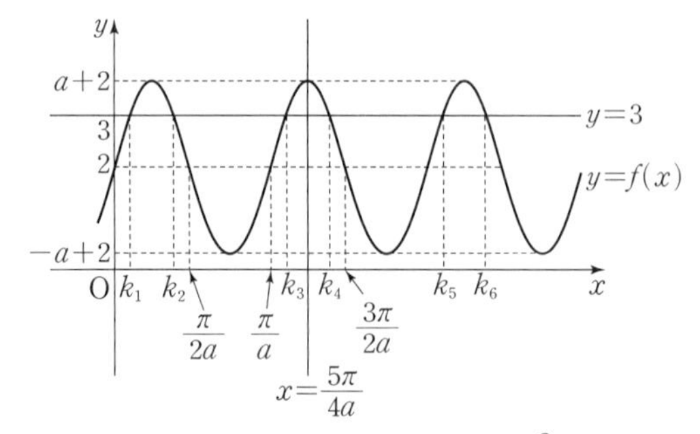

이때 함수 $y=f(x)$의 그래프는 직선 $x=\dfrac{\frac{\pi}{a}+\frac{3\pi}{2a}}{2}$, 즉 $x=\frac{5\pi}{4a}$에 대하여 대칭이므로

$\dfrac{k_3+k_4}{2}=\dfrac{5\pi}{4a}$, $k_3+k_4=\dfrac{5\pi}{2a}$

$k_3+k_4=a\pi$이므로

$\dfrac{5\pi}{2a}=a\pi$에서 $a^2=\dfrac{5}{2}$

$a>0$이므로 $a=\dfrac{\sqrt{10}}{2}$

(i), (ii)에 의하여 $a=\dfrac{\sqrt{10}}{2}$

답 ③

11

a의 값에 따라 곡선 $y=\left(\dfrac{a^2}{9}\right)^{|x|}-3$, 즉 $y=\left\{\left(\dfrac{a}{3}\right)^2\right\}^{|x|}-3$과 직선 $y=ax$가 만나는 서로 다른 점의 개수는 다음과 같다.

(i) $-3<a<0$ 또는 $0<a<3$일 때

$0<\left(\dfrac{a}{3}\right)^2<1$이므로 곡선 $y=\left\{\left(\dfrac{a}{3}\right)^2\right\}^{|x|}-3$과 직선 $y=ax$는 그림과 같이 한 점에서만 만난다.

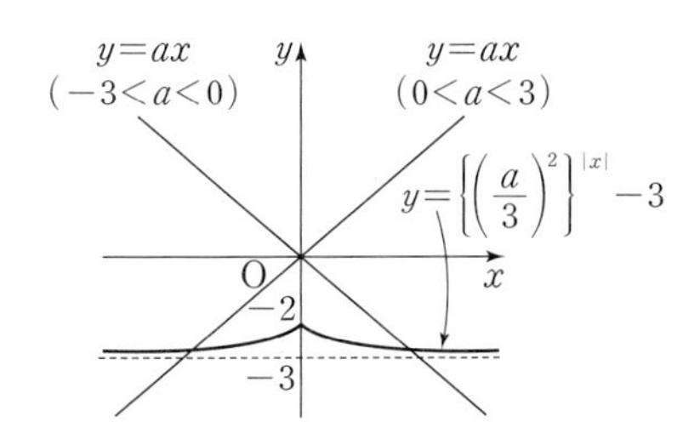

(ii) $a<-3$ 또는 $a>3$일 때

$\left(\dfrac{a}{3}\right)^2>1$이므로 곡선 $y=\left\{\left(\dfrac{a}{3}\right)^2\right\}^{|x|}-3$과 직선 $y=ax$는 그림과 같이 서로 다른 두 점에서 만난다.

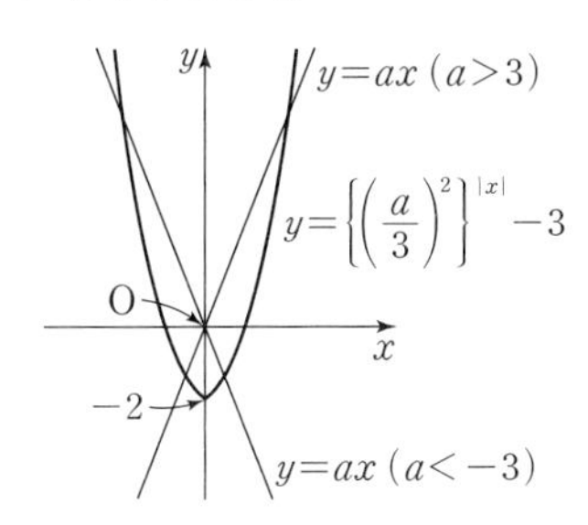

(i), (ii)에서 $a<-3$ 또는 $a>3$, 즉 $a^2>9$

부등식 $(a^4)^{a^2-2a+9}\geq(a^6)^{a^2-a-4}$에서

$(a^2)^{2a^2-4a+18}\geq(a^2)^{3a^2-3a-12}$

$a^2>9$이므로

$2a^2-4a+18\geq3a^2-3a-12$

$a^2+a-30\leq0$, $(a+6)(a-5)\leq0$

$-6\leq a\leq5$

이때 $a<-3$ 또는 $a>3$이므로 주어진 부등식을 만족시키는 a의 값의 범위는

$-6\leq a<-3$ 또는 $3<a\leq5$

따라서 정수 a의 값은 -6, -5, -4, 4, 5이므로 모든 정수 a의 값의 합은

$-6+(-5)+(-4)+4+5=-6$

답 ①

12

$a=\sqrt[m]{2^{10}}\times\sqrt[n]{2^{24}}=2^{\frac{10}{m}+\frac{24}{n}}$ ...... ㉠

$b=\sqrt[n]{3^{24}}=3^{\frac{24}{n}}$ ...... ㉡

1보다 큰 두 자연수 m, n에 대하여 ㉠, ㉡의 값이 자연수이려면 두 수 $\dfrac{10}{m}+\dfrac{24}{n}$, $\dfrac{24}{n}$가 모두 자연수이어야 하므로 m은 1이 아닌 10의 약수인 2 또는 5 또는 10이어야 하고, n은 1이 아닌 24의 약수인 2 또는 3 또는 4 또는 6 또는 8 또는 12 또는 24이어야 한다.

또한 a가 16의 배수이려면 $\dfrac{10}{m}+\dfrac{24}{n}$의 값이 4 이상인 자연수이어야 하므로 m, n의 모든 순서쌍 (m, n)의 개수는 m의 값에 따라 다음과 같다.

(i) $m=2$일 때

$\dfrac{10}{m}+\dfrac{24}{n}=\dfrac{10}{2}+\dfrac{24}{n}=5+\dfrac{24}{n}\geq4$에서 $n\geq-24$

이므로 n의 값은 2, 3, 4, 6, 8, 12, 24로 순서쌍 (m, n)의 개수는 7이다.

(ii) $m=5$일 때

$\dfrac{10}{m}+\dfrac{24}{n}=\dfrac{10}{5}+\dfrac{24}{n}=2+\dfrac{24}{n}\geq4$에서 $n\leq12$

이므로 n의 값은 2, 3, 4, 6, 8, 12로 순서쌍 (m, n)의 개수는 6이다.

(iii) $m=10$일 때

$\dfrac{10}{m}+\dfrac{24}{n}=\dfrac{10}{10}+\dfrac{24}{n}=1+\dfrac{24}{n}\geq4$에서 $n\leq8$

이므로 n의 값은 2, 3, 4, 6, 8로 순서쌍 (m, n)의 개수는 5이다.

(i), (ii), (iii)에서 구하는 모든 순서쌍 (m, n)의 개수는

$7+6+5=18$

답 ②

13

함수 $y=k(x-a-4)(x-a-2)$의 그래프는 함수 $y=k(x-a)(x-a+2)$의 그래프를 x축의 방향으로 4만큼 평행이동한 것이다.

또한 $|x-a-1|-1=\begin{cases}-x+a & (x<a+1)\\ x-a-2 & (x\geq a+1)\end{cases}$이므로 실수 k의 값에 따라 함수 $y=f(x)$의 그래프의 개형은 그림과 같다.

(i) $k<0$일 때

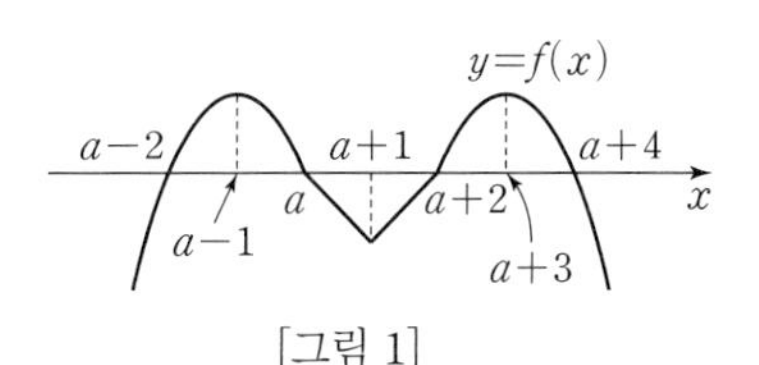

[그림 1]

(ii) $k=0$일 때

a+1 y=f(x)

a a+2 x

[그림 2]

(iii) $k>0$일 때

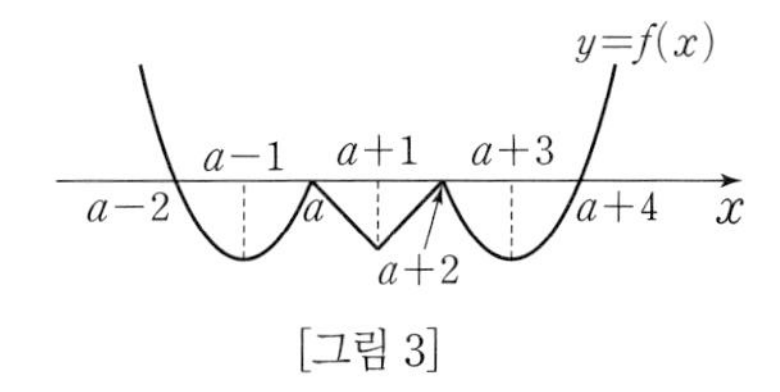

[그림 3]

(ⅰ), (ⅱ), (ⅲ)에서 함수 $y=f(x)$의 그래프는 k의 값에 관계없이 항상 직선 $x=a+1$에 대하여 대칭임을 알 수 있다.

ㄱ. $a=-1$이면 함수 $y=f(x)$의 그래프는 직선 $x=0$, 즉 y축에 대하여 대칭이다. (참)

ㄴ. $f(a+1)=-1$이므로

$k=0$일 때, 함수 $f(x)$는 $x=a+1$에서 최솟값 $f(a+1)=-1$을 갖는다.

$0<k\le1$일 때, 함수 $y=f(x)$의 그래프의 개형은 [그림 3]과 같다.

이때 $f(a-1)=f(a+3)$이고

$f(a-1)=k\times(-1)\times1=-k$

이므로 $-1\le f(a-1)=-k<0$

따라서 $0\le k\le1$이면 함수 $f(x)$의 최솟값은 -1이다. (참)

ㄷ. $k\ge0$이면 함수 $f(x)$는 $x=a$, $x=a+1$, $x=a+2$에서 미분가능하지 않으므로 함수 $f(x)$가 $x=2$에서만 미분가능하지 않으려면 함수 $y=f(x)$의 그래프의 개형이 [그림 1]과 같아야 한다.

즉, $k<0$이고 함수 $f(x)$는 $x=a+1$에서만 미분가능하지 않고, $x=a$, $x=a+2$에서 미분가능하여야 한다.

이때 함수 $f(x)$가 $x=2$에서 미분가능하지 않으므로

$a+1=2$에서 $a=1$

함수 $f(x)$가 $x=a$, 즉 $x=1$에서 미분가능하려면

$$\lim_{x\to1-}\frac{f(x)-f(1)}{x-1}=\lim_{x\to1+}\frac{f(x)-f(1)}{x-1}$$

이어야 한다.

$f(1)=0$이므로

$$\lim_{x\to1-}\frac{f(x)-f(1)}{x-1}=\lim_{x\to1-}\frac{k(x-1)(x+1)}{x-1}=k\lim_{x\to1-}(x+1)=2k$$

$$\lim_{x\to1+}\frac{f(x)-f(1)}{x-1}=\lim_{x\to1+}\frac{|x-2|-1}{x-1}=\lim_{x\to1+}\frac{-(x-1)}{x-1}=-1$$

$2k=-1$에서 $k=-\frac{1}{2}$

이때 $f(3)=0$이므로 $a=1$, $k=-\frac{1}{2}$이면

$$\lim_{x\to3-}\frac{f(x)-f(3)}{x-3}=\lim_{x\to3-}\frac{|x-2|-1}{x-3}=\lim_{x\to3-}\frac{x-3}{x-3}=1$$

$$\lim_{x\to3+}\frac{f(x)-f(3)}{x-3}=\lim_{x\to3+}\frac{-\frac{1}{2}(x-3)(x-5)}{x-3}=-\frac{1}{2}\lim_{x\to3+}(x-5)=-\frac{1}{2}\times(-2)=1$$

즉,

$$\lim_{x\to3-}\frac{f(x)-f(3)}{x-3}=\lim_{x\to3+}\frac{f(x)-f(3)}{x-3}$$

이므로 함수 $f(x)$는 $x=a+2$, 즉 $x=3$에서도 미분가능하다.

따라서 $a+k=1+\left(-\frac{1}{2}\right)=\frac{1}{2}$ (참)

이상에서 옳은 것은 ㄱ, ㄴ, ㄷ이다.

답 ⑤

14

조건 (가)에 의하여 함수 $y=f(x)$의 그래프는 y축에 대하여 대칭이므로 최고차항의 계수가 1인 사차함수 $f(x)$는

$f(x)=x^4+ax^2+b$ (a, b는 상수)

로 놓을 수 있다.

이때 $f'(x)=4x^3+2ax$이고 조건 (나)에 의하여 $f'(2)=0$이므로

$f'(2)=32+4a=0$에서 $a=-8$

따라서 $f(x)=x^4-8x^2+b$, $f'(x)=4x^3-16x=4x(x+2)(x-2)$

이므로

$f'(x)=0$에서 $x=-2$ 또는 $x=0$ 또는 $x=2$

함수 $f(x)$의 증가와 감소를 표로 나타내면 다음과 같다.

x	$\cdots$	-2	$\cdots$	0	$\cdots$	2	$\cdots$
$f'(x)$	$-$	0	$+$	0	$-$	0	$+$
$f(x)$	↘	극소	↗	극대	↘	극소	↗

$f(-2)=f(2)=b-16$, $f(0)=b$이므로 함수 $y=f(x)$의 그래프는 그림과 같다.

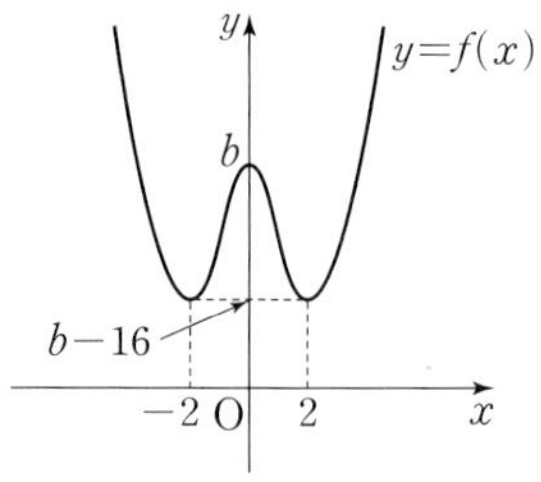

한편, 함수

$$g(x)=\begin{cases}f(x) & (x\ge0)\\ f(x-m)+n & (x<0)\end{cases}$$

이 실수 전체의 집합에서 미분가능하므로

$x=0$에서도 미분가능하다.

함수 $g(x)$가 $x=0$에서 미분가능하면 $x=0$에서 연속이므로

$$\lim_{x\to0-}g(x)=\lim_{x\to0+}g(x)=g(0)$$

이어야 한다.

$\lim_{x\to0-}g(x)=\lim_{x\to0-}\{f(x-m)+n\}=f(-m)+n$,

$\lim_{x\to0+}g(x)=\lim_{x\to0+}f(x)=f(0)=b$,

$g(0)=f(0)=b$

이므로 $f(-m)+n=b$에서

$n=b-f(-m)$

또한 함수 $g(x)$가 $x=0$에서 미분가능하므로

$$\lim_{h\to0-}\frac{g(0+h)-g(0)}{h}=\lim_{h\to0+}\frac{g(0+h)-g(0)}{h}$$

이어야 한다.

$$\lim_{h\to0+}\frac{g(0+h)-g(0)}{h}=\lim_{h\to0+}\frac{f(0+h)-f(0)}{h}=f'(0)=0$$

함수 $f(x)$는 실수 전체의 집합에서 미분가능한 함수이므로

$$\lim_{h\to0-}\frac{g(0+h)-g(0)}{h}=\lim_{h\to0-}\frac{\{f(0+h-m)+n\}-b}{h}=\lim_{h\to0-}\frac{\{f(h-m)+n\}-\{f(-m)+n\}}{h}=\lim_{h\to0-}\frac{f(-m+h)-f(-m)}{h}=f'(-m)$$

그러므로 $f'(-m)=0$에서

$-m=-2$ 또는 $-m=0$ 또는 $-m=2$

즉, $m=2$ 또는 $m=0$ 또는 $m=-2$

$m=2$일 때, $n=b-f(-2)=b-(b-16)=16$

$m=0$일 때, $n=b-f(0)=b-b=0$

$m=-2$일 때, $n=b-f(2)=b-(b-16)=16$
따라서 모든 순서쌍 (m, n)은 $(2, 16)$, $(0, 0)$, $(-2, 16)$이므로
$m+n$의 최댓값은 $m=2$, $n=16$일 때 18이다.

답 ③

참고
함수 $y=f(x)$의 그래프를 그린 후 m, n의 값을 다음과 같이 구할 수도 있다.
함수 $g(x)$가 실수 전체의 집합에서 미분가능하므로 함수 $g(x)$는 $x=0$에서도 미분가능하다.
이때 $f'(0)=0$이므로

$$g'(0)=\lim_{x\to 0+}\frac{g(x)-g(0)}{x-0}=\lim_{x\to 0+}\frac{f(x)-f(0)}{x-0}=f'(0)=0$$

즉, 함수 $y=g(x)$의 그래프 위의 점 $(0, g(0))$에서의 접선의 기울기가 0이어야 한다.
$A(-2, b-16)$, $B(0, b)$, $C(2, b-16)$이라 할 때,
$f'(-2)=f'(0)=f'(2)=0$, $f(-2)=f(2)=b-16$, $f(0)=b$이고
함수 $y=f(x-m)+n$의 그래프는 함수 $y=f(x)$의 그래프를 x축의 방향으로 m만큼, y축의 방향으로 n만큼 평행이동한 것이므로 가능한 평행이동은 다음과 같이 세 가지가 있고, 각각의 경우 m, n의 값은 다음과 같다.
(i) 점 A가 점 B로 이동하는 평행이동의 경우
$-2+m=0$, $(b-16)+n=b$이므로 $m=2$, $n=16$
(ii) 점 B가 점 B로 이동하는 평행이동의 경우
즉, 두 함수 $y=f(x)$, $y=g(x)$가 일치하는 경우 $m=n=0$
(iii) 점 C가 점 B로 이동하는 평행이동의 경우
$2+m=0$, $(b-16)+n=b$이므로 $m=-2$, $n=16$

15

$\overline{OA}=2$, $\overline{OM}=\frac{1}{2}\overline{OA}=\frac{1}{2}\times 2=1$이고 $\angle MOA=\frac{2}{3}\pi$이므로 삼각형 OAM에서 코사인법칙에 의하여

$$\overline{AM}^2=\overline{OA}^2+\overline{OM}^2-2\times\overline{OA}\times\overline{OM}\times\cos\frac{2}{3}\pi$$
$$=2^2+1^2-2\times 2\times 1\times\left(-\frac{1}{2}\right)=7$$

$\overline{AM}>0$이므로 $\overline{AM}=\sqrt{7}$
$\angle OAM=\angle OPM=\theta\ \left(0<\theta<\frac{\pi}{2}\right)$라 하면 삼각형 OAM에서 코사인법칙에 의하여

$$\cos\theta=\frac{\overline{OA}^2+\overline{AM}^2-\overline{OM}^2}{2\times\overline{OA}\times\overline{AM}}=\frac{2^2+(\sqrt{7})^2-1^2}{2\times 2\times\sqrt{7}}=\frac{5}{2\sqrt{7}}=\frac{5\sqrt{7}}{14}$$

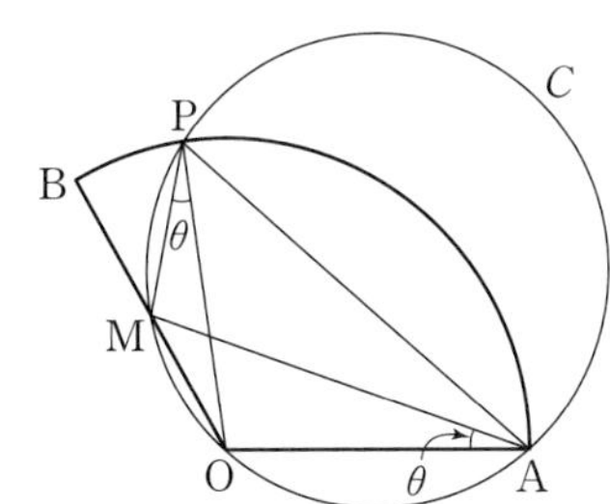

이고

$$\sin\theta=\sqrt{1-\cos^2\theta}=\sqrt{1-\frac{25}{28}}=\frac{\sqrt{21}}{14}$$

또한 $\overline{OP}=2$이므로 $\overline{MP}=a\ (a<\sqrt{7})$이라 하면 삼각형 OPM에서 코사인법칙에 의하여

$$\overline{OM}^2=\overline{OP}^2+\overline{MP}^2-2\times\overline{OP}\times\overline{MP}\times\cos\theta$$

$$1^2=2^2+a^2-2\times 2\times a\times\frac{5\sqrt{7}}{14},\ a^2-\frac{10\sqrt{7}}{7}a+3=0$$

$\sqrt{7}a^2-10a+3\sqrt{7}=0$, $(\sqrt{7}a-3)(a-\sqrt{7})=0$
$a<\sqrt{7}$이므로 $a=\frac{3}{\sqrt{7}}=\frac{3\sqrt{7}}{7}$, 즉 $\overline{MP}=\frac{3\sqrt{7}}{7}$
한편, $\angle OAM=\angle OPM$이므로 네 점 O, A, P, M을 모두 지나는 원이 존재한다.
이 원을 C라 하고 원 C의 반지름의 길이를 R이라 하면 삼각형 OAM에서 사인법칙에 의하여

$$\frac{\overline{OM}}{\sin\theta}=2R,\ R=\frac{\overline{OM}}{2\sin\theta}=\frac{1}{2\times\frac{\sqrt{21}}{14}}=\frac{\sqrt{21}}{3}$$

삼각형 OAP에서 사인법칙에 의하여

$$\frac{\overline{OA}}{\sin(\angle APO)}=2R,\ \sin(\angle APO)=\frac{\overline{OA}}{2R}=\frac{2}{2\times\frac{\sqrt{21}}{3}}=\frac{\sqrt{21}}{7}$$

$\angle APO=\angle AMO$이고 $0<\angle AMO<\frac{\pi}{3}$이므로 $0<\angle APO<\frac{\pi}{3}$

$$\cos(\angle APO)=\sqrt{1-\sin^2(\angle APO)}=\sqrt{1-\frac{3}{7}}=\frac{2\sqrt{7}}{7}$$

이때 삼각형 OAP에서 $\overline{OA}=\overline{OP}=2$이므로

$$\overline{AP}=2\times\overline{OP}\cos(\angle APO)=2\times 2\times\frac{2\sqrt{7}}{7}=\frac{8\sqrt{7}}{7}$$

따라서 삼각형 PMA의 둘레의 길이는

$$\overline{AM}+\overline{MP}+\overline{AP}=\sqrt{7}+\frac{3\sqrt{7}}{7}+\frac{8\sqrt{7}}{7}=\frac{18\sqrt{7}}{7}$$

답 ②

16

로그의 진수의 조건에 의하여
$x^2-x-6>0$, $(x+2)(x-3)>0$
$x<-2$ 또는 $x>3$ …… ㉠
부등식 $\log_2(x^2-x-6)\le\log_{\sqrt{2}}6$에서
$\log_2(x^2-x-6)\le 2\log_2 6=\log_2 36$
이때 밑 2가 1보다 크므로
$x^2-x-6\le 36$, $x^2-x-42\le 0$, $(x+6)(x-7)\le 0$
$-6\le x\le 7$ …… ㉡
㉠, ㉡에 의하여 주어진 부등식의 해는
$-6\le x<-2$ 또는 $3<x\le 7$
따라서 모든 정수 x의 값의 합은
$-6+(-5)+(-4)+(-3)+4+5+6+7=4$

답 4

17

수열 $\{a_n\}$의 첫째항부터 제n항까지의 합을 S_n이라 하면
$S_n=2^n-5n$
이므로
$a_1=S_1=2-5=-3$
$n\ge 2$일 때,
$a_n=S_n-S_{n-1}=(2^n-5n)-\{2^{n-1}-5(n-1)\}=2^{n-1}-5$
따라서

$$\sum_{n=1}^{4} a_{2n-1}=a_1+a_3+a_5+a_7=-3+(2^2-5)+(2^4-5)+(2^6-5)$$
$$=-3+(-1)+11+59=66$$

답 66

18

시각 t에서의 두 점 P, Q의 위치를 각각 $x_1(t)$, $x_2(t)$라 하자.
시각 $t=0$일 때, 두 점 P, Q의 위치가 모두 원점이므로
$x_1(0)=x_2(0)=0$이고

$$x_1(t)=x_1(0)+\int_0^t v_1(t)\,dt=0+\int_0^t (3t-5)\,dt=\int_0^t (3t-5)\,dt$$

$$x_2(t)=x_2(0)+\int_0^t v_2(t)\,dt=0+\int_0^t (7-t)\,dt=\int_0^t (7-t)\,dt$$

두 점 P, Q가 시각 $t=k\ (k>0)$에서 만나므로
$x_1(k)=x_2(k)$에서

$$\int_0^k (3t-5)\,dt=\int_0^k (7-t)\,dt,\ \int_0^k (3t-5)\,dt-\int_0^k (7-t)\,dt=0$$

$$\int_0^k \{(3t-5)-(7-t)\}\,dt=0,\ \int_0^k (4t-12)dt=0$$

$$\Big[2t^2-12t\Big]_0^k=0,\ 2k(k-6)=0$$

$k>0$이므로 $k=6$

답 6

19

최고차항의 계수가 1인 삼차함수 $f(x)$를
$f(x)=x^3+ax^2+bx+c$ (a, b, c는 상수)라 하면
$f'(x)=3x^2+2ax+b$
$f'(-1)=f'(3)=0$에서
$3x^2+2ax+b=3(x+1)(x-3)=3x^2-6x-9$
이므로
$2a=-6$에서 $a=-3$
$b=-9$
따라서 $f(x)=x^3-3x^2-9x+c$
이때 함수 $y=f'(x)$의 그래프에서 $x=-1$의 좌우에서 $f'(x)$의 부호가 양에서 음으로 바뀌므로 함수 $f(x)$는 $x=-1$에서 극댓값 $f(-1)=c+5$를 갖고, $x=3$의 좌우에서 $f'(x)$의 부호가 음에서 양으로 바뀌므로 함수 $f(x)$는 $x=3$에서 극솟값 $f(3)=c-27$을 갖는다.

조건 (나)에 의하여
$f(-1)\times f(3)=0$이므로
$(c+5)(c-27)=0$
조건 (가)에 의하여 $f(0)=c>0$이므로 $c=27$
따라서 $f(x)=x^3-3x^2-9x+27$이므로
$f(1)=1-3-9+27=16$

답 16

20

$a_1=100$이고 6 이하의 모든 자연수 m에 대하여 $a_m a_{m+1}>0$이므로 수열 $\{a_n\}$의 첫째항부터 제7항까지 모두 자연수이어야 한다.
$a_2=p$ (p는 자연수)라 하면

$$a_{n+2}=\begin{cases} a_n-a_{n+1} & (n\text{이 홀수인 경우}) \\ 2a_{n+1}-a_n & (n\text{이 짝수인 경우}) \end{cases}$$ 에 의하여

$a_3=a_1-a_2=100-p$이므로
$a_3>0$에서 $100-p>0$, $p<100$ …… ㉠
$a_4=2a_3-a_2=2(100-p)-p=200-3p$이므로
$a_4>0$에서 $200-3p>0$, $p<\frac{200}{3}$ …… ㉡
$a_5=a_3-a_4=(100-p)-(200-3p)=2p-100$이므로
$a_5>0$에서 $2p-100>0$, $p>50$ …… ㉢
$a_6=2a_5-a_4=2(2p-100)-(200-3p)=7p-400$이므로
$a_6>0$에서 $7p-400>0$, $p>\frac{400}{7}$ …… ㉣
$a_7=a_5-a_6=(2p-100)-(7p-400)=-5p+300$이므로
$a_7>0$에서 $-5p+300>0$, $p<60$ …… ㉤
㉠~㉤에서 $\frac{400}{7}<p<60$
이때 $57<\frac{400}{7}<58$이므로 자연수 p의 값은 58 또는 59이다.
따라서
$p=58$일 때 $a_5=2\times58-100=16$,
$p=59$일 때 $a_5=2\times59-100=18$
이므로 a_5의 값의 합은
$16+18=34$

답 34

21

$$f(x)=\int_0^x (2x-t)(3t^2+at+b)\,dt$$
$$=2x\int_0^x (3t^2+at+b)\,dt-\int_0^x t(3t^2+at+b)\,dt$$

이므로
$f'(x)$
$$=\left\{2\int_0^x (3t^2+at+b)\,dt+2x(3x^2+ax+b)\right\}-x(3x^2+ax+b)$$
$$=2\int_0^x (3t^2+at+b)\,dt+x(3x^2+ax+b)$$
$$=2\Big[t^3+\frac{a}{2}t^2+bt\Big]_0^x+3x^3+ax^2+bx$$
$$=(2x^3+ax^2+2bx)+3x^3+ax^2+bx$$
$$=x(5x^2+2ax+3b) \quad \cdots\cdots ㉠$$

이때 조건 (가)에서 $f'(1)=0$이므로 ㉠에서
$f'(1)=5+2a+3b=0$
$b=-\frac{2a+5}{3}$ …… ㉡
따라서
$f'(x)=x(5x^2+2ax-2a-5)=x(x-1)(5x+2a+5)$
이므로

$f'(x)=0$에서 $x=0$ 또는 $x=1$ 또는 $x=-\dfrac{2a+5}{5}$

조건 (나)에서 열린구간 $(0,\ 1)$에 속하는 모든 실수 k에 대하여 x에 대한 방정식 $f(x)=f(k)$의 서로 다른 실근의 개수가 2이려면 함수 $y=f(x)$의 그래프와 직선 $y=f(k)$ $(0<k<1)$이 만나는 서로 다른 점의 개수가 2이어야 한다.

즉, 함수 $f(x)$의 극댓값이 존재하지 않아야 하므로

$-\dfrac{2a+5}{5}=0$ 또는 $-\dfrac{2a+5}{5}=1$

이어야 한다.

즉, $a=-\dfrac{5}{2}$ 또는 $a=-5$

이때 a는 정수이므로 $a=-5$이고, ㉡에서

$b=-\dfrac{2a+5}{3}=-\dfrac{2\times(-5)+5}{3}=\dfrac{5}{3}$

따라서 $\left|\dfrac{a}{b}\right|=\left|\dfrac{-5}{\frac{5}{3}}\right|=3$

답 3

참고

a의 값에 따라 함수 $y=f(x)$의 그래프의 개형은 다음과 같다.

(i) $a=-\dfrac{5}{2}$일 때

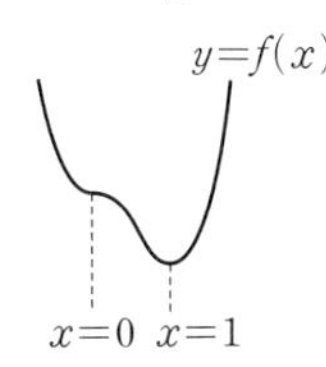

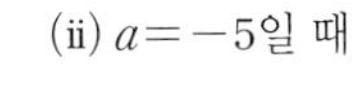
(ii) $a=-5$일 때

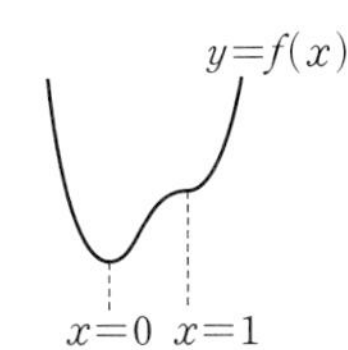

22

$f(x)=x^4-\dfrac{8}{3}x^3-2x^2+8x+2$에서

$f'(x)=4x^3-8x^2-4x+8=4(x+1)(x-1)(x-2)$

$f'(x)=0$에서 $x=-1$ 또는 $x=1$ 또는 $x=2$

함수 $f(x)$의 증가와 감소를 표로 나타내면 다음과 같다.

x	$\cdots$	-1	$\cdots$	1	$\cdots$	2	$\cdots$
$f'(x)$	$-$	0	$+$	0	$-$	0	$+$
$f(x)$	↘	극소	↗	극대	↘	극소	↗

$f(-1)=1+\dfrac{8}{3}-2-8+2=-\dfrac{13}{3}$

$f(1)=1-\dfrac{8}{3}-2+8+2=\dfrac{19}{3}$

$f(2)=16-\dfrac{64}{3}-8+16+2=\dfrac{14}{3}$

이므로 함수 $y=f(x)$의 그래프는 그림과 같다.

한편, 함수 $y=g(x)$, 즉 $y=|f(x)-k|$의 그래프는 함수 $y=f(x)$의 그래프를 y축의 방향으로 $-k$만큼 평행이동한 그래프의 x축의 아래 부분을 x축에 대하여 대칭이동한 것이다.

이때 방정식 $f'(x)=0$의 근이 $x=-1$ 또는 $x=1$ 또는 $x=2$이므로 함수 $g(x)$의 $x=a$에서의 미분계수가 0인 x의 값은 $-1,\ 1,\ 2$뿐이다.

또한 함수 $y=g(x)$의 그래프와 x축이 점 $(t,\ g(t))$에서 접하지 않고 만난다고 하면 함수 $g(x)$는 $x=t$에서 미분가능하지 않고

$\displaystyle\lim_{h\to 0-}\frac{g(t+h)-g(t)}{h}=-\lim_{h\to 0+}\frac{g(t+h)-g(t)}{h}$

집합 $A=\left\{x\,\middle|\,\displaystyle\lim_{h\to 0-}\frac{g(x+h)-g(x)}{h}+\lim_{h\to 0+}\frac{g(x+h)-g(x)}{h}=0\right\}$

의 원소 a에 대하여 함수 $g(x)$가 $x=a$에서 미분가능하면

$\displaystyle\lim_{h\to 0-}\frac{g(a+h)-g(a)}{h}+\lim_{h\to 0+}\frac{g(a+h)-g(a)}{h}=g'(a)+g'(a)$

$=2g'(a)=0$

$g'(a)=0$이므로 $-1\in A,\ 1\in A,\ 2\in A$

함수 $g(x)$가 $x=a$에서 미분가능하지 않으면

$\displaystyle\lim_{h\to 0-}\frac{g(a+h)-g(a)}{h}+\lim_{h\to 0+}\frac{g(a+h)-g(a)}{h}=0$

$\displaystyle\lim_{h\to 0-}\frac{g(a+h)-g(a)}{h}=-\lim_{h\to 0+}\frac{g(a+h)-g(a)}{h}$

이므로 함수 $y=g(x)$의 그래프와 x축이 접하지 않고 만나는 점의 x좌표는 집합 A의 원소이다.

이때 $n(A)=7$이려면 함수 $y=g(x)$의 그래프와 x축이 서로 다른 네 점에서 만나야 하므로 $\dfrac{14}{3}<k<\dfrac{19}{3}$이어야 한다.

그림과 같이 $\dfrac{14}{3}<k<\dfrac{19}{3}$일 때 함수 $y=g(x)$의 그래프와 x축이 만나는 네 점의 x좌표를 $x_1,\ x_2,\ x_3,\ x_4$ $(x_1<-1<x_2<1<x_3<2<x_4)$라 하면

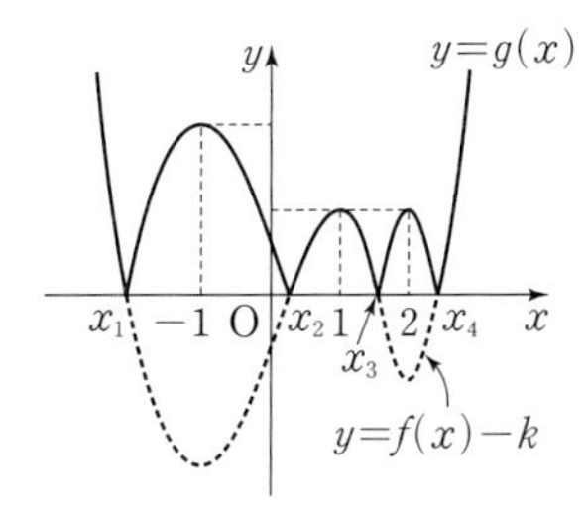

$A=\{x_1,\ -1,\ x_2,\ 1,\ x_3,\ 2,\ x_4\}$

$g(x_1)=g(x_2)=g(x_3)=g(x_4)=0$이므로 집합 $B=\{g(x)\,|\,x\in A\}$에 대하여 $n(B)=3$이려면 세 함숫값 $g(-1),\ g(1),\ g(2)$ 중 두 함숫값이 서로 같아야 한다.

이때 $\dfrac{14}{3}<k<\dfrac{19}{3}$이므로 세 함숫값 $g(-1),\ g(1),\ g(2)$ 중 두 함숫값이 서로 같은 경우는 $g(-1)\neq g(1)=g(2)$일 때뿐이고, 이 경우에 집합 B는 $B=\{g(x_1),\ g(-1),\ g(1)\}$이다.

$g(1)=|f(1)-k|=\left|\dfrac{19}{3}-k\right|=\dfrac{19}{3}-k,$

$g(2)=|f(2)-k|=\left|\dfrac{14}{3}-k\right|=k-\dfrac{14}{3}$

이므로 $g(1)=g(2)$에서

$\dfrac{19}{3}-k=k-\dfrac{14}{3},\ 2k=11,\ k=\dfrac{11}{2}$

그러므로 $g(x)=|f(x)-k|=\left|f(x)-\dfrac{11}{2}\right|$이고

$g(-1)=\left|f(-1)-\dfrac{11}{2}\right|=\left|-\dfrac{13}{3}-\dfrac{11}{2}\right|=\dfrac{59}{6}$

$g(1)=\left|f(1)-\dfrac{11}{2}\right|=\left|\dfrac{19}{3}-\dfrac{11}{2}\right|=\dfrac{5}{6}$

즉, $B=\left\{0,\ \dfrac{5}{6},\ \dfrac{59}{6}\right\}$이므로 집합 B의 모든 원소의 합은

$0+\dfrac{5}{6}+\dfrac{59}{6}=\dfrac{32}{3}$

따라서 $p=3,\ q=32$이므로

$p+q=3+32=35$

답 35

23

점 A$(3, 2, -1)$에서 x축에 내린 수선의 발 B의 좌표는 $(3, 0, 0)$이고, 점 A$(3, 2, -1)$을 y축에 대하여 대칭이동한 점 C의 좌표는 $(-3, 2, 1)$이다.

따라서 선분 BC의 길이는

$\sqrt{(-3-3)^2+(2-0)^2+(1-0)^2}=\sqrt{36+4+1}=\sqrt{41}$

답 ①

24

타원 $\frac{x^2}{16}+\frac{y^2}{12}=1$의 초점 F의 x좌표가

$c=\sqrt{16-12}=\sqrt{4}=2$

이므로 점 F′의 좌표는 $(-2, 0)$이다.

또한 타원 $\frac{x^2}{16}+\frac{y^2}{12}=1$ 위의 점 $(2, 3)$에서의 접선의 방정식은

$\frac{2x}{16}+\frac{3y}{12}=1$, 즉 $x+2y=8$

이므로 이 접선이 x축, y축과 만나는 두 점 P, Q의 좌표는 각각 $(8, 0)$, $(0, 4)$이다.

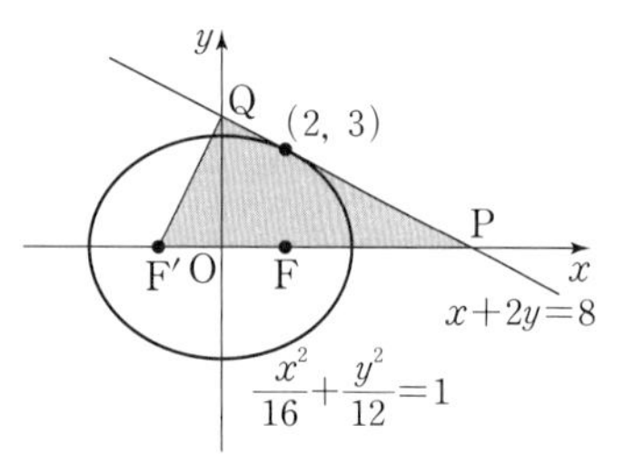

따라서 삼각형 F′PQ의 넓이는

$\frac{1}{2}\times 10\times 4=20$

답 ⑤

25

삼각형 AF′B가 정삼각형이고 점 F′에서 선분 AB에 내린 수선의 발이 F이므로

$\overline{\text{F'A}}=2\overline{\text{FA}}$

쌍곡선의 정의에 의하여

$\overline{\text{F'A}}-\overline{\text{FA}}=2\times 3=6$이므로

$2\overline{\text{FA}}-\overline{\text{FA}}=\overline{\text{FA}}=6$

$\overline{\text{F'A}}=12$이므로

직각삼각형 AF′F에서 $\overline{\text{FF'}}=6\sqrt{3}$

쌍곡선 $\frac{x^2}{9}-\frac{y^2}{a}=1$의 두 초점을 F$(c, 0)$, F′$(-c, 0)$ $(c>0)$이라 하면

$c^2=(3\sqrt{3})^2=9+a$이므로

$a+9=27$에서 $a=18$

답 ④

26

원 C : $(x-2)^2+(y-1)^2=4$의 중심을 C라 하면 C$(2, 1)$이다.

$\overrightarrow{\text{OX}}=\overrightarrow{\text{OP}}+\overrightarrow{\text{OQ}}=\overrightarrow{\text{OP}}+\overrightarrow{\text{OC}}+\overrightarrow{\text{CQ}}$

이때 $\overrightarrow{\text{OC}}=(2, 1)$이므로 두 점 A$(-3, 3)$, B$(1, 3)$을 각각 x축의 방향으로 2만큼, y축의 방향으로 1만큼 평행이동한 점 A′$(-1, 4)$, B′$(3, 4)$에 대하여 $\overrightarrow{\text{OY}}=\overrightarrow{\text{OC}}+\overrightarrow{\text{OP}}$를 만족시키는 점 Y는 선분 A′B′ 위의 점이다.

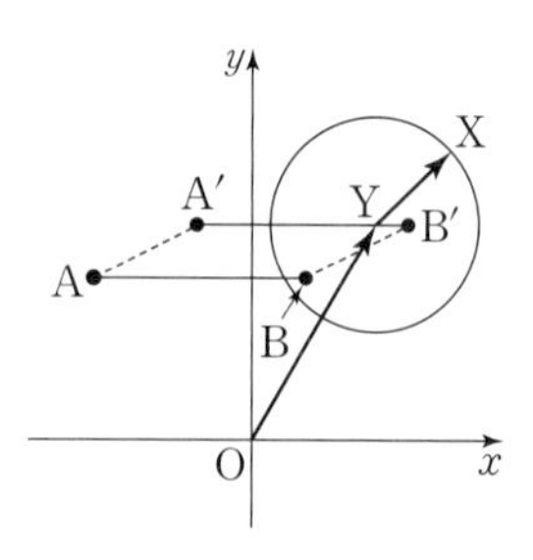

그러므로 $\overrightarrow{\text{OX}}=\overrightarrow{\text{OY}}+\overrightarrow{\text{CQ}}$에서 점 X는 점 Y를 중심으로 하고 반지름의 길이가 2인 원 위의 점이고, $|\overrightarrow{\text{OX}}|$의 최댓값은 선분 A′B′ 위의 점 중 원점으로부터 가장 멀리 있는 점 Y′에 대하여 $|\overrightarrow{\text{OY'}}|+2$이고, $|\overrightarrow{\text{OX}}|$의 최솟값은 선분 A′B′ 위의 점 중 원점으로부터 가장 가까이 있는 점 Y″에 대하여 $|\overrightarrow{\text{OY''}}|-2$이다.

선분 A′B′ 위의 점 중 원점으로부터 가장 멀리 있는 점은 B′$(3, 4)$이므로

$M=|\overrightarrow{\text{OB'}}|+2=\sqrt{3^2+4^2}+2=7$

선분 A′B′ 위의 점 중 원점으로부터 가장 가까이 있는 점은 점 $(0, 4)$이므로

$m=4-2=2$

따라서 $M-m=7-2=5$

답 ③

27

점 A에서 준선 l에 내린 수선의 발을 I라 하고, x축에 내린 수선의 발을 J라 하자.

세 개의 수 $\overline{\text{FB}}$, $\overline{\text{FA}}$, $\overline{\text{BC}}$가 이 순서대로 등차수열을 이루므로

$\overline{\text{FB}}=a-d$, $\overline{\text{FA}}=a$, $\overline{\text{BC}}=a+d$

(a, d는 $0<d<a$인 상수)

라 하면 포물선의 정의에 의하여

$\overline{\text{FA}}=\overline{\text{AI}}=a$

또한

$\overline{\text{FC}}=\overline{\text{FB}}+\overline{\text{BC}}=(a-d)+(a+d)=2a$

준선 l이 x축과 만나는 점을 D라 하면 두 삼각형 CFD, CAI는 서로 닮은 도형이고, $\overline{\text{FC}}:\overline{\text{AC}}=2a:3a=2:3$이므로 닮음비는 $2:3$이다.

$\overline{\text{FD}}=2p$이므로 $\overline{\text{FD}}:\overline{\text{AI}}=2:3$에서

$2p:a=2:3$, $a=3p$

즉, $\overline{\text{FA}}=\overline{\text{AI}}=3p$

$\overline{\text{FJ}}=\overline{\text{AI}}-\overline{\text{FD}}=3p-2p=p$이므로

$\cos(\angle\text{AFJ})=\frac{\overline{\text{FJ}}}{\overline{\text{FA}}}=\frac{p}{3p}=\frac{1}{3}$

한편, 포물선의 정의에 의하여

$\overline{\text{FB}}=\overline{\text{BH}}=3p-d$

또한 $\overline{\text{BC}}=3p+d$이고 $\angle\text{AFJ}=\angle\text{CBH}$이므로

직각삼각형 CBH에서

$\cos(\angle\text{CBH})=\frac{\overline{\text{BH}}}{\overline{\text{BC}}}=\frac{3p-d}{3p+d}$

$\frac{3p-d}{3p+d}=\frac{1}{3}$에서 $9p-3d=3p+d$, $4d=6p$

즉, $d=\frac{3}{2}p$이므로

$\overline{\text{BH}}=3p-\frac{3}{2}p=\frac{3}{2}p$, $\overline{\text{BC}}=3p+\frac{3}{2}p=\frac{9}{2}p$

$\sin(\angle\mathrm{CBH})=\sqrt{1-\cos^2(\angle\mathrm{CBH})}=\sqrt{1-\frac{1}{9}}=\frac{2\sqrt{2}}{3}$

이고 삼각형 CBH의 넓이가 $4\sqrt{2}$이므로

$\frac{1}{2}\times\overline{\mathrm{BH}}\times\overline{\mathrm{BC}}\times\sin(\angle\mathrm{CBH})=4\sqrt{2}$에서

$\frac{1}{2}\times\frac{3}{2}p\times\frac{9}{2}p\times\frac{2\sqrt{2}}{3}=\frac{9\sqrt{2}}{4}p^2=4\sqrt{2}$

$p^2=\frac{16}{9}$, $p=\frac{4}{3}$

따라서 선분 AB의 길이는

$\overline{\mathrm{AB}}=\overline{\mathrm{FA}}+\overline{\mathrm{FB}}=3p+\frac{3}{2}p=\frac{9}{2}p=\frac{9}{2}\times\frac{4}{3}=6$

답 ①

28

$\overrightarrow{\mathrm{AB}}=\vec{a}$, $\overrightarrow{\mathrm{BC}}=\vec{b}$, $\angle\mathrm{CBA}=\theta$ $(0<\theta<\pi)$라 하면 $|\vec{a}|=2$, $|\vec{b}|=4$

이고 두 벡터 $\vec{a}$, $\vec{b}$가 이루는 각의 크기가 $\pi-\theta$이므로

$\vec{a}\cdot\vec{b}=|\vec{a}||\vec{b}|\cos(\pi-\theta)$

$=-8\cos\theta$ ...... ㉠

선분 BC의 중점을 M이라 하면

$\overrightarrow{\mathrm{DP}}=\overrightarrow{\mathrm{DM}}+\overrightarrow{\mathrm{MP}}$이므로

$\overrightarrow{\mathrm{AC}}\cdot\overrightarrow{\mathrm{DP}}$

$=\overrightarrow{\mathrm{AC}}\cdot(\overrightarrow{\mathrm{DM}}+\overrightarrow{\mathrm{MP}})$

$=\overrightarrow{\mathrm{AC}}\cdot\overrightarrow{\mathrm{DM}}+\overrightarrow{\mathrm{AC}}\cdot\overrightarrow{\mathrm{MP}}$ ...... ㉡

$\overrightarrow{\mathrm{AC}}\cdot\overrightarrow{\mathrm{DM}}=(\overrightarrow{\mathrm{AB}}+\overrightarrow{\mathrm{BC}})\cdot(\overrightarrow{\mathrm{DC}}+\overrightarrow{\mathrm{CM}})$

$=(\vec{a}+\vec{b})\cdot\left(\vec{a}-\frac{1}{2}\vec{b}\right)$

$=|\vec{a}|^2+\frac{1}{2}\vec{a}\cdot\vec{b}-\frac{1}{2}|\vec{b}|^2$

$=4-4\cos\theta-8$

$=-4-4\cos\theta$

삼각형 ABC에서 코사인법칙에 의하여

$\overline{\mathrm{AC}}^2=\overline{\mathrm{AB}}^2+\overline{\mathrm{BC}}^2-2\times\overline{\mathrm{AB}}\times\overline{\mathrm{BC}}\times\cos\theta$

$=2^2+4^2-2\times2\times4\times\cos\theta$

$=20-16\cos\theta$

이므로 $|\overrightarrow{\mathrm{AC}}|=\overline{\mathrm{AC}}=2\sqrt{5-4\cos\theta}$

또한 $|\overrightarrow{\mathrm{MP}}|=2$이고 $\overrightarrow{\mathrm{AC}}\cdot\overrightarrow{\mathrm{MP}}$의 값은 두 벡터 $\overrightarrow{\mathrm{AC}}$, $\overrightarrow{\mathrm{MP}}$의 방향이 같을 때 최대이므로 최댓값은

$|\overrightarrow{\mathrm{AC}}||\overrightarrow{\mathrm{MP}}|\cos 0=2\sqrt{5-4\cos\theta}\times2\times1=4\sqrt{5-4\cos\theta}$

㉡에서 $\overrightarrow{\mathrm{AC}}\cdot\overrightarrow{\mathrm{DP}}$의 최댓값은 $-4-4\cos\theta+4\sqrt{5-4\cos\theta}$이므로

$-4-4\cos\theta+4\sqrt{5-4\cos\theta}=3$에서

$4\sqrt{5-4\cos\theta}=4\cos\theta+7$

$80-64\cos\theta=16\cos^2\theta+56\cos\theta+49$

$16\cos^2\theta+120\cos\theta-31=0$

$(4\cos\theta-1)(4\cos\theta+31)=0$

$-1\le\cos\theta\le1$이므로 $\cos\theta=\frac{1}{4}$이고

㉠에서 $\vec{a}\cdot\vec{b}=-8\times\frac{1}{4}=-2$

따라서

$\overrightarrow{\mathrm{DA}}\cdot\overrightarrow{\mathrm{DB}}=\overrightarrow{\mathrm{DA}}\cdot(\overrightarrow{\mathrm{DC}}+\overrightarrow{\mathrm{CB}})=-\vec{b}\cdot(\vec{a}-\vec{b})$

$=-\vec{a}\cdot\vec{b}+|\vec{b}|^2=2+16=18$

답 ②

29

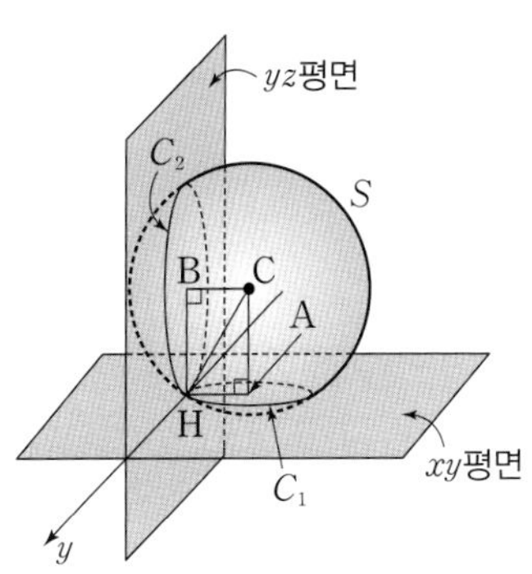

구 S : $(x-a)^2+(y-b)^2+(z-c)^2=r^2$의 중심을 C라 하면 $\mathrm{C}(a, b, c)$이다.

구의 중심 C에서 xy평면과 yz평면에 내린 수선의 발을 각각 A, B라 하고 y축에 내린 수선의 발을 H라 하면

$\mathrm{A}(a, b, 0)$, $\mathrm{B}(0, b, c)$, $\mathrm{H}(0, b, 0)$

이고 두 점 A, B는 각각 두 원 C_1, C_2의 중심이다.

이때 xy평면과 yz평면이 만나서 생기는 직선은 y축이고 두 원 C_1, C_2가 한 점에서만 만나므로 두 원 C_1, C_2가 만나는 점은 H이다.

$\overline{\mathrm{CA}}\perp(xy$평면$)$, $\overline{\mathrm{CB}}\perp(yz$평면$)$이므로 $\overline{\mathrm{AH}}=\overline{\mathrm{BC}}$, $\overline{\mathrm{AC}}=\overline{\mathrm{BH}}$

두 원 C_1, C_2의 반지름의 길이를 각각 r_1, r_2 $(r_1>0,\ r_2>0)$이라 하면 원 C_2의 넓이는 원 C_1의 넓이의 4배이므로

$r_2=2r_1$

따라서 $\overline{\mathrm{AH}}=\overline{\mathrm{BC}}=a=r_1$, $\overline{\mathrm{AC}}=\overline{\mathrm{BH}}=c=r_2=2r_1$이므로

$b^2=60ac=60\times r_1\times2r_1=120{r_1}^2$

$b>0$이므로 $b=2\sqrt{30}r_1$

한편, 선분 CH는 구 S의 반지름이므로 $\overline{\mathrm{CH}}=r$이다.

직각삼각형 CHA에서 $\overline{\mathrm{CH}}^2=\overline{\mathrm{AH}}^2+\overline{\mathrm{AC}}^2$이므로

$r^2={r_1}^2+(2r_1)^2=5{r_1}^2$

$r>0$, $r_1>0$이므로 $r=\sqrt{5}r_1$

한편, 선분 OC와 구 S가 만나는 점을 P_1이라 하면 $\overline{\mathrm{OP}}$의 최솟값은 $\overline{\mathrm{OP_1}}$이다.

이때 $\overline{\mathrm{OC}}=\sqrt{a^2+b^2+c^2}=\sqrt{{r_1}^2+(2\sqrt{30}r_1)^2+(2r_1)^2}=5\sqrt{5}r_1$이고,

$\overline{\mathrm{OP}}$의 최솟값이 $4\sqrt{5}$이므로

$\overline{\mathrm{OC}}-r=4\sqrt{5}$

$5\sqrt{5}r_1-\sqrt{5}r_1=4\sqrt{5}$, $r_1=1$

따라서 $a=1$, $b=2\sqrt{30}$, $c=2$, $r=\sqrt{5}$이므로

$\left(\frac{a\times b\times c}{r}\right)^2=\left(\frac{1\times2\sqrt{30}\times2}{\sqrt{5}}\right)^2=96$

답 96

30

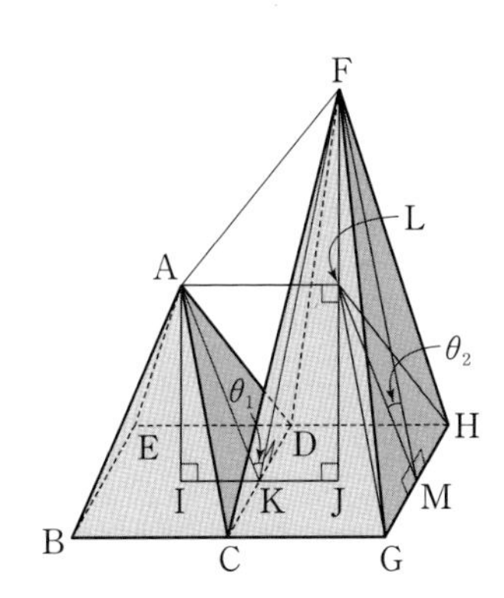

점 A에서 평면 BCDE에 내린 수선의 발을 I라 하고, 점 F에서 평면 CGHD에 내린 수선의 발을 J라 하면 두 점 I, J는 각각 두 정사각형 BCDE, CGHD의 두 대각선의 교점이다.

점 A에서 선분 CD에 내린 수선의 발을 K라 하면 삼각형 FCD가 $\overline{FC}=\overline{FD}$인 이등변삼각형이므로 $\overline{FK}\perp\overline{CD}$이다.

정사각뿔 A$-$BCDE의 모든 모서리의 길이가 2이므로

$\overline{AC}=2$, $\overline{CK}=1$이고 직각삼각형 ACK에서

$\overline{AK}=\sqrt{\overline{AC}^2-\overline{CK}^2}=\sqrt{2^2-1^2}=\sqrt{3}$

$\overline{IK}=1$이므로 직각삼각형 AIK에서

$\overline{AI}=\sqrt{\overline{AK}^2-\overline{IK}^2}=\sqrt{(\sqrt{3})^2-1^2}=\sqrt{2}$

또한 점 J에서 선분 CD에 내린 수선의 발도 K이고

$\overline{KJ}=1$

$\overline{FJ}=a\ (a>0)$이라 하면 직각삼각형 FKJ에서

$\overline{FK}=\sqrt{\overline{FJ}^2+\overline{KJ}^2}=\sqrt{a^2+1}$

두 직선 AI, FJ가 서로 평행하므로 점 A에서 FJ에 내린 수선의 발을 L이라 하면

$\overline{AL}=\overline{IJ}=2$, $\overline{LJ}=\overline{AI}=\sqrt{2}$

$\overline{FL}=\overline{FJ}-\overline{LJ}=a-\sqrt{2}$

직각삼각형 FAL에서

$\overline{AF}^2=\overline{AL}^2+\overline{FL}^2$

$\quad=2^2+(a-\sqrt{2})^2$

$\quad=a^2-2\sqrt{2}a+6$

두 평면 ACD, FCD가 이루는 예각의 크기를 $\theta_1\left(0<\theta_1<\frac{\pi}{2}\right)$라 하면 $\theta_1=\angle\text{AKF}$이다.

이때 정삼각형 ACD의 넓이가 $\frac{\sqrt{3}}{4}\times2^2=\sqrt{3}$이고 삼각형 ACD의 평면 FCD 위로의 정사영의 넓이가 1이므로

$\sqrt{3}\cos\theta_1=1$, $\cos\theta_1=\frac{\sqrt{3}}{3}$ $\quad\cdots\cdots$ ㉠

삼각형 AKF에서 코사인법칙에 의하여

$\cos\theta_1=\frac{\overline{AK}^2+\overline{FK}^2-\overline{AF}^2}{2\times\overline{AK}\times\overline{FK}}$

$\quad=\frac{(\sqrt{3})^2+(\sqrt{a^2+1})^2-(a^2-2\sqrt{2}a+6)}{2\times\sqrt{3}\times\sqrt{a^2+1}}$

$\quad=\frac{\sqrt{2}a-1}{\sqrt{3}\sqrt{a^2+1}}$

$\frac{\sqrt{2}a-1}{\sqrt{3}\sqrt{a^2+1}}=\frac{\sqrt{3}}{3}$에서

$\sqrt{2}a-1=\sqrt{a^2+1}$

$(\sqrt{2}a-1)^2=a^2+1$

$2a^2-2\sqrt{2}a+1=a^2+1$

$a^2-2\sqrt{2}a=0$

$a(a-2\sqrt{2})=0$

$a>0$이므로 $a=2\sqrt{2}$

따라서 $\overline{FJ}=a=2\sqrt{2}$이므로

$\overline{FK}=\sqrt{a^2+1}=\sqrt{(2\sqrt{2})^2+1}=3$

이고 직각삼각형 FKC에서

$\overline{FC}=\sqrt{\overline{FK}^2+\overline{CK}^2}=\sqrt{3^2+1^2}=\sqrt{10}$

한편, 두 평면 ACD, LGH는 서로 평행하므로 두 평면 ACD, FGH가 이루는 예각의 크기와 두 평면 LGH, FGH가 이루는 예각의 크기가 같다.

점 F에서 선분 GH에 내린 수선의 발을 M이라 하고 두 평면 LGH, FGH가 이루는 예각의 크기를 θ_2라 하면 $\theta_2=\angle\text{LMF}$이다.

이때 $\overline{FM}=\overline{FK}=3$, $\overline{LM}=\overline{AK}=\sqrt{3}$,

$\overline{FL}=a-\sqrt{2}=2\sqrt{2}-\sqrt{2}=\sqrt{2}$

이므로 삼각형 FLM에서 코사인법칙에 의하여

$\cos\theta_2=\frac{\overline{FM}^2+\overline{LM}^2-\overline{FL}^2}{2\times\overline{FM}\times\overline{LM}}=\frac{3^2+(\sqrt{3})^2-(\sqrt{2})^2}{2\times3\times\sqrt{3}}=\frac{5\sqrt{3}}{9}$

따라서 삼각형 ACD의 평면 FGH 위로의 정사영의 넓이는

$S=(\text{삼각형 ACD의 넓이})\times\cos\theta_2=\sqrt{3}\times\frac{5\sqrt{3}}{9}=\frac{5}{3}$

한편, ㉠에서

$\sin\theta_1=\sqrt{1-\cos^2\theta_1}=\sqrt{1-\left(\frac{\sqrt{3}}{3}\right)^2}=\frac{\sqrt{6}}{3}$

이므로 점 F에서 평면 ACD에 내린 수선의 발을 F′이라 하면

$\overline{FF'}=\overline{FK}\sin\theta_1=3\times\frac{\sqrt{6}}{3}=\sqrt{6}$

따라서 사면체 ACDF의 부피는

$V=\frac{1}{3}\times(\text{삼각형 ACD의 넓이})\times\overline{FF'}$

$\quad=\frac{1}{3}\times\sqrt{3}\times\sqrt{6}$

$\quad=\sqrt{2}$

그러므로 $(S\times V)^2=\left(\frac{5}{3}\times\sqrt{2}\right)^2=\frac{50}{9}$

따라서 $p=9$, $q=50$이므로

$p+q=9+50=59$

답 59

참고

사면체 ACDF의 부피를 다음과 같이 구할 수도 있다.

$a=2\sqrt{2}$이므로

$\overline{AF}^2=a^2-2\sqrt{2}a+6=(2\sqrt{2})^2-2\sqrt{2}\times2\sqrt{2}+6=6$

$\overline{AF}=\sqrt{6}$이고,

$\overline{AC}=\overline{AD}=2$, $\overline{FC}=\overline{FD}=\sqrt{10}$

이때

$\overline{AF}^2+\overline{AC}^2=\overline{FC}^2$, $\overline{AF}^2+\overline{AD}^2=\overline{FD}^2$

에서 $\angle\text{CAF}=\angle\text{DAF}=\frac{\pi}{2}$이므로

$\overline{AF}\perp(\text{평면 ACD})$이다.

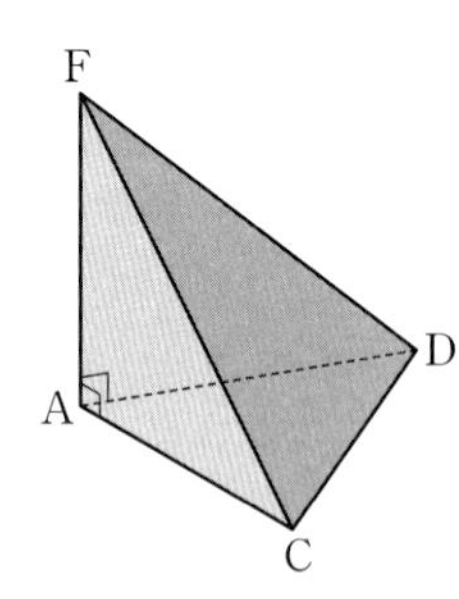

따라서 사면체 ACDF의 부피는

$V=\frac{1}{3}\times(\text{삼각형 ACD의 넓이})\times\overline{AF}$

$\quad=\frac{1}{3}\times\sqrt{3}\times\sqrt{6}$

$\quad=\sqrt{2}$

실전 모의고사 3회 본문 130~141쪽

01 ④	02 ①	03 ②	04 ①	05 ①
06 ②	07 ④	08 ④	09 ⑤	10 ③
11 ③	12 ①	13 ④	14 ⑤	15 ⑤
16 2	17 165	18 85	19 45	20 91
21 16	22 52	23 ②	24 ②	25 ②
26 ③	27 ④	28 ①	29 173	30 4

01

$4^{2-\sqrt{3}}\times 2^{2\sqrt{3}}=2^{2(2-\sqrt{3})}\times 2^{2\sqrt{3}}=2^{4-2\sqrt{3}+2\sqrt{3}}=2^4=16$

답 ④

02

$$\lim_{x\to 1}\frac{1}{x^2-1}\left(\frac{1}{x+1}-\frac{1}{2}\right)=\lim_{x\to 1}\left\{\frac{1}{(x+1)(x-1)}\times\frac{2-(x+1)}{2(x+1)}\right\}$$
$$=\lim_{x\to 1}\left\{\frac{1}{(x+1)(x-1)}\times\frac{-(x-1)}{2(x+1)}\right\}$$
$$=\lim_{x\to 1}\frac{-1}{2(x+1)^2}$$
$$=-\frac{1}{8}$$

답 ①

03

등차수열 $\{a_n\}$의 공차를 d라 하면

$2a_1=a_4$에서

$2a_1=a_1+3d$, $a_1=3d$ ...... ㉠

$a_2+a_3=9$에서

$(a_1+d)+(a_1+2d)=9$

$2a_1+3d=9$ ...... ㉡

㉠을 ㉡에 대입하면

$6d+3d=9$, $9d=9$

$d=1$

$a_1=3\times 1=3$

따라서 $a_6=a_1+5d=3+5\times 1=8$

답 ②

04

$g(x)=(3x-4)f(x)$에서

$g'(x)=3f(x)+(3x-4)f'(x)$ ...... ㉠

$\lim_{h\to 0}\frac{f(2+2h)-2}{h}=5$에서

$h\to 0$일 때 (분모)$\to 0$이고 극한값이 존재하므로

$\lim_{h\to 0}\{f(2+2h)-2\}=0$

$f(2)-2=0$에서 $f(2)=2$ ...... ㉡

또한 $\lim_{h\to 0}\frac{f(2+2h)-2}{h}=2\times\lim_{h\to 0}\frac{f(2+2h)-f(2)}{2h}=2f'(2)$

$2f'(2)=5$에서 $f'(2)=\frac{5}{2}$ ...... ㉢

㉠, ㉡, ㉢에서

$g'(2)=3f(2)+2f'(2)=3\times 2+2\times\frac{5}{2}=11$

답 ①

05

$\lim_{x\to 1}\frac{x^3-1}{x^2+ax+b}=\frac{1}{2}$에서 $x\to 1$일 때 (분자)$\to 0$이고 0이 아닌 극한값이 존재하므로 (분모)$\to 0$이어야 한다.

즉, $\lim_{x\to 1}(x^2+ax+b)=1+a+b=0$에서

$b=-a-1$ ...... ㉠

㉠을 주어진 식에 대입하면

$$\lim_{x\to 1}\frac{x^3-1}{x^2+ax+b}=\lim_{x\to 1}\frac{x^3-1}{x^2+ax-a-1}$$
$$=\lim_{x\to 1}\frac{(x-1)(x^2+x+1)}{(x-1)(x+a+1)}$$
$$=\lim_{x\to 1}\frac{x^2+x+1}{x+a+1}$$
$$=\frac{3}{a+2}=\frac{1}{2}$$

에서 $a+2=6$, $a=4$

㉠에서 $b=-4-1=-5$

따라서 $a-b=4-(-5)=9$

답 ①

06

$f(x)=x^3-ax^2+(a-2)x+a$에서

$f'(x)=3x^2-2ax+a-2$

$f'(a)=3a^2-2a^2+a-2=a^2+a-2$

함수 $f(x)$는 $x=a$에서 극소이므로 $f'(a)=0$이다.

$a^2+a-2=0$, $(a+2)(a-1)=0$

$a=-2$ 또는 $a=1$

(i) $a=-2$일 때

$f(x)=x^3+2x^2-4x-2$에서

$f'(x)=3x^2+4x-4=(3x-2)(x+2)$

$f'(x)=0$에서 $x=-2$ 또는 $x=\frac{2}{3}$

함수 $f(x)$의 증가와 감소를 표로 나타내면 다음과 같다.

x	$\cdots$	-2	$\cdots$	$\frac{2}{3}$	$\cdots$
$f'(x)$	$+$	0	$-$	0	$+$
$f(x)$	↗	극대	↘	극소	↗

함수 $f(x)$는 $x=-2$에서 극대이므로 조건을 만족시키지 않는다.

(ii) $a=1$일 때

$f(x)=x^3-x^2-x+1$에서

$f'(x)=3x^2-2x-1=(3x+1)(x-1)$

$f'(x)=0$에서 $x=-\frac{1}{3}$ 또는 $x=1$

함수 $f(x)$의 증가와 감소를 표로 나타내면 다음과 같다.

x	$\cdots$	$-\frac{1}{3}$	$\cdots$	1	$\cdots$
$f'(x)$	$+$	0	$-$	0	$+$
$f(x)$	↗	극대	↘	극소	↗

함수 $f(x)$는 $x=1$에서 극소이므로 조건을 만족시킨다.
이때 함수 $f(x)$의 극댓값은

$$f\left(-\frac{1}{3}\right)=\left(-\frac{1}{3}\right)^3-\left(-\frac{1}{3}\right)^2-\left(-\frac{1}{3}\right)+1=\frac{32}{27}$$

답 ②

07

선분 OP와 직선 l은 서로 수직이므로 $\angle \mathrm{POQ}=\frac{\pi}{2}-\theta$이다.

이때 점 P의 좌표는 $\left(\cos\left(\frac{\pi}{2}-\theta\right), \sin\left(\frac{\pi}{2}-\theta\right)\right)$, 즉 $(\sin\theta, \cos\theta)$

원 C: $x^2+y^2=1$ 위의 점 $\mathrm{P}(\sin\theta, \cos\theta)$에서의 접선 l의 방정식은 $x\sin\theta+y\cos\theta=1$이다.

직선 l이 x축, y축과 만나는 두 점 Q, R의 좌표는 각각

$\left(\frac{1}{\sin\theta}, 0\right)$, $\left(0, \frac{1}{\cos\theta}\right)$이므로 삼각형 ROQ의 넓이는

$$\frac{1}{2}\times\frac{1}{\sin\theta}\times\frac{1}{\cos\theta}=\frac{1}{2\times\sin\theta\times\cos\theta}$$

따라서 $\frac{1}{2\times\sin\theta\times\cos\theta}=\frac{2\sqrt{3}}{3}$에서

$$\sin\theta\times\cos\theta=\frac{1}{2}\times\frac{3}{2\sqrt{3}}=\frac{\sqrt{3}}{4}$$

답 ④

08

$y=x^3-3x^2$에서 $y'=3x^2-6x$ …… ㉠

접점의 좌표를 (t, t^3-3t^2)이라 하면 접선의 기울기는 $3t^2-6t$이므로 접선의 방정식은

$y=(3t^2-6t)(x-t)+t^3-3t^2$

이 접선이 점 $(0, 1)$을 지나므로

$1=(3t^2-6t)(-t)+t^3-3t^2$

$2t^3-3t^2+1=0$, $(t-1)^2(2t+1)=0$

$t=1$ 또는 $t=-\frac{1}{2}$

$t=1$일 때, ㉠에 의하여 접선의 기울기는

$3-6=-3$

$t=-\frac{1}{2}$일 때, ㉠에 의하여 접선의 기울기는

$$3\times\left(-\frac{1}{2}\right)^2-6\times\left(-\frac{1}{2}\right)=\frac{3}{4}+3=\frac{15}{4}$$

따라서 $m_1+m_2=-3+\frac{15}{4}=\frac{3}{4}$

답 ④

09

$a_1=1<2$

$a_2=\sqrt[3]{2}\times 1=2^{\frac{1}{3}}<2$

$a_3=\sqrt[3]{2}\times 2^{\frac{1}{3}}=2^{\frac{1}{3}}\times 2^{\frac{1}{3}}=2^{\frac{2}{3}}<2$

$a_4=\sqrt[3]{2}\times 2^{\frac{2}{3}}=2^{\frac{1}{3}}\times 2^{\frac{2}{3}}=2$

$a_5=\frac{1}{2}\times 2=1<2$

$\vdots$

그러므로 $a_{4n-3}=1$, $a_{4n-2}=2^{\frac{1}{3}}$, $a_{4n-1}=2^{\frac{2}{3}}$, $a_{4n}=2$ $(n=1, 2, 3, \cdots)$이다.

이때 $a_1\times a_2\times a_3\times a_4=1\times 2^{\frac{1}{3}}\times 2^{\frac{2}{3}}\times 2=2^2$이므로

$$\begin{aligned}T_{100}&=a_1\times a_2\times a_3\times\cdots\times a_{100}\\&=(a_1\times a_2\times a_3\times a_4)\times(a_5\times a_6\times a_7\times a_8)\times\cdots\\&\qquad\times(a_{97}\times a_{98}\times a_{99}\times a_{100})\\&=(a_1\times a_2\times a_3\times a_4)\times(a_1\times a_2\times a_3\times a_4)\times\cdots\times(a_1\times a_2\times a_3\times a_4)\\&=\underbrace{2^2\times 2^2\times\cdots\times 2^2}_{25\text{개}}\\&=(2^2)^{25}\\&=2^{50}\end{aligned}$$

따라서 $\log_2 T_{100}=\log_2 2^{50}=50$

답 ⑤

10

곡선 $y=x^3-x$와 직선 $y=3x$가 만날 때,

$x^3-x=3x$에서 $x^3-4x=0$, $x(x+2)(x-2)=0$

$x>0$에서 곡선 $y=x^3-x$와 직선 $y=3x$가 만나는 점의 x좌표는 2이므로 $x\geq 0$에서 곡선 $y=x^3-x$와 직선 $y=3x$로 둘러싸인 부분의 넓이는

$$\begin{aligned}\int_0^2\{3x-(x^3-x)\}\,dx&=\int_0^2(4x-x^3)\,dx=\left[2x^2-\frac{1}{4}x^4\right]_0^2\\&=8-4=4\end{aligned}$$

곡선 $y=x^3-x$와 직선 $y=mx$가 만날 때,

$x^3-x=mx$에서 $x(x^2-m-1)=0$

$x>0$에서 곡선 $y=x^3-x$와 직선 $y=mx$가 만나는 점의 x좌표는 $\sqrt{m+1}$이므로 $x\geq 0$에서 곡선 $y=x^3-x$와 직선 $y=mx$로 둘러싸인 부분의 넓이는

$$\begin{aligned}\int_0^{\sqrt{m+1}}\{mx-(x^3-x)\}\,dx&=\int_0^{\sqrt{m+1}}\{(m+1)x-x^3\}\,dx\\&=\left[\frac{m+1}{2}x^2-\frac{1}{4}x^4\right]_0^{\sqrt{m+1}}\\&=\frac{(m+1)^2}{2}-\frac{(m+1)^2}{4}\\&=\frac{(m+1)^2}{4}\end{aligned}$$

$\frac{(m+1)^2}{4}=\frac{1}{2}\times 4=2$에서 $(m+1)^2=8$

$0<m<3$이므로 $m+1=2\sqrt{2}$

따라서 $m=2\sqrt{2}-1$

답 ③

11

$xf(x)=\frac{2}{3}x^3+ax^2+b+\int_1^x f(t)\,dt$ …… ㉠

㉠의 양변을 x에 대하여 미분하면

$f(x)+xf'(x)=2x^2+2ax+f(x)$

$xf'(x)=2x^2+2ax$

함수 $f(x)$가 다항함수이므로 $f'(x)=2x+2a$

$f(x)=\int(2x+2a)\,dx=x^2+2ax+C$ (단, C는 적분상수)

$f(0)=1$에서 $C=1$

$f(1)=1$에서 $1+2a+C=1+2a+1=1$이므로 $a=-\frac{1}{2}$

그러므로 $f(x)=x^2-x+1$

㉠의 양변에 $x=1$을 대입하면

$f(1)=\frac{2}{3}+a+b=\frac{2}{3}-\frac{1}{2}+b=b+\frac{1}{6}$

$f(1)=1$에서 $b+\frac{1}{6}=1$, $b=\frac{5}{6}$

따라서 $b-a=\frac{5}{6}-\left(-\frac{1}{2}\right)=\frac{4}{3}$이므로

$f(b-a)=f\left(\frac{4}{3}\right)=\frac{16}{9}-\frac{4}{3}+1=\frac{13}{9}$

답 ③

12

$y=x^3+6x^2+9x$에서 $y'=3x^2+12x+9$

곡선 위의 점 $\mathrm{P}(t,\ t^3+6t^2+9t)$에서의 접선 l의 기울기는

$3t^2+12t+9$이므로 직선 l의 방정식은

$y=(3t^2+12t+9)(x-t)+t^3+6t^2+9t$

이때 점 Q의 좌표는

$(0,\ -t(3t^2+12t+9)+t^3+6t^2+9t)$ …… ㉠

직선 m의 기울기는 $-\frac{1}{3t^2+12t+9}$이므로 직선 m의 방정식은

$y=-\frac{1}{3t^2+12t+9}(x-t)+t^3+6t^2+9t$

이때 점 R의 좌표는

$\left(0,\ \frac{t}{3t^2+12t+9}+t^3+6t^2+9t\right)$ …… ㉡

㉠, ㉡에서

$\overline{\mathrm{QR}}=-t(3t^2+12t+9)-\frac{t}{3t^2+12t+9}$

삼각형 PRQ에서 선분 QR을 밑변으로 하면 높이는 $-t$이므로 삼각형 PRQ의 넓이 $S(t)$는

$$\begin{aligned}S(t)&=\frac{1}{2}\times\overline{\mathrm{QR}}\times(-t)\\&=\frac{1}{2}\times\left\{-t(3t^2+12t+9)-\frac{t}{3t^2+12t+9}\right\}\times(-t)\\&=\frac{1}{2}t^2\left(3t^2+12t+9+\frac{1}{3t^2+12t+9}\right)\end{aligned}$$

따라서

$$\begin{aligned}\lim_{t\to0-}\frac{S(t)}{t^2}&=\lim_{t\to0-}\frac{\frac{1}{2}t^2\left(3t^2+12t+9+\frac{1}{3t^2+12t+9}\right)}{t^2}\\&=\lim_{t\to0-}\frac{1}{2}\left(3t^2+12t+9+\frac{1}{3t^2+12t+9}\right)\\&=\frac{1}{2}\times\left(9+\frac{1}{9}\right)\\&=\frac{41}{9}\end{aligned}$$

답 ①

13

$\mathrm{P}_n(2^n,\ \log_2 2^n)$, $\mathrm{H}_n(2^n,\ 0)$이고, 선분 OH_n의 중점 Q_n의 좌표는

$\left(\frac{2^n}{2},\ 0\right)$, 즉 $(2^{n-1},\ 0)$이다.

삼각형 $\mathrm{P}_n\mathrm{Q}_n\mathrm{H}_n$은 변 $\mathrm{P}_n\mathrm{Q}_n$을 빗변으로 하는 직각삼각형이다.

직각삼각형 $\mathrm{P}_n\mathrm{Q}_n\mathrm{H}_n$의 외접원 C_n의 반지름의 길이를 r_n이라 할 때,

r_n은 선분 $\mathrm{P}_n\mathrm{Q}_n$의 길이의 $\frac{1}{2}$배와 같다.

두 점 $\mathrm{P}_n(2^n,\ n)$, $\mathrm{Q}_n(2^{n-1},\ 0)$에서 선분 $\mathrm{P}_n\mathrm{Q}_n$의 길이는

$\sqrt{(2^n-2^{n-1})^2+(n-0)^2}=\sqrt{4^{n-1}+n^2}$이므로

$r_n=\frac{\sqrt{4^{n-1}+n^2}}{2}$

즉, 외접원 C_n의 넓이 S_n은

$S_n=\pi r_n^{\,2}=\frac{4^{n-1}+n^2}{4}\pi=\left(4^{n-2}+\frac{n^2}{4}\right)\pi$

이므로

$k=\frac{S_{10}-50S_1}{S_4-2S_2}=\frac{(4^8+25)\pi-50\times\frac{\pi}{2}}{(4^2+4)\pi-2\times2\pi}=\frac{4^8\pi}{4^2\pi}=4^6=2^{12}$

따라서 $f(k)=f(2^{12})=\log_2 2^{12}=12$

답 ④

14

ㄱ. $f'(x)=12x(x-1)(x-3)$이므로

$f'(2)=12\times2\times1\times(-1)=-24$ (참)

ㄴ. $f'(x)=12x(x-1)(x-3)$이므로

$f'(1)=0$이고 $x=1$의 좌우에서 $f'(x)$의 부호가 양에서 음으로 바뀐다.

따라서 함수 $f(x)$는 $x=1$에서 극대이고 극댓값은

$$\begin{aligned}f(1)&=\int_0^1 12t(t-1)(t-3)\,dt\\&=\int_0^1(12t^3-48t^2+36t)\,dt\\&=\left[3t^4-16t^3+18t^2\right]_0^1=3-16+18=5\ (\text{참})\end{aligned}$$

ㄷ. $g(x)=12x(x-1)(x-3)$이라 하면

$f(x)=\int_0^x g(t)\,dt$에서 $f'(x)=g(x)$

$f(x+1)=\int_0^{x+1}g(t)dt=\int_{-1}^x g(t+1)\,dt$에서

$\frac{d}{dx}f(x+1)=g(x+1)$

$h(x)=f(x+1)-f(x)$라 하면

$$\begin{aligned}h'(x)&=g(x+1)-g(x)\\&=12(x+1)x(x-2)-12x(x-1)(x-3)\\&=12x(3x-5)\end{aligned}$$

$h'(x)=0$에서 $x=0$ 또는 $x=\frac{5}{3}$

함수 $h(x)$의 증가와 감소를 표로 나타내면 다음과 같다.

x	$\cdots$	0	$\cdots$	$\frac{5}{3}$	$\cdots$
$h'(x)$	$+$	0	$-$	0	$+$
$h(x)$	↗	극대	↘	극소	↗

따라서 함수 $f(x+1)-f(x)$는 $x=\frac{5}{3}$에서 극솟값을 갖는다. (참)

이상에서 옳은 것은 ㄱ, ㄴ, ㄷ이다.

답 ⑤

15

$-1\le x\le 1$에서 $f(x)=\begin{cases} -x^2 & (-1\le x<0) \\ x^2 & (0\le x\le 1) \end{cases}$이고,

함수 $f(x)$가 모든 실수 x에 대하여 $f(x)=f(x-2)+2$를 만족시키므로 함수 $y=f(x)$ $(1\le x\le 3)$의 그래프는

함수 $y=f(x)$ $(-1\le x\le 1)$의 그래프를 x축의 방향으로 2만큼, y축의 방향으로 2만큼 평행이동시키면 된다.

또한 함수 $y=f(x)$의 그래프는 원점에 대하여 대칭이다.

자연수 k에 대하여 함수 $y=f(x)$의 그래프는 그림과 같다.

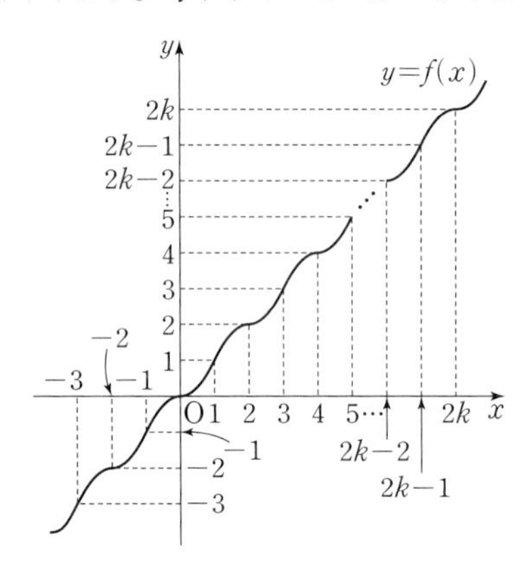

$\int_0^1 f(x)\,dx=\int_0^1 x^2\,dx=\left[\frac{1}{3}x^3\right]_0^1=\frac{1}{3}$이므로

$\int_{-3}^{-2}|f(x)|\,dx=1\times 2+\frac{1}{3}=\frac{7}{3}$이고 $\int_{-2}^{0}|f(x)|\,dx=1\times 2=2$

즉, $\int_{-3}^{0}|f(x)|\,dx=\int_{-3}^{-2}|f(x)|\,dx+\int_{-2}^{0}|f(x)|\,dx=\frac{7}{3}+2=\frac{13}{3}$

k가 자연수일 때,

$\int_{2k-2}^{2k} f(x)\,dx=2\times(2k-2)+2=4k-2$

$\int_{2k-2}^{2k-1} f(x)\,dx=1\times(2k-2)+\frac{1}{3}=2k-\frac{5}{3}$

곡선 $y=f(x)$와 x축 및 두 직선 $x=-3$, $x=n$으로 둘러싸인 부분의 넓이가 $\frac{194}{3}$이므로

$\int_{-3}^{0}|f(x)|\,dx+\int_0^n f(x)\,dx=\frac{194}{3}$

(i) $n=2k-1$일 때

$\int_{-3}^{0}|f(x)|\,dx+\int_0^n f(x)\,dx$

$=\int_{-3}^{0}|f(x)|\,dx+\int_0^{2k-1} f(x)\,dx$

$=\frac{13}{3}+\int_0^{2k-2} f(x)\,dx+\int_{2k-2}^{2k-1} f(x)\,dx$

$=\frac{13}{3}+\sum_{i=1}^{k-1}(4i-2)+\left(2k-\frac{5}{3}\right)$

$=2k+\frac{8}{3}+\left\{4\times\frac{k(k-1)}{2}-2(k-1)\right\}$

$=2k^2-2k+\frac{14}{3}=\frac{194}{3}$

$k^2-k-30=0$

$(k-6)(k+5)=0$

k는 자연수이므로 $k=6$

따라서 $n=2\times 6-1=11$

(ii) $n=2k$일 때

$\int_{-3}^{0}|f(x)|\,dx+\int_0^n f(x)\,dx$

$=\int_{-3}^{0}|f(x)|\,dx+\int_0^{2k} f(x)\,dx$

$=\frac{13}{3}+\int_0^{2k} f(x)\,dx$

$=\frac{13}{3}+\sum_{i=1}^{k}(4i-2)$

$=\frac{13}{3}+\left\{4\times\frac{k(k+1)}{2}-2k\right\}$

$=2k^2+\frac{13}{3}=\frac{194}{3}$

$2k^2=\frac{181}{3}$, $k^2=\frac{181}{6}$

따라서 $\int_{-3}^{0}|f(x)|\,dx+\int_0^{2k} f(x)\,dx=\frac{194}{3}$를 만족시키는 자연수 k는 존재하지 않는다.

(i), (ii)에서 구하는 자연수 n의 값은 11이다.

답 ⑤

16

로그의 진수의 조건에 의하여

$4x-x^2>0$, $x-1>0$

$4x-x^2>0$에서 $x(x-4)<0$, $0<x<4$ …… ㉠

$x-1>0$에서 $x>1$ …… ㉡

㉠, ㉡에서 $1<x<4$

$\log_4(4x-x^2)=1+\log_2(x-1)$에서

$\log_4(4x-x^2)=1+\log_4(x-1)^2$

$\log_4(4x-x^2)=\log_4 4(x-1)^2$

$4x-x^2=4(x-1)^2$

$4x-x^2=4x^2-8x+4$

$5x^2-12x+4=0$

$(x-2)(5x-2)=0$

$1<x<4$이므로 $x=2$

답 2

17

$\sum_{k=1}^{10}(2a_k+3)=2\sum_{k=1}^{10}a_k+\sum_{k=1}^{10}3=2\sum_{k=1}^{10}a_k+30$

이므로 $2\sum_{k=1}^{10}a_k+30=100$에서 $\sum_{k=1}^{10}a_k=35$

$\sum_{k=1}^{10}(3b_k+2k)=3\sum_{k=1}^{10}b_k+2\sum_{k=1}^{10}k$

$=3\sum_{k=1}^{10}b_k+2\times\frac{10\times 11}{2}$

$=3\sum_{k=1}^{10}b_k+110$

이므로 $3\sum_{k=1}^{10}b_k+110=500$에서 $\sum_{k=1}^{10}b_k=130$

따라서 $\sum_{k=1}^{10}(a_k+b_k)=\sum_{k=1}^{10}a_k+\sum_{k=1}^{10}b_k=35+130=165$

답 165

18

원점을 지나고 x축의 양의 방향과 이루는 각의 크기가 $30°$인 직선 l의 기울기는 $\tan 30°=\frac{\sqrt{3}}{3}$이므로 직선 l의 방정식은

$y=\frac{\sqrt{3}}{3}x$

제1사분면 위의 점 P_n의 좌표를 (p, q) $(p>0, q>0)$이라 하면
원 C_n의 반지름의 길이가 $\overline{OP_n}=n$이므로

$p=n\times\cos 30°=\frac{\sqrt{3}}{2}n$, $q=n\times\sin 30°=\frac{1}{2}n$이다.

그러므로 점 P_n의 좌표는 $\left(\frac{\sqrt{3}}{2}n, \frac{1}{2}n\right)$이다.

점 H_n의 좌표가 $(n, 0)$이므로 점 Q_n의 좌표는 $\left(n, \frac{\sqrt{3}}{3}n\right)$이고,

점 P_n과 직선 Q_nH_n 사이의 거리를 h라 하면

$h=n-\frac{\sqrt{3}}{2}n=\left(1-\frac{\sqrt{3}}{2}\right)n$

삼각형 $P_nH_nQ_n$의 넓이는

$$S_n=\frac{1}{2}\times\overline{Q_nH_n}\times h$$
$$=\frac{1}{2}\times\frac{\sqrt{3}}{3}n\times\left(1-\frac{\sqrt{3}}{2}\right)n$$
$$=\frac{(2-\sqrt{3})\sqrt{3}}{12}n^2$$
$$=\frac{2\sqrt{3}-3}{12}n^2$$

이므로

$$\sum_{k=1}^{8}S_k=\sum_{k=1}^{8}\frac{2\sqrt{3}-3}{12}k^2$$
$$=\frac{2\sqrt{3}-3}{12}\times\frac{8\times9\times17}{6}$$
$$=-51+34\sqrt{3}$$

따라서 $a=-51$, $b=34$이므로

$b-a=34-(-51)=85$

답 85

19

$f(x)=\begin{cases} x^2+2x+2 & (-2\le x<2) \\ \frac{1}{2}x^2-4x & (2\le x<6) \end{cases}$ 에서 두 열린구간 $(-2, 2)$, $(2, 6)$에 포함되는 실수 a에 대하여 $g(a)=\lim_{x\to a}\frac{f(x)-f(a)}{x-a}$라 하면

$g(x)=\begin{cases} 2x+2 & (-2<x<2) \\ x-4 & (2<x<6) \end{cases}$

모든 실수 x에 대하여 $f(x)=f(x+8)$을 만족시키므로 함수 $f(x)$의 주기는 8이다.

열린구간 $(-20, 20)$에서 함수 $y=f(x)$의 그래프는 다음과 같다.

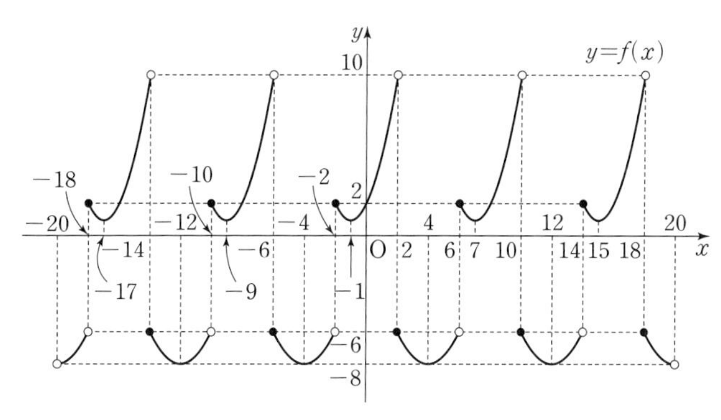

열린구간 $(-2, 6)$에서 $g(x)$의 부호가 음에서 양으로 바뀌는 x의 값은 -1, 4이고, 함수 $f(x)$의 주기가 8이므로 열린구간 $(-20, 20)$에서 함수 $f(x)$는 $x=-17, -9, -1, 7, 15$일 때와 $x=-12, -4, 4, 12$일 때 극솟값을 갖는다.

즉, $a_1=-17$, $a_2=-12$, $a_3=-9$, $a_4=-4$, $a_5=-1$, $a_6=4$, $a_7=7$, $a_8=12$, $a_9=15$이므로 $m=9$이고

$$\sum_{k=1}^{m}a_k=\sum_{k=1}^{9}a_k$$
$$=(-17)+(-12)+(-9)+(-4)+(-1)+4+7+12+15$$
$$=-5$$

함수 $f(x)$의 주기와 극댓값의 정의에 의하여 열린구간 $(-20, 20)$에서 함수 $f(x)$는 $x=-18, -10, -2, 6, 14$일 때 극댓값을 갖는다.

즉, $b_1=-18$, $b_2=-10$, $b_3=-2$, $b_4=6$, $b_5=14$이므로 $n=5$이고

$\sum_{k=1}^{n}|b_k|=\sum_{k=1}^{5}|b_k|=|-18|+|-10|+|-2|+6+14=50$

따라서 $\sum_{k=1}^{m}a_k+\sum_{k=1}^{n}|b_k|=-5+50=45$

답 45

20

$v(t)+ta(t)=4t^3-3t^2-4t$에 $t=0$을 대입하면

$v(0)=0$ ...... ㉠

조건 (가)와 ㉠에 의하여

$v(t)=pt^3+qt^2+rt$ (p, q, r은 상수, $p\ne0$)이라 하면

$a(t)=3pt^2+2qt+r$

$$v(t)+ta(t)=pt^3+qt^2+rt+t(3pt^2+2qt+r)$$
$$=4pt^3+3qt^2+2rt$$

$4pt^3+3qt^2+2rt=4t^3-3t^2-4t$에서

$p=1$, $q=-1$, $r=-2$이므로

$v(t)=t^3-t^2-2t=t(t+1)(t-2)$

함수 $y=v(t)$의 그래프는 그림과 같다.

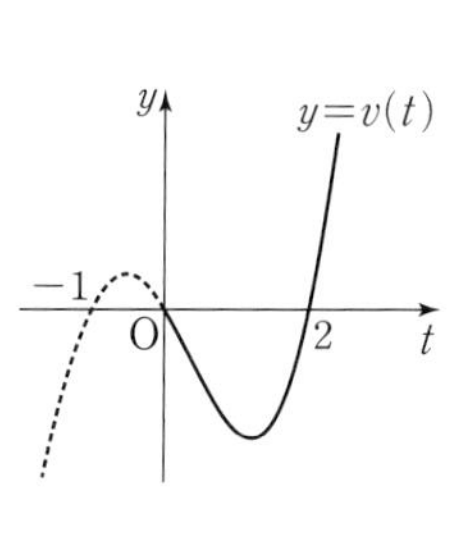

시각 $t=0$에서 $t=3$까지 점 P가 움직인 거리는

$$\int_0^3|v(t)|\,dt$$
$$=\int_0^3|t(t+1)(t-2)|\,dt$$
$$=\int_0^2\{-t(t+1)(t-2)\}\,dt+\int_2^3 t(t+1)(t-2)\,dt$$
$$=\int_0^2(-t^3+t^2+2t)\,dt+\int_2^3(t^3-t^2-2t)\,dt$$

$$=\left[-\frac{t^4}{4}+\frac{t^3}{3}+t^2\right]_0^2+\left[\frac{t^4}{4}-\frac{t^3}{3}-t^2\right]_2^3$$

$$=\left(-4+\frac{8}{3}+4\right)-0+\left(\frac{81}{4}-9-9\right)-\left(4-\frac{8}{3}-4\right)$$

$$=\frac{91}{12}$$

따라서 $l=\frac{91}{12}$이므로

$12\times l=91$

답 91

21

두 원 C_1, C_2의 방정식은

C_1 : $(x+1)^2+y^2=1$, C_2 : $(x-2)^2+y^2=4$

두 선분 AP, BQ가 x축의 양의 방향과 이루는 각의 크기가 모두 θ이므로 두 점 P, Q의 좌표는 각각

$(-1+\cos\theta,\ \sin\theta)$, $(2+2\cos\theta,\ 2\sin\theta)$이다.

$$\overline{PQ}^2=\{(2+2\cos\theta)-(-1+\cos\theta)\}^2+(2\sin\theta-\sin\theta)^2$$
$$=(3+\cos\theta)^2+\sin^2\theta$$
$$=9+6\cos\theta+\cos^2\theta+\sin^2\theta$$
$$=10+6\cos\theta$$

이므로 $\overline{PQ}=\sqrt{10+6\cos\theta}$

직선 PQ의 방정식은

$$y-\sin\theta=\frac{2\sin\theta-\sin\theta}{(2+2\cos\theta)-(-1+\cos\theta)}\{x-(-1+\cos\theta)\}$$

$$y=\frac{\sin\theta}{3+\cos\theta}(x+1-\cos\theta)+\sin\theta$$

$$(\sin\theta)x-(3+\cos\theta)y+4\sin\theta=0$$

원점 O와 직선 PQ 사이의 거리를 h라 하면

$$h=\frac{|4\sin\theta|}{\sqrt{\sin^2\theta+(3+\cos\theta)^2}}$$
$$=\frac{|4\sin\theta|}{\sqrt{10+6\cos\theta}}$$

이므로 삼각형 POQ의 넓이 $S(\theta)$는

$$S(\theta)=\frac{1}{2}\times\overline{PQ}\times h$$
$$=\frac{1}{2}\times\sqrt{10+6\cos\theta}\times\frac{|4\sin\theta|}{\sqrt{10+6\cos\theta}}$$
$$=2|\sin\theta|$$

$0<\theta<2\pi$일 때,

$S(\theta)=2|\sin\theta|=1$, 즉 $|\sin\theta|=\frac{1}{2}$에서

$\sin\theta=\frac{1}{2}$ 또는 $\sin\theta=-\frac{1}{2}$이므로

$\theta=\frac{\pi}{6}$ 또는 $\theta=\frac{5}{6}\pi$ 또는 $\theta=\frac{7}{6}\pi$ 또는 $\theta=\frac{11}{6}\pi$

따라서 $\alpha_1=\frac{\pi}{6}$, $\alpha_2=\frac{5}{6}\pi$, $\alpha_3=\frac{7}{6}\pi$, $\alpha_4=\frac{11}{6}\pi$이므로

$$\frac{12}{\pi}\times(\alpha_2-\alpha_1+\alpha_4-\alpha_3)=\frac{12}{\pi}\times\left(\frac{5}{6}\pi-\frac{\pi}{6}+\frac{11}{6}\pi-\frac{7}{6}\pi\right)$$
$$=\frac{12}{\pi}\times\frac{4}{3}\pi$$
$$=16$$

답 16

참고

두 점 P, Q의 좌표가 각각

$(-1+\cos\theta,\ \sin\theta)$, $(2+2\cos\theta,\ 2\sin\theta)$일 때, 삼각형 POQ의 넓이 $S(\theta)$를 다음과 같이 구할 수도 있다.

[방법 1]

두 점 P, Q에서 x축에 내린 수선의 발을 각각 H_1, H_2라 하면

$S(\theta)=$(사다리꼴 PH_1H_2Q의 넓이)$-$(삼각형 PH_1O의 넓이)
$-$(삼각형 QOH_2의 넓이)

$$=\frac{1}{2}\times3|\sin\theta|\times(3+\cos\theta)-\frac{1}{2}\times|\sin\theta|\times(1-\cos\theta)$$
$$-\frac{1}{2}\times2|\sin\theta|\times(2+2\cos\theta)$$
$$=\frac{1}{2}\times|\sin\theta|\times(9+3\cos\theta-1+\cos\theta-4-4\cos\theta)$$
$$=2|\sin\theta|$$

[방법 2]

$$\overline{PO}=\sqrt{(-1+\cos\theta)^2+\sin^2\theta}$$
$$=\sqrt{1-2\cos\theta+\cos^2\theta+\sin^2\theta}$$
$$=\sqrt{2-2\cos\theta}$$
$$\overline{OQ}=\sqrt{(2+2\cos\theta)^2+(2\sin\theta)^2}$$
$$=\sqrt{4+8\cos\theta+4\cos^2\theta+4\sin^2\theta}$$
$$=\sqrt{8+8\cos\theta}$$

삼각형 PAO는 $\overline{AO}=\overline{AP}$인 이등변삼각형이므로

$$\angle POA=\frac{\pi-\theta}{2}$$

삼각형 QOB는 $\overline{BO}=\overline{BQ}$인 이등변삼각형이므로

$$\angle QOB=\frac{\theta}{2}$$

이때 $\angle POQ=\pi-\left(\frac{\pi-\theta}{2}+\frac{\theta}{2}\right)=\frac{\pi}{2}$이므로

$$S(\theta)=\frac{1}{2}\times\overline{PO}\times\overline{OQ}$$
$$=\frac{1}{2}\times\sqrt{2-2\cos\theta}\times\sqrt{8+8\cos\theta}$$
$$=\frac{1}{2}\times\sqrt{2}\times\sqrt{1-\cos\theta}\times2\sqrt{2}\times\sqrt{1+\cos\theta}$$
$$=2\sqrt{(1-\cos\theta)(1+\cos\theta)}$$
$$=2\sqrt{1-\cos^2\theta}$$
$$=2\sqrt{\sin^2\theta}$$
$$=2|\sin\theta|$$

22

함수 $g(x)$가 실수 전체의 집합에서 연속이므로

$\lim_{x\to-1-}g(x)=\lim_{x\to-1+}g(x)=g(-1)$에서

$f(-1)-2=-f(-1)+2+a$

$f(-1)=\frac{a+4}{2}$ ⋯⋯ ㉠

$\lim_{x\to2-}g(x)=\lim_{x\to2+}g(x)=g(2)$에서

$-f(2)-4+a=f(2)+4+b$

$f(2)=\frac{a-b-8}{2}$ ⋯⋯ ㉡

함수 $g(x)$가 실수 전체의 집합에서 미분가능하므로
함수 $g(x)$는 $x=-1$에서 미분가능하다.

$\lim_{x\to-1-}\frac{g(x)-g(-1)}{x-(-1)}$

$=\lim_{x\to-1-}\frac{f(x)+2x-\{f(-1)-2\}}{x+1}$

$=f'(-1)+2$

$\lim_{x\to-1+}\frac{g(x)-g(-1)}{x-(-1)}$

$=\lim_{x\to-1+}\frac{-f(x)-2x+a-\{-f(-1)+2+a\}}{x+1}$

$=-f'(-1)-2$

즉, $f'(-1)+2=-f'(-1)-2$이므로

$f'(-1)=-2$ …… ㉢

또한 함수 $g(x)$는 $x=2$에서도 미분가능하다.

$\lim_{x\to2-}\frac{g(x)-g(2)}{x-2}$

$=\lim_{x\to2-}\frac{-f(x)-2x+a-\{-f(2)-4+a\}}{x-2}$

$=-f'(2)-2$

$\lim_{x\to2+}\frac{g(x)-g(2)}{x-2}$

$=\lim_{x\to2+}\frac{f(x)+2x+b-\{f(2)+4+b\}}{x-2}$

$=f'(2)+2$

즉, $-f'(2)-2=f'(2)+2$이므로

$f'(2)=-2$ …… ㉣

㉢, ㉣에 의하여

$f'(x)+2=3(x+1)(x-2)=3x^2-3x-6$

즉, $f'(x)=3x^2-3x-8$이므로

$f(x)=x^3-\frac{3}{2}x^2-8x+C$ (단, C는 적분상수)

$g(-2)=f(-2)-4=-8-6+16+C-4=6$에서

$C=8$이므로

$f(x)=x^3-\frac{3}{2}x^2-8x+8$

$f(-1)=-1-\frac{3}{2}+8+8=\frac{27}{2}$이고 ㉠에서 $f(-1)=\frac{a+4}{2}$이므로

$\frac{a+4}{2}=\frac{27}{2}$에서 $a=23$

$f(2)=8-6-16+8=-6$이고 ㉡에서 $f(2)=\frac{a-b-8}{2}$이므로

$\frac{a-b-8}{2}=-6$에서 $a-b=-4$, $23-b=-4$

$b=27$

따라서 $g(x)=\begin{cases} f(x)+2x & (x<-1) \\ -f(x)-2x+23 & (-1\le x<2) \\ f(x)+2x+27 & (x\ge2) \end{cases}$이므로

$g(1)=-f(1)-2+23=-\left(-\frac{1}{2}\right)+21=\frac{43}{2}$

$g(3)=f(3)+6+27=-\frac{5}{2}+33=\frac{61}{2}$

그러므로 $g(1)+g(3)=\frac{43}{2}+\frac{61}{2}=52$

답 52

23

P(a, b, c)라 하면 점 P를 x축에 대하여 대칭이동한 점 Q의 좌표는 $(a, -b, -c)$이고, 점 Q를 xy평면에 대하여 대칭이동한 점 R의 좌표는 $(a, -b, c)$이다.

이때 $\overline{QR}=2|c|=6$, $\overline{PR}=2|b|=8$

따라서 선분 PQ의 길이는

$\sqrt{(2b)^2+(2c)^2}=\sqrt{8^2+6^2}=10$

답 ②

24

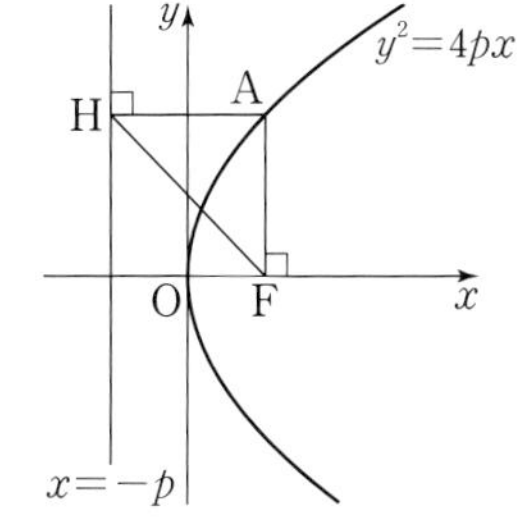

주어진 포물선 C의 방정식은 $y^2=4px$ $(p>0)$이고 포물선 C 위의 점 중 제1사분면에 있는 점 A에서 x축에 내린 수선의 발이 F$(p, 0)$이므로 점 A의 x좌표는 p이다.

$y^2=4p\times p=4p^2$에서

$y=2p$ 또는 $y=-2p$

점 A가 제1사분면 위의 점이므로 $y=2p$

즉, 점 A의 좌표는 $(p, 2p)$이고, 점 A에서 준선 $x=-p$에 내린 수선의 발 H의 좌표는 $(-p, 2p)$이다.

따라서 삼각형 FAH는 $\overline{AF}=\overline{AH}=2p$인 직각이등변삼각형이고, 그 넓이가 8이므로

$\frac{1}{2}\times2p\times2p=8$에서 $p^2=4$

$p>0$이므로 $p=2$

답 ②

25

타원 $\frac{x^2}{a^2}+\frac{y^2}{b^2}=1$ 위의 점 $(4, 3)$에서의 접선의 방정식은

$\frac{4x}{a^2}+\frac{3y}{b^2}=1$

이 접선의 x절편이 8이므로 $x=8$, $y=0$을 대입하면

$\frac{32}{a^2}=1$, $a^2=32$

또한 점 $(4, 3)$이 타원 $\frac{x^2}{a^2}+\frac{y^2}{b^2}=1$ 위의 점이므로

$\frac{4^2}{a^2}+\frac{3^2}{b^2}=1$

위 식에 $a^2=32$를 대입하면

$\frac{16}{32}+\frac{9}{b^2}=1$, $b^2=18$

타원의 초점의 좌표를 $(c, 0)$, $(-c, 0)$ $(c>0)$이라 하면

$c^2=a^2-b^2=32-18=14$, $c=\sqrt{14}$

따라서 두 초점 사이의 거리는

$2c=2\sqrt{14}$

답 ②

26

선분 AC의 중점의 좌표는 $\left(\frac{a}{2}, \frac{b+3}{2}\right)$, 선분 OB의 중점의 좌표는 $\left(\frac{a}{2}, 4\right)$이고, 두 선분 AC, OB의 중점이 서로 일치하므로

$\frac{b+3}{2}=4$에서 $b=5$

또 $\overrightarrow{AC}\cdot\overrightarrow{OB}=0$이므로 두 벡터 $\overrightarrow{AC}$, $\overrightarrow{OB}$는 서로 수직이다.

사각형 OABC의 두 대각선 AC, OB가 서로를 수직이등분하므로 사각형 OABC는 마름모이다.

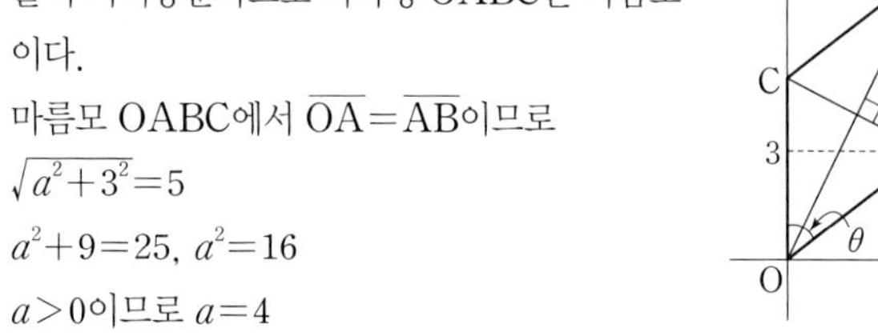

마름모 OABC에서 $\overline{OA}=\overline{AB}$이므로

$\sqrt{a^2+3^2}=5$

$a^2+9=25$, $a^2=16$

$a>0$이므로 $a=4$

따라서 A(4, 3), C(0, 5)이므로

$$\cos\theta=\frac{\overrightarrow{OA}\cdot\overrightarrow{OC}}{|\overrightarrow{OA}||\overrightarrow{OC}|}=\frac{0+15}{5\times5}=\frac{3}{5}$$

답 ③

참고

$b=5$일 때, a의 값은 다음과 같이 구할 수도 있다.

$\overrightarrow{AC}=\overrightarrow{OC}-\overrightarrow{OA}=(-a, b-3)=(-a, 2)$, $\overrightarrow{OB}=(a, 8)$이므로

$\overrightarrow{AC}\cdot\overrightarrow{OB}=0$에서

$(-a, 2)\cdot(a, 8)=-a^2+16=0$

$a>0$이므로 $a=4$

27

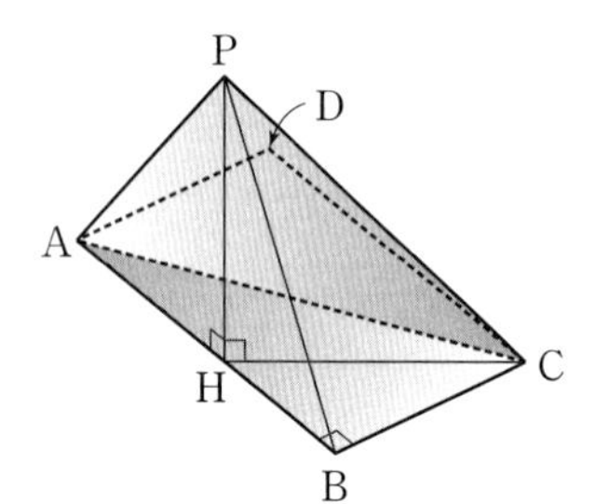

$\overline{BH}=x$라 하면 $\overline{AH}=4-x$

삼각형 BCH에서 $\angle CBH=90°$이므로

$\overline{CH}^2=\overline{BC}^2+\overline{BH}^2=3^2+x^2$

삼각형 CPH에서 $\angle CHP=90°$이므로

$\overline{PH}^2=\overline{CP}^2-\overline{CH}^2$

$=4^2-(3^2+x^2)$

$=7-x^2$ …… ㉠

삼각형 AHP에서 $\angle AHP=90°$이므로

$\overline{PH}^2=\overline{AP}^2-\overline{AH}^2$

$=3^2-(4-x)^2$

$=-7+8x-x^2$ …… ㉡

㉠, ㉡에서

$7-x^2=-7+8x-x^2$, $8x=14$

$x=\frac{7}{4}$

따라서 $\overline{BH}=\frac{7}{4}$, $\overline{AH}=4-\frac{7}{4}=\frac{9}{4}$이므로

$\frac{\overline{BH}}{\overline{AH}}=\frac{7}{9}$

답 ④

다른 풀이

점 P에서 선분 AC에 내린 수선의 발을 I라 하면 삼수선의 정리에 의하여 선분 AC와 선분 HI는 수직이다.

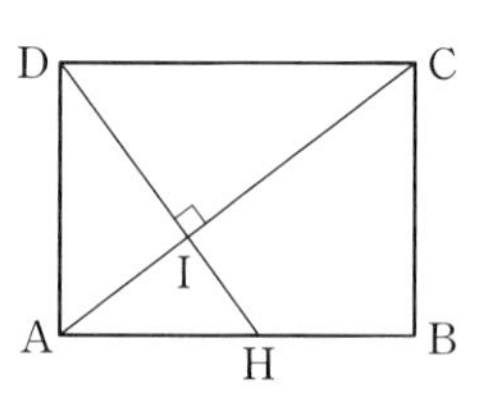

따라서 그림과 같이 직사각형 ABCD에서 세 점 D, I, H는 한 직선 위에 있다.

두 삼각형 ABC, DAH는 서로 닮은 도형이므로

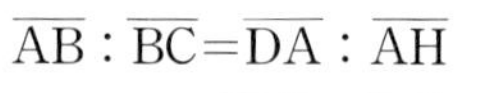

$\overline{AB}:\overline{BC}=\overline{DA}:\overline{AH}$

$4:3=3:\overline{AH}$, $4\overline{AH}=9$

$\overline{AH}=\frac{9}{4}$

$\overline{BH}=\overline{AB}-\overline{AH}=4-\frac{9}{4}=\frac{7}{4}$

따라서 $\frac{\overline{BH}}{\overline{AH}}=\frac{\frac{7}{4}}{\frac{9}{4}}=\frac{7}{9}$

28

$P(x, y)$라 하면 두 점 A(1, −2), B(5, 6)에 대하여

$\overrightarrow{AP}=(x-1, y+2)$, $\overrightarrow{BP}=(x-5, y-6)$이므로

$\overrightarrow{AP}\cdot\overrightarrow{BP}=(x-1, y+2)\cdot(x-5, y-6)=0$에서

$(x-1)(x-5)+(y+2)(y-6)=0$

$(x^2-6x+5)+(y^2-4y-12)=0$

$(x-3)^2+(y-2)^2=20$

즉, 점 P가 나타내는 도형 C는 중심이 (3, 2)이고 반지름의 길이가 $2\sqrt{5}$인 원이다.

한편, 선분 AB의 중점 M의 좌표는 (3, 2)이므로 원 C의 중심과 일치한다. 점 Q의 x좌표가 7보다 크고, $\angle RSQ=\angle RS'M$이므로 접선과 현이 이루는 각의 성질에 의하여 직선 QS가 원 C에 접한다.

이때 삼각형 MQS는 $\overline{QS}=3$, $\overline{MS}=2\sqrt{5}$이고 $\angle MSQ=90°$인 직각삼각형이므로

$\overline{MQ}^2=\overline{QS}^2+\overline{MS}^2$에서

$(a-3)^2+(0-2)^2=3^2+(2\sqrt{5})^2$

$a^2-6a-16=0$, $(a+2)(a-8)=0$

$a=-2$ 또는 $a=8$

$a>7$이므로 $a=8$

답 ①

29

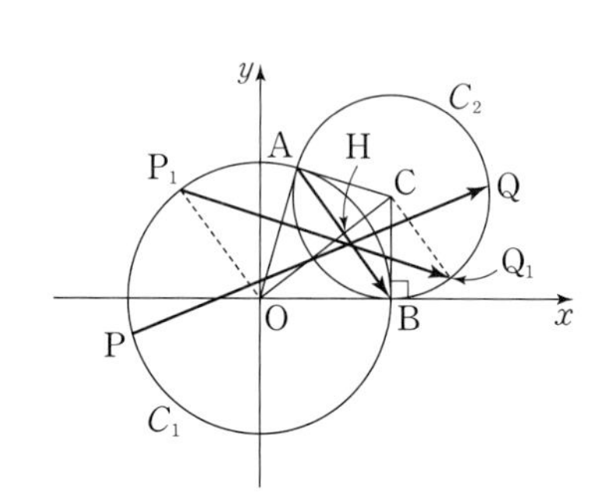

원 C_1의 중심을 O, 원 C_2의 중심을 C라 하고, 선분 AB와 선분 OC의 교점을 H라 하자.

선분 AB와 선분 OC는 서로 수직이므로 삼각형 OBC에서

$\overline{OB}\times\overline{BC}=\overline{OC}\times\overline{BH}$

$4\times3=5\times\overline{BH}$, $\overline{BH}=\frac{12}{5}$

그러므로 $\overline{AB}=2\times\overline{BH}=2\times\frac{12}{5}=\frac{24}{5}$

$$\begin{aligned}\overrightarrow{AB}\cdot\overrightarrow{PQ}&=\overrightarrow{AB}\cdot(\overrightarrow{PO}+\overrightarrow{OC}+\overrightarrow{CQ})\\&=\overrightarrow{AB}\cdot\overrightarrow{PO}+\overrightarrow{AB}\cdot\overrightarrow{OC}+\overrightarrow{AB}\cdot\overrightarrow{CQ}\\&=\overrightarrow{AB}\cdot\overrightarrow{PO}+0+\overrightarrow{AB}\cdot\overrightarrow{CQ}\\&=\overrightarrow{AB}\cdot\overrightarrow{PO}+\overrightarrow{AB}\cdot\overrightarrow{CQ}\quad\cdots\cdots ㉠\end{aligned}$$

원 C_1 위의 점 P_1에 대하여 두 벡터 $\overrightarrow{AB}$와 $\overrightarrow{P_1O}$가 같은 방향의 벡터이고, 원 C_2 위의 점 Q_1에 대하여 두 벡터 $\overrightarrow{AB}$와 $\overrightarrow{CQ_1}$이 같은 방향의 벡터일 때,

$\overrightarrow{AB}\cdot\overrightarrow{PO}\le\overrightarrow{AB}\cdot\overrightarrow{P_1O}=\overline{AB}\times\overline{P_1O}=\frac{24}{5}\times4$

$\overrightarrow{AB}\cdot\overrightarrow{CQ}\le\overrightarrow{AB}\cdot\overrightarrow{CQ_1}=\overline{AB}\times\overline{CQ_1}=\frac{24}{5}\times3$

이므로 ㉠에서 $\overrightarrow{AB}\cdot\overrightarrow{PQ}$의 최댓값은

$\frac{24}{5}\times4+\frac{24}{5}\times3=\frac{24}{5}\times7=\frac{168}{5}$

따라서 $p=5$, $q=168$이므로

$p+q=5+168=173$

답 173

30

점 P가 삼각형 ABC의 무게중심이므로 점 P의 좌표는

$\left(\frac{1+3+2}{3}, \frac{0+0+k}{3}, \frac{0+0+0}{3}\right)$, 즉 $\left(2, \frac{k}{3}, 0\right)$

xy평면에서 두 점 A$(1, 0)$, C$(2, k)$를 지나는 직선의 방정식은

$y-0=\frac{k-0}{2-1}(x-1)$, 즉 $kx-y-k=0$

이고, 두 점 A$(1, 0)$, B$(3, 0)$을 지나는 직선의 방정식은 $y=0$이다.

이때 xy평면에서 점 $P\left(2, \frac{k}{3}\right)$와 직선 $kx-y-k=0$ 사이의 거리는

$\frac{\left|2k-\frac{k}{3}-k\right|}{\sqrt{k^2+1}}=\frac{2|k|}{3\sqrt{k^2+1}}$

이고, 점 $P\left(2, \frac{k}{3}\right)$와 직선 $y=0$ 사이의 거리는 $\frac{|k|}{3}$이므로

$\frac{2|k|}{3\sqrt{k^2+1}}=\frac{|k|}{3}$에서

$\sqrt{k^2+1}=2$

$k^2=3$

$k>0$이므로 $k=\sqrt{3}$

따라서 A$(1, 0, 0)$, B$(3, 0, 0)$, C$(2, \sqrt{3}, 0)$, $P\left(2, \frac{\sqrt{3}}{3}, 0\right)$이므로

삼각형 ABC는 한 변의 길이가 2인 정삼각형이고, 구 S가 xy평면에 의하여 잘린 단면은 삼각형 ABC의 외접원이므로 그 반지름의 길이는

$\overline{CP}=\sqrt{3}-\frac{\sqrt{3}}{3}=\frac{2\sqrt{3}}{3}$

따라서 점 E의 좌표는 $\left(2, \frac{\sqrt{3}}{3}-\frac{2\sqrt{3}}{3}, 0\right)$, 즉 $\left(2, -\frac{\sqrt{3}}{3}, 0\right)$이다.

삼각형 DEC는 선분 DE를 빗변으로 하는 직각삼각형이므로 삼각형 DEC의 세 변의 길이는

$\overline{EC}=\frac{4\sqrt{3}}{3}$, $\overline{CD}=p$, $\overline{DE}=\sqrt{p^2+\frac{16}{3}}$

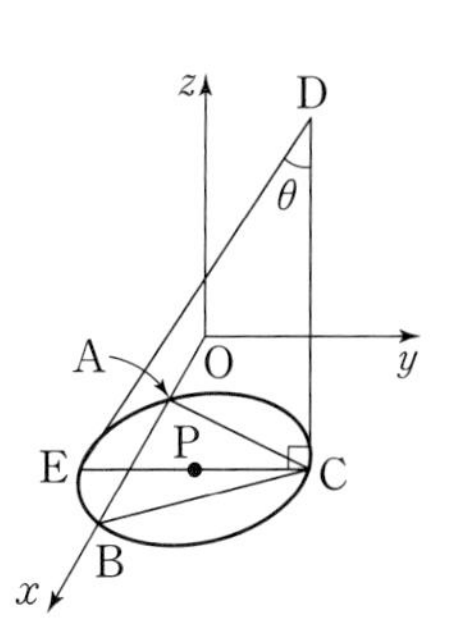

$\angle EDC=\theta$라 하면 선분 CD와 평면 α가 이루는 각의 크기도 θ이므로

$\cos\theta=\frac{\overline{CD}}{\overline{DE}}=\frac{p}{\sqrt{p^2+\frac{16}{3}}}$

선분 CD의 평면 α 위로의 정사영의 길이가 $2\sqrt{3}$이므로

$\overline{CD}\times\cos\theta=p\times\frac{p}{\sqrt{p^2+\frac{16}{3}}}=2\sqrt{3}$

$p^2=2\sqrt{3}\times\sqrt{p^2+\frac{16}{3}}$

양변을 제곱하면

$p^4=12\left(p^2+\frac{16}{3}\right)$

$p^4-12p^2-64=0$

$(p^2-16)(p^2+4)=0$

$(p+4)(p-4)(p^2+4)=0$

$p>0$이므로 $p=4$

답 4

실전 모의고사 4회 본문 142~153쪽

01 ③	02 ⑤	03 ②	04 ②	05 ③
06 ①	07 ③	08 ④	09 ③	10 ②
11 ①	12 ③	13 ③	14 ②	15 ④
16 3	17 42	18 61	19 33	20 152
21 19	22 16	23 ⑤	24 ③	25 ①
26 ③	27 ②	28 ⑤	29 20	30 247

01

$\log_3\sqrt{3}+\log_3 9=\log_3 3^{\frac{1}{2}}+\log_3 3^2=\frac{1}{2}\log_3 3+2\log_3 3$

$=\frac{1}{2}+2=\frac{5}{2}$

답 ③

02

$\lim_{x\to 2}\frac{x^2+6x-16}{x^2-x-2}=\lim_{x\to 2}\frac{(x-2)(x+8)}{(x-2)(x+1)}=\lim_{x\to 2}\frac{x+8}{x+1}=\frac{10}{3}$

답 ⑤

03

등차수열 $\{a_n\}$의 첫째항을 a, 공차를 d라 하면

$a_4=a+3d=4$

$a_2+a_5=(a+d)+(a+4d)=2a+5d=11$

두 식을 연립하여 풀면 $a=13$, $d=-3$이므로

$a_n=13+(n-1)\times(-3)=-3n+16$

따라서 $a_3+a_{11}=7+(-17)=-10$

답 ②

04

$h(x)=f(x)g(x)$에서

$h'(x)=f'(x)g(x)+f(x)g'(x)$이므로

$h'(1)=f'(1)g(1)+f(1)g'(1)$

$f(x)=2x^3+5$에서 $f(1)=7$이고 $f'(x)=6x^2$이므로 $f'(1)=6$

$g(x)=x^2+3x+1$에서 $g(1)=5$이고 $g'(x)=2x+3$이므로 $g'(1)=5$

따라서 $h'(1)=f'(1)g(1)+f(1)g'(1)=6\times5+7\times5=65$

답 ②

05

함수 $f(x)=2^{x-k}+m$의 그래프는 함수 $y=2^x$의 그래프를 x축의 방향으로 k만큼, y축의 방향으로 m만큼 평행이동한 것이고 함수 $y=2^x$의 밑은 1보다 크므로 함수 $f(x)$는 $x=1$에서 최솟값, $x=4$에서 최댓값을 갖는다.

$f(1)=2^{1-k}+m=3$에서 $2^{1-k}=3-m$ …… ㉠

$f(4)=2^{4-k}+m=10$에서 $2^{4-k}=10-m$ …… ㉡

이때 $\frac{2^{4-k}}{2^{1-k}}=2^3=8$이므로 ㉠, ㉡에 의하여

$\frac{10-m}{3-m}=8$, $10-m=24-8m$

$7m=14$, $m=2$

이 값을 ㉠에 대입하면

$2^{1-k}=3-2=1$, $1-k=0$, $k=1$

따라서 $k+m=1+2=3$

답 ③

06

$f(x)=\frac{1}{3}x^3+x^2-3x+a$에서

$f'(x)=x^2+2x-3=(x+3)(x-1)$

$f'(x)=0$에서 $x=-3$ 또는 $x=1$

함수 $f(x)$의 증가와 감소를 표로 나타내면 다음과 같다.

x	$\cdots$	-3	$\cdots$	1	$\cdots$
$f'(x)$	$+$	0	$-$	0	$+$
$f(x)$	↗	극대	↘	극소	↗

함수 $f(x)$는 $x=1$에서 극솟값 $\frac{10}{3}$을 가지므로 $b=1$이고

$f(1)=\frac{1}{3}+1-3+a=\frac{10}{3}$에서 $a=5$

따라서 $a+b=5+1=6$

답 ①

07

$\log_2 a_{n+1}-\log_2 a_n=-\frac{1}{2}$에서

$\log_2\frac{a_{n+1}}{a_n}=\log_2 2^{-\frac{1}{2}}$, $\frac{a_{n+1}}{a_n}=\frac{1}{\sqrt{2}}$

이므로 수열 $\{a_n\}$은 등비수열이고, 이 등비수열의 공비를 r이라 하면

$r=\frac{a_{n+1}}{a_n}=\frac{1}{\sqrt{2}}$

$S_n=\frac{a_1(1-r^n)}{1-r}$이므로 $\frac{S_{2m}}{S_m}=\frac{9}{8}$에서

$\frac{1-r^{2m}}{1-r^m}=\frac{9}{8}$, $\frac{(1-r^m)(1+r^m)}{1-r^m}=\frac{9}{8}$

$1+r^m=\frac{9}{8}$, $r^m=\frac{1}{8}$

즉, $\left(\frac{1}{\sqrt{2}}\right)^m=\frac{1}{2^3}$이므로

$(\sqrt{2})^m=2^3$, $2^{\frac{m}{2}}=2^3$

$\frac{m}{2}=3$, $m=6$

따라서 $m\times\frac{a_{2m}}{a_m}=m\times\frac{a_1r^{2m-1}}{a_1r^{m-1}}=m\times r^m=6\times\frac{1}{8}=\frac{3}{4}$

답 ③

08

$f(x)=-x^3+ax+4$에서 $f'(x)=-3x^2+a$

곡선 $y=f(x)$ 위의 점 $(1, f(1))$에서의 접선의 기울기가 1이므로

$f'(1)=-3+a=1$에서 $a=4$

또 $f(1)=-1+a+4=-1+4+4=7$이므로

$1+b=7$에서 $b=6$

따라서 $a+b=4+6=10$

답 ④

09

$x>0$에서 함수 $y=2\cos\pi x$의 그래프와 x축이 만나는 점의 x좌표는 $2\cos\pi x=0$을 만족시키고, 두 점 Q, R의 x좌표는 각각 이 방정식의 양의 실근 중 가장 작은 값과 두 번째로 작은 값이므로

$\pi x=\frac{\pi}{2}$ 또는 $\pi x=\frac{3}{2}\pi$에서 $x=\frac{1}{2}$ 또는 $x=\frac{3}{2}$

그러므로 $\mathrm{Q}\left(\frac{1}{2}, 0\right)$, $\mathrm{R}\left(\frac{3}{2}, 0\right)$

$x>0$에서 두 함수 $y=3\tan\pi x$, $y=2\cos\pi x$의 그래프가 만나는 점의 x좌표는 $3\tan\pi x=2\cos\pi x$를 만족시키고, 점 P의 x좌표는 이 방정식의 양의 실근 중 최솟값이다.

$3\tan\pi x=2\cos\pi x$에서 $3\times\frac{\sin\pi x}{\cos\pi x}=2\cos\pi x$

$3\sin\pi x=2\cos^2\pi x$, $3\sin\pi x=2(1-\sin^2\pi x)$

$2\sin^2\pi x+3\sin\pi x-2=0$, $(2\sin\pi x-1)(\sin\pi x+2)=0$

$\sin\pi x+2>0$이므로 $\sin\pi x=\frac{1}{2}$

점 P의 x좌표는 이 방정식의 양의 실근 중 최솟값이므로

$\pi x=\frac{\pi}{6}$에서 $x=\frac{1}{6}$

$x=\frac{1}{6}$을 $y=3\tan\pi x$에 대입하면 $y=3\tan\frac{\pi}{6}=3\times\frac{\sqrt{3}}{3}=\sqrt{3}$

이므로 $\mathrm{P}\left(\frac{1}{6}, \sqrt{3}\right)$

따라서 삼각형 PQR의 넓이는

$S=\frac{1}{2}\times\left(\frac{3}{2}-\frac{1}{2}\right)\times\sqrt{3}=\frac{\sqrt{3}}{2}$

답 ③

10

직선 $y=-ax+4$가 x축과 만나는 점의 좌표는 $\left(\frac{4}{a}, 0\right)$이고, y축과 만나는 점의 좌표는 $(0, 4)$이다.

직선 $y=-ax+4$와 x축, y축으로 둘러싸인 부분은 직각삼각형이고 그 넓이는

$\frac{1}{2}\times\frac{4}{a}\times4=\frac{8}{a}$

즉, $S_1+S_2=\frac{8}{a}$ …… ㉠

직선 $y=-ax+4$와 곡선 $y=\frac{a^2}{2}x^2$이 제1사분면에서 만나는 점을 P라 하면

$\frac{a^2}{2}x^2=-ax+4$에서 $a^2x^2+2ax-8=0$, $(ax+4)(ax-2)=0$

$x>0$이고 a는 양수이므로 $x=\frac{2}{a}$이고

$y=-a\times\frac{2}{a}+4=2$이므로 점 P의 좌표는 $\left(\frac{2}{a}, 2\right)$이다.

그러므로

$S_1=\int_0^{\frac{2}{a}}\frac{a^2}{2}x^2dx+\frac{1}{2}\times\left(\frac{4}{a}-\frac{2}{a}\right)\times2$

$=\left[\frac{a^2}{6}x^3\right]_0^{\frac{2}{a}}+\frac{2}{a}$

$=\frac{4}{3a}+\frac{2}{a}=\frac{10}{3a}$ …… ㉡

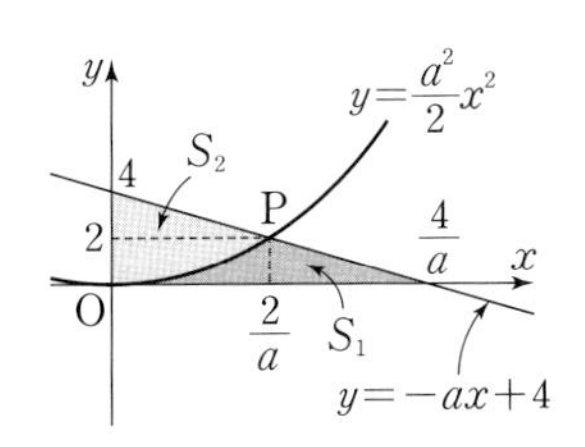

㉡을 ㉠에 대입하면

$\frac{10}{3a}+S_2=\frac{8}{a}$, $S_2=\frac{8}{a}-\frac{10}{3a}=\frac{14}{3a}$

따라서 $S_2-S_1=\frac{14}{3a}-\frac{10}{3a}=\frac{4}{3a}$이므로

$\frac{4}{3a}=\frac{14}{3}$에서 $a=\frac{2}{7}$

답 ②

11

선분 AB가 지름이고 $\overline{\mathrm{AC}}=\overline{\mathrm{BC}}$이므로 삼각형 ACB는 $\angle\mathrm{ACB}=90°$인 직각이등변삼각형이고

$\overline{\mathrm{AB}}=4$에서 $\overline{\mathrm{AC}}=\overline{\mathrm{BC}}=2\sqrt{2}$

원주각의 성질에 의하여 $\angle\mathrm{ADC}=\angle\mathrm{ABC}=\frac{\pi}{4}$이고

$\angle\mathrm{BDA}=\frac{\pi}{2}$이므로 $\angle\mathrm{BDC}=\frac{\pi}{4}$

$\overline{\mathrm{BD}}=x$라 하면 삼각형 CBD에서 코사인법칙에 의하여

$\overline{\mathrm{BC}}^2=\overline{\mathrm{BD}}^2+\overline{\mathrm{CD}}^2-2\times\overline{\mathrm{BD}}\times\overline{\mathrm{CD}}\times\cos(\angle\mathrm{BDC})$이므로

$(2\sqrt{2})^2=x^2+3^2-2\times x\times3\times\cos\frac{\pi}{4}$, $x^2-3\sqrt{2}x+1=0$

$\overline{\mathrm{BD}}<\overline{\mathrm{BC}}$에서 $0<x<2\sqrt{2}$이므로

$x=\frac{3\sqrt{2}-\sqrt{(3\sqrt{2})^2-4}}{2}=\frac{3\sqrt{2}-\sqrt{14}}{2}$

답 ①

다른 풀이

선분 AB가 지름이고 $\overline{\mathrm{AC}}=\overline{\mathrm{BC}}$이므로 삼각형 ACB는 $\angle\mathrm{ACB}=90°$인 직각이등변삼각형이고

$\overline{\mathrm{AB}}=4$에서 $\overline{\mathrm{AC}}=\overline{\mathrm{BC}}=2\sqrt{2}$

삼각형 CBD의 외접원의 반지름의 길이가 2이므로 사인법칙에 의하여

$\frac{\overline{\mathrm{CD}}}{\sin(\angle\mathrm{CBD})}=2\times2$

$\frac{3}{\sin(\angle\mathrm{CBD})}=4$, $\sin(\angle\mathrm{CBD})=\frac{3}{4}$

$\overline{\mathrm{AD}}>\overline{\mathrm{BD}}$에서 $\angle\mathrm{ABD}>\frac{\pi}{4}$이고 직각삼각형 ABC에서

$\angle\mathrm{CBA}=\frac{\pi}{4}$이므로 $\angle\mathrm{CBD}>\frac{\pi}{2}$

$\cos(\angle\mathrm{CBD})<0$이므로

$\cos(\angle\mathrm{CBD})=-\sqrt{1-\sin^2(\angle\mathrm{CBD})}=-\sqrt{1-\left(\frac{3}{4}\right)^2}=-\frac{\sqrt{7}}{4}$

$\overline{\mathrm{BD}}=x$라 하면 삼각형 CBD에서 코사인법칙에 의하여

$\overline{\mathrm{CD}}^2=\overline{\mathrm{BC}}^2+\overline{\mathrm{BD}}^2-2\times\overline{\mathrm{BC}}\times\overline{\mathrm{BD}}\times\cos(\angle\mathrm{CBD})$이므로

$3^2=(2\sqrt{2})^2+x^2-2\times2\sqrt{2}\times x\times\left(-\frac{\sqrt{7}}{4}\right)$, $x^2+\sqrt{14}x-1=0$

$x>0$이므로 $x=\frac{-\sqrt{14}+\sqrt{14+4}}{2}=\frac{3\sqrt{2}-\sqrt{14}}{2}$

12

$f(x)=\left|4\cos\left(\frac{\pi}{2}-\frac{x}{3}\right)+k\right|-5=\left|4\sin\frac{x}{3}+k\right|-5$

$-1\le\sin\frac{x}{3}\le1$이므로 $-4+k\le4\sin\frac{x}{3}+k\le4+k$

$(4+k)-(-4+k)=8$이고 $M-m=7$이므로
$-4+k<0$, $4+k>0$
즉, $-4<k<4$
이때 함수 $f(x)=\left|4\sin\dfrac{x}{3}+k\right|-5$의 최댓값 M은
$-(-4+k)-5=-k-1$ 또는 $(4+k)-5=k-1$이고,
최솟값 m은 -5이다.
$M-m=7$에서
(i) $M=-k-1$일 때
$M-m=-k-1-(-5)=7$이므로 $k=-3$
(ii) $M=k-1$일 때
$M-m=k-1-(-5)=7$이므로 $k=3$
(i), (ii)에 의하여 구하는 모든 실수 k의 값의 곱은 $-3\times3=-9$

답 ③

13

최고차항의 계수가 3인 이차함수 $f(x)$의 그래프는 조건 (가)에 의하여 직선 $x=2$가 대칭축이므로
$f(x)=3(x-2)^2+a$ (a는 상수)로 놓을 수 있다.
$a\geq0$이면 모든 실수 x에 대하여 $f(x)\geq0$이다. 이때 함수 $y=|f(x)|$의 그래프와 함수 $y=f(x)$의 그래프가 일치하므로 조건 (나)를 만족시킬 수 없다.
즉, 함수 $f(x)$가 조건 (나)를 만족시키기 위해서는 $a<0$이어야 하고, 이때 함수 $y=|f(x)|$의 그래프의 개형은 다음 그림과 같다.

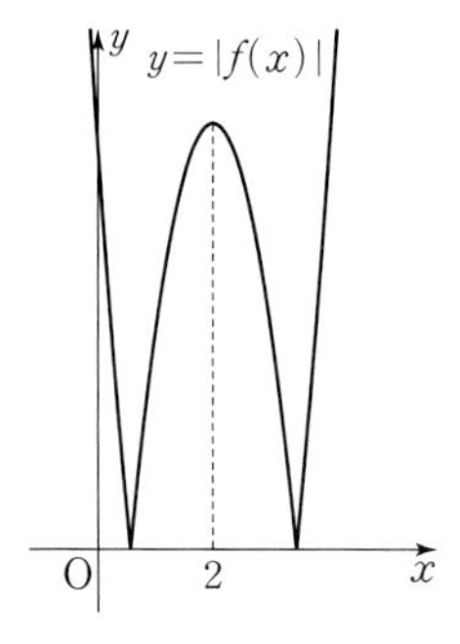

조건 (나)에 의하여 다음 그림과 같이 직선 $y=k$ ($k=1, 2, \cdots, 6$)은 함수 $y=|f(x)|$의 그래프와 서로 다른 네 점에서 만나야 하고, 함수 $y=|f(x)|$의 그래프와 직선 $y=7$은 서로 다른 세 점 또는 서로 다른 두 점에서 만나야 한다.

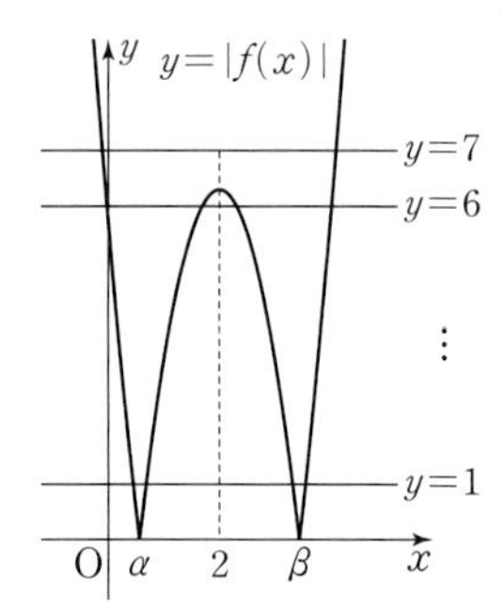

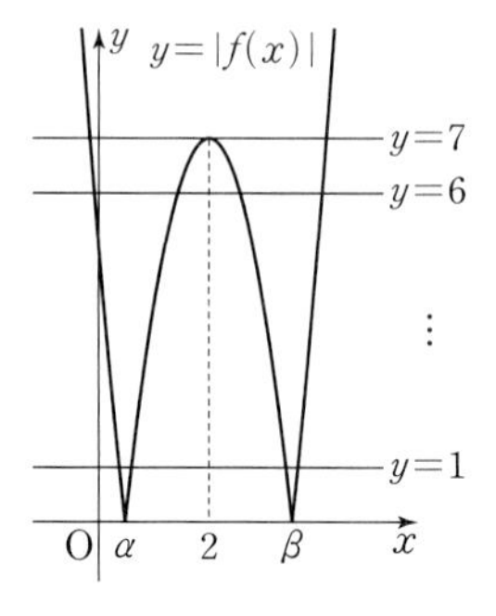

함수 $y=|f(x)|$의 그래프가 x축과 만나는 점의 x좌표를 각각 α, β ($\alpha<\beta$)라 하면
$\alpha<x<\beta$일 때 $|f(x)|=-f(x)$이고 $f(2)=a$이므로
$6<-f(2)\leq7$에서 $-7\leq a<-6$

한편,

$$g(x)=\int_0^x f(t)\,dt=\int_0^x\{3(t-2)^2+a\}\,dt$$
$$=\int_0^x(3t^2-12t+12+a)\,dt=\Big[t^3-6t^2+(a+12)t\Big]_0^x$$
$$=x^3-6x^2+(a+12)x$$

이므로

$$\int_0^4 g(x)\,dx=\int_0^4\{x^3-6x^2+(a+12)x\}\,dx$$
$$=\left[\frac{1}{4}x^4-2x^3+\frac{a+12}{2}x^2\right]_0^4$$
$$=64-128+8(a+12)=8a+32$$

$-7\leq a<-6$이므로 $-24\leq 8a+32<-16$
따라서 구하는 최솟값은 -24이다.

답 ③

14

ㄱ. $x\geq0$일 때, $f(x)=-x^2+4x+k=-(x-2)^2+k+4$
함수 $f(x)$는 $x\geq2$에서 감소하므로 $a\geq2$
따라서 양수 a의 최솟값은 2이다. (참)

ㄴ. $k=-2$일 때

$$f(x)=\begin{cases} x^2-4x-2 & (x<0) \\ -x^2+4x-2 & (x\geq0) \end{cases}$$이고 $f(0)=-2$, $f(2)=2$

이므로 함수 $y=|f(x)|$의 그래프는 그림과 같다.

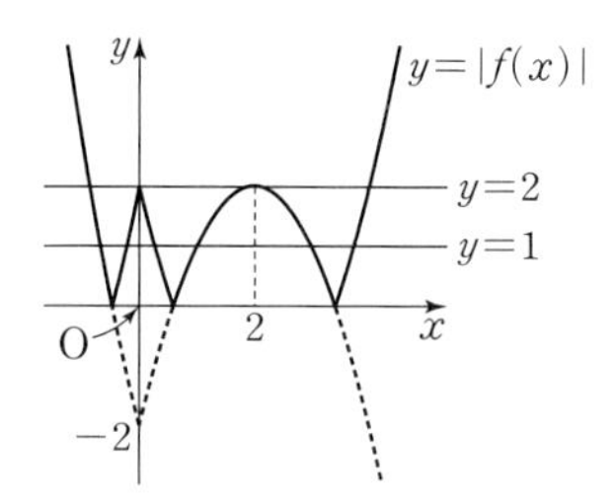

따라서 함수 $y=|f(x)|$의 그래프와 직선 $y=1$이 만나는 점의 개수가 6이므로 $g(1)=6$ (참)

ㄷ. $-4<k<0$일 때, k의 값의 범위에 따라 함수 $y=|f(x)|$의 그래프를 그리고, 함수 $g(t)$와 $g(b)$의 값을 구해 보자.
(i) $-2<k<0$일 때

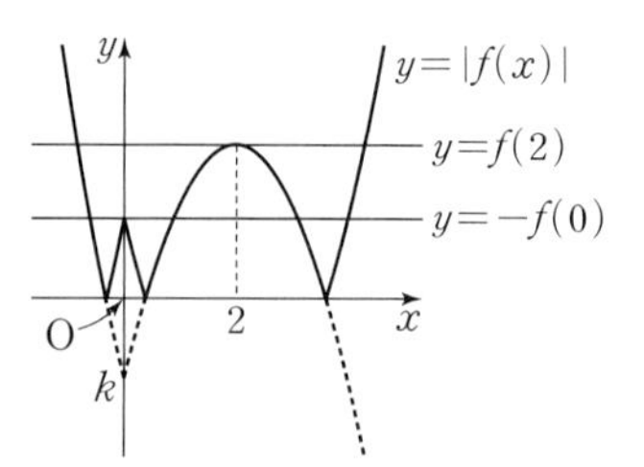

함수 $g(t)$는 다음과 같다.

$$g(t)=\begin{cases} 0 & (t<0) \\ 3 & (t=0) \\ 6 & (0<t<-f(0)) \\ 5 & (t=-f(0)) \\ 4 & (-f(0)<t<f(2)) \\ 3 & (t=f(2)) \\ 2 & (t>f(2)) \end{cases}$$

이때 $\lim_{t\to b-} g(t) > \lim_{t\to b+} g(t)$를 만족시키는 b의 값은

$-f(0)$, $f(2)$이므로

$g(b)=g(-f(0))=5$ 또는 $g(b)=g(f(2))=3$

(ii) $k=-2$일 때

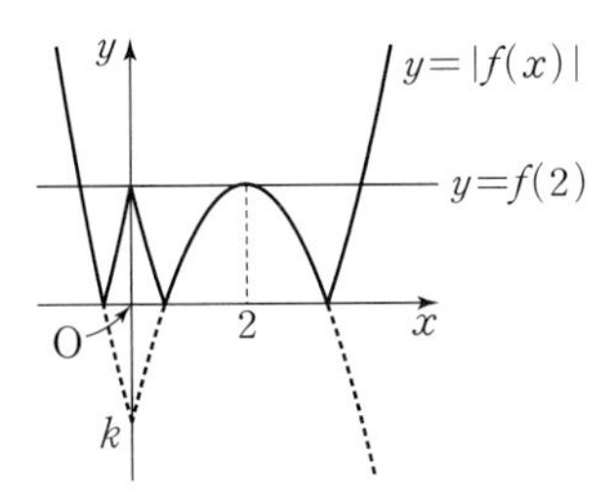

따라서 함수 $g(t)$는 다음과 같다.

$$g(t)=\begin{cases} 0 & (t<0) \\ 3 & (t=0) \\ 6 & (0<t<f(2)) \\ 4 & (t=f(2)) \\ 2 & (t>f(2)) \end{cases}$$

이때 $\lim_{t\to b-} g(t) > \lim_{t\to b+} g(t)$를 만족시키는 b의 값은 $f(2)$이므로

$g(b)=g(f(2))=4$

(iii) $-4<k<-2$일 때

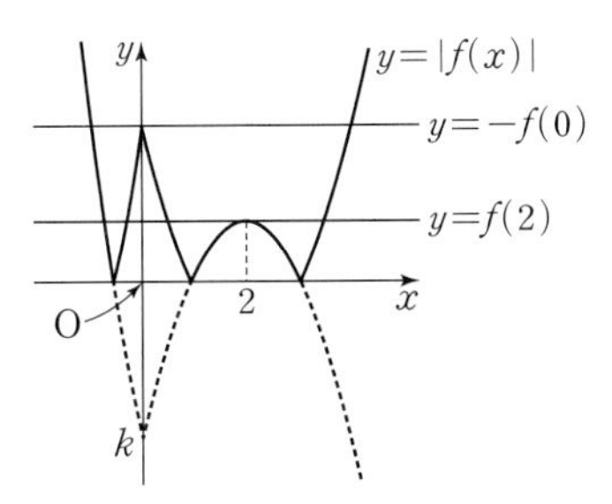

따라서 함수 $g(t)$는 다음과 같다.

$$g(t)=\begin{cases} 0 & (t<0) \\ 3 & (t=0) \\ 6 & (0<t<f(2)) \\ 5 & (t=f(2)) \\ 4 & (f(2)<t<-f(0)) \\ 3 & (t=-f(0)) \\ 2 & (t>-f(0)) \end{cases}$$

이때 $\lim_{t\to b-} g(t) > \lim_{t\to b+} g(t)$를 만족시키는 b의 값은

$-f(0)$, $f(2)$이므로

$g(b)=g(-f(0))=3$ 또는 $g(b)=g(f(2))=5$

(i), (ii), (iii)에 의하여 모든 $g(b)$의 값의 합은 $3+4+5=12$ (거짓)

이상에서 옳은 것은 ㄱ, ㄴ이다.

답 ②

15

조건 (가)에서 수열 $\{a_n\}$은 등비수열이고 첫째항이 2이므로 공비를 r $(r\neq 0)$이라 하면

$a_n=2r^{n-1}$

조건 (나)의 $\sum_{k=1}^{n} \frac{a_{k+1}b_k}{4^k}=2^n+n(n+1)$에 $n=1$을 대입하면

$\frac{a_2b_1}{4}=\frac{2r\times 2}{4}=2+1\times 2=4$이므로 $r=4$

$a_n=2\times 4^{n-1}$이므로

$a_5=2\times 4^4=2^9=512$

한편, $\frac{a_{k+1}b_k}{4^k}=\frac{2\times 4^k\times b_k}{4^k}=2b_k$이므로

$\sum_{k=1}^{n} \frac{a_{k+1}b_k}{4^k}=2\sum_{k=1}^{n} b_k=2^n+n(n+1)$

즉, $\sum_{k=1}^{n} b_k=2^{n-1}+\frac{n(n+1)}{2}$이므로

$b_{10}=\sum_{k=1}^{10} b_k-\sum_{k=1}^{9} b_k=\left(2^9+\frac{10\times 11}{2}\right)-\left(2^8+\frac{9\times 10}{2}\right)$

$=2^8\times(2-1)+55-45=266$

따라서 $a_5+b_{10}=512+266=778$

답 ④

16

$2^{x+2}-24=2^x$에서

$4\times 2^x-2^x=24$, $3\times 2^x=24$, $2^x=8=2^3$

따라서 $x=3$

답 3

17

$f(x)=\int f'(x)\,dx=\int (3x^2+4x+1)\,dx$

$=x^3+2x^2+x+C$ (단, C는 적분상수)

$f(0)=1$에서 $C=1$

따라서 $f(x)=x^3+2x^2+x+1$이므로

$\int_{-3}^{3} f(x)\,dx=\int_{-3}^{3} (x^3+2x^2+x+1)\,dx=2\int_{0}^{3} (2x^2+1)\,dx$

$=2\left[\frac{2}{3}x^3+x\right]_0^3=2\times(18+3)=42$

답 42

18

$\sum_{n=1}^{4} (a_n+b_n)=36$ ...... ㉠

$\sum_{n=1}^{4} (a_n-b_n)=14$ ...... ㉡

㉠+㉡을 하면

$\sum_{n=1}^{4} \{(a_n+b_n)+(a_n-b_n)\}=\sum_{n=1}^{4} 2a_n=50$이므로 $\sum_{n=1}^{4} a_n=25$

㉠−㉡을 하면

$\sum_{n=1}^{4} \{(a_n+b_n)-(a_n-b_n)\}=\sum_{n=1}^{4} 2b_n=22$이므로 $\sum_{n=1}^{4} b_n=11$

따라서 $\sum_{n=1}^{4} (2a_n+b_n)=2\times\sum_{n=1}^{4} a_n+\sum_{n=1}^{4} b_n=2\times 25+11=61$

답 61

19

$y=x^3-3x^2$에서 $y'=3x^2-6x$

곡선 $y=x^3-3x^2$ 위의 점 (t, t^3-3t^2)에서의 접선의 방정식은

$y-(t^3-3t^2)=(3t^2-6t)(x-t)$

이 직선이 점 $(-2, k)$를 지나므로

$k-(t^3-3t^2)=(3t^2-6t)(-2-t)$

$2t^3+3t^2-12t+k=0$ $\cdots\cdots$ ㉠

$g(t)=2t^3+3t^2-12t+k$라 하면

$g'(t)=6t^2+6t-12=6(t+2)(t-1)$

$g'(t)=0$에서 $t=-2$ 또는 $t=1$

함수 $g(t)$의 증가와 감소를 표로 나타내면 다음과 같다.

t	$\cdots$	-2	$\cdots$	1	$\cdots$
$g'(t)$	$+$	0	$-$	0	$+$
$g(t)$	↗	극대	↘	극소	↗

$g(-2)=-16+12+24+k=k+20$

$g(1)=2+3-12+k=k-7$

함수 $g(t)$가 삼차함수이므로 구하는 접선의 개수는 방정식 ㉠의 서로 다른 실근의 개수와 같다.

(i) 서로 다른 세 실근을 갖는 경우

$k+20>0$, $k-7<0$에서 $-20<k<7$

(ii) 서로 다른 두 실근을 갖는 경우

$k=-20$ 또는 $k=7$

(iii) 한 실근을 갖는 경우

$k<-20$ 또는 $k>7$

따라서 자연수 k에 대하여

$$\sum_{k=1}^{20} f(k)=\sum_{k=1}^{6} f(k)+f(7)+\sum_{k=8}^{20} f(k)$$
$$=6\times3+2+(20-8+1)\times1=33$$

답 33

20

두 점 P, Q의 가속도는 각각

$v_1'(t)=4t+2$, $v_2'(t)=2t-2$

시각 $t=k$일 때 점 P의 가속도가 점 Q의 가속도의 3배이므로

$4k+2=3(2k-2)$에서 $2k=8$, $k=4$

즉, $t=4$일 때 점 P의 가속도가 점 Q의 가속도의 3배이다.

$v_1(t)=2t^2+2t=2t(t+1)$이고,

$t\ge0$에서 $v_1(t)\ge0$이므로

점 P가 시각 $t=0$에서 $t=4$까지 움직인 거리는

$$\int_0^4 |v_1(t)|\,dt=\int_0^4 v_1(t)\,dt=\int_0^4 (2t^2+2t)\,dt$$
$$=\left[\frac{2}{3}t^3+t^2\right]_0^4=\frac{128}{3}+16=\frac{176}{3}$$

한편, $v_2(t)=t^2-2t=t(t-2)$이고,

$0\le t\le2$에서 $v_2(t)\le0$, $2\le t\le4$에서 $v_2(t)\ge0$이므로

점 Q가 시각 $t=0$에서 $t=4$까지 움직인 거리는

$$\int_0^4 |v_2(t)|\,dt=\int_0^2 \{-v_2(t)\}\,dt+\int_2^4 v_2(t)\,dt$$
$$=\int_0^2 (-t^2+2t)\,dt+\int_2^4 (t^2-2t)\,dt$$
$$=\left[-\frac{1}{3}t^3+t^2\right]_0^2+\left[\frac{1}{3}t^3-t^2\right]_2^4$$
$$=\left(-\frac{8}{3}+4\right)+\left\{\left(\frac{64}{3}-16\right)-\left(\frac{8}{3}-4\right)\right\}=8$$

따라서 두 점 P, Q가 움직인 거리의 차는

$a=\frac{176}{3}-8=\frac{152}{3}$이므로 $3a=152$

답 152

21

10보다 작은 두 자연수 k, m에 대하여 $f(x)=|2^x-k|+m$에서 함수 $y=f(x)$의 그래프는 그림과 같다.

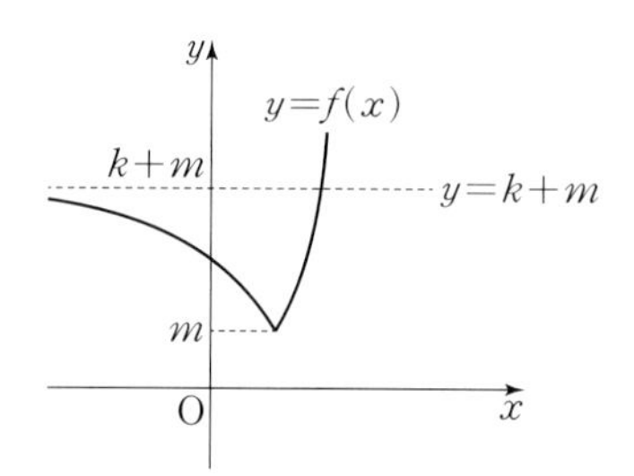

$$g(x)=\left(\log_2\frac{x}{4}\right)^2+2\log_4 x-2=(\log_2 x-\log_2 4)^2+\log_2 x-2$$
$$=(\log_2 x-2)^2+\log_2 x-2=(\log_2 x)^2-3\log_2 x+2$$
$$=(\log_2 x-1)(\log_2 x-2)$$

방정식 $(g\circ f)(x)=g(f(x))=0$에서

$\log_2 f(x)=1$ 또는 $\log_2 f(x)=2$

$f(x)=2$ 또는 $f(x)=2^2=4$

(i) x에 대한 방정식 $(g\circ f)(x)=0$이 1개의 실근을 가지려면 함수 $y=f(x)$의 그래프가 직선 $y=2$ 또는 직선 $y=4$와 만나는 점이 1개가 되어야 한다.

그런데 직선 $y=2$가 함수 $y=f(x)$의 그래프와 만나면 직선 $y=4$도 함수 $y=f(x)$의 그래프와 만나므로 방정식 $(g\circ f)(x)=0$은 2개 이상의 실근을 갖는다.

즉, 방정식 $(g\circ f)(x)=0$이 1개의 실근을 가지려면 $m=4$이거나 $m>2$이고 $k+m\le4$이어야 한다.

① $m=4$인 경우

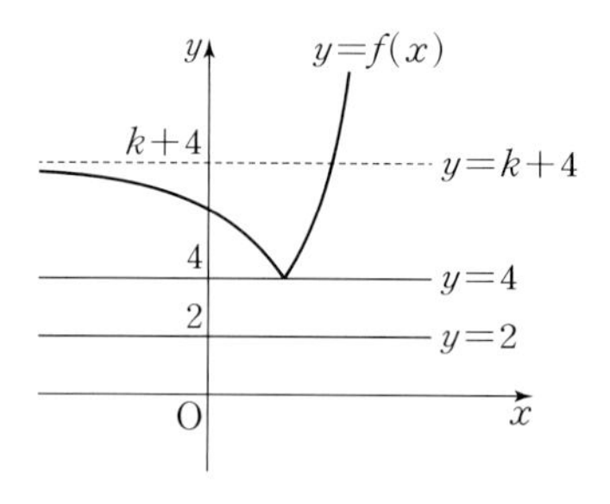

순서쌍 (k, m)은 $(1, 4)$, $(2, 4)$, $(3, 4)$, $\cdots$, $(9, 4)$이고, 그 개수는 9이다.

② $m>2$이고 $k+m\le4$인 경우

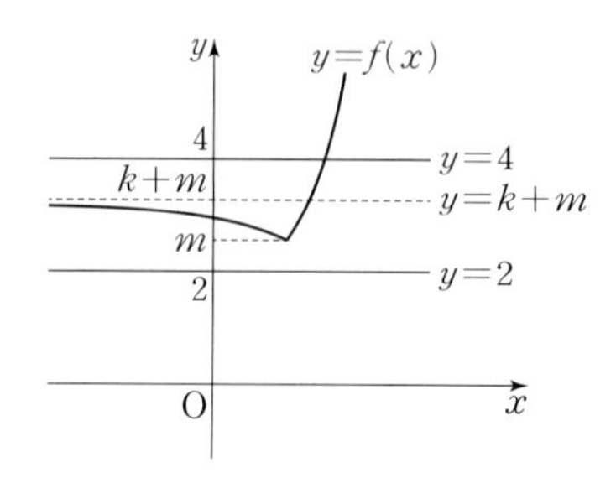

순서쌍 (k, m)은 $(1, 3)$이고, 그 개수는 1이다.

①, ②에서 구하는 순서쌍 (k, m)의 개수는 $9+1=10$이므로

$a_1=10$

(ii) x에 대한 방정식 $(g\circ f)(x)=0$이 3개의 실근을 가지려면 함수 $y=f(x)$의 그래프가 직선 $y=2$ 또는 $y=4$와 만나는 점이 3개가 되어야 한다.

① $m=2$일 때

직선 $y=2$와 함수 $y=f(x)$의 그래프는 한 점에서만 만난다.

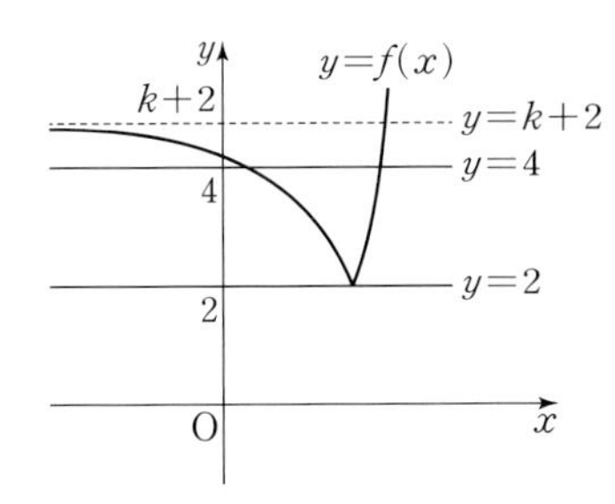

함수 $y=f(x)$의 그래프와 직선 $y=4$가 서로 다른 두 점에서 만나야 하므로

$k+2>4$에서 $k>2$

따라서 순서쌍 (k, m)은 $(3, 2), (4, 2), (5, 2), \cdots, (9, 2)$이고, 그 개수는 7이다.

② $m\neq2$일 때

조건을 만족시키려면 함수 $y=f(x)$의 그래프와 직선 $y=2$가 서로 다른 두 점에서 만나고, 함수 $y=f(x)$의 그래프와 직선 $y=4$는 한 점에서만 만나야 하므로 함수 $y=f(x)$의 그래프는 다음과 같다.

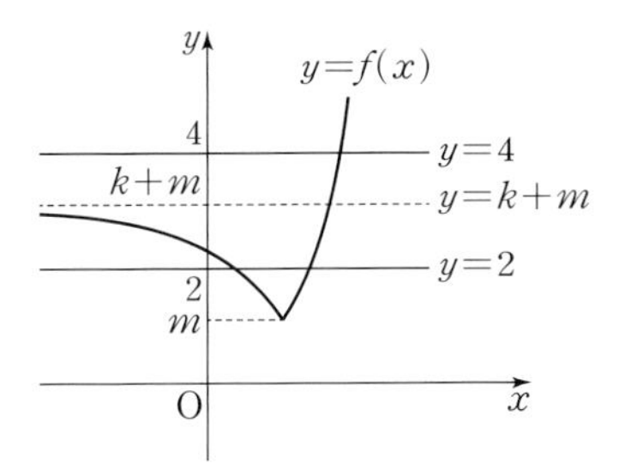

이때 $m<2$, $2<k+m\leq4$이므로

$m=1$, $1<k\leq3$

따라서 순서쌍 (k, m)은 $(2, 1), (3, 1)$이고, 그 개수는 2이다.

①, ②에서 구하는 순서쌍 (k, m)의 개수는 $7+2=9$이므로

$a_3=9$

(i), (ii)에서 $a_1+a_3=10+9=19$

답 19

참고

(i)에서 순서쌍 (k, m)이 $(1, 4), (1, 3)$인 경우 함수 $y=f(x)$의 그래프는 다음과 같다.

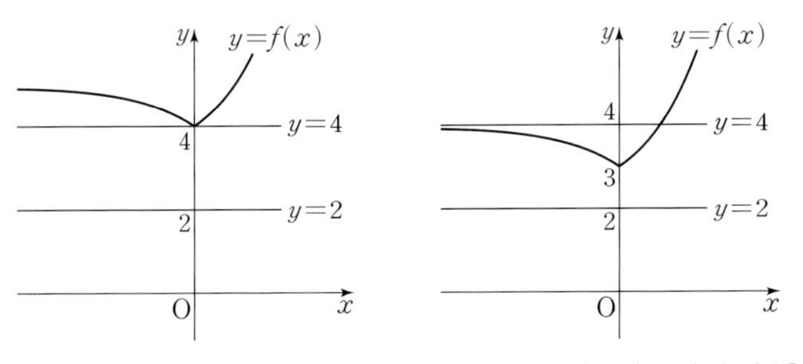

[순서쌍 (k, m)이 $(1, 4)$인 경우] [순서쌍 (k, m)이 $(1, 3)$인 경우]

22

$f(x)=ax^4+bx^3+cx^2+dx+e$ (a, b, c, d, e는 상수, $a\neq0$)이라 하면 조건 (가)에서 $\lim_{x\to\infty}\frac{f(x)}{x^4}=\frac{1}{2}$이므로 $a=\frac{1}{2}$

$\lim_{x\to0}\frac{f(x)}{2x^2}=\frac{1}{2}$에서 $x\to0$일 때 (분모)$\to0$이고 극한값이 존재하므로 (분자)$\to0$이어야 한다.

즉, $\lim_{x\to0}f(x)=f(0)=0$이므로 $e=0$

$$\lim_{x\to0}\frac{f(x)}{2x^2}=\lim_{x\to0}\frac{\frac{1}{2}x^4+bx^3+cx^2+dx}{2x^2}=\frac{1}{2}\times\lim_{x\to0}\left(\frac{1}{2}x^2+bx+c+\frac{d}{x}\right)=\frac{1}{2}$$

이므로 $c=1$, $d=0$

그러므로 $f(x)=\frac{1}{2}x^4+bx^3+x^2$이다.

조건 (나)에서 $0<x_1<x_2$인 임의의 두 실수 x_1, x_2에 대하여 $f(x_1)+{x_1}^2<f(x_2)+{x_2}^2$이므로 $g(x)=f(x)+x^2$이라 하면 함수 $g(x)$는 열린구간 $(0, \infty)$에서 증가하는 함수이다.

함수 $g(x)$가 열린구간 $(0, \infty)$에서 증가하기 위한 필요조건은 $x>0$일 때 $g'(x)\geq0$이다.

$g'(x)=f'(x)+2x=2x^3+3bx^2+2x+2x=x(2x^2+3bx+4)$

에서 $x>0$이므로 $2x^2+3bx+4\geq0$

$h(x)=2x^2+3bx+4$라 하면 $x>0$일 때 이차부등식 $h(x)\geq0$이 성립하기 위해서는 $x>0$일 때 이차함수 $y=h(x)$의 그래프가 x축과 접하거나 x축보다 위쪽에 있어야 한다.

(i) $b>0$일 때

이차함수 $y=h(x)$의 그래프의 축의 방정식은 $x=-\frac{3}{4}b<0$이고 $h(0)=4>0$이므로 $x>0$일 때 $h(x)>0$이 성립한다.

(ii) $b<0$일 때

이차함수 $y=h(x)$의 그래프의 축의 방정식은 $x=-\frac{3}{4}b>0$이므로 $x>0$일 때 함수 $h(x)$의 최솟값이 0보다 크거나 같아야 한다.

즉, $h\left(-\frac{3}{4}b\right)=4-\frac{9}{8}b^2\geq0$에서 $b^2\leq\frac{32}{9}$이므로 $-\frac{4\sqrt{2}}{3}\leq b<0$

이때 $-\frac{4\sqrt{2}}{3}<b<0$이면 함수 $h(x)$의 최솟값이 0보다 크므로 $x>0$일 때 $h(x)>0$이다. 또한 $b=-\frac{4\sqrt{2}}{3}$이면 $x=\sqrt{2}$에서만 $h(x)=0$이고, $x=\sqrt{2}$를 제외한 모든 실수 x에서 $h(x)>0$이다.

(iii) $b=0$일 때

$h(x)=2x^2+4$이므로 $x>0$일 때 $h(x)>0$이 성립한다.

(i), (ii), (iii)에 의하여 $b=-\frac{4\sqrt{2}}{3}$일 때 $x=\sqrt{2}$에서만 $g'(x)=0$이고 $x=\sqrt{2}$를 제외한 모든 양의 실수 x에서 $g'(x)>0$이므로 $x>0$일 때 함수 $g(x)$가 증가한다. 그러므로 함수 $g(x)$가 $x>0$일 때 증가하기 위한 필요충분조건은 $b\geq-\frac{4\sqrt{2}}{3}$이다.

$f(\sqrt{2})=4+2\sqrt{2}b\geq4+2\sqrt{2}\times\left(-\frac{4\sqrt{2}}{3}\right)=-\frac{4}{3}$

따라서 $f(\sqrt{2})$의 최솟값은 $m=-\frac{4}{3}$이므로 $9m^2=9\times\left(-\frac{4}{3}\right)^2=16$

답 16

23

두 점 $P(a, 3, a)$, $Q(2, -1, 6)$에 대하여 선분 PQ의 중점이 yz평면 위에 있으려면 중점의 x좌표가 0이어야 하므로

$\frac{a+2}{2}=0$에서 $a=-2$

따라서 $P(-2, 3, -2)$이므로 선분 OP의 길이는

$\sqrt{(-2)^2+3^2+(-2)^2}=\sqrt{17}$

답 ⑤

24

$\overrightarrow{AC}=\overrightarrow{OC}-\overrightarrow{OA}=(k\vec{a}+4\vec{b})-(3\vec{a}+2\vec{b})=(k-3)\vec{a}+2\vec{b}$

$\overrightarrow{AB}=\overrightarrow{OB}-\overrightarrow{OA}=(\vec{a}-\vec{b})-(3\vec{a}+2\vec{b})=-2\vec{a}-3\vec{b}$

세 점 A, B, C가 한 직선 위에 있으므로 0이 아닌 실수 m에 대하여

$\overrightarrow{AC}=m\overrightarrow{AB}$

$(k-3)\vec{a}+2\vec{b}=m(-2\vec{a}-3\vec{b})$에서

$(k-3)\vec{a}+2\vec{b}=-2m\vec{a}-3m\vec{b}$

두 벡터 $\vec{a}$, $\vec{b}$가 서로 평행하지 않으므로

$k-3=-2m$, $2=-3m$

따라서 $2=-3m$에서 $m=-\frac{2}{3}$이므로

$k=3-2m=3-2\times\left(-\frac{2}{3}\right)=\frac{13}{3}$

답 ③

25

타원 $\frac{x^2}{9}+\frac{y^2}{4}=1$의 두 초점의 좌표를 $(c, 0)$, $(-c, 0)$ $(c>0)$이라 하면

$c=\sqrt{9-4}=\sqrt{5}$

이므로 두 초점의 좌표는 $(\sqrt{5}, 0)$, $(-\sqrt{5}, 0)$이다.

쌍곡선의 방정식을 $\frac{x^2}{a^2}-\frac{y^2}{b^2}=1$ $(a>0, b>0)$이라 하면

이 쌍곡선은 두 점 $(\sqrt{5}, 0)$, $(-\sqrt{5}, 0)$을 지나므로 $\frac{5}{a^2}=1$

즉, $a^2=5$에서 $a=\sqrt{5}$

한편, 쌍곡선의 한 점근선의 방정식이 $y=2x$이므로 $\frac{b}{a}=2$에서

$b=2a=2\sqrt{5}$

따라서 쌍곡선의 방정식은 $\frac{x^2}{5}-\frac{y^2}{20}=1$이고 두 초점 F, F′의 좌표는 $(5, 0)$, $(-5, 0)$이므로 선분 FF′의 길이는 10이다.

답 ①

26

타원 $\frac{x^2}{16}+\frac{y^2}{9}=1$ 위의 점에서 두 초점까지의 거리의 합은 $2\times4=8$이다.

주어진 타원과 원은 모두 y축에 대하여 대칭이므로

$\overline{BF'}=\overline{CF}$

그러므로

$\overline{BF}+\overline{CF}=\overline{BF}+\overline{BF'}=8$

또한 $\overline{AB}=\overline{AC}=\overline{AF}=\overline{AF'}$이므로

$\overline{AB}+\overline{AC}=\overline{AF}+\overline{AF'}=8$

따라서 사각형 ABFC의 둘레의 길이는

$\overline{AB}+\overline{BF}+\overline{CF}+\overline{AC}=(\overline{AB}+\overline{AC})+(\overline{BF}+\overline{CF})=8+8=16$

답 ③

27

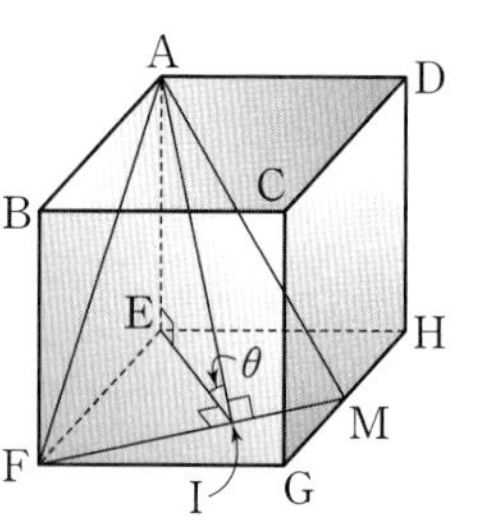

그림과 같이 점 A에서 선분 FM에 내린 수선의 발을 I라 하면 $\overline{AI}\perp\overline{FM}$이고 $\overline{AE}\perp$(평면 EFGH)이므로 삼수선의 정리에 의하여 $\overline{EI}\perp\overline{FM}$이다.

이때 평면 AFM과 평면 EFGH가 이루는 예각의 크기 θ는 $\angle AIE$의 크기와 같다.

한편, 삼각형 MFG에서

$\overline{FM}=\sqrt{\overline{FG}^2+\overline{MG}^2}=\sqrt{2^2+1^2}=\sqrt{5}$

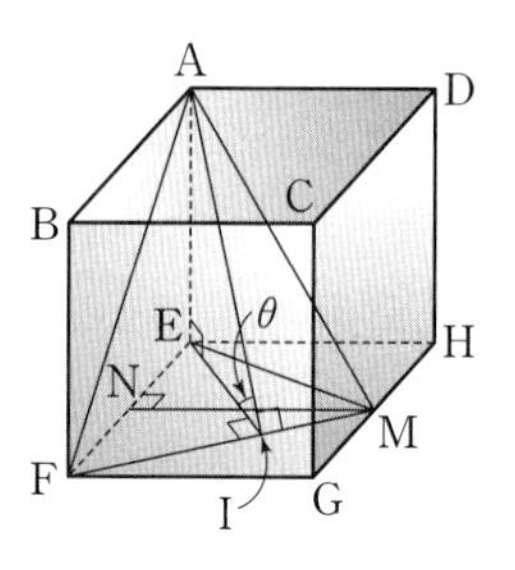

점 M에서 선분 EF에 내린 수선의 발을 N이라 하면 삼각형 EFM의 넓이는

$\frac{1}{2}\times\overline{FM}\times\overline{EI}=\frac{1}{2}\times\overline{EF}\times\overline{MN}$에서

$\frac{1}{2}\times\sqrt{5}\times\overline{EI}=\frac{1}{2}\times2\times2$

$\overline{EI}=\frac{4}{\sqrt{5}}$

따라서 $\tan\theta=\frac{\overline{AE}}{\overline{EI}}=\frac{2}{\frac{4}{\sqrt{5}}}=\frac{\sqrt{5}}{2}$

답 ②

28

포물선 $y^2=2x$와 직선 $y=x-5$가 만나는 두 점 A, B의 x좌표를 각각 α, β $(\alpha<\beta)$라 하면

$(x-5)^2=2x$에서 $x^2-12x+25=0$

이므로 이차방정식의 근과 계수의 관계에 의하여

$\alpha+\beta=12$, $\alpha\beta=25$

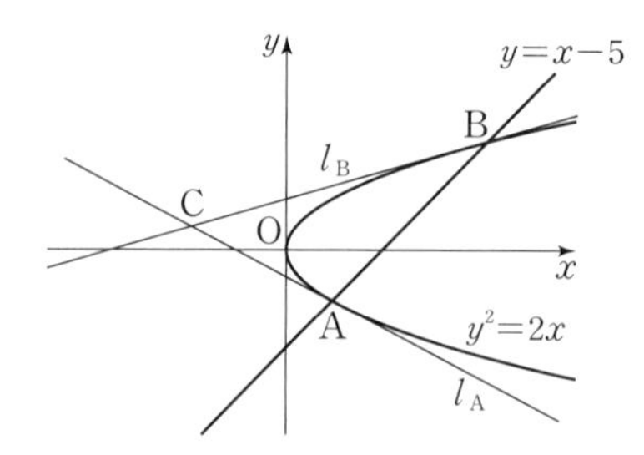

포물선 $y^2=2x$ 위의 두 점 $A(\alpha, \alpha-5)$, $B(\beta, \beta-5)$에서의 접선의 방정식은 각각 $(\alpha-5)y=x+\alpha$, $(\beta-5)y=x+\beta$이다.

두 식을 연립하여 풀면 $x=-5$, $y=1$

이므로 $C(-5, 1)$

점 $C(-5, 1)$과 직선 $y=x-5$, 즉 $x-y-5=0$ 사이의 거리는

$\frac{|-5-1-5|}{\sqrt{1^2+(-1)^2}}=\frac{11}{\sqrt{2}}=\frac{11\sqrt{2}}{2}$

이고 $\overline{AB}=\sqrt{2}(\beta-\alpha)$이므로 삼각형 ABC의 넓이는

$$\frac{1}{2}\times\sqrt{2}(\beta-\alpha)\times\frac{11\sqrt{2}}{2}=\frac{11}{2}\sqrt{(\alpha+\beta)^2-4\alpha\beta}$$

$$=\frac{11}{2}\times\sqrt{12^2-4\times25}$$

$$=\frac{11}{2}\times2\sqrt{11}=11\sqrt{11}$$

따라서 $p=-5$, $q=1$, $S=11\sqrt{11}$이므로

$p+q+S=-5+1+11\sqrt{11}=-4+11\sqrt{11}$

답 ⑤

29

조건 (가)에 의하여 점 P는 점 C를 지나고 선분 AC에 수직인 직선 위의 점이다.

선분 AD의 중점을 M이라 하면 $\frac{\overrightarrow{CA}+\overrightarrow{CD}}{2}=\overrightarrow{CM}$이다.

두 선분 CM, BN이 수직이 되도록 선분 CD 위의 점 N을 잡을 때, 두 선분 CM, BN의 교점을 E라 하자.

두 직각삼각형 CMD, CNE는

$\angle D=\angle E=\frac{\pi}{2}$이고 $\angle MCD$가 공통인 서로 닮은 도형이고, 두 직각삼각형 BNC, CNE는

$\angle C=\angle E=\frac{\pi}{2}$이고 $\angle BNC$가 공통인 서로 닮은 도형이다.

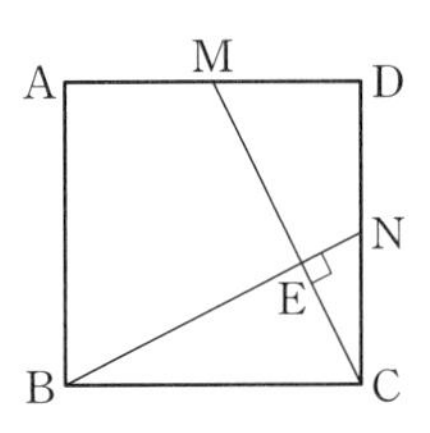

또 두 직각삼각형 BNC, CMD에서 $\overline{BC}=\overline{CD}$이므로 두 직각삼각형 BNC, CMD는 서로 합동이다. 이때 점 N은 $\overline{DM}=\overline{CN}=1$이 되어 선분 CD의 중점이다.

조건 (나)에 의하여 $\overrightarrow{BP}\cdot\overrightarrow{CM}=0$에서 점 P는 점 B를 지나고 선분 CM에 수직인 직선 위의 점이다.

따라서 점 P의 위치는 다음과 같다.

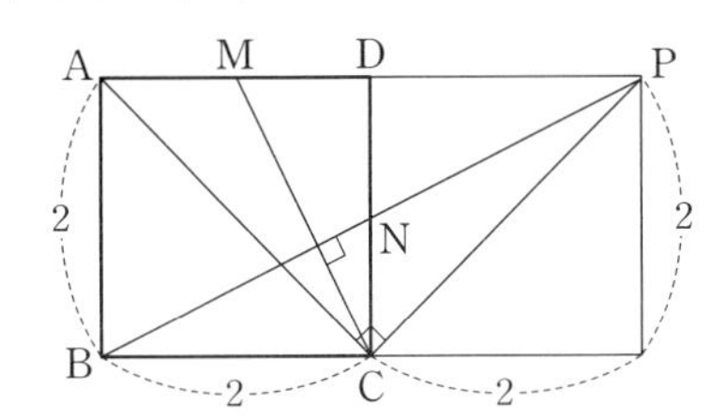

위 그림에서 $|\overrightarrow{BP}|=\sqrt{4^2+2^2}=2\sqrt{5}$ ...... ㉠

조건 (다)에 의하여 점 Q가 그리는 도형은 중심이 점 A이고 반지름의 길이가 1인 원이다.

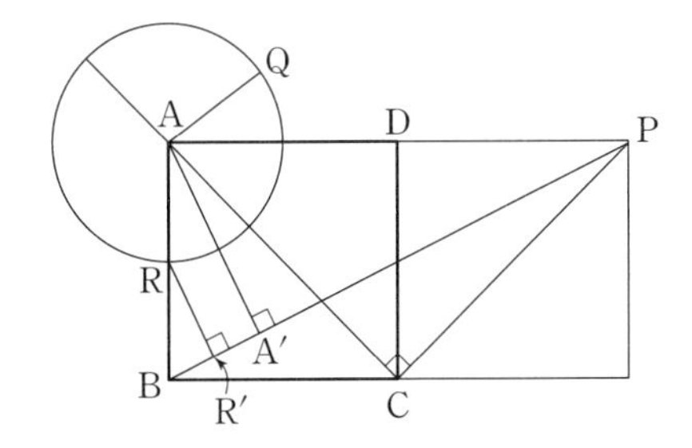

중심이 점 A이고 반지름의 길이가 1인 원이 선분 AB와 만나는 점이 R이므로 $\overrightarrow{RQ}\cdot\overrightarrow{BP}=(\overrightarrow{RA}+\overrightarrow{AQ})\cdot\overrightarrow{BP}=\overrightarrow{RA}\cdot\overrightarrow{BP}+\overrightarrow{AQ}\cdot\overrightarrow{BP}$에서 $\overrightarrow{RQ}\cdot\overrightarrow{BP}$의 값이 최대가 되는 때는 $\overrightarrow{AQ}$와 $\overrightarrow{BP}$가 이루는 각의 크기가 0일 때이다.

점 R은 선분 AB의 중점이므로 $\overrightarrow{RA}=\overrightarrow{BR}$이고 점 R에서 선분 BP에 내린 수선의 발을 R'이라 하면 두 직각삼각형 ABP와 R'BR은

$\angle ABP=\angle R'BR$이고 $\angle BR'R=\angle BAP=\frac{\pi}{2}$를 만족시키므로 서로 닮은 도형이다.

$\angle PBA=\theta$라 하면 ㉠에 의하여

$\cos\theta=\frac{\overline{AB}}{\overline{BP}}=\frac{2}{2\sqrt{5}}=\frac{1}{\sqrt{5}}$이므로

$\overrightarrow{RA}\cdot\overrightarrow{BP}=\overrightarrow{BR}\cdot\overrightarrow{BP}=1\times2\sqrt{5}\times\frac{1}{\sqrt{5}}=2$

한편, 두 벡터 $\overrightarrow{AQ}$, $\overrightarrow{BP}$가 이루는 각의 크기가 0일 때,

$\overrightarrow{AQ}\cdot\overrightarrow{BP}=|\overrightarrow{AQ}|\times|\overrightarrow{BP}|=1\times2\sqrt{5}=2\sqrt{5}$

따라서 $\overrightarrow{RQ}\cdot\overrightarrow{BP}\leq2+2\sqrt{5}$에서 $\overrightarrow{RQ}\cdot\overrightarrow{BP}$의 최댓값은

$M=2+2\sqrt{5}$이므로

$(M-2)^2=(2\sqrt{5})^2=20$

답 20

참고

$\overrightarrow{RQ}\cdot\overrightarrow{BP}$의 최댓값은 다음과 같이 좌표평면에서 위치벡터를 이용해서 구할 수도 있다.

그림에서 $\overrightarrow{BP}=(4, 2)$이고 $\overrightarrow{AQ}$는 $\overrightarrow{BP}$와 평행하고 크기가 1인 벡터이므로 양수 k에 대하여 $\overrightarrow{AQ}=(2k, k)$라 하면

$\sqrt{(2k)^2+k^2}=\sqrt{5k^2}=1$에서

$k^2=\frac{1}{5}$, $k=\frac{1}{\sqrt{5}}$

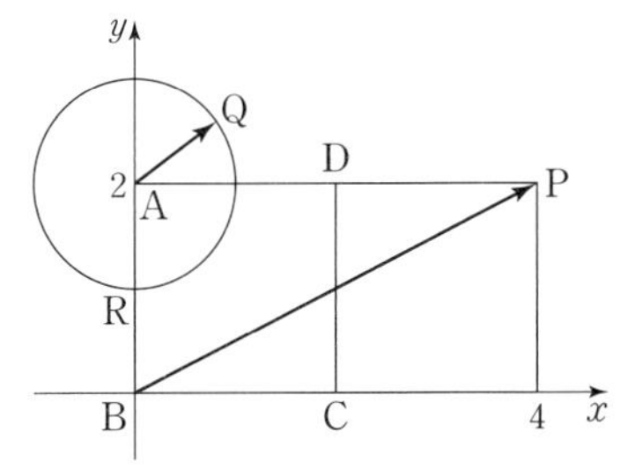

따라서 $\overrightarrow{AQ}=\left(\frac{2}{\sqrt{5}}, \frac{1}{\sqrt{5}}\right)$이다.

$\overrightarrow{RA}=(0, 1)$에서 $\overrightarrow{RA}+\overrightarrow{AQ}=\left(\frac{2}{\sqrt{5}}, 1+\frac{1}{\sqrt{5}}\right)$이므로

$$\overrightarrow{RQ}\cdot\overrightarrow{BP}=(\overrightarrow{RA}+\overrightarrow{AQ})\cdot\overrightarrow{BP}$$

$$=\left(\frac{2}{\sqrt{5}}, 1+\frac{1}{\sqrt{5}}\right)\cdot(4, 2)=\frac{8}{\sqrt{5}}+\left(2+\frac{2}{\sqrt{5}}\right)=2+2\sqrt{5}$$

따라서 $M=2+2\sqrt{5}$이다.

30

정삼각형 ABC의 무게중심이 G이고 선분 BC의 중점이 M이므로 세 점 A, G, M은 한 직선 위에 있다.

같은 방법으로 선분 CD의 중점을 N이라 하면 세 점 A, G', N도 한 직선 위에 있으므로 세 점 A, M, N은 평면 GMG' 위에 있다.

그러므로 평면 GMG'과 평면 BCD가 이루는 예각의 크기는 평면 AMN과 평면 BCD가 이루는 예각의 크기와 같다.

이때

$$\overline{AM}=\overline{AN}=\overline{AB}\sin\frac{\pi}{3}$$

$$=4\times\frac{\sqrt{3}}{2}=2\sqrt{3}$$

$\overline{MN}=\frac{1}{2}\overline{BD}=\frac{1}{2}\times4=2$

선분 MN의 중점을 H라 하면 이등변삼각형 AMN에서

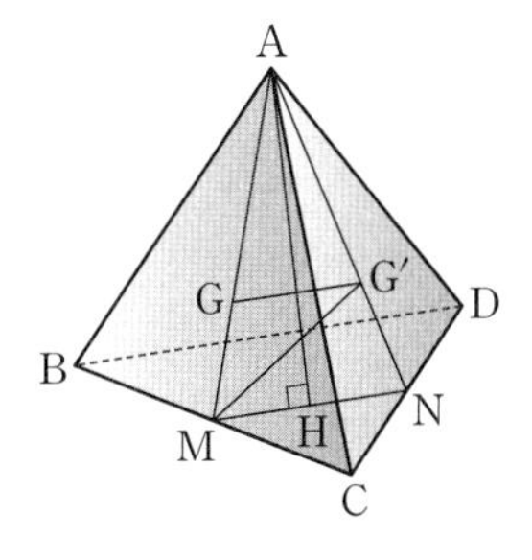

$\overline{AH}=\sqrt{\overline{AM}^2-\left(\frac{1}{2}\overline{MN}\right)^2}=\sqrt{(2\sqrt{3})^2-1^2}=\sqrt{11}$

이고 정삼각형 CNM에서

$\overline{CH}=2\times\frac{\sqrt{3}}{2}=\sqrt{3}$

또한 $\overline{AH}\perp\overline{MN}$, $\overline{CH}\perp\overline{MN}$이므로 평면 AMN과 평면 BCD가 이루는 예각의 크기를 θ라 하면 삼각형 AHC에서 코사인법칙에 의하여

$\cos\theta=\left|\frac{\overline{AH}^2+\overline{CH}^2-\overline{AC}^2}{2\times\overline{AH}\times\overline{CH}}\right|=\left|\frac{(\sqrt{11})^2+(\sqrt{3})^2-4^2}{2\times\sqrt{11}\times\sqrt{3}}\right|=\frac{\sqrt{33}}{33}$

한편, $\overline{AG}:\overline{GM}=\overline{AG'}:\overline{G'N}=2:1$에서 두 삼각형 AGG′, AMN은 서로 닮은 도형이고 닮음비가 $2:3$이므로

$\overline{GG'}=\frac{2}{3}\overline{MN}=\frac{2}{3}\times2=\frac{4}{3}$

이때 삼각형 GMG′은 선분 GG′을 밑변, $\frac{1}{3}\overline{AH}$를 높이로 하는 삼각형이므로 삼각형 GMG′의 넓이는

$\frac{1}{2}\times\overline{GG'}\times\frac{1}{3}\overline{AH}=\frac{1}{2}\times\frac{4}{3}\times\frac{\sqrt{11}}{3}=\frac{2\sqrt{11}}{9}$

따라서 삼각형 GMG′의 평면 BCD 위로의 정사영의 넓이 S는

$S=\frac{2\sqrt{11}}{9}\cos\theta=\frac{2\sqrt{11}}{9}\times\frac{\sqrt{33}}{33}=\frac{2\sqrt{3}}{27}$

이므로

$S^2=\frac{4}{243}$

따라서 $p=243$, $q=4$이므로

$p+q=243+4=247$

답 247

참고

세 점 G, G′, A의 평면 BCD 위로의 정사영을 각각 I, J, K라 하자. 이때 점 K는 두 직선 BN, DM의 교점이면서 삼각형 BCD의 무게중심이므로

$\overline{BN}=\overline{DM}=2\sqrt{3}$에서

$\overline{KM}=\overline{KN}=\frac{2\sqrt{3}}{3}$

두 점 I, J는 각각 선분 KM, 선분 KN 위의 점이고

$\overline{AG}:\overline{AM}=\overline{KI}:\overline{KM}=2:3$이므로

$\overline{KI}=\overline{KJ}=\frac{2}{3}\overline{KM}=\frac{2}{3}\times\frac{2\sqrt{3}}{3}=\frac{4\sqrt{3}}{9}$

또한 $\angle IKJ=\frac{2}{3}\pi$이다.

따라서 삼각형 GMG′의 평면 BCD 위로의 정사영인 삼각형 IMJ의 넓이 S는 삼각형 KMJ의 넓이에서 삼각형 KIJ의 넓이를 뺀 것과 같으므로

$S=\frac{1}{2}\times\frac{2\sqrt{3}}{3}\times\frac{4\sqrt{3}}{9}\times\sin\frac{2}{3}\pi-\frac{1}{2}\times\frac{4\sqrt{3}}{9}\times\frac{4\sqrt{3}}{9}\times\sin\frac{2}{3}\pi$

$=\frac{1}{2}\times\frac{4\sqrt{3}}{9}\times\sin\frac{2}{3}\pi\times\left(\frac{2\sqrt{3}}{3}-\frac{4\sqrt{3}}{9}\right)$

$=\frac{1}{2}\times\frac{4\sqrt{3}}{9}\times\frac{\sqrt{3}}{2}\times\frac{2\sqrt{3}}{9}$

$=\frac{2\sqrt{3}}{27}$

실전 모의고사 5회 본문 154~165쪽

01 ④	02 ①	03 ⑤	04 ②	05 ①
06 ③	07 ④	08 ③	09 ⑤	10 ⑤
11 ①	12 ⑤	13 ②	14 ③	15 ②
16 2	17 25	18 100	19 8	20 24
21 36	22 10	23 ④	24 ④	25 ①
26 ②	27 ⑤	28 ③	29 218	30 35

01

$\sqrt[4]{27}\times\left(\frac{1}{3}\right)^{-\frac{1}{4}}=3^{\frac{3}{4}}\times3^{\frac{1}{4}}=3^{\frac{3}{4}+\frac{1}{4}}=3$

답 ④

02

$\lim_{x\to\infty}\frac{\sqrt{4x^2+x}-\sqrt{x^2+2x}}{3x}=\lim_{x\to\infty}\frac{\sqrt{4+\frac{1}{x}}-\sqrt{1+\frac{2}{x}}}{3}=\frac{2-1}{3}=\frac{1}{3}$

답 ①

03

등차수열 $\{a_n\}$의 공차를 d라 하면

$a_3=a_5-2d$, $a_7=a_5+2d$이므로 $a_3+a_7=2a_5$

$a_3+a_7=a_5+a_6-2$이므로

$2a_5=a_5+a_6-2$에서 $a_6=a_5+2$

따라서 $d=2$이므로

$a_{20}=3+19\times2=41$

답 ⑤

04

$f(x)=|x^2-2x|=\begin{cases}x^2-2x & (x\le0\text{ 또는 }x\ge2)\\-x^2+2x & (0<x<2)\end{cases}$ 이므로

$\lim_{x\to0+}\frac{f(x)}{x}\times\lim_{x\to2+}\frac{f(x)}{x-2}=\lim_{x\to0+}\frac{-x^2+2x}{x}\times\lim_{x\to2+}\frac{x^2-2x}{x-2}$

$=\lim_{x\to0+}(-x+2)\times\lim_{x\to2+}x$

$=2\times2=4$

답 ②

05

$\sin(\pi+\theta)\tan\left(\frac{\pi}{2}+\theta\right)=(-\sin\theta)\times\left(-\frac{1}{\tan\theta}\right)$

$=\sin\theta\times\frac{\cos\theta}{\sin\theta}=\cos\theta$

이므로 $\cos\theta=\frac{5}{13}$

$\frac{3}{2}\pi<\theta<2\pi$일 때, $\sin\theta<0$이므로

$\sin\theta=-\sqrt{1-\cos^2\theta}=-\sqrt{1-\left(\frac{5}{13}\right)^2}=-\frac{12}{13}$

답 ①

06

$f(x)=-\frac{1}{3}x^3+x^2+ax+2$에서

$f'(x)=-x^2+2x+a$

함수 $f(x)$가 $x=-1$에서 극소이므로

$f'(-1)=0$에서 $-1-2+a=0$, $a=3$

즉, $f(x)=-\frac{1}{3}x^3+x^2+3x+2$이고

$f'(x)=-x^2+2x+3=-(x+1)(x-3)$

$f'(x)=0$에서 $x=-1$ 또는 $x=3$

함수 $f(x)$의 증가와 감소를 표로 나타내면 다음과 같다.

x	$\cdots$	-1	$\cdots$	3	$\cdots$
$f'(x)$	$-$	0	$+$	0	$-$
$f(x)$	↘	극소	↗	극대	↘

따라서 함수 $f(x)$는 $x=3$에서 극대이므로 극댓값은

$f(3)=-9+9+9+2=11$

답 ③

07

등비수열 $\{a_n\}$의 첫째항을 a, 공비를 r이라 하면

$\sum_{k=1}^{3}a_k=a_1+a_2+a_3=a+ar+ar^2=a(1+r+r^2)$이므로

$a(1+r+r^2)=\frac{7}{2}$ $\cdots\cdots$ ㉠

$\sum_{k=1}^{3}(2a_{k+1}-a_k)=\sum_{k=1}^{3}2a_{k+1}-\sum_{k=1}^{3}a_k$

$=2\sum_{k=1}^{3}a_{k+1}-\frac{7}{2}=\frac{21}{2}$

에서 $\sum_{k=1}^{3}a_{k+1}=7$

$\sum_{k=1}^{3}a_{k+1}=a_2+a_3+a_4=ar+ar^2+ar^3=ar(1+r+r^2)$이므로

$ar(1+r+r^2)=7$ $\cdots\cdots$ ㉡

㉠, ㉡을 연립하여 풀면

$a=\frac{1}{2}$, $r=2$

따라서 $a_6=\frac{1}{2}\times 2^5=16$

답 ④

08

점 $(-1, 4)$가 곡선 $y=f(x)$ 위의 점이므로 $f(-1)=4$에서

$1+a+1+4=4$, $a=-2$

즉, $f(x)=x^4-2x^2-x+4$이고, $f'(x)=4x^3-4x-1$

이때 $f'(-1)=-1$이므로 곡선 $y=f(x)$ 위의 점 $(-1, 4)$에서의 접선 l의 방정식은

$y-4=-\{x-(-1)\}$, $y=-x+3$

곡선 $y=f(x)$와 직선 l이 만나는 점의 x좌표는

$x^4-2x^2-x+4=-x+3$에서 $x^4-2x^2+1=0$

$(x+1)^2(x-1)^2=0$, $x=-1$ 또는 $x=1$

이때 $f(1)=2$, $f'(1)=-1$이므로 곡선 $y=f(x)$ 위의 점 $(1, 2)$에서의 접선도 l임을 알 수 있다.

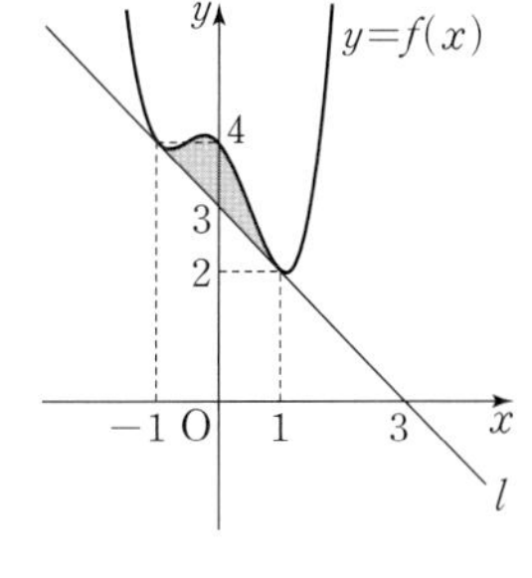

따라서 곡선 $y=f(x)$와 직선 l은 그림과 같으므로 구하는 넓이는

$\int_{-1}^{1}\{(x^4-2x^2-x+4)-(-x+3)\}dx$

$=\int_{-1}^{1}(x^4-2x^2+1)dx$

$=2\int_{0}^{1}(x^4-2x^2+1)dx$

$=2\left[\frac{1}{5}x^5-\frac{2}{3}x^3+x\right]_0^1$

$=2\times\frac{8}{15}=\frac{16}{15}$

답 ③

09

함수 $f(x)=a\sin\pi x+b$의 주기는 $\frac{2\pi}{\pi}=2$이고 최댓값은 $|a|+b$, 최솟값은 $-|a|+b$이다.

(i) $a>0$인 경우

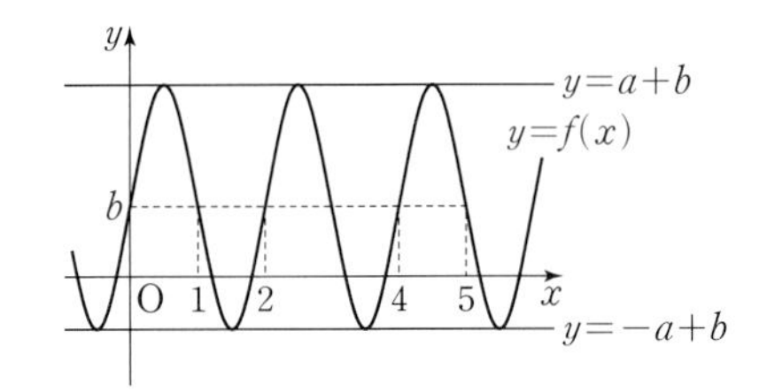

닫힌구간 $[1, 2]$에서 함수 $f(x)$의 최솟값은 $-a+b$이고,

닫힌구간 $[4, 5]$에서 함수 $f(x)$의 최댓값은 $a+b$이다.

이때 닫힌구간 $[1, 2]$에서 함수 $f(x)$의 최솟값과 닫힌구간 $[4, 5]$에서 함수 $f(x)$의 최댓값이 모두 2이므로

$-a+b=a+b=2$

즉, $a=0$이므로 $a>0$이라는 조건을 만족시키지 않는다.

(ii) $a<0$인 경우

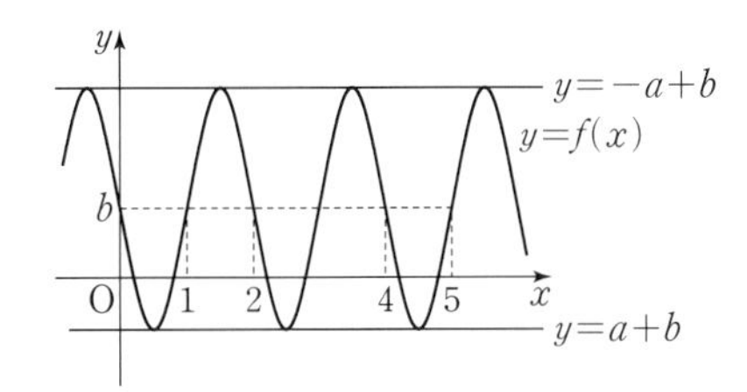

닫힌구간 $[1, 2]$에서 함수 $f(x)$의 최솟값은 b이고,

닫힌구간 $[4, 5]$에서 함수 $f(x)$의 최댓값은 b이다.

이때 닫힌구간 $[1, 2]$에서 함수 $f(x)$의 최솟값과 닫힌구간 $[4, 5]$에서 함수 $f(x)$의 최댓값이 모두 2이므로

$b=2$

(i), (ii)에 의하여 $a<0$, $b=2$

닫힌구간 $\left[\frac{1}{3}, \frac{1}{2}\right]$에서 함수 $f(x)=a\sin\pi x+2$는 $x=\frac{1}{3}$일 때 최댓값 -1을 가지므로

$f\left(\frac{1}{3}\right)=a\sin\frac{\pi}{3}+2=\frac{\sqrt{3}}{2}a+2=-1$

$a=\frac{2}{\sqrt{3}}\times(-3)=-2\sqrt{3}$

따라서

$$f\left(\frac{b^4}{a^2}\right)=f\left(\frac{4}{3}\right)=-2\sqrt{3}\sin\frac{4}{3}\pi+2=-2\sqrt{3}\times\left(-\frac{\sqrt{3}}{2}\right)+2=5$$

답 ⑤

10

$f(x)=x^3-3x^2+a\int_{-1}^{2}|f'(t)|\,dt$에서

$\int_{-1}^{2}|f'(t)|\,dt=k$ (k는 상수)로 놓으면

$f(x)=x^3-3x^2+ak$

$f'(x)=3x^2-6x=3x(x-2)$

$f'(x)=0$에서 $x=0$ 또는 $x=2$

즉, $-1\le x\le 0$에서 $f'(x)\ge 0$이고, $0\le x\le 2$에서 $f'(x)\le 0$이므로

$$k=\int_{-1}^{2}|f'(t)|\,dt=\int_{-1}^{0}f'(t)\,dt+\int_{0}^{2}\{-f'(t)\}\,dt$$

$$=\int_{-1}^{0}(3t^2-6t)\,dt+\int_{0}^{2}(-3t^2+6t)\,dt$$

$$=\Big[t^3-3t^2\Big]_{-1}^{0}+\Big[-t^3+3t^2\Big]_{0}^{2}=4+4=8$$

즉, $f(x)=x^3-3x^2+8a$이고 함수 $f(x)$의 증가와 감소를 표로 나타내면 다음과 같다.

x	$\cdots$	0	$\cdots$	2	$\cdots$
$f'(x)$	+	0	−	0	+
$f(x)$	↗	극대	↘	극소	↗

함수 $y=f(x)$의 그래프는 그림과 같고, $x\ge 0$일 때 함수 $f(x)$는 $x=2$에서 극소인 동시에 최소이므로 $x\ge 0$인 모든 실수 x에 대하여 $f(x)\ge 0$이 성립하려면 $f(2)\ge 0$이어야 한다.

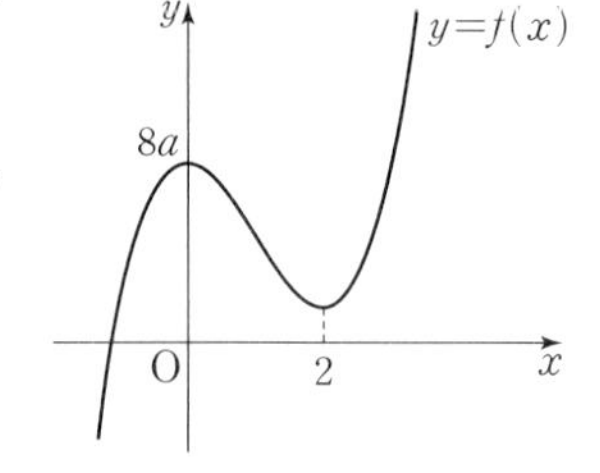

즉, $f(2)=8a-4\ge 0$에서 $a\ge\frac{1}{2}$

따라서 실수 a의 최솟값은 $\frac{1}{2}$이다.

답 ⑤

11

$|x+2|-1=m$에서 $|x+2|=m+1$

$x=m-1$ 또는 $x=-m-3$

$m>1$이므로 $m-1>-m-3$

그러므로 $f(m)=m-1$, $g(m)=-m-3$

$f(m)$의 제곱근 중 음수인 것은 $-\sqrt{f(m)}=-\sqrt{m-1}$

$g(m)$의 세제곱근 중 실수인 것은 $\sqrt[3]{g(m)}=\sqrt[3]{-m-3}$

$f(m)$의 제곱근 중 음수인 것의 값과 $g(m)$의 세제곱근 중 실수인 것의 값이 같으므로

$-\sqrt{m-1}=\sqrt[3]{-m-3}$, $\sqrt{m-1}=\sqrt[3]{m+3}$

양변을 여섯제곱하면

$(m-1)^3=(m+3)^2$, $m^3-3m^2+3m-1=m^2+6m+9$

$m^3-4m^2-3m-10=0$, $(m-5)(m^2+m+2)=0$

$m^2+m+2=\left(m+\frac{1}{2}\right)^2+\frac{7}{4}>0$이므로 $m=5$

따라서 $f(m)\times g(m)=f(5)\times g(5)=4\times(-8)=-32$

답 ①

12

$h(t)=f(|t|)$라 하면 모든 실수 t에 대하여 $h(-t)=h(t)$이므로

$$g(x)=\int_{-x}^{x}f(|t|)\,dt=\int_{-x}^{x}h(t)\,dt=2\int_{0}^{x}h(t)\,dt=2\int_{0}^{x}f(|t|)\,dt$$

이고, $x>0$일 때

$$g(x)=2\int_{0}^{x}f(t)\,dt \quad \cdots\cdots ㉠$$

또 모든 실수 x에 대하여

$$g(-x)=\int_{x}^{-x}f(|t|)\,dt=-\int_{-x}^{x}f(|t|)\,dt=-g(x) \quad \cdots\cdots ㉡$$

한편, 함수 $f(x)$는 최고차항의 계수가 양수이고 $f(0)=f(1)=0$인 삼차함수이므로

$f(x)=ax(x-1)(x-k)$ ($a>0$, k는 상수)

로 놓을 수 있다.

$$g(2)=2\int_{0}^{2}f(t)\,dt=2\int_{0}^{2}at(t-1)(t-k)\,dt$$

$$=2a\int_{0}^{2}\{t^3-(k+1)t^2+kt\}\,dt=2a\left[\frac{1}{4}t^4-\frac{k+1}{3}t^3+\frac{k}{2}t^2\right]_{0}^{2}$$

$$=2a\left\{4-\frac{8}{3}(k+1)+2k\right\}=\frac{4}{3}a(2-k)$$

이고 조건 (가)에서 $g(2)=0$이므로

$\frac{4}{3}a(2-k)=0$에서 $k=2$

그러므로 $f(x)=ax(x-1)(x-2)$

이때 $f(|x|)=\begin{cases} f(x) & (x\ge 0) \\ f(-x) & (x<0) \end{cases}$이므로 $x\ge 0$에서 함수 $y=f(|x|)$의 그래프는 함수 $y=f(x)$의 그래프와 같고, $x<0$에서 함수 $y=f(|x|)$의 그래프는 $x\ge 0$에서의 함수 $y=f(x)$의 그래프를 y축에 대하여 대칭이동한 것과 같으므로 함수 $y=f(|x|)$의 그래프는 다음 그림과 같다.

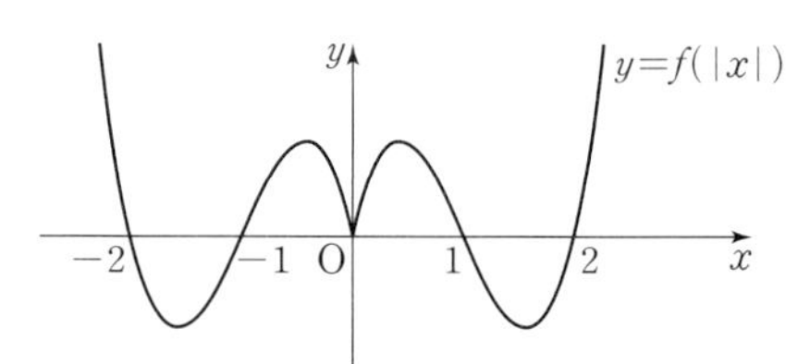

함수 $f(|x|)$가 실수 전체의 집합에서 연속이므로 함수 $g(x)$는 실수 전체의 집합에서 미분가능하다.

그러므로 $x>0$일 때 ㉠의 양변을 x에 대하여 미분하면 $g'(x)=2f(x)$이고, $x>0$일 때 함수 $g(x)$의 증가와 감소를 표로 나타내면 다음과 같다.

x	(0)	$\cdots$	1	$\cdots$	2	$\cdots$
$g'(x)$		+	0	−	0	+
$g(x)$	(0)	↗	극대	↘	극소	↗

함수 $g(x)$가 $x=0$에서 미분가능하고 $\lim_{x\to 0+}g'(x)=\lim_{x\to 0+}2f(x)=0$이므로 $g'(0)=0$이다.

또 $g(0)=0$이고, ㉡에 의하여 함수 $y=g(x)$의 그래프는 원점에 대하여 대칭이므로 함수 $y=g(x)$의 그래프의 개형은 다음 그림과 같다.

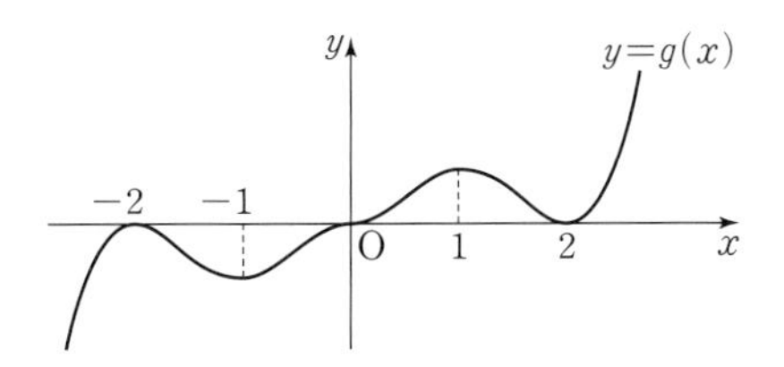

함수 $g(x)$는 $x=-1$, $x=2$에서 극소이고, 조건 (가)에 의하여 $g(2)=0$이므로 조건 (나)에 의하여 함수 $g(x)$의 모든 극솟값의 합이 -1이려면 $g(-1)=-1$이어야 한다.

㉡에 의하여 $g(-1)=-g(1)=-1$에서 $g(1)=1$

$$g(1)=\int_{-1}^{1} f(|t|)\,dt=2\int_{0}^{1} f(t)\,dt$$

$$=2a\int_{0}^{1}(t^3-3t^2+2t)\,dt=2a\left[\frac{1}{4}t^4-t^3+t^2\right]_0^1$$

$$=2a\left(\frac{1}{4}-1+1\right)=\frac{a}{2}$$

즉, $\frac{a}{2}=1$에서 $a=2$

따라서 $f(x)=2x(x-1)(x-2)$이므로

$f(3)=2\times3\times2\times1=12$

답 ⑤

13

삼각형 ABC에서 코사인법칙에 의하여

$$\overline{AC}^2=\overline{AB}^2+\overline{BC}^2-2\times\overline{AB}\times\overline{BC}\times\cos(\angle ABC)$$

$$=3^2+(\sqrt{5})^2-2\times3\times\sqrt{5}\times\left(-\frac{\sqrt{5}}{5}\right)$$

$$=20$$

$\overline{AC}=2\sqrt{5}$

$$\sin(\angle ABC)=\sqrt{1-\cos^2(\angle ABC)}=\sqrt{1-\left(-\frac{\sqrt{5}}{5}\right)^2}=\frac{2\sqrt{5}}{5}$$

삼각형 ABC의 외접원의 반지름의 길이를 R이라 하면 사인법칙에 의하여

$$\frac{\overline{AC}}{\sin(\angle ABC)}=2R$$

$$R=\frac{\overline{AC}}{2\sin(\angle ABC)}=\frac{2\sqrt{5}}{2\times\frac{2\sqrt{5}}{5}}=\frac{5}{2}$$

점 O는 삼각형 ABC의 외접원의 중심이므로 선분 AC의 수직이등분선 위에 있다.

그러므로 내접원의 중심이 O인 삼각형 ACD는 $\overline{AD}=\overline{CD}$인 이등변삼각형이다.

삼각형 ACD의 내접원의 반지름의 길이를 r, 선분 AC의 중점을 M이라 하면 직각삼각형 OAM에서

$$\overline{OM}^2=\overline{AO}^2-\overline{AM}^2=R^2-\left(\frac{\overline{AC}}{2}\right)^2$$

$$=\left(\frac{5}{2}\right)^2-\left(\frac{2\sqrt{5}}{2}\right)^2=\frac{5}{4}$$

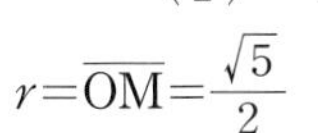

$r=\overline{OM}=\frac{\sqrt{5}}{2}$

점 O에서 선분 AD에 내린 수선의 발을 N이라 하면 두 직각삼각형 DAM, DON은 서로 닮은 도형이고 닮음비는

$\overline{AM}:\overline{ON}=\sqrt{5}:\frac{\sqrt{5}}{2}=2:1$

$\overline{AD}=x$라 하면 $\overline{DO}=\frac{x}{2}$, $\overline{DN}=\frac{1}{2}\overline{DM}$

점 O가 삼각형 ACD의 내접원의 중심이므로

$\overline{AN}=\overline{AM}$, $\angle DAE=\angle OAM$

$\overline{AD}=\overline{AN}+\overline{DN}=\overline{AM}+\frac{1}{2}\overline{DM}=\overline{AM}+\frac{1}{2}(\overline{DO}+\overline{OM})$에서

$$x=\sqrt{5}+\frac{1}{2}\left(\frac{x}{2}+\frac{\sqrt{5}}{2}\right)=\frac{1}{4}x+\frac{5\sqrt{5}}{4}$$

$$\frac{3}{4}x=\frac{5\sqrt{5}}{4}$$

$$\overline{AD}=x=\frac{5\sqrt{5}}{3}$$

$$\cos(\angle DAE)=\cos(\angle OAM)=\frac{\overline{AM}}{\overline{AO}}=\frac{\sqrt{5}}{\frac{5}{2}}=\frac{2\sqrt{5}}{5}$$

따라서 삼각형 DAE에서 코사인법칙에 의하여

$$\overline{DE}^2=\overline{AD}^2+\overline{AE}^2-2\times\overline{AD}\times\overline{AE}\times\cos(\angle DAE)$$

$$=\left(\frac{5\sqrt{5}}{3}\right)^2+5^2-2\times\frac{5\sqrt{5}}{3}\times5\times\frac{2\sqrt{5}}{5}=\frac{50}{9}$$

이므로 $\overline{DE}=\frac{5\sqrt{2}}{3}$

답 ②

14

삼차함수 $f(x)$의 최고차항의 계수가 1이고 $f'(-1)=f'(1)=0$이므로

$f'(x)=3(x+1)(x-1)=3x^2-3$

그러므로

$$f(x)=\int f'(x)\,dx=\int(3x^2-3)\,dx$$

$$=x^3-3x+C \text{ (단, } C\text{는 적분상수)}$$

함수 $f(x)$의 증가와 감소를 표로 나타내면 다음과 같다.

x	$\cdots$	-1	$\cdots$	1	$\cdots$
$f'(x)$	$+$	0	$-$	0	$+$
$f(x)$	↗	극대	↘	극소	↗

함수 $y=f(x)$의 그래프의 개형은 그림과 같다.

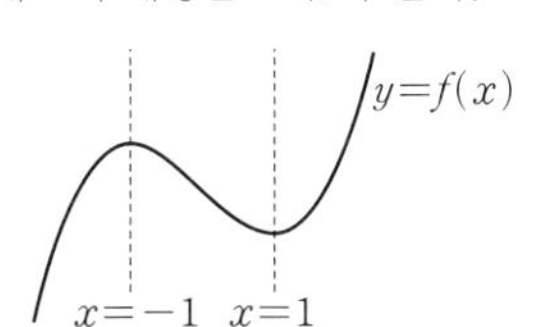

실수 t에 대하여 $x\le t$에서 함수 $y=g(x)$의 그래프는 함수 $y=f(x)$의 그래프와 같고, $x>t$에서 함수 $y=g(x)$의 그래프는 함수 $y=f(x)$의 그래프를 직선 $y=f(t)$에 대하여 대칭이동한 것과 같다.

$f(x)=f(1)$에서 $x^3-3x+C=-2+C$

$x^3-3x+2=0$, $(x+2)(x-1)^2=0$

$x=-2$ 또는 $x=1$

즉, $f(-2)=f(1)$

$f(x)=f(-1)$에서 $x^3-3x+C=2+C$

$x^3-3x-2=0$, $(x+1)^2(x-2)=0$

$x=-1$ 또는 $x=2$

즉, $f(2)=f(-1)$

또 함수 $y=x^3-3x$의 그래프가 원점에 대하여 대칭이므로 함수

$y=f(x)$의 그래프는 점 $(0, C)$에 대하여 대칭이고, 이때 실수 t의 값의 범위를 나누어 함수 $h(t)$를 구하면 다음과 같다.

(i) $t\le-2$일 때

함수 $y=g(x)$의 그래프의 개형은 그림과 같다.

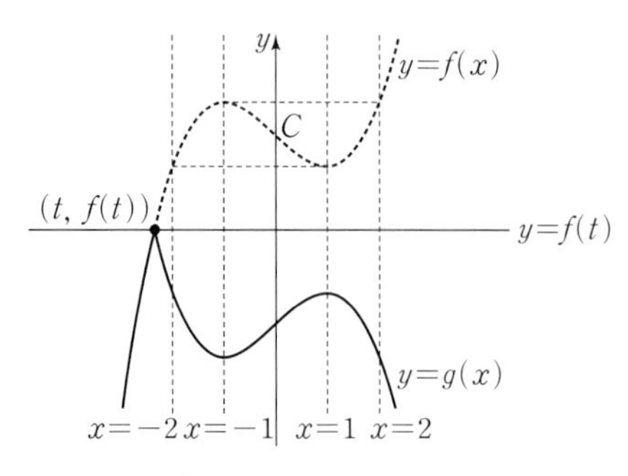

$h(t)=g(t)=f(t)=t^3-3t+C$

(ii) $-2<t\le-1$일 때

함수 $y=g(x)$의 그래프의 개형은 그림과 같다.

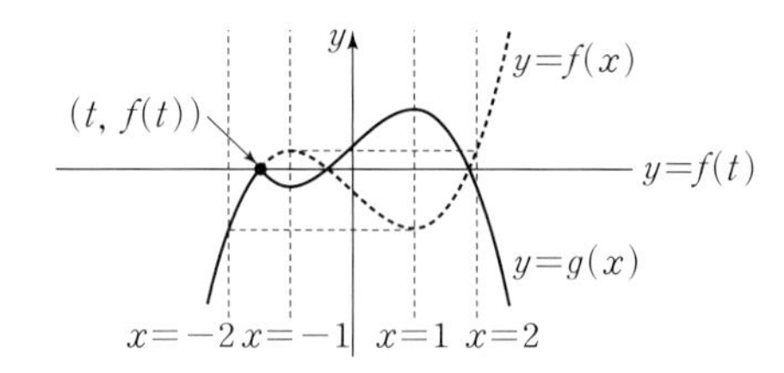

$h(t)=g(1)=-f(1)+2f(t)=2t^3-6t+2+C$

(iii) $-1<t\le0$일 때

함수 $y=g(x)$의 그래프의 개형은 그림과 같다.

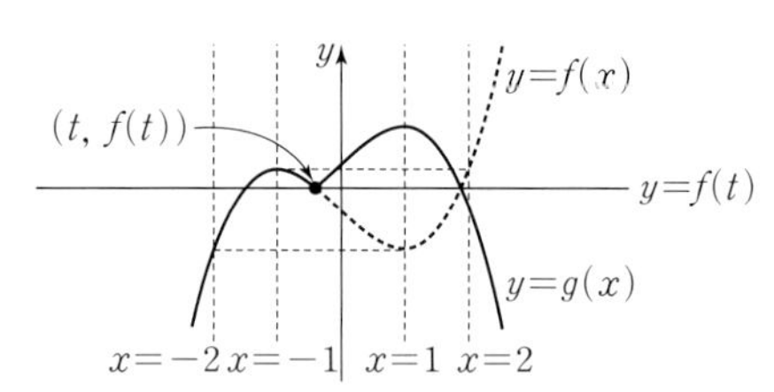

$h(t)=g(1)=-f(1)+2f(t)=2t^3-6t+2+C$

(iv) $0<t\le1$일 때

함수 $y=g(x)$의 그래프의 개형은 그림과 같다.

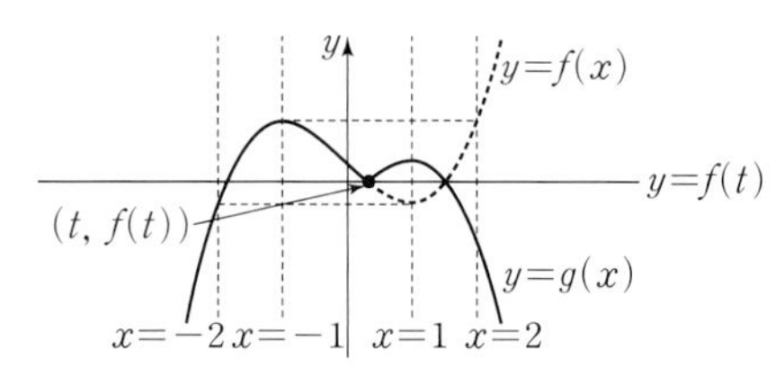

$h(t)=g(-1)=f(-1)=2+C$

(v) $1<t\le2$일 때

함수 $y=g(x)$의 그래프의 개형은 그림과 같다.

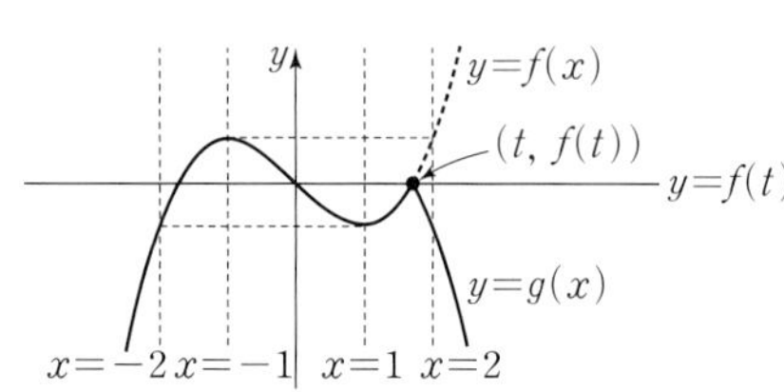

$h(t)=g(-1)=f(-1)=2+C$

(vi) $t>2$일 때

함수 $y=g(x)$의 그래프의 개형은 그림과 같다.

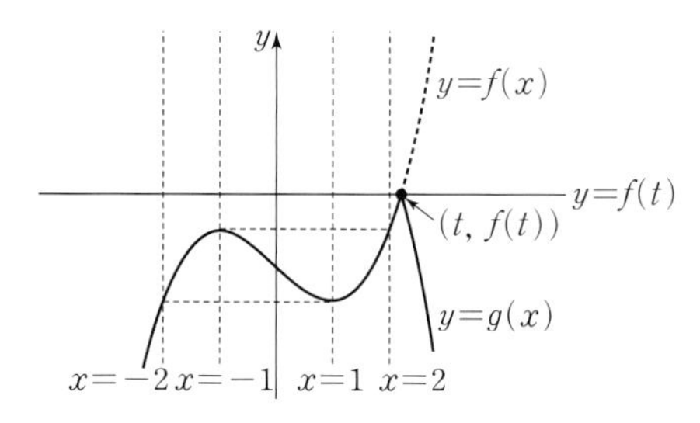

$h(t)=g(t)=f(t)=t^3-3t+C$

(i) ~ (vi)에 의하여 함수 $h(t)$는 다음과 같다.

$$h(t)=\begin{cases} t^3-3t+C & (t\le-2) \\ 2t^3-6t+2+C & (-2<t\le0) \\ 2+C & (0<t\le2) \\ t^3-3t+C & (t>2) \end{cases}$$

ㄱ. $h(0)=2+C$, $h(2)=2+C$이므로 $h(0)=h(2)$ (참)

ㄴ. $h(0)=0$에서 $2+C=0$, $C=-2$

함수 $g(x)$가 실수 전체의 집합에서 미분가능하므로 함수 $g(x)$는 $x=t$에서 미분가능해야 한다.

즉, $\lim_{x\to t-}\frac{g(x)-g(t)}{x-t}=\lim_{x\to t+}\frac{g(x)-g(t)}{x-t}$이어야 한다.

$$\lim_{x\to t-}\frac{g(x)-g(t)}{x-t}=\lim_{x\to t-}\frac{f(x)-f(t)}{x-t}=f'(t)$$

$$\lim_{x\to t+}\frac{g(x)-g(t)}{x-t}=\lim_{x\to t+}\frac{-f(x)+2f(t)-f(t)}{x-t}$$

$$=-\lim_{x\to t+}\frac{f(x)-f(t)}{x-t}=-f'(t)$$

즉, $f'(t)=-f'(t)$에서 $f'(t)=0$이므로

$t=-1$ 또는 $t=1$

따라서 $h(-1)=-2+6+2+C=6+C=4$, $h(1)=2+C=0$

이므로 $h(-1)+h(1)=4+0=4$ (거짓)

ㄷ. 함수 $y=h(t)$의 그래프는 그림과 같다.

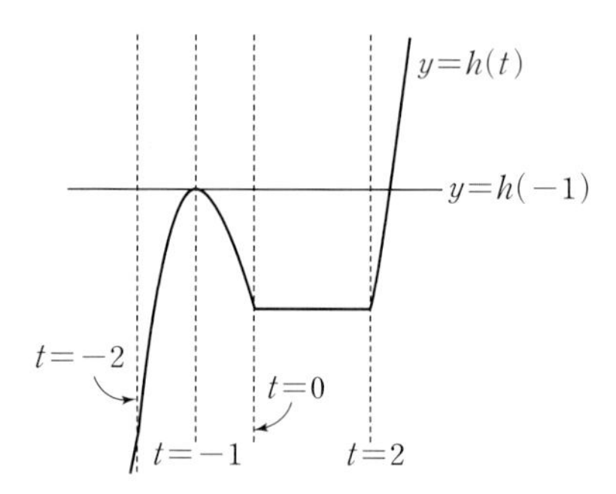

방정식 $h(t)=0$의 서로 다른 실근의 개수가 2이려면 함수 $y=h(t)$의 그래프와 t축이 서로 다른 두 점에서 만나야 하므로 $h(-1)=0$이어야 한다.

즉, $h(-1)=6+C=0$에서 $C=-6$

따라서 $h(0)=2+C=-4$ (참)

이상에서 옳은 것은 ㄱ, ㄷ이다.

답 ③

15

조건 (나)에서

$a_{n+1}\ge a_n$이면 $a_{n+2}=\frac{a_{n+1}}{2}$이고, $a_{n+1}\ge2>0$이므로 $a_{n+2}<a_{n+1}$

$a_{n+1}<a_n$이면 $a_{n+2}=4a_{n+1}-4$이므로

$a_{n+2}-a_{n+1}=(4a_{n+1}-4)-a_{n+1}=3a_{n+1}-4$

이때 $a_{n+1}\ge 2$이므로 $3a_{n+1}-4\ge 0$, 즉 $a_{n+2}\ge a_{n+1}$

그러므로 $a_{n+1}\ge a_n$이면 $a_{n+2}<a_{n+1}$이고,

$a_{n+1}<a_n$이면 $a_{n+2}\ge a_{n+1}$이다. …… ㉠

조건 (가)에서 $a_1=2$이고, 모든 항이 2 이상이므로 $a_2\ge a_1$

그러므로 자연수 n에 대하여

$$a_{n+2}=\begin{cases}\dfrac{a_{n+1}}{2} & (n\text{이 홀수인 경우})\\ 4a_{n+1}-4 & (n\text{이 짝수인 경우})\end{cases}$$

$a_k=k$, $a_{k+m}=k+m$을 만족시키는 자연수 k와 5 이하의 자연수 m의 값을 k가 홀수인 경우와 짝수인 경우로 나누어 찾아보자.

(ⅰ) k가 홀수인 경우

$a_k=k$에서

$a_{k+1}=4k-4$이고 $k+1=4k-4$, $k=\frac{5}{3}$

$a_{k+2}=\frac{4k-4}{2}=2k-2$이고 $k+2=2k-2$, $k=4$

$a_{k+3}=4(2k-2)-4=8k-12$이고 $k+3=8k-12$, $k=\frac{15}{7}$

$a_{k+4}=\frac{8k-12}{2}=4k-6$이고 $k+4=4k-6$, $k=\frac{10}{3}$

$a_{k+5}=4(4k-6)-4=16k-28$이고 $k+5=16k-28$, $k=\frac{33}{15}$

(ⅱ) k가 짝수인 경우

$a_k=k$에서

$a_{k+1}=\frac{k}{2}$이고 $k+1=\frac{k}{2}$, $k=-2$

$a_{k+2}=4\times\frac{k}{2}-4=2k-4$이고 $k+2=2k-4$, $k=6$

$a_{k+3}=\frac{2k-4}{2}=k-2$이고 $k+3=k-2$인 실수 k는 존재하지 않는다.

$a_{k+4}=4(k-2)-4=4k-12$이고 $k+4=4k-12$, $k=\frac{16}{3}$

$a_{k+5}=\frac{4k-12}{2}=2k-6$이고 $k+5=2k-6$, $k=11$

(ⅰ), (ⅱ)에서 조건을 만족시키는 k, m의 값은 $k=6$, $m=2$

따라서 $2k+m=2\times 6+2=14$

답 ②

참고

$a_2=\frac{9}{2}$, $a_3=\frac{9}{4}$, $a_4=5$, $a_5=\frac{5}{2}$, $a_6=6$, $a_7=3$, $a_8=8$

16

로그의 진수의 조건에 의하여

$x^2-1>0$에서 $x>1$ 또는 $x<-1$

$x+1>0$에서 $x>-1$

그러므로 $x>1$ …… ㉠

$\log_3(x^2-1)<1+\log_3(x+1)$에서

$\log_3(x^2-1)<\log_3\{3(x+1)\}$

밑 3이 1보다 크므로 $x^2-1<3(x+1)$에서

$x^2-3x-4<0$, $(x+1)(x-4)<0$

$-1<x<4$ …… ㉡

㉠, ㉡에 의하여 $1<x<4$

따라서 정수 x의 값은 2, 3이고, 그 개수는 2이다.

답 2

17

$f'(x)=3x^2+6x$에서

$f(x)=\int f'(x)\,dx=\int(3x^2+6x)\,dx$

$=x^3+3x^2+C$ (단, C는 적분상수)

이때

$f(1)=1+3+C=4+C$, $f'(1)=3+6=9$

이므로 $f(1)=f'(1)$에서

$4+C=9$, $C=5$

따라서 $f(x)=x^3+3x^2+5$이므로

$f(2)=2^3+3\times 2^2+5=25$

답 25

18

$b_n=\frac{a_n}{n^2+n}$으로 놓으면 $\sum_{k=1}^{n}b_k=\frac{2^n}{n+1}$

$n\ge 2$일 때,

$b_n=\sum_{k=1}^{n}b_k-\sum_{k=1}^{n-1}b_k=\frac{2^n}{n+1}-\frac{2^{n-1}}{n}$

$=\frac{n\times 2^n-(n+1)2^{n-1}}{n^2+n}=\frac{(n-1)2^{n-1}}{n^2+n}$

$n=1$일 때, $b_1=\frac{2^1}{1+1}=1$

즉, 수열 $\{b_n\}$은

$b_1=1$, $b_n=\frac{(n-1)2^{n-1}}{n^2+n}$ $(n\ge 2)$

이므로 수열 $\{a_n\}$은

$a_1=2$, $a_n=(n-1)2^{n-1}$ $(n\ge 2)$

따라서

$\sum_{k=1}^{5}a_k=a_1+a_2+a_3+a_4+a_5=2+2+2\times 2^2+3\times 2^3+4\times 2^4=100$

답 100

19

$f(x)=x^3+ax^2-a^2x+4$에서

$f'(x)=3x^2+2ax-a^2=(x+a)(3x-a)$

$f'(x)=0$에서 $x=-a$ 또는 $x=\frac{a}{3}$

함수 $f(x)$의 증가와 감소를 표로 나타내면 다음과 같다.

x	…	$-a$	…	$\frac{a}{3}$	…
$f'(x)$	+	0	−	0	+
$f(x)$	↗	극대	↘	극소	↗

함수 $f(x)$의 극솟값은

$f\left(\frac{a}{3}\right)=\left(\frac{a}{3}\right)^3+a\times\left(\frac{a}{3}\right)^2-a^2\times\frac{a}{3}+4=-\frac{5}{27}a^3+4$

이므로 $-\frac{5}{27}a^3+4=-1$에서

$a^3=5\times\frac{27}{5}=27$

$a>0$이므로 $a=3$이고, $f(x)=x^3+3x^2-9x+4$

$b<0$, $-a<0<\frac{a}{3}$이므로 닫힌구간 $[b,\ 0]$에서 함수 $f(x)$의 최솟값이 -1이 되기 위해서는 $f(b)=-1$이어야 한다.

즉, $b^3+3b^2-9b+4=-1$에서

$b^3+3b^2-9b+5=0$, $(b-1)^2(b+5)=0$

$b<0$이므로 $b=-5$

따라서 $a-b=3-(-5)=8$

답 8

20

$v(t)=a(t^2-2t)=at(t-2)$ $(a>0)$이므로 함수 $y=v(t)$의 그래프는 그림과 같다.

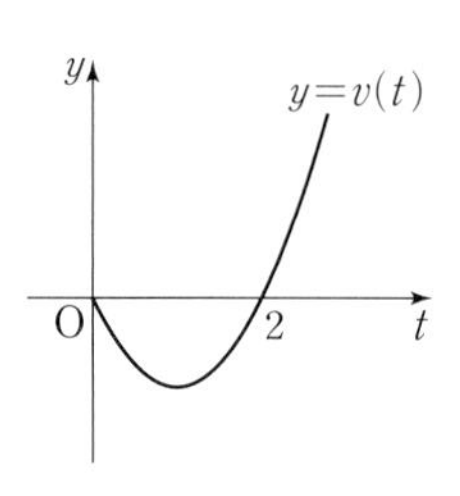

$0\le t\le 2$에서 $v(t)\le 0$이고, $t\ge 2$에서 $v(t)\ge 0$이므로 점 P의 시각 t에서의 위치를 $x(t)$라 하면 $x(t)$는 $t=2$에서 최소이다.

이때 점 P와 점 A(-10) 사이의 거리의 최솟값이 2이므로 $x(2)=-8$이어야 한다. 즉,

$$x(2)=\int_0^2 v(t)\,dt=a\int_0^2 (t^2-2t)\,dt$$

$$=a\left[\frac{1}{3}t^3-t^2\right]_0^2=a\left(\frac{8}{3}-4\right)=-\frac{4}{3}a$$

이므로 $-\frac{4}{3}a=-8$에서 $a=6$

따라서 $v(t)=6t^2-12t$이므로 점 P의 시각 t에서의 가속도는

$v'(t)=12t-12$

한편, 점 P가 출발한 후 처음으로 원점을 지나는 시각을 $t=k$ $(k>0)$이라 하면 $x(k)=0$이다.

$$x(k)=\int_0^k v(t)\,dt=\int_0^k (6t^2-12t)\,dt$$

$$=\left[2t^3-6t^2\right]_0^k=2k^3-6k^2$$

이므로 $2k^3-6k^2=0$에서

$2k^2(k-3)=0$

$k>0$이므로 $k=3$

따라서 점 P의 시각 $t=3$에서의 가속도는

$v'(3)=12\times 3-12=24$

답 24

참고

점 P와 점 A(-10) 사이의 거리의 최솟값이 2이므로

$|x(2)-(-10)|=2$, 즉 $|x(2)+10|=2$에서

$x(2)=-12$ 또는 $x(2)=-8$

그런데 $x(2)=-12$일 때 $0\le t\le 2$에서 $v(t)\le 0$이고 $x(t)$가 연속이며 $x(0)=0$이므로 사잇값의 정리에 의하여 $x(t)=-10$인 실수 t $(0<t<2)$가 존재한다.

즉, 점 P와 점 A(-10) 사이의 거리의 최솟값이 0이 되는 시각 t $(0<t<2)$가 존재하므로 조건을 만족시키지 않는다.

그러므로 $x(2)=-8$이다.

21

함수 $f(x)=2^{x-a}$의 역함수는 $f^{-1}(x)=\log_2 x+a$이고, 곡선 $y=f^{-1}(x)$를 x축의 방향으로 $-b$만큼, y축의 방향으로 $-b$만큼 평행이동한 곡선의 방정식은 $y=\log_2(x+b)+a-b$, 즉 $y=g(x)$이다.

…… ㉠

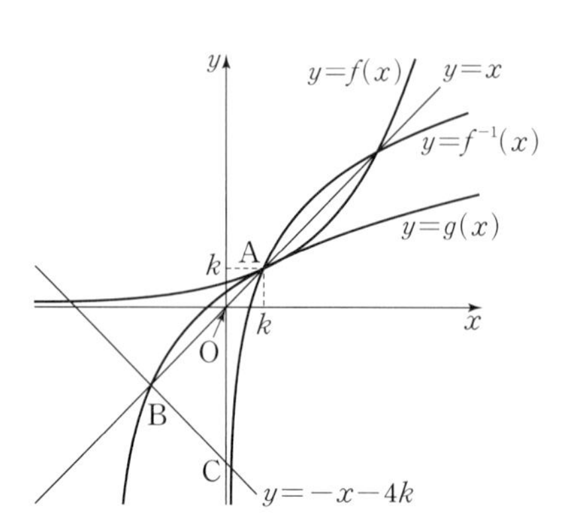

점 A$(k,\ k)$와 직선 $y=-x-4k$, 즉 $x+y+4k=0$ 사이의 거리는

$\frac{|k+k+4k|}{\sqrt{1^2+1^2}}=\frac{6k}{\sqrt{2}}$

삼각형 ABC의 넓이가 $6k^2$이므로

$\frac{1}{2}\times\frac{6k}{\sqrt{2}}\times\overline{BC}=6k^2$에서

$\overline{BC}=2\sqrt{2}k$

이때 점 B가 직선 $y=-x-4k$ 위의 점이므로

$\angle OCB=45^\circ$, $\overline{OC}=4k$에서 B$(-2k,\ -2k)$이다.

즉, 점 B는 곡선 $y=g(x)$와 직선 $y=x$가 만나는 점 중 A가 아닌 점이다.

곡선 $y=f(x)$가 직선 $y=x$와 만나는 점 중 A가 아닌 점을 D라 하면 ㉠에서 점 D를 x축의 방향으로 $-b$만큼, y축의 방향으로 $-b$만큼 평행이동한 점은 A$(k,\ k)$이고, 점 A를 x축의 방향으로 $-b$만큼, y축의 방향으로 $-b$만큼 평행이동한 점은 B$(-2k,\ -2k)$이므로

$b=3k$이고 D$(4k,\ 4k)$

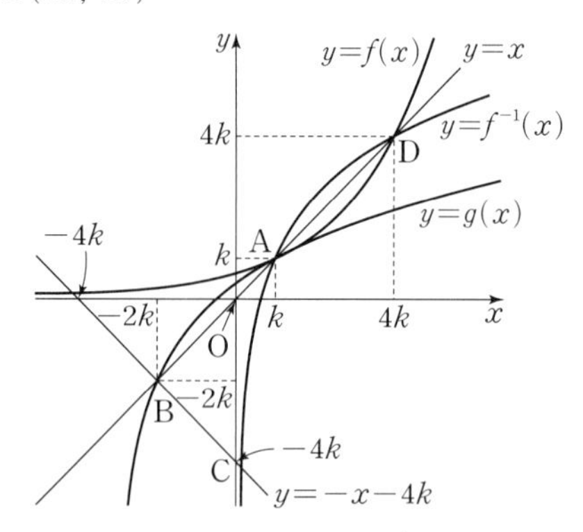

두 점 A$(k,\ k)$, D$(4k,\ 4k)$가 곡선 $y=f^{-1}(x)$ 위의 점이므로

$k=\log_2 k+a$ …… ㉡

$4k=\log_2 4k+a$ …… ㉢

㉢$-$㉡을 하면

$3k=\log_2 4k-\log_2 k=\log_2\frac{4k}{k}=2$에서

$k=\frac{2}{3}$

이 값을 ㉡에 대입하면

$\frac{2}{3}=\log_2\frac{2}{3}+a$에서

$a=\frac{2}{3}-\log_2\frac{2}{3}=\frac{2}{3}-(\log_2 2-\log_2 3)=-\frac{1}{3}+\log_2 3$

또한 $b=3k=3\times\frac{2}{3}=2$

따라서

$2a+b+k=2\left(-\frac{1}{3}+\log_2 3\right)+2+\frac{2}{3}=\log_2 9+2$

이므로

$2^{2a+b+k}=2^{\log_2 9+2}=2^{\log_2 9}\times 2^2=9\times 4=36$

답 36

22

$\int_{-1}^{1} f(t)\,dt=0$이면 $g(x)=0$이 되어 조건 (나)를 만족시키지 않으므로

$\int_{-1}^{1} f(t)\,dt>0$ 또는 $\int_{-1}^{1} f(t)\,dt<0$이다.

(i) $\int_{-1}^{1} f(t)\,dt>0$일 때

$g'(x)=\int_{-1}^{1} f(t)\,dt\times f(x)$이고, 함수 $f(x)$가 최고차항의 계수가 양수인 삼차함수이므로

$\lim_{x\to\infty} g'(x)=\infty$

즉, 함수 $g(x)$의 최댓값이 존재하지 않으므로 조건 (가)를 만족시키지 않는다.

(ii) $\int_{-1}^{1} f(t)\,dt<0$일 때

$g'(x)=\int_{-1}^{1} f(t)\,dt\times f(x)$이고, 조건 (가)에 의하여 함수 $g(x)$가 $x=2$에서 극대인 동시에 최대이므로

$g'(2)=0$에서 $f(2)=0$

그러므로 함수 $f(x)$를

$f(x)=\alpha(x+1)(x-2)(x-\beta)$ ($\alpha>0$, β는 상수)

로 놓을 수 있다.

이때

$$\begin{aligned}\int_{-1}^{1} f(t)\,dt&=\int_{-1}^{1} \alpha(t+1)(t-2)(t-\beta)\,dt\\&=\alpha\int_{-1}^{1}\{t^3-(\beta+1)t^2-(2-\beta)t+2\beta\}\,dt\\&=2\alpha\int_{0}^{1}\{-(\beta+1)t^2+2\beta\}\,dt\\&=2\alpha\left[-\frac{\beta+1}{3}t^3+2\beta t\right]_0^1\\&=\frac{2\alpha(5\beta-1)}{3}\end{aligned}$$

$\int_{-1}^{1} f(t)\,dt<0$이므로

$\frac{2\alpha(5\beta-1)}{3}<0$에서 $\beta<\frac{1}{5}$

한편, $\beta=-4$일 때, $\int_{-4}^{2} f(t)\,dt=0$이므로 β의 값의 범위를 나누어 $\int_{-1}^{1} f(t)\,dt<0$과 주어진 조건을 만족시키는 함수 $f(x)$를 구하면 다음과 같다.

① $\beta<-4$일 때

두 함수 $y=f(x)$, $y=g(x)$의 그래프의 개형은 [그림 1]과 같다.

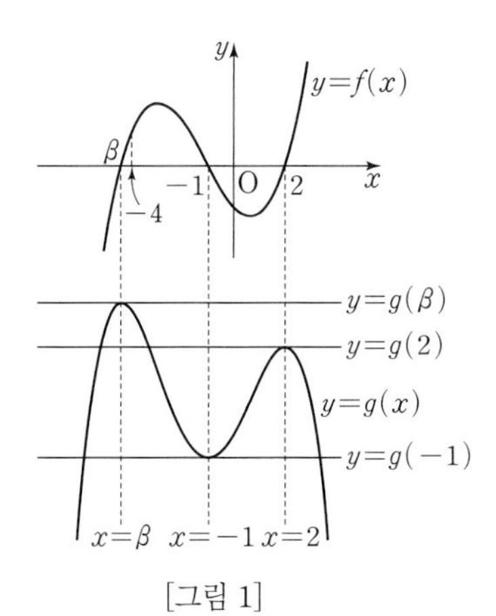

[그림 1]

이때 $g(\beta)>g(2)$이므로 조건 (가)를 만족시키지 않는다.

② $\beta=-4$일 때

두 함수 $y=f(x)$, $y=g(x)$의 그래프의 개형은 [그림 2]와 같다.

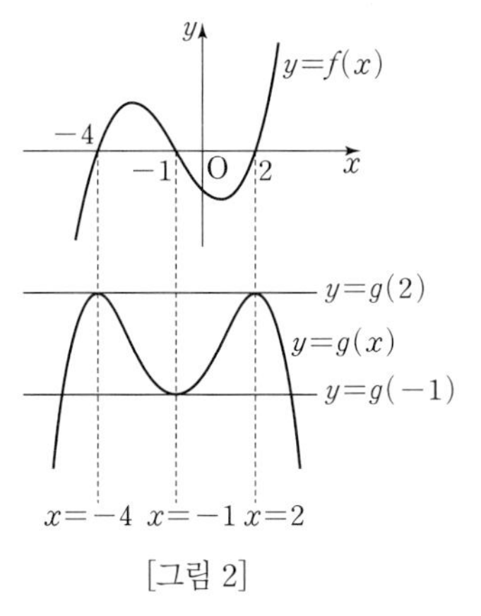

[그림 2]

함수 $h(k)$는 다음과 같다.

$$h(k)=\begin{cases}2 & (k<g(-1))\\3 & (k=g(-1))\\4 & (g(-1)<k<g(2))\\2 & (k=g(2))\\0 & (k>g(2))\end{cases}$$

이때 $\left|\lim_{k\to a+} h(k)-\lim_{k\to a-} h(k)\right|=2$를 만족시키는 a의 값은 $g(-1)$뿐이다.

그런데 $g(-1)=0$이므로 조건 (나)를 만족시키지 않는다.

③ $-4<\beta<-1$일 때

두 함수 $y=f(x)$, $y=g(x)$의 그래프의 개형은 [그림 3]과 같다.

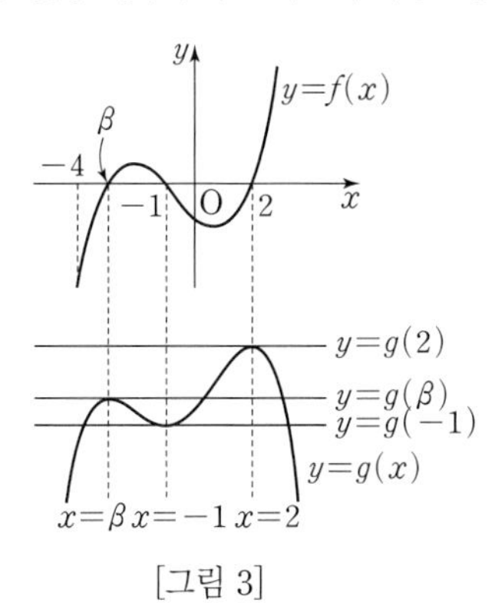

[그림 3]

함수 $h(k)$는 다음과 같다.

$$h(k)=\begin{cases} 2\ (k<g(-1)) \\ 3\ (k=g(-1)) \\ 4\ (g(-1)<k<g(\beta)) \\ 3\ (k=g(\beta)) \\ 2\ (g(\beta)<k<g(2)) \\ 1\ (k=g(2)) \\ 0\ (k>g(2)) \end{cases}$$

이때 $\left|\lim_{k\to a+} h(k)-\lim_{k\to a-} h(k)\right|=2$를 만족시키는 a의 값은 $g(2)$, $g(\beta)$, $g(-1)$이므로 조건 (나)를 만족시키지 않는다.

④ $\beta=-1$일 때

$f(x)=\alpha(x+1)^2(x-2)=\alpha(x^3-3x-2)$이고,

함수 $y=f(x)$와 그에 따른 함수 $y=g(x)$의 그래프의 개형은 [그림 4]와 같다.

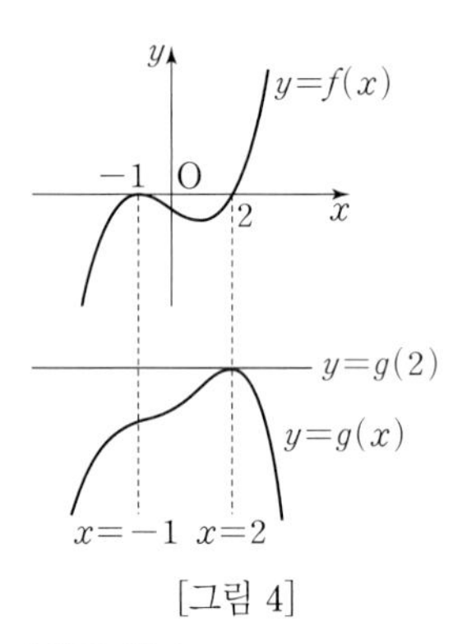

[그림 4]

함수 $h(k)$는 다음과 같다.

$$h(k)=\begin{cases} 2\ (k<g(2)) \\ 1\ (k=g(2)) \\ 0\ (k>g(2)) \end{cases}$$

이때 $\left|\lim_{k\to a+} h(k)-\lim_{k\to a-} h(k)\right|=2$를 만족시키는 a의 값은 $g(2)$뿐이므로 조건 (나)에 의하여 $g(2)=3$이어야 한다.

$$\int_{-1}^{1} f(t)\,dt=\int_{-1}^{1} \alpha(t^3-3t-2)\,dt=2\alpha\int_{0}^{1}(-2)\,dt$$

$$=2\alpha\Big[-2t\Big]_0^1=-4\alpha$$

$$\int_{-1}^{2} f(t)\,dt=\int_{-1}^{2} \alpha(t^3-3t-2)\,dt=\alpha\left[\frac{1}{4}t^4-\frac{3}{2}t^2-2t\right]_{-1}^{2}$$

$$=\alpha\left(-6-\frac{3}{4}\right)=-\frac{27}{4}\alpha$$

이므로

$$g(2)=\int_{-1}^{1} f(t)\,dt\times\int_{-1}^{2} f(t)\,dt$$

$$=(-4\alpha)\times\left(-\frac{27}{4}\alpha\right)$$

$$=27\alpha^2$$

즉, $27\alpha^2=3$에서 $\alpha>0$이므로 $\alpha=\frac{1}{3}$

그러므로 $f(x)=\frac{1}{3}x^3-x-\frac{2}{3}$

⑤ $-1<\beta<\frac{1}{5}$일 때

함수 $y=f(x)$와 그에 따른 함수 $y=g(x)$의 그래프의 개형은 [그림 5]와 같다.

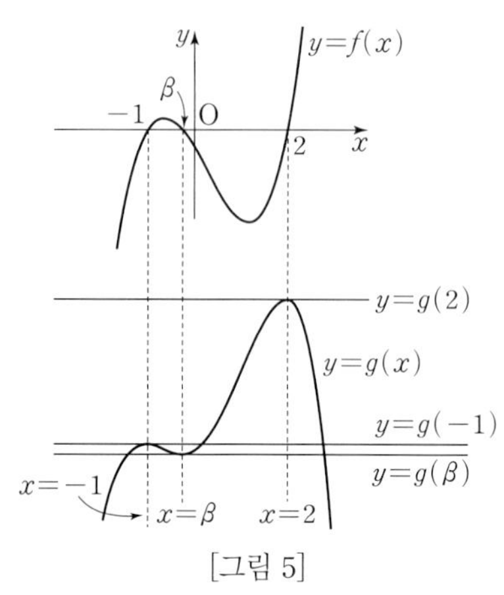

[그림 5]

함수 $h(k)$는 다음과 같다.

$$h(k)=\begin{cases} 2\ (k<g(\beta)) \\ 3\ (k=g(\beta)) \\ 4\ (g(\beta)<k<g(-1)) \\ 3\ (k=g(-1)) \\ 2\ (g(-1)<k<g(2)) \\ 1\ (k=g(2)) \\ 0\ (k>g(2)) \end{cases}$$

이때 $\left|\lim_{k\to a+} h(k)-\lim_{k\to a-} h(k)\right|=2$를 만족시키는 a의 값은 $g(2)$, $g(-1)$, $g(\beta)$이므로 조건 (나)를 만족시키지 않는다.

(i), (ii)에 의하여 $f(x)=\frac{1}{3}x^3-x-\frac{2}{3}$

따라서

$$g(0)=\int_{-1}^{1} f(t)\,dt\times\int_{-1}^{0} f(t)\,dt$$

$$=\int_{-1}^{1}\left(\frac{1}{3}t^3-t-\frac{2}{3}\right)dt\times\int_{-1}^{0}\left(\frac{1}{3}t^3-t-\frac{2}{3}\right)dt$$

$$=2\left[-\frac{2}{3}t\right]_0^1\times\left[\frac{1}{12}t^4-\frac{1}{2}t^2-\frac{2}{3}t\right]_{-1}^{0}$$

$$=-\frac{4}{3}\times\left(-\frac{1}{4}\right)=\frac{1}{3}$$

이므로 $30\times g(0)=30\times\frac{1}{3}=10$

답 10

참고

$g(\beta)=g(2)$인 β의 값은 다음과 같이 구할 수 있다.

$\int_{-1}^{\beta} f(t)\,dt=\int_{-1}^{2} f(t)\,dt$에서 $\int_{-1}^{2} f(t)\,dt-\int_{-1}^{\beta} f(t)\,dt=0$

즉, $\int_{-1}^{2} f(t)\,dt+\int_{\beta}^{-1} f(t)\,dt=0$에서 $\int_{\beta}^{2} f(t)\,dt=0$

$$\int_{\beta}^{2} f(t)\,dt=\alpha\int_{\beta}^{2}(t+1)(t-2)(t-\beta)\,dt$$

$$=\alpha\int_{\beta}^{2}\{t^3-(\beta+1)t^2-(2-\beta)t+2\beta\}\,dt$$

$$=\alpha\left[\frac{1}{4}t^4-\frac{\beta+1}{3}t^3-\frac{2-\beta}{2}t^2+2\beta t\right]_{\beta}^{2}$$

$$=\frac{\alpha}{12}(\beta^4-2\beta^3-12\beta^2+40\beta-32)=\frac{\alpha}{12}(\beta-2)^3(\beta+4)$$

$\beta<\frac{1}{5}$이므로 $\frac{\alpha}{12}(\beta-2)^3(\beta+4)=0$에서 $\beta=-4$

그러므로 $\int_{-4}^{2} f(t)\,dt=0$

23

점 A(1, −3, 2)를 xy평면에 대하여 대칭이동한 점 P의 좌표는

(1, −3, −2)이고,

점 A(1, −3, 2)를 z축에 대하여 대칭이동한 점 Q의 좌표는

(−1, 3, 2)이다.

따라서 선분 PQ의 길이는

$\sqrt{(-1-1)^2+\{3-(-3)\}^2+\{2-(-2)\}^2}=\sqrt{4+36+16}=2\sqrt{14}$

답 ④

24

포물선의 정의에 의하여 두 점 F(1, 0), (0, a) 사이의 거리는

점 (0, a)와 준선 $x=-3$ 사이의 거리와 같으므로

$\sqrt{(0-1)^2+(a-0)^2}=|0-(-3)|$

$\sqrt{a^2+1}=3$, $a^2=8$

$a>0$이므로 $a=2\sqrt{2}$

답 ④

25

점 F(c, 0)이 타원 $\dfrac{x^2}{9}+\dfrac{y^2}{a^2}=1$의 한 초점이므로

$c^2=9-a^2$ ...... ㉠

$\overline{\text{PF}}=k$로 놓으면 직각삼각형 PF′F에서

$\overline{\text{FF'}}=\overline{\text{PF}}\tan\dfrac{\pi}{3}=\sqrt{3}k$

$\overline{\text{PF'}}=\dfrac{\overline{\text{PF}}}{\cos\dfrac{\pi}{3}}=2k$

타원의 장축의 길이가 6이므로

$\overline{\text{PF'}}+\overline{\text{PF}}=2k+k=3k=6$에서 $k=2$

이때 $\overline{\text{FF'}}=2\sqrt{3}$에서 $c=\sqrt{3}$이므로 P($\sqrt{3}$, 2)

또 ㉠에서 $a^2=9-c^2=9-3=6$이므로

타원의 방정식은 $\dfrac{x^2}{9}+\dfrac{y^2}{6}=1$

따라서 타원 $\dfrac{x^2}{9}+\dfrac{y^2}{6}=1$ 위의 점 P($\sqrt{3}$, 2)에서의 접선의 방정식은

$\dfrac{\sqrt{3}}{9}x+\dfrac{2}{6}y=1$, 즉 $y=-\dfrac{\sqrt{3}}{3}x+3$

이므로 구하는 접선의 y절편은 3이다.

답 ①

26

점 B의 좌표를 (a, b) $(a>0, b>0)$, 점 P의 좌표를 (x, y)라 하자.

$$\begin{aligned}|\overrightarrow{\text{OP}}-(\overrightarrow{\text{OA}}+\overrightarrow{\text{OB}})|&=|(x, y)-((0, 2)+(a, b))|\\&=|(x-a, y-b-2)|\\&=\sqrt{(x-a)^2+(y-b-2)^2}\end{aligned}$$

$\overrightarrow{\text{OA}}\cdot\overrightarrow{\text{OB}}=(0, 2)\cdot(a, b)=2b$

$|\overrightarrow{\text{OP}}-(\overrightarrow{\text{OA}}+\overrightarrow{\text{OB}})|=\overrightarrow{\text{OA}}\cdot\overrightarrow{\text{OB}}$에서

$\sqrt{(x-a)^2+(y-b-2)^2}=2b$

양변을 제곱하면

$(x-a)^2+(y-b-2)^2=4b^2$

그러므로 점 P(x, y)가 나타내는 도형 D는 중심의 좌표가 $(a, b+2)$이고 반지름의 길이가 $2b$인 원이다.

이 원이 y축과 한 점에서만 만나므로

$a=2b$

이 원이 점 $\left(2, \dfrac{1}{2}\right)$을 지나므로

$(2-2b)^2+\left(\dfrac{1}{2}-b-2\right)^2=4b^2$

$(2b-2)^2+\left(b+\dfrac{3}{2}\right)^2=4b^2$

$4b^2-8b+4+b^2+3b+\dfrac{9}{4}=4b^2$

$b^2-5b+\dfrac{25}{4}=0$

$\left(b-\dfrac{5}{2}\right)^2=0$

$b=\dfrac{5}{2}$

따라서 도형 D의 둘레의 길이는

$2\pi\times2b=2\pi\times5=10\pi$

답 ②

27

점 A(0, 6, 2)에서 xy평면에 내린 수선의 발을 H라 하면

H(0, 6, 0)

$\overline{\text{AH}}\perp(xy$평면$)$이고 $\overline{\text{AB}}\perp m$이므로 삼수선의 정리에 의하여

$\overline{\text{BH}}\perp m$이고, $\angle\text{ABH}=\dfrac{\pi}{6}$

직각삼각형 ABH에서

$\overline{\text{AB}}=\dfrac{\overline{\text{AH}}}{\sin\dfrac{\pi}{6}}=\dfrac{2}{\dfrac{1}{2}}=4$

$\overline{\text{BH}}=\overline{\text{AB}}\cos\dfrac{\pi}{6}=4\times\dfrac{\sqrt{3}}{2}=2\sqrt{3}$

이때 $\overline{\text{OA}}=\sqrt{0^2+6^2+2^2}=2\sqrt{10}$이므로 직각삼각형 OAB에서

$\overline{\text{OB}}=\sqrt{\overline{\text{OA}}^2-\overline{\text{AB}}^2}=\sqrt{(2\sqrt{10})^2-4^2}=2\sqrt{6}$

그러므로 $\cos\theta_1=\dfrac{\overline{\text{OB}}}{\overline{\text{OA}}}=\dfrac{2\sqrt{6}}{2\sqrt{10}}=\dfrac{\sqrt{3}}{\sqrt{5}}$

또 $\theta_2=\dfrac{\pi}{2}-\angle\text{BOH}$이므로 직각삼각형 OBH에서

$\cos\theta_2=\cos\left(\dfrac{\pi}{2}-\angle\text{BOH}\right)=\sin(\angle\text{BOH})=\dfrac{\overline{\text{BH}}}{\overline{\text{OH}}}=\dfrac{2\sqrt{3}}{6}=\dfrac{\sqrt{3}}{3}$

따라서 $\left(\dfrac{\cos\theta_1}{\cos\theta_2}\right)^2=\left(\dfrac{\dfrac{\sqrt{3}}{\sqrt{5}}}{\dfrac{\sqrt{3}}{3}}\right)^2=\dfrac{9}{5}$

답 ⑤

28

$c^2=4+12=16$에서 $c=4$이므로

$F(4, 0)$, $F'(-4, 0)$

$\overline{FF'}=4-(-4)=8$

쌍곡선의 정의에 의하여

$\overline{PF'}-\overline{PF}=\overline{QF}-\overline{QF'}=2\times2=4$

$\overline{PF}=k$라 하면 $\overline{PF}:\overline{QF'}=1:3$에서 $\overline{QF'}=3k$이므로

$\overline{PF'}=\overline{PF}+4=k+4$

$\overline{QF}=\overline{QF'}+4=3k+4$

$\angle PFF'=\angle QF'P=\theta$라 하면

삼각형 PF'F에서 코사인법칙에 의하여

$$\cos\theta=\frac{\overline{PF}^2+\overline{FF'}^2-\overline{PF'}^2}{2\times\overline{PF}\times\overline{FF'}}=\frac{k^2+8^2-(k+4)^2}{2\times k\times 8}=\frac{6-k}{2k}$$

삼각형 QF'P에서 코사인법칙에 의하여

$$\cos\theta=\frac{\overline{QF'}^2+\overline{PF'}^2-\overline{PQ}^2}{2\times\overline{QF'}\times\overline{PF'}}=\frac{(3k)^2+(k+4)^2-(4\sqrt{10})^2}{2\times3k\times(k+4)}=\frac{5k^2+4k-72}{3k(k+4)}$$

$\dfrac{6-k}{2k}=\dfrac{5k^2+4k-72}{3k(k+4)}$이므로

$3(k+4)(6-k)=2(5k^2+4k-72)$

$13k^2+2k-216=0$

$(k-4)(13k+54)=0$

$k>0$이므로 $k=4$

따라서

$\overline{PF'}+\overline{QF}=(k+4)+(3k+4)=4k+8=4\times4+8=24$

답 ③

29

조건 (가)에서 $\overrightarrow{BP}\cdot\overrightarrow{BA}=2\overrightarrow{BP}\cdot\overrightarrow{BC}$이므로

$\overrightarrow{BP}\cdot\overrightarrow{BA}-2\overrightarrow{BP}\cdot\overrightarrow{BC}=0$

즉, $\overrightarrow{BP}\cdot(\overrightarrow{BA}-2\overrightarrow{BC})=0$

$\overrightarrow{BD}=2\overrightarrow{BC}$라 하면

$$\begin{aligned}\overrightarrow{BP}\cdot(\overrightarrow{BA}-2\overrightarrow{BC})&=\overrightarrow{BP}\cdot(\overrightarrow{BA}-\overrightarrow{BD})\\&=\overrightarrow{BP}\cdot\overrightarrow{DA}=0 \quad\cdots\cdots ㉠\end{aligned}$$

이때 $\overline{CA}=\overline{CB}=\overline{CD}=2$이므로 점 A는 점 C를 중심으로 하고 반지름의 길이가 2인 원 위의 점이다.

즉, $\angle BAD=\dfrac{\pi}{2}$

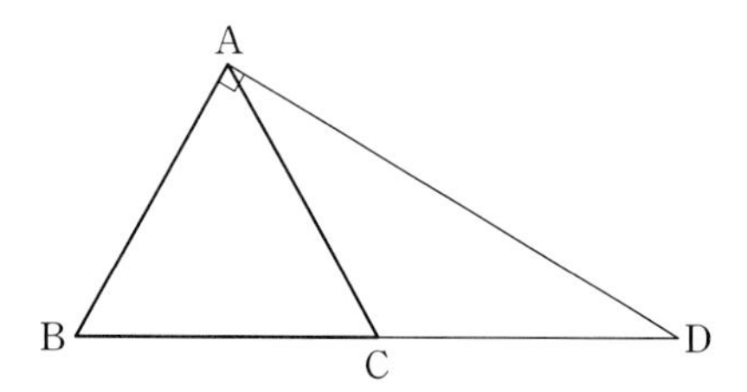

㉠에서 두 벡터 $\overrightarrow{BP}$, $\overrightarrow{DA}$가 서로 수직이므로 점 P는 직선 AB 위의 점이다.

또 조건 (가)에서 $\overrightarrow{BP}\cdot\overrightarrow{BA}=-2$이므로 두 벡터 $\overrightarrow{BP}$, $\overrightarrow{BA}$는 서로 방향이 반대이고, 이때 $|\overrightarrow{BA}|=2$이므로 $|\overrightarrow{BP}|=1$이다.

조건 (나)에서 점 Q는 선분 AC를 지름으로 하는 원 위의 점이므로 이 원을 O라 하자.

선분 AC의 중점을 E라 하면 원 O는 점 E를 중심으로 하고 반지름의 길이가 1인 원이다.

한편,

$$\begin{aligned}\overrightarrow{CP}\cdot\overrightarrow{BQ}&=\overrightarrow{CP}\cdot(\overrightarrow{BE}+\overrightarrow{EQ})\\&=\overrightarrow{CP}\cdot\overrightarrow{BE}+\overrightarrow{CP}\cdot\overrightarrow{EQ} \quad\cdots\cdots ㉡\end{aligned}$$

이므로 $\overrightarrow{CP}\cdot\overrightarrow{BE}$의 값과 $\overrightarrow{CP}\cdot\overrightarrow{EQ}$의 최댓값, 최솟값을 각각 구하여 $\overrightarrow{CP}\cdot\overrightarrow{BQ}$의 최댓값과 최솟값을 구하면 다음과 같다.

(i) [그림 1]과 같이 점 P에서 선분 CB의 연장선에 내린 수선의 발을 P'이라 하자.

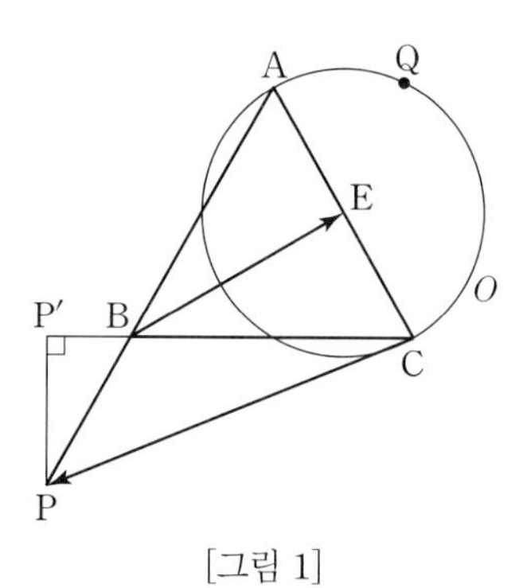

[그림 1]

직각삼각형 BPP'에서

$\overline{BP'}=\overline{BP}\cos\dfrac{\pi}{3}=1\times\dfrac{1}{2}=\dfrac{1}{2}$

$\overline{PP'}=\overline{BP}\sin\dfrac{\pi}{3}=1\times\dfrac{\sqrt{3}}{2}=\dfrac{\sqrt{3}}{2}$

그러므로 직각삼각형 CPP'에서

$$\overline{CP}=\sqrt{\overline{CP'}^2+\overline{PP'}^2}=\sqrt{\left(2+\frac{1}{2}\right)^2+\left(\frac{\sqrt{3}}{2}\right)^2}=\sqrt{7}$$

이때

$$\begin{aligned}\overrightarrow{CP}\cdot\overrightarrow{BE}&=\overrightarrow{CP}\cdot(\overrightarrow{CE}-\overrightarrow{CB})\\&=\overrightarrow{CP}\cdot\overrightarrow{CE}-\overrightarrow{CP}\cdot\overrightarrow{CB} \quad\cdots\cdots ㉢\end{aligned}$$

삼각형 ACP에서 코사인법칙에 의하여

$$\cos(\angle ACP)=\frac{\overline{AC}^2+\overline{CP}^2-\overline{AP}^2}{2\times\overline{AC}\times\overline{CP}}=\frac{2^2+(\sqrt{7})^2-3^2}{2\times2\times\sqrt{7}}=\frac{1}{2\sqrt{7}}$$

이므로

$$\begin{aligned}\overrightarrow{CP}\cdot\overrightarrow{CE}&=|\overrightarrow{CP}||\overrightarrow{CE}|\cos(\angle ACP)\\&=\sqrt{7}\times1\times\frac{1}{2\sqrt{7}}=\frac{1}{2}\end{aligned}$$

또

$$\begin{aligned}\overrightarrow{CP}\cdot\overrightarrow{CB}&=|\overrightarrow{CP}||\overrightarrow{CB}|\cos(\angle BCP)\\&=|\overrightarrow{CB}||\overrightarrow{CP}|\cos(\angle BCP)\\&=\overline{CB}\times\overline{CP'}\\&=2\times\frac{5}{2}=5\end{aligned}$$

이므로 ㉢에서

$\overrightarrow{CP}\cdot\overrightarrow{BE}=\dfrac{1}{2}-5=-\dfrac{9}{2}$

(ii) [그림 2]와 같이 점 E를 지나고 직선 CP에 평행한 직선이 원 O와 만나는 두 점 중 점 C에서 먼 점을 E_1, 점 C에서 가까운 점을 E_2라 하자.

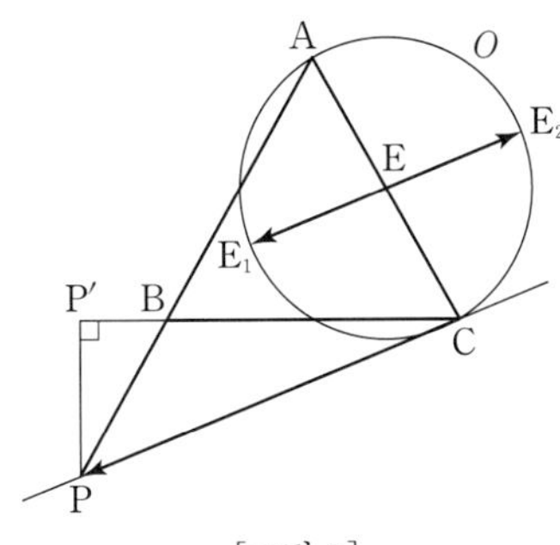

[그림 2]

$\overrightarrow{CP}\cdot\overrightarrow{EQ}$의 값은 점 Q가 점 E_1의 위치에 있을 때 최대이고, 점 Q가 점 E_2의 위치에 있을 때 최소이다.

이때

$\overrightarrow{CP}\cdot\overrightarrow{EE_1}=|\overrightarrow{CP}||\overrightarrow{EE_1}|\cos 0=\sqrt{7}\times1\times1=\sqrt{7}$,

$\overrightarrow{CP}\cdot\overrightarrow{EE_2}=|\overrightarrow{CP}||\overrightarrow{EE_2}|\cos \pi=\sqrt{7}\times1\times(-1)=-\sqrt{7}$

이므로 $-\sqrt{7}\le\overrightarrow{CP}\cdot\overrightarrow{EQ}\le\sqrt{7}$

㉡에서 (i), (ii)에 의하여 $\overrightarrow{CP}\cdot\overrightarrow{BQ}$의 최댓값 M과 최솟값 m은

$M=-\frac{9}{2}+\sqrt{7}$, $m=-\frac{9}{2}-\sqrt{7}$이므로

$$4(M^2+m^2)=4\left\{\left(-\frac{9}{2}+\sqrt{7}\right)^2+\left(-\frac{9}{2}-\sqrt{7}\right)^2\right\}$$

$$=4\times\frac{109}{2}=218$$

답 218

참고

(i)에서 $\overrightarrow{CP}\cdot\overrightarrow{BE}$의 값을 다음과 같이 구할 수도 있다.

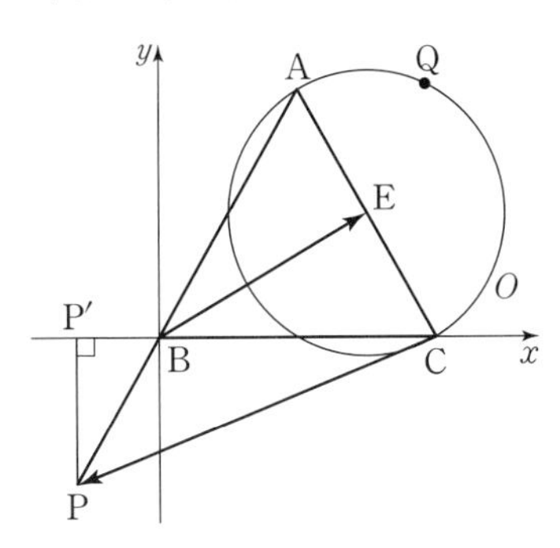

그림과 같이 삼각형 ABC를 점 B를 원점, 직선 BC를 x축, 점 B를 지나고 직선 BC에 수직인 직선을 y축으로 하는 좌표평면 위에 놓으면 삼각형 ABC는 한 변의 길이가 2인 정삼각형이므로

$A(1, \sqrt{3})$, $C(2, 0)$

점 E는 선분 AC의 중점이므로 $E\left(\frac{3}{2}, \frac{\sqrt{3}}{2}\right)$

점 P에서 x축에 내린 수선의 발을 P′이라 하면 $\overline{BP}=1$이므로

직각삼각형 BPP′에서

$\overline{BP'}=\overline{BP}\cos\frac{\pi}{3}=1\times\frac{1}{2}=\frac{1}{2}$

$\overline{PP'}=\overline{BP}\sin\frac{\pi}{3}=1\times\frac{\sqrt{3}}{2}=\frac{\sqrt{3}}{2}$

즉, $P\left(-\frac{1}{2}, -\frac{\sqrt{3}}{2}\right)$이므로

$\overrightarrow{CP}\cdot\overrightarrow{BE}=(\overrightarrow{BP}-\overrightarrow{BC})\cdot\overrightarrow{BE}$

$=\left(-\frac{5}{2}, -\frac{\sqrt{3}}{2}\right)\cdot\left(\frac{3}{2}, \frac{\sqrt{3}}{2}\right)$

$=-\frac{15}{4}-\frac{3}{4}$

$=-\frac{9}{2}$

30

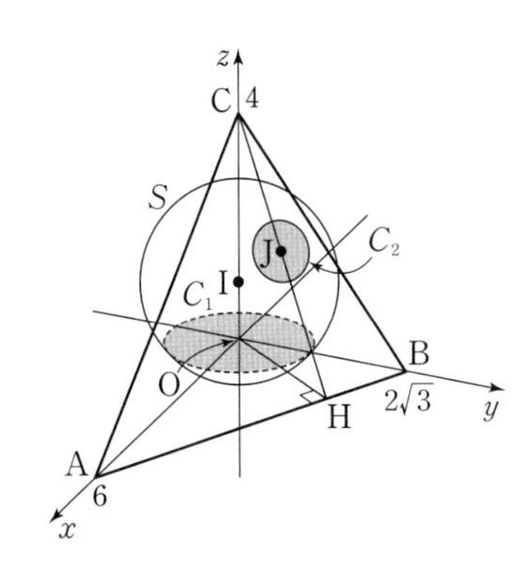

$\overline{AB}=\sqrt{6^2+(2\sqrt{3})^2}=4\sqrt{3}$

원점 O에서 선분 AB에 내린 수선의 발을 H라 하면 삼각형 ABO의 넓이에서

$\frac{1}{2}\times\overline{OA}\times\overline{OB}=\frac{1}{2}\times\overline{AB}\times\overline{OH}$

$\frac{1}{2}\times6\times2\sqrt{3}=\frac{1}{2}\times4\sqrt{3}\times\overline{OH}$

$\overline{OH}=3$

구 S의 중심을 I, 원 C_2의 중심을 J라 하면 점 I에서 평면 ABC에 내린 수선의 발이 J이다.

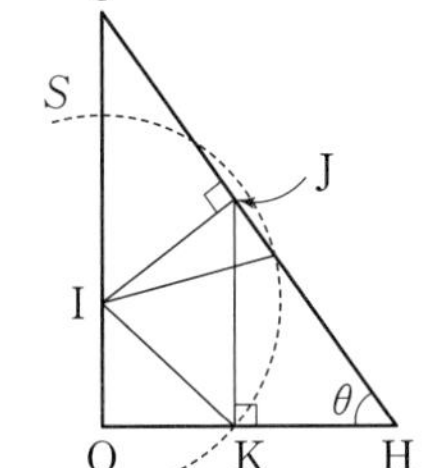

조건 (나)에 의하여 점 J의 xy평면 위로의 정사영은 원 C_1 위에 있고, 이 점을 K라 하자.

$\overline{KH}=\overline{OH}-\overline{OK}=3-\frac{4}{3}=\frac{5}{3}$

$\overline{CH}=\sqrt{\overline{OH}^2+\overline{CO}^2}=\sqrt{9+16}=5$

삼수선의 정리에 의하여 $\overline{CH}\perp\overline{AB}$이므로

$\angle OHC=\theta$라 하면 θ는 평면 ABC와 xy평면이 이루는 각의 크기이고

$\cos\theta=\frac{\overline{OH}}{\overline{CH}}=\frac{3}{5}$, $\sin\theta=\frac{4}{5}$, $\tan\theta=\frac{4}{3}$

$\overline{JH}=\frac{\overline{KH}}{\cos\theta}=\frac{\frac{5}{3}}{\frac{3}{5}}=\frac{25}{9}$

$\overline{CJ}=\overline{CH}-\overline{JH}=5-\frac{25}{9}=\frac{20}{9}$

$\angle CIJ=\theta$이므로

$\overline{CI}=\frac{\overline{CJ}}{\sin\theta}=\frac{\frac{20}{9}}{\frac{4}{5}}=\frac{25}{9}$, $\overline{IJ}=\frac{\overline{CJ}}{\tan\theta}=\frac{\frac{20}{9}}{\frac{4}{3}}=\frac{5}{3}$

$\overline{IO}=\overline{CO}-\overline{CI}=4-\frac{25}{9}=\frac{11}{9}$

구 S의 반지름의 길이를 R, 원 C_2의 반지름의 길이를 r이라 하면 직각삼각형 IOK에서

$R^2=\overline{IK}^2=\overline{IO}^2+\overline{OK}^2=\left(\frac{11}{9}\right)^2+\left(\frac{4}{3}\right)^2=\frac{265}{81}$

빗변의 길이가 R, 밑변의 길이가 r이고 높이가 $\overline{IJ}$인 직각삼각형에서

$r^2=R^2-\overline{\mathrm{IJ}}^2=\frac{265}{81}-\frac{25}{9}=\frac{40}{81}$

이므로 원 C_2의 xy평면 위로의 정사영의 넓이는

$\pi r^2\times\cos\theta=\pi\times\frac{40}{81}\times\frac{3}{5}=\frac{8}{27}\pi$

따라서 $p=27$, $q=8$이므로

$p+q=27+8=35$

답 35